Harenberg
Kulturführer
Kammermusik

Harenberg Kulturführer Kammermusik

3., völlig neu bearbeitete Auflage

MEYERS LEXIKONVERLAG

Bibliografische Information der Deutschen Nationalbibliothek
Die Deutsche Nationalbibliothek verzeichnet diese Publikation in der Deutschen Nationalbibliografie;
detaillierte bibliografische Daten sind im Internet über http://dnb.ddb.de abrufbar.

Printed in Germany

ISBN 978-3-411-07093-0

Projektleitung Jürgen Hotz M.A.
Redaktion Brigitte Esser, Christian Möller, Klaus Stübler M.A.
Bildredaktion Brigitte Esser
Autoren Alfred Beaujean (BEAU), Dr. Christoph Flamm (FL), Selke Harten-Strehk M.A. (HAR), Astrid
Hippchen (HI), Michael Hoffmann (HO), Dr. Peter Jost (JO), Dr. Ulrike Kranefeld (KRA), Dr. Michael
Kube (KU), Dr. Dirk Möller (MÖ), Dr. Gerhard Pätzig (PÄ), Gerhard Persché (PE), Dr. Wolfgang Stähr
(STÄ), Dr. Christian Strehk (STR), Klaus Stübler M.A. (STÜ), Matthias Walz (WA), Prof. Eike Wernhard
(WE), Dr. Hans Christoph Worbs (WO), Peter Zacher (ZA)
Auswahl der Einspielungen James Jolly, Klaus Stübler M.A.

Herstellung Fritz Hieble
Layout Horst Bachmann
Umschlaggestaltung glas ag, Seeheim-Jugenheim
Umschlagabbildungen Mandelringquartett: Studio Jørgensen, Dachau;
Floral Background: Getty Images, München
Satz A–Z Satztechnik GmbH, Mannheim (PageOne, alfa Media Partner GmbH)
Druck und Bindung Mohn media·Mohndruck GmbH, Gütersloh

Vorwort

»Mit unbeschreiblicher Anmut ertönten die Fugen und künstlichen Passagen der Composition, sodass die erlauchten Fürsten und Damen zu speisen aufhörten und der Musik allein ihre ganze Aufmerksamkeit schenkten, und keiner der Diener während dieses ganzen unübertrefflichen Quartetts sich von seinem Platze bewegte.« So beschreibt der Chronist die Wirkung der berühmten Münchner Hofkapelle bei der Tafelmusik anlässlich einer Fürstenhochzeit 1568. In diesen Jahren entstand in Italien der Begriff »musica da camera« – er umfasste zunächst alle für die höfische »Kammer« bestimmten weltlichen Musikarten in Abgrenzung zur Kirchen- und Opernmusik.

Bezog sich der Begriff »Kammermusik« in Renaissance und Barock also auf den Raum, in dem Musik erklang, verlor sich diese Bedeutung um 1750. Waren die meistgepflegten »kleinen« Formen bis dahin die generalbassbegleitete Triosonate, die Solosonate, das Concerto grosso und das Solokonzert gewesen, traten an ihre Stelle nun die Kammermusik mit obligatem Klavier und das von Haydn und Mozart, von Beethoven und Schubert auf einen gattungsstilistischen Höhepunkt geführte Streichquartett. Bis zum Ende des 18. Jahrhunderts war Kammermusik vorwiegend Gegenstand des privaten Musizierens von Künstlern und geübten Laien im kleinen Kreis der Kenner und Liebhaber; danach bewirkten die gesteigerten spieltechnischen Anforderungen und die allgemeine Verbreiterung des Musiklebens, dass sie von Berufsmusikern in die Konzertsäle eingeführt und im häuslichen Bereich von der weniger anspruchsvollen Hausmusik abgelöst wurde. Hieraus erklärt sich kompositorisch die Neigung zu größeren Ensembles – vom Sextett bis zum Nonett – und die klangliche Ausweitung der romantischen Kammermusik ins Orchestrale.

Die völlig neu bearbeitete, 3. Auflage des »Harenberg Kulturführers Kammermusik« ist das umfassende Kompendium zur Instrumentalmusik für kleine Besetzungen. Beschrieben und analysiert werden in diesem Band, entlang den Biografien von 118 Komponisten, über 780 Werke der Kammermusik. Der Leser erfährt dabei alles, was er über Uraufführung und Spieldauer, Musik, Entstehungs- und Wirkungsgeschichte sowie epochemachende Aufführungen der einzelnen Stücke wissen muss. 260 Fotos verlebendigen die Texte. 16 Tabellen bieten zusätzliches »Wissen auf einen Blick«. 95 Infokästen liefern zudem interessantes Hintergrundwissen – über Instrumente ebenso wie über berühmte Interpreten und Ensembles. 800 diskografische Empfehlungen weisen auf bedeutende Einspielungen der besprochenen Werke hin und bieten eine erste Orientierung auf dem fast unüberschaubaren CD-Markt. Ein Glossar mit wichtigen Fachbegriffen rundet den Band, den idealen Begleiter des »Harenberg Kulturführers Konzert«, ab.

Mannheim   *Meyers Lexikonredaktion*

S T U

Arenski | Anton

* 12. 7. 1861 Nowgorod
† 25. 2. 1906 bei Terioki (Finnland)

In den Kompositionen von Arenski finden »neurussische« und (zumal in den späteren Kompositionen) »westliche« Tendenzen nicht selten zu harmonischem Ausgleich. Ohne dass Arenskis Musik oft als tiefschürfend oder dramatisch bezeichnet werden könnte, bildete sie für seine bedeutendsten Schüler – Alexandr Skrjabin, Reinhold Glière und insbesondere Sergei Rachmaninow – den Ausgangspunkt, von dem aus diese Generation der russischen Musik zu ihrer Hochblüte finden sollte.

Arenski wuchs in einem musikalischen Elternhaus auf; sein Vater spielte Cello, die Mutter Klavier. Bereits in der Kindheit entstanden erste Kompositionen. 1882 beendete er das Petersburger Konservatorium unter Rimski-Korsakow mit der Goldmedaille. Anschließend unterrichtete er am Moskauer Konservatorium und pflegte freundschaftlichen Umgang mit den Komponistenkollegen Tschaikowski und Sergei Tanejew, zudem leitete er die Russische Chorgesellschaft.

1895 übernahm Arenski die Leitung der Petersburger Hofsängerkapelle. 1901 gab er seine Ämter auf und widmete sich nur noch dem Konzertieren und der Komposition. Die nur kurze Zeit darauf ausbrechende Tuberkulose, die auch durch Kuraufenthalte nicht geheilt werden konnte, wird meist auf seinen »unsteten« Lebenswandel (Spiel- und Trunksucht) zurückgeführt.

Nur wenige Monate nach Arenskis Tod vermerkte Rimski-Korsakow in seinen Erinnerungen: »In seiner Jugend unterlag er [Arenski] bis zu einem gewissen Grade meinem Einfluss, später dem Einfluss Tschaikowskis. Arenski wird bald vergessen sein...«. Dieses ungewöhnlich harte Urteil erwies sich zwar als weitgehend haltlos, kam aber einem Verdikt gleich, das lange Zeit und noch bis heute die Einschätzung des Komponisten geprägt hat, wonach Arenskis Musik irgendwo zwischen Eklektizismus und Salonmusik angesiedelt und zu Recht in Vergessenheit geraten sei. Doch zu Lebzeiten hatte Arenski nicht nur mit seinen Kompositionen nennenswerte musikalische Erfolge – die selbst Rimski-Korsakow anerkennend registrierte –, er nahm auch als Pädagoge eine zentrale Position im russischen Musikleben des ausgehenden 19. Jahrhunderts ein (wozu auch seine Harmonie- und Formenlehrbücher beitrugen).

Ein Cellist und Komponist

Karl Dawydow, zu dessen Gedenken Anton Arenski sein erstes Klaviertrio geschrieben hat, war einer der großen Cellisten des 19. Jahrhunderts. Kammermusikpartner des in Moskau und Leipzig ausgebildeten Russen waren u. a. Anton Rubinstein, Sergei Tanejew, Franz Liszt und Hans von Bülow. Der Wiener Musikkritiker Eduard Hanslick lobte den edlen Klang von Dawydows Stradivaricello, seine schönen Kantilenen und seine glanzvolle Virtuosität.

Dawydow hinterließ neben vier Cellokonzerten zahlreiche Kammermusikwerke für Violoncello und Klavier, darunter mehrere stilistisch mit Felix Mendelssohn Bartholdy und Robert Schumann vergleichbare Miniaturen. Sein Stück »Am Springbrunnen« (op. 20 Nr. 2) wird noch heute viel gespielt. Dawydow bearbeitete zudem zahlreiche Werke anderer Komponisten für sein Instrument, so mehrere Lieder und die berühmte »Träumerei« (aus den »Kinderszenen«) von Schumann, Walzer, Nocturnes und Mazurkas von Chopin sowie Beethovens G-Dur-Romanze (im Original für Violine und Orchester/Klavier).

Das Œuvre von Arenski umfasst vor allem Opern, Sinfonien, zahlreiche Chorwerke und Lieder sowie Klaviermusik. An Kammermusik im engeren Sinne schrieb er neben insgesamt 14 Stücken für Violine oder Cello und Klavier (op. 12, 30, 56 und 72) zwei Klaviertrios (d-Moll op. 32, 1894, verlegt bei Peters; f-Moll op. 73, 1905), zwei Streichquartette (op. 11, 1888; op. 35, 1894) sowie ein Klavierquintett (op. 51, 1900). Die Trios, Quartette und das Quintett liegen auch in CD-Einspielungen vor.   FL

Klaviertrio Nr. 1 d-Moll op. 32

Sätze 1. Allegro moderato – Adagio,
2. Scherzo: Allegro molto, 3. Elegia: Adagio,
4. Finale: Allegro non troppo
Entstehung 1894
Verlag Bosworth
Spieldauer ca. 30 Minuten

Entstehung Arenskis bekanntestes Kammermusikwerk und eine seiner populärsten Kompositionen überhaupt ist das erste Klaviertrio in d-Moll aus dem Jahr 1894, das gewisse Beziehungen zu Mendelssohns berühmtem Vorgänger in der gleichen Tonart und Besetzung aufweist. Es ist dem Gedenken an Karl Dawydow, den namhaften russischen Cellisten, Komponisten und Lehrer, gewidmet und steht damit in einer spezifisch russischen Gattungstradition von Gedächtniswerken, die Tschaikowski 1882 mit seinem Nikolai Rubinstein gewidmeten Klaviertrio begann und Rachmaninow 1894 mit seinem zu Tschaikowskis Gedenken komponierten »Trio élégiaque« fortsetzte.

Musik Nur der zweite Satz (Scherzo: Allegro molto) bringt eine Auflichtung mit effektvollen Flageoletts, Pizzicati und brillanten Klavierpassagen, sein Mittelteil ist eine deutliche Anlehnung an das berühmte zweite Klavierkonzert von Camille Saint-Saëns. Der umfangreiche Kopfsatz, der langsame dritte Satz, in dem die Streicher con sordino spielen, und das Finale stehen dagegen in dunkleren Farben. Kurz vor Ende des letzten Satzes tauchen als bedeutungsschwere Reminiszenzen der Mittelteil der Elegia sowie das Hauptthema des Kopfsatzes auf.

Wirkung Die fortdauernde Wertschätzung des Trios spiegelt sich in einer Vielzahl von Schallplatteneinspielungen wider. FL

Einspielungen (Auswahl)
- Cho-Liang Lin (Violine), Gary Hoffmann (Violoncello), Yefim Bronfman (Klavier), 1993 (+ Tschaikowski, Klaviertrio op. 50); Sony Classical
- Beaux Arts Trio, 1995 (+ Klaviertrio Nr. 2 f-Moll op. 73); Philips

Anton Arenski, der in Sankt Petersburg von Nikolai Rimski-Korsakow unterrichtet wurde, prägte als Komponist und Lehrer eine ganze Generation russischer Musiker (»Sankt Petersburg von der Newa aus gesehen«, Gemälde von Alexander Beggrow, 1899).

Arriaga|Juan Crisóstomo de

* 27. 1. 1806 Bilbao
† 17. 1. 1826 Paris

Der noch vor Vollendung seines 20. Lebensjahres verstorbene Komponist ist unter der Bezeichnung »der spanische Mozart« in die Musikgeschichte eingegangen. Lange Zeit praktisch in Vergessenheit geraten, wurde die Erinnerung an ihn ab Ende des 19. Jahrhunderts in Spanien bewusst gefördert, sodass er zu einer Symbolfigur der spanischen, im engeren Sinne baskischen Nationalkultur avancierte.

Arriaga war wie Mozart ein komponierendes Wunderkind, schrieb – angeblich ohne genauere handwerkliche Anleitung – schon im Alter von zwölf Jahren die Ouvertüre und 14-jährig eine Oper »Los esclavos felices«, die sogar sofort und erfolgreich in Bilbao aufgeführt wurde. 1821 übersiedelte er nach Paris, studierte am Conservatoire bei Pierre Baillot (Violine) und François-Joseph Fétis (Komposition) und setzte die musikalische Welt mit der schnellen Aneignung der akademischen Kompositionstechniken, der Harmonielehre und des Kontrapunkts in Erstaunen. 1824 nahm Arriaga bereits eine Stelle als Repetitor am Konservatorium ein, mit dieser Arbeit

---

»Wunderkinder« in der Musik

Juan Crisóstomo de Arriaga, Felix Mendelssohn Bartholdy, Camille Saint-Saëns, Max Bruch – in der Geschichte der Musik treten einige »Wunderkinder« auf. Das bekannteste Beispiel einer solch frühreifen Begabung dürfte jedoch Wolfgang Amadeus Mozart sein. Sein Vater, Leopold Mozart, bereitete seinen Sohn – aber auch seine Tochter Maria Anna – gezielt auf eine spätere Musikerkarriere vor. Die ihnen angediehene gründliche Ausbildung war für die Verhältnisse des 18. Jahrhunderts untypisch. Auf zahlreichen Reisen nach Wien, Paris und London, durch Deutschland und Italien erwarb sich der junge Mozart »vor Ort« ein breites Fundament an Kenntnissen.

---

und dem unermüdlichen Kompositionsdrang überforderte er aber offensichtlich seine Gesundheit und starb bereits 1826. Sein Tod wurde in zahlreichen Nachrufen tief betrauert.

Ob Arriaga tatsächlich einer der ganz großen Komponisten geworden wäre, lässt sich nicht sagen. Das überlieferte, staunenswert umfangreiche Œuvre zeigt in den Werken aus Bilbao den italienischen Stil der Zeit, mit Neigung zu dominierenden, virtuosen Solostimmen und einfacher Begleitung. In Paris komponierte der Spanier – neben den drei Streichquartetten – eine Messe, ein Stabat Mater, eine Sinfonie, eine achtstimmige Chorfuge, die Cherubini als Meisterwerk rühmte, Klaviermusik, dramatische Szenen und Lieder; die Werke sind teilweise verloren gegangen. Unter dem starken Einfluss seines Lehrers Fétis zeigt sich der orthodoxe Konservatismus in gediegener Kontrapunktik und bewusst klassizistischer Haltung, dabei bewahrt der junge Arriaga aber durchaus einen persönlichen (auch spanischen) Ton. WA

Streichquartette

Streichquartett Nr. 1 d-Moll

Sätze 1. Allegro, 2. Adagio con espressione, 3. Menuetto: Allegro, 4. Adagio – Allegretto
Entstehung 1822
UA 1824 (Erstdruck)
Verlag Heinrichshofen
Spieldauer ca. 23 Minuten

Streichquartett Nr. 2 A-Dur

Sätze 1. Allegro con brio, 2. Andante (Thema mit 5 Variationen und Coda), 3. Menuetto: Scherzo, 4. Andante, ma non troppo – Allegro
Entstehung 1822
UA 1824 (Erstdruck)
Verlag Heinrichshofen
Spieldauer ca. 23 Minuten

Streichquartett Nr. 3 Es-Dur

Sätze 1. Allegro, 2. Pastorale: Andantino, 3. Menuetto: Allegro, 4. Presto agitato

Entstehung 1822
UA 1824 (Erstdruck)
Verlag Heinrichshofen
Spieldauer ca. 23 Minuten

Bach | Carl Philipp Emanuel

* 8. 3. 1714
Weimar
† 14. 12. 1788
Hamburg

Entstehung Seine drei Streichquartette hat Arriaga im Alter von 16 Jahren komponiert, kurz nach seiner Ankunft in Paris. Dort wurden sie auch 1824 bei Ph. Petit publiziert. Es sind die einzigen Werke des Komponisten, die zu seinen Lebzeiten gedruckt wurden.

Musik Arriaga zeigt in den drei Quartetten einen reifen, ausgewogenen Kammermusikstil, der offenbar an den Modellen Haydns geschult ist. Dabei verwendet er eine Fülle von Satztypen und zeigt originelle Detaillösungen, so zum Beispiel mit den langsamen Einleitungen der Finali im ersten und zweiten Quartett. Das d-Moll-Quartett hat die Satzfolge: Allegro, Adagio con espressione, Menuetto, Adagio – Allegretto. Das Trio des Menuetts bringt in der Art eines spanischen Tanzes nationales Kolorit. Im A-Dur-Quartett (Allegro con brio, Andante, Menuetto, Andante, ma non troppo – Allegro) ist der langsame Satz eine klanglich reizvoll gestaltete Variationenfolge.

Das kräftigste und kühnste Werk ist das abschließende Es-Dur-Quartett (Allegro, Pastorale, Menuetto, Presto agitato), das in seiner leidenschaftlichen Haltung beethovensche Einflüsse vermuten lässt. So ist die Pastorale (vergleichbar mit der 6. Sinfonie Beethovens) eine programmatische Szene mit bukolischer Idyllik und tonmalerischem Gewitter. Das Menuett (eigentlich ein echtes Scherzo) und das Presto verblüffen mit einer Ausdrucksdichte und Vehemenz, die in der Tat für einen 16-jährigen Komponisten höchst bemerkenswert sind.

Wirkung Die Quartette wurden in Paris von den Zeitgenossen als Meisterwerke gelobt. Arriagas Lehrer am Konservatorium, Fétis, hielt »eine Schöpfung, die origineller, eleganter und von größerer stilistischer Reinheit« sei, für unmöglich. WA

Einspielungen (Auswahl)
• Sine Nomine Quartett, 1994; Claves
• Guarneri Quartet, 1995; Philips
• Cuarteto Casals, 2003; harmonia mundi/helikon
• Camerata Boccherini, 2005; Naxos

Carl Philipp Emanuel Bach hat nicht nur auf dem Gebiet des musikalischen Stils bahnbrechend am Epochenwechsel von Barock zu Klassik mitgewirkt, sondern auch soziologisch als intellektuell versierter und unternehmerisch geschickt agierender Musiker den Typus des bürgerlichen, des freien Künstlers mitbegründet. Ein – vermutlich erfundenes, aber sachlich doch richtiges – Mozart-Zitat drückt die Bedeutung des zweitältesten Sohns von Johann Sebastian Bach für die Musik seiner und der unmittelbar nachfolgenden Zeit aus: »Er ist der Vater, wir sind die Bub'n. Wer von uns 'was Rechtes kann, hat von ihm gelernt.«

Carl Philipp Emanuel Bach erhielt seine musikalische Ausbildung ausschließlich durch seinen Vater, er studierte aber auch Rechtswissenschaften in Leipzig und Frankfurt an der Oder. 1738 erhielt er einen Ruf des preußischen Kronprinzen und späteren Königs Friedrich II. nach Berlin. Fast 30 Jahre wirkte er dort als Cembalist am musikbegeisterten Hof des selbst Flöte spielenden Herrschers. Seine Stellung war aber keinesfalls so glänzend, wie man meinen möchte. Er erhielt im Vergleich zu anderen angestellten Komponisten nur ein kleines Gehalt, auch wurde seine zukunftsweisende Musik – etwa im Vergleich zu derjenigen von Johann Joachim Quantz – offenbar am Hof weder verstanden noch besonders geschätzt. So war der Wechsel nach Hamburg (1767) als Musikdirektor der kaufmännisch geprägten Großstadt ein enormer Fortschritt. Dort wirkte Bach dann bis zu seinem Tod, vielfältig beschäftigt mit seinen Dienstpflichten, aber auch unermüdlich komponierend und publizierend.

Das schwer überschaubare riesige Schaffen erstreckt sich auf alle zeitüblichen Gattungen und Bereiche (mit Ausnahme der Oper), im Zentrum steht ohne Frage die Musik für Tasteninstrumente, besonders für das Klavichord: Hier konnte Bach seinen »empfindsamen« Stil am reinsten verwirklichen. Der sprechende Tonfall seiner Sonaten und Fantasien, die völlige Freiheit der Form, die Brüche und Modulationen, die hoch entwickelte Variationstechnik, die die Themen bei jeder Wiederkehr im Charakter veränderte – das alles waren unerhörte Neuheiten, eine Befreiung der Musik aus den strengen Strukturen des Barock und ihre Nutzbarmachung für den persönlichen subjektiven Ausdruck (statt eines allgemeinen barocken Affekts).

Die Zeitgenossen waren, wie zahlreiche Berichte belegen, fasziniert von dieser radikalen Musik, davon wie »Bach sein Clavier beseelt, wie er den Ton jeder Empfindung, jeder Leidenschaft hineinlegt, ... wie er seine ganze große Seele darinnen abbildet« (Johann Friedrich Reichardt, 1775). Trotzdem blieb immer eine Spannung zwischen dem Selbstausdruck und dem Blick aufs Publikum, Bach hat dies erkannt und die Modernität seines Komponierens, auch das ein ganz neues Phänomen, gleichsam dosiert: So gibt es besonders avancierte Werke »für Kenner und Liebhaber«, aber auch glattere, leichter eingängliche Musik »à l'usage des dames«.

Auch in den Bereichen neben der Klaviermusik zeigt sich diese überlegte Stufung der Techniken: Die Cembalokonzerte sind als Virtuosenmusik fürs öffentliche Konzert konzipiert, die sogenannten Sonatinen für Cembalo und Orchester dagegen mehr experimentelles Forum. Die Chorwerke bringen eine deutliche Abwendung vom polyfonen Stil, hin zu einer wirkungskräftigen dramatischen Kirchenmusik, die Sololieder sind hervorragende Exempel des schlichten Strophenliedtyps, seine Sinfonien schließlich übertragen den expressiven Gestus der Tastenmusik in aufregender, kühner Weise auf das große Format.

Die Kammermusikwerke bilden im Œuvre von Carl Philipp Emanuel Bach nach der Klaviermusik die zweitgrößte Werkgruppe – von den ersten Triosonaten (1731) bis zu den Quartetten aus dem Todesjahr 1788 begleiten sie seine ganze Schaffenszeit. Als Experimentier- und Erprobungsfeld ist die Kammermusik wichtig für seine Entwicklung, auch wenn sie nie die Radikalität bestimmter Klaviersonaten und Fantasien anstrebt oder erreicht. Obwohl der Komponist zahlreiche Besetzungen verwendet, ist fast immer ein Tasteninstrument dabei; das zu seinen Lebzeiten zur Normgattung der Kammermusik überhaupt aufsteigende Streichquartett hat ihn offensichtlich nicht interessiert.

Empfindsamkeit als Modeerscheinung?

»Indem ein Musicus nicht anders rühren kan, er sey dann selbst gerührt; so muß er nothwendig sich selbst in alle Affecten setzen können, welche er bey seinen Zuhörern erregen will; er giebt ihnen seine Empfindungen zu verstehen und bewegt sie solchergestallt am besten zur Mit-Empfindung.« So schreibt Carl Philipp Emanuel Bach in seinem »Versuch über die wahre Art das Clavier zu spielen«. Die Musik seiner Zeit wird als »Sprache der Empfindungen« gesehen; und zur »empfindsamen Seelenansprache« eignet sich am besten intime Kammermusik.

Doch Empfindsamkeit ist keine musikalische Modeerscheinung, die Mitte des 18. Jahrhunderts vorwiegend in Norddeutschland grassierte, sondern eine zentrale geistesgeschichtliche Strömung, die infolge der europäischen Aufklärung auch Kunst und Literatur erfasste. Johann Georg Sulzer beispielsweise sah in seiner »Allgemeinen Theorie der schönen Künste« (1771/74) den Endzweck jedweder Kunst darin, »moralische Empfindungen« zu wecken, »wodurch der Mensch seinen sittlichen Wert bekommt«.

Die Kammermusikwerke von Carl Philipp Emanuel Bach lassen sich drei strukturellen Grundtypen zuordnen, die sich aus der jeweiligen Stellung des Tasteninstruments innerhalb des

Ensembles ergeben. Dabei lässt sich im Lauf der Jahre eine zunehmende Aufwertung des Klavierparts (Bach sieht vorwiegend das Cembalo vor) feststellen: begleitendes Cembalo (Generalbasstyp) – die Cembalostimme ist als bezifferte Basslinie geschrieben, muss vom Spieler improvisatorisch ausgestaltet werden; obligates Cembalo (Triotyp) – das Tasteninstrument wird praktisch als zweistimmiges Instrument verwendet, dessen Oberstimme (rechte Hand des Pianisten) mit dem Melodieinstrument konkurriert; führendes Cembalo – der Klaviersatz ist so verselbstständigt, dass die anderen Instrumente in eine Begleitfunktion gedrängt werden. WA

Jean-Pierre Rampal (hier eine Aufnahme von 1997) wurde weltweit als Flötenvirtuose gefeiert. Zu den Schwerpunkten seines Repertoires zählte Musik des 18. Jahrhunderts, darunter auch Werke von Carl Philipp Emanuel Bach.

Sonaten für ein Melodie- und ein Tasteninstrument

Entstehung Carl Philipp Emanuel Bach hat mindestens 32 Sonaten für ein Melodie- und ein Tasteninstrument (zuweilen auch als »Solo«, »Duo«, »Fantasie« bezeichnet) komponiert, die ersten 17-jährig noch in Leipzig, die letzte 1787, ein Jahr vor seinem Tod. Dabei lassen sich die unterschiedlichen strukturellen Typen den einzelnen Entstehungsperioden zuordnen: Die Frühwerke aus Leipzig und Frankfurt gehören teils dem Generalbasstyp (Wq 123, 124, 134, 135/H 548–551), teils dem »Triotyp« (Wq 71, 72/H 502, 503) an.

Der Hauptteil der Kompositionen ist zwischen 1740 und 1766 in Berlin entstanden, auch hier sind wieder beide genannten Arten vertreten: generalbassbegleitete Soli (Wq 125–132, 136–138/H 552–563) sowie trioartige Sonaten (Wq 73–78, 83–88/H 504–514), von Letzteren hat Wq 74 (H 507) schon eine deutliche Tendenz zum dritten Typ: zu der von einem Melodieinstrument begleiteten Klaviersonate.

Dieser dritte Typ ist dann in Hamburg mit zwei gewichtigen Einzelwerken Wq 79 (H 535; 1781) und Wq 80 (H 536; 1787) vertreten, außerdem entsteht 1786 noch ein Nachzügler im Generalbasstyp (Wq 133/H 564).

Die Generalbasssonaten sind vorwiegend für Flöte (nämlich für den Monarchen Friedrich II.) vorgesehen, beim Triotyp herrscht die Violine als Soloinstrument vor, daneben finden sich noch Oboe, Viola da Gamba (vermutlich für den Gambenvirtuosen Ludwig Christian Hesse) und Violoncello.

Musik Die Unübersichtlichkeit der Werkgruppe resultiert aus einer komplizierten gattungsgeschichtlichen Situation: Die »klassische« Sonate als gleichberechtigtes Miteinander von Melodie- und Tasteninstrument, wie wir sie ab Mitte der 1770er-Jahre zum Beispiel von Mozart her kennen, war nämlich gleichsam die schwierige Synthese mehrerer sehr verschiedener Entwicklungslinien. Bei Bach stehen diese Linien noch unvermittelt gleichzeitig nebeneinander: Zum einen werden barocke Traditionen weitergeführt (Generalbasssonate, Sonate mit obligatem Cembalo), zum anderen wird die in Paris und London entstandene Mode, selbstständige Klaviermusik mit einem Melodieinstrument zu begleiten, aufgegriffen.

Macht schon dieser Umstand die Sonaten zu einer heterogenen Werkgruppe, so führt Bachs immer originelle Kompositionshaltung vollends zu einer großen Vielfalt an Tonfällen, Formen und individuellen Lösungen. Neben hauptsächlich dreisätzigen Werken stehen auch ein-, zwei- und viersätzige; auch in der Satzfolge werden unterschiedliche Modelle erprobt (schnell–langsam–(mäßig) schnell; langsam–schnell–schnell).

Innerhalb der Einzelsätze finden sich fortspinnende barocke Formanlagen neben Sonatensatztendenzen (teils mit deutlich unterschiedenen Seitengedanken), Variationssätze, Tanzformen und (ein) Rondo. Allen Werken gemeinsam ist, dass die spieltechnischen Besonderheiten der beteiligten Instrumente genau erfasst sind, diese virtuos und raffiniert eingesetzt werden. Kennzeichnend für die Melodik ist eine hohe rhythmische und intervallische Beweglichkeit in einer eher kleingliedrigen Bauweise.

Stilistisch geht die Entwicklung klar von der polyfonen, imitatorischen Struktur der Frühwerke über die »galante« Tonsprache der Berliner Zeit hin zur persönlichen, unkonventionellen Schreibweise der Hamburger Kompositionen. Gerade rückblickend von diesen avancierten Spätwerken erscheinen die Berliner Sonaten als Werke des Übergangs, die deutlich die Spannung von Experimentierlust und Anpassung (an den eher konservativen Geschmack am preußischen Hof) in sich tragen.

Erst in Hamburg kann der Komponist sich in größerer Freiheit und Eigenart völlig entfalten, und die »Fantasie« fis-Moll Wq 80 (H 564) bringt schon in Bachs Titel auf dem Manuskript (»Sehr traurig und ganz langsam. C. P. E. Bachs Empfindungen«) das subjektive Gepräge des Werks zum Ausdruck. Diese Fantasie mit ihrer mosaikartigen Form aus wiederkehrenden, variierten und transponierten Abschnitten und ihrem rhapsodischen, fast romantischen Auftreten ist zweifellos jene Art von Musik, die Bach meinte, wenn er schrieb, er habe solche »für sich verfertigt« und eben nicht im Blick auf »gewisse Personen und fürs Publikum«. Eine »finstere Fantasie« nennt der Komponist sie in einem Brief, nicht so »lukrativ« wie der »jetzige Schlendrian«.

Wirkung Spezifische Informationen über die zeitgenössische Rezeption sind spärlich, der Hauptteil der Werke (Berliner Periode) erklang auch im höfischen Umfeld und nicht in einer publizistischen Öffentlichkeit. Dass Friedrich II. die Kompositionen von Johann Joachim Quantz denen Bachs vorzog, ist bekannt.

Nach einer Zeit des fast völligen Vergessens sind die Sonaten heute wieder recht bekannt, liegen in zahlreichen Einzelausgaben vor und sind auch diskografisch gut vertreten.   WA

Einspielungen (Auswahl)
- Flötensonaten Wq 124, 127–29, 133, 134 (H 551, 554–56, 564, 548): Eckart Haupt (Flöte), Siegfried Pank (Viola da Gamba), Armin Thalheim (Cembalo), 1987; Capriccio
- Gambensonaten Wq 136 und 137: Friederike Heumann (Gambe), Dirk Börner (Hammerflügel), Gaetano Nasillo (Cello), 2004 (+ Trio für Gambe und obligates Klavier Wq 88; Carl Friedrich Abel: Adagio und Postlude für Gambe solo); Alpha/Note 1

Triosonaten und Klaviertrios

Entstehung Auch die Besetzung »zwei Melodieinstrumente und Tasteninstrument« begleitet Carl Philipp Emanuel Bach praktisch durch alle Perioden seines Schaffens (insgesamt, je nach Zählung, 41–44 Werke). Die ersten Triosonaten, zugleich mit seine ersten Kompositionen überhaupt, entstanden 1731 teils unter direkter Anleitung des Vaters (Wq 143–147/H 567–571), ein Einzelwerk (Wq 148/H 572) stammt aus den Frankfurter Studienjahren, das Gros aus der Dienstzeit am Hof in Berlin (W 149–163/H 573–590, sämtlich vor 1756). Alle diese Kompositionen sind für zwei hohe Melodieinstrumente (2 Violinen oder 2 Flöten bzw. Violine und Flöte) sowie Cembalo als Generalbass gedacht.

Die Hamburger Kompositionen dagegen (nach 1767) sind für obligates Cembalo (»Clavier« im Titel ist im Zeitgebrauch ein Allgemeinbegriff) sowie ein hohes und ein tiefes Instrument (Violine und Cello in Wq 89/1–6, Wq 90/1–3, Wq 91/1–4/H 522–534 bzw. Klarinette und Fagott in Wq 92/1–6/H 516–521) geschrieben.

Musik Der strukturelle Abstand zwischen den beiden Gruppen von Werken ist so groß, dass man eigentlich nicht nur von unterschiedlichen Typen, sondern geradewegs von unterschiedlichen Gattungen sprechen muss. Die Sonaten bis 1755 gehören dabei der ehrwürdigen, aber im Aussterben begriffenen Gattung der polyfonen Triosonate an, die Sonaten der Jahre 1767 bis 1777 sind dagegen Vorformen des Klaviertrios.

Die eigentlichen Triosonaten sind dabei bereits eine vielgestaltige Gruppe, in der sich tradierte Polyfonie und moderneres homofones Denken gegenüberstehen und sich eigenwillige Einzelwerke finden. Die ersten Triosonaten von 1731 stehen stilistisch noch der Musik von Johann Sebastian Bach nahe, zeigen die reine imitatorisch-polyfone Behandlung der Solostimmen, dennoch fällt bereits der glattere »galante« Melodiefluss auf. Schon 1735 (Wq 148/H 572) hat sich Carl Philipp Emanuel Bach weitgehend vom barocken Modell gelöst und schreibt einen mehr homofonen und blockhaften Stil, der anstelle des einheitlichen Fortspinnens Kontraste, kurze sprechende Phrasen und heftige harmonische und dynamische Umschwünge setzt: ein neuer Stil, der dann in den Berliner Triosonaten in verschiedenster Form weitererprobt wird.

Besondere Aufmerksamkeit hat dabei immer die Triosonate c-Moll (Wq 161a/H 579) gefunden, die, wie es im Vorwort ausgeführt ist, explizit »ein Gespräch zwischen einem Sanguineus und einem Melancholicus vorstellen soll, ... welche miteinander streiten«. In einer Art Kommentar zur Partitur ist dann praktisch jedes musikalische Detail erläutert und programmatisch bestimmt, sodass der dramatische Prozess der motivischen Verarbeitung gleichsam als literarische Struktur assoziiert wird. Im Rahmen von Bachs dialogischer und rhetorischer Musizierhaltung markiert diese Sonate so einen Höhepunkt an Direktheit. In anderer Weise bedeutend sind die Sonaten Wq 156 (H 582) und Wq 160 (H 590), weil hier die Norm der gleichberechtigten Stimmen zugunsten der ersten Violine aufgegeben wird – ein Schritt hin zur frühklassischen, oberstimmengeprägten Homofonie.

Die Hamburger Trios kehren die Rollen im Ensemble völlig um: Es sind (zumindest, was die Gruppen Wq 89–91/H 522–534 betrifft) »Klaviersonaten mit einer Violine und einem Violoncello zur Begleitung«. Das heißt, das Cembalo ist die melodisch führende Stimme, die beiden Streichinstrumente haben nur eine koloristische (und zur Not verzichtbare) Aufgabe. In den Trios Wq 92/1–6 (H 516–521), die jeweils einsätzig sind, haben die Melodieinstrumente (hier Klarinette und Fagott) dagegen durchaus auch solistische Qualitäten. Stilgeschichtlich gehören sie einer modischeren Art an, vom Anspruch her sind sie aber, bei aller Schönheit und Originalität im Einzelnen, eher leichtgewichtig. Offensichtlich rechnete Bach sie selbst zu den Kompositionen »fürs Publikum« – Musik, die sich gut verkaufen lassen und in breiteren Kreisen Gefallen finden sollte. Eine Besonderheit ist, dass die Rondoform hier in die Kammermusik eindringt (meist als Finale), wobei das typisch bachsche Rondo mit motivisch abgeleiteten Couplets und oft in verschiedenen Tonarten erscheinendem Refrain eine recht komplizierte Gesamtanlage ergibt.

Wirkung Die Triosonaten galten schon zu Lebzeiten Bachs in der Musikästhetik als Muster für affekterfüllte Kammermusik, so heißt es zum Beispiel bei Johann Georg Sulzer in der »Allgemeinen Theorie der schönen Künste« (1771/74), die Sonaten Bachs seien »so sprechend, dass man nicht Töne, sondern eine verständliche Sprache zu vernehmen glaubt, die unsere Einbildungen und Empfindungen in Bewegung setzt ... Die Sonaten eben dieses Verfassers von zwei konzertierenden Hauptstimmen, die von einem Bass begleitet werden, sind wahrhafte leidenschaftliche Tongespräche.« Die begleiteten »Claviersonaten« aus der Hamburger Zeit waren ein guter Erfolg, sind aber heute, aus naheliegenden Gründen, weit seltener im Konzertsaal oder auf Tonträger anzutreffen als die Triosonaten. WA

Einspielungen (Auswahl)
- Triosonaten Wq 154–56, 158, 160 (H 576, 577, 582, 584, 590): London Baroque, 1994; Harmonia Mundi

Klavierquartette

Quartett Nr. 1 a-Moll Wq 93

Sätze 1. Andantino, 2. Largo e sostenuto, 3. Allegro assai
Entstehung 1788
Verlag Bärenreiter
Spieldauer ca. 17 Minuten

Quartett Nr. 2 D-Dur Wq 94

Sätze 1. Allegretto, 2. Sehr langsam und ausgehalten, 3. Allegro di molto
Entstehung 1788
Verlag Bärenreiter
Spieldauer ca. 16 Minuten

Quartett Nr. 3 G-Dur Wq 95

Sätze 1. Allegretto, 2. Adagio, 3. Presto
Entstehung 1788
Verlag Bärenreiter
Spieldauer ca. 18 Minuten

Entstehung Im Vergleich zu der komplizierten Lage bei den Duo- und Triobesetzungen in der Kammermusik Carl Philipp Emanuel Bachs sind die »3 Quartette fürs Clavier, Flöte und Bratsche« (Wq 93–95/H 537–539) eine erfreulich kompakte Werkgruppe: Sie wurden 1788 in Hamburg komponiert und gehören so zu den allerletzten Kompositionen des Meisters. Eine philologische Frage wirft nur die Besetzung auf, nennt doch der autografe Titel nur drei und nicht vier Instrumente, und es ist auch keine ausgeschriebene Bass-(Cello-)Stimme überliefert, sodass man eher von Trios sprechen müsste. Die Mitwirkung eines (den Klavierbass verstärkenden) Cellos ist aber zweifelsfrei gefordert, wie Eintragungen in der Partitur nachweisen.

Musik In der inspirierten Faktur der drei reizenden Quartette des 74-jährigen Komponisten laufen verschiedene Linien der bachschen Kammermusik glücklich zusammen, zugleich bringen sie aber auch einen ganz neuen Zug in sein Œuvre. So vereinigt sich die melodische Selbstständigkeit der Einzelstimmen aus den Triosonaten mit dem pianistisch ausgearbeiteten Klavierpart der Klaviertrios Wq 89–92 oder der Fantasie Wq 80 und der subjektiven Tonsprache der reifsten Berliner und Hamburger Kompositionen zu einem fein durchgearbeiteten motivischen Geflecht, das zugleich höchst dramatisch und impulsiv belebt erscheint.

In der fast völligen Gleichberechtigung der Stimmen – hier begleitet eben nicht das Klavier die Melodieinstrumente oder umgekehrt – nähert sich Bach hier, und das ist das wirklich Hervorzuhebende und Neue, dem Satzbild der

Die Gattung »Klavierquartett«

Bachs Quartette für Klavier, Flöte, Bratsche und Cello Wq 93–95/H537–539 gelten in ihrer Loslösung vom Generalbassfundament als Vorläufer des »klassischen« Klavierquartetts. Den Maßstab setzte allerdings Wolfgang Amadeus Mozart mit seinen beiden Quartetten g-Moll KV 478 und Es-Dur KV 493 – auch hinsichtlich der Besetzung mit Tasteninstrument plus Streichtrio (eine Geige statt der Flöte). Die Streicher bilden gegenüber dem Klavier eine eigenständige Klanggruppe. Das konzertante Prinzip herrscht vor. Große Beachtung fanden dann die Klavierquartette von Schubert (Adagio und Rondo F-Dur, D 487), Schumann (Es-Dur op. 47) und Brahms (g-Moll op. 25, A-Dur op. 26 und c-Moll op. 60). Ästhetisch höher geachtet waren indes die Gattungen Klaviertrio und Klavierquintett. Im 20. Jahrhundert kamen Klavierquartette noch seltener vor. Zudem drang nun häufig wieder ein Blasinstrument in den Viererverbund ein, zumeist eine Klarinette. So ist es u. a. in den Quartetten von Paul Hindemith, Anton Webern und auch in Olivier Messiaens »Quatuor pour la fin du temps«.

haydnschen Streichquartette op. 33, die 1783 in Hamburg zu hören waren und die er auch kannte. Neben diesen »klassischen« Tendenzen in der Struktur zeigen die Klavierquartette klanglich und im Detail aber auch eine Intensivierung des »empfindsamen Stils«, der im Lyrismus und der Klangsinnlichkeit der langsamen Mittelsätze schon romantische Züge streift.

Wirkung Die drei Quartette galten lange als verloren und wurden erst 1929 von dem Bach-Forscher Ernst Fritz Schmid in der Bibliothek der Berliner Singakademie wieder aufgefunden. In der Folge haben sie in der Forschung recht unterschiedliche Bewertung gefunden: Während Schmid selbst in ihnen den »völligen Durchbruch zum Wiener klassischen Stil« erblickte, sah Joseph Saam in ihnen nur »Vorläufer, der Zeit nach jedoch Spätlinge«, die drei Jahre nach Mozarts Klavierquartetten von der Entwicklung der Gattung »nichts verspüren lassen«.   WA

Einspielungen (Auswahl)
• Les Adieux, 1988 (+ Flötensonate G-Dur Wq 133); Deutsche Harmonia Mundi

Bach | Johann Christian

* 5. 9. 1735
Leipzig
† 1. 1. 1782
London

100880

Zu seinen Lebzeiten war der »Londoner« Bach, Johann Christian, weitaus berühmter als sein Vater Johann Sebastian. Er komponierte zahlreiche Opern, veranstaltete in London zusammen mit dem Gambisten Carl Friedrich Abel öffentliche Abonnementskonzerte (»Bach-Abel-Konzerte«) und trat als Virtuose auf dem Hammerklavier auf. Selbst einer der bedeutendsten Vertreter der Frühklassik, wurde Bach zudem zum Lehrer und väterlichen Freund von Wolfgang Amadeus Mozart.

Nach dem Tod von Johann Sebastian Bach, der seinen Sohn Johann Christian auf dem Cembalo und in Musiktheorie unterrichtete, ging er 1750 zu seinem Bruder Carl Philipp Emanuel nach Berlin. Dieser unterwies ihn nun auch in Komposition, und so entstanden erste eigene Werke (»Deutsche Lieder« und Kompositionen für Tasteninstrumente).

1754/55 reiste Johann Christian nach Italien, um vermutlich bei Padre Martini in Bologna seine Kompositionsstudien fortzusetzen. Wohl auf dessen Rat hin konvertierte der jüngste Bach-Sohn zum katholischen Glauben und konnte dadurch in Italien die gesicherte Laufbahn eines Kirchenmusikers einschlagen. Im Juni 1760 erhielt er dann auch eine Anstellung als einer der beiden Organisten am Mailänder Dom. Dass ihn die Organistentätigkeit aber nicht ausfüllte, belegt sein »Nebenberuf«: Ab 1756 komponierte er Arien und Einlagen für das Teatro Ducale in Mailand, und schließlich erging der erste Auftrag für eine vollständige Opernkomposition an ihn: »Artaserse« (1760); der »Catone in Utica« (1761) und »Alessandro nell'Indie« (1761) für Neapel folgten. Möglicherweise ging Johann Christian auch ganz bewusst mit seinen Opernkompositionen einen eigenen Weg, denn sein Bruder Carl Philipp Emanuel erlangte vor allem mit seinen Werken für Tasteninstrumente frühzeitig höchste Anerkennung.

Aus der einjährigen Beurlaubung von seinen Organistenverpflichtungen ergab sich im Jahr 1762 eine grundlegende Veränderung der Lebensumstände: Das Londoner King's Theatre lud Johann Christian Bach ein, (zunächst) zwei Opern zu komponieren und selbst in London aufzuführen (»Orione« und »Zanaida«, beide 1763). Über »Orione« schrieb der britische Musikgelehrte Charles Burney nach der Uraufführung: »Jeder Kenner empfand die Ausstrahlung eines Genies die gesamte Vorstellung hindurch.« Bach stand schnell in der Gunst der königlichen Familie, sodass er sich entschloss, nicht nach Italien zurückzukehren, sondern in England zu bleiben.

Gemeinsam mit seinem ebenfalls aus Deutschland stammenden Freund Carl Friedrich Abel organisierte er eine Konzertreihe, die als Bach-Abel-Concerts in die Musikgeschichte einging. Zahlreiche eigene Kompositionen (etwa Kantaten und Sinfonien) gelangten hier zwischen 1764 und 1781 in jeweils zwölf Veranstaltungen von Januar bis Mai zur Aufführung. Daneben komponierte Bach weiterhin für verschiedene Opernhäuser.

Der Erfolg der eigenen Konzertreihe nahm ab 1776 ab, und auch seine Bedeutung als Opernkomponist sank in den folgenden Jahren: Von dem an Popularität gewinnenden Sacchini verdrängt, geriet er, mit einem riesigen Schuldenberg belastet, allmählich in Vergessenheit. Von seinem Tod nahm die Londoner Musikgesellschaft kaum mehr Notiz; der in Freundschaft mit ihm verbundene Mozart hingegen schrieb an seinen Vater: »Sie werden schon wissen, dass der Engländer Bach gestorben ist? – Schade für die Musikwelt!« HAR

Sechs Quintette für Flöte, Oboe, Violine, Viola und Basso continuo op. 11

Entstehung Die bedeutendste Werkgruppe in der diverse Trios, Quartette und Quintette umfassenden Kammermusik Johann Christian Bachs bildet die Sammlung der sechs Quintette op. 11, die während seiner Londoner Zeit – vermutlich 1776 – entstanden ist. Für das vierte Quintett (Es-Dur) ist belegt, dass Bach es anlässlich seiner Kammermusiken mit der englischen Königin komponiert hat. Vermutlich erklangen bei der gleichen Gelegenheit auch die übrigen Quintette dieser Sammlung zum ersten Mal, die dann zu der damals üblichen Sechsergruppe zusammengefasst und in Druck gegeben wurden. Bach widmete die kammermusikalischen Kleinodien Kurfürst Karl Theodor von der Pfalz als »Dank für den gnädigen Beifall Eurer Hoheit für meine Bemühungen in Mannheim«.

Musik Mit seinen Quintetten op. 11 schuf Bach Werke, die von der Unverwechselbarkeit seines Personalstils zeugen: Die eher ungewöhnliche Besetzung kommt seiner außerordentlichen Begabung für einen melodisch-expressiven Zug entgegen, indem der instrumentale Farbreichtum von gemischt verwobenen Holzbläsern und Streichern mit einer manchmal beinahe schwärmerischen Kantabilität gepaart wird. Diese wiederum ist verknüpft mit einer spielerisch aufeinander bezogenen Motivvielfalt.

Drei der Quintette folgen dem Prinzip der Zweisätzigkeit ohne ausgeprägt ruhigen Satz (Nr. 2 G-Dur, Nr. 3 F-Dur, Nr. 5 A-Dur); in den übrigen drei (Nr. 1 C-Dur, Nr. 4 Es-Dur und Nr. 6 D-Dur) wird ein langsamer Mittelsatz oder ein Menuett (Nr. 4) von schnelleren Sätzen umrahmt. Das Bassfundament tritt aus seiner rein begleitenden Funktion kaum heraus, während die übrigen vier Stimmen mehr oder weniger gleichberechtigt das motivische Geschehen in Szene setzen.

Im Zentrum des populären Quintetts Nr. 6 in D-Dur steht ein Andantino im Sicilianotakt (6/8), das in signifikanter Weise eine weitere Eigenart des Opernkomponisten Bach offenbart: Der Satz ist erfüllt von einem pastoralen Instrumentalthema, dessen kantable Melodik in Flöte und Oboe Assoziationen mit einer Arie bzw. mit einem Duett weckt. Hier eignet sich der Kammermusiksatz wirkungsvoll eine vokale »Sprachgestik« an.

Wirkung Bachs zu Lebzeiten überaus hohes Ansehen als »Melodiker par excellence« verblasste bereits kurz nach seinem Tod, und es ist erstaunlich, dass man Mozarts Wertschätzung für den väterlichen Freund erst in jüngster Zeit ernst zu nehmen begann. Als Repräsentant eines galanten und dabei formal ausgewogen gestalteten Stils nahm der jüngste Bach-Sohn wichtigen Einfluss auf die Kompositionen der ihm folgenden Generation – so auch auf Mozart. Zu den herausragenden Werken, die seine Meisterschaft belegen, zählen die Quintette op. 11. HAR

Einspielungen (Auswahl)
- Jean-Pierre Rampal, Philippe Pierlot (Flöten), Trio à Cordes Français, 1965 (+ C. P. E. Bach, Trio Wq 162); Erato
- Quintett op. 11 Nr. 2: Berliner Barock-Compagney, 2005 (+ Quintette op. 22 Nr. 1 und 2, Quartett G-Dur, Sextett C-Dur); Capriccio/Delta

Bach | Johann Sebastian

* 21. 3. 1685
Eisenach
† 28. 7. 1750
Leipzig

Wurde Johann Sebastian Bach im frühen 18. Jahrhundert auf einer Stufe mit Georg Philipp Telemann und Georg Friedrich Händel

gesehen, so hat die Nachwelt den Leipziger Thomaskantor weit über seine Zeitgenossen und gar zu einem der größten Komponisten aller Zeiten erhoben. Das mag auch an seinem individuellen Personalstil liegen, der im Vokalen wie Instrumentalen über die zuweilen engen Grenzen der Barockmusik hinausweist.

In Eisenach geboren und aufgewachsen, wurde Johann Sebastian Bach bereits 1695 Vollwaise. Nach dem Tod seiner Eltern kam der zehnjährige Knabe zu seinem älteren Bruder Johann Christoph in die Lehre, der als Organist in Ohrdruf wirkte. 1700 bis 1703 war er Mettenschüler an der Michaelisschule in Lüneburg und übernahm anschließend das Organistenamt an der Neukirche in Arnstadt. Von dort aus reiste Bach zwei Jahre später nach Lübeck, um den bekannten Organisten der dortigen Marienkirche, Dietrich Buxtehude, kennenzulernen. 1707 erhielt er die Bestallung als Organist an der Blasiuskirche in Mühlhausen, wo er seine Vorstellungen von einer »regulierten« Kirchenmusik eher zu verwirklichen hoffte. Doch nach wiederholten Auseinandersetzungen in der Gemeinde übersiedelte Bach 1708 nach Weimar und wirkte dort als Kammermusiker, Hoforganist und ab 1714 auch als Kapellmeister des regierenden Fürsten von Sachsen-Weimar, Herzog Wilhelm Ernst. Er komponierte die ersten Kantatenjahrgänge sowie zahlreiche Orgelwerke wie zum Beispiel das »Orgel-Büchlein«. Bereits 1707 hatte er seine Cousine zweiten Grades, Maria Barbara Bach, geheiratet, und in Weimar kamen u. a. seine Söhne Wilhelm Friedemann (1710), Carl Philipp Emanuel (1714) und Johann Gottfried Bernhard (1715) zur Welt.

Im Jahr 1717 wurde Bach zum Kapellmeister und Kammermusikdirektor am Hof des Fürsten Leopold von Anhalt-Köthen ernannt. Bis 1723 oblag ihm die Leitung der gesamten Hofmusik, für die er zahlreiche Instrumentalwerke komponierte, darunter so hervorragende Orchesterwerke wie die »Brandenburgischen Konzerte« (1721). Aus dieser Zeit stammen bedeutende Kammermusikwerke wie der erste Teil des »Wohltemperierten Klaviers«, sechs Suiten für Violoncello solo und sechs Sonaten und Partiten für Violine solo. Nach dem Tod seiner ersten Frau heiratete er 1721 die Sängerin Anna Magdalena Wilcken. Aus dieser Ehe gingen u. a. Johann Christoph Friedrich, der »Bückeburger Bach« (1732), und Johann Christian, der »Londoner Bach« (1735), hervor.

1723 trat Bach die Nachfolge Friedrich Kuhnaus als Thomaskantor und städtischer Musikdirektor in Leipzig an. In relativ kurzer Zeit schrieb er fünf Jahrgänge mit je 60 Kirchenkantaten, also rund 300 Werke. Mit Kompositionen wie der Johannespassion (1724), der Matthäuspassion (1727), dem Weihnachtsoratorium (1734/35) und der h-Moll-Messe (1749 beendet) schuf Bach die bedeutendsten Vokalwerke spätbarocker Kirchenmusik. Sein instrumentales Spätwerk, insbesondere die »Goldberg-Variationen« (1741/42?), der zweite Teil des »Wohltemperierten Klaviers« (1744) und die »Kunst der Fuge« (1749? beendet), war nicht mehr zur Aufführung bestimmt, sondern eher als Kunst- und Lehrwerk konzipiert. Es bezeugt Bachs kontrapunktische Kunstfertigkeit ebenso wie sein reiches individuelles Ausdrucksvermögen.   MÖ

Sonaten und Partiten für Violine solo

Entstehung Bach hat auf dem Titelblatt seines Autografs der sechs Sonaten und Partiten für Violine solo BWV 1001–1006 das Jahr 1720 vermerkt und sie damit als Kompositionen der Köthener Zeit ausgewiesen. Die Jahreszahl markiert sowohl den Abschluss ihrer Entstehungsgeschichte als auch den Zeitpunkt, an dem Bach sie zu einer Werkgruppe zusammengefasst hat. Geht man davon aus, dass die Violinwerke aus Bachs Köthener Zeit stammen, so fällt ihre Entstehung in die Jahre zwischen 1717 und 1720. Obwohl Bach als Kapellmeister und Kammermusikdirektor am Hof Leopolds von Anhalt-Köthen verpflichtet war, die Hofmusik mit eigenen Kompositionen zu bereichern, sind die »Sei Solo a Violino senza Basso accompagnato«, wie Bach sie selbst nannte, vermutlich eher Studienwerke, vergleichbar den etwa zur gleichen Zeit

Die Sonaten und Partiten für Violine solo von Johann Sebastian Bach

Entstehung	Titel
ca. 1717–20	Sonate Nr. 1 g-Moll BWV 1001
ca. 1717–20	Partita Nr. 1 h-Moll BWV 1002
ca. 1717–20	Sonate Nr. 2 a-Moll BWV 1003
ca. 1717–20	Partita Nr. 2 d-Moll BWV 1004
ca. 1717–20	Sonate Nr. 3 C-Dur BWV 1005
ca. 1717–20	Partita Nr. 3 E-Dur BWV 1006

entstandenen sechs Suiten für Violoncello solo BWV 1007–12. Beide Werkgruppen gelten als Bachs erste Kompositionen für ein unbegleitetes Melodieinstrument.

Wirkung Nach Bachs Tod gerieten seine Werke zunächst in Vergessenheit und wurden erst im Zuge der Bach-Renaissance des 19. Jahrhunderts wiederentdeckt. Großen Anteil daran hatte Robert Schumann, der den Sonaten und Partiten allerdings eine Klavierbegleitung hinzufügte. Der Geiger Joseph Joachim spielte sie erstmals wieder öffentlich im Konzert und bereitete eine praktische Neuausgabe vor, die erst nach seinem Tod, 1908, herauskam.

»Senza Basso«

Solowerke wie Bachs Sonaten, Partiten und Suiten für Violine, Flöte bzw. Violoncello wurden im 18. Jahrhundert meist mit dem Zusatz »senza Basso« versehen. Einer Komposition keine Bassstimme hinzuzufügen, war derart ungewöhnlich, dass es gesondert vermerkt werden musste. Die als fehlend empfundene Begleitung und Bassunterstützung wurde durch Techniken wie Akkordgriffe oder latente Mehrstimmigkeit in der Komposition überspielt. Das umfangreichste Solorepertoire wurde für Violine geschrieben. Doch auch Gambe/Violoncello und Flöte sind bevorzugte Instrumente dieser Gattung. Bachs Solowerke gelten noch heute nicht nur technisch, sondern auch in ideeller Hinsicht als grundlegend auf diesem Gebiet. Die Sonate für Violine allein (1943/44) von Béla Bartók ist eine Frucht der Auseinandersetzung mit diesen Werken. Auch Igor Strawinsky knüpft in seiner Elégie für Viola oder Violine aus dem Jahr 1944 an das Vorbild Bach an. Französische Komponisten des 20. Jahrhunderts wie Debussy und Varèse bevorzugten die Flöte als Soloinstrument.

Seit dem 20. Jahrhundert zählen die Violinsonaten und -partiten zum Standardrepertoire aller großen Geiger, unter ihnen Jascha Heifetz, Nathan Milstein, Yehudi Menuhin und Arthur Grumiaux. Sie repräsentieren die für ihre Zeit typische »subjektive«, oft sogar »romantische« Interpretation, die sich wenig um barocke Aufführungspraxis schert. Aus den 1970er- und 1980er-Jahren ragen insbesondere die Aufnahmen von Gidon Kremer, Itzhak Perlman und Shlomo Mintz hervor. Von den Geigern der jüngeren Generation ist vor allem Thomas Zehetmair zu nennen. Zu den Interpreten, die Bachs Solowerke auf einer Barockvioline spielen, gehört Sigiswald Kuijken. MÖ

Einspielungen (Auswahl)
- Arthur Grumiaux (Violine), 1960/61; Philips
- Nathan Milstein (Violine), 1974; Deutsche Grammophon
- Thomas Zehetmair, 1982; Warner Classics
- Sigiswald Kuijken, 1999/2000; DHM/BMG

Sonate Nr. 1 g-Moll BWV 1001

Sätze 1. Adagio, 2. Fuga, 3. Siciliano, 4. Presto
Entstehung 1717–20
Verlag Bärenreiter, Henle
Spieldauer ca. 15 Minuten

Sonate Nr. 2 a-Moll BWV 1003

Sätze 1. Grave, 2. Fuga, 3. Andante, 4. Allegro
Entstehung 1717–20
Verlag Bärenreiter, Henle
Spieldauer ca. 20 Minuten

Sonate Nr. 3 C-Dur BWV 1005

Sätze 1. Adagio, 2. Fuga, 3. Largo, 4. Allegro assai
Entstehung 1717–20
Verlag Bärenreiter, Henle
Spieldauer ca. 21 Minuten

Musik Dadurch, dass Bach jeweils eine Partita auf eine Sonate folgen lässt, verbindet er die beiden bedeutendsten zyklischen Formen barocker Kammermusik miteinander. Die formale Anlage der viersätzigen Kirchensonate mit der Folge langsam–schnell–langsam–schnell geht auf Arcangelo Corelli zurück. Bach hat die schnellen zweiten Sätze, die bei Corelli stets fugiert sind, in seinen Violinsonaten zu vollständigen Fugen erweitert. Dadurch wirkt der langsame erste Satz wie ein Präludium.

Die Fuge ist sowohl von ihrer Ausdehnung her als auch in Bezug auf spieltechnische und musikalische Anforderungen das Herzstück jeder einzelnen Sonate. In der Sonate Nr. 3 in C-Dur (BWV 1005) ist sie durchaus mit Bachs großen Orgelfugen vergleichbar. Ihr viertaktiges, auf dem Pfingsthymnus »Komm, Heiliger Geist, Herre Gott« fußendes Thema wird sowohl in Moll als auch in der Umkehrung durchgeführt. Die Fuge hat bis zu vier Stimmen, sodass alle vier Saiten der Violine gleichzeitig erklingen. Übrigens ist das heute weitaus schwieriger zu realisieren als mit dem locker gespannten Bogen der Barockvioline. Im Unterschied dazu ist die Fuge aus der Sonate Nr. 1 in g-Moll (BWV 1001) kürzer und das eintaktige Thema prägnanter und eingängiger. Bach hat diese Fuge selbst für Laute bearbeitet (BWV 1000).

Bachs Violinfuge eigen ist der Wechsel von mehrstimmigen Durchführungen und einstimmigen Zwischenspielen, die oft wie Soloepisoden in Konzertsätzen wirken und das musikalische Geschehen auflockern. Als Kontrast zu den umfangreichen, in der Regel in polyfoner Dreistimmigkeit gehaltenen Fugen schließt sich in Bachs Violinsonaten stets ein kurzer, langsamer Satz an, gefolgt von einem durchweg spielfreudigen und teilweise auch virtuosen Finale.

Wirkung Helga Thoene hat 2005 in einer analytischen Studie den Versuch unternommen, die drei Sonaten als einen in sich geschlossenen Werkzyklus darzustellen. Für die Musikwissenschaftlerin repräsentieren die Sonaten durch mehr oder weniger verschlüsselte Choralzitate die drei christlichen Hauptfeste Weihnachten, Ostern und Pfingsten. Danach wird die zentrale Sonate in a-Moll (BWV 1003) aufgrund zahlreicher Zitate aus Passionschorälen und biblischer Zahlenbezüge zur »Passionssonate«, in der das Thema »Tod und Auferstehung« vorherrscht.   MÖ

Partita Nr. 1 h-Moll BWV 1002

Sätze 1. Allemande – Double, 2. Corrente – Double, 3. Sarabande – Double, 4. Tempo di Borea – Double
Entstehung 1717–20
Verlag Bärenreiter, Henle
Spieldauer ca. 25 Minuten

Musik Die Partiten basieren zwar auf der traditionellen Tanzfolge Allemande–Courante–Sarabande–Gigue, doch ist ihre jeweilige Ausprägung im Gegensatz zu den Cellosuiten unterschiedlich. Die Partita Nr. 1 in h-Moll (BWV 1002) ersetzt die Gigue durch eine Bourrée. Die vier Suitensätze werden jeweils von einem bewegten Double, einem Variationssatz gefolgt, der von gleichmäßig durchlaufenden Achteln bzw. Sechzehnteln gekennzeichnet ist. Charakteristisch ist dabei die figurale Veränderung der Melodie bei mehr oder weniger konstanter Har-

Arthur Grumiaux, der nach 1945 eine steile internationale Karriere startete, gehört zu den berühmten Interpreten der Sonaten und Partiten für Violine von Johann Sebastian Bach.

monie, gleicher Ausdehnung und gleichem Formschema. MÖ

Partita Nr. 2 d-Moll BWV 1004

Sätze 1. Allemande, 2. Courante, 3. Sarabande, 4. Gigue, 5. Chaconne
Entstehung 1717–20
Verlag Bärenreiter
Spieldauer ca. 25 Minuten

Musik Die d-Moll-Partita besteht aus den traditionellen Suitensätzen Allemande, Courante, Sarabande und Gigue sowie einer abschließenden Chaconne, die fast genauso umfangreich ist, wie die vorherigen Tänze zusammen. Bei einer Chaconne handelt es sich um Variationen über ein gleichbleibendes Bassthema im ungeraden Takt, ähnlich der Passacaglia. Das Prinzip der Variation, das der Suite ohnehin innewohnt, wird in Bachs d-Moll-Partita zum Höhepunkt geführt, denn die Chaconne ist nicht an die Suite angehängt, sie ist vielmehr der Zielpunkt einer sich zum Finale hin steigernden musikalischen Entwicklung.

Die d-Moll-Chaconne ist ein einzigartiger Satz, der Bachs individuelles Ausdrucksvermögen und seine reiche Erfindungsgabe belegt und der bis heute ein Glanzlicht in der Violinliteratur geblieben ist. Für Robert Schumann war sie »eines der wunderbarsten, unbegreiflichsten Musikstücke« voll von »tiefsten Gedanken und gewaltigsten Empfindungen«. Einmal mehr benutzte Bach hier eine konventionelle Gattung, um sie auf besonders kunstreiche und ausgedehnte Weise zur Vollendung zu führen. Die Chaconne beginnt durchaus konventionell, denn die sich wiederholende viertaktige Bassfigur ist hauptsächlich Harmonieträger und erhält aus dieser Funktion heraus ihre Gestalt. Bei insgesamt 64 Variationen bleibt aber auch der Bass von Veränderungen nicht verschont. Bereits nach der dritten Wiederholung wird die Bassfigur chromatisch abgewandelt, und später sorgen Wechsel im harmonischen Ablauf für immer neue Basslinien. Die d-Moll-Chaconne wird durch einen längeren Dur-Mittelteil harmonisch aufgelockert und kontrastiert.

Die 1979 geborene Amerikanerin Hilary Hahn gilt als eine der begabtesten Nachwuchsgeigerinnen der Gegenwart. 1997 gab sie ihr Schallplattendebüt mit einer Aufnahme von Bachs Sonaten und Partiten für Violine solo.

Die einstimmigen virtuosen Passagen gehen bis in die höchsten Höhen, denn Bach schöpft den Tonumfang bis g^3 voll aus. Der Umfang fällt im Vergleich zur heutigen Violine geringer aus, da der Hals und dadurch auch das Griffbrett damals kürzer waren. Darüber hinaus gibt es zahlreiche akkordische Partien, und oft erklingen sogar alle vier Saiten der Violine gleichzeitig. Das ist heute weitaus schwieriger zu spielen als mit dem locker gespannten Bogen der Barockvioline. Höchste Anforderungen an den Interpreten stellen auch die mehrstimmigen Passagen, da oft alle Stimmen gleichberechtigt sind. Mehrstimmiges akkordisches und polyfones Spiel im Wechsel mit Arpeggien und virtuosen einstimmigen Passagen machen den Reiz des Satzes aus.

Wirkung Trotz oder gerade wegen des lehrhaften und nahezu spekulativen Charakters der Partita, insbesondere der Chaconne, und ihrer spieltechnischen und musikalischen Höchstschwierigkeiten war sie vermutlich schon für die zeitgenössischen Geiger eine große Herausforderung. Möglicherweise hat sie der Dresdner Hofmusiker Johann Georg Pisendel gespielt, den Bach schon in Weimar kennen- und schätzen gelernt hatte.

Die österreichische Violinistin russischer Herkunft Viktoria Mullova ist für ihre authentischen Interpretationen barocker Werke berühmt. Zu ihren Einspielungen zählen auch Bachs Violinpartiten.

Nach Bachs Tod geriet das Werk zunächst in Vergessenheit, bevor es im Zuge der Bach-Renaissance im 19. Jahrhundert wiederentdeckt wurde. Robert Schumann fügte der Partita eine Klavierbegleitung hinzu, Johannes Brahms (1877) bearbeitete die Chaconne für Klavier. Auch im 20. Jahrhundert war man bemüht, ein solch herausragendes Werk auch anderen Instrumentalisten, insbesondere den Pianisten, zugänglich zu machen. Klavierbearbeitungen wie die von Ferruccio Busoni nutzten die Möglichkeiten des modernen Flügels, doch offenbaren sie zugleich einen Hang zur Monumentalität, was sogar zu Orchestrierungen der Chaconne (u. a. Alfredo Casella) führte. Mit den klanglichen Vorstellungen von Bach haben diese Bearbeitungen nichts mehr gemein.

Nach dem Zweiten Weltkrieg avancierte die d-Moll-Partita – insbesondere die Chaconne – in ihrer Originalgestalt zum Pflichtstück aller bedeutenden Geiger.

Eine theoretische Neubewertung des Stücks unternahm zu Beginn des 21. Jahrhunderts die Musikwissenschaftlerin Helga Thoene. Sie nimmt an, dass Bach die d-Moll-Partita als »klingendes Epitaph« für seine im Juli 1720 verstorbene Frau Maria Barbara komponiert hat. Entsprechende Hinweise gäben die Motive aus endzeitlichen Chorälen, die Bach vor allem in der Chaconne versteckt habe. Der Geiger Christoph Poppen und das englische Hilliard Ensemble traten dafür in Konzerten und auf ihrer gemeinsamen CD unter dem Titel »Morimur« eine klingende Beweisführung an. MÖ/STÜ

Partita Nr. 3 E-Dur BWV 1006

Sätze 1. Preludio, 2. Loure, 3. Gavotte en Rondeau, 4. Menuett I, 5. Menuett II, 6. Bourrée, 7. Gigue
Entstehung 1717–20
Verlag Bärenreiter, Henle
Spieldauer ca. 16 Minuten

Das Gerüst der Partita Nr. 3 in E-Dur (BWV 1006) bilden die französischen Suitensätze Loure, Gavotte en Rondeau, Menuett I und II und Bourrée. Eingerahmt werden sie von den beiden virtuos angelegten Sätzen Präludium und Gigue. Aufgrund der Spielfreude der Ecksätze und dem Charme der eingängigen französischen Modetänze avancierte die Partita zu einem der beliebtesten Solowerke für Violine. Vom Präludium gibt es zusätzlich eine Orchesterfassung: Bach arbeitete es 1731 zur Orchestersinfonia mit obligater Orgel um, die die Kantate »Wir danken dir, Gott, wir danken dir« (BWV 29) einleitet. Bachs Sonaten und Partiten stellen höchste spieltechnische und musikalische Anforderungen an den Interpreten und bilden bis heute einen Höhepunkt in der solistischen Violinmusik. MÖ

Suiten für Violoncello solo BWV 1007–1012

Suite Nr. 1 G-Dur BWV 1007

Sätze 1. Prélude, 2. Allemande, 3. Courante,
4. Sarabande, 5. Menuet I & II, 6. Gigue
Entstehung vermutlich ca. 1717–20
Verlag Henle
Spieldauer ca. 15 Minuten

Suite Nr. 2 d-Moll BWV 1008

Sätze 1. Prélude, 2. Allemande, 3. Courante,
4. Sarabande, 5. Menuet I & II, 6. Gigue
Entstehung vermutlich ca. 1717–20
Verlag Henle
Spieldauer ca. 18 Minuten

Suite Nr. 3 C-Dur BWV 1009

Sätze 1. Prélude, 2. Allemande, 3. Courante,
4. Sarabande, 5. Bourrée I & II, 6. Gigue
Entstehung vermutlich ca. 1717–20
Verlag Henle
Spieldauer ca. 21 Minuten

Suite Nr. 4 Es-Dur BWV 1010

Sätze 1. Prélude, 2. Allemande, 3. Courante,
4. Sarabande, 5. Bourrée I & II, 6. Gigue
Entstehung vermutlich ca. 1717–20
Verlag Henle
Spieldauer ca. 21 Minuten

Suite Nr. 5 c-Moll BWV 1011

Sätze 1. Prélude, 2. Allemande, 3. Courante,
4. Sarabande, 5. Gavotte I & II, 6. Gigue
Entstehung vermutlich ca. 1717–20
Verlag Henle
Spieldauer ca. 22 Minuten

Suite Nr. 6 D-Dur BWV 1012

Sätze 1. Prélude, 2. Allemande, 3. Courante,
4. Sarabande, 5. Gavotte I & II, 6. Gigue
Entstehung vermutlich ca. 1717–20
Verlag Henle
Spieldauer ca. 26 Minuten

Entstehung Die Entstehungsdaten der sechs Suiten für Violoncello solo (BWV 1007–12) sind nicht bekannt, zumal auch kein Autograf erhalten ist. Der Quellenbefund (es existieren Abschriften von Johann Peter Kellner, um 1726, und Bachs Frau Anna Magdalena, ca. 1727–31) lässt jedoch vermuten, dass sie in zeitlicher Nähe zu den sechs Sonaten und Partiten für Violine solo (BWV 1001–06) komponiert wurden, also zwischen 1717 und 1720 in Köthen. Zu dieser Zeit schrieb Bach nicht nur zahlreiche Kammermusikwerke, sondern schuf darüber hinaus die ersten Kompositionen für Melodieinstrumente ohne Begleitung. Da die Cellosuiten gegenüber den Solowerken für Violine formal konventioneller sind, könnten sie vorher entstanden und damit Bachs erste größere Werkgruppe dieser Art sein.

Musik Als früheste Kompositionen für Violoncello solo gelten die Ricercari von Domenico Gabrielli (vor 1680) und die Solosonaten von Giuseppe Jacchini (um 1700). Im Unterschied zu

Der Franzose Pierre Fournier zählt neben dem Spanier Pablo Casals zu den herausragenden Interpreten der Suiten für Violoncello solo von Bach.

seinen Vorgängern stand Bach bereits die ab 1710 von Antonio Stradivari entwickelte moderne viersaitige Form des Violoncellos mit der Stimmung C-G-d-a zur Verfügung.

Seine jeweils sechssätzigen Suiten werden Stück für Stück länger und anspruchsvoller und erinnern damit an ein fortschreitend geordnetes Lehrwerk. Schulmäßig ist auch ihre formale Geschlossenheit, die – im Gegensatz zu den Violinpartiten – konsequent auf die von einem Präludium eingeleitete traditionelle Tanzfolge Allemande-Courante-Sarabande-Gigue zurückgreift.

Aufgelockert wird das Schema durch die üblichen Einschübe der Intermezzosätze zwischen Sarabande und Gigue. Dabei handelt es sich um die jeweils paarweise auftretenden französischen Modetänze Menuett (Suite 1 und 2), Bourrée (Suite 3 und 4) und Gavotte (Suite 5 und 6). Der Alternativsatz fungiert als Trio und zieht eine Wiederholung des Menuetts nach sich. Die Triofunktion wird stilistisch dadurch unterstrichen, dass der meist bewegtere Alternativsatz den charakteristischen Rhythmus des Tanzes abschwächt (Suite 2, 3 und 5), wesentlich kürzer ist (Suite 4) oder aber in der für das klassische Trio typischen Varianttonart steht (Suiten 1–3). Dass die Intermezzi leichter und unbekümmerter als die Kernsätze sind, mag ein Grund für ihre Beliebtheit sein, denn Tänze wie die Bourrée aus der Suite 3 zählen zu Bachs bekanntesten Suitensätzen.

Jede der drei letzten Suiten beleuchtet einen besonderen Aspekt des Cellospiels. So steht Suite 4 in einer für das Violoncello ungewöhnlichen Tonart (Es-Dur). Für Suite 5 hat Bach die Anweisung gegeben, die höchste Saite von a nach g herabzustimmen. Diese sogenannte Skordatur bewirkt eine Änderung der Resonanzverhältnisse und dadurch einen gedeckteren Klang. Viele Cellisten spielen die Suite allerdings in Normalstimmung. Dies ist zwar musikalisch vertretbar – obwohl die Skordatur Akkordgriffe zulässt, die mit der Normalstimmung nicht möglich sind –, doch lässt ein solches Vorgehen die klanglichen Intentionen des Komponisten außer Acht.

Suite 4 ist für ein fünfsaitiges Violoncello mit einer zusätzlichen e^1-Saite komponiert. Dies hat schon früh zu der irrigen Annahme geführt, die Suite sei für Viola pomposa komponiert worden, obwohl es fünfsaitige Violoncelli durchaus noch

neben der viersaitigen Form gegeben hat. Die Suite wird oft auf dem modernen Cello gespielt, zumal die Erweiterung des Umfangs in der Höhe heute kein Problem mehr darstellt. Und die Verwendung der e^1-Saite zur Bariolage kann durch den Daumenaufsatz ausgeglichen werden, den Bach übrigens noch nicht kannte. In der Bariolage wird bei raschem Saitenwechsel der höhere Ton auf der tieferen Saite gespielt, meist unter Verwendung der leeren Saite.

Mit den Cellosuiten hat Bach eine spätbarocke Gattung zur Vollendung geführt und zugleich einen Höhepunkt in der Celloliteratur insgesamt geliefert.

Was ist eine Suite?

Unter einer Suite versteht man eine mehrteilige Komposition aus einer Folge (französisch »suite«) von in sich geschlossenen, nur lose, etwa durch gleiche Tonart oder motivische Verwandtschaft, verbundenen Tänzen, tanzartigen oder sonstigen Sätzen. Die Kombination mehrerer Tänze und verschiedener Ausführungsweisen desselben Tanzsatzes begegnet bereits im Mittelalter. Die Tanzbücher des 16. Jahrhunderts, in denen das Wort Suite zuerst erscheint, enthalten entweder gleichartige Einzeltänze, die der Spieler nach Belieben zusammenstellte, oder durch Umrhythmisierung und Variation geschaffene Tanzpaare wie Pavane-Gaillarde, Pavane-Saltarello, Tanz-Hupfauf. Die kammermusikalisch besetzte Suite entwickelte sich in der italienischen Sonata da Camera als freie Folge von Tanzsätzen.

Wirkung Im 19. Jahrhundert wurden die Cellosuiten u. a. von Robert Schumann wiederentdeckt, der ihnen – wie den Violinkompositionen – eine Klavierbegleitung hinzufügte. In diesem Jahrhundert gehören die Suiten zum Repertoire aller bedeutenden Cellisten. MÖ

Einspielungen (Auswahl)
- Pablo Casals, 1929–39; EMI oder Naxos historical
- Pierre Fournier (Violoncello), 1960; Deutsche Grammophon
- Heinrich Schiff, 1984; EMI
- Anner Bylsma (Violoncello), 1991; Sony Classical
- Daniel Müller-Schott, 2000; Glissando/G & H
- Truls Mørk, 2005; Virgin/EMI

Solostücke für andere Instrumente

Partita a-Moll für Flöte solo BWV 1013

Sätze 1. Allemande, 2. Corrente, 3. Sarabande, 4. Bourrée anglaise
Entstehung nach 1723
Verlag Bärenreiter, Henle
Spieldauer ca. 11 Minuten

Entstehung Mit dem 1721 in Köthen komponierten »Brandenburgischen Konzert« Nr. 5 legte Bach sein erstes Werk mit Beteiligung einer Traversflöte vor; bis dahin hatte er lediglich Blockflöten verwendet. Zudem entstanden in seiner Köthener Zeit 1717 bis 1723 mit den Cellosuiten sowie den Sonaten und Partiten für Violine solo die ersten Werke für unbegleitete Melodieinstrumente. Deshalb wurde bisher angenommen, dass auch die a-Moll-Partita aus dieser Zeit stammt.

Doch aufgrund der im Vergleich zum »Brandenburgischen Konzert« fortschrittlichen Spieltechnik der Partita geht die neuere Bach-Forschung davon aus, dass sie erst nach 1723 in Leipzig verfasst wurde, wo Bach ohnehin die meisten seiner Flötensonaten komponiert hat. Bei der Frage nach der Entstehungszeit ist die Bach-Forschung auf stilkritische Untersuchungen angewiesen, zumal die a-Moll-Partita nicht im Autograf, sondern nur in einer einzigen Abschrift überliefert ist. Die Authentizität der Komposition steht allerdings außer Frage und wird im Titel bestätigt: »Solo pour la flûte traversière par J. S. Bach.«

Musik Die Traversflöte hatte um 1720 ihre moderne, mehrteilige Form erhalten mit einem vollchromatischen Umfang von d^1 bis a^3, den Bach auch voll ausschöpfte. Das Mittelstück war geteilt, sodass sich die Traversflöte durch den Austausch mehrerer Teilstücke unterschiedlichen Stimmungen anpassen konnte.

Vermutlich handelt es sich bei der a-Moll-Partita nicht um eine Originalkomposition für Flöte, sondern um eine Neufassung eines Werkes in abweichender Besetzung. Im Unterschied zu seinen übrigen Flötenkompositionen hat Bach vor allem in der Allemande, aber auch in der Corrente, wenig Rücksicht auf die Atmung des Flötisten genommen, sodass zumindest diese beiden Sätze ursprünglich vermutlich für ein Tasteninstrument bestimmt waren.

Die Partita greift auf die traditionelle Tanzfolge der Suite mit den Sätzen Allemande-Corrente-Sarabande-Gigue zurück, ersetzt jedoch die Gigue durch eine Bourrée anglaise. Dennoch verzichtet das Werk weitgehend auf die für die einzelnen Tänze charakteristischen Merkmale. Der Allemande fehlt beispielsweise der typische Auftakt, sodass die gleichmäßigen Sechzehntel eher an ein Präludium erinnern. Die Sarabande kommt ohne ihren charakteristischen synkopierten Rhythmus aus und wird von überraschend vielen durchlaufenden Achteln und Sechzehnteln geprägt. Der weitgehende Verzicht auf tänzerische Elemente hat vermutlich dazu geführt, dass das in der Abschrift lediglich »Solo« genannte Werk lange als »Sonate« bezeichnet wurde, wie zum Beispiel im Bach-Werke-Verzeichnis von Wolfgang Schmieder.

Bach ist in allen Sätzen zeitweilig bemüht, trotz der einstimmig notierten Flötenstimme eine latente Mehrstimmigkeit zu erzeugen. Ein solches Vorgehen stellt allerdings auch an den Hörer hohe Anforderungen, da er die melodischen Linien mitdenken muss. Besonders deutlich wird dies im Fall der weit auseinanderliegenden Stimmen in den Anfangstakten der Corrente. Der rhythmisch prägnante Beginn wird jedoch schnell zu Sechzehnteln fortgesponnen. Der letzte Satz ist volkstümlich und durchaus tänzerisch; er hat jedoch mit einer französischen Bourrée wenig gemein, und trägt daher den Zusatz »anglaise« (auf englische Art).

Wirkung In der zweiten Hälfte des 20. Jahrhunderts haben Interpreten wie Jean-Pierre Rampal, Aurèle Nicolet und Maxence Larrieu Bachs Flötenpartita eingespielt. Während sie das Werk auf der modernen Boehmflöte aus Metall spielen, haben sich Interpreten wie Frans Brüggen und Bartold Kuijken der sogenannten historischen Aufführungspraxis verschrieben und spielen Bachs Partita auf der hölzernen Traversflöte.   MÖ

Einspielungen (Auswahl)
• Stephen Preston (Flöte), 1974 (+ Sonaten BWV 1030–1035); CRD

Suiten für Laute solo BWV 995–99 und 1006a

Entstehung Anders als seine Cellosuiten und die Sonaten und Partiten für Violine solo sind die vier Lautensuiten von Bach nicht als geschlossene Werkgruppe, sondern als Einzelstücke überliefert. Sie sind nicht einmal in zeitlicher Nähe zueinander entstanden, sondern wurden erst im Bach-Werke-Verzeichnis von Wolfgang Schmieder zu den drei Lautensuiten BWV 995–997 und der Lautenbearbeitung der Violinpartita BWV 1006a zusammengefasst.

Die e-Moll-Suite BWV 996 ist Bachs erste Lautenkomposition. Er schrieb sie zwischen 1708 und 1717 in Weimar, wo er als Kammermusiker und Hoforganist tätig war. Der Untertitel in einer zeitgenössischen Abschrift, »aufs Lautenwerk« – mit dem ein in Bachs Besitz befindliches Tasteninstrument gemeint war –, hat in der Bach-Forschung vorübergehend zu der irrigen Annahme geführt, dass es sich nicht um eine Lautenkomposition handele. Doch zum einen sind alternative Besetzungen in der Barockzeit gängige Praxis, zum anderen hat Bach seine Lautenwerke generell nicht in Tabulatur, sondern im Doppelsystem notiert, sodass sie auch auf Tasteninstrumenten spielbar waren. Dies unterstreicht auch der autografe Eintrag »pour la Luth ò Cembalo« in »Präludium, Fuge und Allegro« Es-Dur BWV 998 (Leipzig, ca. 1740–45).

Aus Bachs Köthener Zeit (1717–23) ist mit dem Präludium c-Moll BWV 999 eine weitere Originalkomposition überliefert, die auf etwa 1720 zu datieren ist. In Leipzig, wo Bach die Laute in der Johannespassion (1724) einsetzte, bearbeitete er auch in Köthen entstandene Violin- bzw. Cellowerke für das Zupfinstrument. Die Lauten-

Zwischen 1717 und 1723 war Johann Sebastian Bach als Leiter der Hofmusik an der Residenz von Fürst Leopold von Anhalt-Köthen tätig (kolorierter Kupferstich von Matthäus Merian, um 1650). Hier komponierte er auch seine Violinsonaten.

suite g-Moll BWV 995 ist eine zwischen 1727 und 1731 in Leipzig angefertigte Bearbeitung der 5. Cellosuite in c-Moll BWV 1011. Der autografe Untertitel »Pièces pour la Luth à Monsieur Schouster par J. S. Bach« weist sie als Gelegenheitsarbeit aus, vermutlich für einen Leipziger Lautenisten.

Die Lautensuite E-Dur BWV 1006a ist eine Bearbeitung der E-Dur-Partita BWV 1006 aus den sechs Sonaten und Partiten für Violine solo von 1740. Sie liegt als Autograf vor.

Von den in Leipzig verfassten Lautensuiten ist lediglich die um 1740 entstandene Partita c-Moll BWV 997 eine Originalkomposition. Sie ist nicht im Autograf, sondern nur als handschriftliche Lautentabulatur des Bach-Freundes und Lautenisten Johann Christian Weyrauch überliefert, der darüber hinaus eine Lautenfassung (BWV 1000) der g-Moll-Fuge aus der Sonate für Violine solo BWV 1001 angefertigt hat.

Musik Die Barocklaute des 18. Jahrhunderts wies in der Regel eine d-Moll-Stimmung auf. Sie war elf- bis dreizehnchörig mit sechs Griffsaiten (z. T. Doppelsaiten) und frei schwingenden diatonisch gestimmten Basschören. Während die Suiten in e-Moll BWV 996 und c-Moll BWV 997 für die dreizehnchörige Laute bestimmt sind, verlangt Bach für die Suiten in g-Moll BWV 995 und E-Dur BWV 1006a sogar die vierzehnchörige Laute mit 26 Saiten (die beiden höchsten Saiten waren Einzelsaiten).

Bachs vier Lautensuiten bilden zusammen mit den Suiten des Dresdner Lautenisten Sylvius Leopold Weiß den Gipfelpunkt ihrer Gattung. Die ersten beiden Kompositionen greifen auf die traditionelle, von einem Präludium eingeleitete Tanzfolge Allemande–Courante–Sarabande–Gigue zurück. Zwischen Sarabande und Gigue sind Intermezzi eingeschoben (1. Suite: Gavotte I und II; 2. Suite: Bourrée – einer der bekanntesten Lautensätze Bachs).

Die 3. Suite, die c-Moll-Partita, wirkt dagegen wie eine Mischung aus Sonate und Suite, da auf das Präludium kein Suitensatz, sondern eine ausdrucksstarke Da-capo-Fuge folgt. Erst dann schließen sich die Tanzsätze Sarabande sowie Gigue und Double an. Die 4. Suite in E-Dur weist mit der Betonung französischer Modetänze wie Loure, Gavotte en Rondeau, Menuett I und II und Bourrée wiederum eine individuelle Tanzfolge auf.

Wirkung Der Niedergang der Laute, der schon zu Bachs Lebzeiten begann, ließ auch die Lautensuiten für lange Zeit in Vergessenheit geraten. Erst im 20. Jahrhundert begann ihre Wiederentdeckung, die eng mit der Renaissance der Gitarre zusammenhing. In den 1960er-Jahren waren es vor allem Julian Bream und John Wiliams, die Bachs Lautensuiten für Gitarre bearbeiteten und auf Schallplatten einspielten. Im Zuge der sogenannten historischen Aufführungspraxis liegen heute aber auch vermehrt Aufnahmen von Lautenisten vor, so von Lutz Kirchhof, Stephen Stubbs und Hopkinson Smith.　　MÖ

Einspielungen (Auswahl)
• Jacob Lindberg (Laute), 1982; BIS

Sonaten für ein Melodie- und ein Tasteninstrument

Violinsonate Nr. 1 h-Moll BWV 1014

Sätze 1. Adagio, 2. Allegro, 3. Andante, 4. Allegro
Entstehung 1717–23
Verlag Henle
Spieldauer ca. 14 Minuten

Violinsonate Nr. 2 A-Dur BWV 1015

Sätze 1. Dolce, 2. Allegro, 3. Andante un poco, 4. Presto
Entstehung 1717–23
Verlag Henle
Spieldauer ca. 13 Minuten

Violinsonate Nr. 3 E-Dur BWV 1016

Sätze 1. Adagio, 2. Allegro, 3. Adagio ma non troppo, 4. Allegro
Entstehung 1717–1723
Verlag Henle
Spieldauer ca. 16 Minuten

Violinsonate Nr. 4 c-Moll BWV 1017

Sätze 1. Largo, 2. Allegro, 3. Adagio, 4. Allegro
Entstehung 1717–23
Verlag Henle
Spieldauer ca. 17 Minuten

Violinsonate Nr. 5 f-Moll BWV 1018

Sätze 1. Lamento, 2. Allegro, 3. Adagio,
4. Vivace
Entstehung 1717–23
Verlag Henle
Spieldauer ca. 19 Minuten

Violinsonate Nr. 6 G-Dur BWV 1019

Sätze 1. Allegro, 2. Largo, 3. Allegro, 4. Adagio,
5. Allegro
Entstehung 1717–23
Verlag Henle
Spieldauer ca. 17 Minuten

Mit seiner Einspielung der Suiten für Violoncello solo
von Bach setzte der spanische Cellist Pablo Casals in den
1930er-Jahren neue Maßstäbe.

Entstehung Bachs sechsteiliger Zyklus für Violine und obligates Cembalo BWV 1014–19 bildet das Herzstück seiner Violinsonaten. Sieht man vom fragmentarisch überlieferten Autograf der G-Dur-Sonate BWV 1019 ab, so sind die Sonaten lediglich in Abschriften überliefert. Dadurch wird ihre Datierung zwar erschwert, doch nach den Aussagen des Bach-Biografen Johann Nikolaus Forkel (1802) sind sie zwischen 1717 und 1723 in Köthen entstanden und damit wahrscheinlich die ersten Duosonaten dieser Art.

Die von Bach offenbar in Leipzig umgearbeitete Sonate BWV 1019 liegt in drei Fassungen vor. Stilkritisch betrachtet, könnte die erste Fassung – wie auch die A-Dur-Sonate BWV 1015 – bereits in Weimar entstanden sein. In die zweite Fassung übernahm Bach die Arie »Heil und Segen« aus der Kantate Nr. 120 »Gott, man lobet dich in der Stille«.

Musik Bachs Violinsonaten BWV 1014–19 gehören zusammen mit den Gambensonaten BWV 1027–29 und den Flötensonaten BWV 1030–32 zur neu geschaffenen kammermusika-

lischen Gattung für ein Melodieinstrument und obligates Cembalo. Bach befreite das Cembalo aus der Rolle des Generalbassinstruments und erhob es zum gleichberechtigten Partner der Violine.

Entstanden sind die Duosonaten aus der Übertragung des Triosonatensatzes mit zwei konzertierenden Oberstimmen und Basso continuo auf zwei Instrumente. Dabei übernimmt die rechte Hand des Cembalisten die zweite Oberstimme, die linke spielt den Bass. In einzelnen Sätzen wie den Kopfsätzen der Sonaten BWV 1014 und BWV 1018 verliert sich der Triosonatentyp jedoch zugunsten eines vollkommen integrierten Satzes, mit dem Bach der klassischen Sonate für Violine und Klavier den Weg ebnete.

Die Violinsonaten sind generell viersätzig. Eine Ausnahme bildet lediglich die vom Komponisten dreimal überarbeitete, in der Endfassung aus fünf Sätzen bestehende G-Dur-Sonate BWV 1019. Dass der dritte Satz hier allein vom Cembalo gespielt wird, unterstreicht die Bedeutung des Instruments. Die meisten Sonaten basieren auf der viersätzigen Form der italienischen Sonata da Chiesa (Kirchensonate) mit der Satzfolge langsam–schnell–langsam–schnell.

Die polyfone Ausgestaltung der drei Stimmen, die in Bezug auf Spieltechnik und Stimmführung besonders beweglich sind, zeigt sich vor allem in den ausnahmslos fugierten Allegrosätzen. Die meisten Fugen sind Da-capo-Sätze, in denen die erste Durchführung am Schluss noch einmal wiederholt wird. Ihre Zwischenspiele heben sich formal und ausdrucksmäßig von den Durchführungen ab und erinnern an Soloepisoden des Instrumentalkonzerts.

In den langsamen Sätzen gibt Bach den neuen Triotyp zugunsten einer solistisch geführten Geigenstimme auf. Im Unterschied zu den Solosonaten und -partiten verzichtet die Violine nun weitgehend auf das mehrstimmige Spiel und lässt sich stattdessen als typisches Melodieinstrument vom akkordischen Spiel des Cembalos begleiten.

Wirkung Carl Philipp Emanuel Bach urteilte 1774 über die Violinsonaten: »Die 6 Clavirtrio, die unter ihren Numern zusammengehören, sind von den besten Arbeiten des seeligen lieben Vaters. Sie klingen noch jetzt sehr gut, u. machen mir viel Vergnügen, ohngeacht sie über 50 Jahre alt sind. Es sind einige Adagii darin, die man heut zu Tage nicht sangbarer setzen kann.«

Aufgrund der eindeutigen Besetzung der Sonaten für Violine und Cembalo bleiben Aufnahmen mit Klavier wie die des Geigers Yehudi Menuhin mit dem Pianisten Glenn Gould aus den 1960er-Jahren die Ausnahme. Geiger wie Arthur Grumiaux (mit Christiane Jaccottet) und David Oistrach (mit Hans Pischner) zogen das Cembalo als Partner vor. Interpretationen auf der Barockvioline stammen u. a. von Lars Frydén mit Gustav Leonhardt aus den 1960er-Jahren und Sigiswald Kuijken ebenfalls mit Gustav Leonhardt aus den 1970er-Jahren. Neueren Datums sind die Aufnahmen von Reinhard Goebel mit Robert Hill (Musica Antiqua Köln) und Monica Huggett mit Ton Koopman. Reinhard Goebel hat darüber hinaus die Sonaten für Violine und Basso continuo zusammen mit Henk Bouman (Cembalo) und Jaap ter Linden (Violoncello) eingespielt.   MÖ

Jascha Heifetz debütierte 1911 in Petersburg, 1917 emigrierte er in die USA. Er gilt als einer der besten Violinvirtuosen seiner Zeit, dessen Repertoire von Barockmusik bis zu zeitgenössischen Kompositionen reichte.

Einspielungen (Auswahl)
- Sigiswald Kuijken (Barockvioline), Gustav Leonhardt (Cembalo), 1974; dhm/Sony BMG
- Andrew Manze (Barockvioline), Richard Egarr (Cembalo), Jaap ter Linden (Gambe/Cello), 1999 (+ Sonaten BWV 1021, 1023 und 1024, Toccata und Fuge BWV 565); HMF/Helikon
- Giuliano Carmignola (Barockvioline), Andrea Marcon (Cembalo), 2002; Sony BMG
- Sonaten BWV 1014, 1015, 1019: Viktoria Mullova (Violine), Bruno Canino (Klavier), 1992 (+ C. P. E. Bach, Sonate Wq 78); Philips

Violinsonate G-Dur BWV 1021

Sätze 1. Adagio, 2. Vivace, 3. Largo, 4. Presto
Entstehung ca. 1727–36
Verlag Henle
Spieldauer ca. 9 Minuten

Violinsonate e-Moll BWV 1023

Sätze 1. Adagio, ma non tanto, 2. Allemande, 3. Gigue
Entstehung möglicherweise nach 1723
Verlag Henle
Spieldauer ca. 12 Minuten

Entstehung Die Echtheit der g-Moll-Sonate BWV 1020 wird von der Bach-Forschung angezweifelt. Das Werk, das übrigens auch die Flötisten für sich beanspruchen, wird eher Carl Philipp Emanuel Bach zugeschrieben. Von der Sonate in F-Dur BWV 1022, einer Umarbeitung der Triosonate in G-Dur BWV 1038 zur Duosonate, ist lediglich die Bassstimme definitiv von Bach, zumal sie mit der G-Dur-Sonate BWV 1021 übereinstimmt.

Von den drei Sonaten für Violine und Basso continuo BWV 1021, 1023 und 1024 ist wohl die c-Moll-Sonate BWV 1024 nicht authentisch, die deshalb auch nicht in die Neue Bach-Ausgabe übernommen wurde. Die G-Dur-Sonate BWV 1021 ist in einer zwischen 1727 und 1736 entstandenen Abschrift von Anna Magdalena Bach erhalten und dürfte auch zu dieser Zeit verfasst worden sein. In Bezug auf die Entstehungszeit der e-Moll-Sonate BWV 1023 ist sich die Bach-Forschung nicht einig, einige Forscher vermuten ca. 1717 in Weimar, doch es spricht einiges dafür, dass das Werk aus den frühen Leipziger Jahren (nach 1723) stammt.

Musik In den Sonaten für Violine und Basso continuo BWV 1021, 1023 und 1024 kommen Einflüsse der Sonata da Camera zum Tragen, wie zum Beispiel in der e-Moll-Sonate BWV 1023 mit ihren zwei freien und zwei tänzerischen Sätzen (Allemande und Gigue).

Wirkung Der lang ausgehaltene Orgelpunkt im ersten Satz der Violinsonate BWV 1023 weist auf eine Continuobesetzung mit Orgel hin. Das haben beispielsweise John Holloway (Violine), Susan Sheppard (Violoncello) und Davitt Moroney (Kammerorgel) in ihrer CD-Aufnahme berücksichtigt. MÖ

Sonaten für Viola da Gamba und obligates Cembalo BWV 1027–1029

Entstehung Von den drei Sonaten für Viola da Gamba und obligates Cembalo sind nur die Sonaten in G-Dur BWV 1027 und g-Moll BWV 1029 im Autograf überliefert. Die Sonate in D-Dur BWV 1028 liegt lediglich in einer Abschrift des Leipziger Thomasschülers Christian Friedrich Penzel aus dem Jahr 1753 vor. Bisher ging man davon aus, dass die Gambensonaten zwischen 1717 und 1723 in Köthen entstanden sind, wo Bach als Kammermusikdirektor und Kapellmeister die Hofmusik mit eigenen Kompositionen bereicherte. Es wurde angenommen, dass er die Sonaten zusammen mit dem Köthener Kammergambisten Christian Ferdinand Abel gespielt habe, vielleicht sogar mit seinem Dienstherrn, dem Fürsten Leopold von Anhalt-Köthen, der selbst Gambist war.

Neueren Forschungsergebnissen zufolge weist das Autograf der G-Dur-Sonate BWV 1027 jedoch auf die späten 1730er-Jahre, also auf Bachs Leipziger Zeit. Und obwohl die Gambensonaten nicht als Zyklus angelegt sind, könnten auch die beiden anderen Sonaten zu dieser Zeit entstanden sein. Dann wären sie vermutlich von Karl Friedrich Abel, dem letzten großen Gambisten und Sohn des Köthener Kammergambisten, gespielt worden, der wahrscheinlich Thomasschüler in Leipzig war.

Musik Die Viola da Gamba der Barockzeit hatte in der Regel sechs Saiten mit der Stimmung D-G-c-e-a-d[1]. Darüber hinaus gab es die um ein ‚A in der Tiefe erweiterte siebensaitige Form, die Bach in der D-Dur-Sonate verlangt. In der Höhe benutzt er den zu seiner Zeit üblichen Umfang bis d[2]. Die Gambensonaten gehören zusammen mit den Violinsonaten BWV 1014–19 und den Flötensonaten BWV 1030–32 in die Reihe der Sonaten für ein Melodieinstrument und obligates Cembalo. Wie schon in den Violinsonaten verzichtet Bach auch in den Gambensonaten auf das mehrstimmige Spiel, obwohl die Gambe dafür besonders geeignet war. Das liegt wahrscheinlich daran, dass die Sonaten keine Originalkompositionen, sondern Transkriptionen bereits vorliegender Triosonaten sind. Darauf deutet auch der zweistimmige Cembalosatz, der offenbar eher für zwei Melodieinstrumente als für ein Tasteninstrument komponiert wurde. Eine Ausnahme bildet lediglich die Generalbassbezifferung im dritten Satz der D-Dur-Sonate BWV 1028. Und tatsächlich basiert die G-Dur-Sonate BWV 1027 auch auf der Triosonate für zwei Flöten und Basso continuo in G-Dur BWV 1039, die möglicherweise ihrerseits auf eine Urfassung für zwei Violinen und Basso continuo zurückgeht.

Die ersten beiden Gambensonaten BWV 1027 und 1028 sind formal an die viersätzige Kirchensonate mit der Satzfolge langsam–schnell–langsam–schnell angelehnt. Dagegen weist die g-Moll-Sonate BWV 1029 eine eher für den Konzertsatz charakteristische dreisätzige Form mit der Folge schnell–langsam–schnell auf. Die Dreisätzigkeit sowie motivische Anklänge an die »Brandenburgischen Konzerte« haben zu der Annahme geführt, die Urfassung sei keine Triosonate, sondern ein Konzert gewesen. Doch Bach hat die Sonate lediglich »auf Concertenart« verfasst, bei der man »den ersten langsamen Satz weglassen und sofort mit dem lebhaften Satze anfangen« konnte, wie Bachs Zeitgenosse Johann Adolph Scheibe berichtet.

In den langsamen Sätzen sind häufig nur die beiden Oberstimmen imitatorisch aufeinander bezogen, während der Bass in gleichmäßiger Bewegung fortschreitet, wie im dritten Satz der

G-Dur- und im ersten Satz der D-Dur-Sonate. Dagegen sind die schnellen Sätze der Gambensonaten im Sinne des neuen Triotyps dreistimmig polyfon angelegt. Die einander imitierenden Oberstimmen beginnen oft im Fugato, doch mit Ausnahme des zweiten Satzes der D-Dur-Sonate handelt es sich dabei nicht um auskomponierte Fugen wie in vielen Violinsonaten.

Gambe und Violoncello

Auf den ersten Blick sind der von Bach in den Sonaten für Viola da Gamba und obligates Cembalo verlangte Bass der Gambenfamilie und das Violoncello kaum voneinander zu unterscheiden: Beide sind große hölzerne Streichinstrumente mit seitlichen Einbuchtungen, die als Kniegeigen (ital. Viola da Gamba) zwischen den Knien gespielt werden. Bei genauerem Hinschauen werden jedoch die zahlreichen Unterschiede deutlich: So hat die Gambe in der Regel sechs Saiten und einen ziemlich breiten Hals, das Cello aber nur vier (selten fünf) Saiten und einen schmalen Hals.

Bei der Gambe erleichtern (wie bei der Gitarre) Bünde auf dem Griffbrett das Treffen der Töne. Die Zargen, die seitlich Decke und Boden der jeweiligen Instrumente verbinden, sind bei der Gambe zudem deutlich breiter als beim Cello. Weil Boden und Decke bei der Gambe dünner und die Spannung der Saiten entsprechend geringer ist, produziert das Instrument nur einen recht leisen Klang, eher geeignet fürs häusliche Musizieren als für den Konzertsaal. Dies war wohl auch ein Grund, warum die Gambe im 18. Jahrhundert aus der Mode kam – und durch das Cello verdrängt wurde.

Wirkung Die Cellisten haben die Gambensonaten schon frühzeitig für sich vereinnahmt und dabei Bearbeitungen für Violoncello und Klavier verwendet (es gibt auch Einrichtungen für Bratsche). Entsprechende CD-Aufnahmen liegen von Pablo Casals und Paul Baumgartner, Leonard Rose und Glenn Gould sowie von Mischa Maisky und Martha Argerich vor. Eine individuelle Lösung hat Anner Bylsma gefunden, der die Gambensonaten auf dem Violoncello piccolo mit Bob van Asperen am Cembalo aufgenommen hat. Die Gambisten spielen bei diesen Wer-

Der amerikanische Cellist Yo-Yo Ma (hier bei einem Auftritt in Boston, 2005) gab bereits mit sechs Jahren in Paris sein erstes öffentliches Konzert. Damals spielte er eine Cellosuite von Johann Sebastian Bach.

ken hingegen generell mit Cembalisten zusammen, wie zum Beispiel August Wenzinger mit Fritz Neumeyer, Wieland Kuijken mit Gustav Leonhardt, Jordi Savall mit Ton Koopman oder Jaap ter Linden mit Henk Bouman. Da nicht auszuschließen ist, dass die Sonate BWV 1029 in der Urfassung auf ein Konzert zurückgeht, liegen auch Einspielungen für Streichorchester und Basso continuo auf CD vor, etwa vom Taverner Consort unter Andrew Parrott. MÖ

Einspielungen (Auswahl)
- Jordi Savall (Viola da Gamba), Ton Koopman (Cembalo), 1977; Virgin Classics
- Mischa Maisky (Cello), Martha Argerich (Klavier), 1985; Deutsche Grammophon
- Anner Bylsma (Violoncello piccolo), Bob van Asperen (Orgel), 1990 (+ J. Chr. Fr. Bach, Sonata in A); Sony BMG

Flötensonate h-Moll BWV 1030

Sätze 1. Andante, 2. Largo e dolce, 3. Presto
Entstehung um 1736
Verlag Henle
Spieldauer ca. 20 Minuten

Flötensonate Es-Dur BWV 1031

Sätze 1. Allegro moderato, 2. Siciliano, 3. Allegro
Entstehung um 1730–34
Verlag Henle
Spieldauer ca. 10 Minuten

Flötensonate A-Dur BWV 1032

Sätze 1. Vivace, 2. Largo e dolce, 3. Allegro
Entstehung 1736
Verlag Henle
Spieldauer ca. 13 Minuten

Flötensonate C-Dur BWV 1033

Sätze 1. Andante, 2. Allegro, 3. Adagio,
4. Menuet I & II
Entstehung um 1736
Verlag Henle
Spieldauer ca. 9 Minuten

Flötensonate e-Moll BWV 1034

Sätze 1. Adagio, ma non tanto, 2. Allegro,
3. Andante, 4. Allegro
Entstehung um 1724
Verlag Henle
Spieldauer ca. 14 Minuten

Flötensonate E-Dur BWV 1035

Sätze 1. Adagio, ma non tanto, 2. Allegro,
3. Siciliano, 4. Allegro assai
Entstehung 1741
Verlag Henle
Spieldauer ca. 12 Minuten

Entstehung Bachs Flötensonaten setzen sich aus drei Sonaten für Flöte und obligates Cembalo BWV 1030–32 und drei Sonaten für Flöte und Basso continuo BWV 1033–35 zusammen. Die Echtheit der Sonaten in Es-Dur BWV 1031 und C-Dur BWV 1033, die lediglich in Abschriften vorliegen, wird von der Bach-Forschung angezweifelt. Kein Wunder also, dass sie nicht in die Neue Bach-Ausgabe übernommen wurden.

Die meisten Flötensonaten stammen aus Bachs Leipziger Zeit, insbesondere aus den 1730er-Jahren. Die h-Moll-Sonate BWV 1030, zu der eine in Köthen angefertigte Frühfassung in g-Moll vorliegt, schrieb er um 1736. Aus diesem Jahr stammt auch das Autograf der A-Dur-Sonate BWV 1032, das jedoch nur fragmentarisch erhalten ist. Um diese Zeit dürfte auch die zweifelhafte C-Dur-Sonate BWV 1033 entstanden sein, während die ebenfalls nicht als authentisch angesehene Es-Dur-Sonate BWV 1031 zwischen 1730 und 1734 komponiert wurde. Die Entstehungszeit der e-Moll-Sonate BWV 1034 ist vermutlich früher anzusetzen. Sie könnte noch in Köthen oder zu Beginn der Leipziger Zeit, also ca. 1724, verfasst worden sein.

Die Sonate in E-Dur BWV 1035 ist hingegen ein Spätwerk. Bach komponierte sie 1741 für den Kammerdiener Friedrichs II., Michael Gabriel Fredersdorf, der ebenso wie der König selbst von Johann Joachim Quantz im Flötenspiel unterrichtet wurde.

Musik Für seine Flötensonaten stand Bach bereits die um 1720 entwickelte mehrteilige Form der Traversflöte mit einem vollchromatischen Umfang von d bis a^3 zur Verfügung. Das Mittelstück war geteilt, sodass sich die Flöte durch den Austausch mehrerer Teilstücke unterschiedlichen Stimmungen anpassen konnte.

Die Sonaten für Flöte und Cembalo BWV 1030–32 gehören in die Reihe der neu geschaffenen Gattung von Sonaten für ein Melodieinstrument und obligates Cembalo, zu der auch die Violinsonaten BWV 1014–19 und die Gambensonaten BWV 1027–29 zählen. Das Cembalo hatte sich aus der Rolle des reinen Generalbassinstruments befreit und als gleichberechtigter Partner der Flöte emanzipiert. Im Gegensatz zu den Streichersonaten hat der Bass (linke Hand des Cembalisten) in den Flötensonaten allerdings lediglich Continuofunktion, sodass die Faktur der traditionellen Triosonate mit zwei konzertierenden Oberstimmen und Generalbass deutlich erkennbar bleibt. Auch formal unterscheiden sich die Sonaten für Flöte und Cembalo sowohl von den Sonaten mit Basso continuo als auch von den Streichersonaten. Sie sind dreisätzig mit der Folge schnell–langsam–schnell, was eher der Konzert- als der Sonatenform entspricht. In den schnellen Ecksätzen sind die Oberstimmen in der Regel imitatorisch aufeinander bezogen, manchmal sogar in Form einer Fuge wie im Finale der h-Moll-Sonate BWV 1030, an der ausnahmsweise auch der Bass beteiligt ist. Von der A-Dur-Sonate BWV 1032 ist der erste Satz nur unvollständig überliefert, sodass er für eine praktische Ausgabe ergänzt werden muss. In den langsamen Mittelsätzen gibt Bach das Triosonatenprinzip auf und überlässt der Flöte die melodische Führung.

Die Sonaten für Flöte und Basso continuo BWV 1033–35 sind dagegen viersätzig mit der Folge langsam–schnell–langsam–schnell im Stil der italienischen Sonata da Chiesa. Im Unterschied zu den Sonaten für Flöte und Cembalo ist hier auch der Bass am motivischen Geschehen beteiligt. Die C-Dur-Sonate BWV 1033, wahrscheinlich nicht von Bach komponiert, ist ein eher schülerhaftes Stück mit schematischen Kadenzen und Sequenzen. Ähnlich wie in der a-Moll-Partita BWV 1013 nimmt Bach auch in der anspruchsvollen e-Moll-Sonate BWV 1034 wenig Rücksicht auf die Atmung des Interpreten. Die E-Dur-Sonate BWV 1035 ist ein ausgereiftes Spätwerk, das sich vor allem mit der reich verzierten Flötenstimme des Kopfsatzes bereits dem empfindsamen Stil annähert.

Wirkung Mit dem 1945 gegründeten Quintette à Vent Français und dem 1955 ins Leben gerufenen Ensemble Baroque de Paris hat Jean-Pierre Rampal großen Anteil am Wiederaufleben der barocken Flötenliteratur nach dem Zweiten Weltkrieg. Seine Einspielungen der Flötensonaten zusammen mit Trevor Pinnock (Cembalo) und Roland Pidoux (Violoncello) sind auf CD erhältlich, ebenso wie die von Maxence Larrieu mit Rafaël Puyana und Wieland Kuijken. Zu den Interpreten, die Bachs Werke auf der Traversflöte statt auf der modernen Boehmflöte spielen, zählen insbesondere Frans Brüggen und Barthold Kuijken, die zusammen mit Gustav Leonhard am Cembalo die als authentisch geltenden Sonaten eingespielt haben. MÖ

Einspielungen (Auswahl)
- Stephen Preston (Flöte), Jordi Savall (Viola da Gamba), Trevor Pinnock (Cembalo), 1974 (+ Partita a-Moll BWV 1013); CDR/Note 1
- Jean-Pierre Rampal (Flöte), Jordi Savall (Viola da Gamba), Robert Veyron-Lacroix (Cembalo), 1992; Erato/Warner
- Barthold Kuijken (Flöte), Ewald Demeyere (Cembalo), 2002 (ohne BWV 1031); Accent/Note

Triosonaten BWV 1037–1039

Entstehung Von den Triosonaten BWV 1037–39 wird lediglich die Sonate für zwei Flöten und Basso continuo in G-Dur BWV 1039 von der Bach-Forschung zweifelsfrei als authentisch angesehen. Die C-Dur-Sonate für zwei Violinen und Basso continuo BWV 1037 stammt hingegen vermutlich von dem Dresdner Cembalisten und Bach-Schüler Johann Gottlieb Goldberg, für den Bach die berühmten »Goldberg-Variationen« geschrieben hat.

Von der G-Dur-Sonate für Flöte, Violine und Basso continuo BWV 1038 ist lediglich die mit der Violinsonate G-Dur BWV 1021 identische Bassstimme definitiv von Bach. Obwohl alle Stimmen im Autograf vorliegen, wird die Echtheit der Oberstimmen angezweifelt, die eher Bachs Leipziger Schülerkreis zugeschrieben werden. Trotz dieser Einschränkungen handelt es sich bei beiden Triosonaten um lebendige Musikstücke. Die Sonate für zwei Flöten und Basso continuo BWV 1039 ist abgesehen von einigen veränderten Bassführungen mit der Gambensonate BWV 1027 identisch. Da sie jener Sonate als Vorlage diente, dürfte sie ebenfalls Ende der 1730er-Jahre in Leipzig entstanden sein. Die Triosonate geht ihrerseits vermutlich auf eine verschollene Fassung für zwei Violinen und Basso continuo zurück.

Musik Angesichts der Tatsache, dass die Triosonate eine der beliebtesten spätbarocken Gattungen ist, fragt es sich natürlich, warum von Bach in dieser Hinsicht so wenig überliefert ist. Einerseits galt sein Interesse offenbar weit mehr den neuen, abgeleiteten Formen wie den Übertragungen des Triosonatensatzes auf ein Melodieinstrument und obligates Cembalo sowie entsprechenden Orgelbearbeitungen. Andererseits ist die Übertragung der Triosonate BWV 1039 auf die Gambensonate BWV 1027 sicherlich nicht die einzige Bearbeitung dieser Art, sodass Bach vermutlich eine weitaus höhere Zahl an – heute allerdings verschollenen – Triosonaten komponiert hat. Die bekannteste Triosonate ist zweifellos die Sonate für Flöte, Violine und Basso continuo in c-Moll aus dem 1747 in Leipzig entstandenen »Musikalischen Opfer« BWV 1079, das Bach dem Preußenkönig Friedrich II. gewidmet hat.

Die Triosonaten BWV 1037–39 sind durchweg viersätzige Kirchensonaten mit der Satzfolge langsam–schnell–langsam–schnell. Lediglich die Sonate BWV 1037 bildet aufgrund der abschließenden Gigue eine Mischform zwischen der Sonata da Chiesa und der suitenhaften Sonata da Camera. Die schnellen Sätze sind häufig fugiert und manchmal sogar zur Fuge erweitert, wie zum Beispiel im Finale der Sonate BWV

1038. An dieser Fuge ist auch der Bass der Continuogruppe beteiligt, während das Tasteninstrument den Satz mithilfe der Generalbassbezifferung harmonisch aussetzt. In der Sonate ist übrigens eine Skordatur vorgesehen, die Saiten a^1 nach g^1 und e^2 nach d^2 herabzustimmen.

Im Unterschied zu Bachs Duosonaten, deren langsame Sätze häufig vom Melodieinstrument dominiert werden, bleibt in den Triosonaten das Prinzip der konzertierenden, einander oft imitierenden Oberstimmen in allen Sätzen erhalten. Übrigens können die miteinander verschlungenen Oberstimmen im dritten Satz der Sonate BWV 1039 vom homogenen Klang der beiden Traversflöten weitaus besser dargestellt werden als in der Gambenfassung.

Wirkung Die Triosonaten sind nur selten komplett eingespielt worden, wie es das Ensemble London Baroque unter Charles Medlam getan hat, denn viele Interpreten verzichten darauf, die in Zweifel gezogene Sonate BWV 1037 zu spielen. Die beiden anderen Triosonaten werden hingegen von zahlreichen Flötisten interpretiert, wie beispielsweise von Jean-Pierre Rampal, der die Triosonate BWV 1038 mit Isaac Stern (Violine), Leslie Parnas (Violoncello) und John Steele Ritter (Cembalo) sowie die Triosonate BWV 1039 mit Alain Marion (Flöte), Jordi Savall (Viola da Gamba) und Robert Veyron-Lacroix (Cembalo) aufgenommen hat.

Zu den Vertretern der sogenannten historischen Aufführungspraxis, die Bachs Triosonaten BWV 1038 und 1039 in den zurückliegenden Jahren auf »Originalinstrumenten« eingespielt haben, gehörten zum einen Leopold Stastny und Frans Brüggen (Traversflöten), Alice Harnoncourt (Violine), Nikolaus Harnoncourt (Violoncello) und Herbert Tachezi (Cembalo), zum anderen Barthold Kuijken und Marc Hantai (Traversflöten), Sigiswald Kuijken (Violine), Wieland Kuijken (Viola da Gamba) und Gustav Leonhardt (Cembalo). MÖ

Einspielungen (Auswahl)
• London Baroque, 1984 (+ Musikalisches Opfer, Nr. 8); Harmonia Mundi

Werke für verschiedene Besetzungen

»Musikalisches Opfer« BWV 1079

Entstehung Am 7. Mai 1747 kam es in Potsdam zwischen Johann Sebastian Bach und dem König Friedrich II. zu einer denkwürdigen Begegnung. Die Einladung hatte Bach u. a. seinem Sohn Carl Philipp Emanuel zu verdanken, der als Kapellmeister und Cembalist bei Hof angestellt war und den Musik liebenden Monarchen beim Flötenspiel begleitete. Zeitgenössischen Berichten zufolge spielte Friedrich der Große dem Leipziger Thomaskantor ein Thema vor, über das dieser spontan eine Fuge improvisierte.

Nach Leipzig zurückgekehrt, begann Bach, das »königliche Thema« (»Thema Regium«), wie er es nannte, kontrapunktisch auszuarbeiten. Genau zwei Monate später, am 7. Juli 1747, schickte er dem König eine erste Sendung mit dem dreistimmigen Ricercar und mehreren Kanons. Sie enthält folgende Widmung: »Allergnädigster König, Ew. Majestät weyhe hiermit in tiefster Unterthänigkeit ein Musicalisches Opfer, dessen edelster Theil von Deroselben hoher Hand selbst herrühret.« Dem Widmungsexemplar folgte eine zweite Sendung mit den restlichen Stücken, darunter das sechsstimmige Ricercar und die Triosonate.

Musik Bedauerlicherweise reagierte der König in keiner Weise auf das »Musikalische Opfer« und ließ es auch nicht aufführen. Nun war das Werk auch nicht in erster Linie zur öffentlichen Darbietung bestimmt. Vielmehr handelt es sich dabei um ein musikalisches Kunstbuch und zugleich um eine Lehrschrift, in der Bach die kontrapunktischen Variationsmöglichkeiten des vorgegebenen Themas demonstriert.

Das »Musikalische Opfer« besteht aus zwei Ricercaren, neun Kanons, einer »Fuga canonica« und einer Triosonate. Die Ricercare sind eigentlich Fugen, die Bach jedoch absichtlich anders benannt und mit denen er dem Werk ein Motto vorangestellt hat. Denn auf das Wort »RICERCAR« hat er ein lateinisches Akrostichon

1747 begegnete Johann Sebastian Bach (hier links im Bild an der Orgel) in Potsdam König Friedrich II. (Mitte; Holzstich von Hermann von Kaulbach, 1875). Ein musikalisches Thema des Flöte spielenden Monarchen legte Bach seinem »Musikalischen Opfer« zugrunde.

gebildet: »Regis Iussu Cantio Et Reliqua Canonica Arte Resoluta« (der auf Geheiß des Königs ausgeführte Satz und das Übrige nach Kanonkunst gelöst). Das dreistimmige Ricercar ist vermutlich der von Bach in Potsdam improvisierten Fuge nachgebildet; mit dem sechsstimmigen Ricercar konnte er zeigen, dass das Thema auch für eine sechsstimmige Fuge geeignet ist.

Des Weiteren führt Bach im »Musikalischen Opfer« unterschiedliche kanonische Veränderungen des königlichen Themas vor: Das Werk enthält den Zirkelkanon »perpetuus«, der in seinen Anfang mündet, den Spiralkanon »per tonos«, ebenfalls ein Zirkelkanon, der aber stets einen Ganzton höher beginnt, den Umkehrungs- oder Gegenkanon »per motum contrarium«, bei dem die Conseguente (zweite Stimme) die Guida (erste Stimme) umkehrt, und den Kanon »per augmentationem, contrario motu«, ein Gegenkanon, der die Intervalle zusätzlich noch vergrößert. Eine Besonderheit bilden zwei Rätselkanons, bei denen lediglich die Guida notiert und der Einsatz der übrigen Stimmen zu erraten ist. Bachs Schüler Johann Philipp Kirnberger hat die einstimmig notierten Kanons ausgesetzt, darunter auch verschiedene Auflösungen der Rätselkanons.

Die »Fuga canonica« vermittelt den Zusammenhang zwischen Kanon und Fuge, denn sie führt das königliche Thema nach Art einer Fuge durch, obwohl die beiden Oberstimmen als Quintkanon angelegt sind. Im Zentrum des Werkes steht zweifellos die viersätzige Sonate in c-Moll für Flöte, Violine und Basso continuo (Largo, Allegro, Andante, Allegro). Zusammen mit dem abschließenden »Canon perpetuus« ist sie eines der wenigen Stücke, die mit einer Besetzungsangabe versehen sind. Die streng kontrapunktische Schreibweise von Kanon und Fuge wird hier durch den freien Kammermusikstil der Triosonate aufgelockert. Darüber hinaus weist die Sonate Elemente des galanten und empfindsamen Stils auf, deutlich erkennbar in der charakteristischen Seufzermelodik des dritten Satzes. Mit dem Hinweis auf den Modestil am Berliner Hof der 1740er- und 1750er-Jahre und der Beteiligung der Traversflöte erweist Bach dem König seine Reverenz.

Wirkung Die fehlenden Besetzungsangaben im »Musikalischen Opfer« haben im 20. Jahrhundert zu unterschiedlichen Instrumentierungen geführt. Das Werk wird heute in der Regel kammermusikalisch aufgeführt, aber mit unterschiedlichen Besetzungen. Interpreten wie Janet See (Flöte), John Holloway (Violine), Jaap ter Linden (Violoncello) sowie Martha Cook und Davitt Moroney (Cembalo) gehen davon aus, dass beide Ricercare für Cembalo solo bestimmt sind. Zusätzlich besetzen sie auch die Kanons mit einem oder sogar zwei Cembali. Andere Interpreten nehmen auf die Triosonatenbesetzung Bezug, mit der sie sowohl die Kanons als auch das sechsstimmige Ricercar instrumentieren. Zu ihnen zählen insbesondere Barthold (Flöte), Sigiswald (Violine) und Wieland Kuijken (Viola da Gamba) sowie Robert Kohnen (Cembalo).

Orchestrale Bearbeitungen des »Musikalischen Opfers« bietet u. a. die Academy of St. Martin-in-the-Fields unter Neville Marriner. Bereits im Jahr 1935 hat Anton Webern eine Orchestrierung des sechsstimmigen Ricercars vorgelegt. Interessant ist dabei vor allem, wie er das königliche Thema nach Art des durchbrochenen Stils auf mehrere Instrumente verteilt und unterschiedlich phrasiert. Webern geht damit über eine reine Orchestrierung hinaus und liefert stattdessen eine klanglich realisierte Interpretation. Weitere orchestrale CD-Aufnahmen des sechsstimmigen Ricercars stammen vom Bath Festival Orchestra unter Yehudi Menuhin und dem Boston Symphony Orchestra unter Seiji Ozawa. MÖ

Einspielungen (Auswahl)
- Barthold Kuijken (Flöte), Sigiswald Kuijken (Violine), Wieland Kuijken (Viola da Gamba), Robert Kohnen (Cembalo), 1994; Deutsche Harmonia Mundi

»Die Kunst der Fuge« BWV 1080

Entstehung Neuere musikwissenschaftliche Forschungen haben anhand der Wasserzeichen des erhaltenen Autografs nachgewiesen, dass Bach die »Kunst der Fuge« nicht kurz vor seinem Tod, sondern schon Anfang der 1740er-Jahre komponiert hat. Bereits 1742 war der Hauptteil des Autografs mit zwölf Fugen und zwei Kanons abgeschlossen. Er markiert den Endpunkt einer ersten Phase der Werkgenese

mit einer Reihenordnung, die sich von der des Originaldrucks deutlich unterscheidet. Weitere autografe Beilagen im Anhang, darunter auch das Fragment der Schlussfuge, repräsentieren eine zweite Phase, die etwa bis 1746 reicht. Zum Abschluss bereitete Bach die »Kunst der Fuge« bis 1750 zum Druck vor.

Die zweite Quelle neben dem Autograf ist der Originaldruck von 1751 (Erstausgabe) bzw. 1752 (Neuausgabe). Er umfasst insgesamt 24 nunmehr neu geordnete Einzelsätze. Vermutlich ist die Überlieferung des Werkes weitaus unvollständiger als die Komposition selbst. Das gilt mithin auch für die letzte, fragmentarisch erhaltene Quadrupelfuge, die wahrscheinlich zumindest im Entwurf fertig war. Der von Carl Philipp Emanuel Bach um 1780 nachgetragene handschriftliche Vermerk auf dem Autograf, sein Vater sei über der Quadrupelfuge gestorben, ist somit Legende. Dafür spricht auch die feste, klare Handschrift des Komponisten, die eindeutig auf die Zeit vor seinen beiden Augenoperationen verweist. Wahrscheinlich war die »Kunst der Fuge« in der Fassung des Original-

Operation Tintenfraß

»Die dicken Tintenkleckse von Viertelnoten fressen regelrecht Löcher in das Papier«, schreibt Anna Therese Haberditzl von der Landesarchivdirektion Baden-Württemberg über die erhaltenen Notenblätter von Johann Sebastian Bach. Das liegt an den von dem Komponisten verwendeten Eisengallustinten. Das darin enthaltene Eisensulfat zersetzt sich an der Luft zu Schwefelsäure, die das Papier auf Dauer zerstört. Die Seiten verfärben sich bräunlich, die Konturen der Schrift verwischen. Schließlich wird das Papier brüchig, beschriebene Stellen lösen sich heraus. Das ist das letzte Stadium des »Tintenfraßes«.

Bei der Restaurierung so geschädigter Handschriften kommt es darauf an, die zersetzenden Prozesse zu stoppen. Dazu kann man die Seiten mit einer Calciumphytat-Calciumhydrogencarbonat-Lösung behandeln. Zur Stabilisierung des Papiers wird zum Beispiel transparentes Japanpapier aufgeklebt. Bewährt hat sich die sogenannte Papierspaltung, bei der das einzelne Notenblatt in Vorder- und Rückseite getrennt wird, um dazwischen ein stützendes Kernblatt einzufügen.

drucks bereits 1749 beendet. Fraglich ist allerdings, ob Bach selbst die Choralbearbeitung »Vor deinen Thron tret ich hiermit« als Werkabschluss bestimmt hat und nicht vielmehr die Herausgeber.

Musik Die »Kunst der Fuge« gehört zusammen mit den »Goldberg-Variationen« (1741/42) und dem »Musikalischen Opfer« (1747) zur monothematischen Werkgruppe, die anhand eines einzelnen Themas vielfältige Möglichkeiten kontrapunktischer Variationen exemplarisch darstellt. Da Bach den Kontrapunkt als das konstitutive Element des Werkes ansah, hat er die einzelnen Sätze »Contrapunctus« und nicht »Fuge« oder »Kanon« genannt.

Die Frühfassung der »Kunst der Fuge« war dem Autograf zufolge nach fortschreitendem Schwierigkeitsgrad geordnet. Die Fugen stehen zunächst im einfachen, später im doppelten und dreifachen Kontrapunkt. Im Originaldruck herrscht dagegen das Prinzip der Fugengattungen vor. Auf die Fugen im einfachen Kontrapunkt folgen die Gegenfugen, dann die Doppelfugen, die vier Kanons und am Schluss die unvollständig überlieferte Quadrupelfuge. Der Soggetto (Thema) der »Kunst der Fuge« wird sowohl recto als auch inverso, also in seiner Umkehrung, verwendet. In den Umkehrungs- oder Gegenfugen kommt es sogar zur Verknüpfung beider Formen. Außerdem wird das Thema in mehreren Varianten benutzt und in den Doppelfugen und Tripelfugen mit neuen Themen kombiniert. Eine besondere Kunstform stellen die Spiegelfugen dar, die alle Stimmen der Fuge umkehren.

Wirkung Da Bachs Zählung mit der Nr. 11 aufhört, hat der zweite Teil des Werkes Anlass zu Spekulationen hinsichtlich der Reihung gegeben, sodass die »Kunst der Fuge« bis heute in unterschiedlicher Reihenfolge aufgeführt wird. Dadurch, dass Bach die meisten Fugen und Kanons in Partitur gesetzt und sie zudem nicht mit Besetzungsangaben versehen hat, sind bis heute die unterschiedlichsten Instrumentierungen zu verzeichnen. Schon Wolfgang Amadeus Mozart bearbeitete die »Kunst der Fuge« für Streicher. Im 20. Jahrhundert wurden Quartettbearbeitungen u. a. vom Juilliard String Quartet, dem Portland-Quartett oder von Bläserquartetten auf CD eingespielt.

Im 19. und frühen 20. Jahrhundert wurde die »Kunst der Fuge« wegen ihres spekulativen Charakters und aufgrund fehlender Besetzungsangaben lange Zeit als rein theoretisches Werk, gleichsam als »reine Lehre« angesehen und daher nicht aufgeführt. Erst 1927 begann ihre Aufführungsgeschichte mit einem in der Leipziger Thomaskirche gegebenen Konzert des Gewandhausorchesters unter der Leitung von Karl Straube. Reihenfolge und Instrumentation stammten von Wolfgang Graeser. Seine Fassung wurde von bedeutenden Dirigenten aufgeführt, insbesondere von Hermann Scherchen, Hermann Abendroth, Erich Kleiber, Felix von Weingartner und Leopold Stokowski. Orchesterbearbeitungen sind heute vom RSO Berlin unter Hans Zender und von der Academy of St. Martin-in-the-Fields unter Neville Marriner auf CD erhältlich.

Auch zahlreiche Organisten nehmen die »Kunst der Fuge« für sich in Anspruch, deren Partituranordnung für sie ohnehin nicht ungewöhnlich ist. Herausragend sind hier die Aufnahmen von Helmut Walcha und Marie-Claire Alain. Die meisten Klavier- und Cembaloausgaben des Werkes gehen auf den ersten Klavierauszug von Hans Georg Nägeli aus dem Jahr 1802 zurück, so auch die Fassung von Carl Czerny. Im Gegensatz zu den wenigen Klavieraufnahmen (u. a. Grigori Sokolow, Ewgeni Koroljow) gibt es zahlreiche Einspielungen von Cembalisten, darunter Gustav Leonhardt, Kenneth Gilbert, Robert Hill und Davitt Moroney. Fassungen für zwei Cembali sind u. a. von Bob van Asperen und Gustav Leonhardt sowie von Ton Koopman und Tini Mathot auf CD erhältlich. MÖ

Einspielungen (Auswahl)
- Musica Antiqua Köln, 1984; Archiv Produktion
- Emerson String Quartet, 2003; Deutsche Grammophon

Barber | Samuel

*9.3.1910
West Chester,
Pennsylvania
(USA)
†23.1.1981
New York

100880

Einer musikalischen Avantgarde hat Samuel Barber nie angehört. Sein Œuvre ist eher postromantisch – harmonisch schöpft er aus dem Fundus des 19. Jahrhunderts; formal greift er häufig lose auf die Sonatensatzform zurück. Ab den 1940er-Jahren scheinen die Ausdrucksmittel seiner Kompositionen erweitert und u. a. von Strawinsky beeinflusst.

Barber, ein Neffe der ehedem renommierten amerikanischen Opernsängerin Louise Homer, war früh der Musik zugetan, schon mit sieben Jahren begann er zu komponieren. Ab 1924 studierte er am Curtis Institute in Philadelphia Komposition (bei Rosario Scalero) und Dirigieren (bei Fritz Reiner). Im Jahr 1932 beendete er sein Studium; 1935 und 1936 bereiste er Europa (als Gewinner von Pulitzer Traveling Scholarships und des Preises der American Academy in Rom). Bei seinem Aufenthalt in der Ewigen Stadt entstand neben dem Streichquartett auch seine 1. Sinfonie (1936). 1939 kehrte er als Lehrer ans Curtis Institute zurück. Mit seinem Freund Gian Carlo Menotti kaufte sich Barber 1943 ein Haus in Mount Kisco, New York, wo er bis 1974 die meisten seiner Kompositionen schrieb. Während des Zweiten Weltkriegs wurde er zur US Air Force eingezogen; in dieser Zeit komponierte er unter anderem die 2. Sinfonie.

Nach Ende des Kriegs kehrte der Komponist dank eines Guggenheim-Stipendiums nach Europa zurück und wirkte u. a. als Konsulent der American Academy in Rom.

In der zweiten Hälfte der 1940er-Jahre sowie in den 1950er-Jahren schrieb er eine Reihe von wichtigen Werken, darunter das Cellokonzert, das 1947 den Preis der New Yorker Kritik gewann, sowie die Oper »Vanessa« nach einem Libretto von Menotti, die im Januar 1958 an der Metropolitan Opera uraufgeführt, mit dem Pulitzer-Preis ausgezeichnet und im gleichen Jahr auch bei den Salzburger Festspielen herausgebracht wurde. Mit einer weiteren Oper Barbers, »Antony and Cleopatra« (Libretto: Franco Zeffirelli), eröffnete die Met 1966 ihr neues Haus im New Yorker Lincoln Center.

Vor allem der zweite Satz seines Streichquartetts op. 11, als »Adagio for Strings« für Streichorchester bearbeitet, machte Samuel Barber zum international renommierten Komponisten (das Werk wurde beispielsweise bei den Begräbnissen von US-Präsident Dwight D. Eisenhower und von Albert Einstein gespielt). Doch das eigentliche kammermusikalische Œuvre Barbers ist schmal; die meisten Werke entstanden während der Studienzeit des Komponisten am Curtis Institute in Philadelphia, so die Serenade op. 1 für Streichquartett (1929) oder »Dover Beach« für mittlere Stimme und Streichquartett op. 3 (1931), ein Werk von Serenadencharakter, sowie die Cellosonate op. 6 (1932). Nach dem Streichquartett (1936) komponierte Barber nur noch zwei weitere Kammerwerke: »Summer Music« op. 31 für Holzbläserquartett (1956) sowie »Canzone (Elegy)« op. 38 für Flöte und Klavier (1961), eine Transkription des zweiten Satzes seines Klavierkonzerts. PE

Streichquartett op. 11

Sätze 1. Molto allegro e apassionato, 2. Molto adagio – attacca: 3. Molto allegro (come prima) – Presto
Entstehung 1936
UA 14. Dezember 1936 Rom
Verlag G. Schirmer Inc. New York
Spieldauer ca. 18 Minuten

Entstehung Das Streichquartett op. 11 entstand wie die 1. Sinfonie im Jahr 1936 beim Aufenthalt Barbers in Rom. Den zweiten Satz formte der Komponist später zum Orchesterstück um, vor allem, weil ihm die reichere Farbpalette des vollen Streicherklangs für die leuchtende Klimax dieses Satzes adäquater schien. Arturo Toscanini brachte 1938 mit dem NBC Symphony Orchestra dieses »Adagio for Strings« in New York heraus.

Barber hatte schon früh ein ausgereiftes Gefühl für Form und Proportion, was sich allerdings nicht immer als Vorteil für den kreativen Prozess erwies. So war er mit dem Streichquartett in der formalen Disposition der Uraufführung nie zufrieden und suchte weiter nach neuen Lösungen. Vor allem das ursprüngliche, sehr lange Finale fand er nicht gelungen; mehrere Aufführungen des Werks fanden ohne dieses statt. Fünf Jahre nach der Uraufführung komponierte er einen neuen, sehr kurzen Finalsatz (knapp über zwei Minuten), dessen Material er dem letzten Teil des ersten Satzes entnahm. Das Adagio wurde dadurch zum eindeutigen Zentrum des Werks, während die beiden Ecksätze quasi den Rahmen bilden.

Musik Erster Satz Wie in seiner zur gleichen Zeit entstandenen 1. Sinfonie folgt der Komponist auch hier im Großen und Ganzen der Sonatensatzform. Nach dem Prinzip von Haupt-, Seiten- und Schlusssatz werden drei Themen exponiert: das um einen h-Moll-Kern kreisende, energische erste mit einem prägnant-motorischen Kopfmotiv, ein elegisches zweites sowie das intervallisch etwas weiter gefächerte dritte voll gespannter Kraft unter zunächst lyrischer Oberfläche. Bei allen dreien macht jedoch das Kopfmotiv seine Präsenz stets fühlbar. Die Durchführung lebt vom elegischen Gestus des zweiten Themas, profitiert zugleich von der weiter gespannten Intervallik des dritten; in der Reprise wird dem zweiten Thema größere Bedeutung zugemessen als in der Exposition, dafür verkommt das dritte zur stenogrammhaft kurzen Coda.

Zweiter Satz Der später zum »Adagio for Strings« und als solches zum berühmtesten Werk Barbers gewordene Mittelsatz (b-Moll) nährt sich aus einem elegischen, tief empfundenen Thema, dessen Kern ein in repetitiven Figuren aufsteigendes Motiv von zart energischem Gestus bildet. Dieses wird in resignativer Gegenbewegung zurückgenommen und dann wieder aufgebaut – eine stete Wellenform bis hin zu einer strahlenden Klimax. Dann klingt der Satz melancholisch aus.

Dritter Satz Ein kurzer, beinahe aphoristischer Nachklang, wobei der Komponist vor allem auf Reprise und Coda des ursprünglichen ersten Satzes zurückgriff.

Wirkung Barbers Streichquartett wurde am 14. Dezember 1936 in Rom durch das Quatuor Pro Arte uraufgeführt. Mit der Beliebtheit seines Mittelsatzes – vor allem in der Fassung für Streichorchester – konnte sich das vollständige Werk nie messen. So stehen den derzeit mehr als 40 (!) erhältlichen Einspielungen des Adagios gegenwärtig zwei des vollständigen Streichquartetts gegenüber. PE

Einspielungen (Auswahl)
- Emerson String Quartet, 1990 (+ Ives: Streichquartette 1 & 2); Deutsche Grammophon

Bartók | Béla

*25. 3. 1881
Nagyszentmiklós (Ungarn; heute Rumänien)
†26. 9. 1945
New York

Der Komponist Béla Bartók zählt zu den Klassikern der Moderne. Er entwickelte einen neofolkloristischen Stil auf der Grundlage ungarisch-balkanischer Volksmusik. Damit nahm er eine eigenständige Stellung neben der Wiener Schule um Arnold Schönberg, Anton We-

bern und Alban Berg, neobarocken Komponisten wie Paul Hindemith oder Neoklassizisten wie Igor Strawinsky ein.

Bartók machte bereits als Kind durch pianistische und kompositorische Fähigkeiten auf sich aufmerksam. Sein Musikstudium bei István Thomán (Klavier) und Hans Koessler (Komposition) an der Musikakademie in Budapest begann er 18-jährig; acht Jahre später erhielt er dort eine Professur für Klavier. 1906 begann Bartók mit der Sammlung von Volksliedern, einer Tätigkeit, die er in den Folgejahren gemeinsam mit Zoltán Kodály intensiv fortführte. Sein Hauptinteresse galt der ursprünglichen, meist bäuerlichen Folklore aus Südosteuropa und Nordafrika. Durch diese Arbeit wurde er zu einem Mitbegründer der modernen vergleichenden Musikwissenschaft. Gleichzeitig wurden die Volkslieder aber auch zu einer wichtigen Grundlage für sein eigenes Schaffen.

1918 wurde die einzige Oper, »Herzog Blaubarts Burg«, in Budapest uraufgeführt. Ab 1920 sah sich Bartók einer immer schärfer werdenden Hetze der rechtsnationalen Presse ausgesetzt, die auch während seiner ausgedehnten Konzertreisen als Pianist nicht abriss. Im Oktober 1940 emigrierte der Komponist mit seiner zweiten Frau, der Pianistin Ditta Pásztory, und dem gemeinsamen Sohn Péter in die USA, wo er in bescheidenen Verhältnissen leben musste. Ab 1940 erschien sein mehrbändiges klavierpädagogisches Hauptwerk »Mikrokosmos«, das seither zu den verbreitetsten und wichtigsten zeitgenössischen Lehrwerken für Klavier gehört. Nach Ende des Zweiten Weltkriegs wurde Bartók in Ungarn zum Abgeordneten gewählt. Außerdem bot man ihm den Posten des ungarischen Kulturministers an, dessen Annahme er aber ablehnte.

Ab 1895 entstanden einige Kompositionen für Violine und Klavier wie die Sonaten c-Moll op. 5 und A-Dur op. 17, daneben einige heute als verschollen geltende Werke wie die Violinstücke op. 7, zwei Streichquartette (B-Dur op. 10, c-Moll op. 11) und ein Klavierquintett C-Dur op. 14. Als erste ernsthafte kammermusikalische Komposition kann das Klavierquartett c-Moll op. 20 von 1898 gelten, wenngleich fremder Einfluss (Schumann, Liszt, Brahms) die eigene musikalische Sprache noch überdeckt. In seiner

Hochschulzeit galt Bartók eher als begabter Pianist denn als vielversprechender Komponist, umso mehr, als seine Werke jener Jahre dem Klavierpart, sofern überhaupt noch andere Instrumente vorgesehen waren, jeweils die wichtigste Rolle zumaßen.

Mit den Klavierstücken op. 21 von 1898 brach Bartók die Opuszählung seiner Frühwerke ab, sodass etwa das Scherzo für Streichquartett aus dem Jahr 1900 und das Duo für zwei Violinen (1902) ohne Zählung erschienen, und begann bei Ende seiner Studienzeit im Jahr 1904 mit einem neuen Opus 1. Auch diese Zählung führte er nach dem neuen Opus 20, Improvisationen über ungarische Bauernlieder aus dem Jahr 1920, nicht weiter. Zwei Musikwissenschaftler haben durch Werkverzeichnisse Klarheit in das bartóksche Œuvre gebracht: Denijs Dille ordnete die Kompositionen bis 1904 (DD-Nummern), András Szöllösy die daran anschließenden Werke (Sz-Nummern). ZA

Werke ohne Klavier

Sonate für Violine allein Sz 117

Sätze 1. Tempo di Ciacona, 2. Fuga: Risoluto, non troppo vivo, 3. Melodia: Adagio, 4. Presto
Entstehung Februar bis 14. März 1944
UA 26. November 1944 New York
Verlag Boosey & Hawkes
Spieldauer ca. 24 Minuten

Entstehung Die erste Begegnung Bartóks mit Yehudi Menuhin fand im November 1943 statt. Über eine Interpretation seines Violinkonzerts durch den berühmten Geiger schrieb er in sein Tagebuch: »Die Aufführung in New York war wirklich wunderbar; alle drei Faktoren (Solist, Dirigent, Orchester) waren das Beste, was sich ein Komponist für sein Werk nur vorstellen kann.« Menuhin beauftragte Bartók dann mit der Komposition einer Sonate für Solovioline. Der Komponist arbeitete daran, als er sich auf Kosten des amerikanischen Komponistenverbands ASCAP zur Erholung in North Carolina aufhielt. Die Sonate sollte das letzte Werk werden, das er selbst aufführungsreif beendete.

Bartóks Sonate für Violine entstand 1944 auf Anregung des amerikanischen Violinisten Yehudi Menuhin (hier bei einem Konzert in London 1988).

Musik Die Solosonate offenbart den typisch bartókschen Spätstil: eine Auseinandersetzung mit kontrapunktischer Technik und mit deutlichem Rückgriff auf Bachs Sonaten und Partiten für Violine allein und auf die Sonatentechnik bei Beethoven. Schon die Satzbezeichnungen verdeutlichen die Verwendung des allgemeinen Formprinzips: Chaconne, Fuge, Melodia (Air), Rondo.

Der erste Satz ist eine Sarabande in Form eines Sonatensatzes. Der Rhythmus lässt zu Beginn an Bach denken, aber im weiteren Verlauf, vor allem beim Einsatz des chromatischen zweiten Themas, gewinnt Bartóks Personalstil immer mehr an Bedeutung.

Der zweite Satz repräsentiert eine freie vierstimmige Fuge, die sich aus der Kleinterz c–es entwickelt. Nach einem lockeren Intermezzo wird das Thema erneut zum Kanon verdichtet und auf dem Höhepunkt im Fortissimo in seinen Notenwerten verbreitert.

Der dreiteilige dritte Satz offenbart eine liedhaft-schlichte Ruhe. Zum Ende des Satzes wird das Thema dekorativ umspielt.

Der vierte Satz ist der virtuoseste der Sonate. Er weist zwei Themen auf, eines davon unter Einbeziehung von Vierteltönen.

Wirkung Zum letzten Satz schrieb Bartók an Menuhin: »Die Vierteltöne (...) sind nur als Farbeffekte gedacht, daher ohne organische Bedeutung und können weggelassen werden.« Der Geiger entschied sich dann auch für die vom Komponisten notierte Alternative ohne Vierteltöne, als er das Werk in Anwesenheit Bartóks uraufführte. Die Originalversion wurde erstmalig 1955 von Rudolf Kolisch bei den Darmstädter Ferienkursen vorgestellt, allerdings erst 1981 im Druck veröffentlicht. Sie wird seither von den meisten Geigern bevorzugt, weil ihnen das Vierteltonspiel nicht mehr so fremd ist wie den Musikern Mitte der 1940er-Jahre. ZA

Einspielungen (Auswahl)
- Isabelle Faust (Violine), 1996 (+ Sonate Sz 75); Harmonia Mundi
- Kolja Lessing, 1997 (+ Solosonaten von Zoltán Székely und Sándor Veress); Capriccio/EMI

Duos für zwei Violinen Sz 98

Bezeichnungen 1. Necklied, 2. Reigen, 3. Menuetto, 4. Sommersonnwendlied, 5. Slowakisches Lied (1), 6. Ungarisches Lied (1), 7. Walachisches Lied, 8. Slowakisches Lied (2), 9. Spiellied, 10. Ruthenisches Lied, 11. Wiegenlied, 12. Heuerntelied, 13. Hochzeitslied, 14. Kissentanz, 15. Soldatenlied, 16. Burleske, 17. Ungarischer Marsch (1), 18. Ungarischer Marsch (2), 19. Märchen, 20. Wechselgesang, 21. Neujahrslied (1), 22. Mückentanz, 23. Brautlied, 24. Scherzlied, 25. Ungarisches Lied (2), 26. Spottlied, 27. Hinketanz, 28. Gram, 29. Neujahrslied (1), 30. Neujahrslied (2), 31. Neujahrslied (3), 32. Tanzlied, 33. Erntelied, 34. Zähllied, 35. Ruthenischer Tanz, 36. Dudelsack, 37. Vorspiel und Kanon, 38. Rumänischer Drehtanz, 39. Serbischer Flechttanz, 40. Walachischer Tanz, 41. Scherzo, 42. Arabischer Gesang, 43. Pizzicato, 44. Siebenbürgisch
Entstehung 1931
Verlag Universal Edition
Spieldauer ca. 44 Minuten

Entstehung Der Freiburger Musikpädagoge Erich Doflein suchte für sein Geigenschulwerk, das zwischen 1932 und 1950 in fünf Bänden erschien, und für eine Spielmusikreihe Violinstücke, die neben pädagogischen auch neuen ästhetischen Ansprüchen genügen konnten. In Bartók fand er dafür einen sehr interessierten Mitstreiter, dessen klavierpädagogische Werke (»Für Kinder« von 1908/09, »Die erste Zeit am Klavier« von 1913 und »Mikrokosmos«, 1926–39) den Komponisten als Musiker von hervorragender Didaktik ausweisen. Zum anderen wusste Bartók auch um Möglichkeiten, Grenzen und Einsatzmöglichkeiten der Violine, was er in anderen Kompositionen für dieses Instrument (zwei Konzerte, zwei Rhapsodien, zwei Sonaten für Violine und Klavier, Sonate für Violine solo) nachdrücklich bewies.

Musik Sándor Veress vermerkt über die musikpädagogischen Werke Bartóks, also auch diese 44 Duos, sie markierten »Punkte, an denen Bartóks kompositorische Entwicklung jeweils neue Aspekte erhalten hat«. Mit Ausnahme der Nummern 35 und 36 handelt es sich hier um »Bauernmelodien«, die mit ihrem melodischen Material, vorrangig aber mit ihrem herben Charakter in die Komposition der Charakterstücke eingegangen sind. Bartók hat im Vorwort der Druckausgabe geschrieben: »Es wurde versucht, sie nach dem Schwierigkeitsgrad zu ordnen. Beim Konzertvortrag möge man sich indessen nicht an diese Reihenfolge halten, sondern eine Auswahl der Stücke in einer Gruppe oder in mehreren Gruppen attacca vortragen.«

Charakteristisch für die Duos sind rhythmischer Variationsreichtum, innere Stringenz und, soweit das bei zweistimmigen Sätzen überhaupt möglich ist, geschärfte Harmonik, also eine »Emanzipation« der Dissonanz. Somit stellen die Duos weit mehr als nur technische Übungen dar: Es sind vollwertige kleine Musikstücke.

Wirkung Bartók hat ausdrücklich die Möglichkeit einer konzertanten Aufführung der Duos für möglich und wünschenswert gehalten. Über öffentliche Vorträge unmittelbar nach Abschluss der Komposition bzw. nach Erscheinen der Druckfassung sind allerdings keine verlässlichen Informationen zu erhalten. Es darf vermutet werden, dass solche Aufführungen im genannten

---

Bartók, Bach und Menuhin

In seinen Lebenserinnerungen »Unvollendete Reise« (1976) schreibt der berühmte Geiger Yehudi Menuhin, dessen Eltern aus Weißrussland stammten, über die Musik Bartóks und sein eigenes Verhältnis dazu: »Bartóks Musik stammte aus dem Osten, schon dadurch hatte sie großen Reiz für mich, doch alles Folkloristische war durch sein musikalisches Format umgedeutet, umgestaltet in etwas, das alle anging und zu unserer Zeit und Kultur sprach wie zu jeder anderen. Bei ihm wurde Volksmusik zu etwas universell Gültigem; dem menschlichen Fühlen gab er noble Dimensionen.«
Die Sonate für Violine allein Sz 117 nennt er »eines der dramatischsten und befriedigendsten Stücke, die ich kenne, und seit Bach wohl die wesentlichste Komposition für Solovioline«. Zu diesem Urteil gelangte er erst im Nachhinein, wie er freimütig bekennt: »Ich ahnte damals nicht, dass Bartók eins der Meisterwerke aller Zeiten für mich schreiben würde ... Als ich es im März 1944 zu Gesicht bekam, erschrak ich tief: Ich muss gestehen, dass es mir fast unspielbar vorkam.«

Zeitraum zwar stattgefunden haben, der Schwerpunkt der Interpretation aber tatsächlich im Unterrichtsgeschehen lag.

Inzwischen hat das Opus seinen Platz im Konzertsaal gefunden. Auch an Schallplatteneinspielungen mangelt es nicht; zu erwähnen sind Aufnahmen mit André Gertler und Josef Suk, Itzhak Perlman und Pinchas Zukerman oder Yehudi Menuhin und Nell Gotkovsky. Außerdem existieren Bearbeitungen für Klavier und für Streichquartett, denen aber mit einiger Vorsicht zu begegnen ist: Bartóks Musik lässt sich kaum ohne Substanzverlust adaptieren. ZA

Einspielungen (Auswahl)
• Sándor Végh, Alberto Lysy, 1980; Auvidis Astrée

Bartóks Klaviermusik gilt als technisch schwierig. Bei vielen Konzerten spielte er deshalb den Klavierpart selbst (»Bartók spielt Bartók«, Karikatur von Aline Fruhauf, 1927).

Werke für Violine und Klavier

Sonate Nr. 1 Sz 75

Sätze 1. Allegro appassionato, 2. Adagio, 3. Allegro
Entstehung Oktober–Dezember 1921
UA 8. Februar 1922 Wien
Verlag Universal Edition
Spieldauer ca. 39 Minuten

Entstehung Nach dem Ersten Weltkrieg war Bartók daran gelegen, die kriegsbedingte Isolation zu durchbrechen und abgebrochene Kontakte zu Kollegen und zum internationalen Publikum wieder aufleben zu lassen. Im Herbst 1921 war sicher, dass er im Folgejahr Konzerte in England und Frankreich geben würde. Den eigentlichen Anstoß für die Violinsonate erhielt Bartók durch die Begegnung mit der Geigerin Jelly d'Arányi, die, Schülerin Jenoý Hubays und ehemalige Mitstudentin Bartóks, im Oktober 1921 gemeinsam mit ihrer Schwester Adila in Budapest konzertiert hatte.

Musik 1925 verfasste Theodor W. Adorno eine Analyse der Sonate, die in der Leipziger »Zeitschrift für Musik« veröffentlicht wurde. Darin heißt es: »Ihre drei Sätze sind Bartóks drei Stücke schlechthin. Der erste, rhapsodisch gelockert, hat Sonatenstruktur... Der zweite Satz

(Adagio) bekennt seine monodische Abkunft schon in der instrumentalen Anlage: die Geige trägt ein lang ausgesponnenes Thema solo vor, das allein genügen sollte, die Behauptung melodischer Impotenz nicht tonaler Musik Lügen zu strafen...«. Tatsächlich ist dieser Satz bei aller Herbheit eine der melodisch intensivsten Kompositionen Bartóks und ein seltenes Beispiel für friedvolles und ruhig ausgesponnenes Musizieren. Fast unwirklich erscheint dieser liedhafte Satz im Kontext der hochdramatischen und unruhevollen Atmosphäre anderer Werke des Komponisten – nichts deutet auf innere oder äußere Gefahr.

Weiter Adorno: »Der dritte Satz ist Rondo capriccioso und Csardas zugleich, ganz einfach gefügt, merklich nach cis-Moll auslugend, hat er große thematische Prägnanz und synkopischen Reiz.«

Wirkung Die technischen Schwierigkeiten sind für beide Instrumentalisten äußerst hoch. Keiner von beiden kann mit vordergründiger Virtuosität brillieren. Kein Wunder, dass sich nur relativ wenige und reife Musiker an das Werk heranwagen. Bei der Uraufführung spielten Mary Dickenson-Auner (Violine) und Eduard Steuermann (Klavier). In London und Paris musizierte der Komponist mit Jelly d'Arányi. Das

Werk fand in beiden Städten eine außerordentliche Resonanz. In Paris wurde die Sonate bei einem festlichen Abendessen gespielt, an dem u. a. die Komponisten Honegger, Milhaud, Ravel, Szymanowski und Strawinsky teilnahmen. Bartók spielte die Sonate gemeinsam mit den besten ungarischen Geigerinnen und Geigern (Stefi Geyer, Zoltán Székely, Joseph Szigeti, Imre Waldbauer, André Gertler).

Yehudi Menuhin nahm das Werk 1943 in sein Repertoire auf. Er debütierte damit im November des Jahres in New York. Zuvor stellte er die Sonate mit seinem Klavierpartner Adolf Baller im privaten Rahmen Bartók zur Begutachtung vor. Dieser lobte – wie Menuhin stolz in seinen Lebenserinnerungen vermeldet – bereits nach dem ersten Satz: »Ich dachte, so könne man einen Komponisten erst spielen, wenn er längst tot ist.« ZA

Sonate Nr. 2 Sz 76

Sätze 1. Molto moderato, 2. Allegretto
Entstehung Juli–November 1922
UA 7. Februar 1923 Berlin
Verlag Universal Edition
Spieldauer ca. 24 Minuten

Entstehung Bartók schrieb diese Sonate unmittelbar nach der ersten und aus dem gleichen Antrieb heraus. Es war für ihn keineswegs ungewöhnlich, zwei Kompositionen der gleichen Gattung in Folge zu schreiben. Beispiele hierfür sind die beiden Suiten für Orchester (1905–07), das dritte und vierte Streichquartett (1927/28) oder die beiden Rhapsodien für Violine und Klavier (1928). In der Druckausgabe findet sich die Widmung »composée pour Mlle. Jelly d'Arányi«.

Musik Über diese Sonate hat sich Adorno 1925 im Zusammenhang mit der ersten geäußert: »Sie hat nur zwei Sätze, die thematisch miteinander zusammenhängen: der erste fast introduktionsmäßig, lose, dreiteilig, völlig ungebunden, der zweite ein tanzartiges Stück, sehr ausgedehnt in seinen Dimensionen. Dies Rondo ist bis zum Quodlibethaften entfesselt, oftmals reiht sich Lied an Lied, aber der nachfolgende Bewegungsantrieb kettet alles Einzelne erstaunlich: Die schwebende Architektonik wird durch wiederholtes Zitat des Grundmotivs der Introduktion gut gegliedert.« So weit kann der Analyse sofort zugestimmt werden. Die Fortsetzung des Zitats macht jedoch deutlich, wie weit wir uns auch von einem Visionär wie Adorno entfernt haben: »Bartók neigt sich mutig ins Anarchische, meidet nicht das Fragment, spitzt den Klang mit gehäuften Sekundreibungen zur wunderlichen Sprödigkeit… Zugleich jedoch (ist er) wohl an die Grenze dessen gelangt, was in seiner Sphäre zu vollbringen (ist).«

Verschiedene Interpreten, so etwa László Somlai, verweisen auf die Verwandtschaft des zweiten Satzes mit der sogenannten ungarischen Rhapsodieform (langsam–frisch) und auf das fünfmal intonierte Rondothema, das auf eine rumänische Hora zurückgeht. Das wohl wichtigste Element ist auch für diese Komposition der Reichtum an rhythmischen Mustern, mit denen Bartók souverän umgeht. Das mag dazu geführt haben, dass ein ausgewiesener Bartók-Kenner wie Somlai diese Sonate »eigentlich schon eines seiner allergrößten Werke« nennt.

Wirkung Die Uraufführung spielte der Komponist zusammen mit Imre Waldbauer. Die Widmungsträgerin war mit dem Werk, wie im Fall der ersten Sonate, erst zu einem späteren Zeitpunkt öffentlich zu hören. Es ist interessant, dass eine Wiederholung der Sonate unmittelbar nach der ersten Aufführung bereits im Programmheft angekündigt wurde. Damit wurde auf die im 19. Jahrhundert oft geübte Praxis zurückgegriffen, ein neues Werk am gleichen Abend zweimal zu spielen. ZA

Einspielungen (Auswahl)
- Violinsonaten Sz 75 & Sz 76: György Pauk (Violine), Jenoý Jandó (Klavier), 1993; Naxos
- Violinsonaten Sz 75 & Sz 76: Christian Tetzlaff (Violine), Leif Ove Andsnes (Klavier), 2003; Virgin/EM

Rhapsodie Nr. 1 Sz 86

Bezeichnungen 1. Moderato, attacca: 2. Allegretto
Entstehung 1928
UA 22. Oktober 1929 Berlin
Verlag Boosey & Hawkes
Spieldauer ca. 11 Minuten

Entstehung Beide Rhapsodien für Violine und Klavier stehen in engem Zusammenhang mit Bartóks Arbeit als Volksliedsammler und -forscher. Eine zweite Beziehung besteht zu den »Tänzen aus Maroszék« (1927) von Zoltán Kodály, in denen dieser Tanzfolklore aus Siebenbürgen verarbeitet. Bartók war bemüht, nicht allein melodisches Material, sondern in gewissem Umfang auch Reste dörflicher Geigenspielpraxis aus Siebenbürgen in die Werke einfließen zu lassen. Bartók wie Kodály hielten Folklore durchaus für konzertfähig, was sie in Widerspruch zu Vertretern des Bildungsbürgertums setzte, die der eigenen Volksmusik oft genug sehr geringe Wertschätzung bis hin zu völliger Ablehnung entgegenbrachten.

Musik Die Rhapsodie zeichnet sich durch zupackenden Rhythmus und scheinbare Unbekümmertheit aus, muss aber trotzdem notengetreu musiziert werden. Sechs verschiedene Tänze sind engstens miteinander und zusätzlich mit einer Art kompositorischem Rahmen verknüpft, sodass Trennlinien nicht immer zweifelsfrei zu ziehen sind. Sicher ist, dass rumänisches, ungarisches, ruthenisches und »zigeunerisches« Material verarbeitet worden ist. Viele Originalmelodien aus der Rhapsodie sind in Bartóks gedruckten Volksliedsammlungen in ihrer originalen Gestalt aufgezeichnet.

Wirkung Bartók hat die Rhapsodie dem ungarischen Geiger Joseph Szigeti gewidmet. Im Entstehungsjahr 1928 schrieb er zusätzlich eine Transkription für Cello und Klavier, die er Jenoý Kerpely, dem Cellisten des Waldbauer-Quartetts, zueignete. Diese Fassung wurde von Bartók mit dem Widmungsträger bereits am 20. März 1929 in Budapest uraufgeführt. Eine weitere Fassung für Violine und Orchester entstand 1929 und wurde am 1. November des Jahres von Joseph Szigeti unter Leitung von Hermann Scherchen in Königsberg erstmals öffentlich musiziert.

Der Komponist hat das Werk vielfach als Pianist begleitet; es existieren noch drei Aufnahmen, auf denen er am Klavier zu hören ist. Auch berühmte Geiger wie etwa Yehudi Menuhin und Isaac Stern haben sich des Werks angenommen, ziehen aber im Allgemeinen die Fassung mit Orchester vor. ZA

Einspielungen (Auswahl)
- Ida Haendel (Geige), Vladimir Ashkenazy (Klavier), 1996 (+ Werke von Beethoven, Enescu, Szymanowski); Decca

Rhapsodie Nr. 2 Sz 89

Bezeichnungen 1. Moderato, 2. Allegro moderato
Entstehung Herbst 1928
UA 19. November 1929 Amsterdam
Verlag Boosey & Hawkes
Spieldauer ca. 10 Minuten

Entstehung Auch mit den beiden Rhapsodien hat Bartók wieder zwei Werke der gleichen Gattung unmittelbar nacheinander geschrieben. Der Ausgangspunkt für die Komposition war der gleiche wie im ersten Werk; Bartók dürfte die folkloristisch fundierte Musik auch als Hinführung zu seinen komplexeren Werken verstanden haben.

Musik Trotz gleicher Ausgangslage unterscheidet sich die zweite Rhapsodie deutlich von der ersten. Sie ist im Ausdruck heller und freundlicher, rhythmisch erregender, aber nicht von der Wildheit, die in Teilen des Vorgängerwerks steckt. Modale Skalen werden nicht so häufig verwendet, sodass das Werk keine so ausgeprägte Düsternis verkörpert. Der Moderatoteil ist von großer Ruhe gekennzeichnet. Die Csardasstruktur (langsam–schnell) ist weniger deutlich ausgeprägt als in der ersten Rhapsodie.

Wirkung Die Uraufführung spielten Widmungsträger Zoltán Székely und Géza Fried. Bartók hat auch für diese Rhapsodie eine Alternativfassung mit Orchester geschrieben (UA 1929 mit Székely unter Ernoý Dohnányi). Eine Aufnahme mit Bartók am Klavier gibt es von dieser Rhapsodie nicht. ZA

Einspielungen (Auswahl)
- Rhapsodien Sz 86 & Sz 89: György Pauk (Violine), Jenoý Jandó (Klavier), 1993; Naxos

Trios

»Kontraste« für Violine, Klarinette und Klavier Sz 111

Bezeichnungen 1. Verbunkos: Moderato ben ritmico, 2. Pihenoÿ: Lento, 3. Sebes: Allegro vivace
Entstehung August bis 24. September 1938
UA 9. Januar 1939 New York (1. und 3. Satz);
21. April 1940 New York (vollständig)
Verlag Boosey & Hawkes
Spieldauer ca. 17 Minuten

Entstehung Die Entstehungsgeschichte des Werks erklärt zu einem großen Teil dessen Stil. Die Idee geht auf den ungarischen Geiger Jószef (Joseph) Szigeti aus dem Frühsommer 1938 zurück. Dieser sprach wenig später mit dem Klarinettisten Benny Goodman, der sich gerade auf einer Europatournee befand. Goodman war durchaus nicht auf den Jazz fixiert.

Szigeti und Goodman bestellten das Trio schriftlich bei Bartók und äußerten dabei ihre Wünsche:»Es wäre sehr gut, wenn die Komposition möglichst aus zwei selbstständigen (und eventuell auch einzeln spielbaren) Teilen bestünde (wie die erste Violinrhapsodie), und natürlich hoffen wir, dass darin auch eine brillante Klarinetten- und auch eine Violinkadenz vorkommen werden.« Der Wunsch nach zwei kurzen Sätzen hatte ganz praktische Gründe: Jeder Teil sollte auf eine Schallplattenseite passen. Um einen geeigneten Klarinettenpart zu schreiben, befasste sich Bartók anhand von Schallplattenaufnahmen mit Goodmans Spielweise.

Musik Aus den bestellten zwei wurden drei Sätze, wobei das Hauptgewicht allerdings auf den Außensätzen liegt: Sie sind virtuos und dekorativ, dabei leicht fasslich. Der erste Satz ist ein dreiteiliger Verbunkos, ein alter ungarischer Tanz, der bei der Anwerbung von Soldaten gespielt wurde und aus dem sich später der Csardas entwickelte. Er hat leichte Anklänge an den Blues, die allerdings nicht dominieren. Der zweite Satz, mit Pihenoÿ (Rast) überschrieben, stellt eine Beruhigung nach den Eruptionen des ersten Satzes dar. Im Finale verarbeitet Bartók wiederum ungarische Tanzthemen, die er mit sublimen Jazzelementen koppelt. Die verzwickte Rhythmik basiert auf der Kombination von 8/8- und 5/5-Takten. Beide Spieler benötigen zwei Instrumente: B- und A-Klarinette bzw. normal gestimmte und umgestimmte (gis-d-a-es) Violine.

Wirkung Die beiden Ecksätze wurden von Szigeti und Goodman mit großem Erfolg in der Carnegie Hall uraufgeführt. Das Klavier spielte der Ungar Endre Petri. Nach seiner Übersiedlung in die USA ersetzte Bartók den Pianisten bei der Uraufführung des kompletten Werks, ebenfalls in der Carnegie Hall. In letzterer Besetzung entstand auch die erste Schallplatteneinspielung.

ZA

Einspielungen (Auswahl)
• Benny Goodman (Klarinette), Joseph Szigeti (Violine), Béla Bartók (Klavier), 1943; Sony Classical

Sonate für zwei Klaviere und Schlagzeug Sz 110

Sätze 1. Assai lento – Allegro molto, 2. Lento, ma non troppo, 3. Allegro, ma non troppo
Entstehung Juli–September 1937
UA 16. Januar 1938 Basel
Verlag Boosey & Hawkes
Spieldauer ca. 27 Minuten

Entstehung Zwischen Bartók und Paul Sacher, dem Leiter des Basler Kammerorchesters und unermüdlichen Förderer Neuer Musik, bestand eine enge und herzliche Beziehung. Nach der Uraufführung der »Musik für Saiteninstrumente, Schlagzeug und Celesta« am 21. Januar 1937 durch Sacher bat dieser den Komponisten um ein kammermusikalisches Werk, das zu einem scheinbar unbedeutenden Anlass uraufgeführt werden sollte: dem zehnjährigen Bestehen der Ortsgruppe Basel in der Schweizer Sektion der Internationalen Gesellschaft für Neue Musik (IGNM). Dieser stand allerdings kein Geringerer als Sacher selbst vor. Von der ursprünglichen Idee, nur ein Klavier einzusetzen, ging Bartók wieder ab, weil er befürchtete, »dass ein Klavier gegen den oft scharfen Klang der

Schlaginstrumente keine befriedigende Balance ergibt«.

Musik Die Partien der beiden Schlagzeuger sind denen der Pianisten keinesfalls untergeordnet, auch wenn der Klang des Schlagwerks oft nur Akzente setzt oder Farbnuancen einbringt. Dagegen stehen Passagen, in denen die Führungsstimme oder ein Kontrapunkt im Schlagzeug liegt. Bartók hat auch genaue Anweisungen für die Anordnung der Instrumente gegeben – ein frühes Beispiel für eine »quadrofone« Klangorganisation. Die Satzfolge schnell–langsam–schnell entspricht dem klassischen Zuschnitt, was aber für den Komponisten keinen Traditionszwang bedeutet.

Der erste Satz ist der bedeutendste des Werks. Er entfaltet ein brillantes und vielfarbiges Spiel mit einem chromatischen Thema, das in unterschiedlichster Weise verarbeitet und modifiziert wird. Der Mittelteil ist in erster Linie melodisch orientiert, während am Ende des Satzes wieder der Rhythmus zum wichtigsten Gestaltungselement wird.

Der zweite Satz beginnt mit einer »Geräuschkulisse« und »beschwört Klänge der Nacht« (Eberhardt Klemm). Rhythmische und melodische Strukturen werden kontrapunktisch einander gegenübergestellt.

Der dritte Satz hat tänzerischen Charakter, seine Themen sind scharf akzentuiert. Zwischen Pauke und Xylofon kommt es zum dialogischen Musizieren, bis am Ende Trommelklänge bis zur Unhörbarkeit verlöschen.

Wirkung Bei der Basler Uraufführung spielten Bartók und seine Frau Ditta Pásztory die beiden Klaviere, Fritz Schiessler und Philipp Rühlig das Schlagwerk. Im Dezember 1940 schrieb Bartók eine zusätzliche Fassung für zwei Klaviere, Schlagwerk und Orchester, der er die Gattungsbezeichnung Konzert gab. Diese Version wurde am 14. November 1942 unter Adrian Boult in London uraufgeführt.

Die Quartettfassung wird deutlich öfter gespielt als die spätere Konzertfassung, was aber in erster Linie auf den geringeren Aufwand (und nicht etwa auf qualitative Mängel) zurückzuführen sein dürfte. Den direkten Vergleich beider Fassungen ermöglicht Martha Argerich auf einer Doppel-CD, auf der sie das Konzert mit Nelson Freire und dem Concertgebouw Orchestra unter David Zinman und die Sonate mit Stephen Kovacevich eingespielt hat. ZA

Einspielungen (Auswahl)
• Murray Perahia, Georg Solti (Klavier), David Corkhill, Evelyn Glennie (Schlagzeug), 1987; Sony Classical
• Martha Argerich, Nelson Freire (Klavier), Peter Sadlo, Edgar Guggeis (Schlagzeug), 1993; Deutsche Grammophon

Streichquartette

»Wenn in der Musik des 20. Jahrhunderts etwas vorhanden ist, was einst unsere Nachkommen davon überzeugen kann, dass unser Zeitalter nicht so barbarisch war, wie die Geschichte es zeigt, wenn eine solche Musik vorhanden ist, dann sind es Bartóks Streichquartette« (Cecil Mason, 1950). In der Tat sind die Quartette des Ungarn – ähnlich den späten Quartetten Beethovens – die knappsten Zusammenfassungen seines kompositorischen Denkens. Durch die Beschränkung auf nur vier Stimmen und einen begrenzten Vorrat an Klangfarben, den er freilich bis zur Grenze des Denkbaren ausschreitet, ist Bartók gezwungen, die Essenz seiner Arbeit auf engstem Raum zusammenzufassen. Das verschafft den Streichquartetten eine Dichte, die eine schnelle Aufnahme oft erschwert, sodass sie sich erst bei mehrmaligem Hören, dann aber umso reichhaltiger, erschließt.

Es mag verwundern, dass zwischen den ersten beiden Quartetten nahezu ein Jahrzehnt liegt. Die Logik ist aber einleuchtend, denn das erste Werk von 1909 weist Bartóks Personalstil nur in Andeutungen aus. János Kárpáti verweist auf die Bedeutung der Reisen, bei denen der ungarische Komponist Volkslieder gesammelt hat. Besonders der Aufenthalt in Nordafrika (1913) hat für die späteren Kompositionen wesentliche Bedeutung, denn von nun an treffen wir immer wieder auf arabische Elemente. Die Komplexität der musikalischen Welt Bartóks ist in den Streichquartetten brennpunktartig zusammengefasst. In ihnen begegnet uns häufig eine sogenannte Brückenform, ebenso aber die Zentrierung um eine Mittelachse – Elemente, die sich allerdings

Die Streichquartette von Béla Bartók

Entstehung	Uraufführung	Titel
1908/09	1910	Streichquartett Nr. 1 Sz 40
1915–17	1918	Streichquartett Nr. 2 Sz 67
1927	1929	Streichquartett Nr. 3 Sz 85
1928	1929	Streichquartett Nr. 4 Sz 91
1934	1935	Streichquartett Nr. 5 Sz 102
1939	1941	Streichquartett Nr. 6 Sz 114

nicht so sehr beim Hören, sondern erst beim Studium der Partituren völlig offenbaren. **ZA**

Streichquartett Nr. 1 Sz 40

Sätze 1. Lento, attacca: 2. Allegretto, 3. Introduzione – Allegro – Allegro vivace
Entstehung 1908/09; revidiert 1931
UA 19. März 1910 Budapest
Verlag Zenemuýkiadó Vállalat
Spieldauer ca. 29 Minuten

Entstehung Bei der Konzipierung, die wahrscheinlich bis ins Jahr 1907 zurückreicht und mit der Entstehung des lange verschollen geglaubten ersten Violinkonzerts verknüpft ist, und der Ausführung stand Bartók unter dem Einfluss von Max Reger wie auch der »Tristan«-Akkordik Richard Wagners. Die Überarbeitung von 1931 bezog sich im Wesentlichen auf die Vortragsbezeichnungen und Metronomangaben zu den Einzelsätzen.

Musik Der Wunsch nach Schaffung einer ungarischen nationalen Kunstmusik – und damit auch tradierten Werkformen – war bei Bartók seit seiner Jugendzeit trotz geistiger Reifung unverändert vorhanden, wurde aber mit dem 1. Streichquartett noch nicht verwirklicht. Auch sein Personalstil ist hier noch nicht ausgeprägt, wohl aber die Absage an eine nationale Romantik.

Herbheit und ein nicht näher zu definierender Romantizismus durchziehen das Werk. Tibor Tallián glaubt, in der Musik Anklänge an den westlichen Jugendstil zu entdecken. Andere Musikwissenschaftler verweisen auf die Nähe zu Reger, Kodály auf die Hinwendung zum musikalischen Expressionismus. Letzterer sieht in der Komposition auch ein »inneres Drama«. Trotz formaler Klarheit (ungewöhnlicherweise beginnt das Werk mit einem Doppelkanon) ist das Quartett nicht in erster Linie formalisiert – Bartók vollzieht einen Schritt zur freien persönlichen Ausdrucksweise und zur Loslösung von tonalen Stereotypen.

Die beiden ersten Sätze sind von einer hoch gespannten Chromatik; im Finale – einen vierten Satz hat das Werk nicht – dominiert Wildheit, mit Groteskem durchsetzt. Einige Male intoniert das Cello Teile einer pentatonischen ungarischen Bauernmelodie, die auch später in Bartóks Orchestervariationen auftaucht – ein Bekenntnis des Komponisten zur Bodenständigkeit.

Anfang des 20. Jahrhunderts wuchs das Interesse europäischer Künstler an Afrika. Auch Bartók ließ die Eindrücke seiner Afrikareise in einige Werke einfließen (»Markt in Tunis I«, Aquarell von August Macke, 1914).

Bartók arbeitete von 1907 bis 1940 in Budapest und komponierte hier auch im Wesentlichen seine sechs Streichquartette. Im Béla-Bartók-Archiv in Budapest wird bis heute die Erinnerung an ihn bewahrt.

Wirkung Die Uraufführung durch das Wald-bauer-Quartett verzögerte sich, weil die Musiker fast ein Jahr an dem Werk arbeiteten. Der ausschließlich Bartók gewidmete Abend fand zwei Tage vor einem ähnlichen mit Werken Kodálys statt – es darf vermutet werden, dass beide Konzerte wesentliche Daten für die Entstehung der ungarischen Nationalmusik markieren. ZA

Streichquartett Nr. 2 Sz 67

Sätze 1. Moderato, 2. Allegro molto capriccioso, 3. Lento
Entstehung 1915 bis Oktober 1917
UA 3. März 1918 Budapest
Verlag Universal Edition
Spieldauer ca. 27 Minuten

Entstehung Über den Kompositionsprozess des zur Zeit des Ersten Weltkriegs entstandenen zweiten Streichquartetts ist nur wenig bekannt: Bartók schrieb es in Rákoskeresztur bei Budapest für das Waldbauer-Quartett. Wie beim ersten Quartett wurden die endgültigen Tempobezeichnungen erst später nachgetragen.

Musik Das Hauptthema des ersten Satzes ähnelt dem der später komponierten ersten Violinsonate. Es ist eine weit ausschwingende Melodie, die in der Form eines Sonatenhauptsatzes verarbeitet wird. Kodály hat diesem Satz die Charakterisierung »ruhiges Leben« zugewiesen.

Aus dem zweiten Satz hörte Kodály »Freude« heraus, die aber ist trügerisch, denn das Capriccioso hat neben seinem tänzerischen Charakter auch deutliche Züge von Wildheit. Formal ist dieser Satz eine Überlagerung von Variations- und Rondotechniken.

Im dritten Satz (nach Kodály: »Leid«) herrscht die Düsternis eines volksliedhaften Klagegesangs vor. Dieser musikalische Klagegestus, den Bartók hier einbringt, sollte für viele seiner späteren Werke (etwa den langsamen Satz von »Divertimento für Streichorchester« von 1939) bestimmend werden.

Wirkung Obwohl seine Kompositionen seit dem Druck des 1. Streichquartetts (1910) auch von anderen Ensembles sehr gern gespielt wurden, blieb Bartók besonders dem Waldbauer-Quartett verbunden. Dessen Interpretation des 2. Streichquartetts war bereits bei der Uraufführung mustergültig. ZA

Streichquartett Nr. 3 Sz 85

Sätze Prima parte: Moderato, Seconda parte: Allegro, Ricapitulazione della prima parte: Moderato, Coda: Allegro molto
Entstehung Juli–September/Oktober 1927
UA 19. Februar 1929 London
Verlag Universal Edition
Spieldauer ca. 16 Minuten

Entstehung Unmittelbar vor Beginn der Arbeit an diesem Quartett war Bartók zu einer Konzertreise in Deutschland, wo er beim Festival der Internationalen Gesellschaft für Neue Musik (IGNM) unter der Leitung von Wilhelm Furtwängler sein erstes Klavierkonzert in Frankfurt am Main spielte. Nach weiteren Aufenthalten in Baden-Baden und Davos kehrte er nach Budapest zurück. Die Partitur vermerkt Ende September als Fertigstellungsdatum. Am 2. Oktober 1927 erhielt Bartók die Nachricht, dass das Quartett den Kammermusikpreis der Stadt Philadelphia gewonnen hatte. Obwohl die Partitur schon beim Verlag in Wien war, zögerte der Komponist mit der endgültigen Imprimatur, weil er vor Drucklegung noch Änderungen aufgrund seiner Erfahrungen bei Proben und der Uraufführung vornehmen wollte.

Musik Schon die Bezeichnungen »Prima parte« und »Seconda parte« deuten auf eine groß angelegte Zweiteiligkeit des Quartetts hin. In der Rekapitulation wird der erste Teil verkürzt

wiederholt, in der Coda der zweite. Beide Hauptteile sind von äußerster Unterschiedlichkeit. Man könnte eine Ähnlichkeit zu romantischen Sonaten und deren pausenlosen Übergängen vermuten, verriete das Werk nicht eine deutliche Absage an die Romantik.

»Prima parte« János Kárpáti hörte aus dem Thema Anklänge an pentatonische ungarische Volkslieder heraus. Die Entwicklung des thematischen Materials aus einem Dreitonmotiv trägt in der Mitte des Satzes deutlich jenen dramatisch-herben Charakter, wie er für viele Kompositionen von Bartók typisch ist. Melodie und Akkordik bilden keine Einheit, sondern stehen miteinander im Widerstreit.

»Seconda parte« Auch hier sind Melodiefragmente aus der ungarischen Volksmusik zu finden. Die größere Ruhe der weiteren Entwicklung geht in ein Fugato über, das bis ins fast Unhörbare geführt wird. Von den Musikern wird verlangt, nahe am Steg zu spielen und die Saiten mit dem Bogenholz zu schlagen. Die sehr geschwinde Coda nach der Rekapitulation führt die Dramatik noch einmal in verkürzter Form zum Höhepunkt, auf dem das Werk unvermittelt ab-

---

Bartók und Beethoven

Wie bei Beethoven, so nehmen auch bei Bartók die Streichquartette eine zentrale Stellung im Gesamtwerk ein. Der Komponist Mátyás Seiber bezeichnet die Werke seines ungarischen Landsmanns in seinem Buch »Die Streichquartette von Béla Bartók« aus dem Jahr 1954 denn auch als »das Rückgrat seines gesamten Schaffens«. Und zum Beethoven-Vergleich führt er aus: »Auch Bartók hat allem Anschein nach das Medium des Streichquartetts gewählt, um seinen wesentlichsten Gedanken Ausdruck zu verleihen. Bartóks Schreibweise ist, wie die Beethovens, in seinen Quartetten von besonderer Konzentriertheit und Intensität: Seine Ideen sind von größter Überzeugungskraft und werden mit letzter Klarheit und Ökonomie ausgedrückt.« Der deutsche Komponist Michael Denhoff sah das in seinem Essay »Was bedeutet mir Bartók?« 1981 genauso: »Bei Bartók sind zwei scheinbar unvereinbare Dinge miteinander verschmolzen: Kalkül und Expression, Genauigkeit und Gefühlsintensität.«

zubrechen scheint, obwohl das Material logisch entwickelt und zu Ende geführt wird.

Wirkung Bereits zwei Tage nach der Uraufführung durch das Waldbauer-Quartett wurde das dritte Streichquartett im Rahmen der IGNM-Konzerte in Frankfurt am Main vom Kolisch-Quartett nachgespielt. Seine Mitglieder setzten sich von da an ebenso intensiv wie das Waldbauer-Quartett für die Musik Bartóks ein. Unmittelbar nach Erscheinen der Studienpartitur des dritten Streichquartetts (1928) schrieb Theodor W. Adorno einen Aufsatz über das Werk, der in den »Musikblättern des Anbruchs« veröffentlicht wurde. Allein die Tatsache, dass der wichtigste Theoretiker der Wiener Schule das Quartett positiv bewertete, trug viel zu dessen Verbreitung und zur größeren Reputation Bartóks bei. Zudem hat der Aufsatz entscheidend zur Rezeptionsgeschichte des bartókschen Œuvres beigetragen.
ZA

Streichquartett Nr. 4 Sz 91

Sätze 1. Allegro, 2. Prestissimo, con sordino, 3. Non troppo lento, 4. Allegretto pizzicato, 5. Allegro molto
Entstehung Juli–September 1928
UA 20. März 1929 Budapest
Verlag Universal Edition
Spieldauer ca. 22 Minuten

Entstehung Als Bartók am vierten Streichquartett arbeitete, hatte er aus den USA noch keine Nachricht über die dortige Resonanz auf sein drittes Quartett. Als diese dann Anfang Oktober 1928 eintraf, konzentrierte sich die Aufmerksamkeit zunächst auf das ältere Werk, bei dessen ungarischer Erstaufführung das jüngere uraufgeführt wurde.
Musik Bartók hat eine Analyse des Quartetts verfasst, in der er die Brückenform der Komposition beschreibt: »Der langsame Satz bildet den Kern des Werks, die übrigen Sätze schichten sich um diesen. Und zwar ist der vierte Satz eine freie Variation des zweiten, die Sätze eins und fünf wiederum haben gleiches thematisches Material. Das heißt: Um den Kern (3. Satz) bilden die Sätze eins und fünf die äußere, zwei und vier die innere Schicht.«

Thematisches Ausgangsmaterial für das gesamte Werk ist ein kleines Motiv aus drei auf- und drei absteigenden Noten, das erstmals kurz nach Beginn des ersten Satzes im Cello auftritt. Trotz dieser Monothematik ist das Quartett nicht leicht zu erschließen; Heinrich Lindlar nennt es »ein Werk voller Härten und Geheimnisse«. Wieder sind komplexe Harmonik, thematische Nähe zu ungarischen Klagegesängen und erneut eine bis zum Äußersten gesteigerte Dramatik (trotz des scherzoartigen, »versöhnlicheren« vierten Satzes) konstitutive Elemente einer Tonsprache, die inzwischen für Bartók so charakteristisch geworden ist, dass sie nur ihm zugeordnet werden kann.

Wirkung Unmittelbar nach der Uraufführung durch das Waldbauer-Quartett wuchs das Interesse anderer Ensembles an weiteren Aufführungen, denn Bartók gehörte inzwischen zur Elite der europäischen Komponisten. So führte das Quatuor Pro Arte aus Brüssel das Werk noch im Oktober 1929 in Berlin und Wien auf. Bartók widmete die Komposition daraufhin diesem Ensemble.
ZA

Streichquartett Nr. 5 Sz 102

Sätze 1. Allegro, 2. Adagio molto, 3. Scherzo: Alla bulgarese (vivace), 4. Andante, 5. Finale: Allegro vivace
Entstehung 6. August bis 6. September 1934
UA 8. April 1935 Washington
Verlag Universal Edition
Spieldauer ca. 30 Minuten

Entstehung Den Auftrag zur Komposition erhielt Bartók von der amerikanischen Musikmäzenin Elizabeth Sprague Coolidge, die sich besonders um zeitgenössische Kammermusik verdient gemacht hat. Mit einiger Sicherheit kann gesagt werden, dass die Empfehlung hierzu vom Quatuor Pro Arte ausging. Für die große Schnelligkeit der Komposition (innerhalb von vier Wochen) gibt es keinen äußeren Grund. Bartók hatte jedoch längere Zeit nur Bearbeitungen geschrieben, sodass anzunehmen ist, dass es ihn innerlich zu einer neuen Komposition drängte.

Musik Das Streichquartett ist noch deutlicher als das vierte Quartett symmetrisch um eine Mittelachse (3. Satz) gebaut: schnell–langsam–schnell–langsam–schnell. Im ersten Satz, der mit hämmernden Tonrepetitionen beginnt, verwendet Bartók eine Skala, die arabischen Einfluss vermuten lässt. Die Rhythmik ist kompliziert und durchbricht mit ihren Binnenstrukturen immer wieder das vorgezeichnete Grundmetrum.

Im zweiten Satz fallen eine choralähnliche Melodie in den tiefen Registern und ein flackerndes Tremolo im Mittelteil auf. Letzteres gibt dem Satz einen gespenstischen Charakter.

Das bulgarische Attribut des dritten Satzes meint nicht melodisches Material, sondern die asymmetrischen Rhythmen bulgarischer Volksmusik (hier: 4 + 2 + 3 Achtel). Trotz der Bezeichnung »Scherzo« ist der Satz nur maßvoll heiter; die Ernsthaftigkeit der anderen Sätze ist auch hier nicht völlig außer Kraft gesetzt. Das Thema kehrt strophenähnlich mehrmals wieder. Das Trio offenbart sich als Werkzentrum mit deutlicher folkloristisch getöntem Charakter (dudelsackähnliche Begleitung). Volksliedhaft ist auch das zentrale Thema des vierten Satzes, der sich bis zu höchster Dramatik steigert. Er ist eine Variante des zweiten Satzes, so wie der fünfte an den ersten anknüpft.

Das Finale lebt aus der Spannung zwischen einem absteigenden ersten und einem aufsteigenden zweiten Thema, die beide in kontrapunktischer Kompliziertheit miteinander verschränkt werden.

Wirkung Auf Wunsch der Auftraggeberin spielte das Wiener Kolisch-Quartett die Uraufführung in Washington. Bis zur Erstaufführung in Ungarn verging fast ein Jahr: Sie fand am 3. März 1936 wiederum im Rahmen eines IGNM-Konzerts in Budapest durch das Ungarische Streichquartett statt, das die künstlerische Nachfolge des Waldbauer-Quartetts angetreten hatte. ZA

Streichquartett Nr. 6 Sz 114

Sätze 1. Mesto – Vivace, 2. Mesto – Marcia, 3. Mesto – Burletta: Moderato, 4. Mesto
Entstehung August–November 1939
UA 20. Januar 1941 New York
Verlag Boosey & Hawkes
Spieldauer ca. 29 Minuten

Entstehung Bartók begann mit der Arbeit an diesem Quartett, als er sich auf Einladung seines Freundes und Förderers Paul Sacher in dessen Sommerhaus im schweizerischen Saanen (Berner Oberland) aufhielt. Sacher hatte ihn mit der Komposition des »Divertimento für Streichorchester« beauftragt, das Bartók innerhalb von zwei Wochen niederschrieb. Unmittelbar danach wandte er sich dem Quartett zu. Der Beginn des Zweiten Weltkriegs und eine Erkrankung seiner Mutter zwangen ihn zur Unterbrechung und zur Rückkehr nach Budapest, wo er das Werk Ende November 1939 beendete.

Musik Vielleicht haben die Ruhe und Bequemlichkeit in Saanen dazu beigetragen, dass das sechste Streichquartett in vielen Passagen eine friedliche und für Bartók ungewöhnlich lichte Stimmung atmet und stärker als die anderen fünf Quartette aus der Spannung zwischen dieser Friedlichkeit und dramatischer Erregung lebt. Selbst der Charakter des Gehetzten, der auch hier unüberhörbar ist, hat weniger Unausweichliches und Endgültiges als in anderen Kompositionen. Bartók-Biografen verweisen darauf, dass die Zeit in Sachers Sommerhaus trotz äußerer Bedrohung, des abgerissenen Kontakts zu Kodály und der Sorge um die Mutter wohl die glücklichste, zumindest aber eine der am wenigsten unglücklichen Phasen in Bartóks Leben gewesen sein dürfte.

Der Anfang des Streichquartetts knüpft im Monolog der Bratsche an die »Zwei Bilder« für Orchester aus Bartóks Jugendzeit an. Zugleich erweist sich das Bratschensolo als das Thema, mit dem alle Sätze ritornellartig eingeleitet werden. Deshalb ist auch der Beginn der ersten drei Sätze jeweils mit »Mesto« (traurig) überschrieben. Nur im Finalsatz folgt keine weitere Vortragsbezeichnung, weil der ganze Satz aus dem Material des Mesto entwickelt wird.

Im zweiten Teil des ersten Satzes wird das chromatische Ritornellmotiv diatonisch verändert zum Hauptthema. Das Marcia des zweiten Satzes ist vorwärtsdrängend und bis in die Moll-version am Ende der dramatischste Teil des Quartetts. Die Burletta (3. Satz) ist ein Bärentanzthema, das mit Vierteltönen angereichert ist und naturgemäß einen etwas ruppig-derben Charakter trägt.

Wirkung Das sechste Streichquartett ist das letzte Werk, das Bartók in Europa schrieb. Die Uraufführung allerdings fand bereits in den USA statt. Die Ausführung oblag dem Kolisch-Quartett, dem das Werk auch gewidmet ist. ZA

Einspielungen (Auswahl)
- Ungarisches Streichquartett, 1961; Deutsche Grammophon
- Emerson String Quartet, 1989; Deutsche Grammophon
- Keller Quartett, 1994; Erato/Warner Classics
- Takács Quartet, 1996; Decca

Beethoven | Ludwig van

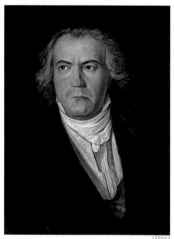

getauft 17. 12. 1770 Bonn
† 26. 3. 1827 Wien

100563

Ludwig van Beethoven gehört zu den zentralen Persönlichkeiten der neueren europäischen Musikgeschichte. Zu Lebzeiten heftig umstritten und dann in vielen Gattungen zum Modell erhoben (Sinfonie, Klaviersonate, Streichquartett), bestimmt sein Werk bis heute maßgeblich das internationale Konzertrepertoire.

Beethovens Geburtstag ist nicht genau bekannt. Sein Vater Johann war Hoftenorist im Dienst des Kölner Erzbischofs und Kurfürsten, der in Bonn residierte. Seine Mutter Maria Magdalena, geborene Keverich, stammte aus Ehrenbreitstein am Rhein. Nach dem Tod der Mutter, 1787, verlor der Vater den moralischen Halt, sodass der junge Ludwig, der bereits früh Klavier- und Orgelspiel erlernte, den Organistendienst an der Bonner Minoritenkirche übernehmen musste. Einen ausgezeichneten Lehrer erhielt er in Christian Gottlob Neefe, dem Hoforganisten, der ihn mit der Klaviermusik von Johann Sebastian und Carl Philipp Emanuel Bach, Haydn und Mozart bekannt machte. Schon 1784 stand Beethoven in der Liste der besoldeten Hofmusiker. 1787 unternahm er eine Reise nach Wien, wo er Mozart vorgestellt wurde. 1792 nahm er Abschied von Bonn, um sich auf eigenen sowie auf Wunsch des Wiener Hofs bei Haydn in der Komposition zu vervollkommnen. Er sollte seine Heimat nie wiedersehen, machte doch die Auflösung des Kurfürstentums durch Napoleon eine Rückkehr in den Hofdienst unmöglich.

In Wien studierte Beethoven außer bei Haydn auch bei Albrechtsberger und Salieri. Bald stand der junge Pianist und Komponist im Mittelpunkt des vorwiegend vom Wiener Hochadel getragenen Musiklebens. Als hoch geschätzter Musiker ging er in den Familien der Lichnowsky, Rasumowsky, Fries und anderer ein und aus, war ihnen sogar freundschaftlich verbunden. Im Jahr 1800 wurde er sich seines fortschreitenden Gehörleidens bewusst, das schließlich zu völliger Ertaubung führte. Das berühmte »Heiligenstädter Testament« von 1802 dokumentiert seine Verzweiflung. Trotz dieses Leidens, das ihn am Komponieren nicht hinderte, war er 1808 nahe daran, einem Ruf an den Hof des Königs Jerome von Napoleons Gnaden nach Kassel zu folgen. Einflussreiche Adelskreise, an ihrer Spitze Erzherzog Rudolph, der Bruder des Kaisers, verhinderten dies durch Aussetzung einer Jahresrente.

Äußerer Höhepunkt in Beethovens Leben waren die Konzerte anlässlich des Wiener Kongresses 1814/15 mit den triumphalen Aufführungen der fünften und siebten Sinfonie sowie der Endfassung des »Fidelio«. Die fortschreitende Ertaubung zwang ihn schließlich, auf öffentliche Auftritte als Dirigent seiner eigenen Werke und als Pianist zu verzichten. Die letzten Jahre, in denen seine neunte Sinfonie, die Missa solemnis, die späten Klaviersonaten und Streichquartette entstanden, ließen ihn mehr und mehr vereinsamen, zumal die Übernahme der Vormundschaft über seinen Neffen Karl, 1815, ihm viel Sorge und Ärger einbrachte. Mit seinen Besuchern konnte er sich nur mehr schriftlich verständigen. Die Arbeit an den letzten Streichquartetten wurde durch häufige Krankheit behindert. Eine Erkrankung der Leber war vermutlich die Ursache seines Todes. Beethovens Begräbnis am 29. März 1827 glich dem Trauerzug eines Fürsten, der er im Reich der Musik auch war. BEAU

tende Interpreten haben sich in den letzten 60 Jahren u. a. hervorgetan: Adolf Busch und Rudolf Serkin, Yehudi Menuhin und Wilhelm Kempff, Arthur Grumiaux und Clara Haskil, Itzhak Perlman und Vladimir Ashkenazy, Gidon Kremer und Martha Argerich. BEAU

Einspielungen (Auswahl)
- Itzhak Perlman (Violine), Vladimir Ashkenazy (Klavier), 1972–78; Decca
- Gidon Kremer (Violine), Martha Argerich (Klavier), 1985–95; Deutsche Grammophon

100880

Max Klingers Denkmal (vollendet 1902; Leipzig, Neues Gewandhaus) zeugt von der posthumen Verehrung, die Beethoven zuteil wurde. Seine ersten Violinsonaten waren zum Zeitpunkt ihrer Entstehung allerdings noch höchst umstritten.

Violinsonaten

Entstehung Beethovens Violinsonaten nehmen innerhalb seines Œuvres nicht die zentrale Stellung ein, die den Klaviersonaten und den Streichquartetten zukommt. Mit Ausnahme der Sonate op. 96, der Nachzüglerin von 1812, wurden sie alle zwischen 1797 und 1803, also in Beethovens früher Zeit, komponiert.

Wirkung Am Beispiel der unmittelbar auf die Drucklegung der Sonaten folgenden Rezensionen in der renommierten »Allgemeinen Musikalischen Zeitung« aus Leipzig wird deutlich, wie sehr die Urteile der Zeitgenossen schwankten zwischen Befremden und Bewunderung. So wurden die drei Sonaten op. 12 in der »Allgemeinen Musikalischen Zeitung« als »ganz eigene, mit seltsamen Schwierigkeiten überladene Sonaten« abgelehnt, während gleich in den nächsten beiden Werken der »originelle, feurige und kühne Geist« des Komponisten gelobt wurde: Er »wird sich jetzt immer mehr klar, fängt immer mehr an, alles Uebermass zu verschmähen, tritt, ohne von seinem Charakter zu verlieren, immer wohlgefälliger hervor«.

Heute zählen die zehn Sonaten zu den Standardwerken für Violine und Klavier. Als bedeu-

Sonate Nr. 1 D–Dur op. 12 Nr. 1

Sätze 1. Allegro con brio, 2. Tema con variazioni: Andante con moto, 3. Rondo: Allegro
Entstehung 1797/98
Verlag Henle
Spieldauer ca. 20 Minuten

Beethovens Geige

Um 1800 erhielt Beethoven von Fürst Carl Lichnowsky vier wertvolle Streichinstrumente geschenkt: zwei Geigen, eine Viola und ein Violoncello. Im Wiener Haus seines Freundes und Mäzens fanden damals regelmäßig Kammermusikkonzerte statt. Außerdem steht die Schenkung möglicherweise im Zusammenhang mit der Entstehung von Beethovens ersten sechs Werken für Streichquartett (seinem Opus 18). Die Instrumente sind auf dem Rücken jeweils mit einem großen »B« bezeichnet und mit Beethovens Siegel versehen.

Heute befinden sich die vier Instrumente im Geburtshaus Ludwig van Beethovens in Bonn, das seit 1893 eine Gedenkstätte für den Komponisten ist. Die wohl um 1700 in Salzburg gebaute (erste) Violine kann man inzwischen auch auf CD hören: Der Geiger Daniel Sepec spielt darauf, begleitet von Andreas Staier am Hammerflügel, die Violinsonate Nr. 4 a-Moll op. 23, die »Figaro«-Variationen WoO 40 sowie die Violinsonate Nr. 7 c-Moll op. 30 Nr. 2. Letzteres Werk wurde aller Wahrscheinlichkeit nach 1802 auf eben jener Violine uraufgeführt.

Sonate Nr. 2 A-Dur op. 12 Nr. 2

Sätze 1. Allegro vivace, 2. Andante più tosto Allegretto, 3. Allegro piacevole
Entstehung 1797/98
Verlag Henle
Spieldauer ca. 17 Minuten

Sonate Nr. 3 Es-Dur op. 12 Nr. 3

Sätze 1. Allegro con spirito, 2. Adagio con molt' espressione, 3. Rondo: Allegro molto
Entstehung 1797/98
Verlag Henle
Spieldauer ca. 18 Minuten

Entstehung Beethoven komponierte seine drei ersten Violinsonaten 1797/98 in Wien und widmete das Konvolut seinem Kompositionslehrer Antonio Salieri. Obwohl vor allem als Klaviervirtuose bekannt, war Beethoven seit früher Jugend auch mit dem Violinspiel vertraut. So hatte er u. a. bereits als Zwölfjähriger in der Hofkapelle seiner Heimatstadt Bonn als Geiger ausgeholfen.

Musik Die »Sonate für Klavier und Violine« – man beachte die Reihenfolge – war eine beliebte Gesellschaftskunst des späten 18. Jahrhunderts, bei der der Klavierpart im Vordergrund stand und die Violine lediglich akkompagnierte. Schon Mozart bemühte sich in seinen Violinsonaten um ein ausgewogeneres strukturelles Verhältnis der beiden Instrumentalparts. Diesen Weg ging auch der junge Beethoven in seinen 1798 erschienenen drei Violinsonaten op. 12, die er seinem Lehrer Salieri widmete. Zwar ist auch in diesen Spielmusiken das Klavier vor allem in den brillanten Ecksätzen dominierend, aber es kommt immer wieder zu reizvollen Dialogen der beiden Instrumente, zu kunstvoller Durchführungsarbeit und – in den Mittelsätzen – zu expressiver melodischer Verdichtung. Letzteres gilt besonders für das Andante der A-Dur- und das Adagio con molt' espressione der Es-Dur-Sonate, in denen die Violine sich melodisch aussingen darf. Typisch für den jungen Beethoven ist in allen drei Sonaten die konzertante und rhythmische Energie.

Wirkung Die Zeitgenossen Beethovens empfanden den subjektiven Ton der drei Sonaten op. 12 – für uns heute völlig unverständlich – als unnatürlich, ja bisweilen sogar schockierend. Beispielhaft dafür ist die Rezension in der »Allgemeinen Musikalischen Zeitung« aus dem Jahr 1799. Darin heißt es: »Es ist unleugbar, Herr von Beethoven geht einen eigenen Gang: aber was ist das für ein bizarrer, mühseliger Gang! Gelehrt, gelehrt und immer fort gelehrt und keine Natur, kein Gesang… Eine Sträubigkeit, für die man wenig Interesse fühlt, ein Suchen nach seltener Modulation, ein Ekeltun gegen gewöhnliche Verbindung, ein Anhäufen von Schwierigkeit auf Schwierigkeit, dass man die Geduld und Freude dabei verliert.« Robert Schumann erwiderte darauf 1836 in seiner »Neuen Zeitschrift für Musik«: »Ja wohl, im Gang der Natur liegt's und in der Natur der Dinge. Siebenunddreißig Jahre vergingen einstweilen: wie eine Himmelssonnenblume hat sich der Name Beethoven entfaltet, während der Rezensent in einem Dachstübchen zur stumpfen Nessel zusammengeschrumpft.« BEAU/STÜ

Beethoven komponierte viele seiner Violinsonaten in Wien. Wie Mozart, den er kannte, und Haydn, der ihn kurzzeitig unterrichtete, ging auch der deutsche Musiker als »Wiener Klassiker« in die Geschichte ein (Stadtansicht von Wien; Aquarell von Jakob Alt, 1825).

Sonate Nr. 4 a-Moll op. 23

Sätze 1. Presto, 2. Andante scherzoso più Allegretto, 3. Allegro molto
Entstehung 1800/01
Verlag Henle
Spieldauer ca. 20 Minuten

Entstehung Bildeten Beethovens erste Violinsonaten noch ein Dreierpaket, so ließ der Komponist in den Jahren 1800 und 1801 mit der a-Moll-Sonate op. 23 und der F-Dur-Sonate op. 24 ein Werkpaar folgen, das eng aufeinander bezogen ist, sich in der Grundstimmung gleichsam wie Nacht und Tag ergänzt.

Musik Die beiden dem Grafen Moritz von Fries gewidmeten Sonaten op. 23 a-Moll und op. 24 F-Dur sind ein Gegensatzpaar. Der a-Moll-Sonate eignet in allen drei Sätzen eine drängende, vital voranstürmende Dramatik, die selbst das melodisch weit schwingende Rondothema des Finales bestimmt. Hier wie in der populären »Frühlingssonate« F-Dur op. 24 ist der Ausgleich der beiden Instrumente vollends erreicht, nichts erinnert mehr an die alte Gesellschaftsmusik.

Wirkung Der Rezensent der »Allgemeinen Musikalischen Zeitung« lobte die im Oktober 1801 zunächst gemeinsam unter einer Opusnummer (op. 23) veröffentlichten Violinsonaten op. 23 und op. 24, weil sie nicht »nur mit einem flüchtigen, neuen Einfall ein wenig gewürzt« seien, sondern wirklich etwas »Neuerfundenes« darstellten: »Rec. zählt sie unter die besten, die B. geschrieben hat, und das heißt ja wirklich, unter die besten, die gerade jetzt überhaupt geschrieben werden.« Als das herbere und weniger dankbare Vortragsstück der beiden konnte sich die a-Moll-Sonate jedoch schon zu Beethovens Lebzeiten beim Publikum bei Weitem nicht so durchsetzen wie die Sonate op. 24. BEAU

Sonate Nr. 5 F-Dur op. 24

(»Frühlingssonate«)

Sätze 1. Allegro, 2. Adagio molto espressivo,
3. Scherzo: Allegro molto, 4. Rondo: Allegro,
ma non troppo
Entstehung 1801
Verlag Henle
Spieldauer ca. 24 Minuten

Entstehung Die F-Dur-Sonate widmete Beethoven zusammen mit der a-Moll-Sonate op. 23 dem Reichsgrafen Moritz von Fries, einem Wiener Kunstmäzen, in dessen Hause Beethoven oft verkehrte. Das Sonatenpaar gehört in seiner Gegensätzlichkeit zusammen. Die Trennung hatte vermutlich verlegerische Gründe. Der Name »Frühlingssonate« stammt nicht vom Komponisten. Das 19. Jahrhundert kennzeichnete den hellen, melodisch sich in weiten Bogen ausbreitenden Gestus der Musik mit dieser Bezeichnung jedoch durchaus treffend.

Musik Erster Satz Die Violine stimmt das melodisch schwelgerische Hauptthema an, in großer Geste weit ausholend. Das Klavier greift den Gedanken modulierend auf. Die Entwicklung führt zu einer leuchtenden C-Dur-Zäsur. Das Seitenthema wirkt wie eine Frage, ein drittes Thema, in mehreren Stufen hochschießend, setzt den schwungvollen Bewegungsfluss fort, wobei sein Nachsatz in Gestalt eines Tonrepetitionsmotivs die Gedankenfülle der Exposition noch anreichert. Der Durchführungsteil beschränkt sich wesentlich auf das energisch auf- und absteigende dritte Thema, ohne dass es zu

dialektischen Zuspitzungen käme. Die Reprise wird vom Klavier eingeführt. Die breit angelegte Coda baut sich aus dem »Drehmotiv« des Hauptthemas auf.

Zweiter Satz Das Adagio ist ein Zwiegesang der beiden Instrumente, wobei die sich expressiv aussingende, breit strömende Melodie ihre motivische Verwandtschaft mit dem Hauptthema des Kopfsatzes immer wieder in ausdrucksgeladenen Verzierungen (Fiorituren) zu erkennen gibt. Charakteristisch sind die vielen Vorhaltbildungen, die schon den ersten Satz kennzeichneten.

Dritter Satz Das Scherzo, wohl das kürzeste in Beethovens Schaffen, gewinnt seinen Reiz aus den rhythmischen, nachschlagenden Verschiebungen. Das Trio erschöpft sich in rasanten Achtelbewegungen.

Vierter Satz Ein Rondothema in melodisch fortschreitenden Achteln, abwechselnd von Klavier und Violine vorgetragen, bestimmt den musikantisch fließenden »Ton« des Finales. Es wird gegen Ende bei seinem letztmaligen Erscheinen variiert. Ein marschartiger Mittelteil verliert durch die rollende Begleitung seinen gravitätischen Charakter. Der Klavierpart ergeht sich über weite Teile des Satzes in rauschenden Passagen und unterstreicht dadurch den konzertanten Schwung des Ganzen.

Wirkung Die Sonate erfreute sich sofort größter Beliebtheit, wie eine wenige Monate nach ihrem Erscheinen veröffentlichte Wiener Rezension erkennen lässt. Auch zwischen 1828 und 1834 vorgenommene Übertragungen des kompletten Werkes für Streichtrio, Streichquar-

Die Sonaten für ein Melodieinstrument und Klavier von Ludwig van Beethoven

Entstehung	Titel
1796	Zwei Cellosonaten op. 5
1797/98	Drei Violinsonaten op. 12
1800	Hornsonate F-Dur op. 17
1800/01	Violinsonate Nr. 4 a-Moll op. 23
1800/01	Violinsonate Nr. 5 F-Dur op. 24 (»Frühlingssonate«)
1801/02	Drei Violinsonaten op. 30
1802/03	Violinsonate Nr. 9 A-Dur op. 47 (»Kreutzersonate«)
1807/08	Cellosonate Nr. 3 A-Dur op. 69
1812	Violinsonate Nr. 10 G-Dur op. 96
1815	Zwei Cellosonaten op. 102

tett und Klavier zu vier Händen sowie des Scherzos für kleines Orchester unterstreichen die Breitenwirkung. Diese Popularität ist dem Opus 24 bis heute treu geblieben. BEAU

Einspielungen (Auswahl)

- David Oistrach (Violine), Lev Ovorin (Klavier), 1962 (+ Violinsonate op. 47); Philips
- Pinchas Zukerman (Violine), Daniel Barenboim (Klavier), 1971–73 (+ Sonaten 8 & 9); EMI
- Itzhak Perlman (Violine), Vladimir Ashkenazy (Klavier), 1973 (+ Violinsonate op. 47); Decca 1973

Sonate Nr. 6 A-Dur op. 30 Nr. 1

Sätze 1. Allegro, 2. Adagio molto espressivo, 3. Allegretto con variazioni
Entstehung 1802
Verlag Henle
Spieldauer ca. 22 Minuten

Sonate Nr. 7 c-Moll op. 30 Nr. 2

Sätze 1. Allegro con brio, Adagio cantabile, 3. Scherzo: Allegro, 4. Finale: Allegro – Presto
Entstehung 1802
Verlag Henle
Spieldauer ca. 24 Minuten

Sonate Nr. 8 G-Dur op. 30 Nr. 3

Sätze 1. Allegro assai, 2. Tempo di Minuetto, ma molto moderato e grazioso, 3. Allegro vivace
Entstehung 1802
Verlag Henle
Spieldauer ca. 19 Minuten

Entstehung Beethoven komponierte die drei Sonaten op. 30 im Jahr 1802, in dem er auch seine zweite Sinfonie sowie die drei Klaviersonaten op. 31 abschloss. Er veröffentlichte die Violinsonaten im Folgejahr mit einer Widmung an den Zaren und Kaiser Alexander I. (Reg. 1801–25). Der russische Monarch vergalt es ihm noch 1815 während des Wiener Kongresses mit 100 Dukaten.

Musik Mit den drei Sonaten op. 30 schuf Beethoven den Typus der großen Konzertsonate. Alle drei Werke beginnen mit einem ener-

gisch rollenden Hauptthema, dessen Energie in der c-Moll-Sonate, der bedeutendsten des Zyklus, geradewegs auf die »Appassionata«-Klaviersonate op. 57 hinweist.

Wirkung Dem Kritiker der Leipziger »Allgemeinen Musikalischen Zeitung« kam die erste der drei Sonaten 1803 als etwas zu »Alltägliches« vor. Beethovens erster Satz habe »nicht den schönen Fluss von Gedanken, den man so vorzüglich in seinen spätern Arbeiten antrifft«, auch der Variationssatz sei »nicht ganz gelungen«. Dass sich das Werk dennoch »vor einer, leider, großen Menge neuer Klaviersonaten [sic!] sehr vortheilhaft« auszeichne, liege besonders am zweiten Satz als »eines sehr schönen, im melancholischen Charakter fest durchgehaltenen Adagio, ganz den besten Beethovenschen würdig.« Den Komponisten selbst kümmerte das wenig: »Was die Leipziger Ochsen betrifft«, schrieb er selbstbewusst an seinen Verleger Hoffmeister, »so lasse man sie doch nur reden, sie werden gewiss niemand durch ihr Geschwätz unsterblich machen, so wie sie auch niemand die Unsterblichkeit nehmen werden, dem sie von Apoll bestimmt ist.« BEAU

Einspielungen (Auswahl)

- Sonate op. 30 Nr. 2: Andreas Staier (Hammerklavier), Daniel Sepec (Beethovens Violine), 2005 (+ Sonate a-Moll op. 23, »Figaro«-Variationen WoO 40); harmonia mundi

Sonate Nr. 9 A-Dur op. 47

(»Kreutzersonate«)

Sätze 1. Adagio sostenuto – Presto – Adagio, 2. Andante con variazioni, 3. Finale: Presto
Entstehung 1803 Wien
UA 24. Mai 1803 Wien
Verlag Schott
Spieldauer ca. 39 Minuten

Entstehung Beethoven komponierte seine berühmteste, weil wirkungsvollste Violinsonate in kürzester Zeit für den Geiger George Polgreen Bridgetower, einen 1803 auf einer Konzertreise in Wien weilenden Mulatten, mit dem er am 24. Mai im Augarten gemeinsam ein Konzert gab. Nur die beiden ersten Sätze schrieb er neu, das Finale entnahm er der ersten Fassung der Sonate op. 30 Nr. 1. Später entzweite sich Beethoven mit dem Geiger, und die Widmung der Sonate ging an den französischen Virtuosen Rodolphe Kreutzer. Beethoven vermerkte dazu im Oktober 1804 an den Verleger Nikolaus Simrock in Bonn: »Dieser Kreutzer ist ein guter, lieber Mensch, der mir bej seinem hiesigen Aufenthalte sehr viel Vergnügen gemacht, seine anspruchslosigkeit und Natürlichkeit ist mir lieber als alles Exterieur oder inferieur der meisten Virtuosen – da die Sonate für einen tüchtigen Geiger geschrieben ist, umso passender ist die Dedication an ihn.« Kreutzer soll die Sonate allerdings nie gespielt haben.

Musik Das Werk hat hochvirtuosen Zuschnitt, sowohl was den Violin- als auch den Klavierpart angeht. »Scritta in uno stilo molto concertante, quasi come d'un concerto« steht auf dem Titel des Erstdrucks. Hier weht nicht mehr die Luft der intimen Kammermusik, sondern diejenige des Konzertsaals. Die Eile der Komposition schlug sich nicht auf die musikalische Qualität nieder: Alle drei Sätze sind von bezwingender Geschlossenheit der Konzeption und Durchgeformtheit im Detail.

Erster Satz Das Hauptgewicht liegt auf dem Kopfsatz. Die Adagioeinleitung wirkt wie eine vorweggenommene Solokadenz mit Doppelgriffen. Der Prestohauptsatz in a-Moll lässt ein Thema in jagenden Vierteln dreimal voranstürmen, ehe ein beruhigter E-Dur-Gedanke Entspannung bringt. Diese ist jedoch nicht von Dauer, nimmt doch ein chromatisch sich hochschraubendes drittes Thema, eine Variante des Hauptthemas, die jagende Bewegung wieder auf. Es beherrscht den Durchführungsteil. Gegen Ende der Reprise meldet sich das pathetische Adagio des Beginns nochmals zu Wort, ehe eine kurze Stretta den großartigen Satz beschließt.

Zweiter Satz Das Andante F-Dur wandelt ein gesangvolles, mit seinen Sforzati ausdrucksgeladenes Thema in vier Variationen ab. Die dritte kehrt nach Moll, die vierte hat virtuosen Zuschnitt und klingt dann in einem längeren Epilog aus.

Dritter Satz In jagendem 6/8-Takt eilt das Prestofinale dahin. Vermutlich entfernte es Beethoven aus der Sonate op. 30 Nr. 1, weil sein

virtuoser Gestus dort den Rahmen sprengte. Am einprägsamsten ist das zweite Thema, das sich rhythmisch markiert hochschraubt. Sein Schwung überspült auch den episodischen, ruhigeren Seitengedanken. Eine Musik von mitreißendem Brio.

Wirkung Der Kritiker der Leipziger »Allgemeinen Musikalischen Zeitung« konnte dem Stück im Jahr 1805 noch nichts abgewinnen: »Der Zusatz auf dem Titel: scritta – concerto, scheint wunderlich, anmassend und prahlerisch; er sagt aber die Wahrheit.« Beethoven gehe es in dem »seltsamen« Werk darum, »mit den trefflichsten Gaben der Natur und seines Fleisses nicht bloss aufs willkührlichste zu schalten, sondern vor allen Dingen nur immer ganz anders zu seyn, wie andre Leute«. Nur »zwey Virtuosen, denen nichts mehr schwer ist«, könnten »vollen, reichen Genuss davon haben«, aber auch nur, »wenn sie nun die Stunde abwarten, wo man auch das Groteskeste geniessen kann und mag«. Der Grund für dieses vernichtende Urteil: Die zwischen Sonate und Konzert stehende Komposition stellte sich manchem Zeitgenossen als zu radikal dar, um akzeptiert werden zu können. BEAU

Einspielungen (Auswahl)
- David Oistrach (Violine), Lev Ovorin (Klavier), 1962 (+ Violinsonate op. 24); Philips
- Itzhak Perlman (Violine), Vladimir Ashkenazy (Klavier), 1973 (+ Violinsonate op. 24); Decca 1973

Sonate Nr. 10 G-Dur op. 96

Sätze 1. Allegro moderato, 2. Adagio espressivo, 3. Scherzo: Allegro, 4. Poco allegretto
Entstehung 1812, revidiert 1815
UA 29. Dezember 1812 Wien (privat), 7. Januar 1813 Wien (öffentlich)
Verlag Henle
Spieldauer ca. 28 Minuten

Entstehung Beethoven komponierte seine letzte Violinsonate für den Ende 1812 in Wien weilenden französischen Geiger Pierre Rode und widmete sie einem prominenten Klavierschüler, dem Erzherzog Rudolph von Österreich. Nach diesem Werk schuf Beethoven nur noch zwei weitere Sonaten für ein Streichinstrument mit Klavier – die beiden Cellosonaten op. 102.

Musik Die G-Dur-Sonate hebt sich aus dem zehnteiligen Zyklus der beethovenschen Violinsonaten als die »poesievollste, musikalisch feinsinnigst gearbeitete heraus« (Paul Bekker). Schon der Rezensent des Erstdrucks betonte 1817 in der »Allgemeinen Musikalischen Zeitung«: »Die Violine ist durchweg obligat, und zwar so, dass man aus der Klavierstimme allein kaum in einzelnen Zeilen klug wird. Beyde Stimmen sind aber nicht nur trefflich verbunden, sondern auch, kommen sie zusammen, jede von bedeutender Wirksamkeit.«

Erster Satz Das melodische Grundmotiv, ein Trillerauftakt, wird von der Geige unbegleitet vorgetragen, vom Klavier übernommen und schon nach wenigen Takten in reines akkordisches Klangspiel aufgelöst, das man schon fast impressionistisch nennen möchte. Zwei weitere Themen – rhythmisch-punktiert das erste, gesangvoll das zweite – sind durch triolische Begleitung gekennzeichnet. Triolenbewegung und Thema 3 bestimmen die Durchführung. Auf die Reprise folgt eine längere Coda, in der dem Kopfmotiv aus dem Anfangsthema wieder größere Bedeutung zukommt.

Zweiter Satz Das Adagio in Es-Dur gibt sich introvertiert-intim. Auch in der dynamischen Gestaltung wird nie der Pianobereich verlassen. Der Satz besteht aus zwei nacheinander gespielten Melodiephrasen, deren Wiederholung mit vertauschten Rollen (Wechsel von Geigen- und Klavierpart) sowie einem 14-taktigen Ausklang über einem Orgelpunkt auf der Grundnote Es.

Dritter Satz Das aufgrund synkopierter Überbetonung der Auftakte rhythmisch gespannte g-Moll-Scherzo kontrastiert mit einem liedhaften, melodisch weit gespannten Trio in G-Dur.

Vierter Satz Der Variationenfolge des Schlusssatzes liegt ein tänzerisches Thema aus einem zeitgenössischen Singspiel zugrunde. In einem Brief an Erzherzog Rudolph vom Dezember 1812 bekannte Beethoven, dass er diesen Satz »mit mehr Überlegung in Hinsicht des Spiels von Rode«, das heißt: unter Rücksichtnahme auf dessen Stil, verfasst habe: »Wir haben in unsern Finales gern rauschendere Passa-

gen, doch sagt dies Rode nicht zu.« Der Geiger Joseph Szigeti, ein besonderer Bewunderer der G-Dur-Sonate, meinte dazu allerdings: »Beethovens Bemerkung ist möglicherweise ironisch, denn die letzte Variation des angeblich so esoterischen Werkes ist ganz gewiss von einem mitreißenden Schwung – ein sicher gesetzter Höhepunkt dieser reifen, irdisch-heiteren Variationenfolge, deren Kernstück die Adagio-Variation bildet, ein kantabler, kontemplativer Dialog zwischen den beiden Instrumenten, wie er bis dahin in der Gattung Violinsonate noch nicht begegnet ist. Die beiden Passagen am Schluss – der gewagte Aufstieg der Violine bis zum hohen D und die anschließende Passage des Klaviers – vertragen sich jedenfalls schlecht mit dem Vorsatz, diesmal den ›stile molto concertante‹ vermeiden zu wollen.«

Wirkung Die Uraufführung der Sonate soll am 29. Dezember 1812 im Palais des Fürsten Lobkowitz mit Erzherzog Rudolph (Klavier) und Pierre Rode (Violine) stattgefunden haben. Die beiden spielten das Werk dann auch noch einmal am 7. Januar 1813 in einem öffentlichen Konzert. Der Erstdruck erfolgte im Juli 1816 bei Tobias Haslinger in Wien. Der Geiger Carl Flesch fasste die Bedeutung der G-Dur-Sonate op. 96 so zusammen: »Wenn man unter den beethovenschen Violinsonaten op. 24, op. 30 Nr. 2 und op. 47 als diejenigen heraushebt, die sich am meisten der Gunst der Hörer erfreuen, so gilt op. 96 dem Kenner als das vollkommenste Werk der ganzen Reihe.« STÜ

Cellosonaten

Im Unterschied zu den Violinsonaten, die – von einer Ausnahme abgesehen – alle aus Beethovens frühen Wiener Jahren stammen, markieren die fünf Cellosonaten Schnittpunkte seiner künstlerischen Entwicklung. Ihre Bedeutung wird dadurch unterstrichen, dass Beethoven hier kein Vorbild hatte, wenn man von ein paar Sonaten Boccherinis absieht. Die fünf Werke sind somit gleichermaßen Beginn wie erster Höhepunkt der Gattung. BEAU

Einspielungen (Auswahl)
- Pierre Fournier (Cello), Friedrich Gulda (Klavier), 1959 (+ Variationen); Deutsche Grammophon
- Mstislaw Rostropowitsch (Cello), Svjatoslaw Richter (Klavier), 1961; Philips
- Jacqueline du Pré (Cello), Daniel Barenboim (Klavier), 1970 (+ Variationen); EMI
- Anner Bylsma (Cello), Jos van Immerseel (Hammerklavier), 1998; Sony
- Miklós Perényi (Cello), András Schiff (Klavier), 2001/02 (+ Variationen); ECM New Series/Universal
- Adrian Brendel (Cello), Alfred Brendel (Klavier), 2004 (+ Variationen); Philips

Sonate Nr. 1 F-Dur op. 5 Nr. 1

Sätze 1. Adagio sostenuto – Allegro, 2. Allegro vivace
Entstehung 1796
Verlag Henle
Spieldauer ca. 22 Minuten

Der Österreicher Heinrich Schiff (hier bei einem Auftritt in Köln, 2004) zählt seit seinem Debüt in Wien und London 1971 international zu den bedeutendsten Cellisten und machte sich auch als Dirigent einen Namen. Als Interpret der Werke von Ludwig van Beethoven wurde er mehrfach ausgezeichnet.

Sonate Nr. 2 g-Moll op. 5 Nr. 2

Sätze 1. Adagio sostenuto ed espressivo – Allegro molto più tosto presto, 2. Rondo: Allegro
Entstehung 1796
Verlag Henle
Spieldauer ca. 24 Minuten

Entstehung Die beiden Sonaten op. 5 repräsentieren bei Beethoven das Frühwerk. Sie stammen wohl aus dem Jahr 1796 (das Autograf ist verschollen) und wurden ein Jahr später bei Artaria in Wien erstmals veröffentlicht.

Musik Die Sonaten op. 5 sind zweisätzig, wobei den ersten Sätzen eine Adagioeinleitung vorausgeht, die im Falle der zweiten Sonate fast den Umfang und das Gewicht eines eigenständigen Satzes hat. Tragen sie rhapsodischen Charakter, so sind die anschließenden Allegri in Sonatensatzform von drängender, voranstürmender Energie geprägt, wobei der Klavierpart der ersten Sonate beinahe die Anforderungen eines Klavierkonzerts stellt. Die jeweiligen Finalsätze, ein rhythmisch pointiertes Allegro vivace bzw. ein eher entspanntes Rondo, wahren den für das Doppelopus charakteristischen spielfreudig-virtuosen und schwungvollen Gestus.

Wirkung Im Sommer 1796 weilte der junge Beethoven am preußischen Hof in Berlin. Bei dieser Gelegenheit widmete er dem Cello spielenden König Friedrich Wilhelm II. die beiden Sonaten op. 5. Allerdings dürften sie eher auf die Fähigkeiten des berühmten Virtuosen Jean-Pierre Duport, eines Lehrers des Monarchen, oder seines Bruders Jean-Louis abgestellt sein, mit denen sie der Komponist vermutlich gespielt hat. Aus dem Jahr 1799 ist ein Zusammentreffen von Beethoven mit dem Kontrabassvirtuosen Domenico Dragonetti in Wien überliefert, bei dem auch die Cellosonate op. 5 Nr. 2 zur Aufführung gelangte. Dabei zeigte sich der Komponist nach Mitteilung von Samuel Appleby besonders von der Fingerfertigkeit seines Gastes beeindruckt: »Beethoven spielte seine Partie, die Augen unverwandt auf seinen Mitspieler gerichtet; als aber im Finale die Arpeggios kamen, geriet er in eine so freudige Aufregung, dass er beim Schlusse aufsprang und Instrument und Spieler zugleich mit seinen Armen umschlang.« BEAU

Die Cellistin Jacqueline du Pré und ihr Ehemann, der Pianist Daniel Barenboim, spielten bei ihrem ersten gemeinsamen Konzert die Beethoven-Sonaten für Klavier und Cello.

Einspielungen (Auswahl)
• Sonaten op. 5 Nr. 1 und 2: Maria Kliegel (Cello), Nina Tichman (Klavier), 2002; Naxos

Sonate Nr. 3 A-Dur op. 69

Sätze 1. Allegro, ma non tanto, 2. Scherzo: Allegro molto, 3. Adagio cantabile – Allegro vivace
Entstehung 1807/08
Verlag Henle
Spieldauer ca. 27 Minuten

Entstehung Die Cellosonate op. 69 entstand während der Hauptarbeit an der fünften Sinfonie (musikalisch steht sie allerdings mehr der Pastoralsinfonie nahe, mit der sie das lyrisch-melodische Sichausbreiten gemeinsam hat). Beethoven widmete sie dem mit ihm befreundeten Freiherrn Ignaz von Gleichenstein, der ein guter Cellist war.

Musik Erster Satz Das vom Cello solo angestimmte, gleichsam improvisierende Hauptthema legt bereits den Ausdruckscharakter des gesamten Werkes fest: Es geht nicht um dialektische Spannungen, sondern um freies melodisches Strömen, was Steigerungen und energische Akzente keineswegs ausschließt, auch nicht sinfonische Weiträumigkeit. Das Klavier übernimmt das weitgespannte Hauptthema, dann führt eine drängende Mollpassage zum gleichfalls lyrischen Seitenthema, dessen absteigende Linie von einer aufstrebenden Skala kontrapunktiert wird. Ein drittes, von Klaviertriolen begleitetes Thema energischen Charakters fungiert als Schlussgruppe. Der lange Durchführungsteil führt ein vom Seitenthema abgeleitetes neues Motiv mit absteigender Linie ein. Die Überleitung zur Reprise wird durch geheimnisvoll wirkendes Zitieren der ersten Töne des Hauptthemas bewirkt. Eine schwungvolle Coda beschließt den ungemein ausgewogenen, harmonischen Satz.

Zweiter Satz Das synkopierte Scherzo ist fünfteilig. Seinem a-Moll-Hauptteil, in dem die beiden Instrumente miteinander in Dialog treten, folgt zweimal ein A-Dur-Trio, das von einer Doppelgriffpassage des Cellos geprägt wird. Auch dieses Trio lässt die Instrumente dialogisierend wetteifern. Der Satz schließt mit launigem Synkopenspiel.

Das Cello lernt singen

Für viele Musikfreunde ist das Violoncello das Instrument, das der menschlichen Stimme am nächsten kommt. Das war jedoch nicht immer so – es musste das Singen gleichsam erst lernen. Denn vor Beethoven wurde das Streichinstrument vielfach als »Bässchen« belächelt und war in der Regel in die Continuogruppe verbannt. Dann jedoch konnte es sich freispielen und mittels neuer Griff- und Bogentechnik auch die hohen Register erobern. Als ebenso klanggewaltiges wie melodieseliges Instrument faszinierte das Cello seit Ende des 18. Jahrhunderts sein Publikum. Nun traten auch Cellovirtuosen auf den Plan, etwa mit wirkungsvollen Variationen über populäre Melodien aus Oper und Konzert. Der Berühmteste davon war der französische Cellist am königlichen Hof zu Potsdam, Jean-Pierre Duport, von dem die »Teutsche Chronik« vermeldete: »Er lenkt den Bogen wie im Sturme und es regnet Töne herunter. Er schwindelt über die äußerste Höhe des Griffbrettes hinaus und verschwindet endlich im zartesten Flageolett-Ton.«

Dritter Satz Das ausdrucksvolle Cantabile scheint einen langsamen Satz anzukündigen, entpuppt sich jedoch als episodische Einleitung eines heiter-spielfreudigen Sonatenfinales, das bei allem konzertanten Schwung schon mit seinem Hauptthema das die ganze Sonate prägende melodische Element weiter dominieren lässt. Das in hoher Cellolage einsetzende Seitenthema und virtuose Läufe des Klaviers treiben die Exposition weiter. Die Durchführung moduliert die ersten vier Töne des Hauptthemas durch verschiedenste Tonarten. Eine brillante Coda setzt den Schlusspunkt.

Wirkung Der Erstdruck erschien 1809 mit falscher Werkzahl (als op. 59), und Beethoven regte sich über die vielen Stichfehler auf, die erst in späteren Auflagen korrigiert wurden. Zwischen den beiden Cellosonaten op. 5 (1796) und den beiden, in ihrer Sprödigkeit das Spätwerk ankündigenden Sonaten op. 102 (1815) steht die A-Dur-Sonate als formal ausladendste, aber auch ausgewogenste und melodischste. Kein Wunder, dass sie heute die meistgespielte Cellosonate Beethovens ist. BEAU

Sonate Nr. 4 C-Dur op. 102 Nr. 1

Sätze 1. Andante, 2. Allegro vivace, 3. Adagio, 4. Allegro vivace
Entstehung 1815
Verlag Henle
Spieldauer ca. 15 Minuten

Sonate Nr. 5 D-Dur op. 102 Nr. 2

Sätze 1. Allegro con brio, 2. Adagio con molto sentimento d'affetto, attacca: 3. Allegro – Allegro fugato
Entstehung 1815
Verlag Henle
Spieldauer ca. 19 Minuten

Entstehung Die beiden Cellosonaten op. 102 komponierte Beethoven im Sommer 1815 in Baden bei Wien, um damit seine Gönnerin, die Klavier spielende Gräfin Anna Maria Erdödy, und den bei ihr in der Sommerfrische weilenden Cellisten des Rasumowsky-Quartetts, Josef Linke, zu erfreuen. Als einzige größere Kompositionen des Jahres 1815 leiten sie die Periode von Beethovens Spätwerk ein, in dem improvisatorisch-freien und polyfonen Elementen eine verstärkte Bedeutung zukommt. Die Erstausgabe kam 1817 bei Simrock in Bonn heraus.

Musik Die beiden Sonaten op. 102 gelten als spröde und sperrig. Die erste setzt sich aus zwei Doppelsätzen zusammen: Einem ausdrucksdichten einleitenden Andante folgt ein harmonisch fast hartes Allegro vivace in Sonatenform. Die Adagioeinleitung zum abschließenden, ein rhythmisches Motiv hartnäckig exponierenden Allegro vivace zitiert nochmals das Anfangsthema. Polyfone Elemente bestimmen die Ecksätze der zweiten Sonate, ein Allegro con brio mit markantem, energischem Hauptthema und vor allem das fugierte, schwer zum Klingen zu bringende Finale. In der Mitte steht ein ausdrucksgeladenes Adagio molto sentimento d'affetto von jener für den späten Beethoven bezeichnenden Verinnerlichung des Melodischen.

Wirkung Die beiden späten Sonaten verwirrten die Zeitgenossen wegen ihrer kontrapunktischen Faktur. So schrieb Adolf Bernhard Marx 1824 in der Berliner »Allgemeinen Musikalischen Zeitung« über den Schlusssatz von op. 102 Nr. 2: »Es folgt nun eine 6 Seiten lang künstlich gearbeitete Fuge, der Rec. wenigstens Originalität zugesteht«, um angesichts des Finales von op. 102 Nr. 1 klarzustellen: »Ein solcher Satz ist mehr wert, als eine Menge noch so künstlicher Fugen, die höheren Anforderungen nicht entsprechen.« BEAU

Variationen für Klavier und Violoncello

Zwölf Variationen über ein Thema aus dem Oratorium »Judas Maccabäus« von Händel G-Dur WoO 45

Bezeichnung Thema: Allegretto
Entstehung 1796
Verlag Henle
Spieldauer ca. 12 Minuten

Entstehung Beethovens Variationen für Klavier und Violoncello sind Gelegenheitswerke. Die Folge über den schon damals sehr populären Chor »Tochter Zion« aus Händels »Judas Maccabäus«, den Beethoven womöglich über den Baron van Swieten kennenlernte, entstand 1796 anlässlich des Berlinbesuches von Beethoven für den dortigen Virtuosen Duport, also zugleich mit den Cellosonaten op. 5.

Musik Dieser Variationenzyklus stellt dem Pianisten virtuosere Aufgaben als dem Cellisten, der nur in wenigen Stücken technisch gefordert wird und sich im Übrigen in kantablem Spiel ergehen kann. Die Folge ist so fantasievoll wie abwechslungsreich, sie weist den 26-jährigen Komponisten als souveränen Meister der Variation aus, der zwar nie das Thema vergessen macht, es aber immer neu beleuchtet.

Wirkung Die Originalausgabe des Werks erschien 1797 bei Artaria in Wien. BEAU

Zwölf Variationen über das Thema »Ein Mädchen oder Weibchen« F-Dur op. 66

Bezeichnung Thema: Andante
Entstehung 1801
Verlag Henle
Spieldauer ca. 11 Minuten

Entstehung Die F-Dur-Variationen op. 66 komponierte Beethoven im Jahr 1801. Die verwirrend hohe Opuszahl verdankt das Werk einem Verleger.

Musik In seinen zwölf Variationen über die berühmte Glockenspielarie »Ein Mädchen oder Weibchen« aus dem ersten Akt der Oper »Die Zauberflöte« von Wolfgang Amadeus Mozart befindet sich Beethoven auf der Höhe seiner Kunst der Variation. Der heitere Ausdrucksbereich des populären Papageno-Themas wird mehrfach verlassen, nicht weniger der tonale Radius des Originals, der oft kühner Modulatorik weicht. Molltrübungen führen in abgelegene Regionen sowohl des Ausdrucks als auch der harmonischen Prozesse. Der Schluss wirkt wie eine ausgedehnte Coda, die nach all den fantasievollen Komplikationen und Ausweichungen tänzerisch

launig, dabei in virtuosem Duospiel in die heitere Welt Papagenos zurückführt.

Wirkung Von Beethovens drei Variationszyklen für Violoncello und Klavier ist dies der bedeutendste. Die Erstausgabe kam 1798 bei Johann Traeg in Wien heraus. BEAU

Sieben Variationen über das Duett »Bei Männern, welche Liebe fühlen« Es-Dur WoO 46

Bezeichnung Thema: Andante
Entstehung 1801
Verlag Henle
Spieldauer ca. 11 Minuten

Musik Die Variationen über das Duett »Bei Männern, welche Liebe fühlen« (1798) aus dem ersten Akt der Oper »Die Zauberflöte« von Wolfgang Amadeus Mozart bewegen sich trotz aller Mannigfaltigkeit weniger weit vom Thema weg als das Opus 66. Die traditionelle figurale Variation schlägt stärker durch, wenn auch vor allem der Schlussteil mit plötzlichen Überraschungen aufwartet, zu denen, nach dem Vorbild Haydns, das fragende Stocken vor dem brillanten Ende gehört.

Wirkung Der Erstdruck erfolgte 1802 bei Tranquillo Mollo & Co. in Wien. Der Kritiker der »Allgemeinen Musikalischen Zeitung« vermerkte im gleichen Jahr zu diesem Werk: Es »ist mit durchgehends obligatem Violoncell begleitet...; und wer diese Violoncellstimme vortragen will, muss seines Instruments sehr mächtig seyn«. BEAU

Einspielungen (Auswahl)
- Pierre Fournier (Cello), Friedrich Gulda (Klavier), 1959 (+ Sonaten); Deutsche Grammophon
- Jacqueline du Pré (Cello), Daniel Barenboim (Klavier), 1970 (+ Sonaten), EMI
- Miklós Perényi (Cello), András Schiff (Klavier), 2001/02 (+ Sonaten); ECM New Series/Universal
- Adrian Brendel (Cello), Alfred Brendel (Klavier), 2004 (+ Sonaten); Philips

Sonaten für andere Besetzungen

Sonate für Klavier und Horn F-Dur op. 17

Sätze 1. Allegro moderato, 2. Poco Adagio, quasi Andante, 3. Rondo: Allegro moderato
Entstehung April 1800
UA 18. April 1800 Wien
Verlag Peters, Henle (Bearbeitung für Cello)
Spieldauer ca. 20 Minuten

Entstehung Beethoven schrieb das Stück für den Wiener Hornisten Johann Wenzel Stich, der sich Punto nannte. Es soll innerhalb von zwei Tagen entstanden sein, wobei der Hornist bestimmte Wünsche geäußert hat. So handelt es sich denn auch in erster Linie um ein virtuoswirksames Konzertstück.

Musik Den ersten Satz eröffnet ein der Naturtonreihe des Instruments angepasstes Dreiklangthema, dem ein gegensätzlicher zweiter Halbsatz folgt. Ein Seitenthema rüstig schreitenden Charakters will nicht im Sinne eines dramatischen Themendualismus verstanden werden, sondern setzt lediglich den Gestus viriler Kraft, der den Satz prägt und der durch die zahlreichen Oktavstürze unterstrichen wird, fort. Charakteristischer für den jungen Beethoven ist weniger der an die Möglichkeiten des Naturhorns gebundene Hornpart als der ausgreifende, fast virtuose, klanglich ausladende Klavierpart, der an die frühen Klaviersonaten anschließt. Der langsame Satz in f-Moll hat nur überleitende Funktion, ist jedoch mit seinen Hornseufzern, die das Klavier beantwortet, von schöner, dunkler Ausdruckhaftigkeit. Das ohne Zäsur anschließende Rondofinale ist auf virtuose Wirkung hin abgestellt. Hier kann der Hornist mit brillanten Repetitionen, Oktav- und Dezimstürzen, Dreiklangkaskaden glänzen, während das Klavier konventioneller als im Kopfsatz behandelt wird. Eine kurze Allegro-molto-Stretta sorgt für den effektvollen Schluss.

Wirkung Beethoven und Punto gaben mehrere umjubelte Konzerte mit der Hornsonate,

nach der Uraufführung vom 18. April 1800 im Wiener Hofburgtheater u. a. auch am 7. Mai 1800 in Budapest. Weitere frühe Interpreten des Werkes waren die Hornisten Friedrich Hradetzky (1809 mit Carl Czerny) und Friedrich Starcke (1812 mit Beethoven). Bereits der Erstausgabe von 1801 wurde zusätzlich zur Horn- auch eine Cellostimme beigegeben. In dieser wohl von Beethoven autorisierten Alternativfassung gelangte die Sonate zu noch größerer Popularität. Im gegenwärtigen Musikleben wird sie aber meist von Hornisten aufgeführt.　　　**BEAU**

Einspielungen (Auswahl)
• Dennis Brain (Horn), Dennis Matthews (Klavier), 1944 (+ Klaviertrio op. 11 sowie Kammermusik von Dukas und Schumann); Testament

Streichtrios

Entstehung Über die genauen Entstehungszeiten der Streichtrios gehen die Meinungen auseinander. Sicher ist nur, dass sie sämtlich in den 1790er-Jahren komponiert wurden. Das Trio op. 3 wurde 1796 veröffentlicht, die drei Trios op. 9 erschienen 1798, die Serenade op. 8 gelangte 1797 zum Druck. Beethoven kam späterhin nicht mehr auf die Gattung zurück, sodass die Streichtrios als Vorstufe zu den Streichquartetten, deren erste zwischen 1798 und 1803 entstanden, gewertet werden dürfen.　　　**BEAU**

Streichtrio Es-Dur op. 3

Sätze 1. Allegro con brio, 2. Andante, 3. Menuetto: Allegretto, 4. Adagio, 5. Menuetto: Moderato, 6. Finale: Allegro
Entstehung 1794/95
Verlag Henle
Spieldauer ca. 39. Minuten

Musik Elemente der Serenade und der Sonate verbinden sich im sechssätzigen Trio Es-Dur op. 3, das zumindest in den ersten vier Sätzen kompositorisch auf weit höherer Ebene angesiedelt ist als die D-Dur-Serenade op. 8. Ein gewichtiger Sonatensatz mit zwei kontrastierenden Themen und kraftvollen motivischen

Entwicklungen eröffnet Allegro con brio das Stück. Ihm folgt ein empfindsames Andante, von Staccatosechzehnteln grundiert. Zwei Menuettsätzchen umrahmen ein romanzenhaftes Adagio. Das breit angelegte Final-Rondo-Allegro erreicht nicht ganz die Dichte des Kopfsatzes. BEAU

Serenade D-Dur op. 8

Sätze 1. Marcia: Allegro – Adagio, 2. Menuetto: Allegretto, 3. Adagio – Scherzo: Allegro molto, 4. Allegretto alla Polacca, 5. Thema con variazioni: Andante quasi allegretto, 6. Marcia: Allegro
Entstehung 1796/97
Verlag Henle
Spieldauer ca. 30 Minuten

Musik Die Serenade D-Dur op. 8 trägt den Charakter einer leichten Gesellschaftsmusik, wie bereits die umrahmenden Märsche erkennen lassen. Dem Einleitungsmarsch folgt ein eher heiteres als besinnliches Adagio. Menuett mit Trio und einer Pizzicatocoda, ein Adagio mit Scherzoeinschüben, eine temperamentvolle Polacca, die später sehr populär wurde, und ein hübsches Andantethema mit vier Variationen werden aneinandergereiht. Auf das traditionelle Sonatenallegro verzichtete Beethoven. BEAU

Streichtrio G-Dur op. 9 Nr. 1

Sätze 1. Adagio – Allegro con brio, 2. Adagio, ma non tanto e cantabile, 3. Scherzo: Allegro, 4. Presto
Entstehung 1796–98
Verlag Henle
Spieldauer ca. 25 Minuten

Streichtrio D-Dur op. 9 Nr. 2

Sätze 1. Allegretto, 2. Andante quasi allegretto, 3. Menuetto: Allegro, 4. Rondo: Allegro
Entstehung 1796–98
Verlag Henle
Spieldauer ca. 24 Minuten

Streichtrio c-Moll op. 9 Nr. 3

Sätze 1. Allegro con spirito, 2. Adagio con espressione, 3. Scherzo: Allegro molto e vivace, 4. Finale: Presto
Entstehung 1796–98
Verlag Henle
Spieldauer ca. 24 Minuten

Musik Die drei dem Grafen von Browne gewidmeten Trios op. 9 stehen kompositorisch auf der Höhe der ersten Streichquartette. Alle sind viersätzig, wobei das erste mit einer kurzen Adagioeinleitung anhebt. Dieses G-Dur-Trio gibt sich schwungvoll mit seiner Emphase des Allegro-con-brio-Hauptsatzes, die in einem dicht gearbeiteten Durchführungsteil gipfelt. Das gesangliche Adagio, ma non tanto e cantabile verdichtet sich zu dynamischen Steigerungen. Dem erregten Scherzo folgt ein Finalepresto, das leichtgewichtig, gegen Ende wie ein Perpetuum mobile dahineilt. Idyllisch wirkt das zweite Trio in D-Dur, was bereits der konfliktlose, fließende Allegrettokopfsatz erkennen lässt. Das romanzenhafte Andante quasi Allegretto in kaum verändertem Tempo schwingt melodisch aus. Ein Menuett mit Staccatotrio und ein frisch dahineilendes Rondoallegro mit einprägsamem Hauptthema wahren den musikantischen »Ton« des Werkes.

Am bedeutendsten ist das dritte Trio der Gruppe in c-Moll, dessen Leidenschaftlichkeit bereits in dem pathetisch-düsteren Allegro con spirito des Kopfsatzes zum Ereignis wird. Das über zwei Oktaven hochschießende erste Thema, die heftigen Kontrastsetzungen, der geradezu wilde Durchführungsteil, das alles ist ohne Vorbild. Ein harmonisch modulationsreiches, fast romantisches Adagio con espressione, ein rhythmisch widerborstiges, synkopiertes Scherzo (Allegro molto e vivace), ein Prestofinale, das die erregten Kontraste des Kopfsatzes wieder aufnimmt, lassen die Spannung bis zum Schluss nicht abklingen. BEAU

Einspielungen (Auswahl)
- Anne-Sophie Mutter (Violine), Bruno Giuranna (Viola), Mstislaw Rostropowitsch (Violoncello), 1987; Deutsche Grammophon
- Itzhak Perlman (Violine), Pinchas Zukerman (Viola), Lynn Harrell (Violoncello), 1990; EMI

Klaviertrios

Musik Bereits mit seinen frühen Trios op. 1 (1792–94) setzte sich Beethoven vom Genre der Gesellschaftsmusik ab, was Joseph Haydn bei der Uraufführung noch als negativ bemerkte, indem er seinem Schüler Beethoven riet, das in diesem Sinne fortschrittlichste Trio nicht zu veröffentlichen. Beethoven ließ sich dadurch jedoch nicht beirren, sondern setzte den eingeschlagenen Weg weiter fort, wenn man vielleicht von dem Klaviertrio op. 11 (1797) absieht, das den Ton geselliger Unterhaltungsmusik noch einmal anschlägt.

Spätestens in den beiden Klaviertrios op. 70 ist die Synthese von Klavierklang und dem Lineament der Saiteninstrumente vollständig erreicht. Schönstes Zeugnis dieser neuen Klanglichkeit ist das Largo des D-Dur-Trios op. 70/1, das dem Werk den Beinamen »Geistertrio« gab. Der Klang verschmilzt hier zu Farbwerten, wie sie bis dahin undenkbar waren, der Dialog von Klavier und Streichern wird durch Umsetzung der Harmonik in Koloristik zu einem völlig neue Wege erschließenden Ausdrucksträger. Die weitere Entwicklung führte zwangsläufig zur sinfonischen Weitung der Gattung, wie sie im B-Dur-Trio op. 97 zu beobachten ist: Die architektonischen Dimensionen nehmen zu, mit ihnen die Fülle der thematischen Gestalten; der Klang bevorzugt breitere Flächen statt kammermusikalischer Detaillierung.

Wirkung Eduard Hanslick strich für die frühe Aufführungsgeschichte der Trios in Wien die Bedeutung der Pianisten Carl Czerny, Carl Maria von Bocklet und Ignaz Moscheles heraus, während er Beethovens eigenes Auftreten eher negativ beurteilte: »Außer Zweifel scheint uns die Thatsache, dass Beethoven's Compositionen ohne seine persönliche Mitwirkung auf das Publicum eine günstigere und sich schneller ausbreitende Wirkung machten, dass seine Clavier=Concerte und Trios unter den Fingern Czerny's, Bocklet's und Moscheles'... mehr angesprochen und sich schneller eingebürgert haben als durch Beethoven's eigene Intervention.« Moscheles bestätigte dieses Urteil, als er 1814 das

Beethoven galt als eigensinniger Einzelgänger. Mit den klanglich neuartigen Klaviertrios emanzipierte er sich von seinem Lehrer und Vorbild Joseph Haydn (»Beethoven beim Morgengrauen im Studierzimmer«, Gemälde von Rudolf Eichstaedt, 1827).

Trio op. 97 mit Beethoven am Klavier gehört hatte: »Sein Spiel, den Geist abgerechnet, befriedigte mich weniger, weil es keine Reinheit und Präzision hat.« BEAU

Einspielungen (Auswahl)
• Beaux Arts Trio, 1965; Philips
• Trio Fontenay, 1992; Teldec

Klaviertrio Es-Dur op. 1 Nr. 1

Sätze 1. Allegro, 2. Adagio cantabile,
3. Scherzo: Allegro assai, 4. Finale: Presto
Entstehung 1792–94
Verlag Henle
Spieldauer ca. 30 Minuten

Klaviertrio G-Dur op. 1 Nr. 2

Sätze 1. Adagio – Allegro vivace, 2. Largo con espressione, 3. Scherzo: Allegro, 4. Finale: Presto
Entstehung 1792–94
Verlag Henle
Spieldauer ca. 33 Minuten

Klaviertrio c-Moll op. 1 Nr. 3

Sätze 1. Allegro con brio, 2. Andante cantabile con variazioni, 3. Menuetto: Quasi allegro, 4. Finale: Prestissimo
Entstehung 1792–94
Verlag Henle
Spieldauer ca. 28 Minuten

Entstehung Die zwischen 1792 und 1794 entstandenen drei, dem Fürsten Carl von Lichnowsky gewidmeten Klaviertrios sind die erste Werkgruppe, die Beethoven einer Werkzahl würdigte, also als vollgültige Kompositionen betrachtete. Sie erschienen 1795 im Druck, wurden jedoch bereits vorher im Hause Lichnowsky privat aufgeführt.

Musik Schon in diesen drei Frühwerken setzt sich der junge Beethoven durch Betonung dialektischer Spannungen von seinen Vorbildern Haydn und Mozart ab. Das Es-Dur-Trio stellt im Kopfsatz zwei scharf kontrastierende Themen gegenüber, ein energisch hochschießendes

Im Trio gleichberechtigt

Im Unterschied zur Gattung des Streichquartetts, die (der späte) Haydn und Mozart mit einschlägigen Meisterwerken zu einer Vollendung brachten, die wir heute als »klassisch« bezeichnen, fand Beethoven für seine Werke in der Besetzung für Violine, Cello und Klavier einen vergleichbaren Standard nicht vor. Das Klaviertrio des 18. Jahrhunderts war ein Abkömmling der barocken Triosonate, in der zum obligaten Klavier weitere Instrumente begleitend hinzutraten. Die Dominanz des Klavierparts war selbstverständlich – noch in Mozarts und Haydns Trios ist sie zu beobachten –, während dem Cello meist nur die Rolle zukam, die Basslinie des Klaviers zu verstärken.
Beethovens Errungenschaft für die Gattung ist die Gleichberechtigung der drei Instrumente am musikalisch-strukturellen Geschehen – eine Leistung, die umso höher zu veranschlagen ist, als die klangliche Verbindung von zwei Saiteninstrumenten mit Klavier ein grundsätzliches Problem darstellt, das auch spätere Komponisten – man denke etwa an Brahms und seinen fülligen Klaviersatz – beschäftigt hat.

Hauptthema und ein melodisch-lyrisches Seitenthema in g-Moll. Dieser Kontrast wird im Durchführungsteil, in dem noch ein markantes drittes Motiv hinzutritt, ausgetragen. Das Adagio cantabile verbleibt nicht im Bereich lyrischen Strömens, sondern wird zu motivischen Entwicklungen von großer Innenspannung intensiviert. Das Scherzo moduliert innerhalb von wenigen Takten aus der Grundtonart c-Moll nach dem entlegenen B-Dur, mag es formal auch der Konvention entsprechen. Feuriger Schwung zeichnet das thematisch prägnant konturierte, in seinen vielfältigen Entwicklungen an den ersten Satz anschließende und damit über den Bereich des bloßen Kehraus hinausweisende Finale aus.

Als einziges der drei Trios stellt das G-Dur-Trio dem Allegro-vivace-Hauptsatz eine Adagiointroduktion voran, die wie ein gespanntes Ein- und lässiges Ausatmen mithilfe eines brillanten Laufs in das Sonatenhauptthema überleitet. Dieses bleibt tonal seltsam in der Schwebe, als könne es sich erst nach einigem Zögern für die Grundtonart G entscheiden. Der Satz wirkt eher spielerisch als energisch, was durch das melodisch-graziöse Seitenthema unterstrichen wird. Höhepunkt des Werkes ist das ungemein ausdrucksstarke Largo in ruhigem 6/8-Takt. Sein vom Klavier vorgetragenes, sich in Terzen wiegendes Thema wird von den Streichern wiederholt und ist dann Anlass einer motivischen Entwicklung, die, nach Einführung eines zweiten Themas, zu erregten Ballungen führt, ehe der Satz ruhevoll ausklingt. Das knappe Scherzo und das lustig eilende Finale nehmen den musikantisch-spielerischen Ton des Kopfsatzes wieder auf.

Am bedeutendsten aus der Gruppe ist das c-Moll-Trio, das alle Erinnerungen an Gesellschaftsmusik hinter sich lässt. Schon der Beginn des ersten Satzes mit seinem markanten Kopfmotiv, seinen den Fluss stauenden Pausen und Fermaten baut ein Spannungsfeld auf, das in das drängende, fast hastige Hauptthema mündet. Das Seitenthema in Es-Dur hat nur vorübergehende Bedeutung. Die Entwicklung wird weitgehend von den Elementen des Kopfmotivs und des Hauptthemas bestimmt und führt zu heftigen Ballungen. Entspannung bringt das Andante cantabile, das eine Liedweise fünfmal variiert, wobei jede Variation ein über das Figurative hinausgehendes Profil gewinnt. Dem eher harschen Scherzo folgt ein Finale, das den Kontrast von motorischem Haupt- und melodischem Seitenthema fast dramatisch austrägt und damit an die Ausdruckswelt des Kopfsatzes anschließt.

Wirkung Die drei Trios wurden Ende 1793, spätestens Anfang 1794, unter Anwesenheit der illustren Wiener Musikerschaft in einer Abendgesellschaft beim Fürsten Lichnowsky uraufgeführt. Danach riet Joseph Haydn dem Komponisten, das c-Moll-Trio nicht zu veröffentlichen, was dieser übelnahm. Aber der erfahrene Haydn fürchtete eine Publikumsreaktion, die seinem jungen Schüler hätte schaden können. Artaria brachte alle drei Trios 1795 heraus.

Anlässlich einer späteren Ausgabe des Opus 1 freute sich der Rezensent der »Allgemeinen Musikalischen Zeitung« »besonders, weil in ihm, wie in wenigen, die fröhliche Jugend des Meisters sich noch ungetrübt, leicht und leichtfertig, abspiegelt, gleichwohl aber der spätere, tiefe Ernst und die zarte Innigkeit den Verf. schon zuweilen

(und dann, wie schön!) anwandelt, auch, ungeachtet man die Vorbilder der Mozart'schen Klavier-Quartette erkennt, doch B.s Eigenthümlichkeit und Selbstständigkeit unverkennbar hervor leuchtet und umher flackernde, zündende Funken sprüht«. BEAU

Klaviertrio B-Dur op. 11
(»Gassenhauertrio«)

Sätze 1. Allegro con brio, 2. Adagio, 3. Allegretto
Entstehung 1797
Verlag Henle, Peters
Spieldauer ca. 20 Minuten

Entstehung Ludwig van Beethoven komponierte sein B-Dur-Trio 1797 in Wien, möglicherweise im Auftrag des berühmten Klarinettisten Josef Beer. Er widmete das zunächst für Klavier, Klarinette und Violoncello konzipierte Werk der Gräfin Maria Wilhelmine von Thun.

Musik Im Vergleich zu seinen drei Klaviertrios op. 1 aus den Jahren 1792 bis 1794 strebt Beethoven hier – wohl in Rücksichtnahme auf die beteiligte Klarinette – eine größere Einfachheit des musikalischen Satzes und einen heiteren, serenadenhaften Ton an. Das einleitende Allegro con brio allerdings weist zugleich einige überraschende harmonische Wendungen auf: So endet die Exposition des Hauptthemas zwar auf der Dominante F-Dur, der Seitensatz jedoch erscheint in D-Dur. Im weiteren Verlauf setzt Beethoven mehrfach schroff eintaktige Perioden in a-Moll und F-Dur nebeneinander.

Erster und zweiter Satz Das energisch aufstrebende Hauptthema des ersten Satzes erhält durch Pianoschattierungen zarte Umdeutung und gibt im Folgenden Gelegenheit zu manch charakteristischer Umbildung. Im Adagio entfaltet Beethoven ein ausdrucksstarkes gesangliches Thema, das vom Cello eingeführt wird.

Dritter Satz Der umgangssprachliche Beiname »Gassenhauertrio« geht auf den dritten Satz zurück, in dem ein seinerzeit populäres Thema aus der komischen Oper »Der Corsar oder Die Liebe unter den Seeleuten« von Joseph Weigl neun Variationen unterzogen wird. Dabei geht Beethoven in abwechslungsreicher Instrumentierung ziemlich frei mit dem Thema um. Besonders reizvoll ist u. a. das Wechselspiel von Klarinette und Cello (ohne das Klavier) in der zweiten Variation oder auch der b-Moll-Marsch in Variation 7. Wenn sich die beiden Melodieinstrumente auch in allen Sätzen an der thematischen Entwicklung beteiligen, so fällt doch dem Klavier durchweg die Führungsrolle zu.

Wirkung Die Kritiker freuten sich, dass Beethoven ihnen in diesem Werk einmal nicht als so gelehrt und schwierig erschien. So schrieb 1799 der Kritiker der »Allgemeinen Musikalischen Zeitung«: »Dieses Trio, das stellenweise eben nicht leicht, aber doch fließender als manche andere Sachen vom Verfasser ist, macht auf dem Fortepiano mit der Klavierbegleitung ein recht gutes Ensemble. Derselbe würde uns, bey seiner nicht gewöhnlichen harmonischen Kenntnis und Liebe zum ernsteren Satze, viel Gutes liefern, das unsere faden Leyersachen von öfters berühmten Männern weit hinter sich zurückließe, wenn er immer mehr natürlich als gesucht schreiben wollte.« Um seinem B-Dur-Trio eine weitere Verbreitung zu sichern, schrieb Beethoven die Klarinettenstimme nachträglich für die Violine um, machte aus seinem Werk also ein »normales« Klaviertrio. STÜ

Klaviertrio D-Dur op. 70 Nr. 1
(»Geistertrio«)

Sätze 1. Allegro vivace e con brio, 2. Largo assai ed espressivo, 3. Presto
Entstehung 1808
Verlag Henle, Peters
Spieldauer ca. 24 Minuten

Klaviertrio Es-Dur op. 70 Nr. 2

Sätze I. Poco sostenuto – Allegro, ma non troppo, 2. Allegretto, 3. Allegretto, ma non troppo, 4. Finale: Allegro
Entstehung 1808
Verlag Henle, Peters
Spieldauer ca. 32 Minuten

Entstehung Die beiden Trios op. 70 sind 1808 zu großen Teilen im Floridsdorfer Landgut der Gräfin Anna Maria Erdödy, einer Gönnerin und Freundin Beethovens, entstanden und ihr auch gewidmet.

Musik Im D-Dur-Trio präsentiert sich Beethoven gleichsam als ein Anton Webern des frühen 19. Jahrhunderts: Trotz überreicher melodischer Einfälle gelingt ihm eine außerordentliche musikalische Dichte der Komposition. Das zeigt sich gleich im einleitenden Allegro vivace, einem knappen, konzentrierten Sonatensatz: Ein stürmischer Aufstieg im Einklang der Instrumente bricht nach drei Takten jäh ab und geht in ein weiches Gesangsthema über, das wechselweise in den beiden Streichern und im Klavier erscheint. Als weiteres Thema kommt ein kurzes, rhythmisch gespanntes Motiv hinzu. Nicht nur die Exposition, sondern auch der Mittelteil aus Durchführung und Reprise soll nach dem Willen Beethovens wiederholt werden, ehe der Satz mit einer Coda schließt. Der Schwerpunkt des Trios liegt auf dem Mittelsatz, einem fahlen Nachtstück in d-Moll, das Paul Bekker treffend als »eine der wunderbarsten Offenbarungen beethovenscher Schwermut« bezeichnet hat. Diesem langsamen Satz mit seinen gespenstischen Tremoli im Klavier, gleichsam erschaudernd abwärtsgleitenden chromatischen Skalen, jähen dynamischen Ausbrüchen und durchweg mystischem Kolorit hat das gesamte Werk seinen (nicht vom Komponisten selbst stammenden) Beinamen »Geistertrio« zu verdanken. Dafür zeichnet sich das zur Grundtonart D-Dur zurückkehrende finale Presto nicht durch die sonst für Beethoven typische Bedeutungsschwere aus: »Es ist das Nachklingen der aufwühlenden Gestik des Mittelsatzes in lichtvollen Gefilden; ein prachtvoller und glänzender, durch nichts getrübter Abschluss für ein Werk, welches in der Musikgeschichte nicht seinesgleichen hat« (Hermann Swietly).

Das Es-Dur-Trio wirkt spielerischer, wie schon das nach einer kanonisch geführten Einleitung aufklingende, tänzerische Hauptthema des ersten Satzes erkennen lässt. Das Seitenthema ist eine Variante der Einleitung. Anstelle eines langsamen Satzes steht an zweiter Stelle ein scherzoartiges Allegretto, das einen Dur- und einen Mollteil nebeneinanderstellt, sie variiert und rondoartig abwechseln lässt. Ähnlich gebaut ist der dritte Satz mit zwei melodisch-liedartigen Themen, das erste in Gestalt eines Menuetts, das zweite zwischen Streichern und Klavier alternierend. Auch hier ist der jeweilige Neueintritt mit Veränderungen vor allem modulatorischer Art verbunden. Die Entwicklung führt zu einer Steigerung, deren markante Akkordballungen das Werk in eine neue Richtung zu führen scheinen, aber statt des Erwarteten tritt das lustige, spielerische Finalethema ein. Es legt den heiteren Charakter des Satzes fest, der durch ähnlich geartete weitere Gedanken, darunter ein Marsch, den Musizierton des Ganzen fortschreibt. Ein Musizierton, der bei aller Entspannung keinen Takt lang die Souveränität des Gestalterischen, wie sie den »mittleren Beethoven« kennzeichnet, verleugnet.

Wirkung Nach der Uraufführung im Salon der Gräfin Anna Maria Erdödy und der Publikation (1809 bei Breitkopf & Härtel in Leipzig) widmete E. T. A. Hoffmann den beiden Beethoven-Trios op. 70 im Jahr 1813 eine ausführliche Rezension. Darin warnte er manche Interpreten zugleich vor diesen Stücken: »Wer die Musik nur als Spielerei, nur zum Zeitvertreib in leeren Stunden, zum augenblicklichen Reiz stumpfer Ohren, oder zur eigenen Ostentation tauglich betrachtet, der bleibe ja davon.« BEAU/STÜ

Einspielungen (Auswahl)
• Beaux Arts Trio, 1981; Philips

Klaviertrio B-Dur op. 97

Sätze 1. Allegro moderato, 2. Scherzo (Allegro), 3. Andante cantabile, ma però con moto, 4. Allegro moderato
Entstehung 1811
Verlag Henle (zusammen mit op. 70)
Spieldauer ca. 41 Minuten

Entstehung Das dem Erzherzog Rudolph gewidmete Trio ist Beethovens letzte Auseinandersetzung mit dieser Gattung. Für die Klaviertriobesetzung ließ er bis ca. 1816 nur noch einen einzelnen Triosatz in B-Dur (WoO 39, komponiert für die zehnjährige Maximiliane von Brentano) sowie »Variationen über Wenzel Müllers Lied ›Ich bin der Schneider Kakadu‹« (op. 121a) folgen. Das Trio op. 97 bezeichnet den Höhepunkt der Klaviertrioliteratur.

Musik Das in zeitlicher Nähe zur siebten und achten Sinfonie entstandene Werk weist eine gegenüber den früheren Trios erweiterte Formgebung auf, wobei die der Gattung eigenen spielerischen Elemente großflächiger Klanglichkeit gewichen sind. Auffallend bleibt dennoch die vor allem für das Finale bezeichnende Dominanz des Klaviers, die hier weniger pianistischer Entfaltung als vielmehr klanglicher Grundierung dient, also »sinfonisch« wirkt.

Den ersten Satz eröffnet das Klavier mit einem melodischen, aber fest schreitenden, sich am Ende mit Trillern hochschraubenden Hauptthema, das, anschließend von den Streichern übernommen, das motivische Gerüst des Satzes darstellt. Das Seitenthema in G-Dur bringt keinen dramatischen Konflikt, sondern bewegt sich in gleicher »königlicher« Gravität. Die für den späteren Beethoven bezeichnende motivische Fortspinnung anstelle dialektischer Zuspitzung findet sich hier bereits ausgeprägt. Dennoch ist der Satz reich an farbigen Kontrasten, an kunstvoller thematischer Arbeit. Aus der simplen B-Dur-Tonleiter des Cellos entwickelt sich das muntere, gelegentlich hart akzentuierende Scherzo. Ein Trio, das nicht als solches bezeichnet ist, unterbricht in mehrfachem Wechsel das lockere Geschehen mit einem chromatisch aufsteigenden, in einer Art von Fanfare gipfelnden Thema.

Höhepunkt des Werkes ist das Andante cantabile in D-Dur, das eine innige, liedhafte Weise in sehr freien Variationen abwandelt. Hier sind bereits die langsamen Sätze der späten Streichquartette Beethovens vorausgeahnt. Die Farbigkeit des Harmonischen und die vom Klavier ausgehende ornamentale Figuration sind ganz in den Dienst des Ausdrucks gestellt. Das unmittelbar anschließende Finale mit seinem kecken, tänzerisch tändelnden Hauptthema wirkt leichtfüßig und mündet in ein von Trillern überglänztes Presto: ein Satz von drängendem Schwung, der die gewichtig schreitende Energie des Kopfsatzes in musikantische Lockerheit umwandelt.

Wirkung Das Trio wurde am 28. März 1811 privat und am 11. April 1814 öffentlich uraufgeführt. Mit letzterer Darbietung verabschiedete sich Beethoven als Pianist vom Konzertpodium. Der »Allgemeine Musikalische Anzeiger« aus Wien faßte sein Urteil 1829 so zusammen: »Wo Genie, Kunst, Natur, Wahrheit, Geist, Originalität, Erfindung, Ausführung, Geschmack, Kraft, Feuer, Phantasie, Lieblichkeit, tiefes Gefühl und munterer Scherz in schwesterlicher Eintracht sich umschlingen: da muss man mit dem Dichter ausrufen: ›Omne tulit punctum‹ (Der heißt Meister seines Fachs; Horaz).«   BEAU

Trios mit Bläsern

Serenade für Flöte, Violine und Viola D-Dur op. 25

Sätze 1. Entrata: Allegro, 2. Tempo ordinario d'un Minuetto, 3. Allegro molto, 4. Andante con variazioni, 5. Allegro scherzando e vivace, 6. Adagio – Allegro vivace disinvolto
Entstehung 1801
Verlag Henle
Spieldauer ca. 20 Minuten

Entstehung Während die Beethoven-Forschung lange davon ausging, dass die Serenade vor 1797 entstanden ist, wird sie heute u. a. aufgrund der Skizzen zum Finalsatz im Skizzenbuch aus dem Nachlass des Wiener Kunsthändlers Ignaz Sauer (das Autograf ist verschollen) auf das Jahr 1801 datiert. Das Werk steht in der Nachfolge von ähnlichen Gesellschaftsmusiken Mozarts und ist, obgleich schon in Wien komponiert, dennoch ohne die Erfahrungen des jungen Beethoven mit der Hofmusik des kurfürstlichen Bonner Hofes nicht denkbar.

Musik »In sechs Sätzen, die um das zentrale ›Andante con variazioni‹ gruppiert sind, entwirft Beethoven klar konturierte ›Genrebilder‹, die vor allem durch den Verzicht auf motivisch-thematische Arbeit zu Abbildern überkommener Schemata und zu kontrastreichen Studien gerinnen« (Gabriele Busch-Salmen). Die Entrata wird von einem signalartigen Thema der Flöte eröffnet, das die beiden Streichinstrumente aufgreifen, wobei die Anfangsfigur für die weitere Fortführung der Musik bestimmend wird. Die einzelnen Satzteile werden wiederholt.

Auch im folgenden Menuett spielt die Flöte die melodisch führende Rolle. Im Trio entfaltet zunächst die Violine, dann die Viola ein Spiel mit rollenden Sechzehntelpassagen. In einem zwei-

ten Trio übernimmt die Flöte diese Rolle. Auf diese Weise erscheint das Menuett dreimal bei fünfteiliger Gliederung des Satzes. Das folgende dreiteilige Allegro molto stellt den Eckteilen in d-Moll einen Mittelteil in D-Dur mit aufsteigenden Dreiklangmotiven gegenüber. Im 3/8-Rhythmus eilt es leichtfüßig dahin.

Herzstück der Serenade ist das an vierter Stelle stehende Andante. Das mehrgliedrige Thema erscheint zunächst in vierstimmigem Doppelgriffsatz der Streicher. Die Flöte tritt später hinzu. Die erste Variation gehört der in Vierundsechzigsteln und Zweiunddreißigsteln dahineilenden Flöte. In der zweiten ergeht sich die Violine in flinken Triolen. Die dritte Variation wird von der thematisch führenden Viola bestimmt, der die beiden anderen Instrumente in rollenden Vierundsechzigstelpassagen assistieren. Eine das Thema beruhigt wieder aufgreifende Coda beschließt den Satz. Das Allegro scherzando erhält seinen Impuls durch seine punktiert aufstrebenden Skalen. Ein nicht ausdrücklich als Trio bezeichneter Mittelteil in d-Moll wirkt in seinem ruhigeren Fluss kontrastierend. Das Finale wird durch eine kurze Adagiointroduktion vorbereitet. Das Rondothema des Allegros erhält sein kapriziös-heiteres Gesicht vor allem durch das widerborstig punktierte Hauptthema, das, von der Flöte angestimmt, von den übrigen Instrumenten übernommen wird. Eine brillante Prestocoda beschließt das unbeschwerte Werk.

Wirkung Die Serenade gehört zu der ganz kleinen Gruppe von Kammermusikwerken Beethovens mit solistischer Flöte. Er empfand das Instrument, die Traversflöte, als zu unvollkommen (die moderne Boehmflöte wurde erst 1847 konstruiert). Das Publikum war da offensichtlich anderer Meinung: Das Opus 25 wurde im Frühjahr 1802 erstmals gedruckt, ein Jahr später entstand eine vom Komponisten autorisierte, jedoch von fremder Hand angefertigte Bearbeitung für Flöte und Klavier, die sogar eine eigene Opuszahl (op. 41) erhielt. In beiden Fassungen erlebte das Werk zahlreiche Auflagen.   BEAU

Einspielungen (Auswahl)
• Susan Milan (Flöte), Levon Chilingirian (Violine), Louise Williams (Viola), 1991 (+ Duette WoO 27 & Trio WoO 37); Chandos

Trio für zwei Oboen und Englischhorn C-Dur op. 87

Sätze 1. Allegro, 2. Adagio cantabile, 3. Menuetto: Allegro molto, Scherzo, 4. Finale: Presto
Entstehung 1794
Verlag Bärenreiter
Spieldauer ca. 20 Minuten

Entstehung Das Bläsertrio gehört zu den frühesten Kompositionen Beethovens nach seiner endgültigen Übersiedlung in die Donaumetropole. Die Elemente der unterhaltsamen Hofmusik aus Bonn sind noch deutlich spürbar. Das Stück wurde 1806 als op. 29 veröffentlicht, später jedoch von Beethoven überarbeitet, was die hohe Werkzahl erklärt.

Musik Erster Satz Das Trio hebt mit einem Sonatensatz in Gestalt einer Spielmusik an. Nach einem auftaktigen Liegeakkord setzt das Englischhorn mit dem lustig schreitenden Hauptthema ein, das sogleich von der ersten Oboe aufgegriffen und zu einer längeren melodischen Fortspinnung geführt wird. Ein in Punktierungen wiegendes Seitenthema bleibt im Bereich problemlosen Musizierens. Der Durchführungsteil moduliert zunächst den Kopf des Hauptthemas, führt dann durch das Englischhorn das Seitenthema ein, das thematisch von der ersten Oboe kontrapunktiert wird. Die Reprise verläuft regelhaft, wird jedoch durch gelegentliche Figurationen aufgelockert.

Zweiter Satz Das folgende Adagio cantabile entfaltet eine empfindsame Gesangsmelodie, von der ersten Oboe vorgetragen. Sechzehntelläufe des Englischhorns bilden eine Übergangsphase, ehe die Melodie in gesteigertem Ausdruck ein zweites Mal erscheint. Der Satz klingt aus mit ornamental intensivierten Sechzehntelpassagen der beiden Außenstimmen.

Dritter Satz Das Menuett wird von auf- und absteigenden Dreiklangsbrechungen geprägt. Das zarte Trio erhält durch ständige Synkopierungen seinen Reiz.

Vierter Satz Das Finale präsentiert sich als munter dahineilendes Rondo, dessen tänzerisches Hauptthema durch seine melodische Sinnfälligkeit geprägt ist. Der Satz ist von musikantischem Schwung.

Wirkung Die »Allgemeine Musikalische Zeitung« aus Leipzig lobte das Trio im Jahr 1808 als »mit leichter, aber geschickter, fertiger Hand hingeworfenes Gemälde, das zwar keine großen Ansprüche befriedigt, aber auch keine macht; das keine kühnen, erhabenen Gedanken enthält, aber angenehme, und das, wie alles nun zusammengestellt ist, ein anziehendes Ganzes ausmacht«. Das Stück erfreute sich nach seiner Veröffentlichung großer Beliebtheit, wie mehrere noch zu Lebzeiten Beethovens entstandene Bearbeitungen zeigten.　　　　BEAU

Beethoven komponierte das Oboentrio schon in Wien, geprägt war es aber noch vom unterhaltsamen Stil am Hof im heimatlichen Bonn (Geburtshaus von Beethoven, um 1904).

Streichquartette

Neben der Sinfonie und der Klaviersonate gehört das Streichquartett zu den typischen Gattungen der beethovenschen Kunst. Bevor er in Wien seine ersten Quartette schrieb, hatte er sich mit den Streichtrios op. 3 und op. 9, der Serenade op. 8 und dem Streichquintett op. 4 das

Das Gewandhaus-Quartett Leipzig entdeckte bei seiner Gesamteinspielung der Streichquartette von Beethoven, entstanden zwischen 1995 und 2003, das Romantische bei Beethoven ebenso wie dessen Klassizität.

kompositorische Rüstzeug erarbeitet, um der anspruchsvollsten Gattung der Kammermusik auf der Basis des in den späten Quartetten Haydns und Mozarts Geschaffenen gewachsen zu sein. Anregungen zur Quartettkomposition dürfte Beethoven vor allem durch den Fürsten Lichnowsky empfangen haben, in dessen Haus regelmäßig Kammermusik gespielt wurde.

Die erste Quartettgruppe op. 18 entstand in den Jahren 1799/1800. So sehr diese sechs Werke auch das für den frühen Beethoven bestimmende dialektische Prinzip des Aufbaus mit eigengeprägter Thematik erkennen lassen, so sehr scheint die Suche nach einem eigenen Quartettstil noch durch. Bei aller unverkennbaren Individualität bleiben die Werke im Rahmen der gesellschaftlich geprägten Kammermusik.

Wie die »Eroica« (1803) die Gattung der Sinfonie revolutionierte, so drang mit den Streichquartetten op. 59 von 1806 die Kammermusik sowohl in Bezug auf die formale Ausweitung als auch auf die Intensivierung der Musiksprache in sinfonische Bereiche vor. In allen drei Quartet-

ten finden sich auffallend orchestrale Tuttiwirkungen, und die Spannweite der Themen wächst. Mit den beiden Einzelwerken op. 74 in Es-Dur und op. 95 in f-Moll setzte der »mittlere« Beethoven diese Linie, wenn auch architektonisch weniger ausladend, fort.

Das Streichquartett op. 127 (1825) eröffnet die Reihe der späten Werke, die bis heute als Krone der Streichquartettkunst gelten. Der darin zum Ausdruck gelangende neue Kammermusikstil wirkte nicht direkt auf andere Komponisten weiter, sondern blieb singulär – als Zeugnis eines Einsamen, der zu letzter Sublimierung seiner Musiksprache gefunden hatte. Das für den »frühen« und »mittleren« Beethoven bestimmende dialektische Prinzip ist aufgegeben, stattdessen waltet eine polyfone Linearität vor, die nicht den Kontrast, sondern das Weiterspinnen und Verändern von Motivbildungen anstrebt. Orchestrale Anklänge fehlen, die Stimmen werden aufs Äußerste verselbstständigt, die kontrapunktische und motivische Arbeit ist verwickelt wie in keinen anderen Werken Beethovens. Mit der inneren wandelt sich auch die äußere Struktur: Die Zahl der Sätze wird variabel, so hat das Quartett op. 130 sechs, op. 131 sieben Sätze. Schließlich gibt es werkübergreifende Motivverbindungen. BEAU

Streichquartett Nr. 1 F-Dur op. 18 Nr. 1

Sätze 1. Allegro con brio, 2. Adagio affettuoso ed appassionato, 3. Scherzo: Allegro molto, 4. Allegro
Entstehung Januar–April 1799; Revision 1800
Verlag Henle (op. 18/1–6)
Spieldauer ca. 25 Minuten

Entstehung Die Quartette op. 18, Beethovens erste Auseinandersetzung mit der Gattung des Streichquartetts, entstanden in den Jahren 1799/1800 (die Autografe sind verschollen). 1801 wurden sie mit einer Widmung an den Fürsten Franz Joseph von Lobkowitz veröffentlicht. Die Abfolge im Druck gibt nicht die Kompositionsreihenfolge (Nr. 3, 1, 2, 5, 4, 6) wieder. Nach Fertigstellung der letzten Quartette be-

Die Streichquartette von Ludwig van Beethoven

Entstehung	Titel
Frühe Quartette	
1798–1800	Sechs Streichquartette op. 18
Mittlere Quartette	
1806	Drei Streichquartette op. 59 (»Rasumowsky-Quartette)
1809	Streichquartett Nr. 10 Es-Dur op. 74 (»Harfenquartett«)
1810	Streichquartett Nr. 11 f-Moll op. 95
Späte Quartette	
1824/25	Streichquartett Nr. 12 Es-Dur op. 127
1825	Streichquartett Nr. 15 a-Moll op. 132
1825/26	Streichquartett Nr. 13 B-Dur op. 130
1825/26	Große Fuge B-Dur op. 133
1826	Streichquartett Nr. 14 cis-Moll op. 131
1826	Streichquartett Nr. 16 F-Dur op. 135

gann Beethoven mit der Revision von op. 18/1 und 2. Die Erstfassung des F-Dur-Quartetts, die 1922 wiederentdeckt wurde, hatte Beethoven seinem Freund Karl Amenda zugeeignet. In einem Brief vom 1. Juli 1801 erklärte er ihm, warum er sie inzwischen verworfen hatte: »Dein Quartett gieb ja nicht weiter, weil ich es sehr umgeändert habe, indem ich erst jetzt recht Quartetten zu schreiben weiß.«

Musik Erster Satz Das Allegro con brio intoniert unisono ein energisches, rhythmisch prägnantes Hauptmotiv, das hernach, auch in Abspaltungen, durch die Stimmen wandert und den gesamten Satz beherrscht. Vorbild hierfür war wohl das monothematische Kompositionsverfahren des späten Haydn. Das Seitenthema bleibt in Andeutungen stecken, zumal es von dem Hauptmotiv kontrapunktiert wird. Erregte Sechzehntelläufe unterstreichen den drängenden Fluss des Satzes. Zu Beginn der breit angelegten Durchführung erscheint das Hauptmotiv als Fugato. Von besonderer Bedeutung in diesem Mittelteil ist eine das Motiv erweiternde Variante, die schon kurz nach dem Anfangsunisono in der ersten Violine erschienen war. Charakteristisch für den hier angeschlagenen Ton vorwärtsstürmender Energie sind die vielen Sforzati.

Zweiter Satz Das d-Moll-Adagio im 9/8-Takt entfaltet in der ersten Violine eine sehnsüchtig aufsteigende, sich in ausdrucksgeladenen Sechzehntelfigurationen aussingende

Weise, die dann auch vom Cello angestimmt wird. Die im Mittelteil immer dichter werdenden Figurationen, die, in Zweiunddreißigstel übergehend, dem Satz eine sich ständig steigernde Expressivität geben, führen gegen Schluss zu dramatischen Ballungen, ehe der Satz pianissimo verklingt. Nach Karl Amenda soll Beethoven die Grabesszene aus Shakespeares »Romeo und Julia« zu diesem Adagio inspiriert haben.

Dritter Satz Das synkopierte Scherzo mit seinen Oktavsprüngen und seinen Bordunklängen zu virtuosen Achtelläufen der Violine im Trio bringt spielerische Entspannung nach dem affektgeladenen Adagiosatz.

Vierter Satz Ein in Sechzehnteltriolen abstürzendes, auf drei Achteln landendes Thema eröffnet das Finale, das Beethoven als Mischung aus Sonatensatz und Rondo gestaltet hat: ein quirliges Spiel, in dem auch ein schwungvolles Seitenthema mitmischt. In der ausführlichen Durchführung kommt es zu höchst kunstvollen, virtuosen thematisch-motivischen Komplikationen. Eigensinnig hüpfende Achtelrepetitionen kontrastieren mit Sechzehntel- und Triolenfigurationen, die in der bravourösen Coda das letzte Wort haben.

Wirkung Über eine frühe Aufführung der Quartette op. 18 am 10. Dezember 1800 im privaten Rahmen berichtet die Gräfin Josephine von Deym: »Dann ließ uns Beethoven, als ein wahrer Engel, seine neuen, noch nicht gestochenen Quartette hören, die das Höchste ihrer Art sind. Der berühmte Kraft übernahm das Cello, Schuppanzigh die erste Violine. Stellt euch vor, was das für ein Genuss war!« BEAU

Einspielungen (Auswahl)
• Petersen Quartett (+ op. 131), 1994; Capriccio

Streichquartett Nr. 2 G-Dur op. 18 Nr. 2

Sätze 1. Allegro, 2. Adagio cantabile – Allegro, 3. Scherzo: Allegro, 4. Allegro molto, quasi Presto
Entstehung 1799; Revision 1800
Verlag Bärenreiter, Henle
Spieldauer ca. 22 Minuten

Musik Das G-Dur-Quartett wurde im 19. Jahrhundert häufig »Komplementierquartett« genannt, wohl wegen seines galanten Konversationstons, der, einen deutlichen Kontrast zu op. 18/1 setzend, auf die unterhaltsame Divertimentokunst aus dem 18. Jahrhundert verweist.

Erster Satz Das viergliedrige Hauptthema erinnert in seinem gestischen Tonfall in der Tat an ein galantes Begrüßungszeremoniell: eine nach einer Viertel in Zweiunddreißigsteln hochflatternde Floskel, dann ein gravitätisches, punktiert absteigendes Unisono, schließlich eine hübsche melodische Frage nebst Antwort. Diese thematische Vielgliedrigkeit prägt den gesamten Satz. Als zweiter Gedanke tritt ein weiteres Unisono mit Quartschritt und folgenden Sechzehntelfiorituren auf, als eigentliches Seitenthema ein in akkordischem Satz geführtes D-Dur-Thema und als Schlussgruppe ein punktiertes Schleudermotiv. Im groß angelegten Durchführungsteil wird dieses reiche thematische Material höchst kunstvoll in fugierten Passagen, in Abspaltungen, kontrapunktischen Kombinationen und reicher Modulatorik verarbeitet. Nach Haydns Vorbild erscheint sogar ein Scheinrepriseneinsatz, ehe der Satz mit variierter Reprise und dem elegant-gestischen Hauptthema ausklingt. Die Kunst der thematischen Arbeit steht im Gegensatz zum lockeren Konversationston.

Zweiter Satz Das dreiteilige Adagio cantabile entfaltet eine innige C-Dur-Weise, die sich liedhaft aussingt und in vier deklamatorischen Sechzehnteln verklingt. Diese werden überraschend in ein Motiv umgewandelt, das den virtuosen Allegromittelteil des Satzes bestimmt, ein Vorüberhuschen von Sechzehntelvierergruppen. Die Wiederholung des C-Dur-Gesanges, diesmal nicht von der Violine, sondern vom Cello angestimmt, wird von ausdrucksvoll ornamentierenden Läufen und Passagen umspielt, zumeist im Wechsel von erster Violine und Cello.

Dritter Satz Das heitere, spritzige Scherzo mit seinem kecken Schleudermotiv bricht aus dem Menuettschema aus. Umso mehr wahrt dieses das einherstolzierende Trio.

Vierter Satz Das Hauptthema des Sonatenfinales ist wiederum ein Frage-und-Antwort-Spiel zwischen anstimmendem Cello und dem Tutti. Ein synkopiert anhebendes Seitenthema mischt mit. Die in entferntem Es-Dur beginnende Durchführung, wiederum mit Scheinrepriseneinsatz und reich an imitatorischen Finessen, wirbelt dieses Motivmaterial durcheinander. Eine temperamentvoll in Zweiunddreißigsteln hinbrausende Coda beschließt das Werk. BEAU

Streichquartett Nr. 3 D-Dur op. 18 Nr. 3

Sätze 1. Allegro, 2. Andante con moto, 3. Allegro, 4. Presto
Entstehung Herbst 1798 bis Januar 1799
Verlag Bärenreiter, Henle
Spieldauer ca. 20 Minuten

Entstehung Das D-Dur-Quartett ist seiner Entstehung nach das früheste des op. 18. Wie die beiden Quartette Nr. 1 und 2 hält es sich, was die Ausdruckswelt angeht, in den Grenzen anspruchsvoller Spielmusik.

Musik Erster Satz Ein mit einer sehnsüchtig sich aufschwingenden Septime anhebendes, sich dann in Achteln verströmendes Hauptthema eröffnet den Satz. Lyrik ist hier mit Anmut gepaart. Aber der Fluss der Achtel gewinnt die Oberhand. Immer wieder klingt in allen Stimmen die Septime auf, jedoch vorantreibende Kraft werden schließlich von Sforzati geschärfte Triolenfiguren. Eine Art Zwischengedanke zeigt sich in Gestalt eines auftaktigen, in Vierteln und Halben energisch einherschreitenden Themas. Das eigentliche Seitenthema tritt synkopisch als akkordisch gesetzte Weise auf. Schlussglied der Exposition ist ein zweistimmig kontrapunktisch geführter Gedanke, ehe Triolenläufe den Schlusspunkt setzen. Diese bestimmen auch den Beginn der kurzen Durchführung, die in sechsstimmigen Triolenrepetitionen im Fortissimo gipfelt. In der Reprise übernimmt wiederum der Septimensprung die führende Rolle. Dieser Formteil verläuft regelhaft und endet sehr konzis mit energischen Achtelfigurationen.

Zweiter Satz Eine dreimal sich stufenweise hochschraubende Viertonweise, in absteigenden Sechzehnteln auslaufend, von der zweiten Geige auf der G-Saite angestimmt, eröffnet das Andante con moto. Dann bringen reiche Figurationen Belebung ins Geschehen. Ein durchführungsartiger Mittelteil mit reicher Modulatorik wird ganz von der durch alle Stimmen laufenden Viertonweise bestimmt, von fließenden Passagen umrankt. Die Reprise gipfelt in erregten Sechzehntelrepetitionen aller Stimmen mit Sforzati, ehe der Satz leise verklingt.

Dritter Satz Liedartig gibt sich auch das auftaktig beginnende Allegro, das an die Stelle eines Scherzo tritt. Ein Mollmittelteil, nicht als Trio bezeichnet, lässt Achtelläufe über Liegetöne vorüberhuschen. Hübsch ist in den Eckteilen die gegen Ende kanonisch eingeführte Verkleinerung des Anfangsthemas. Ob Schubert den Satz im Ohr hatte, als er das zehnte seiner Müller-Lieder (»Tränenregen«) schrieb?

Vierter Satz In wirbelndem 6/8-Takt rauscht das Prestosonatenfinale vorüber. Die erste Violine intoniert das in jagenden Achteln abstürzende und dann hochschießende Hauptthema. In dem sich nun entfaltenden spielerisch-virtuosen Bewegungsfluss geht das Seitenthema als bloße Episode fast unter. Im Durchführungsteil gibt es heftige Sforzati und reiche Modulatorik. Überraschend kommt der neckische Pianissimoschluss. BEAU

Einspielungen (Auswahl)
• Gewandhaus-Quartett, 2003 (+ Quartett op. 18 Nr. 4); NCA/Naxos

Streichquartett Nr. 4 c-Moll op. 18 Nr. 4

Sätze 1. Allegro, ma non tanto, 2. Scherzo: Andante scherzoso, quasi Allegretto, 3. Menuetto: Allegretto, 4. Allegro
Entstehung 1799
Verlag Bärenreiter, Henle
Spieldauer ca. 22 Minuten

Musik **Erster Satz** Das c-Moll-Quartett fällt nicht nur wegen seiner Tonart, sondern vor allem wegen seiner pathetisch-leidenschaftlichen Ausdruckshaltung aus dem Rahmen der übrigen Werke der Quartettserie op. 18. Zwar bestimmt der tragische Grundzug nicht alle vier Sätze, bleibt die Erinnerung an das gesellschaftlich Gebundene immer noch durchscheinend, aber der neue »Ton« ist unüberhörbar. Das gilt vor allem für den ersten Satz, den bedeutendsten und persönlichsten des Werkes. Drängende Leidenschaftlichkeit durchpulst bereits das sich über zwölf Takte erstreckende Hauptthema mit seinen Doppelschlägen und aufbegehrenden Intervallsprüngen. Besonders Letztere sollen im weiteren Satzverlauf motivische Bedeutung erlangen. Das erregende Auf und Ab entlädt sich in heftigen Doppelgriffakkorden. Nach kurzem Motivspiel intoniert die zweite Violine das Es-Dur-Seitenthema, dessen Ableitung vom Hauptgedanken unüberhörbar ist und das bei allem strömenden Lyrismus durch die charakteristischen Intervallsprünge den erregten Grundzug der Musik wahrt. Ein dritter, als Schlussgruppe auftretender Gedanke in gleicher Tonart führt schließlich zum Pianissimoausklang der Exposition. Das dramatische Geschehen spitzt sich in der Durchführung noch zu, obgleich die beiden Dur-Themen scheinbar das Feld beherrschen. Die wuchtigen Akkordschläge sind in der Reprise noch erweitert. Das Kernmotiv des Hauptthemas mit dem Doppelschlag bestimmt den düsteren c-Moll-Ausklang der Coda.

Zweiter Satz Entspannung bringt das Andante scherzoso mit seinem kapriziösen Wechselspiel von Achteln und hurtigen Sechzehntelläufen. Das graziöse Thema wandert durch alle Instrumente, häufig in kanonischen Führungen. Es kommt sogar zu einer Art von Durchführung.

Dritter Satz Das konzentrierte c-Moll-Menuett nimmt mit seinen vielen Sforzati den leidenschaftlich drängenden Ton des Kopfsatzes wieder auf. Das As-Dur-Trio legt repetierende Triolenketten der ersten Violine über bewegtes Linienspiel der übrigen Stimmen. Für die Wiederholung des Menuetts verlangt Beethoven ausdrücklich eine Beschleunigung des Tempos als Mittel dramatischer Intensivierung.

Vierter Satz Das Rondofinale mit seinem widerborstigen Hauptthema und seinen episodischen Wiederholungen ist ohne Haydn nicht denkbar. Es stürmt mit heftigen Akzenten dahin. Ein kantabler Gedanke von elegant strömendem Fluss vermag die Erregung des Satzes nicht zu lähmen, der mit drei heftigen Triolenschlägen schließt. BEAU

Streichquartett Nr. 5 A-Dur op. 18 Nr. 5

Sätze 1. Allegro, 2. Menuetto, 3. Andante cantabile, 4. Allegro
Entstehung Juni–August 1799
Verlag Bärenreiter, Henle
Spieldauer ca. 25 Minuten

Musik Heller, lebensbejahender Grundcharakter bestimmt das formal sehr schlüssige, wie aus einem Guss wirkende A-Dur-Quartett. Beethoven folgte hier einem konkreten Modell: dem in gleicher Tonart stehenden Quartett KV 464 von Mozart. Ihm entnahm er die äußere Anlage (zum Teil sogar identische Satzbezeichnungen) mit Menuett an zweiter und Variationensatz an dritter Stelle, aber auch zahlreiche stilistische, harmonische und rhythmische Details.

Erster Satz In schwungvollem 6/8-Takt eilt das erste Allegro vorüber. Dem tänzerisch-heiteren Hauptthema gehen zwei kraftvolle »Anlauf«-Takte voraus. Sechzehntelläufe in der ersten Violine, die später im Durchführungsteil eine wichtige Rolle spielen, ein jubelnder Aufstieg mit Trillern, dann setzt in e-Moll das zweite Thema ein, das aber bald nach G-Dur moduliert. Ein im Kanon von Cello und Bratsche einerseits und in den beiden Violinen andererseits eingeführter

dritter Gedanke führt alsbald zum wiederum mit brillanten Sechzehntelpassagen der ersten Violine ausklingenden Expositionsschluss. Der relativ knappe Durchführungsteil zitiert im Wesentlichen nur das Hauptthema, die Reprise verläuft regelhaft.

Zweiter Satz Das Menuett treibt ein neckisches Spiel zunächst der beiden Violinen, dann der beiden Unterstimmen. Lebhafte Achtelfigurationen der ersten Violine zu rhythmisch pointierter Begleitung der übrigen Stimmen prägen den Mittelteil, bevor der Anfang variiert aufgegriffen wird.

Dritter Satz Zentrum des Werkes ist das zu Recht berühmte Andante cantabile mit fünf Variationen. Das herrliche, liedhafte Thema mit Vorder- und Nachsatz erfährt in der 1. Variation eine heitere kanonische Imitation in Sechzehnteln, beginnend mit dem Cello, dem Bratsche und die beiden Violinen folgen. In der 2. Variation umspielt die erste Violine das Thema in Sechzehnteltriolen. Die 3. Variation wird vom Duo der thematisch führenden Bratsche nebst Cello bestimmt. Die Violinen geben mit tremoloartigen Zweiunddreißigsteln den warmen Klanggrund. Fast choralartig in aparter Harmonik beleuchtet die 4. Variation das Thema neu. An einen derben Bauerntanz gemahnt die 5. Variation. Die erste Violine setzt Triller darüber, das Cello bringt spaßige Sprünge. Eine längere Coda führt zu einem Poco Adagio, mit dem der Satz ruhig ausklingt.

Vierter Satz Antriebskraft des Alla-breve-Sonatenfinales ist die gleich zu Beginn erscheinende auftaktige Sprungfigur, die auch in Umkehrung vorkommt. Sie löst den Wirbel der rollenden Sechzehntel aus, zu dem ein choralartiges Seitenthema in breiten Notenwerten den beruhigenden Kontrast setzt. Er wirkt nur vorübergehend. Im Durchführungsteil hat wiederum das spielerische Treiben Vorrang. Umso überraschender ist nach der regelhaft ablaufenden Reprise der Pianoakkord des Schlusses. BEAU

Streichquartett Nr. 6 B-Dur op. 18 Nr. 6

Sätze 1. Allegro con brio, 2. Adagio, ma non troppo, 3. Scherzo: Allegro, 4. La Malinconia: Adagio – Allegretto quasi Allegro
Entstehung April–Sommer 1800
Verlag Bärenreiter, Henle
Spieldauer ca. 25 Minuten

Musik Erster Satz Das mit einem markanten Fortepiano einsetzende Hauptthema exponiert zwei Elemente: einen Doppelschlag und ein hochschießendes Dreiklangmotiv, beides in der ersten Violine. Das Cello antwortet sofort mit einem ebenfalls von einem Doppelschlag eingeführten Kommentar, den wiederum die Violine aufgreift. Die beiden Motive, vor allem der Doppelschlag, bleiben in allen Instrumenten präsent. Ein Zwischenthema, bestehend aus einer aufsteigenden Tonleiter und sechs repetierenden Vierteln wird bedeutsam für den Durchführungsteil. Das F-Dur-Seitenthema spinnt einen einzigen Ton punktiert weiter und bringt durch den homofonen Satz vorübergehend etwas Ruhe in das spielerische, heiter-musikantische Geschehen. Die Durchführung bedient sich neben dem Tonleitermotiv vor allem des Doppelschlags. Die Coda nach regulärer Reprise lässt noch einmal die Tonleiter mit den sechs Tonrepetitionen hochschießen.
Zweiter Satz In ruhig schreitendem 2/4-Takt hebt das Adagio an, in dem der Doppelschlag melodische Funktion annimmt. Das von der ersten Violine angestimmte Thema wird von der zweiten wiederholt, der Aufbau ist liedhaft. Ein in es-Moll beginnender Mittelteil hellt sich bald nach Dur auf und führt in den Wiedereintritt des Hauptteils zurück. Der gesamte Satz zeichnet sich durch filigrane Feinheit des Stimmgefüges und des Rhythmischen aus, die die einfache Liedweise mit einem diffizilen Gespinst bewegter Ornamentik einhüllen, sie stellenweise fast auflösen. Eine Musik von empfindsamer Schönheit.
Dritter Satz Das Scherzo wartet mit eigensinnigen Sforzati auf unbetonten Taktteilen und mit drängenden Synkopen auf, der traditionelle Menuettton ist völlig verschwunden. Im Trio hat

die Violine das Wort in Gestalt von lustigen Bocksprüngen.
Vierter Satz Dem Finale hat Beethoven ein »melancholisches« Adagio vorausgeschickt, dessen Thema in triolischen Vorschlägen mündet: ein rhapsodisch-dunkles Tonstück, reich modulierend, von ständig stockendem Fluss. Dann setzt höchst gegensätzlich das eigentliche Finalallegretto ein, das sich im Wesentlichen aus dem dahineilenden Rondothema der ersten Violine speist. Der Bewegungsfluss im 3/8-Takt wird zweimal von Malinconiareminiszenzen unterbrochen, ehe er in ein furioses Prestissimo mündet. BEAU

Einspielungen (Auswahl)
• Op. 18 Nr. 1–6: Quartetto Italiano, 1972; Philips
• Op. 18 Nr. 1–6: Alban Berg Quartett, 1983; EMI

Streichquartett Nr. 7 F-Dur op. 59 Nr. 1

Sätze 1. Allegro, 2. Allegretto vivace e sempre scherzando, 3. Adagio molto e mesto, 4. Allegro. Thème Russe
Entstehung 1806
Verlag Bärenreiter
Spieldauer ca. 40 Minuten

Entstehung Die drei Streichquartette op. 59 wurden angeregt von und komponiert für den Grafen Andrei Rasumowsky, der russischer Gesandter am österreichischen Hof, leidenschaftlicher Musikliebhaber (selbst Geiger) und seit 1796 ein Beethoven-Freund und -Förderer war. Entsprechend werden sie als »Rasumowsky-Quartette« oder auch als »Russische Quartette« bezeichnet. Mit der Nr. 1 begann Beethoven laut Manuskripteintrag am 26. Mai 1806; in einem Brief an den Verleger Breitkopf & Härtel vom 5. Juli des Jahres kündigte er das Quartett als vollendet an.
Musik Mit den Quartetten op. 59 vollzieht sich ein Wandel in Beethovens Kammermusikschaffen: Die Sonatenform bleibt zwar formale Grundlage, das Schema tritt jedoch hinter einer eigenständigen Themenentfaltung zurück, die als entwickelnde Variation bezeichnet wird. Desgleichen werden ornamentale Spielfiguren ver-

tungen. Er gipfelt in einem dichten Fugato. Die Reprise ist keineswegs eine Rekapitulation der Exposition, sondern setzt die Durchführungstechnik fort, um in der Coda das Hauptthema noch einmal pathetisch zu bestätigen.

Zweiter Satz Das Hauptthema des folgenden Scherzando ist zweigeteilt: Dem vom Cello intonierten Trommelrhythmus auf dem Ton B antwortet die Violine mit einem melodischen Sechzehntelmotiv. Ein weiteres, zweimal absteigendes Gesangsthema folgt. Das eigentliche Seitenthema erscheint in Gestalt einer punktiert beginnenden, sich über zwei Takte auf- und dann in Sechzehnteln abschwingenden Melodie. Diese Themenvielfalt entfaltet sich in immer neuen Verwandlungen zu einem weiten Sonatensatz, der allen Formschemata zu spotten scheint und dessen formales Gerüst beim Hören kaum mehr erkennbar ist.

Dritter Satz Das Adagio in der Mollvariante der Haupttonart (f-Moll) ist eine Espressivomusik von ergreifender Ausdruckstiefe. Der sehr frei gestaltete Sonatensatz zeichnet sich aus durch intensive thematische Arbeit und Einbeziehung barocker Verzierungen, Seufzerfiguren und Umspielungen. Auf einem Skizzenblatt erklärte Beethoven den tragischen Grundton autobiografisch: als Trauer über die Heirat seines Bruders Carl mit der ihm verhassten Johanna Reiss am 25. Mai 1806. Eine Violinkadenz mit abschließendem Triller bildet den Übergang zum nachfolgenden Satz.

Vierter Satz Das Cello intoniert ein russisches Thema, dessen Charakter Beethoven ins Positiv-Heitere gewendet hat (im Original handelt es sich um die Klage einer Frau über den schweren Soldatendienst ihres Sohnes) und dem er ein in forschen Vierteln aufsteigendes Seitenthema gegenüberstellt. Rondo- und Sonatenform sind ineinander verschränkt. Wiederum ist die Durchführung Ort reicher motivischer Arbeit. Das Fugato, mit dem die Coda einsetzt, ist aus dem russischen Thema abgeleitet.

Wirkung Die Uraufführung der drei Quartette im Palais des Grafen Rasumowsky durch das Schuppanzigh-Quartett sowie die 1808 erfolgte Veröffentlichung riefen negative Reaktionen hervor. Das Neue der Werke wurde nicht verstanden. So berichtete Carl Czerny rückblickend: »Als Schuppanzigh das Quartett Rasu-

Graf Andrei Rasumowsky, leidenschaftlicher Musikliebhaber und Geiger, war Auftraggeber und zugleich Widmungsträger der drei Streichquartette op. 59 von Beethoven.

selbstständigt und als Motivbestandteile in den Fluss des Melodischen einbezogen. Die Dimensionen weiten sich ins Sinfonische, steht doch zeitlich neben den Rasumowsky-Quartetten die »Eroica«, in der ähnliche Gestaltungsprinzipien verwirklicht werden.

Erster Satz Diese neuen Gestaltungsprinzipien lässt der erste Satz des F-Dur-Quartetts deutlich erkennen: Das vom Cello angestimmte, dann von der ersten Violine übernommene und zu einem kurzen Höhepunkt geführte kantable Hauptthema entbindet gleich drei weitere Gedanken, sodass von einer Themengruppe gesprochen werden muss. Alle vier Gebilde werden in der weitgespannten Durchführung eine Rolle spielen. Das wiederum melodiöse, also im Ausdruck mit dem Hauptthema nicht kontrastierende Seitenthema endet gleichfalls mit einem weiteren Motiv, das sich triolisch hochschraubt. Beethoven verlangt keine Wiederholung der Exposition. Der groß angelegte, den Kern des Satzes bildende Durchführungsteil exponiert im Wesentlichen das Hauptthema und seine Ablei-

mowsky in F zuerst spielte, lachten sie und waren überzeugt, dass B. sich einen Spaß machen wollte und es gar nicht das versprochene Quartett sei.«

Alexandre Oulibicheff konnte sich noch 1857 wenig für die drei Quartette erwärmen. Im Vergleich zu den Quartetten op. 18 stellte er fest: »Im Gegensatz dazu sind die Rasumowsky-Quartette sehr arm an Melodien, und die Motive sind weniger deshalb gewählt, weil sie an sich wertvoll sind, sondern vielmehr, weil sie zu kontrapunktischen Operationen taugen. Die Harmonie in op. 18 ist rein wie ein Bergkristall... In op. 59 ist die Harmonik schon eine Mischung in dritter Potenz.« Auch hinsichtlich der Ausführbarkeit meldete er Zweifel an: »Op. 59 bietet Schwierigkeiten, besser gesagt Hindernisse, an denen die geschicktesten Virtuosen mehr oder weniger scheitern.«

Einen originellen Deutungsversuch wagte 1936 Arnold Schering, der die Streichquartette op. 59 als »Roman-Quartette« bezeichnete und mit Werken von Goethe, Jean Paul und Cervantes verglich: »Sie beginnen mit sorgfältig erwogenen psychologischen Charakterbildern, lassen dann je zwei sogenannte pezzi caratteristiche folgen und schließen mit bunten, anschaulichen Episoden bewegten äußeren Lebens.« Die Programme für das erste Quartett sah er in Goethes Roman »Wilhelm Meisters Lehrjahre«: Des jungen Wilhelm Meisters Seelenkämpfe (1. Satz), Mignons Eiertanz vor Wilhelm Meister (2. Satz), des Harfners Lied »Wer sich der Einsamkeit ergibt« (3. Satz) und Aufzug der Seiltänzer und Gaukler (4. Satz). BEAU

Einspielungen (Auswahl)
- Lindsay String Quartet, 1982 (+ Quartette op. 59 Nr. 2 & 3); ASV
- Vermeer Quartett, 1988/89 (+ Quartette op. 59 Nr. 2 & 3); Teldec/Warner Classics
- Artemis Quartett, 2005 (+ Quartett op. 95 Nr. 11); Virgin

Streichquartett Nr. 8 e-Moll op. 59 Nr. 2

Sätze 1. Allegro, 2. Molto Adagio. Si tratta questo pezzo con molto di sentimento, 3. Allegretto – Maggiore. Thème russe, 4. Finale: Presto

Entstehung 1806
Verlag Bärenreiter
Spieldauer ca. 32 Minuten

Musik Das mittlere der drei Rasumowsky-Quartette steht in starkem Kontrast zum ersten. Die Form der Sätze erscheint konventioneller, gegenüber der Weiträumigkeit des F-Dur-Quartetts ist das e-Moll-Werk konzentrierter, gegenüber dem sinfonisch drängenden Gestus des Ersteren erscheint es kammermusikalisch-intimer. Dennoch walten strukturell ähnliche Prinzipien vor wie im F-Dur-Quartett.

Erster Satz Der Allegrosonatensatz mit vorgeschriebener Wiederholung der Exposition setzt mit zwei wuchtigen Akkordschlägen ein, denen nach einer Generalpause ein Hauptthema folgt, das sich aus zwei Kurzmotiven zusammensetzt, einem Dreiklangmotiv und abstürzenden Sechzehnteln. Das Dreiklangmotiv treibt die Entwicklung voran, weitere Motive lösen einander ab, nichts wird ausgebreitet, die Übergänge sind fließend. Auch das Seitenthema, im 6/8-Takt schwingend und von zwei Trillern gekennzeichnet, eilt vorüber. Ein Epilog aus rhythmisch markanten, sforzatigeschärften Akkorden und anschließender abgleitender Kurzmelodie beschließt die Exposition. Der wiederum mit Akkordschlägen beginnende Durchführungsteil ergreift zunächst das Hauptthema, zerfasert aber dann in reicher Modulatorik Motive und Motivteile fast bis zur Unkenntlichkeit. Die Reprise gibt sich regelhaft. Beethovens Vorschrift, auch Durchführung und Reprise zu wiederholen, wird nur selten befolgt.

Zweiter Satz Das ungemein ausdrucksstarke Molto Adagio, gleichfalls in Sonatenform gebaut, entwickelt sich aus zwei Themen, dem choralartigen, zweigliedrigen Hauptthema, mit dem der Satz anhebt, und einem marschartig punktierten Seitenthema. Das melodische Geschehen wird in expressiv verdichteter Polyfonie und strömendem Fluss entwickelt, die ineinandergreifende motivische Arbeit steht ganz im Dienst jenes »molto sentimento«, das Beethoven für diesen Satz verlangt. Kulminationspunkt dieser Verdichtungen ist der Durchführungsteil. In der Reprise werden die Themen auf weiten Strecken durch Nebenstimmen intensiviert.

Dritter Satz Kapriziös mit seinen synkopischen Tanzfloskeln gibt sich das fünfgliedrige e-Moll-Allegretto, ein Scherzo ohne diese ausdrückliche Bezeichnung. Das zweifach wiederkehrende Trio in E-Dur zitiert zu rollenden Triolen ein russisches Thema, das der heutige Hörer mit der Krönungsszene aus der Oper »Boris Godunow« von Modest Mussorgski verbindet, das aber hier nicht hymnisch, sondern spielerisch auftritt: eine Verbeugung des Komponisten vor dem russischen Auftraggeber.

Vierter Satz Das Finalrondo mit Sonateneinschlägen wird von einem mitreißenden, tänzerischen, sich temperamentvoll aufschwingenden Thema beherrscht, das sich über die weiteren Gedanken immer wieder selbstbewusst hinwegsetzt.

Wirkung Die Leipziger »Allgemeine Musikalische Zeitung« berichtete 1821 von einer hervorragenden Aufführung des Quartetts, wobei noch deutliche Vorbehalte gegenüber dem Werk selbst anklingen: »Wer diese Composition kennt, muss eine gute Meinung von einem Publikum bekommen, dem man wagt, so etwas bedeutendes, aber doch unpopulaires vorzutragen. Mit merkwürdiger Stille lauschte alles denen, oft etwas bizarren Tönen, was nur eine so gelungene Ausführung bewirken konnte.«

Arnold Schering interpretierte das Werk als »Roman-Quartett« über »Flegeljahre« von Jean Paul. Seine Inhaltsangaben zu den einzelnen Sätzen: Charakterbild des in Eifersucht entbrannten, leidenschaftlichen Vult (1. Satz), Charakterbild des träumerischen Bruders Walt (2. Satz), Maskenballszene: Tanz Winas und Walts (3. Satz), Fortsetzung der Maskenballszene: Tanz Winas mit Vult und dessen feuriges Liebesgeständnis (4. Satz). BEAU

Streichquartett Nr. 9 C-Dur op. 59 Nr. 3

Sätze 1. Introduzione: Andante con moto – Allegro vivace, 2. Andante con moto quasi Allegretto, 3. Menuetto: Grazioso, 4. Allegro molto
Entstehung 1806
Verlag Bärenreiter
Spieldauer ca. 30 Minuten

Musik Erster Satz Als einziges der drei Rasumowsky-Quartette beginnt das C-Dur-Quartett mit einer langsamen Einleitung, einem Akkordteppich, der sich statisch ausbreitet und mit seinen verminderten Septakkorden ein Spannungsfeld aufbaut. Aus diesem löst sich eine von punktierten Sekundschritten gekennzeichnete Violinkadenz, ehe in Takt 43 das eigentliche Hauptthema einsetzt: ein schwungvolles, mit der Violinkadenz verwandtes Gebilde, das sich in die höchsten Höhen der Violine hochschraubt. Ein Überleitungsmotiv führt zum Seitenthema, das in lebhaften Sechzehntelfiguren aufsteigt, von der ersten Violine angestimmt und imitatorisch von Bratsche und Cello aufgegriffen wird. Ein dritter Gedanke, in umgekehrter Reihenfolge vom Cello über Bratsche zur ersten Violine, gleichfalls imitatorisch geführt und anschließend in Sforzatiachteln hochsteigend, fungiert als Schlussgruppe. Aus diesen drei Elementen speist sich die Durchführung, die wiederum von Septakkorden und der nach Es-Dur transponierten Violinkadenz des Beginns eingeleitet wird. Die Reprise verläuft formal regelhaft, eine chromatisch aufsteigende Stretta beschließt den spielerisch-elegant ablaufenden Satz.

Zweiter Satz Das Andante in a-Moll kreist um eine elegisch dahinfließende Melodie, die russischer Herkunft sein könnte, von Pizzicati im Cellobass grundiert, die den Satz auch eröffnen. Ein zweiter Gedanke umkreist den Ton a. Das Ganze wird von einem balladesken Erzählton bestimmt. Aufhellung bringt das nach C-Dur gewendete zweite Thema, eine nach dem Wiederholungsprinzip gebaute, in staccatierten Sechzehnteln nebst anschließendem kurzem Vorschlag aufsteigende Weise. Auch dieser Satz enthält eine durchführungsartige Mittelpartie.

Dritter Satz Wie eine rückschauende Reminiszenz wirkt das graziöse Menuett. Das Trio beginnt mit einem fanfarenartigen Dreiklangthema im Staccato, die Grazie des Menuetts energisch unterbrechend. Eine Coda nimmt das Anfangsmotiv des Menuetts wieder auf, um es durch entfernte Tonarten zu modulieren. Die harmlose Menuettstimmung schlägt um, in jähem Auf- und Niederschwung staut sich die Bewegung auf einem Septimakkord, und »attacca subito« intoniert die Bratsche das Fugenthema des dahinrasenden Finales.

Der Violinvirtuose, Komponist und Dirigent Joseph Joachim (Zweiter von links) gründete 1869 in Berlin das Joachim-Quartett, das sich für seine Interpretationen der Wiener Klassik, insbesondere der späten Beethoven-Quartette, einen legendären Ruf erwarb (»Das Joachim-Quartett«, Radierung von Ferdinand Schmutzer, 1905).

Vierter Satz Dieses Allegro molto, dessen Bewegungsdynamik in der Quartettliteratur bis dato kein Gegenstück hatte, ist gleichzeitig Fugen- und Sonatensatz. Das Kurzmotiv des Themas mit seinen sequenzierenden Abwandlungen beherrscht den gesamten Satz, auch dort, wo das Fugato freieren Bildungen weicht und ein aus dem Fugenthema abgeleitetes Seitenthema – sich in mehreren Phasen hochschraubend – den Sonatencharakter durchscheinen lässt. Das Perpetuum mobile der Bewegung mündet in eine überschäumende Coda, in der die Stimmen über mehrere Oktaven auseinandergezogen sind und in Unisonodreiklangbrechungen abstürzend mit Fortissimoakkordschlägen enden.

Wirkung Während die »Allgemeine Musikalische Zeitung« in ihrer Kritik von 1807 die ersten beiden Quartette aus op. 59 als »tief gedacht und trefflich gearbeitet, aber nicht allgemeinfasslich« charakterisierte, nahm es das C-Dur-Quartett von diesem Urteil aus, »welches durch Eigenthümlichkeit, Melodie und harmonische Kraft jeden gebildeten Musikfreund gewinnen« müsse.

Arnold Schering sah die literarische Vorlage für das Quartett im »Don Quijote« von Miguel de Cervantes, aus dem er folgende Episoden wiedererkannte: Don Quijote sinnt über den Ritterbüchern (Introduzione), Ausritt aus La Mancha, fröhliche Gedanken über künftiges Heldentum, Besorgnis über den noch fehlenden Ritterschlag sowie Selbstgespräche bis zum Tagesende (1. Satz), Romanze des Antonio (2. Satz), galante Szene zwischen Jungfer Dorothea und Don Quijote, dessen ritterliches Versprechen, Aufbruch des Ritters (3. Satz), Auszug Don Quijotes, Kampf mit den Windmühlen, alsdann mit dem Biscayer, Sieg und Stolz Don Quijotes (4. Satz). Mancher Fernsehzuschauer von heute verbindet mit dem Werk allerdings eher die ZDF-Büchersendung »Das Literarische Quartett«, der der Anfang des letzten Satzes als Erkennungsmelodie diente. BEAU

Einspielungen (Auswahl)
- Op. 59 Nr. 1–3: Alban Berg Quartett, 1978/79; EMI

Streichquartett Nr. 10 Es-Dur op. 74

(»Harfenquartett«)

Sätze 1. Poco Adagio – Allegro, 2. Adagio, ma non troppo, 3. Presto, 4. Allegretto con variazioni
Entstehung Sommer und Herbst 1809
Verlag Bärenreiter
Spieldauer ca. 32 Minuten

Entstehung Das Es-Dur-Quartett, nach den harfenartigen Pizzicati im ersten Satz »Harfenquartett« genannt, steht neben weiteren bedeutenden Es-Dur-Werken von Beethoven jener Zeit, dem Klavierkonzert op. 73, dem Klaviertrio op. 70/3, der Klaviersonate op. 81a »Les Adieux«. Die Widmung ging an den Fürsten Franz Joseph von Lobkowitz. Offenbar wollte Beethoven mit dem Werk wieder eine Quartettgruppe eröffnen, jedoch blieb es bei dem einen Quartett.

Musik Erster Satz Das Streichquartett trägt einen freundlich-heiteren Charakter, was freilich schroffe Gegensätze und warme Expressivität im Adagio nicht ausschließt. Den ersten Satz eröffnet ein Poco Adagio, das durch motivische Umkehrung mit dem Hauptthema des Allegrohauptsatzes verwandt ist. In dieses Hauptthema trägt die zweite Violine gleich einen Kontrapunkt aus Achtelfiguren hinein. Die Bratsche übernimmt das Thema, dann beginnen die »Harfen«-Pizzicati, akkordisch von den freien Streichern begleitet. Seitengedanken und ein melodisches zweites Thema beschließen die konzentrierte Exposition. Die temperamentvoll gesteigerte Durchführung speist sich vorwiegend aus dem Hauptthema und den »Harfen«-Klängen. Der Reprise folgt eine umfangreiche Coda, in der zu wogenden Sechzehnteln der ersten Geige die Pizzicati eine beherrschende Rolle spielen.

Zweiter Satz Die weitgespannte Kantilene des Adagio tritt zunächst homofon-chorisch auf. Diesem As-Dur-Beginn folgt ein as-moll-Zwischensatz, der zur reich ornamentierten Wiederkehr der ausdrucksstarken Kantilene führt. Ein zweites Gesangsthema, von der Violine angestimmt, vom Cello übernommen, führt zur dritten, noch bewegteren Variante der Kantilene des Beginns, in die wiederum »Harfen«-Pizzicati hineintönen, ehe der Satz zart verklingt.

Dritter Satz Das c-Moll-Presto wird von dem gleichen, manisch wiederkehrenden rhythmischen Motiv geprägt, das der c-Moll-Sinfonie op. 67 zugrunde liegt. Der Prestissimomittelteil rast in ständigem Fortissimo mit auf- und abrollenden Vierteln vorüber. Er erscheint zweimal, sodass der Satz insgesamt eine fünfteilige Anlage hat.

Vierter Satz Eine Überleitung führt ohne Zäsur in das Variationenfinale, das eine schlichte Weise sechsmal figurativ abwandelt, wobei der freundliche, ausgeglichene Ausdruckscharakter des Themas beibehalten wird: nach dem Sturm des voraufgegangenen Presto ein beruhigter Ausklang.

Wirkung Das Es-Dur-Quartett wurde Ende 1810 von Breitkopf & Härtel veröffentlicht. Es fand im Gegensatz zu den Rasumowsky-Quartetten so große Zustimmung, dass bereits einen Monat später Artaria eine zweite Ausgabe herausbringen konnte. BEAU

Einspielungen (Auswahl)
- Végh-Quartett (+ Quartett op. 127), 1984; Auvidis Valois

Streichquartett Nr. 11 f-Moll op. 95

Sätze 1. Allegro con brio, 2. Allegretto, ma non troppo, 3. Allegro assai vivace, ma serioso, 4. Larghetto espressivo – Allegretto agitato
Entstehung Sommer 1810
Verlag Bärenreiter
Spieldauer ca. 20 Minuten

Entstehung »Quartetto serioso 1810 im Monath october Dem Herrn von Zmeskall gewidmet und geschrieben im Monath october von seinem Freunde LvBthvn«, schrieb Beethoven auf das Originalmanuskript des f-Moll-Quartetts. Nikolaus Zmeskall von Domanovecz, ein Cello spielender Freund Beethovens, war Mitwisser der unglücklichen Liebe des Komponisten zu der Arzttochter Therese Malfatti, die im Mai 1810 seinen Heiratsantrag abgewiesen hatte. Diese Affäre soll die Komposition des düster-dramatischen Streichquartetts ausgelöst haben.

Musik Erster Satz Das mit einer zornig auffahrenden, rollenden Sechzehntelfigur anhebende Allegro con brio ist einer der konzisesten Sonatensätze Beethovens. Die Fünftonfigur beherrscht den gesamten Satz, sie erscheint in allen Stimmen und gewinnt im Unisono ihre größte Kraft. Ein von der Bratsche intoniertes, vom Cello übernommenes, von der ersten Violine in hochschwingender Emphase kontrapunktiertes Des-Dur-Seitenthema bleibt kurze Episode und kann sich gegen die heftigen Attacken des Hauptmotivs nicht durchsetzen. Der Durchführungsteil wird ausschließlich vom Hauptmotiv bestimmt, nachdem auch eine im Oktavunisono der beiden Violinen auftretende Schlussgruppe keinen Boden gewinnt. Eine die Reprise erweiternde Coda beschließt den Satz in ermattetem Pianissimo.

Zweiter Satz Mit stockenden Bassschritten – eine Umkehrvariante des Hauptmottos – beginnt das Allegretto. Sie leiten eine innige Liedmelodie der ersten Violine ein. Bald wird dieser ein chromatisch schleichendes zweites Thema gegenübergestellt, das sich als Fugato entwickelt und später auch in der Umkehrung auftritt. Diese beiden Gedanken bestimmen den Satz, der mit einer zarten Coda schließt.

Dritter Satz Attacca subito leitet Beethoven in das unwirsche, fünfteilige Allegro assai über, das ein rhythmisch punktiertes Motto als beherrschende, den Satz vorantreibende Gestalt exponiert. Der heftige Ausdrucksgestus des Kopfsatzes wird erneut beherrschend. In den beiden Trioteilen ertönt ein choralartiges Thema, über dem die erste Violine Sechzehntelarabesken windet.

Vierter Satz Ein schwermütiges, kurzes Larghetto leitet das stürmische Finalerondo ein, das mit seinem hastig eilenden Thema schließlich zum befreienden F-Dur des Schlusses führt.

Wirkung Obgleich Ignaz Schuppanzigh und seine Quartettfreunde das Werk im Mai 1814 zum ersten Mal aufführten, erschien es erst zwei Jahre später im Druck. Hielt Beethoven es zurück, weil es ihn zu persönlich dünkte? BEAU

Einspielungen (Auswahl)
• Brandis Quartett, 1988 (+ Quartett op. 135); Harmonia Mundi
• Artemis Quartett, 2005 (+ Quartett op. 59 Nr. 1); Virgin

Streichquartett Nr. 12 Es-Dur op. 127

Sätze 1. Maestoso – Allegro, 2. Adagio, ma non troppo e molto cantabile, 3. Scherzando vivace, 4. Finale
Entstehung Mai 1824 bis Februar 1825
UA 6. März 1825 Wien
Verlag Peters
Spieldauer ca. 37 Minuten

Entstehung 1822 erbat Fürst Nikolaus Galitzin aus St. Petersburg von Beethoven die Komposition von ein bis drei Streichquartetten. Der Komponist nahm den Auftrag an und schrieb bis 1825 die Quartette Es-Dur op. 127, B-Dur op. 130 und a-Moll op. 132. Diese Werke eröffnen die Reihe der fünf letzten Quartette Beethovens, die den Spätstil des Komponisten zur letzten Ausprägung bringen und zugleich den Gipfel der Streichquartettgattung darstellen. In diesen Quartetten geht es nicht mehr um dialektische Auseinandersetzung, sondern um mediatives Entwickeln und Fortspinnen von Gedanken, wodurch auch das Formprinzip der Sonate verschleiert wird.

Musik Erster Satz Dem lieblich fließenden Hauptthema, das Beethoven »teneramente, sempre p(iano) e dolce« vorgetragen haben will, ist eine sechstaktige akkordische Maestosoeinleitung vorausgeschickt. Sie unterbricht im Folgenden, gekürzt, zweimal den Fluss der Musik. Einem zweiten, etwas energischeren Gedanken folgt das leicht elegisch gefärbte Seitenthema. Der Durchführungsteil, dem wiederum die Maestosoeinleitung vorausgeht, ist zweigeteilt. Zunächst werden die beiden ersten Takte des Hauptthemas durch alle Instrumente geführt, dann, nach letztem Eintreten der Maestosoakkorde, wird dieses Dreitonmotiv fantasievoll mit einer Floskel kombiniert, die durch einen kurzen Vorschlag gekennzeichnet ist. Der Repriseneintritt ist verschleiert. Der zweite, energische Ge-

Das Schuppanzigh-Quartett

Beethoven nannte ihn seiner enormen Leibesfülle wegen meist »Falstaff« oder »Mylord« (in Anlehnung an Lord Falstaff in der shakespeareschen Komödie), wusste aber die Künste seines Freundes durchaus zu schätzen. Denn Ignaz Schuppanzigh war nicht nur einer der besten Geiger seiner Zeit, sondern hat sich auch mit dem 1804 gegründeten, nach ihm selbst benannten Streichquartett einen großen Ruf erworben. 1808 betraute ihn der musikbegeisterte Graf Andrei Rasumowsky in Wien mit der Leitung seines Hausquartetts, das unter dem Namen Rasumowsky-Quartett mit Johann Sina (zweite Violine), Franz Weiß (Viola) und Josef Linke (Cello) spielte. Nachdem 1814 ein Feuer den Palast des Mäzens zerstört hatte, wurde das Ensemble pensioniert. Schuppanzigh setzte seine Streichquartettaktivitäten ab 1823 mit dem Geiger Carl Holz fort. Das Schuppanzigh-Quartett wurde laut Eduard Hanslick zum eigentlichen Beethoven-Quartett: »Er [Beethoven] konnte seine schwierigsten, letzten Quartette, die den Hörern und Spielern unserer Tage noch so vieles aufzulösen geben, mit Beruhigung Schuppanzigh anvertrauen.«

danke wird vom Cello eingeführt. Die breit angelegte Coda entwickelt sich aus dem Hauptthema. Der pastoral-gelöste Charakter des Satzes bleibt durchgehend erhalten.

Zweiter Satz Das ungemein ausdrucksvolle, verinnerlichte Adagio breitet ein in Sekundschritten auf- und abgleitendes gesangliches Thema aus, das dann fünfmal variiert wird, wobei sich die Konturen des Themas vermittels figurativer Umspielung mehr und mehr auflösen. Die As-Dur-Grundtonart wird mehrfach gewechselt. So pendelt die letzte Variation ständig zwischen As-Dur und E-Dur.

Dritter Satz Das Scherzo wird ganz von einem punktiert aufstrebenden und sofort in der Umkehrung beantworteten Motiv beherrscht, das allgegenwärtig das Geschehen vorantreibt. Es ist, wie das presto dahinjagende Thema des Trios, eine Variante der Adagiomelodie.

Vierter Satz Das Finale, ein freier Sonatensatz, entlässt aus einer viertaktigen energischen Einleitung ein bukolisches Hauptthema, dem ein marschartig bestimmtes Seitenthema gegenübergestellt wird. Die weitgespannte Coda schlägt plötzlich aus dem Zweiertakt in ein spielerisches 6/8 um, das mit einer Variante des Hauptthemas das Werk beschließt.

Wirkung Das Es-Dur-Quartett wurde nach der missglückten, weil vom Schuppanzigh-Quartett unzureichend vorbereiteten Uraufführung bereits bei der Wiederholung am 23. März 1825 positiv aufgenommen. Seltsamerweise stellten sich die Rezeptionsprobleme der letzten Beethoven-Quartette erst im späten 19. Jahrhundert ein, wo selbst Musiker von Rang wie Tschaikowski ihnen ablehnend gegenüberstanden.

BEAU

Einspielungen (Auswahl)
- Alban Berg Quartett, 1989 (+ Quartette op. 130, 131, 133 & 135); EMI
- Petersen Quartett, 2001/02 (+ Quartett op. 18 Nr. 3); Capriccio/Delta

Streichquartett Nr. 13 B-Dur op. 130

Große Fuge B-Dur op. 133

Sätze 1. Adagio, ma non troppo – Allegro, 2. Presto, 3. Andante con moto, ma non troppo, 4. Alla danza tedesca: Allegro assai, 5. Cavatina: Adagio molto espressivo, 6. Finale: Allegro (Quartett); Overtura: Allegro – Meno mosso e moderato – Allegro molto e con brio (Große Fuge)
Entstehung 1825/26
Verlag Bärenreiter
Spieldauer ca. 42 Minuten (Quartett), 16 Minuten (Große Fuge)

Entstehung Das B-Dur-Quartett ist Mittelpunkt der drei dem Fürsten Nikolaus von Galitzin in St. Petersburg gewidmeten Quartette. Die Große Fuge bildete ursprünglich den Finalsatz. Auf Bitten des Verlegers Matthias Artaria ersetzte Beethoven sie durch das heiter-beschwingte Finale, seine letzte vollendete Komposition, und gab die Fuge als selbstständiges op. 133 mit einer Widmung an Erzherzog Rudolph gesondert heraus.

Das 1970 gegründete Alban Berg Quartett versteht sich als Vermittler zwischen Wiener Klassik und Avantgarde. Die Einspielungen der mittleren und späten Streichquartette Beethovens, die das Ensemble in den 1970er- und 1980er-Jahren vorlegte, sind bis heute erste Wahl.

Musik Auffallend ist bereits die Sechssätzigkeit. Ein Grundmotiv, das zugleich die Fuge beherrscht, G-Gis-F-E, wird in mehreren Varianten zum tragenden Pfeiler des Werkes. Als quasi zyklischer Zusammenhang der drei Galitzin-Quartette eröffnet es auch das ein Jahr zuvor entstandene a-Moll-Quartett op. 132 und erscheint ebenso im cis-Moll-Quartett op. 131. Allerdings betrachtete Beethoven das Motiv nicht mehr als Keimzelle der Architektur. Über diese rein stoffliche, organisierende Funktion ist er, der in seinen letzten Quartetten ins Unendliche ausgriff, in den Jahren 1825/26 hinaus.

Der erste Satz entwickelt drei Themen, eine in Sechzehntelfigurationen dahinrollende Figur, die gleich von einem zweiten, fanfarenartigen Ruf kontrapunktiert wird, sowie ein elegisch-lyrisches Motiv. Die Bewegung wird jedoch mehrfach durch das einleitende Adagio unterbrochen und trägt nur noch umrisshaft Sonatencharakter. Das folgende Presto fungiert als Scherzo. Sein Schleuderthema wird mit einem ausgelassenen, von Vorschlägen und Sforzati vorangetriebenen Triothema konfrontiert. Von allen Formschemata befreit gibt sich das an dritter Stelle stehende Andante, das einen Grundgedanken, der zuerst in der Bratsche erscheint und schreitenden Scherzandocharakter trägt, zum Auslöser völlig freier, meditativer Fortspinnungen macht. Ein zweiter, tänzerischer Gedanke tritt hinzu. Der vierte Satz war zunächst für op. 132 gedacht, ein »deutscher Tanz«, dessen volkstümliches Thema am Ende lustig zerflattert. Die folgende Cavatine, ein innig strömender Gesang, gehört zu Beethovens ausdrucksstärksten Eingebungen, eine Musik aus höheren Sphären mit einem, so der Komponist, »beklemmten« Mittelteil, der sich jedoch wieder in das verinnerlichte Cantabile des Beginns verwandelt. Laut Auskunft seines Freundes Carl Holz betrachtete Beethoven diesen Satz als »Krone aller Quartettsätze und sein Lieblingsstück«: »Er hat sie wirklich unter Tränen der Wehmut komponiert und gestand mir, dass noch nie seine eigene Musik einen solchen Eindruck auf ihn hervorgebracht habe und dass selbst das Zurückempfinden dieses Stückes ihn immer neue Tränen koste.« Das nachkomponierte heitere Rondofinale lässt nur in seiner kunstvollen Faktur den spätesten Beethoven erkennen, ansonsten ist es von Lebensfreude bestimmt.

Die Große Fuge, in ihrer voluntaristischen Gewaltsamkeit den Quartettsatz klanglich aufbrechend, wandelt das Viertonmotiv G-Gis-F-E in drei Phasen frei fugiert um. »Ebenso frei wie kunstvoll« stellte Beethoven dem Werk als Motto voran: ein Spiel mit dem Chaos, das jedoch zugleich gebändigt erscheint durch die Bindung unter das Gesetz der Polyfonie. Der Schlussteil steigert sich ins Grandiose.

Wirkung Bei der Uraufführung durch das Schuppanzigh-Quartett am 21. März 1826 in Wien wurde das Quartett beifällig aufgenommen. Lediglich die als Finale fungierende Große Fuge erfuhr einhellige Ablehnung. So schrieb der Rezensent der »Allgemeinen Musikalischen Zeitung«: »Der erste, dritte und fünfte Satz sind ernst, düster, mystisch, wohl auch mitunter bizarr, schroff und capriciös; der zweite und vierte voll von Muthwillen, Frohsinn und Schalkhaftigkeit... Mit stürmischem Beyfall wurde die Wiederholung beyder Sätze verlangt. Aber den Sinn des fugirten Finale wagt Ref. nicht zu deuten: für ihn war es unverständlich, wie Chinesisch.« Beethoven entschloss sich deshalb zur Komposition eines neuen Schlusssatzes. In dieser Fassung wurde das Werk erstmalig am 22. April 1827 gespielt.   BEAU

Einspielungen (Auswahl)
• Alban Berg Quartett, 1982; EMI

Streichquartett Nr. 14 cis-Moll op. 131

Sätze 1. Adagio, ma non troppo e molto espressivo, 2. Allegro molto vivace, 3. Allegro moderato, 4. Andante, ma non troppo e molto cantabile, 5. Presto, 6. Adagio quasi un poco andante, 7. Allegro
Entstehung 1826
Verlag Bärenreiter
Spieldauer ca. 38 Minuten

Entstehung Dieses Streichquartett ist dem Baron Joseph von Stutterheim, einem mährischen Feldmarschall, gewidmet, gehört somit nicht zu den drei Galitzin-Quartetten. Durch Umbildungen des gemeinsamen Viertonmotivs ist es jedoch mit diesen verbunden und schließt damit den Kreis der drei großen Quartette, denen dieses Grundmotiv zugrunde liegt.

Musik Das cis-Moll-Quartett bricht noch radikaler als die voraufgegangenen Werke mit dem dialektisch-klassischen Sonatenprinzip. Sieben Sätze unterschiedlichen Umfangs gehen pausenlos ineinander über – die Abgrenzungen sind nur aus der Partitur ersichtlich. Von diesen Sätzen fungieren drei als kleinere Zwischenglieder, die übrigen vier bilden die Schwerpunkte des Werkes. Trotz dieser scheinbar formalen Lockerheit des Ganzen wirkt das Quartett keineswegs improvisatorisch, sondern wird zusammengehalten von einer geistig-übergreifenden, gewaltigen Dispositionskunst, wie sie nur dem späten Beethoven in diesem Ineinssetzen von Freiheit und Bindung eigen war.

Erster Satz Das Werk beginnt mit einem Fugato, dessen Thema aus dem Viertongrundmotiv gewonnen wurde. Richard Wagner, der das Quartett persönlich-romantisierend würdigte, bezeichnete den Satz als das »wohl Schwermütigste, was je in Tönen ausgesagt worden ist«. Die durch die verschiedensten harmonischen Gefilde führende polyfone Entwicklung klingt nach einer mächtigen Steigerung ruhig aus.

Zweiter Satz In beschwingtem 6/8-Takt eilt das Allegro mit seinem wiederum das Grundthema variierenden D-Dur-Hauptthema dahin. Der Satz ist in sehr freier Sonatenform gebaut, verzichtet jedoch auf ein ausgeprägtes Seitenthema.

Dritter und vierter Satz Das elftaktige Allegro moderato hat lediglich überleitende Funktion und wird bereits im sechsten Takt von einer Violinkadenz unterbrochen, die wiederum mit einer Variante des Grundmotivs anhebt. Geistiges Zentrum des Werks ist der große, an vierter Stelle stehende Variationensatz. Das ruhig schreitende, gesangvolle Thema wird siebenmal abgewandelt, wobei es die unterschiedlichsten Ausdrucksbereiche und Zeitmaße durchmisst. Der tiefgründige Satz bildet den Höhepunkt von Beethovens Kunst der Variation.

Fünfter Satz Das unmittelbar folgende Presto trägt mit seinen alla breve eilenden Vierteln Scherzocharakter. Es ist fünfteilig gebaut, das Trio mit seinen melodischen Aufschwüngen erscheint zweimal.

Sechster und siebter Satz Das Adagio hat wiederum nur episodisch-überleitende Funktion. Nach 28 Takten macht es dem Allegrofinale mit seinem energischen, fortissimo in Oktaven einbrechenden Hauptthema Platz, abermals einer Variante des Grundmotivs. Es entbindet eine marschartige Fortsetzung und ein hymnisch schwingendes weiteres Thema. Aus diesen drei Gedanken entwickelt sich der Satz mit stauenden Ritardandoeinschüben bis zum jubelnden Cis-Dur-Schluss.

Wirkung Laut Auskunft von Carl Holz betrachtete Beethoven selbst das cis-Moll-Quartett als sein bedeutendstes. Friedrich Rochlitz gab 1828 in der »Allgemeinen Musikalischen Zeitung« Verständnishilfen. Jenen, die »durch Musik sich nur amüsiren – einen angenehmen Zeitvertreib schaffen« wollten, empfahl er, »auf jene neuesten Werke Beethovens zu verzichten«. Den anderen riet er, »mit Sammlung und gutem Willen, möglichst ohne Vorurtheil..., mit bedeutenden, aber nicht falschen, und auch nicht allzusehr in's Allgemeine und Unbestimmte hinaus laufenden Erwartungen« zu kommen. Doch könne man bei einmaligem Hören nicht alles begreifen: »Dann lasse sie sich gefallen, dass bald fast nur ihr Denken, bald fast nur ihr Empfinden, bald nur zu unbestimmtem Spiele ihre Phantasie in Bewegung gesetzt wird; sie lasse sich's gefallen, ... bis sie mit dem Werke näher bekannt worden ist.« BEAU

Streichquartett Nr. 15 a-Moll op. 132

Sätze 1. Assai sostenuto – Allegro, 2. Allegro, ma non tanto, 3. Canzona di ringraziamento (Heiliger Dankgesang eines Genesenden an die Gottheit, in der lydischen Tonart): Molto Adagio, 4. Alla Marcia, assai vivace, 5. Allegro appassionato
Entstehung 1825
Verlag Bärenreiter
Spieldauer ca. 40 Minuten

Entstehung Das a-Moll-Quartett ist seiner zeitlichen Entstehung nach das zweite der drei für den Fürsten Nikolaus von Galitzin in St. Petersburg komponierten Quartette. Die Fertigstellung verzögerte sich durch eine ernstliche Erkrankung Beethovens im April 1825, die ihn mehrere Wochen an der Arbeit hinderte. Der künstlerische Reflex dieses Krankheitserlebnisses ist der dritte Satz, der »Heilige Dankgesang«, der jedoch nicht als Programmmusik verstanden werden will, sondern absolute Musik ist. Das Finale, ursprünglich in d-Moll, scheint für die 9. Sinfonie bestimmt gewesen zu sein, ehe Beethoven sich für das Chorfinale entschied.

Musik Erster Satz Der erste Satz beginnt mit einer langsamen Einleitung, die das Grundmotto kanonisch durch alle vier Stimmen führt. Auch das Hauptthema des Allegro leitet sich aus diesem Motiv ab. Der Satz ist in Sonatenform gebaut, aber das Hauptthema wird zum fast alleinigen Träger der weiteren Entwicklungen. Ein zuerst in der zweiten Geige auftauchendes melodisches Seitenthema bleibt Episode. Der Durchführungsteil ist konzentriert und beschränkt sich auf Verarbeitung des Hauptthemas und des Grundmotivs. Die breit angelegte Coda entwickelt sich aus dem sich in der ersten Violine ständig steigernden Hauptthema.

Zweiter Satz Das Allegro, ma non tanto, entfaltet sich aus zwei Motivgliedern: einer unisono viermal aufstrebenden Dreitongruppe und der Beantwortung durch ein kontrapunktisch dazugeführtes Kurzmotiv. Das Ganze wirkt seltsam gedämpft. Dazu kontrastiert das heitere Trio: eine hüpfende Tanzweise in der zweiten Violine zu dudelsackartiger Liegenote nebst einem in hoher Lage geführten Kontrapunkt, beides in der ersten Violine. Staccatierte Mittelstimmen unterstreichen den Ländlerton des Satzteiles, dem die Wiederholung des Scherzoteils folgt.

Dritter Satz Emotionales Zentrum des Werks ist der dreiteilige »Heilige Dankgesang«. Ein choralartiges Adagio von feierlicher, durch die Verwendung der lydischen Kirchentonart beinahe sakral klingender Verinnerlichung wird abgelöst von einem mit »Neue Kraft fühlend« überschriebenen Andante in D-Dur, das sich in reichen Figurationen ergeht. Eine Variante des »Chorals«, nun mit »molto Adagio« und »Mit innigster Empfindung« bezeichnet, den »Choral« figurativ intensivierend, beschließt den Satz in höchster Lage.

Vierter und fünfter Satz Der vierte Satz mit seinem markanten Marschthema leitet mit einer Prestokadenz der ersten Violine unmittelbar zum Rondofinale über, dessen hymnisch schwingendes Hauptthema mit drängendem Appassionatacharakter den »Ton« des Satzes bestimmt, der auch von mehreren Zwischengliedern nicht in seinem vorantreibenden Gestus gehemmt wird. Nach großartigen Entwicklungen mündet der Satz »immer geschwinder« in eine glanzvolle, ausgedehnte Prestocoda.

Wirkung Die Uraufführung des a-Moll-Quartetts fand am 6. November 1825 durch das Schuppanzigh-Quartett in Wien statt (ihr waren zwei Probeaufführungen am 9. und 11. September im Wiener Gasthaus »Zum Wilden Mann« vorausgegangen). Zusammen mit dem Quartett stand das Klaviertrio B-Dur op. 97 auf dem Programm.

Der Rezensent der »Allgemeinen Musikalischen Zeitung« kam zu folgendem Urteil: »Was unser musikalischer Jean Paul hier gegeben hat, ist abermals gross, herrlich, ungewöhnlich, überraschend und originell, muss aber nicht nur öfters gehört, sondern ganz eigentlich studirt werden. Offenbar ward durch das vorhergehende Trio, welches mit seiner naiven Natürlichkeit, mit dem reizenden Colorit, den lieblichen Melodien, der pikanten Würze, alle Anwesenden bezauberte, die rege Empfänglichkeit für das Nachfolgende beeinträchtigt. Der vorherrschende düstere Charakter des Ganzen, eine, bey der mannigfaltigsten Ausarbeitung nicht zu beseitigende Einförmigkeit in dem sehr langen Adagio, welches mit seinem fremdartigen H in der F Scala dem Componisten im Fortschreiten fühlbare Fesseln anlegte, freylich aber auch die unerträgliche Hitze in dem niedrigen, gedrängt vollen Saale, nebst einigen Nebenumständen mochten die Ursache seyn, wesshalb dieses jüngste Geisteskind des unerschöpflich fruchtbaren Meisters nicht jene allgemeine Sensation machte, welche mehre Auserwählte, die früheren Aufführungen in geschlossenen Familienzirkeln beygewohnt hatten, vorher verkündeten.« Erst nach Beethovens Tod erschien das Werk im Verlag Schlesinger. BEAU

Streichquartett Nr. 16 F-Dur op. 135

Sätze 1. Allegretto, 2. Vivace, 3. Lento assai e cantante tranquillo, 4. Der schwer gefasste Entschluss: Grave, ma non troppo tratto – Allegro
Entstehung Sommer 1826
Verlag Bärenreiter
Spieldauer ca. 25 Minuten

Entstehung Nach den weitdimensionierten Quartetten op. 130, 131 und 132 kehrte Beethoven in seinem letzten Quartett, das zugleich seine letzte abgeschlossene Arbeit sein sollte, zur traditionellen Viersätzigkeit zurück. Ursprünglich war das Stück sogar nur dreisätzig geplant. Über das Motto »muss es sein? Es muss sein! Es muss sein!«, das Beethoven dem Finale voranstellte, ist viel gerätselt worden. Wie Anton Schindler berichtet, taucht es in einem der Konversationshefte des Jahres 1826 auf, wo es sich auf eine Haushaltsgeldforderung von Beethovens alter Haushälterin bezieht. Auch andere Quellen werden genannt.

Musik Erster Satz In Sonatenform hebt er mit einem Motto in der Bratsche an, das von den übrigen Stimmen aufgegriffen wird und sich zum eigentlichen Hauptthema weitet. Ein Unisonoübergang leitet weitere motivische Gebilde ein. Charakteristisch für den gesamten, schwerelos-spielerischen Satz ist die »durchbrochene Arbeit«, das wie ein Ballspiel anmutende Hin und Her des Einanderzuwerfens von Motivteilen und -floskeln durch die vier Stimmen. Ein aufsteigendes Seitenthema, zuerst in der ersten Violine erscheinend, dann vom Bass beantwortet, hat nur episodische Bedeutung. Auch der Durchführungsteil verzichtet auf dramatische Spannungen. Mit einer aus dem Hauptthema gewonnenen Floskel klingt der Satz unisono aus.

Zweiter Satz Noch schwereloser als der Kopfsatz erscheint das Scherzo, ein unentwegtes Spiel mit verschobenen Rhythmen, das sich kaum thematisch verfestigt, sondern wie ein Elfenspuk dahineilt. Mendelssohn dürfte es nicht unbeeinflusst gelassen haben. Der trioartige Mittelteil, in dem eine Drehfigur eine wichtige Rolle spielt, nimmt schließlich rustikale Züge an: Über dem heftigen Drehostinato der drei Stim-

Das Streichquartett Nr. 16 op. 135 war das letzte Werk, das Beethoven abschloss, bevor er am 26. März 1827 in Wien starb. Von der Verehrung, die er damals bereits genoss, zeugte der von Tausenden begleitete Leichenzug (»Beethovens Leichenbegängnis«, aquarellierte Federzeichnung von Franz Stöber, 1827).

men ergeht sich in höchster Lage die erste Violine in lustigen Sprüngen und Kapriolen.

Dritter Satz Ein inniger, melodisch-strömender Gesang von jener entrückten Schönheit, wie sie für den spätesten Beethoven prägend ist, bestimmt in drei Variationen das Des-Dur-Lentos. In der dritten Variation stimmt das Cello das Thema an, die vierte löst es in ausdrucksvolle Figurationen auf.

Vierter Satz Über das Finale »Der schwer gefasste Entschluss« setzte Beethoven das musikalische Motto G-E-As: »muss es sein?« und seine zweifache Beantwortung A-C-G und G-B-F: »Es muss sein! Es muss sein!« Die Graveeinleitung exponiert in den Unterstimmen nur die Frage. Dann setzt das Sonatenallegro mit dem Motto der Antwort ein, aus dem sich das auf- und abgleitende Hauptthema entwickelt. Ein Seitenthema, zuerst im Bass aufsteigend, dann von der ersten Violine übernommen, bildet keinen Kontrast zu dem Musizierfluss des Ganzen. Vor Eintritt der Reprise unterbricht noch einmal die Graveeinleitung mit dem Fragemotto diesen Fluss, dann eilt der Satz mit dem unentwegt in-tonierten Antwortmotto seinem heiteren Ende entgegen.

Wirkung Beethovens letztes Streichquartett wurde am 23. März 1828 in einem von dem Cellisten Josef Linke veranstalteten Gedächtniskonzert für den ein Jahr zuvor verstorbenen Komponisten im Wiener Musikvereinssaal uraufgeführt. Ein Jahr später bekannte Adolf Bernhard Marx in der Berliner »Allgemeinen Musikalischen Zeitung«: »Die neuesten Quartette Beethovens, und namentlich das hier genannte, sind jetzt die wichtigste, aber zugleich schwierigste Aufgabe für alle guten Quartettvereine. Immer mehr verhallen die Stoß-Seufzer und das Murren der Wenigen, die Beethoven nicht einmal verstehen wollen, unter den Ausrufen der allgemeinen Bewunderung und es ist interessant, zu vernehmen, wie sogar das Pariser Publikum mit Verehrung und bewunderndem Antheil sich dem tiefsinnigsten deutschen Tondichter zuwendet – natürlich mit ungleich mehr Emphase und Eclat sein Interesse kund gebend, als der mehr in sich gekehrte Deutsche.« BEAU

Einspielungen (Auswahl)
• Alban Berg Quartett (+ Quartette op. 127, 130–133), 1982/83; EMI
• Petersen Quartett, 2000 (+ Quartette op. 18 Nr. 2 & 6); Capriccio/EMI

Klavierquartette

Klavierquartett Es-Dur WoO 36 Nr. 1

Sätze 1. Adagio assai, attacca: 2. Allegro con spirito, 3. Thema: Cantabile – Variazioni I–VI – Thema: Allegretto
Entstehung 1785
Verlag Henle
Spieldauer ca. 23 Minuten

Klavierquartett D-Dur WoO 36 Nr. 2

Sätze 1. Allegro moderato, 2. Andante con moto, 3. Rondo: Allegro
Entstehung 1785
Verlag Henle
Spieldauer ca. 20 Minuten

Klavierquartett C-Dur WoO 36 Nr. 3

Sätze 1. Allegro vivace, 2. Adagio con espressione, 3. Rondo: Allegro
Entstehung 1785
Verlag Henle
Spieldauer ca. 16 Minuten

Entstehung Beethovens drei Klavierquartette sind Arbeiten des 15-jährigen Schülers von Christian Gottlieb Neefe (1748–1798), der als Organist am kurfürstlichen Hof in Bonn wirkte. Sie entstanden 1785, wurden aber damals nicht veröffentlicht. Seit dem Amtsantritt des 1784 von Wien nach Bonn übergesiedelten Kurfürsten Maximilian Franz, der Mozart sehr schätzte, wurden Mozarts Werke auch in Bonn zunehmend bekannt. Ihre Kenntnis schlägt sich in den Klavierquartetten des jungen Beethoven nieder. Dieser nahm, als er Ende 1792 endgül-

tig nach Wien zog, die Manuskripte der Quartette mit. Nach seinem Tod wurden sie im Nachlass gefunden und Ende 1828 vom Verleger Artaria veröffentlicht. Es gab damals Stimmen, die die Autorschaft Beethovens anzweifelten. Heute gibt es an dieser jedoch keinen Zweifel mehr. Artaria publizierte die Quartette in der Reihenfolge Es-Dur, D-Dur und C-Dur, obgleich sich diese nicht mit der zeitlichen Folge der Entstehung deckt.

Musik Das Es-Dur-Quartett wird von einem subtil gearbeiteten Adagio assai eingeleitet, dem ein temperamentvoller Sonatenhauptsatz (Allegro con spirito) in es-Moll folgt. Dieser hebt mit einem sich energisch hochschraubenden Thema an, das nach einem Unisono in den Bass wechselt. Ihm wird ein lyrisches zweites Thema gegenübergestellt. Der Durchführungsteil ist konzentriert, zeichnet sich aber durch gekonnte thematische Arbeit aus. Ein gesangliches Thema bildet die Grundlage für das Variationenfinale, in dessen sechs Variationen die Instrumente nacheinander die Führung übernehmen. Eine Coda mit leicht abgeändertem Thema beschließt allegretto das Stück. Als Vorbild für dieses Klavierquartett wurde Mozarts G-Dur-Sonate KV 379 für Klavier und Violine nachgewiesen.

Das D-Dur-Quartett, obgleich als Letztes komponiert, wirkt weniger originell. So zieht Beethoven aus dem energischen Thema, mit dem der erste Satz (Allegro moderato) beginnt, keine motivischen Konsequenzen. Auch das folgende Andante con moto erscheint konventionell und wenig profiliert in seinen melodischen Floskeln. Einzig das Allegrorondo mit seinem hübschen Tanzthema erfreut durch seinen Schwung.

Das C-Dur-Quartett scheint Beethoven am meisten geschätzt zu haben, entnahm er ihm doch zwei Themen für seine Klaviersonaten: Das Seitenthema des Kopfsatzes, Allegro vivace, erscheint wörtlich im Kopfsatz von op. 2/3, das weit gespannte Thema des Adagio con espressione findet sich wieder im Adagio von op. 2/1. Die beiden Ecksätze des Klavierquartetts tragen spielerischen Charakter. Das gilt vor allem für das Rondo-Allegro-Finale. Hier sind die engen Verbindungen des Genres zur traditionellen Gesellschaftsmusik deutlich spürbar. Wandte sich Beethoven deshalb der Gattung des Klavierquartetts zugunsten des Klaviertrios ab, mit dessen erster Folge er als op. 1 im Jahr 1800 die Reihe seiner Meisterwerke eröffnete? BEAU

Einspielungen (Auswahl)
• Anthony Goldstone (Klavier), Cummings Trio, 1986; Meridian

Quintette

Streichquintett C-Dur op. 29

Sätze 1. Allegro moderato, 2. Adagio molto espressivo, 3. Scherzo (Allegro), 4. Presto
Entstehung März–November 1801
Verlag Henle
Spieldauer ca. 30 Minuten

Entstehung Das Streichquintett op. 29 entstand auf Bestellung des Grafen Moritz von Fries, dem Beethoven das Werk auch widmete. Es blieb innerhalb seines Œuvres die einzige vollendete Originalkomposition für die Streichquintettbesetzung, denn die anderen sind Bearbeitungen (op. 4 und op. 104) oder blieben Fragmente.

Musik Das Streichquintett knüpft an die kurz zuvor entstandenen Streichquartette op. 18 an und ist aber gerade in seiner »präromantischen« Klanggestaltung zu diesem frühen Zeitpunkt neu und einzigartig.

Erster Satz Beethoven ging es hier weniger um eine bis in kleinste Zellen vorangetriebene motivisch-thematische Arbeit als vielmehr um einen durch expressive Harmonik und demgegenüber einfach strukturierte Themen erzielten besonderen »Klang«. Von der Haupttonart C-Dur wird bald in terzverwandte Harmonien ausgewichen – das Hauptthema erklingt nach einem Zwischengedanken in E-Dur, das Seitenthema in A-Dur – oder es wird über weite Strecken von einem harmonischen Zentrum zum nächsten moduliert. Während Haupt- und Seitenthema in Melodik und Rhythmik eher fließend gestaltet sind, fungiert das Zwischenthema als eigentlicher Kontrastgedanke: auftaktige Triolen in beinahe »hüpfender« Artikulation. So geht es in der Durchführung dann auch

um die Annäherung von Haupt- und Zwischenthema, während das Seitenthema erst in der Reprise wieder erklingt.

Zweiter Satz Das zweiteilige Adagio ist bei aller Sanglichkeit durchsetzt von einer dynamischen Binnenarchitektur, die auf ausdrucksvolle Kontrastwirkung zielt.

Dritter Satz Hier spielt Beethoven sehr pointiert mit der Kombination von menuettartigen Momenten und deren scherzoser Überzeichnung: vorwärtstreibende Motorik und metrisches Raffinement im 3/4-Takt.

Vierter Satz Das ungewöhnliche, fantasieartige Finale beginnt mit zwei Themen, die eigentlich keine sind: Das erste besteht aus einem ständigen Auf und Ab über vibrierendem Hintergrund, und das zweite fließt in bewegtem Motivwechsel der einzelnen Stimmen voran. Mitten in der scheinbar unaufhaltsamen Bewegung kontrapunktischer Verflechtungen bricht der Satz zweimal ab: Eine Episode (Andante con moto e scherzoso) ergreift spielerisch und rezitativisch zugleich das Wort. Auf effektvollere Weise kann das dahinstürmende Finale wohl kaum vorübergehend gebremst werden.

Wirkung Erst in jüngster Zeit besinnt man sich wieder darauf, dass sich das Streichquintett einst großer Popularität erfreute. Bereits im Jahr 1828 schrieb ein Rezensent, dass er »eben dieses Quintett« für das »geistreichste und künstlerisch gereifteste unseres großen Meisters, zugleich eins seiner einfachsten und darum schon jetzt allgemein beliebten Werke« halte! HAR

Einspielungen (Auswahl)
• Hausmusik, 1992 (+ Septett op. 20); EMI

Quintett für Klavier und Bläser Es-Dur op. 16

Sätze 1. Grave – Allegro, ma non troppo, 2. Andante cantabile, 3. Rondo: Allegro, ma non troppo
Entstehung 1796
UA 6. April 1797 Wien
Verlag Henle
Spieldauer ca. 25 Minuten

Entstehung Beethoven schrieb das Quintett, das er dem Fürsten Joseph zu Schwarzenberg widmete, für seine eigenen Wiener Konzerte. Daraus erklärt sich das Übergewicht des Klavierparts, der ausgreifend und konzertant gehalten ist, gegenüber den Bläsern. Während hier bereits Beethovens neuer Klavierstil zum Ausdruck kommt, verharren die vier Bläser weitgehend im konventionellen Serenadenton, den der junge Komponist aus seiner Bonner Zeit nach Wien mitbrachte. In diesem Nebeneinander liegt jedoch der große Reiz des Stücks.

Musik Erster Satz Den ersten Satz beginnt ein Grave mit akzentuierten Dreiklangbrechungen. Das Klavier entfaltet sich gleich solo und übernimmt, zwischen Pathos und Virtuosität schwankend, die Führung. Ein weitbogig geschwungenes, mehrgliedriges mit seinem auftaktigen Sexten- und Oktavaufschwung konzertant ausgreifendes Hauptthema eröffnet, vom Klavier solo intoniert, den Allegrohauptsatz. Es wird von der Klarinette aufgegriffen. Die Bläser intonieren nacheinander eine Variante des Themas, die sodann vom Klavier in Oktaven und virtuosen Oktavpassagen übernommen wird. Das wiederum vom Klavier solo angestimmte melodisch gleitende Seitenthema wird von den Bläsern beantwortet. In kraftvollem B-Dur klingt die Exposition aus.

Mit oktaviert hochrollenden Klaviertriolen und heftigen Sforzati hebt der Durchführungsteil an. Ein aus dem Hauptthema gewonnenes auftaktig absteigendes Motiv wird von den Bläsern imitatorisch zu rollenden Klaviertriolen durchgeführt. Nach dem Vorbild Joseph Haydns setzt das Klavier solo zu einer Scheinreprise an, der erst nach langen Haltetönen der Bläser und einem fortissimo chromatisch hochschießenden Klavierlauf die eigentliche Reprise folgt. Die Coda wird mit einem aus dem Hauptthema entnommenen Kurzmotiv kraftvoll abgeschlossen. Der Satz hat großzügig-konzertanten Zuschnitt.

Zweiter Satz Das im 2/4-Takt ruhig einherschreitende Andante wird im Wesentlichen von der Gesangsmelodie getragen, die das Klavier gleich zu Beginn anstimmt. Der schwärmerische Ton entfaltet sich nicht nur im kantablen Bläsersatz, sondern auch in dem bewegten, sich in Zweiunddreißigstelpassagen ergehenden, »wogenden« Klavierpart. Die Dominanz des Klaviers ist hier noch entschiedener als im Kopfsatz.

Dritter Satz In heiterem 6/8-Takt intoniert das Klavier das Hauptthema des Finalrondos; die Klarinette greift es auf. Weitere Themen treten nacheinander hinzu. Das muntere Spiel wird wiederum vom brillanten Klavierpart dominiert, jedoch tragen auch die Bläser in thematisch-motivischem Wechselspiel zum konzertanten Brio bei.

Wirkung Das Quintett hatte gleich bei seiner Uraufführung bei einer von dem Geiger Ignaz Schuppanzigh am 6. April 1797 in Wien veranstalteten Akademie größten Erfolg. Beethoven bearbeitete es nachträglich zu einem Klavierquartett mit Streichern. In dieser Fassung wurde es noch populärer.

Wie sehr Beethoven das Quintett als Kammerkonzert für Klavier und begleitende Bläser ansah, dokumentiert ein Konzertbericht von Ferdinand Ries vom Dezember 1804: »Im letzten Allegro ist einigemal ein Halt, ehe das Thema wieder anfängt; bei einem derselben fing Beethoven auf einmal an zu phantasiren, nahm das Rondo als Thema und unterhielt sich und die andern eine geraume Zeit, was jedoch bei den Begleitenden nicht der Fall war. Diese waren ungehalten und Herr Ramm sogar sehr aufgebracht. Wirklich sah es posirlich aus, wenn diese Herren, die jeden Augenblick warteten, dass wieder angefangen werde, die Instrumente unaufhörlich an den Mund setzten und dann ganz ruhig wieder abnahmen. Endlich war Beethoven befriedigt und fiel wieder in's Rondo ein. Die ganze Gesellschaft war entzückt.« BEAU

Einspielungen (Auswahl)
- Heinz Holliger (Oboe), Eduard Brunner (Klarinette), Hermann Baumann (Horn), Klaus Thunemann (Fagott), Alfred Brendel (Klavier), 1986 (+ Mozart, Quintett KV 452); Philips
- Klavierquartettfassung: Isaac Stern (Violine), Jaime Laredo (Viola), Yo-Yo Ma (Violoncello), Emanual Ax (Klavier), 1992 (+ Schumann, Klavierquartett op. 47); Sony Classical

Werke für größere Besetzungen

Sextett für zwei Klarinetten, zwei Fagotte und zwei Hörner Es-Dur op. 71

Sätze 1. Adagio – Allegro, 2. Adagio, 3. Menuetto quasi allegretto, 4. Rondo (Allegro)
Entstehung 1796 (eventuell früher)
UA April 1805 Wien (öffentliche Erstaufführung)
Verlag Peters
Spieldauer ca. 20 Minuten

Entstehung Beethoven komponierte das Bläsersextett op. 71 – die hohe Opuszahl wurde nachträglich angefügt – spätestens im Jahr 1796. Genauere Hinweise zur Entstehung sind nicht überliefert, doch wird angenommen, dass die ersten beiden Sätze möglicherweise früher geschrieben wurden.

Musik Das Bläsersextett gehört mit seiner paarweisen Besetzung von Klarinetten, Fagotten und Hörnern in die Kategorie der »Harmoniemusik«, die ein wichtiger Bestandteil der Gesellschaftsmusik des ausgehenden 18. Jahrhunderts war. Nicht nur beliebte Arien oder Ensemblestücke aus Opern wurden in großer Zahl für diese Instrumente bearbeitet, sondern es entstanden viele Divertimenti und insbesondere Serenaden (Mozart!) als Originalwerke im Sinne einer gehobenen Unterhaltungsmusik. Vor diesem Gattungshintergrund ist auch Beethovens Bläsersextett zu sehen, doch hatte es sich der in Wien mehr und mehr an Ansehen gewinnende Komponist offenbar zur Aufgabe gemacht, die einfach gehaltene Themenstruktur eines Divertimentos mit größtmöglicher Ausdrucksvielfalt in Einklang zu bringen. Schon mit der eher für Sonaten typischen Viersätzigkeit und einer langsamen Einleitung zum ersten Satz deutet Beethoven auf den gehobeneren Anspruch seiner Harmoniemusikkomposition hin.

Erster Satz Mit einem ausgeprägten Themendualismus, einer Durchführung und variierten Reprise ist der Kopfsatz an der Sonatenform orientiert. Kleine, prägnante Motive bereichern die Gestaltung der Themenkomplexe und bewirken so einen abwechslungsreichen Verlauf.

Zweiter Satz Dem Adagio haftet jene kantabel-spannungsvolle Ausdruckskraft an, die in langsamen Sätzen späterer Werke Beethovens immer wieder zu finden ist. Hier tritt das erste Fagott zunächst solistisch hervor, um mit den beiden Klarinetten im weiteren Verlauf einen lebhaften und »weitschweifenden« Dialog zu führen.

Dritter Satz Als Antwort auf die untergeordnete Rolle der Hörner im vorangegangenen Satz setzen sie im Menuett federführend ein. Hier nun lotet Beethoven raffiniert die Grenzen des Menuetts aus und steigert dieses tanzsatz-»feindliche« Prinzip noch im Triomittelteil durch kanonische Einsätze und metrische Unregelmäßigkeiten.

Vierter Satz Ein Rondo mit vier Refrains und drei dazwischenliegenden Couplets schließt die Komposition spielerisch ab. Hier treten nochmals alle sechs Instrumente in sowohl dialogisierenden Passagen als auch in akkordischen Klangballungen wie beim Rondothema zusammen. Mit dem punktierten Motiv des Letzteren knüpft Beethoven zirkelartig an den Fanfarenduktus der langsamen Einleitung (Kopfsatz) an.

Wirkung Da es sich bei dem Bläsersextett um ein Werk handelt, das in der großen Familie der Gesellschaftsmusik um 1800 aufgeht und eher zu Unterhaltungszwecken gespielt wurde, gibt es keine Rezeptionszeugnisse. Heute zählt es zum festen Repertoire in den wiederauflebenden sommerlichen Serenadenkonzerten. HAR

Einspielungen (Auswahl)
- Mozzafiato, Charles Neidich (Klarinette), 1992/93 (+ Marsch WoO 29, Oktett op. 103, Rondino WoO 25, Duette WoO 27 Nr. 1); Sony Classical

Septett für Streicher und Bläser Es-Dur op. 20

Besetzung Violine, Viola, Violoncello, Kontrabass, Klarinette, Horn und Fagott
Sätze 1. Adagio – Allegro con brio, 2. Adagio cantabile, 3. Tempo di Menuetto, 4. Tema con variazioni: Andante, 5. Scherzo: Allegro molto e vivace, 6. Andante con moto alla Marcia – Presto
Entstehung 1799/1800
UA 2. April 1800 Wien
Verlag Peters
Spieldauer ca. 35 Minuten

Entstehung Mit dem der Kaiserin Maria Theresia gewidmeten Septett verabschiedete sich Beethoven von der Bläserkammermusik, jener traditionell-gesellschaftlich geprägten Musiziergattung, die ihn in seinen ersten Wiener Jahren mehrfach beschäftigt hatte. Das Stück steht zwar in der Tradition der Bläserserenade, wie sie Mozart meisterhaft ausgeprägt hatte, geht in seinen Ecksätzen jedoch durch seine eigentümliche, im obligaten Accompagnement streng gearbeitete polyfone Setzweise darüber hinaus.

Musik Erster Satz Ein Adagio von 18 Takten, in dem die Violine mehrfach kadenzierend den Bläsersatz dominiert, eröffnet den ersten Satz. Dann intoniert die Violine das muntere Hauptthema des Allegrohauptsatzes, das gleich von der Klarinette aufgegriffen wird. Hier, wo der Pianist Beethoven nicht mitwirkt, sind alle Instrumente gleichberechtigt am musikalischen Geschehen beteiligt. Das Seitenthema erscheint zunächst im dreistimmigen Streichersatz, wird dann von den Bläsern weitergeführt. Unter den Streichern bleibt die Violine bis zum energischen Schluss der Exposition führend. Das auftaktige Anfangsmotiv des Hauptthemas prägt den kurzen Durchführungsteil. Die Reprise bringt neue Varianten, verläuft aber im Ganzen regelhaft.

Zweiter Satz Das folgende Adagio cantabile in fließendem 9/8-Takt erfährt seine schwärmerische Prägung durch den von der Klarinette angestimmten As-Dur-Gesang. Die Violine führt ihn fort, auch das Fagott darf cantabile und dolce einstimmen. Die gesamte weitere Entwicklung steht im Zeichen der Entfaltung und Va-

Was ist ein Septett?

Der Begriff Septett bezeichnet ein Ensemble aus sieben Instrumentalsolisten oder Sängern bzw. für die von ihnen auszuführende Komposition. Das Instrumentalseptett ist in der Regel aus Streich- und Blasinstrumenten zusammengesetzt, oft auch mit Klavier. Als Vorbild gilt Beethovens Septett für Streicher und Bläser Es-Dur op. 20 (1799/1800), das der Komponist mit Violine, Viola, Klarinette, Horn, Fagott, Violoncello und Kontrabass besetzte. Ein reines Bläserseptett schrieb Paul Hindemith (1948), ein reines Streichseptett Darius Milhaud (1964). Vokalseptette finden sich u. a. als Aktfinali in Opern (z. B. bei Mozart, ›Le nozze di Figaro‹, 1786).

riierung der aus diesem Gesang gewonnenen expressiven Gestalten: eine Musik von strömender Schönheit, die an ein Notturno gemahnt und schließlich pianissimo ausklingt.

Dritter und vierter Satz Dem wiegenden Menuett folgt als Zentrum des Septetts ein Variationensatz, der Beethovens Kunst der Variation bereits zu diesem Zeitpunkt ausprägt. Das von der Violine, assistiert von der Bratsche, angestimmte, dann in vollem Satz zu Ende geführte zweigliedrige Thema wurde zu Beethovens Zeit als rheinisches Schifferlied ausgegeben. Es wird fünfmal variiert, wobei trotz scheinbaren Festhaltens an der traditionellen figurativen Variationstechnik jede der Veränderungen eine aus dem Thema entwickelte neue geschlossene Gestalt annimmt. Mit einer Coda scheint der Satz ersterbend auszuklingen, aber zwei Fortissimoakkorde betonen dann doch das Gewicht straffer formaler Abrundung.

Fünfter Satz Das Horn eröffnet mit seinem Dreiklangsignal das Scherzo. Eine Cellomelodie gibt dem Trio kantable Züge.

Sechster Satz Das Finale schlägt nach einer Marscheinleitung in ein heiter dahinrollendes Rondopresto um, dessen serenadenhaft lockere Fügung bereits durch das eilig trällernde Hauptthema festgelegt wird.

Wirkung Das am 2. April 1800 im Wiener Hofburgtheater zusammen mit der 1. Sinfonie zum ersten Mal öffentlich aufgeführte Septett erfreute sich bald derartiger Beliebtheit, dass Beethoven sich später fast von seinem Werk distanzierte. Es erfuhr zahlreiche Übertragungen für andere Instrumente und begründete eine neue Gattung der Kammermusik für Bläser und Streicher, als deren berühmtestes Beispiel Franz Schuberts Oktett F-Dur (D 803) anzusehen ist. BEAU

Einspielungen (Auswahl)
• Hausmusik, 1992 (+ Streichquintett op. 29); EMI

Oktett für zwei Oboen, zwei Klarinetten, zwei Hörner und zwei Fagotte Es-Dur op. 103

Sätze 1. Allegro, 2. Andante, 3. Menuetto, 4. Finale: Presto
Entstehung 1792
Verlag Breitkopf & Härtel
Spieldauer ca. 20 Minuten

Entstehung Das Oktett, von Beethoven Partita genannt, wurde mit ziemlicher Sicherheit

Beethoven bewunderte Mozart und wählte für sein Bläseroktett die Tafelmusik aus dessen Oper »Don Giovanni« als Vorbild (»Don Giovanni und die Statue des Komturs«, Gemälde von Alexandre-Évariste Fragonard, 1830).

bereits 1792 als Unterhaltungsmusik für den in Bonn residierenden Kurfürsten von Köln, den österreichischen Erzherzog Maximilian Franz, komponiert.

Musik Vorbild für das Bläseroktett des jungen Beethoven war die Tafelmusik in der letzten Szene von Mozarts »Don Giovanni«, die die gleiche Besetzung aufweist. Auffallend ist die Sicherheit, mit der der 22-Jährige den Bläsersatz handhabt. Sie setzt Erfahrung mit dem Umgang höfischer Bläsermusik voraus.

Erster Satz Dominierend im Kopfsatz ist das nach dem Tuttibeginn von der ersten Oboe intonierte Sekundmotiv, das auch im Durchführungsteil des in Sonatensatzform geschriebenen Allegros die entscheidende Rolle spielt. Ein absteigender gesanglicher Seitengedanke bildet Kontrast und scheint sich in der Coda durchzusetzen, ehe das Sekundmotiv das letzte Wort behält.

Zweiter Satz Das empfindsame Andante gibt der Oboe Gelegenheit zu melodischer Ausbreitung, die thematisch auch die übrigen Stimmen, vor allem Klarinette und Fagott, aufgreifen: eine klanglich sehr homogene, fast orchestral erfundene Bläsermusik von zarter Melancholie.

Dritter Satz Das Menuett stampft mit rustikalen Dreitonschritten einher, das fast ganz in Pianoregionen verbleibende Trio lebt von einem ständig wiederkehrenden Sechstonmotiv.

Vierter Satz Ein munter dahineilendes Prestofinale mit plapperndem Klarinettenthema beschließt das hübsche, ganz der Sphäre der Gesellschaftsmusik verhaftete Werk.

Wirkung Zu Lebzeiten Beethovens wurde das Oktett in der Originalgestalt nicht veröffentlicht, vermutlich, weil der Komponist es 1796 unter Einfügung einiger neuer Themen als Streichquintett op. 4 herausgeben ließ. Dem Erstdruck des Oktetts von 1830 folgte 1863 die Breitkopf & Härtel-Ausgabe, bei der dem Werk die irreführende Werkzahl 103 gegeben wurde. Seitdem erfreut sich das Oktett wachsender Beliebtheit. BEAU

Einspielungen (Auswahl)
• Mozzafiato, Charles Neidich (Klarinette), 1992/93 (+ Marsch WoO 29, Bläsersextett op. 71, Rondino WoO 25, Duett WoO27 Nr. 1); Sony Classical

Berg | Alban

*9.2.1885
Wien
†24.12.1935
Wien

100562

Bergs kompositorisches Anliegen war nicht nur, über Musik Empfindungen beim Hörer auszulösen, vielmehr erwartete er auch vom Komponisten selbst, diese Musik gefühlt zu haben. Dementsprechend zeichnen sich seine Werke durch eine außergewöhnliche Klangsinnlichkeit und Expressivität aus, die für viele Anlass gab, ihn als den Romantiker der Wiener Schule zu bezeichnen. Jedoch bilden die komplizierte Architektonik und feinsinnig durchdachten Verästelungen seiner Kompositionen dazu eine Antithese, ohne die Kraft des Ausdrucks zu beeinträchtigen.

Berg entwickelte erst relativ spät eine tiefere Affinität zur Musik. In seiner frühen Jugend befasste er sich weit mehr mit Literatur und bildender Kunst. Seine ersten Kompositionsversuche unternahm er im Kunstlied. Als Arnold Schönberg durch die Vermittlung von Bergs Bruder Charly 1904 auf den jungen Musiker aufmerksam wurde, nahm er Berg sogleich als Schüler auf. Noch konnte sich dieser jedoch nicht völlig dem Komponieren widmen. Seine Mutter erwartete von ihm, eine sichere Anstellung als Regierungsbeamter zu suchen, da die vormals wohlhabende Familie durch den Tod des Vaters im Jahr 1900 in eine problematische finanzielle Situation geraten war. Mit Beginn des Kompositionsunterrichts trat Berg deshalb eine Stelle als Rechnungspraktikant in der Niederösterreichischen Statthalterei an, die er erst 1906 aufgab, als die Familie eine größere Erbschaft machte.

Erste öffentliche Aufführungen von Werken Bergs fanden ab 1907 innerhalb des Schönberg-Kreises statt. 1911 war die Lehrzeit bei Schönberg, dem Berg nicht nur in Kompositions-, sondern auch in ästhetischen Fragen folgte, beendet. Im selben Jahr heiratete Berg Helene Nahowski. Er lebte in dieser Zeit von seiner Lehrtätigkeit als Komponist, aber auch von musikschriftstellerischen Arbeiten. Dabei fanden besonders seine Analysen der Werke Schönbergs allgemeine Anerkennung. 1913 löste eine Aufführung der »Fünf Orchesterlieder nach Ansichtskarten-Texten von Peter Altenberg« op. 4 in einem Konzert des »Wiener Akademischen Verbands für Literatur und Musik« einen Skandal aus. Wenig später begab sich Berg an die Konzeptionierung des »Wozzeck«, einer Oper nach Büchners »Woyzeck«. Die Arbeit, ab 1915 durch den Kriegsdienst unterbrochen, konnte erst 1921 vollendet werden. Seine 1928 begonnene Wedekind-Oper »Lulu« blieb ein Fragment. Berg starb 1935 an einer Blutvergiftung. Die nationalsozialistische Propaganda gegen die Musik der Wiener Schule hatte sich zu diesem Zeitpunkt bereits gegen ihn gewandt.

Charakteristisch für seine Musik ist die Verknüpfung der neuen Kompositionstechniken der Schönberg-Schule mit klassischen Formschemata und tonalen Bezügen. Bergs Œuvre umfasst nur wenige Werke, doch nehmen diese eine zentrale Stellung innerhalb der Musik des 20. Jahrhunderts ein. Dies gilt in besonderem Maß für die beiden Opern und das Violinkonzert (1935).   HI

Vier Stücke für Klarinette und Klavier op. 5

Bezeichnungen 1. Mäßig, 2. Sehr langsam, 3. Sehr rasch, 4. Langsam
Entstehung Frühjahr 1913
UA 17. Oktober 1919 Wien
Verlag Universal Edition
Spieldauer ca. 9 Minuten

Alban Berg konnte sich erst spät der Musik widmen. Nach dem Tod seines Vaters musste er die Rolle des Familienoberhaupts übernehmen (Berg um 1908 mit Familie; von links: die Schwestern Smaragda und Steffi, Mutter Johanna, Bruder Charlie, Neffe Erich).

Musik Die Klarinettenstücke knüpfen als einziges Werk von Berg an die von Schönberg und Webern zwischen 1910 und 1915 bevorzugte Kompositionsweise der »expressionistischen Moments musicaux« (Theodor W. Adorno) an. Sie erinnern in ihrer miniaturhaften Gestalt entfernt an die klassische Satzfolge der Sonate: Das erste Stück steht in Analogie zum Allegro, das zweite repräsentiert ein Adagio, das dritte ein Scherzo. Das letzte Stück allerdings zeigt einen klaren Schnell-langsam-Wechsel als Reihung anstelle der zyklischen Anlage des Sonatensatzes. Alle Stücke sind dreiteilig angelegt.

Die traditionelle Harmonik ist außer Kraft gesetzt, die Stücke sind atonal. Selbst die für Bergs Werke sonst üblichen tonalen Einflechtungen fehlen. Zwischen den Stücken verlangt der Komponist jeweils eine ausgiebige Pause.

Der nur erste zwölftaktige Satz hat formal das Sonatenallegro zum Vorbild. Jedoch löst sich jeder Satzteil in sich selbst wieder auf, sodass jeder Assoziation an das Sonatensatzprinzip gleich de-

ren »Liquidation« (Adorno) folgt. Motive werden aufgenommen, indem sie verkürzt neu erklingen, bis sie gleichsam eliminiert sind. Im sechsten Takt schließt sich an die Exposition die Andeutung einer Durchführung an. Während diese verklingt, wird die Reprise bereits aufgegriffen. Sie wiederholt nicht die Exposition, vielmehr scheint sie in ihrer parallelen Funktion als Coda ihren ursprünglichen Sinn aufgeben zu müssen.

In Analogie zum Adagio beginnt das zweite Stück (neun Takte) im Klavier mit großen Terzen in der linken Hand, die ostinat fortgeführt werden. Es stellt damit eine direkte Verbindung zum zweiten der »Sechs Klavierstücke« op. 19 von Schönberg her, das darüber hinaus die gleiche Länge hat.

Das dritte Stück, ein Scherzo en miniature in 18 Takten, gliedert sich im ersten Teil in zwei Abschnitte, wobei auf einen motivisch dominierten Abschnitt ein harmonisch statischer mit unveränderten Akkorden folgt, eine Vorgehensweise, die Berg auch schon im ersten Stück anwendet.

Nach dem »Trio« (langsame Viertel, 9.–13. Takt) lässt sich die Reprise des Scherzoteils mit ihren verkürzten Motiven kaum noch als solche erkennen.

Das mit seinen 20 Takten ausführlichste vierte Stück, dessen formale Idee auf dem Rondo beruht, beginnt mit einem festgehaltenen Akkord im Klavier, auf den die Klarinette mit einer chromatischen Linie antwortet. Die »Episode« bringt zunächst eine Klarinettenmelodie, das Klavier führt die Triolen fort, die den Abschluss dieser Linie bilden, bis eine Art »Rondoreprise« einsetzt. Die Vermeidung eines Themas im klassischen Sinn deutet auch hier auf die Absicht, traditionelle Vorbilder aufzulösen.

Wirkung Nach der Uraufführung der Arnold Schönberg gewidmeten Klarinettenstücke, die erst sechseinhalb Jahre nach ihrer Entstehung im »Verein für musikalische Privataufführungen in Wien« stattfand, erfolgte 1920 die Veröffentlichung, die in der Folge Aufführungen im Rahmen von Veranstaltungen der Internationalen Gesellschaft für Neue Musik (IGNM) nach sich zog. HI

Einspielungen (Auswahl)
• Sabine Meyer (Klarinette), Oleg Maisenberg (Klavier), 1994 (+ Werke von Mahler, Schönberg, Webern); Deutsche Grammophon

Werke für Streich-
quartett

Streichquartett op. 3

Sätze 1. Langsam, 2. Mäßige Viertel
Entstehung Frühjahr/Sommer 1910
UA 24. April 1911 Wien
Verlag Universal Edition
Spieldauer ca. 18 Minuten

Entstehung Das Streichquartett op. 3 ist das letzte Werk Bergs, das unmittelbar aus der Lehrzeit bei Arnold Schönberg hervorging. Dass es dennoch eigene Wege geht, liegt vor allem an der programmatischen Grundlage der Komposition: Berg schrieb es vor dem Hintergrund der Auseinandersetzung mit dem Vater seiner späteren Ehefrau Helene Nahowski, der die Heirat der beiden verhindern wollte. Das Quartett sei im Trotz komponiert worden, äußerte Berg.

Musik Das thematische Material, das dem Quartett ursprünglich zugrunde liegen sollte, bestätigt den autobiografischen Charakter des Werkes. Es bestand aus einer Tonfolge, aus deren Tonbuchstaben sich die Namen »Helene und Alban Berg« herausfiltern lassen: h-e-a-b-e-g. Durch diese Kombination hätten sich tonale Abschnitte ergeben. Berg modifizierte dann aber das Ausgangsthema dergestalt, dass er es zur vollständigen chromatischen Skala erweiterte – ohne diese als Zwölftonreihe zu behandeln. So stellt das Streichquartett im Schaffen Bergs zusammen mit dem letzten der »Vier Lieder« op. 2 den Übergang von der tonalen zur atonalen Kompositionsweise dar.

Der erste Satz in Sonatensatzform lässt nur einen kurzen Durchführungsteil erkennen. Damit wird dem im 19. Jahrhundert als Kern der Sonate angesehenen Abschnitt die Bedeutung entzogen. Der folgende, gleichzeitig letzte Satz lässt sich formal nur schwer bestimmen: Er kann einerseits als Rondo (mit fünf frei transformierten Ritornellen), aber auch als eine Art Sonatensatz aufgefasst werden. Gegen Ende des Satzes wird das Kopfmotiv aus dem ersten Satz wieder aufgegriffen. Explizite Themen gibt es nicht mehr – ebenfalls ein Hinweis auf die Absicht des Komponisten, die Sonatenform mit ihrer thematischen Grundlage aufzulösen.

Die bis ins kleinste Detail notierten Spielanweisungen wie »am Steg«, »Flageolett«, »am Griffbrett«, schnelle Wechsel zwischen Pizzicato und Arco, langer oder kurzer Strich oder Springbogen sowie die permanenten Tempowechsel reflektieren auf der Ebene des Klangs die Pole »Hoffnung« und »Verzweiflung«. Zahlreiche Vorgaben im Ausdruck ergänzen die beabsichtigte präzise Wiedergabe der seelischen Situation Bergs, die durch Steigerungswellen auch in der Dynamik plastisch vor Augen stehen: sehr weich, betont, flüchtig, zart betont, drängend, espressivo.

Wirkung Das Streichquartett op. 3 stand lange Zeit im Schatten von Bergs »Lyrischer Suite« für Streichquartett. Auf die Rezeption wirkte sich zudem nachteilig aus, dass das renommierte Rosé-Quartett die Uraufführung absagte. So wurde die Besetzung spontan zusammengestellt – und das Werk erhielt hauptsächlich schlechte Kritiken. Nach der aufsehenerregenden Aufführung am 2. August 1923 beim Salzburger Kammermusikfest durch das Havemann-Quartett wurde Bergs Opus 3 allerdings in ganz Deutschland und Österreich gespielt. HI

Einspielungen (Auswahl)
• Alban Berg Quartett, 1992 (+ Lyrische Suite); EMI

Lyrische Suite für Streichquartett

Sätze 1. Allegretto gioviale, 2. Andante amoroso, 3. Allegro misterioso – Trio estatico, 4. Adagio appassionato, 5. Presto delirando – Tenebroso, 6. Largo desolato
Entstehung 1925/26
UA 8. Januar 1927 Wien
Verlag Universal Edition
Spieldauer ca. 30–35 Minuten

Entstehung Die 16 Jahre nach dem Streichquartett op. 3 komponierte, Alexander von Zemlinsky zugeeignete »Lyrische Suite« verdankt ihren Titel der Verwendung von Zitaten aus der »Lyrischen Symphonie« dieses Komponisten. Den Ausschlag für die Entstehung der Suite gab jedoch Bergs Liebesbeziehung zu Hanna Fuchs-Robettin im Jahr 1925, die dem Werk als »geheimes« Programm zugrunde liegt. Hinweise darauf gab erst eine 1977 von George Perle entdeckte gedruckte Partitur des Werks mit handschriftlichen Eintragungen des Komponisten.

Musik Die außerordentlich komplexen Zusammenhänge dieses Werkes ergeben sich durch die vielschichtige Symbolik der autobiografischen Ereignisse. Die sechs Sätze sind durch eine Fülle von Themenreminiszenzen eng miteinander verknüpft. Die Zahl 23, die Berg als seine persönliche Schicksalszahl ansah, bildet im ersten, dritten und sechsten Satz die tektonische Grundlage. Diesen Sätzen liegt eine jeweils leicht modifizierte Allintervallreihe zugrunde, während die Sätze Nr. 2, 4 und 5 freitonal angelegt sind. Die Satzfolge sieht den Wechsel zwischen jeweils intensivierten schnellen und langsamen Tempi vor.

Erster Satz »Dessen belanglose Stimmung die folgende Tragödie nicht erahnen lässt«. Der in seiner Stimmung heitere Satz erinnert an eine Sonatenform ohne Durchführung. Die Reprise wiederholt nicht die Exposition, sondern stellt ein eigenes Gebilde dar. Die vereinzelten tonalen Elemente treten in H-Dur und F-Dur auf – bezugnehmend auf die Initialen von Hanna Fuchs.

Zweiter Satz »Szene im Hause Hannas«. Der Satz ist als Rondo über drei Themen angelegt, die Hanna und ihre beiden Kinder symbolisieren. Das Zitat »Du bist mein Eigen, mein Eigen« aus dem dritten Gesang der »Lyrischen Symphonie« von Zemlinsky wird Hanna zugeordnet. Die Szene zeigt die Kinder im Spiel, während die Mutter und Berg sich ihrer Liebe zueinander bewusst werden.

Dritter Satz »Liebe zu Hanna. 20.05.25«. Das »Trio estatico« symbolisiert das Liebesgeständnis, das auch in den fast in allen Takten vertonten Initialen, den Tonfolgen a-b und h-f, seinen Ausdruck findet. Die angespannte Atmosphäre erhält klanglich ihren spezifischen Ausdruck durch eine Reihe von spieltechnischen Anweisungen. Der ganze Satz ist mit Dämpfer zu spielen.

Vierter Satz »Tags darauf«. Das zweimalige Zitat von »Du bist mein Eigen, mein Eigen« wird deutlich herausgestellt – so als ob es einmal von Hanna, einmal von Berg ausgesprochen wird. Der vierteilige Satz nimmt Bezug auf das Tagore-Gedicht »Du bist die Abendwolke«, das auch Zemlinsky in der »Lyrischen Symphonie« als Vorlage gedient hatte.

Fünfter Satz »Schrecken und Qualen, die nun folgten«; »Und wieder Tag und so fort, ohne Stillstand dieses Deliriums«. Das fünfteilige Scherzo stellt den Wahnsinn der Liebe bei Tag (Presto delirando) und Nacht (Tenebroso = dunkel) dar.

Sechster Satz Zu diesem in zwei spiegelsymmetrischen Teilen angelegten Satz notierte Berg in den Skizzen das »De profundis clamavi« aus der Gedichtsammlung »Les fleurs du mal« (»Die Blumen des Bösen«, 1857) von Charles Baudelaire. Aber auch Zitate aus dem Vorspiel zu Wagners »Tristan und Isolde« symbolisieren Leiden und Sehnsucht, die im »Liebestod« enden, wenn im Violoncello das H als Todessymbol erklingt.

Wirkung Rudolf Kolisch brachte die »Lyrische Suite« mit seinem Neuen Wiener Streichquartett zur Uraufführung. Das Ensemble erhielt zeitweise die Alleinaufführungsrechte und spielte es über 100-mal. So fand die Suite internationale Verbreitung bis nach Amerika. Nicht zuletzt die Vermutungen über das »geheime Programm« begründeten die große Aufmerksamkeit, die ihr entgegengebracht wurde. Theodor W. Adorno sah in ihr eine latente Oper. 1929 bearbeitete Berg drei Sätze der »Lyrischen Suite« für Streichorchester. HI

Einspielungen (Auswahl)
- Alban Berg Quartett, 1992 (+ Streichquartett op. 3); EMI
- Juilliard String Quartet, 1995 (+ Janáček, Quartette Nr. 1 & 2); Sony BMG

Berio | Luciano

* 24. 10. 1925
Oneglia bei
Genua
† 27. 5. 2003
Rom

Berio sei das Gegenteil eines Spezialisten: ein »wahrer homo universalis«, urteilte Jürg Stenzel; für ihn »ist Musik nicht in ernste und heitere, in eine obere und untere, eine gelehrte und populäre aufteilbar«. Und, so sei hinzugefügt, auch nicht in eindeutigen Kategorien festlegbar. Ob Musiktheater, sinfonisches Werk, Kammermusik – stets spielte die theatralische Komponente eine wichtige Rolle.

Umgekehrt trägt eines seiner Musiktheaterwerke nicht zufällig den Titel »Un re in ascolto« (»Ein König horcht«). Und in »Outis« entwarf der Komponist die Utopie des idealen Hörers, der sich aus dem real Gehörten sowie Erinnerungen und Fiktion sein eigenes Hörerlebnis zusammensetzt. Auch in Berios Kammermusik wird diese theatralische Gestik wichtig, freilich noch nicht im Streichquartett von 1956, das sich an Weberns Strukturen orientiert. Doch interessierten material-endogene Prozesse den Komponisten danach immer weniger: Das theatralische verdrängte das strukturorientierte Denken; auch erhielt Berios Musik sprachähnlichen Charakter. Bereits »Sincronie«, das zweite Streichquartett von 1964, folgte mit seinen unzähligen Artikulationstypen und Spielvorschriften dieser Tendenz. Berio legte es oft darauf an, instrumentale und phonetische Strukturen einander durchdringen zu lassen, also in seine Instrumentalmusik so oft wie möglich vokale Elemente einzubeziehen, was sich auch in seinem wohl populärsten Werk, »Sinfonia« (1968/69), manifestiert. Seit 1958 tauchte in seinem umfangreichen Œuvre immer wieder der Titel »Sequenza« auf: 14 Solostücke für verschiedene Instrumente tragen diesen Titel. Manche davon weitete Berio dann zu »Chemins« (Straßen) aus, die das in den »Sequenze« dargebotene musikalische Material (u. a. durch Hinzufügung weiterer Instrumente bis hin zum großen Orchester) verzweigen und kommentieren.

Luciano Berio studierte am Konservatorium in Mailand bei Giorgio Federico Ghedini. 1950 erhielt er sein Diplom, im gleichen Jahr heiratete er die Sängerin Cathy Berberian, Interpretin vieler seiner wichtigen Vokalwerke. 1951 ging er in die USA, um bei Luigi Dallapiccola am Berkshire Music Center in Tanglewood zu studieren. Das mit diesem Aufenthalt verbundene Kennenlernen zeitgenössischer amerikanischer Musik war für Berio bedeutungsvoll: Sein Interesse an elektronischen Kompositionsverfahren etwa wurde durch die amerikanischen Elektronikpioniere Otto Luening und Vladimir Ussachevski geweckt. 1955 gründete er mit Bruno Maderna das Studio di fonologia musicale (Studio für elektronische Musik) am Rundfunk in Mailand, dessen Leiter er bis 1959 war. 1960 kehrte er in die USA zurück; er lehrte zunächst in Tanglewood, dann

u. a. an der Harvard University (1966/67) und an der Juilliard School of Music in New York (1965/66 sowie 1967–71). Ab 1972 lebte und arbeitete Berio wieder in Europa, u. a. als Leiter der elektroakustischen Abteilung des IRCAM, Paris (1974–80), Gründer und künstlerischer Leiter des Zentrums für Live-Elektronik »Tempo Reale« in Florenz (ab 1987) und Leiter der Accademia Nazionale di Santa Cecilia, Rom (ab 1999). Als Komponist wurde er u. a. 1989 mit dem Ernst-von-Siemens-Musikpreis und 1996 mit dem japanischen Kunst- und Kulturpreis Praemium Imperiale ausgezeichnet.   PE

Sequenze I–XIV

Sequenza I für Flöte

Sequenza II für Harfe

Sequenza III für Frauenstimme

Sequenza IV für Klavier

Sequenza V für Posaune

Sequenza VI für Viola

Sequenza VII für Oboe

Sequenza VIIb für Sopransaxofon

Sequenza VIII für Violine

Sequenza IX für Klarinette

Sequenza IXa für Bassklarinette

Sequenza IXb für Altsaxofon

Sequenza X für Trompete in C (und verstärkte Klavierresonanzen)

Sequenza XI für Gitarre

Sequenza XII für Fagott

Sequenza XIII »Chanson« für Akkordeon

Sequenza XIV für Violoncello

Sequenza XIVb für Kontrabass

Verlag Suvini Zerboni, Mailand (Sequenza I), Universal Edition (übrige Stücke)
Spieldauer zwischen ca. 5 und 25 Minuten

Entstehung Die »Sequenze« von Luciano Berio bilden eine offene Reihe von Stücken für Soloinstrument oder Solostimme; zwischen 1958 und 1995 hat der Komponist 143 solcher Werke geschaffen. Sie sind Stationen auf der »Bahn einer musikalischen Entdeckungsreise mit dem stets neu zu definierenden Ziel einer Erweiterung« (Wolfgang Hofer). Der Titel »Sequenza« verweist auf die Frühgeschichte europäischer Musik: Sequenzen waren seit dem 9. Jahrhundert umfangreiche vokale Melismen ohne Worte, die im gregorianischen Choral den Allelujagesang verlängerten. Sie wurden in Abschnitte mit stereotypen Schlussformeln unterteilt.

Die formalen Abläufe von Berios »Sequenze« stützen sich auf »bestimmte fundamentale Eigenarten der Sequenzen durch den Lauf der Jahrhunderte und integrieren sie in einen zeitgenössischen Kontext« (Ivanka Stoianova). So ergibt sich eine Reihe von zeitgenössischen Porträts traditioneller Instrumente, wobei dem Komponisten besonders an der Erforschung der Beziehung zwischen dem Musiker und seinem Instrument gelegen ist. Die hier geforderten zum Teil atemberaubend virtuosen Spielweisen sind stets »im Sinne des Instruments und nie gegen es gedacht« (Berio).

Musik Die »Sequenze« Luciano Berios »entwickeln systematisch ein Grundmaterial aus wiederholten, variierten und schließlich transportierten Formeln« (Stoianova). »Sequenza I« für Flöte (UA 1958, Darmstadt) dokumentiert nur zwei Jahre nach dem noch an Anton Webern orientierten Streichquartett den Schritt des Komponisten in musikalisches Neuland – statt eines Denkens in Strukturen nun das Erforschen eines theatralisch-gestisch betonten musikalischen Sprachstils. Virtuosität, intensive farbliche Beleuchtung und multifones Spiel weisen den neuen Weg (Spieldauer: ca. 6 Minuten).

»Sequenza II« für Harfe (UA 1963, Darmstadt) fordert radikal neue Spielweisen: eigentümliche Resonanzdämpfung, dauernden und raschen Pedalwechsel, möglichst schnelles Spiel (was im Höreindruck zu Clusterbildung führt), Schlagen der Saiten mit den Handballen oder des Schallkastens mit den Fingernägeln (Spieldauer: ca. 8 Minuten).

»Sequenza III« für Frauenstimme (zu einem Kurztext von M. Kutter; UA 1966, Bremen) komponiert die ganze Palette vokaler Vortragsweisen aus: traditionelles Singen, Trällern, Flüstern, Nasallaute, Schnalzen mit der Zunge etc., Husten, Keuchen und vor allem Lachen. Das Werk wurde als »vokale Transposition des Lachens« bezeichnet und ist laut Berio der Erinnerung an den Clown Grock gewidmet. Außerdem ist es ein Porträt der Stimme Cathy Berberians, der Frau Berios und Sängerin der Uraufführung (Spieldauer: ca. 8 Minuten).

»Sequenza IV« für Klavier (UA 1966, St. Louis), eine virtuose Quasikadenz, führt die bei »Sequenza III« besonders betonte gestische Komponente von Berios Musik weiter: Übertriebenes Gestikulieren des Interpreten bei bestimmten technischen Vorgängen führt die Dimension des Theaters noch deutlicher ein. Das Stück verläuft quasi auf zwei Ebenen, die einander überlagern, durchdringen und konterkarieren: Eine ist der Klaviatur anvertraut, eine den Pedalen (Spieldauer: ca. 9 Minuten).

»Sequenza V« für Posaune (UA 1966, San Francisco) kreist um die Frage des »Warum« musikalischen Schaffens: Der Interpret soll »bewildered« (verwirrt) diese Schlüsselfrage auf Englisch artikulieren. Daraus entsteht eine quasi zweistimmige Invention für Posaune und Stimme, mit einem imaginären Szenario: Auch hier findet sich die theatralische Dimension betont, und auch dieses Stück ist – wie »Sequenza III« – dem Andenken des Clowns Grock gewidmet (Spieldauer: ca. 8 Minuten).

»Sequenza VI« für Viola (UA 1967, New York) führt eine harmonische Sequenz (vierstimmiges Akkordspiel) in andauernder Wiederholung zur allmählichen Transformation, quasi zur harmonischen Mikromodulation, sowie zur prozesshaften Zerfaserung, ehe die Anfangsdichte nochmals aufgegriffen wird. Die tendenzielle Nähe zu Entwicklungen der amerikanischen Musik jener Zeit (Steve Reich, Philip Glass) ist auffallend. 1981 bearbeitete Berio das Werk für Violoncello (Spieldauer: ca. 8 Minuten).

Zu »Sequenza VII« für Oboe (UA 1969, Basel), Alternativfassung für Sopransaxofon (UA 1993, Paris), schrieb Berio: »Im Gegensatz zum Virtuosen kann der Solist unserer Zeit die ausgeweitete geschichtliche Perspektive meistern, indem er sein Instrument nicht nur als Mittel zum Vergnügen, sondern zur Einsicht (zur intellektuellen Analyse) gebraucht ... Damit möchte ich

---

Seltenheiten in der Kammermusik

Die Internationalisierung des Musikmarktes bringt es mit sich, dass seit dem 20. Jahrhundert auch das Instrumentarium der sogenannten klassischen Musik an Farbigkeit gewinnt. Luciano Berio trägt dem in seinen »Sequenze« Rechnung. Komponisten aus anderen Kulturkreisen bringen heimische Instrumente ein. Beispiele dafür sind etwa Biwa (mit Plektrum zu spielende Laute) und Shakuhachi (Bambusflöte) in der Kammermusik des japanischen Komponisten Toru Takemitsu (u. a. »Eclipse«, 1966). Zum Teil handelt es sich auch um Instrumente, die eher in anderen Musiksparten zu hören sind. Die russische Komponistin Sofija Gubaidulina verwendet das Akkordeon in ihrer Musik (Solostück »De profundis«, 1978; »In Croce«, Fassung für Violoncello und Knopfakkordeon, 1991). Eher selten zu hören in der E-Musik ist u. a. das Saxofon. Dabei gibt es reizvolle Stücke für das Instrument, darunter die »Hot-Sonate« von Erwin Schulhoff (1930), die 15 Etüden op. 188 von Charles Koechlin (1942/43) oder die fünf »Tableaux de Provence« von Paule Maurice (1954–59).

einfach sagen, dass mein Stück ›Sequenza VII‹ geschrieben wurde im Hinblick auf den Typus dieses Interpreten: Heinz Holliger.« Das Werk rotiert um den Zentralton H (Spieldauer: ca. 10 Minuten).

»Sequenza VIII« für Violine (UA 1977, La Rochelle) ist eine Sequenz historischer instrumentaler Gesten dieses Instruments, ihrer Transformation und Überlagerung. Drehpunkte des Stücks sind zwei Noten, g und h; man könnte es eine »Minipassacaglia« nennen (Spieldauer: ca. 15 Minuten).

»Sequenza IX« existiert in Fassungen für Klarinette (UA 1980, Arrignon), Bassklarinette (UA 1997, Turin) und Altsaxofon (UA 1981, London). Berio beschritt hier den umgekehrten Weg als sonst: Das Stück erlebte als »Chemins V« seine Uraufführung – es war der Versuch, den Klarinettenklang durch eine Reihe von Digitalfiltern in ein vokales Timbre zu transformieren; Berio benutzte dazu die elektronischen Apparaturen des Pariser IRCAM-Instituts. Sein Unbehagen an dem technischen Aufwand führte zur Rück-

nahme des Werks zu »Sequenza IX« für Klarinette (ohne Elektronik). Das Stück bearbeitet die Idee der Chaconne auf besondere Weise: Zonen genau festgelegter Tonhöhen werden wiederholt und nach einer vorher festgelegten Hierarchie transformiert (Spieldauer: ca. 8 Minuten).

»Sequenza X« (UA 1985, Los Angeles), für C-Trompete geschrieben, beschäftigt ein zweites Instrument: ein stummes Klavier, in dessen Resonanzraum der Trompeter (bei geöffnetem Deckel) hineinbläst. Dabei werden die mitschwingenden Saiten durch stummes Anschlagen der Tasten oder Treten der Pedale moduliert. Dieses Verfahren bereichert die Ausdrucksskala und den Farbraum der sich durch stets wechselnde dynamische Extreme bewegenden und ihr gesamtes spieltechnisches Spektrum nutzenden Trompete. Wieder sind zwei Töne Auslöser des Geschehens, wobei das Material in mehreren Anläufen chromatisch verdichtet und wieder ausgedünnt wird (Spieldauer: ca. 15 Minuten).

Luciano Berio war von 1950 bis 1964 mit der amerikanischen Sopranistin Cathy Berberian verheiratet (hier bei einem Auftritt, 1974), die sich besonders der Neuen Musik widmete und zahlreiche Werke Berios interpretierte, darunter auch seine »Sequenza III« für Frauenstimme.

»Sequenza XI« für Gitarre (UA 1988, Rovereto) ist ein »geradezu enzyklopädisches Kompendium an Artikulationsweisen und avancierten Spieltechniken« (Wolfgang Hofer) dieses Instruments, das sich – wie schon die Harfe in »Sequenza II« – völlig vom tradierten Klischee falscher Romantizismen zu lösen vermag. Dazu gehört auch, dass es häufig eher hart, ja gewalttätig eingesetzt wird – als wäre es eine Elektrogitarre. Große dynamische Kontraste kennzeichnen das Stück (Spieldauer: ca. 10 Minuten).

»Sequenza XII« für Fagott (UA 1995, Paris) ist »von kreisförmiger Struktur: Das Werk durchläuft immer wieder die Intervalle zwischen den extremen Tonlagen in unterschiedlichen und oft extremen Tempi (sehr langsam und sehr schnell) und ist durch wiederkehrende Figuren charakterisiert, die auf die Folge der verschiedenen Tonlagenbereiche hinweisen« (Luciano Berio). Der Komponist bezeichnet das Stück als »eine Art Meditation« (Spieldauer: ca. 26 Minuten).

»Sequenza XIII« für Akkordeon (UA 1995, Rotterdam) fällt insofern aus der bisherigen Reihe der »Sequenze«, als das Werk erstmals einen Untertitel – »Chanson« – trägt und eine dezidiert virtuose Handhabung des Instruments hier keine wesentliche Rolle spielt. Während Berio zuvor traditionell »leise« Instrumente wie Harfe, Violine und Gitarre kraftvoll einsetzte, drängt er nun das Akkordeon größtenteils zurück in den Pianissimobereich. Das Stück beginnt mit einem liedähnlichen Thema, das aus einer elftönigen Reihe gebildet und durch absteigende Quarten charakterisiert ist. Dieses kehrt mehrmals refrainhaft wieder, unterbrochen von Abschnitten fantasievoller Figuration (Spieldauer: ca. 8 Minuten).

»Sequenza XIV« für Violoncello (UA 2002, Witten), Alternativversion für Kontrabass (UA 2004, Stuttgart), bezieht die technische Brillanz des aus Sri Lanka stammenden Solisten Rohan de Saram (vom Arditti String Quartet) als konstituierendes Element in die Komposition ein. »Es handelt sich«, so Gerhard Rohde, »in gewisser Weise also um einen ›Doppel-Monolog‹, einen des Komponisten und einen des Interpreten, der im Augenblick der Darstellung zu einer Einheit verschmilzt.« Vom Cellisten wird in refrainhaf-ten Abschnitten verlangt, mit den Fingern der linken Hand Noten zu greifen und dazu mit der Rechten von alter ceylonesischer Trommelmusik inspirierte Rhythmen auf dem Korpus des Instruments zu klopfen (Spieldauer: ca. 13 Minuten).

Wirkung Berios »Sequenze« wurden eine »weiträumig konzipierte Galerie musikalischer Denk-Bilder« genannt, deren Mikrokosmen stets auf größere Zusammenhänge verweisen. »Vielleicht ist Musik die Suche nach einer Grenze, die immer weiter verschoben wird … Es geht nicht darum, eine konzeptuale oder sinnliche Bestimmung der Grenzen zu finden, sondern um die Verschiebung der Grenzen selber.« (Berio)

Auf diese Suche haben sich mit dem Komponisten wichtige Interpreten unserer Zeit begeben und dies auch auf Schallplatte dokumentiert, so Aurèle Nicolet mit »Sequenza I«, Cathy Berberian mit »Sequenza III«, der Komponist und Posaunist Vinco Globokar mit »Sequenza V«, der Trompeter Reinhold Friedrich mit »Sequenza X«, der Gitarrist Eduardo Fernandez mit »Sequenza XI«.
PE/STÜ

Streichquartette

»Quartetto«

Entstehung 1956
UA 12. Mai 1959 Wien
Verlag Suvini Zerboni, Mailand
Spieldauer ca. 7 Minuten

Entstehung Berio komponierte sein erstes Streichquartett 1956 während der Arbeit am »Studio di fonologia musicale« (Studio für elektronische Musik) am Mailänder Rundfunk mit seinem Freund Bruno Maderna, dem er das Werk auch widmete.

Musik Das einsätzige Werk orientiert sich deutlich an Strukturen der Musik Anton Weberns, was vermutlich auf den Einfluss von Bruno Maderna zurückzuführen ist. Berio bezog sich wohl auf eine Studie von Henri Pousseur über Weberns »Organische Chromatik«, die Herbert Eimert und Karlheinz Stockhausen 1955 veröffentlicht hatten. Ein zu Beginn erklingendes Intervallkonstrukt wird einer Metamorphose in zehn Etappen unterzogen, wobei das Eingangsmodell nie wiederholt wird. Der Farbreichtum des Werkes verweist bereits auf Berios späteres, strukturelles Denken hinter sich lassendes Komponieren.

Wirkung Das erste Streichquartett wurde am 12. Mai 1959 in Wien vom Quartett »die reihe« uraufgeführt. Das Arditti-Quartett hat es auf Schallplatte eingespielt (PMS). PE

»Sincronie (Quartetto II)«

Entstehung 1963/64
UA November 1964 Grinnel, Iowa (USA)
Verlag Universal Edition
Spieldauer ca. 15 Minuten

Entstehung Berio komponierte dieses wiederum einsätzige Werk in den Jahren 1963/64. Es ist Stefano Eco gewidmet.

Musik Mit »zeitliche Übereinstimmung« oder »Gleichlauf« dürfe, so Josef Häusler, der Begriff »sincronia« nicht übersetzt werden. Man müsse vielmehr die Linguistik zu Hilfe rufen, die als »Synchronität« die Darstellung verschiedenartiger, aber gleichzeitig nebeneinander bestehender Sprachzustände verstehe. In seinem Werk will Berio das Streichquartett nicht als polyfones Ensemble behandelt wissen, sondern als ein einziges homofones Instrument.

Das musikalische Geschehen basiert auf einer Reihe von Akkordblöcken, die als harmonische Felder verstanden werden und zyklisch wiederkehren. Dabei versetzt Berio den Tonvorrat dieser Felder sozusagen in Rotation; er zerlegt das Feld, indem er Intervalle umgruppiert und den Einzeltönen verschiedene Lagen zuordnet. »Damit ist die Totalität des Feldes gewahrt, die Struktur jedoch bekommt den Aspekt einer Heterofonie, die eine in den Grundzügen identische Tonbewegung zur gleichen Zeit in unterschiedlichen Abwandlungen realisiert« (Häusler). Die angestrebte Sprachähnlichkeit von Musik, ihren gestischen Charakter, betont Berio durch eine Unmenge von Artikulationszeichen und Spielvorschriften, die teilweise die Grenze zum Geräusch überschreiten. Hinzu kommt eine unendlich variable musi-

kalische Textur: »Webestrukturen, formgliedernde Haltetöne und Unisoni, Klangflächen und jagende Tonscharen treten in Beziehung zueinander« (Häusler). Ein Werk, in dem Kombinatorik und Fantasie nahezu vollendet wirken.

Wirkung »Sincronie« wurde im November 1964 durch das Lenox Quartet am Grinnell College in Iowa, USA, uraufgeführt. Das Uraufführungsensemble hat das Werk auch auf Schallplatte aufgenommen. PE

Was ist ein Notturno?

Als gattungsmäßig nicht festgelegte Komposition ständchenhaften Charakters für kleinere instrumentale, vokale oder gemischte Besetzungen entstand im 18. Jahrhundert die Serenade, die als Huldigungs-, Freiluft-, Tafel-, Abend- oder Nachtmusik diente. Ihr ähnlich ist das Notturno (zu italienisch »notte«: »Nacht«): ein mehrsätziges Instrumentalwerk, aber auch ein einsätziges, ständchenartiges Gesangsstück mit oder ohne Instrumentalbegleitung, das in dieser Form auch in nächtlichen Opernszenen vorkommt. In der romantischen Klaviermusik des 19. Jahrhunderts verstand man unter Notturno (Nocturne) dann ein einsätziges Klavierstück träumerischen Charakters.

»Notturno (Quartetto III)«

Entstehung 1986 und 1993
UA 31. Januar 1994 Wien
Verlag Universal Edition
Spieldauer ca. 26 Minuten

Entstehung 1986 begann Luciano Berio mit der Komposition von »Notturno«, unterbrach die Arbeit jedoch, um sie 1993 wieder aufzunehmen. Im Mai 1993 wurde »Notturno« vollendet. Das Werk ist ein Auftrag der Wiener Konzerthausgesellschaft für das Alban Berg Quartett und überdies dem Dirigenten und Geiger Lorin Maazel zu dessen 60. Geburtstag gewidmet.

Musik Auch »Notturno« ist einsätzig. Dem Werk wurde ein Dichterwort Paul Celans an die Nacht vorangestellt, »Ihr das erschwiegene Wort«. Berio schreibt zum Werk: »›Notturno‹ ist ein nächtliches Stück, weil es aus unausgesprochenen Worten und unvollständigen Gesprächen besteht. Es ist still, auch wenn es laut ist, weil die Form still und nichtargumentativ ist. Jedes Mal, wenn es in sich zurückkehrt, bringt es diese stillen Worte an die Oberfläche; immer, wenn es innehält, auf einer einzelnen Figur besteht, sie obsessiv ausdehnt...«.

Das Quartett setzt sich aus einer Folge von Klangflächen zusammen, »Inseln«, durch Pausen voneinander getrennt, in sich vibrierend (ein Eindruck, der etwa durch den beständigen Saitenwechsel bei Tonwiederholungen oder durch Tremolos mit extrem kleinen Notenwerten, zum Beispiel Zweiunddreißigstel, erzeugt wird). Die Akkordkonstellationen verändern sich beinahe unmerklich, indem etwa eine Stimme um einen Halbton abfällt. Subtile Schattierungen, Nuancen der Phrasierung, der Dynamik, der Klangfarben halten den Hörer in Bann.

Nach dem an Webern orientierten »Quartetto per archi«, nach der komplexen und polymorphen »Sincronie« schrieb Berio nun ein »Nachtlied von zartestem Ausdruck, subtilster Klangentfaltung, nach innen gerichtet, intim und abgeklärt« (Günter Kahowetz). »Molto lontano« steht zu Beginn über der Partitur, »misterioso« sowie »immobile, sospeso« später: Sehr entfernt, mysteriös, unbewegt und schwebend soll das zumeist im Pianissimo gehaltene Werk nach dem Willen des Komponisten klingen.

Wirkung »Notturno« wurde am 31. Januar 1994 im Wiener Konzerthaus durch das Alban Berg Quartett uraufgeführt. Das gleiche Ensemble hat das Werk dann auf Tourneen in die Welt hinausgetragen (es dabei auch an dafür wohl ungeeigneten Orten gespielt, wie etwa im Mai 1994 in der seinen Subtilitäten kaum adäquaten – wie der Kritiker Paul Griffith im »New Yorker« feststellte – Carnegie Hall zu New York) und es auch auf Schallplatte aufgenommen. Berio beabsichtigte, noch ein viertes Streichquartett folgen zu lassen, verarbeitete Entwürfe dazu dann aber im sechsminütigen Stück »Glosse«, das er 1997 als Pflichtstück zum Finale des Internationalen Streichquartettwettbewerbs »Premio Paolo Borciani« schrieb.   PE/STÜ

Einspielungen (Auswahl)
• Alban Berg Quartett, 1994 (+ Haydn, Streichquartette op. 77); EMI

Berwald | Franz

* 23. 7. 1796
Stockholm
† 3. 4. 1868
Stockholm

Berwald gilt heute als der exponierteste Vertreter einer Musikerfamilie, die im 18. und 19. Jahrhundert in Nordeuropa ähnlich verzweigt war wie im Thüringischen die Bach-Familie.

Schon früh traten Franz Berwald und sein jüngerer Bruder August in gemeinsamen Konzerten auf. Während sich August ganz dem Violinspiel widmete und 1832 Konzertmeister der Stockholmer Hofkapelle wurde, hegte Franz schon früh Ambitionen als Komponist. Die ersten erhaltenen Werke waren für den eigenen Gebrauch bestimmt, darunter ein »Duo Concertant« (1817) für zwei Violinen. 1819 entstand ein Quartett für Klavier, Klarinette, Horn und Fagott.

1829 wandte sich Berwald nach Berlin, um dort mit einer Oper den Durchbruch zu erzielen. Es gelang ihm allerdings nicht, auch nur ein einziges seiner Werke zur Aufführung zu bringen. Schließlich eröffnete er ein orthopädisches Institut, das ihn zwar vom Komponieren abhielt, sein Auskommen jedoch sicherte. In Berlin lernte er auch seine spätere Frau Mathilde kennen. Nach einem einjährigen Aufenthalt in Wien (1841/42), den Berwald mit einem erfolgreichen Orchesterkonzert abschloss, kehrte er nach Stockholm zurück. Trotz wohlwollender Aufnahme fand er dort aber nicht die erhoffte Anerkennung. Die für sein kompositorisches Schaffen charakteristischen formalen

Experimente und seine eigenwillige kontrapunktische Tonsprache wurden von den Zeitgenossen kaum verstanden. Von den vier zwischen 1842 und 1845 vollendeten Sinfonien kam zu Berwalds Lebzeiten allein die »Sinfonie sérieuse« (= Nr. 1, UA 1843 Stockholm) zur Aufführung.

1846 verließ Berwald Schweden in Richtung Paris. Nachdem er auch hier vergeblich versuchte, eine Oper herauszubringen, reiste er über Wien und Linz nach Salzburg. Dort wurde er nach einem Konzert am 27. Dezember des Jahres zum Ehrenmitglied des Mozarteums ernannt. Seine schwierige finanzielle Situation ließ ihn 1849 nach Schweden zurückkehren, um dort einer Glashütte als Verwalter vorzustehen. Die Wintermonate verbrachte er in Stockholm, wo zahlreiche Kammermusikwerke entstanden. Endlich – im elften (!) Versuch – wurde Berwald 1864 in die Königliche Musikakademie aufgenommen und wenige Monate vor seinem Tod zum Kompositionslehrer an das Stockholmer Konservatorium berufen. Diese Ehrungen sowie der allmähliche Erfolg seiner Kompositionen kamen jedoch zu spät, um sein Schaffen noch fest im europäischen Musikleben zu etablieren.

Den größten Teil seines kammermusikalischen Œuvres schrieb Berwald während der Jahre 1845 bis 1857. Es entstanden (vergleichbar mit der dichten Folge der Sinfonien und Tongemälde) oft innerhalb kurzer Zeit mehrere Werke einer Gattung. Nahezu allen Kompositionen ist die Verknüpfung der einzelnen Sätze zu einem durchkomponierten Ganzen gemeinsam. Die rhythmische Gestaltung der Themen, ihre kontrapunktische Verarbeitung und die Fülle weiterer melodischer Gedanken finden einen Widerpart durch die oftmals streng periodische Gliederung des musikalischen Verlaufs in Viertaktgruppen. KU

Klaviertrios

Entstehung Die insgesamt fünf Klaviertrios wurden innerhalb einer Zeitspanne von ca. acht Jahren komponiert. Während das frühe C-Dur-Trio von 1845 nur handschriftlich überliefert ist und das ebenfalls in C-Dur stehende Trio Nr. 4 (um 1853) erst 1896 in Kopenhagen im Druck erschien, wurden die zwischen 1849 und 1851 entstandenen und von Berwald als Nr. 1–3 bezeichneten Trios bereits wenige Jahre nach ihrer Vollendung bei J. Schuberth in Hamburg publiziert. Umfangreiche Fragmente zum ersten und vierten Trio zeigen, dass Berwald zumindest Teile dieser Werke grundlegend umarbeitete.

Musik Trotz ungewöhnlicher harmonischer Wendungen, einer kontrapunktischen Ausarbeitung des Satzes und formaler Experimente stehen Berwalds Kompositionen ganz in der Tradition des großen romantischen Klaviertrios. Obwohl von orchestraler Fülle getragen, wirken die Ecksätze des Klaviertrios C-Dur (1845) eher konventionell geformt; das Scherzo integriert Berwald in den langsamen Satz. Von tiefer Empfindung ist die strophisch angelegte Romanze im Es-Dur-Trio. Dramatischer Impetus zeichnet den ersten Satz des Klaviertrios in f-Moll aus, der dann aber im langsamen Satz abbricht. Dem umfangreichen Scherzo schließt sich als kurzes Finale die Reprise des Hauptthemas aus dem ersten Satz an.

Das Klaviertrio in d-Moll – das bedeutendste der Werkgruppe – hebt mit einem weit ausschwingenden Gesang an, der mehrfach in unterschiedlichen Farbschattierungen wiederholt wird; ein zweites Thema bleibt Episode und kehrt in der gesamten Komposition nicht wieder. So wie sich Berwald hier über die Form des Sonatensatzes schlüssig hinweggesetzt, so gestaltet er auch das Finale eigentümlich: Ein volksliedartiges Thema unterbricht den vorwärtsstürmenden Bewegungsfluss. Das Werk endet verhalten mit einer aufsteigenden Girlande im Klavier.

Das insgesamt verhaltenere vierte Klaviertrio nimmt im Finale motivisches Material aus dem C-Dur-Trio von 1845 auf.

Wirkung Zunächst nur privat im Stockholmer Freundeskreis gespielt, fand nach der Drucklegung besonders das Klaviertrio in d-Moll großen Anklang – vor allem bei den Musikern der Neudeutschen Schule. So führte Hans von Bülow (»Das Trio von Berwald ist ein wahres Prachtstück.«) das Werk am 5. Februar 1858 in Berlin auf. Der in Leipzig ausgebildete Komponist Ludvig Norman veröffentlichte 1859 in Stockholm einen ausführlichen und noch immer als grundlegend geltenden Artikel, um das Verständnis für Berwalds Kammermusik zu fördern.   KU

Einspielungen (Auswahl)
• Trios 1–3: András Kiss (Violine), Czaba Onczay (Viola), Ilona Prunyi (Klavier), 1991; Marco Polo

Biber | Heinrich Ignaz Franz von

getauft 12. 8. 1644 Wartenberg/Böhmen
† 3. 5. 1704 Salzburg

Der böhmische Violinist und Komponist Heinrich Ignaz Franz Biber zählt zu den größten Violinvirtuosen des 17. Jahrhunderts. Heute ist er vor allem für seine Violinsonaten berühmt und dabei insbesondere für die Verwendung der sogenannten Skordatur, die das Umstimmen einzelner Saiten verlangt. Die überraschend große Vielfalt an Stimmungen und Klangfarben hat ein individuelles Œuvre geprägt, das in der Violinliteratur seinesgleichen sucht.

Im böhmischen Wartenberg nahe Reichenberg, dem heutigen Liberec, geboren, erhielt Biber seine musikalische Ausbildung vermutlich von dem Komponisten Johann Heinrich Schmelzer in Wien. In den späten 1660er-Jahren trat er in den Dienst des Olmützer Erzbischofs Karl Graf Liechtenstein-Kastelkorn, der in seinem Schloss in Kremsier eine vorzügliche, von Pavel Vejvanovsky geleitete Hofkapelle unterhielt.

Bibers genaue Ankunft in Kremsier ist zwar nicht bekannt, doch sein dortiger Aufenthalt ist für die Jahre 1668 bis 1670 verbürgt. Für die ausgezeichneten Trompeter der Hofkapelle schrieb er Trompetenkonzerte und Stücke für sechs bis acht Trompeten, Pauken und Basso continuo, wie zum Beispiel die »Sonata Sancti Polycarpi«.

Im Herbst 1670 verließ Biber den Hof auf einer Dienstreise nach Tirol unter ungeklärten Umständen und ohne Erlaubnis seines darüber sehr verärgerten Dienstherrn. Bald darauf fand er eine Anstellung als Mitglied der Hofkapelle des Fürsterzbischofs Maximilian Gandolf Graf Khuenburg in Salzburg, die besser bezahlt war und ihm auch bessere Aufstiegsmöglichkeiten bot als in Kremsier.

1677 übernahm er die Ausbildung der Chorknaben der Kathedrale und stieg zwei Jahre später zum Vizekapellmeister auf. Im Jahr 1684 hatte sich Biber als Hofkapellmeister, Dekan und Truchsess etabliert. Nach zahlreichen Aufenthalten in München wurde er 1690 von Kaiser Leopold I. geadelt und nannte sich fortan »von Bibern«.

In Salzburg komponierte Biber Violinsonaten, Ensemblestücke, Opern (u. a. »Arminio«, 1687) und Schuldramen (»Valerianus«, 1684). Die Salzburger Ensemblewerke wie die »Nachtwächter-Serenade« (1673) sowie die Partiten bzw. Sonaten der Sammlungen »Mensa sonora« (1680) und »Fidicinium sacro-profanum« (1683) sind in der Regel für Streicher und Basso continuo geschrieben.

Zu den bedeutenden Kammermusikwerken der Zeit zählen die »Rosenkranzsonaten« (um 1676) und die sieben Partiten der »Harmonia artificiosa-ariosa« (1712 posthum veröffentlicht). Darüber hinaus fühlte sich Biber als gläubiger Katholik der Kirchenmusik verpflichtet und komponierte große geistliche Werke für Solostimmen und Orchester, insbesondere Messen, ein Requiem und Vespervertonungen.   MÖ

»Rosenkranzsonaten« (»Mysteriensonaten«) für Violine und Generalbass

Sonate Nr. 1 d-Moll

(Die Verkündigung)

Sätze 1. Praeludium – Variatio, 2. Aria allegro – Variatio, 3. Adagio, 4. Finale
Entstehung bis 1676
Verlag Akademische Druck- und Verlagsanstalt, Graz
Spieldauer ca. 7 Minuten

Sonate Nr. 2 A-Dur

(Die Heimsuchung)

Sätze 1. Sonata: Presto, 2. Allamanda, 3. Presto
Entstehung bis 1676
Verlag Akademische Druck- und Verlagsanstalt, Graz
Spieldauer ca. 5 Minuten

Sonate Nr. 3 h-Moll

(Jesu Geburt. Anbetung der Hirten)

Sätze 1. Sonata: Presto, 2. Courente – Double, 3. Adagio
Entstehung bis 1676
Verlag Akademische Druck- und Verlagsanstalt, Graz
Spieldauer ca. 8 Minuten

Sonate Nr. 4 d-Moll

(Die Darstellung im Tempel)

Sätze Ciacona – Adagio piano – Presto – Adagio
Entstehung bis 1676
Verlag Akademische Druck- und Verlagsanstalt, Graz
Spieldauer ca. 8 Minuten

Sonate Nr. 5 A-Dur

(Der zwölfjährige Jesus im Tempel)

Sätze 1. Praeludium: Presto, 2. Allamanda, 3. Gigue, 4. Sarabanda –Double
Entstehung bis 1676
Verlag Akademische Druck- und Verlagsanstalt, Graz
Spieldauer ca. 8 Minuten

Sonate Nr. 6 c-Moll

(Das Leiden am Ölberg, Judas' Verrat)

Sätze 1. Lamento: Adagio, 2. Presto, 3. Adagio I, 4. Adagio II, 5. Adagio III
Entstehung bis 1676
Verlag Akademische Druck- und Verlagsanstalt, Graz
Spieldauer ca. 10 Minuten

Sonate Nr. 7 F-Dur

(Die Geißelung)

Sätze 1. Allamanda – Variatio, 2. Sarabanda – Variatio
Entstehung bis 1676
Verlag Akademische Druck- und Verlagsanstalt, Graz
Spieldauer ca. 9 Minuten

Sonate Nr. 8 B-Dur

(Die Dornenkrönung)

Sätze 1. Sonata: Adagio, 2. Presto, 3. Gigue – Double I: Presto – Double II
Entstehung bis 1676
Verlag Akademische Druck- und Verlagsanstalt, Graz
Spieldauer ca. 8 Minuten

Sonate Nr. 9 a-Moll

(Die Kreuztragung)

Sätze 1. Sonata, 2. Courente – Double, 3. Finale
Entstehung bis 1676
Verlag Akademische Druck- und Verlagsanstalt, Graz
Spieldauer ca. 8 Minuten

Sonate Nr. 10 g-Moll

(Die Kreuzigung)

Sätze 1. Praeludium, 2. Aria – Variatio,
3. Adagio – Variatio
Entstehung bis 1676
Verlag Akademische Druck- und Verlagsanstalt, Graz
Spieldauer ca. 10 Minuten

Sonate Nr. 11 G-Dur

(Die Auferstehung)

Sätze 1. Sonata: Surrexit Christus hodie,
2. Adagio
Entstehung bis 1676
Verlag Akademische Druck- und Verlagsanstalt, Graz
Spieldauer ca. 10 Minuten

Sonate Nr. 12 C-Dur

(Die Himmelfahrt Jesu)

Sätze 1. Intrada, 2. Aria Tubicinum,
3. Allamanda, 4. Courente – Double
Entstehung bis 1676
Verlag Akademische Druck- und Verlagsanstalt, Graz
Spieldauer ca. 6 Minuten

Sonate Nr. 13 d-Moll

(Die Sendung des Heiligen Geistes)

Sätze 1. Sonata, 2. Gavotte, 3. Gigue,
4. Sarabanda
Entstehung bis 1676
Verlag Akademische Druck- und Verlagsanstalt, Graz
Spieldauer ca. 9 Minuten

Sonate Nr. 14 D-Dur

(Mariae Himmelfahrt)

Sätze 1. Praeludium: Grave – Adagio, 2. Aria,
3. Aria, 4. Gigue
Entstehung bis 1676
Verlag Akademische Druck- und Verlagsanstalt, Graz
Spieldauer ca. 10 Minuten

Sonate Nr. 15 C-Dur

(Die Krönung Mariae)

Sätze 1. Sonata, 2. Aria, 3. Canzon,
4. Sarabanda
Entstehung bis 1676
Verlag Akademische Druck- und Verlagsanstalt, Graz
Spieldauer ca. 11 Minuten

Passacaglia g-Moll

(»Schutzengelsonate«)

Bezeichnung Passacaglia: Adagio – Allegro –
Adagio
Entstehung bis 1676
Verlag Akademische Druck- und Verlagsanstalt, Graz
Spieldauer ca. 10 Minuten

Entstehung Biber beendete seine Sonaten über die 15 heiligen Mysterien der katholischen Rosenkranzgebete 1676 in Salzburg. Den hand-

---

Die Skordatur in alter Violinmusik

Durch die – auch von Biber in seiner Violinmusik immer wieder geforderte – Skordatur, das Verstimmen der Saiten, wird das Spiel höchstens dann erleichtert, wenn alle vier Saiten um das gleiche Intervall höher oder tiefer gestimmt werden (sogenannte Transpositionsskordatur). Das bietet sich etwa an, wenn man eine unangenehme Tonart mit vielen Vorzeichen vermeiden will. Wird dagegen der reguläre Quintabstand der Saiten verändert, wird die Beherrschung des Instruments auch für Profis zur Herausforderung. Sie nutzen die Skordatur, um aus ihrem Instrument mehr herauszuholen: Mit tiefer gestimmter G-Saite dringen sie in ungeahnte Bassregionen vor. Wird eine Stimmung gewählt, die eine Grundmelodie oder -harmonie enthält, so lässt sich viel auf den leeren Saiten spielen, wodurch der Klang offener wird. Ein Beispiel für diesen Klang ist Bibers zwölfte »Rosenkranzsonate«. Eine enge Skordatur macht viele Saiten- und Lagenwechsel notwendig, wie etwa in Bibers siebter und achter Sonate, wo der Abstand zwischen tiefster und höchster Saite gerade einmal eine Oktave beträgt.

schriftlich überlieferten Sonaten sind Kupfersti-
che mit bildlichen Darstellungen der fünf freudenreichen (Sonaten 1–5), fünf schmerzhaften
(Nr. 6–10) und fünf glorreichen (Nr. 11–15) Ro-
senkranzgeheimnisse zur Verherrlichung der
Jungfrau Maria beigefügt.

Die 3 x 5 Geheimnisse beziehen sich auf Verkündigung und Geburt, Passion sowie Auferstehung Jesu. Für ihre Pflege und Verehrung ist im
Rahmen des Kirchenjahrs der Oktober vorgesehen. In allabendlichen Andachten betrachten die
Gläubigen betend jedes Mysterium, das jeweils
zehn Ave-Maria umfasst und daher auch »De-
kade« genannt wird.

Die »Rosenkranzsonaten« sind Fürsterzbischof Maximilian Gandolf Graf Khuenburg gewidmet, der regelmäßig an den Salzburger Rosenkranzfeiern teilnahm. Wegen der vielen enthaltenen Tänze hat Biber die Sonaten vermutlich
nicht öffentlich, sondern nur bei Privatandach-
ten des Erzbischofs gespielt.

Auf die 15 »Rosenkranzsonaten« folgt abschließend eine Passacaglia in g-Moll für Violine
solo. Da die entsprechende Vignette einen
Schutzengel darstellt, liegt die Vermutung nahe,
dass die Komposition für das 1667 durch Papst
Klemens IX. eingeführte Schutzengelfest komponiert wurde. Es fällt auf den 2. Oktober und
damit auf den Beginn der Rosenkranzfeiern, mit
denen es in enger Verbindung steht.

Musik Die »Rosenkranzsonaten« bilden den
Gipfelpunkt der Violinliteratur mit Scordatura
(Umstimmung der Violinsaiten). Trotz der Scor-
daturasonaten von Bibers Lehrer Johann Heinrich Schmelzer sind die »Rosenkranzsonaten«
mit ihrer erstaunlichen Vielfalt an unterschiedlichen Stimmungen eine in dieser Hinsicht einzigartige Werkgruppe. Mit Ausnahme der ersten
weisen alle folgenden Sonaten eine jeweils unterschiedliche, von der Normalstimmung abweichende Skordatur auf, die ihnen als Akkord
(Accordo) vorangestellt ist. Dabei fällt die enge
Beziehung zwischen den leeren Saiten und der
jeweiligen Tonart auf, mit der Biber die Resonanz
und damit die Klangfülle der Violine vergrößert.
Die Skordatur lässt überdies ungewöhnliche Akkordgriffe zu und erweitert damit die polyfonen
Möglichkeiten des Instruments. Am weitesten
geht Biber in der Sonate Nr. 11 mit der ineinander verschränkten Stimmung g-g^1-d^1-d^2.

Mit Ausnahme der Sonate Nr. 4, einer »Ciacona«, bestehen die Sonaten in der Regel aus
drei bis fünf Sätzen. Dem oft »Sonata« genannten Vorspiel folgen häufig sowohl Tänze als auch
tanzfreie Sätze, insbesondere Basso-ostinato-
Variationen. Biber verwendet zwar traditionelle
Suitensätze wie Allemande, Courante, Sarabande und Gigue, doch nicht gemeinsam in einer
Sonate. Die spieltechnischen Anforderungen
der Werke sind höher als etwa in den Violinsonaten op. 5 von Arcangelo Corelli. Biber erweitert das mehrstimmige Spiel bis zur Drei- und
Vierstimmigkeit und verlangt sogar die siebte
Lage.

Bibers 15 »Rosenkranzsonaten« beziehen sich auf die
15 heiligen Mysterien des katholischen Rosenkranz-
gebets. Die Sonate Nr. 3 h-Moll zählt zu den fünf
freudenreichen Geheimnissen und widmet sich der
Geburt Jesu (»Die Geburt Christi«, Gemälde von Martin
Schongauer; um 1480, Berlin, Gemäldegalerie).

Die jeweils gewählte Skordatur gewährleistet
mit ihren unterschiedlichen Resonanzverhält-
nissen und Klangfarben einen für jedes Bild unterschiedlichen Ausdrucksgehalt. Darüber hinaus verwendet Biber musikalische Stilmittel,
um den Sinngehalt der bildlichen Darstellung

musikalisch abzubilden. Ein instruktives Beispiel bietet die harmonische Fortschreitung von g-Moll in der Sonate »Die Kreuzigung Christi« nach G-Dur in »Auferstehung Christi«. Ebenso wenig zufällig ist die Verwendung des Lamentos in der Sonate »Leiden Christi am Ölberg. Judas' Verrat«. Die zahlreichen Variationssätze mit ihren Ostinatobässen dienen aber lediglich dazu, der Violine virtuose Solopartien einzuräumen.

Die abschließende unbegleitete g-Moll-Passacaglia besteht aus 65 Wiederholungen des absteigenden Tetrachords g-f-es-d, über dem sich die Violine frei entfalten kann. Ihr Spiel zeichnet sich durch Laufwerk, Arpeggien und polyfon geführte Doppelgriffe aus. Bibers Passacaglia ist das früheste und zugleich herausragende Werk dieser Art vor Bachs berühmter Chaconne aus der d-Moll-Partita für Violine solo.

Wirkung Die 15 »Rosenkranzsonaten« und die »Schutzengelsonate« erschienen 1905 als Band 25 der Reihe »Denkmäler der Tonkunst in Österreich« (DTÖ). Ein Reprint davon, der auch das Stimmenmaterial enthält, kam 1959 bei der Akademischen Druck- und Verlagsanstalt in Graz heraus. In den 1960er-Jahren spielte Eduard Melkus die Sonaten auf der Barockvioline ein, und da die Continuobesetzung von Biber nicht vorgeschrieben ist, ließ er sich in jeder Sonate von einer unterschiedlich besetzten Continuogruppe begleiten. Damit unterstützte er Bibers Intention, jeder Sonate ein eigenes Klangbild zu verleihen. Ein besonders reichhaltiges Continuo findet sich in der Aufnahme von John Holloway; das ihn begleitende Ensemble Tragicomedia kombiniert aus Orgel, Regal, Cembalo, Laute, Chitarrone, Harfe, Viola da Gamba und Lirone unterschiedliche Klanggruppen. Eine von der Kritik begeistert aufgenommene Einspielung auf Barockvioline legte 2004 Andrew Manze vor.   MÖ/STÜ

Einspielungen (Auswahl)
- John Holloway (Violine), Davitt Moroney (Orgel, Cembalo), Tragicomedia, 1991; Virgin Classics
- Andrew Manze (Violine), Richard Egarr (Cembalo und Orgel), 2004; harmonia mundi

»Sonata violino solo representativa« für Violine und Generalbass

Sätze Allegro – Nachtigal – CuCu – Fresch – Adagio – Allegro: Die Henn – Der Hann – Presto – Adagio: Die Wachtel – Musquetir Mars – Allemande
Entstehung ca. 1669
Verlag Doblinger
Spieldauer ca. 11 Minuten

Entstehung Dies ist Bibers einzige erhaltene Violinsonate aus seiner Zeit in Kremsier. Den Anlass für die Auftragskomposition boten vermutlich die von Erzbischof Karl von Liechtenstein-Kastelkorn im Jahr 1669 auf Schloss Vyskov veranstalteten Karnevalsbälle. Nachdem der Erzbischof bei Johann Heinrich Schmelzer ein ähnliches Stück namens »Vogelsang« bestellt, aber nicht erhalten hatte, übertrug er Biber diesen Kompositionsauftrag.

Die »Sonata representativa« läuft vielfach unter der Bezeichnung »Representativa avium« (Eigenarten der Vögel). Der stilisierte Vogelgesang hat eine lange Tradition, und Biber war gewiss von Werken wie »Il Rossignolo« oder »Capriccio über das Henner- und Hannergeschrey« des österreichischen Komponisten Alessandro Poglietti beeinflusst, dessen Kompositionen zum Teil in Kremsier handschriftlich erhalten sind. Trotz ihres komödiantischen Inhalts widmete Biber die Sonate »der größeren Ehre Gottes, der Jungfrau Maria und der heiligen Cäcilia«.

Musik Bibers Sonate ist dem älteren Kanzonentyp verpflichtet, der aus vielen kurzen, in jeder Hinsicht kontrastierenden Abschnitten besteht. Kennengelernt hat er das kleingliedrige Flickwerk der Kanzone bei seinem Lehrer Schmelzer, der die Gattung in Österreich zur wahren Hochblüte geführt hat. Die »Sonata representativa« ist ein programmatisches Stück mit vielen tonmalerischen Stilelementen.

Biber ahmt mehrere Tierstimmen nach, hauptsächlich Vogelstimmen, wie Kuckuck, Nachtigall, Huhn, Hahn und Wachtel, aber auch das Quaken des Frosches und das Miauen der Katze. Die unterschiedlichen Tonmalereien der »Tiersonate« unterstreichen den Kontrast ihrer einzelnen Abschnitte. Um nicht Tierstimme auf Tierstimme folgen zu lassen, lockern kurze Abschnitte ohne programmatischen Bezug das musikalische Geschehen auf.

An den Einleitungssatz schließt sich die Nachahmung der Nachtigall mit den typischen staccatierten Tonrepetitionen an, die im Barock als musikalischer Topos für den Nachtigallengesang gelten. Die lediglich auf den Taktschwerpunkten einsetzende Begleitung des Basso continuo deutet auf eine rhythmisch freie Gestaltung der Violinstimme hin. Es folgt die Nachahmung des Kuckucksrufs mit der charakteristischen kleinen Terz abwärts. Kontrastreich schließt sich das dissonante Froschgequake an. Besonders naturalistisch ist auch das Gegacker und Gekrähe von Henne und Hahn mit der geworfenen Strichart des Spiccato dargestellt. Das Miauen der Katze versucht Biber durch Chromatik und überraschende harmonische Wendungen musikalisch abzubilden.

Vor der abschließenden Allemande taucht unvermittelt ein Musketiermarsch auf. Dabei handelt es sich offenbar um die Imitation eines Pfeifermarsches, den Biber auch in der »Battalia« aus dem Jahr 1763 einsetzt. Der Zusammenhang zwischen dem Musketiermarsch und den übrigen Sätzen besteht möglicherweise darin, dass die ganze Sonate eine einzige Nachahmung des Flötenspiels ist, das im 17. Jahrhundert in der Regel für die musikalische Darstellung des Vogelgesangs und natürlich auch für die Ausführung des Pfeifermarsches verwendet wurde.

Wirkung Alice Harnoncourt (Violine) hat die »Sonata representativa« 1969 zusammen mit ihrem Mann Nikolaus (Violoncello) und Herbert Tachezi (Cembalo) auf Schallplatte aufgenommen. 1977 gab Nikolaus Harnoncourt die Sonate erstmals als praktische Ausgabe mit ausgesetztem Generalbass von Herbert Tachezi heraus. MÖ

Einspielungen (Auswahl)
• Andrew Manze (Violine), Romanesca (+ weitere Sonaten), 1994; Harmonia Mundi

Boccherini | Luigi

* 19. 2. 1743
Lucca
† 28. 5. 1805
Madrid

100563

Lange Zeit wurde Boccherini von einer verständnislosen Nachwelt als Kleinmeister des Rokoko verkannt. Dies war die missliche Folge jenes berühmt-berüchtigten »Menuetts A-Dur« aus dem Streichquintett op. 11/2, das lange Zeit – und oft in verzeichnenden Arrangements – das Boccherini-Bild prägte. Heute findet der Komponist langsam wieder jene Anerkennung seiner staunenswert abgerundeten Kunst, die in historischen Zeugnissen emphatisch ausgesprochen wird.

Als Luigi Boccherini 1805 starb, wurde er in zahlreichen Nachrufen mit Joseph Haydn, dem angesehensten Komponisten seiner Zeit, verglichen. Dabei wurde Haydn zumeist als das innovative, Verstand und Intellekt anregende Genie, Boccherini dagegen als sensibler, das Gemüt rührender Musiker dargestellt. Als eine Verbindung erschien den Zeitgenossen, dass beide Komponisten den (oder zumindest einen) Schwerpunkt ihres Schaffens in der Kammermusik hatten. Neben seinem immens umfangreichen kammermusikalischen Œuvre (ca. 400 Werke) hat Boccherini »nur« etwas über 20 Sinfonien, zwölf Cellokonzerte und einige geistliche Kompositionen hinterlassen.

Boccherinis eigenartige, aber gewichtige Außenseiterstellung in der Musikgeschichte resultiert daraus, dass er den größten Teil seines Lebens in Spanien verbrachte, gleichsam am Rand der abendländischen Musikkultur. Dorthin hatte es den früh als Cellovirtuosen berühmten Musiker 1769 verschlagen, als er zusammen mit dem Geiger Filipino Manfredi seine italienische Heimat verließ und über Paris nach Madrid gelangte. Trotz seines ausgezeichneten Rufes erreichte er nie eine Stellung, die seine Fähigkeiten auch wirtschaftlich hinreichend gewürdigt hätte. Als bescheidene und zurückhaltende Persönlichkeit fand er nur zeitweise einflussreiche Gönner in höfischen Kreisen und wurde auch durch Raubdrucke und Fälschungen um seinen Verdienst betrogen.

Die kompositorische Leistung von Boccherini liegt in der mit Haydn zeitgleichen, aber unabhängigen »Erfindung« moderner kammermusikalischer Gattungen: In seinen Streichtrios, -quartetten und -quintetten herrscht ein fein ausgeführter dialogischer Kammermusikstil gleichberechtigter Stimmen; auch formal ist die klassische Sonatensatzform voll ausgebildet. Mühelos scheinen bei ihm der strenge Kontrapunkt und die Generalbassstruktur des barocken Erbes schlagartig abgestreift. Im Gegensatz zu Haydn geht es ihm freilich nicht um die logische Durchgestaltung des musikalischen Prozesses; er richtet sein Augenmerk mehr auf das melodische und koloristische Detail, die Schattierungen der Dynamik. Letztere Qualität verweist auch auf die wichtige Rolle Boccherinis in der Geschichte der Spieltechnik und Aufführungspraxis: Als ausübender Virtuose, dessen unvergleichlicher gesanglicher Ton von den zeitgenössischen Hörern vielfach gerühmt wurde, hat er sowohl der instrumentalen Idiomatik (hohe Lage, Passagen und Doppelgrifftechnik) als auch der beseelten und überlegt phrasierten Interpretation (differenzierte Anweisungen) wichtige Impulse gegeben. WA

Violin- und Cellosonaten

Entstehung Die außerordentlich trübe Quellenlage bei Boccherini, die aus der recht gängigen Praxis der Verleger des 18. Jahrhunderts resultiert, bekannte verkaufsfördernde Namen

auch über Kompositionen zu setzen, die nicht von diesen stammen, führt dazu, dass weder Datierung und Anzahl der Sonaten Boccherinis, noch die Echtheit bestimmter Werkgruppen zweifelsfrei angegeben werden kann. Zudem erscheinen auch authentische Werke Boccherinis oft unter verschiedenen Opuszahlen, in Arrangements für andere Besetzungen oder in anderen Zusammenstellungen.

Mit der gebotenen Vorsicht kann von 30 bis 40 originalen Sonaten gesprochen werden. Davon sind 18 zu Boccherinis Lebzeiten publiziert worden: 6 Sonaten für Klavier und begleitende Violine op. 5, 1768 komponiert und gedruckt, der Pariser Clavecinistin Brillon Jouy gewidmet; 6 Klaviersonaten mit begleitender Violine und Cello o. op., 1781 in Paris veröffentlicht, komponiert vermutlich kurz zuvor in Madrid; 6 Sonaten für Violine oder Violoncello und Basso continuo, gedruckt 1770/71 in Paris und London, wahrscheinlich aber schon viel früher ge-

Boccherini war Komponist und Cellovirtuose (hier auf einem Gemälde von Pompeo Batoni, um 1765). Viele seiner kammermusikalischen Werke schrieb er für das Violoncello.

schrieben. 16 weitere Sonaten des letzteren Typs sind nur handschriftlich in italienischen Bibliotheken überliefert und vermutlich den Jahren bis 1767 zuzuordnen.

Musik Die Sonaten für Soloinstrument und (bei Boccherini unbezifferten) Generalbass folgen noch ganz dem barocken Muster – Einheit der Tonart, Dreisätzigkeit, Suitensatzform –, verraten aber im spieltechnischen Niveau und in der kantablen Linienführung schon die persönliche Handschrift des Komponisten. Demgegenüber gehören die Sonaten op. 5 und die 1781 ohne Opuszahl veröffentlichten Werke dem neuen, in Paris besonders modischen Genre der begleiteten Cembalo- bzw. Pianofortemusik an. Hier kommt dem Tasteninstrument der virtuose und solistische Part zu, während die Melodieinstrumente mehr ausschmückende Funktion haben.

Boccherinis Sonaten op. 5 heben sich aber aus der Masse so gearteter Kammermusik heraus, da bei ihm die Violine keinesfalls entbehrlich ist, sondern zumindest streckenweise eigenes Gewicht hat, was schon in Richtung der späteren »richtigen« Violinsonate bei Johann Christian Bach, Mozart und Beethoven weist. Die Sonaten sind zwei- oder dreisätzig, als Finale fungiert häufig ein Menuett, mäßige und schnelle Tempi sind vorherrschend, formal finden sich sowohl einfache zweiteilige Formen als auch Sonatensätze mit veränderten Reprisen sowie Rondomodelle.

Der Klaviersatz zeigt bereits den modernen klassischen Stil, mit Akkordbrechungen in der linken Hand und Melodieführung in der rechten. Der Violinpart verdoppelt die Klaviermelodie nicht nur, sondern imitiert und dialogisiert auch und nimmt zuweilen (Sonate B-Dur op. 5/3) sogar eine gleichberechtigte Rolle ein; das Cello folgt dagegen (in den Sonaten von 1781) genau der Kontur des Klavierbasses. Thematisch und melodisch arbeitet Boccherini mit kleinen Motiven, aus deren Wiederholung sich die melodischen Linien entfalten.

Wirkung Vor allem die Sonaten op. 5 waren ausgesprochen erfolgreich, das kommerzialisierte Musikleben der französischen Hauptstadt war offenbar sehr wohl fähig zu erkennen, dass hier ein Gattungsgenre, das zu verflachen drohte, neu belebt und zukunftsträchtig aufgegriffen wurde. Allein bis 1800 sind ein Dutzend Nachdrucke nachgewiesen, außerdem wurde die Sonatenfolge auch in London, Amsterdam, Wien, Mannheim und Riga publiziert.   WA

Einspielungen (Auswahl)
• Cellosonaten G 2, 8–10 & 15: Anner Bylsma (Violoncello), Bob van Asperen (Cembalo), 1992; Sony Classical

Streichtrios

Hier wie bei den folgenden Sammelartikeln folgen die Opuszahlen dem autografen Werkverzeichnis Boccherinis und weichen damit teilweise von denen der Erstdrucke ab; zur sicheren Identifikation ist jeweils die Nummer im Gérard-Katalog beigefügt (G).

Entstehung Die ersten der mindestens 42 Streichtrios von Boccherini sind zugleich seine ersten Kompositionen überhaupt: 6 Trios op. 1/G 77–82 (1760) – sie entstanden während seines Aufenthalts in Wien. Bis 1793 folgen dann insgesamt sechs weitere Werkgruppen, die jeweils sechs Trios zusammenfassen. Schon dadurch zeigt sich, dass die Gattung für den Komponisten keine Vorarbeit zu den größeren Besetzungen war, sondern ein eigenständiges Arbeitsfeld. In der Besetzung verwendet Boccherini sowohl die ältere Kombination von zwei Violinen und Cello (in op. 1; op. 4/G 83–88, 1766; op. 6/G 89–94, 1769; op. 34/G 101–106, 1781; op. 54/G 113–118, 1796) als auch die neuere, von ihm mitbegründete mit Violine, Bratsche und Cello (in op. 14/G 95–100, 1772; op. 47/G 107–112, 1793). Eine im Jahr 1770 als Opus 7 publizierte Triogruppe ist zweifelhaft.

Musik Die Triobesetzung befand sich in der zweiten Hälfte des 18. Jahrhunderts in einer hochinteressanten Umbruchphase, in der Boccherinis Trios einen wichtigen Platz einnehmen. Eine ganze Reihe von sehr divergierenden Typen existierte praktisch nebeneinander und wurde in ästhetischen Publikationen erbittert diskutiert. Kontrapunktisch-strenge Konzeptionen in der Nachfolge der barocken Triosonate standen dabei frei dialogisierenden, homofonen oder virtuos-brillanten Modellen gegenüber. Boccherinis Trios bringen dabei entscheidende

Tendenzen, die von der polyfon gearbeiteten Tradition wegführen, ohne dabei in die ganz schlichte, »galante« Manier der Mehrheit der italienischen und französischen Komponisten zu verfallen.

Besonders wichtig ist dabei die für einen Cellisten naheliegende Aufwertung des Celloparts, der nicht mehr als Pseudogeneralbass fungiert, sondern aktiv an der motivischen Arbeit teilnimmt (in der Terminologie der Zeit: »Trio concertante«), und die neue Besetzung mit einer Bratsche, die den Tonraum natürlicher und ausgewogener füllt als das traditionelle Oberstimmenduo. Zwar findet sich diese Triokonstellation bei Joseph Haydn und Simon Le Duc schon vor 1770, aber da Boccherini deren Werke 1772 kaum gekannt haben kann, darf er als »(Mit-)Erfinder« des klassischen Streichtrios gelten.

In ihrem musikalischen Gehalt zeigen die Trios ein differenziertes, vielgestaltiges Bild und sind den Quartetten und Quintetten von Boccherini ohne Weiteres an die Seite zu stellen. So ist zum Beispiel das Opus 1 ein bemerkenswerter Erstling, der nicht nur gereifte Technik, sondern auch Fantasie und Originalität verrät: Ausgedehnte Fugen repräsentieren den artistischen Anspruch, daneben stehen aber auch Passagen im belebten und freien Dialog sowie homofon-sinfonische Abschnitte; auch die Satzfolge der dreisätzigen Trios erprobt ganz unterschiedliche Anordnungen. Demgegenüber sind die Trios op. 47 kammermusikalische Miniaturen (»opere piccole« nach Boccherinis Verzeichnis) in zwei Sätzen, mit anspruchsvollem, oft führendem Cellopart und besonders typischen, anmutigen Menuetten als abschließenden Sätzen.

Wirkung Alle Trios sind zu Lebzeiten Boccherinis gedruckt erschienen, und zwar fast immer unmittelbar nachdem sie komponiert waren. Als in gewisser Weise dem Konversationston verhaftete Werke fanden sie gute und breite Aufnahme. Dass in der Aufführungspraxis der Zeit Musik zur Unterhaltung durchaus in dem Doppelsinn gemeint war, dass die Musik unterhalte und dass man sich während der Musik unterhalten könne, mag in einer Rezension der Trios op. 54 in der Leipziger »Allgemeinen Musikalischen Zeitung« von 1789 anklingen: »Von diesen Trios möchte man sagen, dass sie gesellschaftlich klingen; es herrscht ein guter Zusam-

menklang darin, und niemand ist wegen anderer Schwierigkeiten geniert.« WA

Einspielungen (Auswahl)
- Trios op. 54/2, 4–6 (G 114, 116–118): La Real Cámara, 1994; Glossa

Streichquartette

Entstehung Schon 1761 entstand Boccherinis erste Serie von Streichquartetten. Offenbar musizierte er damals mit befreundeten Virtuosen und Komponisten in genau dieser Besetzung. Für 1766/67 ist dann belegt, dass Boccherini zusammen mit Filipino Manfredi, Giuseppe Cambini und Pietro Nardini ein Streichquartett bildete. Bis zu seinem Tod folgten insgesamt 91 Quartette – eine kontinuierliche Pflege der Gattung, meist in Gruppen von sechs Werken, wobei nie eine längere Pause eintrat. Während die erste Serie wohl vornehmlich für den eigenen Gebrauch gedacht war, sind die mittleren Quartette für den französischen Markt

---

Originell, vergnüglich, spielfreudig

Einen »Klassiker« für Hobbymusiker hat Ernst Heimeran mit seinem Buch »Das stillvergnügte Streichquartett« über die Bildung und den Übungsalltag vier gemeinsam musizierender Laien geschrieben, mit dem er einen »Wegweiser durch die spielbare Quartettliteratur« offeriert. Boccherini kommt dabei ziemlich gut weg: »Für Anfänger im Zusammenspiel ist Boccherini unbedingt zu empfehlen«, heißt es da etwa. »Bei keinem anderen Komponisten kann man so mühelos eine gewisse Kultur des musikalischen Vortrags auf erfreuliche Weise erlernen.« Und zu einzelnen Boccherini-Quartetten fallen immer wieder die Schlagworte »originell«, »vergnüglich« und »spielfreudig«. Zur Programmgestaltung bei einem Vorspielabend hat Heimeran folgende »goldene Hausregeln« parat: »1. Lieber leicht und sauber als schwierig und undurchsichtig. 2. Man beginne mit einem nicht nur technisch, sondern auch klanglich einfachen Werk (etwa einem kurzen, unbekannten Streichquartett von Boccherini). 3. Man wähle Werke mit guten Abschlüssen.«

entworfen, die letzten dagegen Auftragswerke von Lucien Bonaparte (oder ihm gewidmet).

Musik Der polemische Streit zwischen deutschen und italienischen Musikhistorikern (vor allem in den 1920er- und 1930er-Jahren), ob nun Haydn oder Boccherini das Streichquartett als Gattung begründet habe, scheint wenig fruchtbar. Haydns erste Werke (1755–59) für die Besetzung haben das chronologische Argument auf ihrer Seite. Betrachtet man dagegen aber Boccherinis Quartette op. 2 von 1761, so kann man feststellen, dass ihm die neue Gattung viel eher im wörtlichen Sinn »eingefallen« ist, er sie gleichsam »erfunden« hat. Denn der ausgewogene kammermusikalische Stil der gleichberechtigten Beteiligung aller vier Stimmen, die anspruchsvolle zyklische Formung, die sich Haydn erst in einem mühsamen Prozess von Werk zu Werk erarbeitet, ist bei Boccherini sofort da. Die sechs Quartette op. 2 bringen in ihrer satztechnischen Raffinesse, der ausgefeilten Dynamik und der nuancierten Harmonik den Stiltypus bereits komplett zum Ausdruck – einen Stiltypus, den Boccherini im Lauf der nächsten 40 Jahre des Komponierens kaum verändert hat. Das heißt aber nicht, dass seine 91 Streichquartette nach der immer gleichen Masche gestrickt wären: Ganz im Gegenteil gibt ihm gerade die gesicherte stilistische Grundlage die Gelegenheit, Details mit großer Fantasie und Freiheit zu gestalten. Es erscheinen zweisätzige (»Quartettini«), dreisätzige, verschiedene viersätzige Werke (Menuett an zweiter oder dritter Stelle) und sogar eine fünfsätzige Satzfolge. Groß ist auch die Anzahl der Satztypen und der Tonfälle, die bei Weitem nicht immer in der Sphäre melancholischer Rokokowehmut verbleiben. Scharfe Kontraste entstehen nicht nur zwischen dem Charakter ganzer Werke, sondern auch zwischen den Sätzen und als Bauelement der Satzformen selbst.

Welche Weite Boccherinis Vermögen umfasst, können exemplarisch drei weitere Serien aufzeigen: Opus 8 – für Paris komponiert – entspricht tendenziell der dortigen Gepflogenheit des virtuosen Quartetts, die Primgeige etwas dominieren zu lassen. In der Dreisätzigkeit findet sich sowohl die typische Abfolge schnell–langsam–schnell als auch (in op. 8/3 und op. 8/5) das etwas altmodische Schema langsam–schnell–Me-

nuett. Besonders reich, vielfältig und inspiriert ausgeführt sind die Quartette op. 32, wobei auch Einflüsse Haydns mit eigenständigen Lösungen in glücklicher Konzentration verbunden sind. Im Opus 58 ist dagegen die Struktur gelockerter, der rhetorische Pathos der Melodik und die orchestrale Klangfülle greifen Elemente der Musik der Französischen Revolution auf, die Freiheit der formalen Anlage verweist auf programmatische Hintergründe, die freilich nirgendwo explizit benannt werden.

Wirkung Während sich Boccherinis Quartette zu seinen Lebzeiten sehr gut verkauften und in Rezensionen und anderen publizistischen Einschätzungen immer mit an der Spitze der musikalischen Entwicklung gesehen wurden, gerieten sie im 19. Jahrhundert schnell in Vergessenheit, ja wurden in der Literatur oft geradewegs geschmäht. Ein besseres Verständnis der spezifischen Position Boccherinis reifte erst in jüngerer Zeit und ist vor allem das Verdienst eines Musikwissenschaftlers und großen Kenners der Gattung: Ludwig Finscher. Auch auf dem Schallplattenmarkt wächst die Auswahl, nachdem lange Zeit nur wenige italienische Ensembles, darunter das Quartetto Italiano, die Vorreiterfunktion einnahmen. WA

Einspielungen (Auswahl)
- Quartette G 177, 194, 213 & 248: Petersen Quartett, 1991; Capriccio

Streichquintette

Entstehung Die erste Serie von Boccherinis Streichquintetten entstand 1771 – ähnlich wie zum Teil bei Haydns Streichquartetten war der konkrete Anlass ein zufällig zur Verfügung stehendes Ensemble: Am Hof des spanischen Infanten Don Luis in Arenas existierte ein Quartett, zusammen mit dem Cello spielenden Komponisten ergab sich also die für Boccherini typische Kombination von zwei Violinen, Bratsche und zwei Celli. 110 seiner 125 Streichquintette vertreten diesen Besetzungstypus und dürfen als der zentrale Bereich seines musikalischen Schaffens überhaupt betrachtet werden. Für die Werke der Jahre 1785 bis 1795 (ab Opus

40) ist die Beziehung des Komponisten zum Cello spielenden preußischen Kronprinzen und späteren König Friedrich Wilhelm II. sicher mitbestimmend gewesen. Merkwürdigerweise hat Boccherini nach 1795 keine Quintette dieser Art mehr komponiert.

Bei der Quellenlage sorgen unterschiedliche Opuszahlen, teils auch nicht autorisierte Neugruppierungen in frühen Drucken für Irritationen: Die korrekten Nummern nach Boccherinis eigenem Werkverzeichnis und nach dem Katalog von Yves Gérard seien hier zur Übersicht angegeben: op. 10, 11, 13, 18, 20, 25, 27, 28, 29, 30, 31, 36/G 265–336 (jeweils 6 Quintette pro Opus; bei den folgenden Opera erklärt sich die unterschiedliche Anzahl an Quintetten meist durch Kombination mit anderen Werken unter einer Opuszahl), op. 40 (6 Quintette), 41 (2), 42 (4), 43 (3), 45 (4), 46 (6), 49 (5), 50 (6), 51 (2)/ G 341–377.

Musik Mit den Quintetten mit zwei Celli hat Boccherini, auch hier gleichsam ohne hinführende Vorarbeiten aus dem Stand heraus, einen eigenständigen Quintettstil geschaffen, der sich von dem des klassischen Streichquartetts (auch seiner eigenen Quartette) charakteristisch unterscheidet. Man hat dafür den Begriff »konzertantes« Quintett gefunden, was heißen soll, dass alle Stimmen meist abwechselnd mit solistischen Aufgaben betraut sind. Satztechnisch ergibt sich dadurch eine Musik, die zwar ähnlich fein ziseliert und durchgeführt ist wie im klassischen Quartett, aber eben nicht im Sinne thematischer Prozesse, sondern als kontrastreiches Spiel mit Klangtypen und Satzbildern. Diesen Quintettstil hat Boccherini zwischen 1771 und 1795 kaum verändert, jedoch den musikalischen Raum, der sich in Satztechnik und Formanlage eröffnet, bis in die extremsten Möglichkeiten abgeschritten.

Auf der Ebene der Organisation der Fünfstimmigkeit bringt der Komponist strenge Kontrapunktik, Gruppierungen der Instrumente, solistische Phasen mit Begleitung der anderen Instrumente, Dialogisieren, Parallelführung in enger oder weiter Lage, Reduzierung des Satzes auf vier, drei oder nur zwei Stimmen, aber auch orchestrale Fülle mithilfe von Stimmteilung durch Akkordgriffe ein: Die Folge dieser Satztechniken und ihre spezifische klangliche Oberfläche prägen die auf Reihung und Kontrast beruhende Form der Einzelsätze.

Die Quintette haben meist zwei, drei oder vier Sätze, die Satzfolge verfestigt sich aber (auch bei Viersätzigkeit) nie zum klassischen Sonatentypus – mit schnellem Sonatensatz, langsamem Satz, Menuett oder Scherzo und Finale in Sonatensatz- oder Rondoform (auch wenn dieser vorkommt); Boccherini findet vielmehr immer neue Kombinationen und Tempokonstellationen.

Eine ganz besondere Spezialität vor allem der späteren Quintette sind Formanlagen, bei denen ganze Sätze (auch verkürzt) oder Satzteile wiederkehren oder zusätzliche Sätze in ein eigentlich vollständiges Modell eingefügt werden. So ergeben sich zyklisch abgerundete rondoähnliche Bauweisen, wie sie keine Parallele in der Musik seiner Zeit haben: Im eigentlich zweisätzigen C-Dur-Quintett op. 40/4 sind in das abschließende Menuett verschiedene Prestoabschnitte integriert, die zudem noch wiederholt werden, in den Quintetten F-Dur op. 46/5 und c-Moll op. 51/2 schließen variierte Satzteile die Gesamtanlage zyklisch ab (Schema: A-B-CDC[1] bzw. ABC-D-A[1]B[1]). Neben diesen Experimenten sollten die häufig angeführten programmatischen Titel einiger Quintette oder Einzelsätze – wie »Vogelhaus«, »Hirten und Jäger«, »Nachtmusik auf den Straßen von Madrid« – nicht überbewertet werden; sie sind Ausnahmen – zudem hat sich Boccherini in einem Brief an den Verleger und Komponisten Ignaz Pleyel selbst recht abfällig darüber geäußert.

Außer den hochinteressanten technischen Aspekten sind es aber natürlich die Melodik, Rhythmik und Dynamik, die Boccherinis Musik hier ganz persönlich prägen: Die oft weiche, lyrische Melodieführung, die im kantablen Zusammenspiel mehrerer Instrumente erreicht wird (erste Violine und erstes Cello sind dabei immer etwas bevorzugt), ist geradezu ein Markenzeichen seiner Tonsprache geworden. Dabei werden alle Nuancen der Streicheridiomatik in perfekter Beherrschung genutzt. Die genauen Spielanweisungen und die durchgängige rhythmische Belebung des Satzes zeigen überdies, wie bewusst sich Boccherini des Umstands war, dass diese Musik von erstklassigen Interpreten verantwortungsvoll gespielt werden muss, um all ihre Schönheiten zu enthüllen.

Wirkung Boccherinis Streichquintette stehen quantitativ und qualitativ einzigartig da. Daneben sind zahlenmäßig eigentlich nur die entsprechenden Werke seines Madrider Kollegen Gaetano Brunetti und des in Paris lebenden Giuseppe Cambini zu nennen. Die gesamte Quintettproduktion des süddeutsch-österreichischen Raumes (Michael Haydn, Mozart, Pleyel, Franz Anton Hoffmeister, Carlo Giuseppe Toeschi) orientiert sich dagegen an einem anderen Besetzungs- und Stiltypus (und erreicht alles zusammen kaum die Anzahl der Boccherini-Werke).

Obwohl sich die Quintette rasch verbreiteten (und Boccherinis Ruf festigten) und obwohl das Repertoire an Streichquintetten dieser Art damals von seinen Werken beherrscht wurde, ist doch auffallend, dass die Quintette bei den Zeitgenossen nicht so gut ankamen wie die Quartette und Sonaten. Eine große Anzahl der Streichquintette, darunter gerade die originellsten, wurde nicht gleich gedruckt. Das hatte sicher auch praktische Gründe, waren doch zwei gute Cellisten schwerer verfügbar als Musiker für eventuell schlicht geführte Bratschenmittelstimmen. Auch kompositorisch fanden die »Zwei-Celli-Quintette« kaum Nachfolger (ausgenommen einige Quintette von Georges Onslow sowie Schuberts C-Dur-Quintett D 956), sodass Boccherini zugleich als ihr Begründer und Vollender anzusehen ist. WA

Einspielungen (Auswahl)
• Quintette op. 11/4–6 (G 274–276): Smithsonian Chamber Players, 1988; Deutsche Harmonia Mundi

Streichquintette in anderen Besetzungen

Entstehung In 15 seiner 125 Streichquintette weicht Boccherini von der bei ihm sonst verbindlichen Besetzung mit zwei Celli ab: Es sind dies die drei Quintette für zwei Violinen, Bratsche, Cello und Kontrabass op. 39/G 337–339, die er 1787 als Auftragswerke komponiert hat, und die beiden Serien à sechs Quintette in der klassischen Besetzung mit zwei Violinen, zwei Bratschen und Cello op. 60 und op. 62/G 391–402,

die in den Jahren 1801/02 geschrieben und Lucien Bonaparte gewidmet wurden.

Musik Diese 15 Streichquintette haben, verglichen mit dem Löwenanteil des boccherinischen Quintett-Œuvre, nicht nur eine andere Besetzung, sondern auch eine etwas differierende musikalische Gestalt. Die drei Werke aus Opus 39 sind keine »konzertanten« Streichquintette in der für ihn typischen Schreibweise, sondern verfolgen eine einfachere Art – die des »Quintetto dialogué«, bei dem die vier oberen Stimmen sich in Duetten über dem harmonisch stützenden, nicht thematischen Bass entfalten.

Einzelwerke dieser Art finden sich zwar auch bei den Zwei-Celli-Quintetten, aber im Opus 39 führt die Besetzung mit dem Kontrabass zu einer besonders deutlichen Ausprägung dieses Typs, während das zweite Cello in den anderen Quintetten nur zeitweise die reine Bassfunktion innehat, dann aber auch wieder konzertant ins Geschehen eingreifen kann. Trotz der satztechnischen Vereinfachung gibt es auch hier komplizierte zyklische Formtechniken mit wiederholten Abschnitten, so im B-Dur-Quintett op. 39/1 nach dem Schema A-BCDB-EFE.

Die Quintette op. 60 und op. 62 greifen dagegen die Besetzung auf, die bei den Mannheimer, Salzburger und Wiener Quintettkompositionen die vorherrschende war: Stilistisch verbinden sie Elemente des »dialogisierenden« Quintetts – auch hier ist die unterste Stimme (Cello) mehr harmonische Stütze und wenig thematisch – mit Einflüssen der Wiener Tradition (geringere Ausdehnung der Soli, orchestrale Dichte).

Wirkung Keines dieser Werke wurde zu Lebzeiten Boccherinis gedruckt. Die Kontrabassquintette erschienen in den Jahren 1809, 1811 und 1813 auf verschiedene Sammlungen verteilt. Die klassisch besetzten Streichquintette hingegen sind bis ins 20. Jahrhundert nur im Manuskript überliefert (op. 60/4 ist sogar verloren). WA

Einspielungen (Auswahl)
• Quintette op. 60/3 & 62/5 (G 280, 326): Petersen Quartett mit Ulrich Knörzer (Viola), Guido Schiefen (Violoncello), 1992 (+ Quintett für 2 Violinen, Viola und 2 Violoncelli); Capriccio
• Quintette op. 25 Nr. 1, 4, 6: Ensemble Europa Galante, 1999 (+ Menuett aus dem Quintett op. 11 Nr. 5); Virgin Veritas/EMI

Quintette für Klavier (Gitarre) und Streichquartett

Entstehung Neben den dominierenden Gattungen der Streicherkammermusik hat Boccherini auch eine ganze Reihe von Werken in gemischten Besetzungen (Quintette, Sextette, Oktette – meist mit Bläsern) geschrieben, von denen die 1797 und 1799 entstandenen Quintette für Klavier, zwei Violinen, Bratsche und Cello besonders interessant sind. Die erste Serie von sechs Klavierquintetten op. 56/ G 407–412 war für Friedrich Wilhelm II. von Preußen gedacht, die zweite op. 57/G 413–418 widmete Boccherini, nachdem er einen besonders enthusiastischen Bericht aus Paris über seine Musik erhalten hatte, der »französischen Nation«. Boccherini hat diese Klavierquintette später als Streichquintette umarrangiert (G 379–390) – und von den meisten auch Fassungen für Gitarre und Streichquartett angefertigt (G 445–453). Letztere entstanden für den Gitarre spielenden François Borgia, Marquis de Benevente.

Musik Boccherinis Klavierquintette zeigen noch einmal die enorme Erfindungsgabe des Komponisten in Hinblick auf kammermusikalische Konstellationen: Denn eine echte Gattung »Klavierquintett« gibt es eigentlich erst viel später (begonnen mit Schumanns Opus 44 aus dem Jahr 1842). Boccherini greift auf die Tradition der begleiteten Cembalomusik, wie sie vor allem in Paris florierte, zurück, vielleicht auch auf ein spezifisch spanisches Erbe, denn Antonio Sole hatte bereits 1776 Werke für Orgel und Streichquartett komponiert. Er stärkt die Funktion der Streichinstrumente (die ausdrücklich obligat sind) und kommt so einem »echten« Quintett schon sehr nahe. Der Klaviersatz ist dabei durchsichtig und fast durchgängig zweistimmig gehalten. Mit anderen Werken der Spätphase Boccherinis sind die Klavierquintette stilistisch eng verbunden. Auch hier experimentiert er mit ungewöhnlichen Satzfolgen und zyklischen Wiederholungen, außerdem finden sich zahlreiche Genrestücke mit poetisierenden Überschriften

und Tonfälle der französischen Musik seiner Zeit. Die Gitarrenquintette sind teils aus diesen Klavierquintetten, teils aus anderen Werken Boccherinis arrangiert. Sie reflektieren zweifellos die gerade von Spanien her wirkende Gitarrenmode.

Der 1997 verstorbene, international gefeierte Gitarrist Narciso Yepes (hier bei einem Auftritt 1992) veröffentlichte zahlreiche Einspielungen von Kompositionen aus Renaissance und Barock für die Gitarre. 1970 spielte er mit dem Melos Quartett die Quintette von Boccherini ein.

Wirkung Die sechs Klavierquintette op. 56 wurden 1800 in Paris publiziert, die Sammlung op. 57 erst posthum 1820. Die Gitarrenbearbeitungen erfreuen sich bis heute einer gewissen Beliebtheit, die jedoch die originalen Klavierfassungen vielleicht eher verdienen würden. WA

Einspielungen (Auswahl)
• Quintette G 448, 451 & 453: Narciso Yepes (Gitarre), Melos Quartett 1970; Deutsche Grammophon

Borodin | Alexander

* 31. 10.
(12. 11.) 1833
St. Petersburg
† 15. (27.) 2.
1887 St. Petersburg

Musik war für Alexander Borodin nur ein – wenn auch mit großem Können ausgeübtes – Hobby, im Hauptberuf war er Mediziner und Chemiker. Sein Hauptinstrument war das Violoncello, seine Kammermusik entsprang, so der Musikwissenschaftler Christoph Flamm, »eigenen musikalischen Bedürfnissen«: »Innerhalb der russischen Musikgeschichte kommt ihr neben den Quartetten von Tschaikowski ein besonderer Stellenwert zu.«

Borodin war das uneheliche Kind eines russischen Fürsten, der den Neugeborenen unter dem Namen seines Leibeigenen Porfiri Borodin in das Taufregister eintragen ließ. Seine wohlhabende Mutter erzog ihn sorgfältig. Seine große musikalische Begabung zeigte sich schon früh, er lernte Klavierspielen erhielt jedoch keinen systematischen Musikunterricht, sodass er als musikbegeisterter Autodidakt aufwuchs. Eine zweite Passion war die Chemie, für die er sich beruflich entschied.

1850 trat er als Student in die Medizinisch-chirurgische Akademie seiner Heimatstadt ein und promovierte 1858 zum Doktor der Medizin. 1859 ging er nach Heidelberg zur weiteren Ausbildung. Dort flammte seine Liebe zur Musik erneut auf, hatte er doch Gelegenheit, im nahen Mannheim die Oper zu besuchen und Wagners frühe Werke kennenzulernen. Vor allem dessen Instrumentation eröffnete ihm neue Horizonte. In Heidelberg lernte er auch seine spätere Frau, eine begabte Pianistin, kennen.

1862 kehrte er nach St. Petersburg zurück und wurde kurz darauf zum Professor der Chemie an der Medizinisch-chirurgischen Akademie berufen, eine Position, die er bis zu seinem Tod bekleidete. 1872 richtete er dort Kurse für Frauen ein, eine damals revolutionäre Tat. Sein Pflichtbewusstsein, seine Güte und Hilfsbereitschaft den Studenten gegenüber, seine ständig von Studenten umlagerte Wohnung in der Akademie, seine kränkelnde Frau ließen ihm wenig Zeit zur Komposition.

Zwar schloss sich Borodin der Gruppe »Das Mächtige Häuflein« an, zu der auch Rimski-Korsakow und Mussorgski gehörten und die eine von der westlichen Tradition freie, autochthone Musik anstrebte, trennte sich aber bald von ihr. Sein kompositorisches Werk blieb schmal. Es umfasst an vollendeten Werken nur zwei Sinfonien (von der 3. Sinfonie stellte er nur zwei Sätze fertig), die Tondichtung »Eine Steppenskizze aus Mittelasien«, ein Klavierquintett, zwei Streichquartette, einige Lieder und Klavierstücke. Seine Oper »Fürst Igor«, an der er jahrelang arbeitete, blieb unvollendet und wurde nach seinem Tod von Rimski-Korsakow nach dem vorhandenen Material fertiggestellt.

1877 besuchte Borodin auf einer Studienreise Franz Liszt in Weimar, der sich von der 1. Sinfonie sehr beeindruckt zeigte und kaum glauben wollte, dass der Schöpfer dieses Werkes nie systematisch Musik studiert hatte. 1880 erklang diese Sinfonie anlässlich eines Festkonzerts des Deutschen Allgemeinen Musikvereins in Baden-Baden, wo das Werk einen durchschlagenden Erfolg hatte und den Komponisten auch außerhalb von St. Petersburg bekannt machte. 1885 wurde seine 2. Sinfonie in Lüttich gespielt, gleichfalls mit großem Erfolg. Rimski-Korsakow bedauerte immer wieder, dass Borodin seine kompositorischen Fähigkeiten zugunsten seines Berufs als Professor der Chemie so arg vernachlässigte. Inmitten eines Maskenballs traf den Komponisten ein Herzschlag, der auf der Stelle seinen Tod herbeiführte. BEAU

Streichquartette

Streichquartett Nr. 1 A-Dur

Sätze 1. Moderato – Allegro, 2. Andante con moto, 3. Scherzo: Prestissimo, 4. Andante – Allegro risoluto
Entstehung 1874–79
UA 30. Dezember 1880 St. Petersburg
Verlag M. P. Belaieff (Peters)
Spieldauer ca. 39 Minuten

Entstehung »Das Mächtige Häuflein«, die Gruppe russischer Musiker, die in den 1860er-Jahren eine eigenständig nationalrussische Musik anstrebte, interessierte sich nicht für Kammermusik, weil sie diese als »westlerisch« ansah. Eine Ausnahme machte nur Borodin, der schon früh seine Kräfte als Komponist von Kammermusik erprobte, allerdings keines der vor seinem Klavierquintett c-Moll (1862) komponierten Werke vollendete. Sein zwischen 1874 und 1879 entstandenes erstes Streichquartett

widmete er der Gattin von Nikolai Rimski-Korsakow.

Musik Borodin orientierte sich in seinem ersten Streichquartett an Beethoven, dessen späte Quartette er sorgfältig studiert hatte. Das Hauptthema des ersten Satzes wurde einem in der Handschrift angebrachten Vermerk zufolge durch ein Thema des Wiener Klassikers angeregt. Die Verwandtschaft mit einem zweitaktigen Motiv aus dem Finale von Beethovens Quartett op. 130 ist nicht zu überhören.

Erster Satz Der sehr breit angelegte Kopfsatz beginnt mit einer Moderatoeinleitung, die ein kurzphrasiges, melodisches Motiv in allen Stimmen durchführt. Der Allegrohauptsatz entfaltet drei Themen: das in lebhaften Achteln auf- und abschwingende (Beethoven-)Hauptthema, einen kurzen chromatisch absteigenden, dann punktierten Übergangsgedanken, schließlich das sich chromatisch, »espressivo ed appassionato«, hochschraubende Seitenthema. In der Durchführung wird das Hauptthema in energische Sechzehntelrepetitionen aufgelöst und anschließend in einem ausge-

1955 gab sich das »Quartett der Moskauer Philharmoniker« den Namen »Borodin Quartet« nach dem ersten bedeutenden russischen Streichquartettkomponisten Alexander Borodin. Die besondere Stärke des Ensembles liegt auch heute noch im russischen Repertoire.

dehnten Fugato entfaltet. Das expressive Seitenthema greift zu wogenden Unterstimmen in das Geschehen ein. Die Reprise verläuft regelhaft. Die Coda, die den Übergangsgedanken erneut einführt, endet in sphärischen Flageolettklängen.

Zweiter Satz Das fis-Moll-Andante ist dreiteilig angelegt. Einer schwermütigen, russisch gefärbten Kantilene folgt ein leidenschaftlicher Ausbruch der Violine in Gestalt einer triolischen Wechselnotenkette. Ein zweites Thema schleicht in Achtelsekundschritten dahin. Es wird im Mittelteil Gegenstand eines Fugatos, dessen Misteriosotönung unheimlich wirkt. Der abermalige triolische Ausbruch der Violine leitet in die variierte Wiederkehr der Kantilene des Anfangs über. Nach nochmaliger Steigerung schließt der Satz pianissimo.

Dritter Satz Originellster Satz des Quartetts ist das im Prestissimo dahinjagende Scherzo in F-Dur, beherrscht von einer wie ein Perpetuum mobile wirkenden Dreiachtelfigur, die durch alle Stimmen wirbelt. Bezaubernde gläserne Transparenz zeichnet das Moderatotrio mit seinen Sordino- und Flageolettklängen aus.

Vierter Satz Das Finale wird nach einer Andanteeinleitung ganz von einer »risoluto ed energico«, synkopiert und rhythmisch pointiert dahineilenden Spielfigur geprägt. Das episodisch auftretende Seitenthema ist eine lyrische Variante dieser Figur. Das Werk schließt in kraftvollem A-Dur.

Wirkung Die St. Petersburger Uraufführung litt unter der schlechten Interpretation, weshalb etwa César Cui von einem »unglücklichen Streichquartett« sprach. Durch Vermittlung des Borodin-Freundes Carl Riedel fand am 30. Mai 1885 in Karlsruhe die deutsche Erstaufführung statt. 1886 resümierte Borodin den inzwischen internationalen Erfolg seines Werkes: »Mein 1. Quartett fand nicht nur Anklang in Europa (in Karlsruhe, Leipzig, Liège, Brüssel, Antwerpen), sondern auch in Amerika, wo es doch tatsächlich in der gegenwärtigen Spielzeit die philharmonische Gesellschaft von Buffalo viermal aufgeführt hat – etwas nie Dagewesenes für das Werk eines ausländischen Autors, zumal eines neuen!« Später wurde das Stück durch das zweite Quartett weitgehend aus den Konzertsälen verdrängt. BEAU

Streichquartett Nr. 2 D-Dur

Sätze 1. Allegro moderato, 2. Scherzo: Allegro, 3. Notturno: Andante, 4. Finale: Andante – Vivace
Entstehung Sommer 1881
UA 26. Januar 1882 St. Petersburg
Verlag M. P. Belaieff (Peters)
Spieldauer ca. 28 Minuten

Entstehung Im Unterschied zum ersten Streichquartett wuchs das zweite innerhalb weniger Wochen heran. Dies hängt auch mit der sich in den 1880er-Jahren vollziehenden Aufwertung der Kammermusik durch den Belaieff-Kreis zusammen, der langsam das »Mächtige Häuflein« ablöste. Borodin widmete das Quartett seiner Frau.

Musik Das Werk gibt sich im Satz weniger komplex als sein Vorgänger, gegenüber den Einflüssen Beethovens tritt russische Melodik in den Vordergrund, wohl der Grund dafür, dass es von Interpreten und Hörern bevorzugt wird. Formal gibt es sich konziser. Erstaunlich ist – wie bereits im Falle des ersten Quartetts – die Meisterschaft des Quartettsatzes, die einem »Dilettanten« wie Borodin kaum zuzutrauen war. Die Vorliebe des Komponisten für das Cello, das er ausgezeichnet spielte, kommt im zweiten Quartett noch deutlicher zum Ausdruck als im ersten.

Erster Satz Den elegant-lyrischen, strömenden Charakter des Allegro moderato legt gleich das vom Cello intonierte, sich aufschwingende, dann von der ersten Geige übernommene und weitergesponnene Hauptthema fest. Es weitet sich zu einem größeren Komplex. Ein zweites Thema stimmt, »cantabile«, die Violine an. Es bringt keinen Ausdrucksgegensatz, sondern breitet den gelöst-heiteren Musizierton weiter aus. Ein punktiert-auftaktiges drittes Thema, ein wenig energischer, sowie ein nochmaliges kurzes Auftreten des zweiten Themas führen in den Durchführungsteil, in dem hinter- und miteinander diese drei Gedanken in reicher Modulatorik verarbeitet werden, ohne dass es zu konflikthaften Zuspitzungen käme. Nach der regelhaften Reprise klingt der Satz leise und ruhig aus.

Zweiter Satz Das Scherzo weicht vom typischen Schema ab und ähnelt eher einem freien Sonatensatz. Dem in flinken Achteln vorüberhuschenden ersten Komplex steht ein mit einem sich wiegenden Walzerthema beginnender zweiter gegenüber, wobei die Anfangsfigur des Walzers sich selbstständig macht und gemeinsam mit den Achteln des ersten Komplexes die Entwicklung durchführungsartig weitertreibt. Das virtuos-neckische Stück verflüchtigt sich am Ende in leisen Pizzicati.

Dritter Satz Das Notturno ist das Herzstück des Quartetts. Sein slawisch-weiches, weitgesponnenes Hauptthema mit den kurzen Vorschlägen gemahnt in seinem Tonfall eher an Tschaikowski als an den herben Folklorismus des »Mächtigen Häufleins«. Das Cello führt es ein, die erste Violine lässt es in höchste Höhen schwingen. Ein von einer aufschießenden Tonleiter eröffneter Mittelteil bringt ein etwas kokettes Thema mit Trillern ins Spiel. Durchführungsartig gleitet die Hauptmelodie durch alle Stimmen. In der Reprise kommt es zu kanonischen Zwiegesprächen von Cello und Violine sowie den beiden Violinen, ehe der zauberhafte Satz mit dem empfindungshaften Vorschlagmotiv aus dem Hauptthema verhauchend ausklingt.

Vierter Satz Das Andantemotto, mit dem das Finale anhebt, gemahnt an das Thema der »Großen Fuge« von Beethoven. Zweimal unterbricht es den dahineilenden Fluss des Satzes, der im Wesentlichen von den auftaktig jagenden Achteln des Hauptthemas und einer sich chromatisch hochschraubenden Melodie bestimmt wird und das Werk temperamentvoll beschließt.

Wirkung Fünf Jahre nach der Uraufführung durch ein Quartettensemble der Russischen Musikgesellschaft fertigte Sigizmund Blumenfeld eine von Borodin gelobte Transkription des Werkes für Klavier zu vier Händen an. 1888 erfolgte der Erstdruck des Quartetts im Verlag Belaieff. Das Rosé-Quartett spielte 1891 die Wiener Erstaufführung, das Quartett war, wie Eduard Hanslick berichtet, »die erste Komposition, durch welche dieser kürzlich verstorbene russische Tondichter in Wien bekannt wird«.

Besondere Popularität errang der Notturnosatz, was sich auch in zahlreichen Bearbeitungen widerspiegelt. Sie reichen von einer Fassung für Violine und Orchester von Rimski-Korsakow bis zur Verarbeitung als Lovesong mit Einwürfen eines Vokalquartetts (»And This is My Beloved«, gesungen von Poet, Marsinah, Wesir und Kalaf) in dem Musical »Kismet« (1953) von Robert Wright und George Forrest. BEAU

Einspielungen (Auswahl)
• Borodin Quartet, 1962 (+ Schostakowitsch: Streichquartett Nr. 8; Tschaikowski: Streichquartett Nr. 1); Decca

Boulez | Pierre

* 26. 3. 1925
Montbrison /
Loire

Neben Karlheinz Stockhausen, Luigi Nono und Bruno Maderna gilt Boulez als einer der namhaftesten Vertreter des Serialismus. Charakteristisch für seine Musik sind ein extremer Konstruktivismus und eine hoch differenzierte Klanglichkeit.

Der Sohn eines Ingenieurs, der sich auch später sein Interesse für Mathematik und die Naturwissenschaften bewahrte, erhielt früh Klavier-, später auch Theorieunterricht. Nach seiner Übersiedlung nach Paris (1943) studierte er u. a. bei Olivier Messiaen und nahm an den Kursen von René Leibowitz über die Musik der damals in Frankreich noch wenig bekannten Zweiten Wiener Schule teil. Ab 1946 entstanden die ersten von Boulez später noch anerkannten Werke, zur selben Zeit wurde er Leiter der Theatermusik der Schauspieltruppe Renaud-Barrault. Später setzte Boulez, der auch musikpädagogisch und publizistisch tätig war, seine Dirigentenlaufbahn als Leiter der Konzerte des Domaine musical (bis 1967), als Nachfolger Hans Rosbauds bei den Donaueschinger Musiktagen (ab 1959) sowie als Chefdirigent des BBC Symphony Orchestra in London (1971–75) und des New York Philharmonic Orchestra (1971–77) fort. In den Jahren 1976–80 erregte er internationales Aufsehen als Dirigent des »Ring des Nibelungen« in Bayreuth.

Infolge der Auseinandersetzung mit der organisatorischen und institutionellen Verwaltung des Musikbereichs unter dem französischen Kulturminister André Malraux verweigerte er ab 1966 jede musikalische Aktivität in Frankreich. Erst 1976 kehrte Boulez offiziell nach Paris zurück und wurde zum Professor am Collège de France und zum Direktor (bis 1991) der maßgeblich von ihm selbst beim früheren Staatspräsidenten Georges Pompidou angeregten Forschungseinrichtung Institut de Recherche et de Coordination Acoustique/Musique (IRCAM) berufen. Des Weiteren gründete er 1976 das auch von ihm geleitete Ensemble InterContemporain, um »die Verbreitung der zeitgenössischen Musik sowohl in Frankreich als auch im Ausland zu sichern« (Boulez). Für sein Wirken wurde er u.a. 1979 mit dem Ernst-von-Siemens-Musikpreis und 1989 mit dem japanischen Kunst- und Kulturpreis Praemium Imperiale ausgezeichnet.

Erstes internationales Aufsehen erregte Boulez 1951 bei den Donaueschinger Musiktagen mit »Polyphonie« für 18 Instrumente, seinen Durchbruch als profilierter Avantgardekomponist markierte 1955 die Uraufführung der Kantate »Le Marteau sans maître« (1952–54) für Alt und Instrumentalensemble. Während in diesen Werken und in »Pli selon pli« (1957) für Sopran und Orchester angestrebt wurde, das Verhältnis von Text und Musik neu zu bestimmen, bemühte sich Boulez in seiner dritten Klaviersonate (1955–57), in »Eclat« (1965) für Instrumentalensemble und einigen weiteren Kompositionen, die Form mithilfe aleatorischer Verfahren grundlegend neu zu konzipieren.   JO

Sonatine für Flöte und Klavier

Entstehung 1946
UA 1947 Brüssel
Verlag Amphion
Spieldauer ca. 12 Minuten

Entstehung Nach dem später vom Komponisten zurückgezogenen Quartett für vier Ondes Martenot stellt diese Sonate das erste Kammermusikwerk von Boulez dar. Er schrieb es 1946, als er einerseits noch unter dem starken Einfluss Messiaens stand, andererseits aber auch schon entscheidende Eindrücke aus der Musik Schönbergs und Weberns empfangen hatte. Möglicherweise ging eine unmittelbare Anregung von der Sonate für Flöte und Klavier op. 12b seines zweiten Lehrers René Leibowitz von 1944 aus, die Boulez sicherlich bekannt war. Dieser betonte dagegen den ideellen Einfluss von Schönbergs Kammersinfonie op. 9: Wie sein Vorbild verband Boulez auf der Grundlage eines eng begrenzten thematischen Materials eine Folge von vier Satzcharakteren nach dem bekannten Sonatenmodell zu einem einzigen fortlaufenden Satz.

Musik Die Form der Sonate ergibt sich aus dem genannten Vorbild Schönbergs: Umrahmt von einer kurzen Einleitung (Très librement – lent) und einer Coda lassen sich vier Abschnitte mit der Folge schneller Kopfsatz (Rapide), langsamer Satz (Très modéré, presque lent), Scherzo mit Binnentrio (Tempo scherzando) sowie Finale (Tempo rapide) unterscheiden, die aber fließend ineinander übergehen.

Die Komposition dokumentiert hinsichtlich der thematischen Verwandlung und Verarbeitung der zu Beginn exponierten Zwölftonreihe Boulez' Auseinandersetzung mit der Dodekafonie der Zweiten Wiener Schule und ihren typischen kontrapunktischen Techniken. Die variative Entwicklung insbesondere im langsamen Satzteil gemahnt am eindringlichsten an Schönberg, während die Gestaltung mit kurzen motivischen Zellen eher an Webern erinnert. In der Coda werden die thematischen Gedanken der vorgegangenen Abschnitte zusammengefasst und deren enge Verwandtschaft deutlich vorgeführt.

Auffallend ist die ausgefeilte metrisch-rhythmische Konzeption. Dauernde Taktwechsel (so besonders in der Einleitung) wie auch von Mes-

siaen übernommene Permutationen von festgelegten Tondauern (vor allem im Finaleabschnitt)
tragen zu einer bereits sehr ausgeprägten persönlichen Tonsprache bei. Dazu gehört auch eine
ausgesprochene Klangsinnlichkeit, die sich in
vielfältigen Vortragsbezeichnungen und speziellen Spieltechniken niederschlägt.

Wirkung Bedingt durch die Schwierigkeiten
der Partitur, insbesondere im Hinblick auf die
genaue metrisch-rhythmische Wiedergabe, aber
auch hinsichtlich des geforderten »trockenen«
Klavieranschlags und des im Finale äußerst virtuosen Flötenparts, wird die Sonatine nur sehr
selten gespielt. JO

»Livre pour quatuor«

Sätze 1a. Vivo, 1b. Moderato, 2. Assez vif, 3a.
Assez large, 3b. Assez vif – très mobile, 3c.
Lent, furtif, (4. unveröffentlicht), 5. Lent, mais
mobile, 6. Modéré
Entstehung 1948/49 (Streichquartett); 1968
(Neufassung für Streichorchester)
UA 15. Oktober 1955 Donaueschingen (1a, 1b,
2); 9. September 1961 Darmstadt (5, 6); 8. Juli
1962 Darmstadt (3a, 3b, 3c)
Verlag Heugel
Spieldauer (ohne 4) ca. 42 Minuten

Entstehung Mit dem »Buch für Streichquartett« wird von Boulez erstmals ein Bezug zu Stéphane Mallarmé hergestellt, der sich später in
dem Gesangszyklus »Pli selon pli« fortsetzen
sollte. Der Versuch, aus den schon in der Sonatine für Flöte und Klavier dominierenden Einflüssen von Schönberg und Webern einerseits sowie
Messiaen andererseits eine eigene formale und
klangliche Struktur zu entwickeln, erreicht hier
eine neue Stufe, die unmittelbar auf Boulez'
pointillistischen Serialismus der nächstfolgen-
den Werke vorausweist. Zur Aufführungserleich-
terung – schließlich muss ein Streichquartett
ohne Dirigenten auskommen – schrieb Boulez
1968 die ersten beiden Stücke als »Livre pour
cordes« für Streichorchester um.

Musik Boulez selbst machte auf die formale
Parallele des Werks zu Mallarmés Gedichtzyklus
»Un coup de dés« (»Ein Würfelwurf«) aufmerksam. So wie dort die Einzelgedichte ein gleichwohl abtrennbares Kontinuum bilden, sollen die

Einzelstücke des Quartetts ein aufeinander be-
zogenes Ganzes bilden und dennoch auch getrennt aufführbar bleiben. Die sechs Sätze sind
dabei teilweise nochmals untergliedert. Der Titel
»Livre« zur Unterstreichung des sukzessiven
Kontinuums dürfte von Debussys »Préludes«,
deren beide Hefte die Bezeichnung »livres« tragen, angeregt worden sein.

Das Überkommene tilgen

Komponist, Dozent, Dirigent: Pierre Boulez
ist ein musikalisches Multitalent. Über seine
Methode des Komponierens äußerte er rückblickend: »Ich wollte aus meinem Vokabular
absolut jede Spur des Überkommenen tilgen,
ob das nun die Figuren und Phrasen oder die
Entwicklungen und die Form betraf. Ich wollte
mir dann nach und nach, Element um Element, die verschiedenen Stadien der Satzweise zurückerobern, dergestalt, dass hier
eine vollkommen neue Synthese entstehen
sollte, die nicht von Anfang an durch Fremd-
körper, stilistische Reminiszenzen im Besonderen, verdorben sei.«

Charakteristisch für die auf Themen und Motive als herkömmliche Gliederungsmerkmale
verzichtende, ohne Noten nur sehr schwierig zu
verfolgende Komposition sind Passagenzäsuren
durch spezifische Strukturen (zum Beispiel
kurze, pausendurchsetzte Töne gegenüber Le-
gatopartien von längerer Dauer) und Klänge
(etwa Flageolett versus natürliches Spiel). Im
letzten Satz nähert sich Boulez durch eine Tendenz zur Trennung von Tonhöhen und Tondauern
der serialistischen Kompositionsmethode –
nicht zu Unrecht kann man hier von einer Weiterentwicklung der messiaenschen Rhythmus-
mutationen zu rhythmischen Reihen sprechen.

Wirkung Trotz seiner Schlüsselstellung innerhalb der Geschichte der seriellen Musik ist
das Werk bis heute durch seine enormen Auf-
führungsschwierigkeiten so gut wie unbekannt.
Wenn überhaupt, so werden – wie schon bei den
Uraufführungen – nur einzelne Teile gespielt; der
vierte Satz ist ohnehin unveröffentlicht geblieben. Einspielungen liegen nur von der Neufassung für Streichorchester (»Livre pour cordes«)
vor. JO

Brahms | Johannes

* 7. 5. 1833
Hamburg
† 3. 4. 1897
Wien

Die Musik von Brahms ist beeinflusst von seiner Beschäftigung mit Volksliedern. Seine Themen gestalten sich oft liedhaft-archaisch. Konstruktivistische Momente dagegen zeigen sich in »geplanter Improvisation« aus einem motivischen Kern heraus: als Umbildungen, die aus dem Geist eines einzigen Einfalls heraus erwachsen. Arnold Schönberg prägte für diese Neuerung den Begriff der »entwickelnden Variation«.

Johann Jakob Brahms, der Vater des Komponisten, war der erste Musiker in der Familie. Er hatte sein Handwerk als Stadtmusikant gelernt. In Hamburg spielte er in Gaststätten, brachte es dann aber sogar zum Kontrabassisten im Städtischen Orchester. Er sorgte dafür, dass seine Kinder eine solide Bildungsgrundlage erhielten. Brahms konnte so schon mit sieben Jahren Klavierstunden bei einem der angesehensten Klavierlehrer Hamburgs, Otto Friedrich Cossel, nehmen. Zehnjährig bekam er seiner Neigung entsprechend Unterricht in Musiktheorie und Komposition bei Eduard Marxsen, der ihm die Musik Bachs und Beethovens nahebrachte.

Das Jahr 1853 brachte wegweisende Ereignisse. Während einer Konzertreise als Klavierbegleiter des Geigers Eduard Reményi lernte

Brahms den Violinvirtuosen Joseph Joachim kennen, dem er fortan freundschaftlich verbunden blieb. Kurz darauf kam er in Düsseldorf mit dem Ehepaar Schumann in Kontakt. Robert Schumann hörte sein Klavierspiel und proklamierte ihn apologetisch als »Erneuerer« der Musik: In der »Neuen Musicalischen Zeitung« kündigte er unter dem Titel »Neue Bahnen« prophetisch an: »Das ist ein Berufener!« Er zeigte sich fasziniert vom Spiel, »das aus dem Klavier ein Orchester von wehklagenden und laut jubelnden Stimmen machte«. Ebenso beeindruckten seine »merkwürdigen Kompositionen«, die »voll überschwänglicher Fantasie, Innigkeit der Empfindung und meisterhaft in der Form« waren, wie Clara Schumann in ihrem Tagebuch vermerkte. Sie und Brahms standen sich von Anfang an nahe.

1856 nahm Brahms eine Stelle als Musiklehrer am Hof in Detmold an. Versuche, in seiner Heimatstadt Hamburg beruflich Fuß zu fassen, schlugen fehl. So reiste er 1862 erstmals nach Wien, wo er ein Jahr später zum Leiter der Wiener Singakademie berufen wurde. 1864 schied er jedoch aus diesem Dienst wieder aus. Nach einer kurzen Zeit als Leiter des Wiener Singvereins (1872/73) zog Brahms es vor, freischaffend zu wirken. »Ein Deutsches Requiem« op. 45 (1868) hatte ihm einen ersten Erfolg gesichert. Seine Einkünfte aus den überaus populären »Ungarischen Tänzen« (1869) und den »Liebeslieder-Walzern« (1869) gewährten ihm als einem der ersten Komponisten finanzielle Autonomie.

In seinem Œuvre nehmen Kammer- und Klaviermusik sowie das Chor- und Liedschaffen großen Raum ein. Die Innerlichkeit dieser Gattungen lag ihm sehr viel näher als die extrovertierte, dramatische Darstellung auf der Bühne, die er zwar schätzte, selbst aber nicht zu produzieren vermochte. Um die Komposition seiner 1. Sinfonie rang er 15 Jahre. Es erschien ihm lange Zeit unmöglich, nach Beethoven auf diesem Gebiet noch Wesentliches zu leisten. Das Werk erhob ihn jedoch, wie die Folgewerke und seine vier Solokonzerte, in den Rang eines der führenden Komponisten der zweiten Hälfte des 19. Jahrhunderts.

Brahms wurde von der Musikkritik, allen voran von Eduard Hanslick in Wien, zum Protagonisten einer konservativ ausgerichteten Komponistengruppe erhoben und so zum »Gegenspieler« der sogenannten Neudeutschen um Franz Liszt gemacht. Obwohl er 1860 noch unbedacht seine Unterschrift unter ein Manifest gegen diese progressive Komponistengruppe gesetzt hatte, fühlte er sich den Konservativen nicht in dieser Eindeutigkeit zugehörig. Der Ruf des Epigonentums haftete Brahms aufgrund seines kompositorischen wie editorischen Interesses für »alte« Musik an. Die Verehrung, die er vor allem dem »Riesen Beethoven« entgegenbrachte, hieß für ihn aber nicht, in der Nachfolge zu stehen, sondern vielmehr, sich in seiner Eigenständigkeit zu profilieren. Als »letzter Klassizist der Musik« (Widmann) rezipiert, strahlte er selbst auf befreundete Komponisten wie Heinrich von Herzogenberg ab. Auch Schüler, zu denen Gustav Jenner und Alexander von Zemlinsky gehörten, blieben letztlich seinen ästhetischen Prinzipien verpflichtet. **HI**

Violinsonaten

Entstehung Brahms hatte sich schon lange Zeit mit der Komposition von Violinsonaten befasst (und u. a. drei frühe Sonaten vernichtet), bevor er seine G-Dur-Sonate einem Publikum vorführte. Dieses Zögern ist auch in Bezug auf seine Sinfonien und Streichquartette bekannt. Eine eigenständige Konzeption der verschiedenen Gattungen nach Beethoven möglich zu machen, bedeutete für ihn stets eine neue tief greifende Auseinandersetzung. Besonders problematisch war dabei die nachdrückliche Forderung nach motivisch-thematischer Durchstrukturierung in der Kammermusik als Qualitätsmaßstab. Bei nur zwei Instrumenten ist dies sehr viel schwieriger zu bewerkstelligen als bei mehreren, die eine komplexere Themenverteilung zulassen. Die Sonaten sind für den Konzertsaal komponiert – mit Blick auf Geigenvirtuosen wie Joseph Joachim, Joseph Hellmesberger sen. und Jenö Hubay sowie Hans von Bülow (op. 108) oder Brahms selbst als Pianisten. Entsprechend hoch ist der Schwierigkeitsgrad der Werke. **HI**

Einspielungen (Auswahl)
- Josef Suk (Violine), Julius Katchen (Klavier), 1967; Decca
- Wolfgang Schneiderhan (Violine), Carl Seemann (Klavier), 1961/62; Deutsche Grammophon
- Arthur Grumiaux (Violine), György Sebök (Klavier), 1975; Philips
- Pamela Frank (Violine), Peter Serkin (Klavier), 1996; Decca

Scherzo c-Moll WoO 2
(aus der »F. A. E.-Sonate«)

Bezeichnung Allegro
Entstehung Oktober 1853
UA 28. Oktober 1853 Düsseldorf (privat)
Verlag Schott/Universal Edition; Henle
Spieldauer ca. 6 Minuten

Entstehung Brahms komponierte sein Scherzo als den dritten Satz der sogenannten F.A.E.-Sonate, benannt nach dem Wahlspruch des Geigers Joseph Joachim: »Frei, aber einsam«. Auf dem Umschlag des vollständigen Werks notierte Robert Schumann: »F.A.E. In Erwartung der Ankunft des verehrten und geliebten Freundes Joseph Joachim schrieben diese Sonate Robert Schumann, Albert Dietrich und Johannes Brahms.« Dietrich schuf den Kopfsatz, Schumann steuerte den zweiten und vierten Satz bei. Die Tonfolge F-A-E bildet als thematische Keimzelle das verbindende Element zwischen den einzelnen Sätzen des Gemeinschaftswerks.

Musik Der Allegrosatz offenbart Brahms' frühe Beherrschung der Scherzoform. Sein umfangreicher Hauptteil ist dreiteilig quasi als Exposition, Durchführung und Reprise angelegt. Den drängenden Grundrhythmus aus drei Achteln und punktierter Viertel gibt die Violine auf der leeren G-Saite vor. Ein kurzer schwärmerischer Trioteil in G-Dur (più moderato) schließt sich an, in dem zunächst die Violine, dann das Klavier führt. Das vom Anfang bekannte rhythmische Pochen leitet zur Wiederholung des stürmischen Hauptteils über. Ein pathetischer Schluss in C-Dur beschließt »sempre fortissimo e grandioso« und unter Rückgriff auf die Triomelodie das durchaus virtuose Stück.

»Frei, aber einsam«

Johannes Brahms verband eine enge Freundschaft mit dem österreichisch-ungarischen Geiger Joseph Joachim. Nach Uraufführung der »F.A.E.-Sonate« sprach Joachim in einem Brief seine Bewunderung für Brahms aus: »Seine Compositionen sind so ein leichtes Spiel mit der schwierigsten Form – so reichhaltig – allen Erdenkummer rücksichtslos von sich weisend. Mir ist solche Begabung noch nie vorgekommen.« Gleichzeitig äußerte er aber auch ganz kritisch: »Brahms ist der eingefleischteste Egoist, den man sich denken kann, ohne dass er es selbst wüsste, wie denn überhaupt Alles bei ihm in unmittelbarster Genialität ächt unbesorgt aus seiner sanguinischen Natur hervorquillt.« Der Wahlspruch Joachims, »Frei, aber einsam«, galt auch für Brahms. Er blieb Junggeselle. Der Musikwissenschaftler Constantin Floros dazu: »Der Preis, den er [Brahms] für seine Freiheit und die Möglichkeit, konzentriert und ungestört arbeiten zu können, zahlen musste, war die Einsamkeit.«

Wirkung Die Uraufführung der »F.A.E.-Sonate« spielten Joseph Joachim und Johannes Brahms am 28. Oktober 1853 im Haus Robert Schumanns. Im Gegensatz zu anderen Violinkompositionen der Jugendjahre hat Brahms sein Scherzo nicht vernichtet und sogar noch Jahre später für den zweiten Satz seines c-Moll-Klavierquartetts op. 60 darauf zurückgegriffen. Die Erstausgabe des originalen Scherzos erfolgte allerdings erst 1906 durch die Deutsche Brahms-Gesellschaft. HI/STÜ

Sonate G-Dur op. 78
(»Regenlied-Sonate«)

Sätze 1. Vivace, ma non troppo, 2. Adagio, 3. Allegro molto moderato
Entstehung 1878/79
UA 8. November 1879 Bonn
Verlag Schott/Universal Edition; Henle
Spieldauer ca. 28 Minuten

Musik Die Sonate zeichnet sich vor allem durch schlichte Natürlichkeit aus, auf offenes dramatisches Geschehen wird weitgehend verzichtet. Im Grunde handelt es sich um eine Reihe von freundlichen, herzlichen Liedern. Im Vergleich zum Klavier kommt der Violine als Träger der Melodie der dominantere Part zu. Alle drei Sätze verbindet das rhythmisch prägnante Initialmotiv der Clara Schumann gewidmeten »Regenlied«-Melodie (»Regenlied« op. 59/3: »Walle, Regen, walle nieder«). Sie steht im Zusammenhang mit dem Tod von Felix Schumann, ihrem Sohn. In einem Brief an Clara bekundete Brahms: »Es wäre mir eine gar große Freude, wenn ich ihm ein kleines Andenken schaffen könnte.« Brahms wollte Clara schon 1873 mit dem »Regenlied« trösten, als man die Tuberkulose ihres Sohnes diagnostiziert hatte, eine ihrer Töchter gestorben war und ein weiterer Sohn mit der gleichen Geisteskrankheit, die auch Robert Schumann hatte, in eine Anstalt eingewiesen werden musste. Für Clara bedeutete diese Geste nun Trost eines aufrichtigen Freundes: »Ich glaube nicht, dass ein Mensch diese Melodie so wonnig und wehmutsvoll empfindet wie ich.«

Erster Satz Das erste Thema des Kopfsatzes weist in seiner rhythmischen Kongruenz mit dem »Regenlied«-Zitat bereits auf das Finale voraus. Dieser Rhythmus wird auch vom Seitenthema aufgenommen.

Zweiter Satz Das empfindsame Adagio (Es-Dur) setzt mit einleitenden Takten in der Art eines von Hornquinten gestützten Liedes ein. Die Violine antwortet piano mit einem zarten Vorhaltsmotiv. Es ist an dieser Stelle wie die Klavierbegleitung auf das Wesentliche reduziert. Im Mittelteil nimmt die akkordische Begleitung die Rhythmik des »Regenlied«-Motivs auf, die hier im langsamen Tempo (Andante) in h-Moll die Assoziation eines Trauermarsches weckt. Die Überleitung zur Wiederaufnahme des ersten Themas wirkt wie ein betrachtendes Innehalten.

Dritter Satz Das Finale ist als Rondo gestaltet, wobei das »Regenlied«-Thema das Ritornell bildet. Die zweite Episode zitiert den Kopf der Einleitung aus dem langsamen Satz. Die Tonart g-Moll hellt sich erst in der Coda nach G-Dur hin auf.

Wirkung Die Uraufführung fand am 8. November 1879 anlässlich einer Kammermusiksoiree von Robert und Marie Heckmann in Bonn statt, die Wiener Erstaufführung zwölf Tage später bestritten Josef Hellmesberger sen. und Johannes Brahms am Klavier. Elisabeth von Herzogenberg äußerte gegenüber Brahms: »Über Ihre Sonate will ich Ihnen lieber nichts sagen; wie viel haben Sie, Gereimtes und Ungereimtes, gewiss schon darüber hören müssen. Dass man sie lieb haben muss, und dass man an ihr förmlich zum Schwärmer wird, im Aus- und Unterlegen, im träumerischen Hineinhorchen und wohligen Sichversenken! Der letzte Satz gar überspinnt einen förmlich, und der Stimmungsinhalt ist direkt überfließend, dass man sich gleichsam fragt, ob denn dieses bestimmte Musikstück in g-Moll einen so gerührt – oder was sonst, einem unbewusst, einen so im Innersten erfasst, und als hätten Sie das erst erfunden, dass man eine Achtel punktieren kann.«

Zwischen 1880 und 1886 hielt sich Brahms fünfmal im rheinischen Krefeld auf. In keiner anderen Stadt, äußerte er einmal, werde ihm ein so »angenehmes und behagliches Musizieren« geboten wie hier. Der Komponist knüpfte Freundschaften zu den großbürgerlichen Familien von der Leyen und von Beckerath, in deren Salons intensiv Hausmusik gemacht wurde. Die G-Dur-Sonate wurde zu einem zentralen Repertoirestück der Krefelder Freunde. Im Januar 1880, während seines ersten Krefeld-Besuchs, spielte Brahms sie zusammen mit dem Rüdesheimer Weingutbesitzer Rudolf von Beckerath. Im April 1892 erklang das Werk mit der Pianistin Emma Engelmann und dem Geiger Richard Barth, der es hernach auch zusammen mit Brahms in den Niederlanden sowie an Pfingsten 1896 mit Rudolf von der Leyen bei einem privaten Musikfest auf dem Hager Hof bei Bad Honnef spielte. Das Pfingsttreffen 1896, bei dem auch Brahms zugegen war, wurde überschattet von dem Tod Clara Schumanns. HI

Sonate A-Dur op. 100

(»Thuner Sonate«)

Sätze 1. Allegro amabile, 2. Andante tranquillo – Vivace, 3. Allegretto grazioso (quasi Andante)
Entstehung Sommer 1886
UA 2. Dezember 1886 Wien
Verlag Schott/Universal Edition; Henle
Spieldauer ca. 22 Minuten

Entstehung Die Violinsonate A-Dur op. 100 entstand im Thuner Sommer 1886, in dem sich Brahms besonders der Kammermusik widmete. Zeitgleich vollendete er auch die Cellosonate op. 99, das Klaviertrio op. 101 und den Kopfsatz der Violinsonate op. 108.

Musik Brahms näherte sich in der A-Dur-Sonate einer Konzeption, die dem kammermusikalischen Anspruch auch für diese Besetzung Genüge leistet: Violine und Klavier sind vor allem in den Außensätzen fast gleichberechtigte Partner.

Erster Satz Im relativ knapp gehaltenen Kopfsatz (A-Dur) erinnert das Hauptthema an das »Preislied« aus Wagners Oper »Die Meistersinger von Nürnberg« (1868). Das Seitenthema entnahm Brahms der eigenen Liedkomposition »Wie Melodien zieht es mir leise durch den Sinn« (op. 105/1), die er 1886 für die Sängerin Hermine Spies schrieb. Er habe die Sonate »in Erwartung der Ankunft einer geliebten Freundin« komponiert, deutete er in diesem Zusammenhang an. Die Durchführung beginnt zunächst mit dem »Preislied«-Thema. Dann aber wird der letzte Überleitungsgedanke der Exposition, ein Triolenmotiv, das aus dem Seitenthema abgeleitet ist, isoliert und in zwei Variationen aufgenommen.

Zweiter und dritter Satz Die zweite Violinsonate lässt im Vergleich zur G-Dur-Sonate eine erweiterte formale Anlage erkennen. Dabei sind zweiter und dritter Satz als Andante tranquillo (A-Dur) und Vivace (d-Moll) ineinander verwoben. Beide Abschnitte treten anschließend nacheinander als Variationen auf, wobei der langsame Abschnitt zunächst in D-Dur, dann ebenfalls in d-Moll erscheint. Die Coda bringt noch einmal den Anfang des Andante, das Vivace ist Grundlage des Strettaschlusses.

Vierter Satz Das abschließende Rondo (A-Dur) weist im Unterschied zum Kopfsatz eine liedhaft-einfache Thematik auf.

Wirkung Die Uraufführung fand mit dem Geiger Joseph Hellmesberger sen. und dem Komponisten am Klavier statt. HI

Sonate d-Moll op. 108

Sätze 1. Allegro, 2. Adagio, 3. Un poco presto e con sentimento, 4. Presto agitato
Entstehung 1886 und 1888
UA 21. Dezember 1888 Budapest
Verlag Schott/Universal Edition; Henle
Spieldauer ca. 21 Minuten

Entstehung Ursprünglich wollte Brahms vermutlich seine beiden Violinsonaten in A-Dur und d-Moll unter einer Opuszahl veröffentlichen, als er 1886 an ihnen arbeitete. Jedoch nahm er sich Letztere dann erst zwei Jahre später wieder vor. Sie trägt die Widmung an Hans von Bülow, den Dirigenten und Pianisten, der sich nachdrücklich für die Verbreitung des Schaffens von Brahms eingesetzt hat. Als Dirigent der Meininger Hofkapelle bot er dem Komponisten Gelegenheiten, neue Orchesterwerke auszuprobieren.

Musik Virtuosität und leidenschaftlicher Ausdruck bedingen Klavier- und Geigenpart gleichermaßen. Der erste Satz (d-Moll) experimentiert mit der Sonatenform. Dabei stellt die Exposition zwei Themen auf, die Durchführung übernimmt lediglich das Hauptthema als Variation. Die lang ausgehaltenen Noten des ersten Themas lösen sich hier in Achteltonrepetitionen auf. Kommen in der Durchführung keine Steigerungen vor, findet man sie dagegen in der Reprise. Mittels Erweiterungen und Intensivierungen erhält sie Durchführungscharakter. Die Coda greift das Hauptthema sowie die Achtelvariante des Verarbeitungsteils auf. Das Adagio (D-Dur) lebt von wenigen Motiven, die eine expressiv-deklamatorische Melodik entwickeln. Ohne eingeschobenen Mittelteil wird die Exposition lediglich einmal mit leichten Veränderungen wiederholt. Einen krassen Gegensatz zum Adagio bildet das Scherzo (fis-Moll). Melodische Gedanken sind nur noch angedeutet, dagegen entfaltet sich im schnellen Tempo ein rhythmisches Spiel. Durch energisches Vorwärtsdrängen erhält das Presto (d-Moll) Finalcharakter. Wiederum steht ein musikalischer Aspekt im Vordergrund, der den Kontrast zum vorherigen Satz begründet, hier ist es die abwechslungsreich-bewegte Harmonik. Von den drei Themen erfährt lediglich das erste eine Verarbeitung in der Durchführung. Dafür bilden das zweite und dritte Thema die Reprise.

Wirkung Die d-Moll-Sonate kam mit Jenö Hubay und Johannes Brahms zur Uraufführung. Als Joseph Joachim und der Komponist sie 1893 zur Einweihung des Bechsteinsaales in Berlin spielten, bekamen sogar diese beiden Profis die Klippen der Partitur zu spüren. »Sie kamen auch an der Synkopenstelle im letzten Satz richtig auseinander und fanden sich erst wieder bei der Fermate«, bemängelte Brahms-Freund Alwin von Beckerath die fehlende Vorbereitung der Musiker: »Schön war's nicht.«   HI

Cellosonaten

Die beiden Sonaten greifen auf beethovensche Gestaltungsweisen zurück. So liegt in den Cellosonaten op. 69 und op. 102 von Beethoven bereits die gleichrangige Behandlung der Instrumente vor. Brahms beschäftigte sich in den 1860er-Jahren intensiv mit dem Œuvre des Wiener Klassikers. Er stand seinerzeit in engem Kontakt mit Gustav Nottebohm, dem damals bedeutendsten Beethoven-Forscher.

Die Brahms-Sonaten erreichten im 19. Jahrhundert keine große Breitenwirkung, da das Publikum ihnen mit Unverständnis begegnete. Heute erfreuen sich beide großer Beliebtheit, sowohl im Konzertsaal als auch auf CD (sie wurden über 30-mal aufgenommen).   HI

Einspielungen (Auswahl)
- Mstislaw Rostropowitsch (Violoncello), Rudolf Serkin (Klavier), 1981; Deutsche Grammophon
- Anner Bylsma (Violoncello), Lambert Orkis (Klavier), 1994; Sony Classical
- Alban Gerhardt (Cello), Markus Groh (Klavier), 1997 (+ Cellobearbeitung der Violinsonate op. 78); HMF/Helikon

Sonate e-Moll op. 38

Sätze 1. Allegro non troppo, 2. Allegretto quasi Menuetto, 3. Allegro
Entstehung 1862 und Juni 1865
UA 14. Januar 1871 Leipzig
Verlag Henle, Schott/Universal Edition (Wiener Urtext-Edition)
Spieldauer ca. 22 Minuten

Entstehung Der Jurist und Musiker Josef Gänsbacher hatte Brahms, dem leidenschaftlichen Autografensammler, die Originalhandschrift von Schuberts Lied »Der Wanderer« vermittelt. Der Komponist zeigte sich ihm mit der Widmung der ersten Cellosonate erkenntlich – als »Dank für ehrliche Maklerdienste«, wie der Brahms-Biograf Max Kalbeck formulierte.

Ursprünglich umfasste die Komposition die traditionelle viersätzige Satzfolge (Sonatensatz, Adagio, Menuett und Finale), den langsamen Satz strich Brahms jedoch. Selbst auf nachdrücklichen Wunsch Gänsbachers und auch Clara Schumanns hin war er nicht zur Veröffentlichung des Werkes mit dem Adagio bereit. In der Gesamtanlage wirkte ein zusätzlicher Satz vielleicht zu überladen. Möglicherweise ist der langsame Satz in die zweite Cellosonate eingearbeitet. Zwischen der Entstehung der ersten beiden Sätze und dem Finale liegen drei Jahre.

Musik Erster Satz Er setzt mit einem weit ausholenden Thema ein, wie es für Brahms typisch ist. Die Überleitung greift dessen fallendes Oktavintervall auf. Es ist auch Initial des Fugatothemas im Finale. Rhythmisch wesentlich unruhiger gibt sich das Seitenthema. Dabei verhalten sich Cello- und Klavierrhythmik komplementär zueinander. Die Durchführung entwickelt eine Steigerung, während derer das thematische Geschehen im Klavier liegt. Der folgende stimmungsvolle Pianoabschnitt leitet zur regelmäßig gebauten Reprise über. Die Coda löst sich lyrisch-verhalten nach E-Dur auf.

Zweiter Satz Das tanzartige Allegretto (a-Moll) erscheint als unverbindliches Intermezzo. Das vorher bevorzugt tiefe Klangregister des Cellos wird von der hohen und mittleren Lage abgelöst und setzt somit den Kontrast zwischen der Intensität des Kopfsatzes und der leichten Geste des Menuetts. Das Trio (fis-Moll) nimmt ein viertöniges Achtelmotiv aus dem Hauptteil auf. Dem Cello als Soloinstrument wird in den ersten beiden Sätzen über weite Passagen hin die Funktion der Begleitung zum Klavier zugeteilt.

Dritter Satz Die erste Themengruppe des Sonatensatzes (e-Moll) ist als Fugato mit deutlicher Anknüpfung an Bachs »Kunst der Fuge« gestaltet. Dem ersten Themeneinsatz in der linken Hand des Klaviers folgt das Cello. Beide Instrumente werden also auch hier gleichberechtigt eingesetzt. Zwei Kontrapunkte sind dem Thema hinzugefügt. Der Schlusssatz erhält aufgrund der Wahl dieser Satztechnik im emphatischen Sinne Finalcharakter.

Wirkung Die Uraufführung der Sonate fand erst sechs Jahre nach ihrer Vollendung während einer Kammermusiksoiree im Leipziger Gewandhaus statt. Es spielten Friedrich Hegar und Carl Reinecke.   HI

Sonate F-Dur op. 99

Sätze 1. Allegro vivace, 2. Adagio affettuoso, 3. Allegro passionato, 4. Allegro molto
Entstehung Sommer 1886
UA 24. November 1886 Wien
Verlag Schott/Universal Edition; Henle
Spieldauer ca. 27 Minuten

Entstehung Die Anregung für die Sonate soll Max Kalbeck zufolge von dem Cellisten Robert Hausmann ausgegangen sein, der dann auch zusammen mit dem Komponisten die Uraufführung spielte.

Musik Erster Satz Das Allegro vivace (F-Dur) beginnt in Unruhe mit einem harmonisch bewegten Klaviertremolo und auftaktigen Motiven im Cello. Sie formen sich nicht zu einer thematischen Gestalt, sondern setzen immer wieder neu ein. Auch wenn das Seitenthema klarer abgegrenzt erscheint, bleibt die aufrührerische Anspannung bestehen. Lediglich in der Überleitung löst sie sich vorübergehend. Die Durchführung setzt in fis-Moll ein und weist damit als Variante auf das Fis-Dur-Adagio und den dritten Themeneinsatz des Rondos im Finale voraus. Die Stimmen werden hier nun vertauscht: Das Cello übernimmt das Tremolo schon am Schluss der Exposition, dann aber auch in der Durchführung als Rückleitung zur Reprise.

Zweiter Satz Das Adagio (Fis-Dur) bildet das Kernstück der Sonate. Harmonisch weit ausholend berührt es, anders als der dramatisch-pathetische Kopfsatz, eine stille Innerlichkeit, die sich schon in den ersten beiden Takten durch das Cellopizzicato ausbreitet.

Dritter und vierter Satz Der Beginn des Scherzos (f-Moll) zitiert den Einsatz des Finales aus der 3. Sinfonie in der gleichen Tonart. Der Satz steigert sich ausgehend vom Piano (»mezza voce«) in ein gehetztes Fortissimo. Im Trio (F-Dur) dagegen kommentiert ein einfacher Klaviersatz eine ebenso schlichte, fließende Cellokantilene. Nach der dramatischen Dichte der vorangegangenen Sätze fungiert es als Überleitung zum Finale, einem tänzerisch locker gefügten Rondo mit einem liedhaften Ritornell. HI

Klarinettensonaten

Entstehung Am Ende seines kammermusikalischen Schaffens stand, wie es bei Brahms häufig vorkam, eine Doppelkomposition. Die beiden Klarinettensonaten op. 120 schrieb er für Richard Mühlfeld, den Klarinettisten der Meininger Hofkapelle. Dessen Interpretationen hatten ihm schon drei Jahre zuvor Anreiz zur Komposition des Klarinettentrios op. 114 und des Klarinettenquintetts op. 115 gegeben. Brahms lud Mühlfeld im Sommer 1894 in sein Haus ein. Er habe zwei Sonaten für ihn geschrieben, die er mit ihm probieren wollte, teilte er ihm mit.

Wirkung Nach den erfolgreichen Uraufführungen und einer Reihe von Darbietungen in verschiedenen Städten Deutschlands nahm Mühlfeld die beiden Sonaten mit auf Konzertreisen in die Schweiz, die Niederlande und England. Eine alternative Fassung erschien für Bratsche. Sie ist heute populärer als die Originalfassung. Ein besonderes Ereignis war die Aufführung der Es-Dur-Klarinettensonate während des 3. Kammermusikfestes des Bonner Beethoven-Vereins im Mai 1897. Den Klarinettenpart übernahm auch hier Richard Mühlfeld. Ursprünglich sollte es einen Abend nur für Werke von Brahms geben, auf die Todesnachricht des Komponisten im April hin wurde jedoch umdisponiert: So gelangten bei dem gesamten Fest ausschließlich Werke von Brahms und Beethoven zur Aufführung – nicht zuletzt, um Brahms als den »sicher grössten Kammermusik-Componisten nach Beethoven« zu ehren. HI

Einspielungen (Auswahl)
• Thea King (Klarinette), Clifford Benson (Klavier), 1986; Hyperion
• Gervase de Peyer (Klarinette), Gwenneth Pryor (Klavier), 1987; Chandos

Sonate f-Moll op. 120 Nr. 1

Sätze 1. Allegro appassionato, 2. Andante, un poco Adagio, 3. Allegretto grazioso, 4. Vivace
Entstehung Sommer 1894
UA 11. Januar 1895 Wien
Verlag Schott/Universal Edition; Henle
Spieldauer ca. 22 Minuten

Musik In der ersten Sonate wird der spezifische Klang des Soloinstruments äußerst nuanciert herausgestellt. Gesangliche wie volksliedhafte Passagen präsentieren das Spektrum der klanglichen Register wie der Ausdrucksmöglichkeiten der Klarinette.

Erster Satz Der Sonatensatz in f-Moll stellt zunächst ein melodiöses Thema vor, das fast drei Oktaven der Klarinette umfasst. Das Seitenthema aus Motivgesten und Figurationen kontrastiert in markanter Rhythmik zunächst in tiefer Lage. Der durchführende Abschnitt gehört zu den kürzesten im brahmsschen Werk überhaupt. Ungewöhnlich ist, dass die Reprise in fis-Moll einsetzt. Erst die Überleitung führt zur Grundtonart zurück. Als Sostenuto ed espressivo mündet dann die Coda in die Durvariante.

Zweiter Satz Das As-Dur-Andante lebt vom warmen, fast behaglichen Klang des Soloinstruments. Brahms nannte Richard Mühlfeld »Fräulein Klarinette« – wegen seines weichen Tones. Dieser Satz ist ihm wohl regelrecht auf den Leib geschrieben.

Dritter Satz Ein Ländler (As-Dur) im Grazioso, der lediglich die Funktion eines Einschubs erfüllt, unterstreicht den anmutigen Ton der Klarinette.

Vierter Satz Ein munteres F-Dur-Rondo beschließt die Sonate. Den unbekümmerten Tanzcharakter lösen wie schon im vorangegangenen Ländler Passagen ab, die nach mehr Ernsthaftigkeit streben. Die Harmonik im Klavier vermittelt dieses Ansinnen, setzt sich aber nicht wirklich durch. HI

Sonate Es-Dur op. 120 Nr. 2

Sätze 1. Allegro amabile, 2. Allegro appassionato, 3. Andante con moto, 4. Allegro
Entstehung Sommer 1894
UA 8. Januar 1895 Wien
Verlag Schott/Universal Edition; Henle
Spieldauer ca. 19 Minuten

Musik In ruhigem und »liebenswürdigem« Tonfall (»amabile«) vermeidet die zweite Klarinettensonate wie ihre Vorgängerin das betont expressive Moment und birgt dabei dennoch die gesamte Palette virtuoser Möglichkeiten dieses Instruments in sich.

Erster Satz Der Kopfsatz (Es-Dur) weicht Konflikten bewusst aus. Beide Themen stellen sich in gelassenem Erzählton dar. In seinem Diktum erinnert der Satz an ein Genrestück. Dazu der Wiener Kritiker Eduard Hanslick: »Ein Thema, wie vom Himmel gefallen, oder richtiger, aus schönster Jugendzeit herüberduftend, voll süßer Schwärmerei und drängendem Liebesglück!«

Zweiter Satz Gegenüber dem ersten Satz wirkt das es-Moll-Scherzo besonders im Klavierpart ernst und leidenschaftlich. Die Klarinette übernimmt eine bewegte Melodie im 3/4-Takt. Das Trio in der weit entfernten Tonart H-Dur erscheint schwerfällig.

Dritter und vierter Satz Langsamer Satz und Finale sind zu einem Ganzen zusammengeschlossen. Das Andante con moto (Es-Dur) ist als Variationensatz aus einem Thema gestaltet, das seine Schlusskadenz besonders hervorhebt. Die nachfolgenden vier Variationen verschleiern das Thema teilweise so sehr, dass es kaum noch erkennbar ist. Eine fünfte Variation schließt sich unmittelbar als Allegro in es-Moll-Eintrübung an. Sie steht stellvertretend für das Finale, auf das der langsame Teil des Satzes hinzielt. Schon hier wird die Auflösung des Themas vorbereitet. In der Coda (Piú tranquillo) bleibt dann am Ende in einer großartigen Geste lediglich der Sextsprung der Kadenz übrig. Klavier und Klarinette verhalten sich in dieser Sonate über weite Passagen hin dialogisierend und somit eigenständig. HI

Klaviertrios

Klaviertrio Nr. 1 H-Dur op. 8

Sätze 1. Allegro con brio, 2. Scherzo: Allegro molto, 3. Adagio, 4. Finale: Allegro
Entstehung 1854 (Erstfassung), Sommer 1889 (überarbeitete Fassung)
UA 27. November 1855 New York (Erstfassung); 10. Januar 1890 Budapest (revidierte Fassung)
Verlag Henle; Peters
Spieldauer ca. 37 Minuten

Entstehung Das Jahr 1853 brachte die bedeutsame erste Begegnung mit dem Ehepaar Schumann, durch die der weitere Weg von Brahms als Komponist entscheidend mitgestaltet wurde. Bereits im Lauf dieses Jahres machte er Skizzen für die Komposition eines Klaviertrios. Vermutlich entstand sein Opus 8 daraufhin in der kurzen Zeit von drei Wochen im Januar 1854. Clara Schumann forcierte bei Breitkopf & Härtel die Drucklegung, die Brahms hinauszögern wollte: »Das Trio hätte ich auch gern noch behalten, da ich jedenfalls später darin geändert hätte.« Mit dem Klaviertrio wurde sein erstes kammermusikalisches Werk veröffentlicht.

Als der Verlag Simrock 1888 die Rechte für das brahmssche Œuvre erwarb, nahm der Komponist diesen Umstand zum Anlass, das Trio von Grund auf zu ändern. »Dem Wildling zwar keine Perücke aufzusetzen, ihm aber ein wenig die Haare zu kämmen und zu ordnen«, war seine erklärte Absicht.

Musik Die Revision der Erstfassung eröffnet die Möglichkeit, die kompositorische Entwicklung von Brahms konkret nachzuvollziehen. Die Erstfassung ist um ein Drittel länger als die überarbeitete Fassung. Brahms strich u. a. Passagen, die eine programmatische Bedeutung in sich tragen, wie etwa das Seitenthema des vierten Satzes. Es war angelehnt an »Nimm sie hin denn, diese Lieder« aus Beethovens Liederzyklus »An die ferne Geliebte«. Auch Schumann verwendete diese Melodie einige Male in seinen Werken. In der Erstfassung des Trios war sie als Botschaft für Clara Schumann bestimmt.

Johannes Brahms war 21 Jahre alt, als mit seinem Klaviertrio Nr. 1 sein erstes Kammermusikwerk veröffentlicht wurde (eigenhändige Niederschrift des Klaviertrios Nr. 1 H–Dur op. 8).

Erster Satz Das erste Thema spannt einen Bogen nach oben durch beieinanderliegende Intervalle, das Seitenthema hingegen setzt durch einen Bogen nach unten rhythmisch unregelmäßiger an, bildet aber keinen Kontrast: Beide Themen sind lyrisch gehalten.

Zweiter Satz Das zweiteilige Scherzo in der Variante h-Moll gibt sich hastig im Staccato, während das Trio im wienerischen Walzertakt ein gemächlicheres Tempo anschlägt.

Dritter Satz Dass ausgerechnet das Adagio in der Haupttonart H-Dur steht, ist außergewöhnlich. Die Außenteile bestimmt eine innerlich-besinnliche Haltung. Nur der Mittelteil mit einer elegischen Cellokantilene ist bewegter.

Vierter Satz Das Finale stellt weder einen strahlend-großartigen noch einen unbeschwerten Abschluss dar, wie für einen Schlusssatz üblich. In düsterem h-Moll präsentiert sich eine tiefernste Sphäre trotz des lebhaften Dreiertaktes.

Wirkung Die Uraufführung der Erstfassung fand mit dem amerikanischen Pianisten William Mason, der sich 1849–54 zum Musikstudium in Europa aufgehalten hatte, Theodore Thomas und Karl Bergmann in New York statt. Bekannt ist heute vor allem die zweite Fassung des Trios, die Brahms 1890 zusammen mit Jenö Hubay und David Popper in Budapest aus der Taufe gehoben hat. HI

Einspielungen (Auswahl)
- Klaviertrios 1 & 2: Josef Suk (Violine), János Starker (Violoncello), Julius Katchen (Klavier), 1968/1972; Decca
- Beaux Arts Trio, 1986 (+ Klaviertrio Nr. 3); Philips
- Erstfassung: Trio Jean Paul, 2003 (+ Schönberg, »Verklärte Nacht« op. 4); Ars Musici/Note 1

Klaviertrio Nr. 2 C–Dur op. 87

Sätze 1. Allegro, 2. Andante con moto,
3. Scherzo: Presto, 4. Finale: Allegro giocoso
Entstehung 1880 (1. Satz), 1882 (2.–4. Satz)
UA 29. Dezember 1882 Frankfurt am Main
Verlag Henle; Peters
Spieldauer ca. 28 Minuten

Entstehung Im Sommer 1880 arbeitete Brahms an den Sonatensätzen eines C-Dur- und eines Es-Dur-Trios. Obwohl Clara Schumann und Theodor Billroth ihn zur Fertigstellung des Letzteren ermutigten, legte er es beiseite. Heute gilt es als verschollen. Das C-Dur-Trio jedoch nahm er zwei Jahre später wieder auf und vollendete es während seines Sommeraufenthalts in Bad Ischl.

Musik Erster Satz Die Exposition setzt sich aus einer Fülle thematischer Konfigurationen zusammen. Selbst die Übergänge gewinnen derart an Profil, dass sie als Themen bezeichnet werden können. Das Hauptthema bekommt in der Durchführung einen grundlegend neuen Charakter: Zuvor energisch-entschlossen, stellt es sich nun, mit Animato bezeichnet, als ausdrucksvolle Kantilene dar. Die Reprise wiederholt die Exposition mit wenigen Änderungen. Die ausgedehnte Coda rekurriert auf das Hauptthema in der Animatoversion.

Zweiter Satz Die Rhythmik des Andantethemas (a-Moll) ist mit der des Hauptthemas aus dem Kopfsatz verwandt und verbindet so beide Sätze miteinander. In den fünf sich anschließenden Variationen bleibt die Melodik im »ungarischen« Volkston stets erkennbar. Die Modifikationen liegen hauptsächlich in der Klavierstimme. Namentlich gilt dies für die zweite und vierte Variation, in denen die Streicher das Thema aus motivischen Gesten heraus über der Klaviervariation entwickeln.

Dritter Satz Das c-Moll-Scherzo mit flinken Tonrepetitionen in den Streichern und Läufen im Klavier, alles pianissimo gehalten, wirkt fast ein wenig gespenstisch. Durch einen ausladenden Melodiebogen hebt sich das Trio (C-Dur) atmosphärisch deutlich ab.

Vierter Satz Das Finale, wiederum in der Grundtonart C-Dur, präsentiert sich schon durch die Satzbezeichnung Allegro giocoso als musikalischer Spaß. Thematik und Begleitung sind von provokativer Einfachheit, die zunächst frappiert. Immerhin wandte Brahms in den Schlusssätzen seines Spätwerks meist besondere Kunstgriffe an, die die Werkeinheit begründen. Dass sich Kammermusik nicht notwendigerweise durch die gewichtige Geste auszeichnen muss, zeigt Brahms in diesem Finale ganz selbstbewusst. Seinem Prinzip der variativen Entwicklung, die sämtliche Sätze miteinander verbindet, bleibt er dennoch treu.

Wirkung Die Uraufführung fand während eines Kammermusikabends der Museumsgesellschaft im Frankfurter Saalbau statt, wobei Brahms den anspruchsvollen Klavierpart selbst übernahm. Im Vergleich zum glanzvollen H Dur-Trio erscheint dieses nun eher herb und zurückhaltend. Clara Schumann mochte das Werk sehr. Sie schrieb an Brahms: »Welch ein prachtvolles Werk ist das wieder!… Jeder Satz ist mir lieb, wie herrlich sind die Durchführungen, wie blättert sich da immer ein Motiv aus dem anderen…«. HI

Klaviertrio Nr. 3 c–Moll op. 101

Sätze 1. Allegro energico, 2. Presto non assai,
3. Andante grazioso, 4. Allegro molto
Entstehung Sommer 1886
UA 20. Dezember 1886 Budapest
Verlag Henle; Peters
Spieldauer ca. 21 Minuten

Entstehung Das c-Moll-Klaviertrio entstand zusammen mit der Cellosonate F-Dur op. 99 und der Violinsonate A-Dur op. 100 während des »Kammermusiksommers« 1886 am Thuner See.

Musik Mit nur ungefähr 20 Minuten Aufführungsdauer fällt das Trio ausgesprochen knapp aus. Auf engstem Raum vollzieht sich eine konzentrierte viersätzige Sonatensatzfolge.

Erster Satz Der Kopfsatz beginnt mit einer Akkordfolge im Terzabstand von c-Moll über Es-Dur nach G-Dur, die mit einer Triolenüberleitung verbunden ist. Aus diesem melodisch-harmonischen Gefüge entwickelt sich der gesamte Satz. Dem temperamentvoll-resoluten Beginn steht das Seitenthema (»cantando«) gegenüber. Es leitet sich entfernt, aber doch deutlich erkennbar, daraus ab. Die strahlende C-Dur-Coda des Finales wird von der C-Dur-Auflösung des Cantandothemas vorweggenommen.

Zweiter Satz Das Presto (c-Moll) basiert auf einem Motiv, das sich innerhalb eines Terzenintervalls bewegt. In leise verhaltenem Ton bauen die sordinierten Streicher eine beklemmende Erregung auf, die auch im Mittelteil keine wirkliche Beruhigung erfährt.

Dritter Satz Im Wechsel mit dem Klavier tragen die Streicher das grazile Hauptthema des Andante (C-Dur) vor. Die lastende Stimmung des vorangegangenen Satzes verliert sich nun völlig. Ursprünglich im 7/4-Takt konzipiert, wechselt das Metrum ständig zwischen ungeraden und geraden Takten und passt sich so dem Reimschema eines volkstümlichen Gedichtes an.

Vierter Satz Das Finale (c-Moll) wird von einem Staccatothema dominiert, das in kraftvoller Rhythmik den Ton angibt. Das zweite Thema im Legato bildet dazu zwar einen Kontrast, bleibt jedoch in der gleichen Grundhaltung. Erst die weitausgreifende Coda, die Züge eines selbstständigen Abschnittes trägt, löst sich nach C-Dur auf, während sich die Melodik des ersten Themas ins Espressivo verwandelt.

Wirkung Das Trio kam mit Brahms, dem Geiger Jenö Hubay und dem Cellisten David Popper zur Uraufführung. Clara Schumann vertraute ihrem Tagebuch an: »Den größten Genuss hatte ich am 20. Juni 1887, als ich endlich mal Kräfte genug fühlte, das wunderbar ergreifende Trio in c-Moll zu probieren. Welch ein Werk ist das! Genial durch und durch in der Leidenschaft, der Kraft der Gedanken, der Anmut, der Poesie.« Noch heute zählt das Trio zu den beliebtesten Kompositionen von Brahms. HI

Einspielungen (Auswahl)
- Beaux Arts Trio, 1986 (+ Klaviertrio Nr. 1 & 2); Philips
- Renaud Capuçon (Violine), Gautier Capuçon (Violoncello), Nicholas Angelich (Klavier), 2003 (+ Klaviertrios Nr. 1 & 2); Virgin/EMI

Trios für andere Besetzungen

Klarinettentrio a-Moll op. 114

Sätze 1. Allegro, 2. Adagio, 3. Andantino grazioso, 4. Allegro
Entstehung Sommer 1891
UA 12. Dezember 1891 Berlin
Verlag Henle
Spieldauer ca. 26 Minuten

Entstehung Das Trio für Klavier, Klarinette und Violoncello bildet den Auftakt zur Gruppe der vier letzten Kammermusikwerke von Brahms, zu der er unmittelbar durch die Begegnung mit Richard Mühlfeld, dem Klarinettisten der Meininger Hofkapelle, inspiriert wurde. Noch 1891 ließ er das Klarinettenquintett op. 115, drei Jahre später dann die beiden Klarinettensonaten op. 120 folgen. Um dem Werk eine weitere Verbreitung zu ermöglichen, fertigte Brahms auch eine Alternativfassung für Bratsche (statt der Klarinette) an.

Musik Klarinette und Cello vereinen sich in diesem Trio auf eigentümlich sanfte Weise. Ausgesprochene Kantabilität der Themen hebt den warmen Ton der tiefen Klangregister hervor. Der Brahms-Freund Eusebius Mandyczewski schwärmte: »Es ist, als liebten sich die Instrumente.«

Erster Satz Zwei aufsteigende Terzen des Hauptthemas bilden zusammen mit einem Drehmotiv aus kleiner und großer Sekund die Quintessenz des ganzen Werkes. Das Seitenthema setzt mit der Umkehrung des Terzenmotivs ein. Den Kern der Durchführung bilden spielerische Sechzehntelläufe in beiden Melodieinstrumenten. Der Einsatz der Reprise erfolgt über eine rhythmische Verschiebung des Terzenmotivs. Die Coda nimmt die Sechzehntelläufe aus der Durchführung auf und lässt den ersten Satz darüber leise verklingen.

Zweiter Satz Das Adagio (D-Dur) greift die Folge der ersten vier Töne des Seitenthemas aus dem Kopfsatz auf, sodass zunächst der Eindruck einer lediglich neuen Ausdrucksweise des bereits Bekannten entsteht. Die weitere Entwick-

Der Dirigent Hans von Bülow vermittelte Brahms' Kontakt zum Herzogtum Sachsen-Meiningen und dessen Orchester (Blick auf Schloss Elisabethenburg). Zu seinem Trio op. 114 regte Brahms die Freundschaft mit dem Klarinettisten der Hofkapelle, Richard Mühlfeld, an.

lung bedingt eine melodische Fortspinnung, die sich aus diesem motivischen Kern und der Sekundidee des ersten Satzes nährt. Im Hauptteil dialogisieren Klarinette und Cello miteinander. Überlagerung verschiedener rhythmischer Ausformungen lassen im Mittelteil je zwei Instrumente im Wechsel klanglich miteinander verschmelzen, während das dritte den melodisch hervorgehobenen Part übernimmt.

Dritter Satz Als graziöses Menuett in A-Dur tritt das Andantino auf, das ein ebenso anmutiges Trio im Ländlerstil einrahmt. Es entwickelt sich thematisch aus dem Hauptteil, der sich wiederum auf die Grundgedanken des Werkganzen stützt.

Vierter Satz Das Finale in der Grundtonart deutet einen »ungarischen« Tonfall, den Brahms gern in seine zyklischen Werke einbezog, nur an. Motivisch gründen sich nun die Themen auf die Sexte, das Umkehrungsintervall der Terz.

Wirkung Die Uraufführung durch Johannes Brahms, Richard Mühlfeld und den Cellisten Robert Hausmann erfolgte zusammen mit dem Kla-

rinettenquintett während eines Vortragsabends des Joachim-Quartetts in der Berliner Singakademie. Beide Werke wurden mit stürmischem Beifall bedacht. Die Bratschenfassung war bereits am 19. April 1892 bei einem privaten Kammermusikfest in Krefeld zu hören.　　　　HI

Einspielungen (Auswahl)
- Michel Portal (Klarinette), Boris Pergamenschikow (Violoncello), Mikhail Rudy (Klavier), 1992 (+ Klarinettensonaten op. 120); EMI
- Karl-Heinz Steffens (Klarinette), Ludwig Quandt (Violoncello), Michal Friedlander (Klavier), 2004 (+ Klarinettensonaten op. 120); Tudor / Naxos

Horntrio Es-Dur op. 40

Sätze 1. Andante, 2. Scherzo: Allegro, 3. Adagio mesto, 4. Finale: Allegro con brio
Entstehung Mai 1865
UA 28. November 1865 Zürich
Verlag Henle; Peters
Spieldauer ca. 30 Minuten

Entstehung Die ungewöhnliche Besetzung dieses Trios mit Waldhorn ist vermutlich biografisch bedingt. Das Horn war das erste Lieblingsinstrument von Brahms; er hatte es als Jugendlicher erlernt. Der Tod seiner Mutter im Februar 1865 war womöglich der Auslöser, dass sich der Komponist wieder des Instruments erinnerte und es in seinem Opus 40 einsetzte, obwohl es allgemein als für kammermusikalische Zwecke ungeeignet angesehen wurde. Nach einer nicht öffentlichen Aufführung überarbeitete Brahms das Werk noch einmal, indem er die Hornstimme vereinfachte.

Musik Erster Satz Die dem Horn eigene warme Klangfarbe entspricht der Ausdrucksintention von Trauer und Schmerz. Bis zum Finale herrscht der poetische Ton des Instruments vor. Der erste Satz (Es-Dur) stellt formal einen Sonderfall in den zyklischen Werken von Brahms dar. Völlig außergewöhnlich beginnt das Horntrio nicht mit einem Sonatensatz, vielmehr wird ein Expositionsteil mit einem Andante- und einem Animatothema zweimal in variierter Form wiederholt. Die Darstellung von Klage und melancholischer Ruhe ließen es wohl nicht als angebracht erscheinen, einen themenverarbeitenden Teil einzubeziehen.

Zweiter Satz Das Scherzo (Es-Dur) impliziert einen ruhelosen Mittelteil im weit entfernten H-Dur. Das Trio (as-Moll) intoniert die Volksweise: »Es zogen drei Burschen wohl über den Rhein«.

Dritter Satz Das schwermütige Adagio mesto in es-Moll ist Brahms' Trauergesang auf den Tod seiner Mutter. Aus stiller Betrachtung heraus intensiviert es sich gegen Ende zu einem schmerzvollen Lamento.

Vierter Satz Das Finale (Es-Dur) scheint mit seiner aufgeweckten Jagdhornmotivik in gänzlichem Gegensatz zu dem vorherigen Geschehen zu stehen. Den Hauptgedanken bildet jedoch das Volkslied »Dort in den Weiden steht ein Haus«, in dem der Schmerz um das Vergängliche zum Ausdruck kommt.

Wirkung Die Uraufführung spielten Brahms, der Geiger Friedrich Hegar und der Hornist Gläss. Dass das Horntrio anfangs wenig Resonanz fand, bezeugt Clara Schumann: »Die Leute verstanden dieses wahrhaft kühne und äußerst interessante Werk nicht, und dies obwohl der Kopfsatz zum Beispiel sehr reich an einnehmenden Melodien ist und der Schlusssatz vor Leben strotzt. Auch das Adagio ist wunderschön, doch ist es in der Tat schwer verständlich, wenn man es zum ersten Mal hört.« Um die Verbreitung des Trios nicht durch die unpopuläre Besetzung zu erschweren, erfolgte die Erstausgabe mit einer Cello- statt der Hornstimme. 1884 wurde es zudem in einer Fassung mit Viola veröffentlicht. Die Anregung für die Bratschenfassung kam Alwin von Beckerath zufolge von dem Bratschisten Leonhard Wolff. Beckerath ließ daraufhin die Hornstimme umschreiben und führte das Ergebnis dem Komponisten in Krefeld vor: »Brahms war freudig überrascht über den schönen neuen Klang; wir mussten es gleich wiederholen und spielten es dann noch zweimal auf seinen Wunsch bei von der Leyens. Es machte ihm sichtlich große Freude: ›Darauf müssen wir reisen‹, rief er aus und schrieb gleich an Simrock, die Bratschenstimme stechen zu lassen.« Eine späte Würdigung erfuhr das Trio 1982 durch György Ligeti: Der ungarische Komponist schrieb sein eigenes Horntrio als »Hommage à Brahms«. HI

Einspielungen (Auswahl)
• Nash Ensemble, 1991 (+ Klavierquintett op. 34); CRD

Streichquartette

Entstehung Den Streichquartetten op. 51 geht eine ungefähr 20-jährige Beschäftigung mit der Gattung voraus. Er habe »bereits über 20 Quartette komponiert«, äußerte Brahms gegenüber einem Freund, bevor er mit seinem Opus 51 zwei Quartette an die Öffentlichkeit gab. Schon 1853 soll ein h-Moll-Quartett fertig gewesen sein, das Brahms aber in der ihm eigenen konsequenten Selbstkritik wieder zurückzog. Der »Riese« Beethoven hatte die Maßstäbe gesetzt an die traditionell ohnehin als anspruchsvoll geltende Musikgattung.

Wahrscheinlich beabsichtigte Brahms ursprünglich, das zweite Quartett dem Geiger Joseph Joachim zuzueignen, der sicherlich als Berater in kompositorischen Fragen auch die vorangegangenen Streichquartette kannte. Dann kam es jedoch zu einem vorübergehenden Zerwürfnis zwischen ihnen, sodass beide Werke die Widmung an Theodor Billroth tragen, einen musikalisch sachverständigen Freund, dem Brahms zahlreiche seiner Kompositionen zur Begutachtung anvertraute. »Es ist der herzliche Gedanke an Dich und Deine Freundschaft, der mich dem ersten Quartett Deinen Namen voraussetzen lässt«, schrieb er an den Widmungsträger.

Das Streichquartett op. 67 nahm Brahms zwei Jahre später in Angriff und verschob sogar eine Italienreise, um es fertigstellen zu können. Es ist Theodor Wilhelm Engelmann, einem weiteren Freund, gewidmet. Engelmann gehörte zum Kreis um Schumann, Joachim und Brahms. In seinem Haus fanden gelegentlich Kammermusiksoireen statt.

Wirkung Die Uraufführung von op. 51/1 bestritt das Hellmesberger-Quartett, op. 51/2 und op. 67 führte das Joachim-Quartett zum ersten Mal auf. Zur Brahms-Gedächtnisfeier im Mai 1897 in Bonn nahmen Joseph Joachim und sein Ensemble die letzten beiden Quartette erneut ins Programm. So wurde dieses Konzert nicht nur aufgrund der Sonderstellung dieser Werke im Streichquartettschaffen zu einem herausragenden Ereignis, sondern es dokumentierte auch noch einmal die enge persönliche Bindung zwischen dem Geiger und dem Komponisten.

Die Streichquartette von Brahms gelten als Inbegriff thematischer und kontrapunktischer Arbeit. In der Nachfolge Beethovens begründeten sie seinerzeit einen neuen Höhepunkt der absoluten Musik. Arnold Schönberg befasste sich in seinem Aufsatz »Brahms, der Fortschrittliche« insbesondere mit den Quartetten. Auf dem Wege der Analyse zeigte er, dass er in Brahms' Musik die Wurzeln seiner eigenen Kompositionstechnik sah. Die immer wieder neue Gestaltung eines Themas durch Umbildung seiner einzelnen Motive, wie sie für Brahms kennzeichnend ist, bezeichnete er als »entwickelnde Variation«. Somit stellte Schönberg anhand der Quartette die Einordnung des Komponisten als konservativer Vertreter des 19. Jahrhunderts grundsätzlich infrage. HI

Streichquartett c-Moll op. 51 Nr. 1

Sätze 1. Allegro, 2. Romanze: Poco Adagio, 3. Allegretto molto moderato e comodo – Un poco più animato, 4. Allegro
Entstehung 1873
UA 11. Dezember 1873 Wien
Verlag Peters
Spieldauer ca. 33 Minuten

Musik In seinem erhaben-entschlossenen Tonfall knüpft das 1. Streichquartett an die Tradition der Beethoven-Quartette an. Dieser Grundcharakter zeigt sich als vereinheitlichendes Moment im ganzen Werk. Eine enge thematische Verknüpfung stiftet den Zusammenhang der Sätze untereinander.

Das 1849 gegründete hochrenommierte Hellmesberger-Quartett (Holzschnitt »Das Hellmesberger'sche Quartett«, 1854) brachte das Streichquartett op. 51 Nr. 1 von Brahms zur Erstaufführung.

Erster Satz Der aufgestellte Gedanke aus punktierten, melodisch aufwärts strebenden Motiven bleibt durchweg präsent. Bis hin zu den Begleitstimmen weitet sich die motivische Verflechtung aus. Über Umbildungen und neue Zusammensetzungen des Motivkerns, rhythmische Verschiebungen und Sequenzierungen ergeben sich daraus schon teilweise in der Exposition Verdichtungen. So wird eine durchführungsartige Verarbeitung des Themas bereits vorweggenommen.

Zweiter Satz Beide Themen des langsamen Satzes (As-Dur), der Romanze, leiten sich aus denjenigen des Kopfsatzes ab. Ihr liegt eine dreiteilige, doch eher freie Liedform zugrunde, die im Ansatz durchführungsartige Passagen aufweist.

Dritter Satz Der dritte Satz in f-Moll, eigentlich das Scherzo, trägt intermezzohafte Züge. Indem es sich selbst zurücknimmt, bereitet es auf den Schlusssatz vor. Dabei handelt es sich um eine Gestaltungsweise, die für Brahms ab der mittleren Schaffensperiode in der Kammermusik typisch bleibt. Das graziös-tänzerische Hauptthema wird von der Viola kontrapunktiert. Ein Einschub, das Pendant zum Trio, gibt sich ganz in folkloristischem Ton, unterstützt von einer Achteltonrepetition und Pizzicatobegleitung der tiefen Streicher.

Vierter Satz Im Finale (c-Moll) setzt das Hauptthema mit dem punktierten Motiv des Kopfsatzes ein. Auch ein energisches Achtelmotiv, das im ersten Satz vom Haupt- zum Seitenthema überleitet, wird direkt übernommen. Die Exposition erfährt in Durchführung und Reprise eine Ausdrucksintensivierung. Der düster-leidenschaftliche Charakter findet am Ende keine Auflösung. HI

Einspielungen (Auswahl)
- Alban Berg Quartett, 1978 (+ Quartette op. 51 Nr. 2 & op. 67; Dvořák: Quartett Nr. 13); Teldec
- Melos Quartett, 1986 (+ Quartett op. 51 Nr. 2); Deutsche Grammophon
- Belcea Quartet, 2003 (+ Streichquintett op. 111); EMI

Streichquartett a–Moll op. 51 Nr. 2

Sätze 1. Allegro non troppo, 2. Andante moderato, 3. Quasi Menuetto, moderato – Allegretto vivace, 4. Finale: Allegro non assai
Entstehung Sommer 1873
UA 18. Oktober 1873 Berlin
Verlag Peters
Spieldauer ca. 35 Minuten

Musik Wie so häufig in seinen Zwillingswerken nutzt Brahms auch bei den beiden Quartetten aus Opus 51 die Gelegenheit, mit einer einzigen Konzeption zwei völlig unterschiedliche Stimmungen auszudrücken. Das zweite Quartett wirkt wesentlich gelöster, von der düsteren Atmosphäre seines Vorgängers ist nichts mehr zu spüren. Im Werk selbst gibt es Anhaltspunkte dafür, dass Brahms das Quartett für seinen Freund, den Geiger Joseph Joachim, schrieb. So bezieht sich das Eingangsmotiv des Kopfsatzes (a-f-a-c) auf dessen Motto »Frei, aber einsam«. Auch das Finale verrät mit seinen zwei tänzerischen Themen ungarischer bzw. wienerischer Provenienz die Freunde Joachim und Brahms. In einer groß angelegten Coda verbinden sich die beiden Themen. Das Andante (A-Dur) zeichnet sich in den Außenteilen durch eine liedhafte, rhythmisch aber unruhige Thematik aus. Der Mittelteil zitiert aus dem zweiten »Ungarischen Tanz« von 1868. Dabei kontrapunktieren sich Violine und Cello, die Mittelstimmen untermalen das Geschehen im Tremolo. Der dritte Satz Quasi Menuetto (a-Moll) erhält besonderes Gewicht durch seine komplexen Satztechniken. Er tritt im slawischen Ton auf, wird von Bordunquinten gestützt. Das Trio trägt intermezzohafte Züge, wie sie für Brahms so typisch sind (und bei ihm oftmals den gesamten dritten Satz eines Werkzyklus prägen). Gegenüber dem c-Moll-Quartett werden die polyfonen Techniken und variativen Entwicklungen noch weiter intensiviert. Dennoch bleibt ein natürlicher, gelassener Charakter im ganzen Werk erhalten. HI

Einspielungen (Auswahl)
- Melos Quartett, 1986 (+ Quartett Op. 51 Nr. 1); Deutsche Grammophon

Streichquartett B–Dur op. 67

Sätze 1. Vivace, 2. Andante, 3. Agitato (Allegretto non troppo), 4. Poco Allegretto con Variazioni – Doppio Movimento
Entstehung 1875
UA 30. Oktober 1876 Berlin
Verlag Peters
Spieldauer ca. 34 Minuten

Musik Das B-Dur-Quartett ist das Klassizistische innerhalb des Streichquartettschaffens von Brahms. In seiner wesentlich schlichteren Anlage ist es weit weniger in kontrapunktischer Satztechnik gearbeitet als die beiden vorangegangenen Werke. Außerdem kommen Rückgriffe auf bekannte Werke vor: Gleich das Kopfthema im Vivacesatz knüpft an das »Jagd-Quartett« KV 458 von Mozart an. Das Hauptthema im langsamen Satz erinnert an die »Lieder ohne Worte« von Felix Mendelssohn Bartholdy. Brahms greift auch auf traditionelle Tanzmodelle zurück. Das Seitenthema des ersten Satzes ist als Polka gestaltet. In der Art einer Gavotte geriert sich das Thema der Variationen im Finale. Überdies werden mehrfach barocke und klassische Wendungen zitiert. Die herbe Harmonik kombiniert mit idyllisch-pastoralem Charakter gibt dem Quartett eine eigentümliche Färbung. Insgesamt dominieren tiefe Register. Besonders der Viola wird eine exponierte Rolle zugewiesen. Die vier Sätze greifen die gewohnte Reihenfolge auf: Sonatensatz (B-Dur), gesanglicher, langsamer Satz (F-Dur) in dreiteiliger Liedform, Scherzo mit Trio (d-Moll) und Finale (B-Dur) als Variationensatz. Wie die ein Jahr später vollendete c-Moll-Sinfonie zielt die Satzfolge direkt auf das Finale hin. Dies zeigt sich deutlich, wenn in der siebten Variation unvermittelt das Jagdthema aus dem Kopfsatz auftaucht und mit der Harmonik der Variationen verbunden wird. HI

Einspielungen (Auswahl)
• Takács Quartet, 1989 (+ Klavierquintett op. 34); Decca

Klavierquartette

Bezeichnenderweise waren die ersten Quartette des Pianisten Brahms Klavierquartette (mit der Veröffentlichung von Streichquartetten begann er erst 18 Jahre später). Die drei Klavierquartette haben eine lange Entstehungszeit. Schon 1855 in Düsseldorf beschäftigte sich Brahms mit dieser Gattung, die wenig Vorbilder hatte, und arbeitete an allen drei Werken gleichzeitig. Die ersten beiden stellte er 1861 fertig. Das dritte nahm er sich erst 1869 wieder vor und

vollendete es 1874. Vermutlich haben alle drei Quartette programmatische Grundlagen, die im Zusammenhang mit der Liebe des Komponisten zu Clara Schumann stehen. So heißt es vom g-Moll-Quartett, er habe mit jedem Takt an Clara gedacht. HI

Klavierquartett g-Moll op. 25

Sätze 1. Allegro, 2. Intermezzo: Allegro, ma non troppo, 3. Andante con moto, 4. Rondo alla Zingarese: Presto
Entstehung 1855–61
UA 16. November 1861 Hamburg
Verlag Peters
Spieldauer ca. 42 Minuten

Musik Das Prinzip der »entwickelnden Variation«, das Arnold Schönberg als kompositorischen Ausgangspunkt in Brahms' Schaffen feststellte, ist im ersten Klavierquartett besonders ausgeprägt. Sexte, Quarte und Sekund bilden die zentralen Intervalle, aus denen sich die Varianten der Kernmotive entwickeln.

Erster Satz Die Exposition erweist sich als architektonisch komplexes Gebilde. Aus dem Hauptthema, das einen mottoartigen Charakter hat, entfalten sich mehrere Überleitungsabschnitte, die zu zwei kantablen Seitenthemen führen. Nach dieser ausführlichen und vielschichtigen Einleitung setzt die Durchführung als Scheinreprise mit dem Hauptthema in der Tonika ein, wird dann zu einem großen Steigerungsbogen geführt, bis die Reprise mit dem Seitenthema beginnt.

Zweiter Satz Das Intermezzo (c-Moll) ersetzt das Scherzo. Die Streicher spielen mit Dämpfer. Fast durchgängig begleiten Achteltonrepetitionen sehr leise in tiefen Registern – Cello oder Bratsche – das Geschehen. Verbunden mit der »ungarisch« getönten Melodik ergibt sich ein eigentümlich koloriertes Charakterstück.

Dritter Satz Das Andante (Es-Dur) ist nach den beiden komplexen Sätzen schlicht in dreiteiliger Liedform aufgebaut. Anklänge an Mozart bestimmen unüberhörbar den Hauptteil. Der Mittelteil tritt im punktierten Rhythmus marschähnlich in C-Dur auf.

Das Musikerehepaar Herzogenberg

1863 lernte Johannes Brahms in Wien den jungen Heinrich von Herzogenberg kennen, der damals Kompositionsschüler von Otto Dessoff war. 1868 dann heiratete Herzogenberg eine Klavierschülerin von Brahms: Elisabeth von Stockhausen. Freundschaftliche Bande zwischen Brahms und dem Ehepaar Herzogenberg waren die Folge. Brahms war ein regelmäßiger Gast im Haus Herzogenberg, das sich ab 1872 in Leipzig, dann ab 1885 in Berlin befand. Zudem existiert eine reiche Korrespondenz, die eine lange und innige, wenn auch nicht konfliktfreie Beziehung belegt. Heinrich von Herzogenberg machte aus seiner Brahms-Begeisterung keinen Hehl, weshalb er als Epigone abgestempelt wurde. Seinen zweiten Bezugspunkt fand er im Werk Johann Sebastian Bachs (Herzogenberg gehörte 1874 zu den Mitbegründern des Leipziger Bach-Vereins). Für Kammermusikbesetzungen hinterließ er u. a. zwei Streichtrios (op. 27, 1877/79), ein Bläserquintett mit Klavier (op. 43, 1883), ein Klaviertrio mit Horn und Oboe (op. 61, 1889) sowie zwei Klavierquartette (op. 75, 1891/92; op. 95, 1895, Brahms gewidmet).

Vierter Satz Über das feurige und kunstvolle Rondo alla Zingarese (Es-Dur) schrieb Joseph Joachim, der 1861 selbst mit einem Violinkonzert »in ungarischer Weise« aufgewartet hatte, Brahms habe ihm auf seinem eigenen Territorium »eine ganz tüchtige Schlappe versetzt«.

Wirkung Bei der ersten Aufführung des g-Moll-Klavierquartetts wirkte Clara Schumann am Klavier mit. Brahms erreichte mit diesem Werk sein Entree in Wien, wo besonders der »Zigeuner«-Satz gefiel. Joseph Hellmesberger sah ihn aufgrund dieser Aufführung als Erben Beethovens. Arnold Schönberg bearbeitete das Klavierquartett 1937 für Orchester, »um endlich einmal alles zu hören, was in der Partitur steht«. Bis heute bleibt es das beliebteste der drei Klavierquartette. Der Brahms-Biograf Richard Specht äußerte dazu: »Es ist Jugend in all ihrer Not, ihren überschwänglichen Seligkeiten, ihren Enttäuschungen, ihrer Liebeserwartung und ihrer mutigen, durch nichts ganz zu verwirrenden Lebenskraft.« HI

Einspielungen (Auswahl)
- Emil Gilels (Klavier), Amadeus Quartet, 1970 (+ Balladen op. 10); Deutsche Grammophon
- Lars Vogt (Klavier), Julia Fischer (Violine), Tatjana Masurenko (Viola), Gustav Rivinius (Cello), 2001 (+ Klavierquartett Nr. 3); EMI
- Martha Argerich (Klavier), Gidon Kremer (Violine), Yuri Bashmet (Viola), Mischa Maisky (Cello), 2002 (+ Schumann: Fantasiestücke op. 88); Deutsche Grammophon

Klavierquartett A-Dur op. 26 (#?)

Sätze 1. Allegro non troppo, 2. Poco Adagio, 3. Scherzo: Poco Allegro, 4. Finale: Allegro
Entstehung 1855–61
UA 29. November 1862 Wien
Verlag Peters
Spieldauer ca. 48 Minuten

Musik Das A-Dur-Quartett ist großflächig angelegt mit jeweils ausführlichen Überleitungen und gehört mit einer fast 50-minütigen Dauer zu den umfangreichsten Werken dieser Gattung.

Erster Satz Der Einsatz des Hauptthemas mit seiner Triolenmotivik im Klavier scheint ein Klavierstück zu eröffnen. An die Stelle von Konflikten und Spannungsmomenten treten im weiteren Verlauf des Sonatensatzes pathetische Steigerungen, die aber sogleich wieder in die grundsätzlich herrschende gelöste Stimmung zurückgeführt werden.

Zweiter Satz Dass auch das zweite Klavierquartett autobiografische Züge trägt, ist aus dem Poco Adagio (E-Dur) ablesbar. Zweimal und erneut in der Coda erklingt ein rezitativähnlicher Einschub, der aus Schuberts Heine-Vertonung »Die Stadt« zitiert. Dessen letzte Strophe lautet: »Die Sonne hebt sich noch einmal / Leuchtend vom Boden empor / Und zeigt mir jene Stelle, / Wo ich das Liebste verlor.« – eine eindeutige Anspielung an Brahms' Liebe zu Clara Schumann. Die Melodik der Hauptteile ist durch Seufzergesten charakterisiert. In seiner Grundstimmung bleibt der Satz ruhig und gedämpft.

Dritter Satz Die Verbindung zwischen dem langsamen Satz und dem Finale stellt das Scherzo (A-Dur) her. Formal ungewöhnlich als

Sonatensatz gestaltet, erweist es sich in seiner entspannten Grundhaltung jedoch als Intermezzo.

Vierter Satz Mit »Zigeunermelodik« und entsprechenden harmonischen Wendungen beginnt das Finale (A-Dur) und verspricht wiederum einen furiosen Abschluss. Jedoch bleibt das tänzerische Kopfthema nicht dominierend. Ihm wird ein ausgleichend ruhiges Seitenthema entgegengesetzt, das aber dennoch eine spielerische Haltung kennzeichnet.

Wirkung Das zweite Klavierquartett steht in seiner Popularität hinter dem ersten zurück. Im Vergleich zu seinem Vorgänger galt es bereits den Zeitgenossen als zu schlicht, konfliktlos und gefällig. Dennoch kann sich das A-Dur-Quartett hinsichtlich seiner motivisch-thematischen Verflechtungen in seinem kompositorischen Anspruch durchaus mit dem g-Moll-Werk messen.   HI

Einspielungen (Auswahl)
• Domus, 1987 (+ Mahler: Klavierquartettsatz); Virgin Classics

Klavierquartett c-Moll op. 60 (#3)

Sätze 1. Allegro non troppo, 2. Scherzo: Allegro, 3. Andante, 4. Finale: Allegro comodo
Entstehung 1855–75
UA 18. November 1875 Wien
Verlag Peters
Spieldauer ca. 35 Minuten

Entstehung Die ersten beiden Sätze komponierte Brahms 1855/56, damals stand das Werk noch in cis-Moll. Im November 1856 erörterte er Probleme der Komposition mit Joseph Joachim. 1869 nahm er das Werk wieder vor, das er erst 1873/74 fertig ausarbeitete und im Sommer 1875 endgültig abschloss. Das Klavierquartett, das das Ringen eines Einsamen in ausweglos er Situation schildert, wurde wegen seiner Programmatik als »Werther«-Quartett bekannt.

Musik Das Klavierquartett veranschaulicht mehr als jedes andere Werk von Brahms einen autobiografischen Hintergrund. Dass er sich hierin den Schmerz um seine Liebe zur uner-

reichbaren Clara Schumann von der Seele schrieb, offenbart sich in jedem Takt. »Denken Sie sich dabei einen, der sich gerade totschießen will und dem gar nichts Anderes mehr übrigbleibt«, bemerkte er über den Kopfsatz. Den Vergleich mit Goethes Werther führte er selbst in einem Brief an Simrock an: »Außerdem dürfen Sie auf dem Titelblatt ein Bild anbringen, nämlich einen Kopf – mit der Pistole davor. Nun können Sie sich einen Begriff von der Musik machen. Ich werde Ihnen zu dem Zweck meine Fotografie schicken! Blauen Frack, gelbe Hosen und Stulpstiefel können Sie auch anwenden...«. Zwar steckt sicher die für Brahms charakteristische Selbstironie in diesen Worten, doch sah er sich tatsächlich in einer verzweifelten Lage.

Erster Satz Das Forteinitial auf dem Grundton im Klavier eröffnet das Werk, dem sich Seufzermotive in den Streichern anschließen. Die Taktfolge wird einen Ton tiefer wiederholt und klingt im Pianissimo aus, um nach einem Sechzehntellauf der Streicher das Hauptthema in bedrohlich wirkenden Akkordschlägen und Unisonotonrepetitionen einzusetzen. Dagegen zeigt sich das Seitenthema zart und expressiv. Jedoch gerät es in der Durchführung durch harmonische Verzerrungen in den Sog des Schmerzes. Nicht nur organisch sich entwickelnde Ausdruckssteigerungen prägen hier diesen Prozess, sondern auch brutale Ausbrüche, die jede Stabilität zu zerstören scheinen.

Zweiter Satz Das Scherzo (c-Moll) löst nichts von der düsteren Schwermut auf. Lediglich die damit gekoppelte Erregung wird im Trio ein wenig zurückgenommen, drängt aber im Keim schon wieder zum Scherzo hin. Erst am Schluss wandelt sich das c-Moll nach C-Dur, um die E-Dur-Tonart des langsamen Satzes vorzubereiten.

Dritter Satz Das Andante tritt als tröstliches Zwischenspiel auf. Damit ist es der einzige Ruhepol innerhalb dieses aufwühlenden Klavierquartetts.

Vierter Satz Die weitausgreifende Melodik, mit der das Finale einsetzt, scheint die Auflösung zu suchen. Sie wird aber schon im Auftakt durch die Klavierstimme mit dem »Schicksalsmotiv« aus der 5. Sinfonie von Beethoven unterwandert. Das Motiv führt in der Überleitung zu einer ersten Ausdruckssteigerung. Die Schlussgruppe der Exposition ist als Choral gestaltet. Die Durchführung bringt keine Steigerung hervor, sondern bleibt im Piano in unterschwelliger Anspannung. Nach der Reprise verklingt die Coda im Sinne der Durchführung in Anspannung. Die Schlusskadenz in C-Dur genügt für eine Auflösung nicht mehr.

Wirkung Johannes Brahms und das Hellmesberger-Quartett spielten 1875 die Uraufführung im Wiener Musikvereinssaal. Zehn Jahre später wurde das Quartett zu einem bevorzugten Stück der Krefelder Brahms-Freunde. Alwin von Beckerath schildert die dortige Premiere im Winter 1885, an der er zusammen mit dem Geiger Richard Barth (damals Konzertmeister des Krefelder Orchesters), dem Cellisten Caesar Schwormstädt und dem Komponisten teilhatte: »Brahms spielte prachtvoll mit innigster Empfindung, und wir drei taten unser Bestes, ihm darin zu folgen. Bemerkenswert war, wie er im ersten Teil des letzten Satzes das Choralmotiv der Streicher nicht leise genug haben konnte; trotzdem wir schon pp spielten, zischte er noch immer. Es sollte nur wie ein Hauch aus weiter Ferne klingen, wie eine Vision. Die Wirkung ist dann allerdings auch ganz erschütternd. Das wenig bekannte Werk wurde so unser Paradestück und blieb es auch in späteren Jahren.« HI

Einspielungen (Auswahl)
- Isaac Stern (Violine), Jaime Laredo (Viola), Yo-Yo Ma (Violoncello), Emanuel Ax (Klavier), 1986 (+ Doppelkonzert); Sony Classical
- Lars Vogt (Klavier), Antje Weithaas (Violine), Kim Kashkashian (Viola), Boris Pergamenschikow (Cello), 2001 (+ Klavierquartett Nr. 1); EMI

Streichquintette

Quintett F-Dur op. 88

Sätze 1. Allegro non troppo, ma con brio, 2. Grave ed appassionato – Allegretto vivace – Tempo I – Presto – Tempo I, 3. Allegro energico
Entstehung Mai 1882
UA 29. Dezember 1882 Frankfurt am Main
Verlag Peters
Spieldauer ca. 27 Minuten

Musik Das erste Streichquintett zeichnet sich durch eine für Brahms' Musik ungewöhnlich heitere Grundstimmung aus. Der Komponist selbst nannte das im Mai komponierte Werk sein »Frühlingsprodukt«. Die Wahl der Instrumente ist klassisch: Er verwendet zwei Bratschen, nicht wie im Klavierquintett zwei Celli. Die Stimmen werden meistenteils eigenständig geführt, sodass sich nicht zwei Klangchöre aus Violinen und Bratschen gegenüberstehen.

Erster Satz Der Sonatensatz in F-Dur hebt mit einem einfachen, fast pastoralen Thema an, einem Gestus, der durch die leeren Quinten noch verstärkt wird. Die Bratsche antwortet in A-Dur mit einem entspannten synkopisierten Triolenmotiv, unterstützt von einer Pizzicatobegleitung. Zu größeren Spannungen kommt es auch in der Durchführung nicht.

Zweiter Satz Langsamer Satz und Scherzo sind miteinander verknüpft. Brahms greift hier auf barocke Vorbilder zurück. Einige Jahre zuvor hatte er sich mit der Suite beschäftigt. Dabei sind mehrere Tänze entstanden, die nie veröffentlicht wurden. Zwei davon werden im zweiten Satz zitiert: ein Sarabandenthema aus der Serenade WoO 5/1 und die Gavotte WoO 3/2. Diese beiden Einschübe (A-Dur) in schnellem Tempo, lockern das Gravitätische des Satzes auf. Der Hauptteil (Grave) im barocken Stil erfährt eine zweimalige Durchführung. Die Coda variiert das Thema und entschwindet im dreifachen Piano. Formal erscheint der Satz als Rondo. Als Produkt der Auseinandersetzung mit der Suite handelt es sich dabei aber wohl eher um ein Mixtum aus mehrteiliger Liedform, Suite und Scherzo.

Dritter Satz Das F-Dur-Finale hebt mit einem energischen Fugenthema an, dem eine halbschlüssige Kadenz vorangestellt ist. Schon einmal hatte Brahms ein kontrapunktisches Verfahren im Finale angewandt, und zwar in der Cellosonate op. 38. Dort aber war das Hauptthema in dieser Weise gestaltet, hier ist es lediglich der Einleitungsteil. Das Thema wird durch alle Stimmen geführt, nur zweite Bratsche und Cello spielen das Thema zusammen. Dann schließt sich ein regulärer Sonatensatz an, der in eine groß angelegte Stretta mündet.

Wirkung Die Uraufführung des ersten Streichquintetts während des 5. Kammermusikabends der Frankfurter Museumsgesellschaft wurde enthusiastisch aufgenommen. Johannes Brahms befand sich zu dieser Zeit auf dem Höhepunkt seines Ruhmes. Clara Schumann vermerkte 1882 in ihrem Tagebuch: »Brahms feiert überall Triumphe, wie man es kaum jemals bei einem Komponisten erlebt.«

Der Brahms-Freund Alwin von Beckerath spielte das Werk im Herbst 1882 mit Freunden in Krefeld dem Komponisten vor, wobei er die Beobachtung machte, dass Brahms stets »die Tempi seiner Sachen den Verhältnissen bzw. dem Können der Ausführenden anpasste«: Das Finale »hatten wir riesig geübt und es ging auch wie aus der Pistole bis zum Schlussakkord. Da gabs eine Überraschung; Brahms sagte nur: ›Na, das ging ja flott.‹ Und nun mussten wir die Coda in einem ganz gemächlichen, nur etwas beschleunigten Allegrotempo wiederholen. So war es natürlich viel leichter für die Spieler und für die Hörer viel klarer. Das Letztere hatte er wohl gewollt. Brahms nahm überhaupt immer gemäßigte Tempi, warme Empfindung und vollste Klarheit waren ihm stets die Hauptsache.« HI

Einspielungen (Auswahl)
- Raphael Ensemble, 1995 (+ Streichquintett G-Dur op.111); Hyperion
- Wiener Streichsextett, 2000 (+ Streichquintett op. 111); Pan Classics / Note 1

Quintett G-Dur op. 111

Sätze 1. Allegro non troppo, ma con brio, 2. Adagio, 3. Un poco Allegretto, 4. Vivace, ma non troppo presto
Entstehung Frühjahr/Sommer 1890
UA 11. November 1890 Wien
Verlag Peters
Spieldauer ca. 32 Minuten

Entstehung Mit seinem zweiten Streichquintett beschloss Brahms ursprünglich das Ende seiner kompositorischen Tätigkeit. Er erwähnte seinem Verleger gegenüber: »Mit diesem Brief können Sie sich von meiner Musik verabschieden, denn es ist sicherlich Zeit zu gehen.« Dann jedoch lernte Brahms den Meininger

Klarinettisten Richard Mühlfeld kennen – und es entstanden noch vier weitere Kammermusikwerke mit Klarinette.

Musik Das Quintett ist von ausgesprochener Klangsinnlichkeit, die so weit geht, dass Brahms sogar Klangflächen quasi thematisch verarbeitet. Insoweit ergibt sich im Unterschied zum F-Dur-Quintett ein orchestraler Anspruch. Extreme Lagen, Tremoli und Akkordgriffe führen über kammermusikalische Intimität weit hinaus.

Erster Satz Das Hauptthema, im Cello vorgestellt, wird von einer Sechzehntelbewegung aller übrigen Instrumente kommentiert, die einen G-Dur-Akkord ergibt: Schon an dieser Stelle dominiert die Klanglichkeit. Dagegen bedient sich das Seitenthema einer Melodie in der Art eines Wiener Walzers. Max Kalbeck vermutete, Brahms habe sie im Wiener Prater ersonnen. Die Durchführung vollzieht sich in drei Abschnitten, einem gesanglichen und zwei Steigerungsbogen. Das Sechzehntelklangmotiv wird durch Isolierung des Terzintervalls und seiner Sequenzierung wie eine thematische Gestalt verarbeitet.

Zweiter und dritter Satz Folkloristische Anklänge durch das »Zigeunermoll« als Charakteristikum ungarischer Volksmusik finden sich im Adagio (d-Moll) und im Scherzo (g-Moll). Der langsame Satz wird meist als Variationensatz angesehen. Das Originalthema erfährt aber Erweiterungen und harmonische Veränderungen, die den Rahmen einer einfachen Variation sprengen. Das Scherzo erscheint wie so häufig im Spätwerk von Brahms als Intermezzo. Beide Sätze verbindet ein traurig-melancholischer Charakter.

Vierter Satz Ein übermütiger, ungarischer Csardas bildet im Finale den Kontrast.

Wirkung Das renommierte Rosé-Quartett bestritt die Uraufführung des Quintetts anlässlich eines Kammermusikabends. Kurz darauf schon spielte es das Joachim-Quartett in Berlin. Joachim berichtete Brahms: »Die Aufnahme war eine enthusiastische; das ausverkaufte Haus jubelte jedem der Sätze zu, und ich musste nolens volens meine Charakterstärke vor dem Schmelz Deines lieblichen Intermezzos die Waffen strecken lassen, und wiederholte es... Am wenigsten wurde das Adagio verstanden, zu meinem Staunen; denn mir ist es vielleicht der liebste Satz.« HI

Quintette in anderen Besetzungen

Klavierquintett f-Moll op. 34

Sätze 1. Allegro non troppo – Poco sostenuto – Tempo I, 2. Andante, un poco Adagio, 3. Scherzo: Allegro – Trio, 4. Finale: Poco sostenuto – Allegro non troppo – Tempo I – Presto non troppo
Entstehung 1862–64
UA 22. Juni 1866 Leipzig
Verlag Henle; Peters
Spieldauer ca. 42 Minuten

Entstehung Vermutlich begann Brahms schon 1861 mit der Komposition – als Streichquintett. Doch der reine Streichersatz wollte dem Pianisten nicht gelingen. Als er das Werk dem Geiger Joseph Joachim zur Begutachtung vorlegte, kritisierte dieser heftig: »So, wie das Quintett ist, möchte ich es nicht öffentlich produzieren – aber nur, weil ich hoffe, du änderst hie und da einige selbst mir zu große Schroffheiten und lichtest hie und da das Kolorit.« Daraufhin arbeitete Brahms das Werk zur Sonate für zwei Klaviere um. Aber auch dieses Mal gab es Beanstandungen: »Das Werk ist wundervoll – großartig, aber: es ist keine Sonate! ... Bitte, lieber Johannes, arbeite das Werk nochmals um«, schrieb Clara Schumann am 10. März 1864. Die Endfassung vereint beide Klanggruppen, Klavier und Streicher. Die »Schroffheiten« lassen sich nicht mehr nachvollziehen, denn Brahms vernichtete die Urfassung.

Musik Sowohl in der klanglichen Ausformung als auch in der Satzfaktur entspricht das Klavierquintett mit seiner differenzierten Ausdrucksfülle einer sinfonischen Anlage. Stellenweise kommt es der Konzeption eines Klavierkonzerts nahe.

Erster Satz Dem Sonatensatz (f-Moll) stellt Brahms ein Motto voran, das die weit voneinander entfernten Tonarten Des-Dur und C-Dur enthält. Das kraftvolle Hauptthema leitet sich direkt daraus ab. In drei Themenbereichen vollzieht sich die Exposition. Die Durchführung beginnt sehr zart mit dem Hauptthema, das durch Umrhythmisierung und Abspaltung der Mottointervalle weitergeführt wird. Eine kurze Steigerung entwickelt sich wieder zurück in einen idyllischen Abschnitt. Die Reprise ist im Vergleich zur Exposition im Ausdruck intensiviert. Die Coda exponiert in einer emphatischen Überhöhung das Motto.

Zweiter Satz Der langsame Satz (As-Dur) kontrastiert durch seine Schlichtheit zum wuchtigen und komplex durchstrukturierten Kopfsatz. Lediglich der Mittelteil in E-Dur ist von großer Expressivität geprägt.

Dritter Satz Die sinfonische Dimension des Kopfsatzes nimmt das Scherzo (c-Moll) wieder auf, sodass der dritte Satz, dem traditionell weniger Gewicht zukommt, eine Aufwertung erfährt. In seinem Anspruch könnte er das Finale eines dreisätzigen Solokonzerts darstellen.

Vierter Satz Der vierte Satz beginnt mit einer Einleitung, verhalten im Pianissimo in spannungsgeladener Chromatik. Die Exposition impliziert volkstümliche wie pastoral gestaltete Abschnitte. Sie wird in variierter Form wiederholt und dann in ein furioses Presto umgewandelt, das am Ende die Tonarten Des-Dur und C-Dur des Mottos aus dem Kopfsatz miteinander verknüpft.

Wirkung Die Fassung für zwei Klaviere spielte Brahms am 17. April 1864 anlässlich eines Konzerts der Wiener Singakademie zusammen mit dem Liszt-Schüler Carl Tausig. Die Uraufführung des Klavierquintetts fand zwei Jahre später im Rahmen eines Konservatoriumsabends in Leipzig statt. Das Quintett gilt als Höhepunkt des kammermusikalischen Frühschaffens von Brahms. HI

Wenn er nicht eine seiner zahlreichen Konzertreisen unternahm oder sich zur Sommerfrische in den Alpen aufhielt, verweilte Brahms in seiner 1872 bezogenen Wohnung in der Wiener Karlsgasse (Blick in das Arbeitszimmer, Foto um 1910).

Klarinettenquintett h-Moll op. 115

Sätze 1. Allegro, 2. Adagio, 3. Andantino – Presto non assai, ma con sentimento, 4. Con moto
Entstehung Sommer 1891
UA 12. Dezember 1891 Berlin
Verlag Peters
Spieldauer ca. 34 Minuten

Entstehung Als Brahms das Spiel des Klarinettisten der Meininger Hofkapelle, Richard Mühlfeld, hörte, war er tief beeindruckt: »Man kann nicht schöner Klarinette blasen, als es der hiesige Mühlfeld tut«, schrieb er an Clara Schumann. Obwohl er angekündigt hatte, mit dem 2. Streichquintett von 1890 sein letztes Werk komponiert zu haben, löste die Begegnung mit Mühlfeld bei ihm einen neuen Schaffensimpuls aus. So entstanden 1891 das Klarinettenquintett h-Moll und das Klarinettentrio op. 114,

drei Jahre später die beiden Klarinettensonaten op. 120.

Musik Die Idee der variativen Verknüpfung aller Sätze untereinander, die sich in den Spätwerken von Brahms zeigt, liegt auch dem Klarinettenquintett zugrunde. Brahms verwendete für das Quintett die A-Klarinette, deren Klangcharakter sich gut in den Streichersatz einpasst. Ungeachtet des breiten Klangspektrums dieses Instruments nimmt Brahms, wie es für sein Spätwerk kennzeichnend ist, die Expressivität zugunsten konstruktiver Momente zurück. Die Motivverwandtschaft der vier Sätze ist teilweise zwar nur abstrakt über die Analyse nachzuweisen, teilt sich dem Hörer dennoch unterschwellig mit.

Erster Satz Das Hauptthema in h-Moll wird dem Satz als Motto in vier Takten vorangestellt. Einem Halteton schließt sich eine Sechzehntelfiguration an, die in einem Vorhaltsmotiv ausschwingt. Dieses Gebilde mit seinen motivischen Abspaltungen prägt das Werkganze. Der

Sonatensatz ist regelmäßig aufgebaut und sehr knapp gefasst. In der Coda wird über die Assoziation von »Zigeunermusik« der Mittelteil des folgenden Satzes vorausgenommen.

Zweiter Satz Den Registerreichtum der Klarinette hebt das dreiteilige Adagio in H-Dur hervor. Die melodische Substanz der Außenteile gibt den tonlichen Möglichkeiten des Instruments Raum, während der rezitativisch freie Mittelteil im Habitus von »Zigeunermusik« die ihr eigene virtuose Geläufigkeit zu nutzen weiß. Eduard Hanslick schwärmte von diesem Satz als einem »der schönsten, wärmsten Stücke von Brahms«: »Das ganze Stück ist wie in dunkles Abendrot getaucht. Wer Heines ›Klangbildertalent‹ besitzt, dem dürfte das Bild eines jungen Hirten auftauchen, der in der Einsamkeit einer ungarischen Ebene schwermütig seine Schalmei bläst.«

Dritter Satz Das D-Dur-Andantino, dreiteilig konzipiert, geriert sich als freundliches Intermezzo mit einem breit angelegten Mittelteil (Presto non assai, ma con sentimento), der den erwarteten Scherzoton anschlägt. Der Satz verklingt pianissimo.

Vierter Satz Aus einem Thema mit fünf Variationen in h-Moll schält sich nach und nach das Motto des Kopfsatzes heraus, bis es in der Coda beinahe seine ursprüngliche Gestalt annimmt. Sie wird mit der gerade verklungenen Variation gekoppelt und untermauert so den Werkzusammenhang.

Wirkung Die Uraufführung, bei der auch das Klarinettentrio a-Moll op. 114 erstmals erklang, bestritten Richard Mühlfeld und das Joachim-Quartett in der Berliner Singakademie. Der Abend gehörte zu den größten Erfolgen, die Brahms erlebte, und Mühlfeld musste das Adagio bis zur Erschöpfung immer wieder spielen. Anschließend notierte der Kritiker der »Allgemeinen Musikalischen Zeitung« Otto Lessmann: »Ohne Zweifel ist das Quintett das bedeutendere der beiden neuen Werke, ja es ist vielleicht das bedeutendste Kammermusikwerk von Brahms und das Adagio aus demselben der schönste Kammermusiksatz, der seit dem letzten Beethoven geschrieben worden ist.« Die Melodien seien von idealer Schönheit und die Wirkung der Klänge auf den Zuhörer von »fast überirdischem Reiz«. Auch der Brahms-Freund und Musikken-ner Theodor Billroth beschrieb in einem Brief an Eduard Hanslick emphatisch die Klangschönheit des Werkes. Der Adressat wiederum urteilte enthusiastisch über die Wiener Aufführung am 16. Dezember 1891: »Lange hat kein Werk ernster Kammermusik im Publikum so gezündet, so tief und lebhaft gewirkt.« Kein Zweifel: Brahms hat mit seinem späten Quintett ein Werk geschaffen, das gleichrangig neben Mozarts Klarinettenquintett KV 581 steht. **HI**

Einspielungen (Auswahl)
- Gervase de Peyer (Klarinette), Melos Ensemble, 1964 (+ Mozart: Klarinettenquintett); EMI
- Karl Leister (Klarinette), Leipziger Streichquartett, 1996; MDG/Codaex

Streichsextette

Die beiden Streichsextette sind die ersten von Brahms überlieferten Kammermusikwerke ohne Klavierbeteiligung. Als Anregung könnte ihm das C-Dur-Sextett op. 140 von Louis Spohr gedient haben, das 1850 in Kassel erschienen war. Verschiedentlich wurden die beiden Kompositionen sogar lediglich als Übungswerke angesehen, die Brahms zu den Streichquartetten hinführen sollten. Dass sie neue Maßstäbe im Bereich der Kammermusik für sechs Streicher setzten, wurde erst in neuerer Zeit erkannt. **HI**

Streichsextett B-Dur op. 18

Sätze 1. Allegro, ma non troppo, 2. Andante, ma moderato, Scherzo: Allegro molto, 4. Rondo: Poco Allegretto e grazioso
Entstehung 1858–60
UA 20. Oktober 1860 Hannover
Verlag Peters
Spieldauer ca. 34 Minuten

Entstehung Während seines Aufenthalts in Hamburg und Bonn schrieb Brahms sein erstes Streichsextett, das er schon eine Zeit lang in Arbeit hatte. Dem Geiger Joseph Joachim war das Werk bereits in wesentlichen Zügen bekannt, als er es im September 1860 vollständig in Händen hielt. Er brachte es auch zur erfolgreichen Ur-

Wohin gehört das Streichsextett?

Aufgrund seiner Besetzung mit je zwei Violinen, zwei Violen und zwei Violoncelli herrscht im Streichsextett ein ungewöhnliches Maß an klanglicher Homogenität und Ausgewogenheit. Gleichzeitig verschwimmt die klare Grenze zwischen kammermusikalischer Intimität und orchestraler Anlage. Diese Zwischenstellung machte Werke für Streichsextett wirtschaftlich unrentabel: Fürs private hausmusikalische Musizieren kamen sie kaum infrage, weil sie die personellen Möglichkeiten überschritten, für Aufführungen im Konzertsaal galten sie als zu familiär. So merkte der Verlag Breitkopf & Härtel gegenüber Brahms an: »Dass ein Sextett und ein Duo für Pianoforte und Cello keinen großen Absatz finden können, liegt in der Natur der Gattungen.« Und doch wurden in der zweiten Hälfte des 19. wie auch noch zu Beginn des 20. Jahrhunderts Streichsextette komponiert, wie die Werke von Antonín Dvořák und Peter Tschaikowski (»Souvenir de Florence«) oder auch das an Brahms anknüpfende F-Dur-Sextett op. 118 von Max Reger aus dem Jahr 1910.

timentales Stück« bezeichnete: Im Kopfsatz ist zwischen erstem und zweitem Thema ein Ländler eingeschoben. Das Seitenthema schließt sich im Walzertakt an. Auch das Scherzo im tänzerischen Stil enthält ein Trio im Typus eines Rundtanzes mit seinen charakteristischen Neuansätzen in harmonischen Rückungen. Besonders aber der Variationensatz (d-Moll) weist eine Fülle von folkloristischen und historisierenden Elementen auf. Das Thema wird von der Bratsche eingeführt. Es bildet in Verbindung mit der einfachen Begleitung in Akkordschlägen einen stilisierten Tanz aus dem 17. Jahrhundert, den »Folie d'espagne«. Die nachfolgenden zwei Variationen bleiben im Kolorit der Harmoniefolgen, gestützt durch vollgriffige Akkorde, Bordunpassagen und die auftaktige Rhythmik. Die vierte Variation in D-Dur ist eher gesanglich, die fünfte ganz filigran in vergleichsweise hoher Lage mit Bordunbegleitung. Lässt die Aneinanderreihung von tanzartigen Abschnitten und Sätzen eine Suite oder Serenade als Vorbild des Sextetts vermuten, so widerspricht dem die motivisch-thematische Durchstrukturierung des Werkes.   HI

aufführung. Brahms erstellte von dem langsamen Satz, der besonders beliebt war, eine Klavierfassung, die er Clara Schumann zu ihrem Geburtstag am 13. September 1860 überreichte.

Musik Mit seinem Opus 18 wagte sich Brahms an eine noch unpopuläre Gattung ohne nennenswerte Tradition. Die Besetzung mit je zwei Violinen, Bratschen und Celli ergibt fast durchweg eine dunkle und volle Klangfarbe. Sie verleiht der Satzfaktur eine Gewichtung, die die Grenze des Orchestralen streift. Formal orientiert sich das Sextett an der viersätzigen Anlage mit Sonaten- (B-Dur) und Variationensatz (d-Moll), Scherzo mit Trio (F-Dur) und Rondofinale (B-Dur). Es impliziert eine Reihe von Archaisierungen. So fällt auf, dass sich die Gestaltung überwiegend an das Schema »Melodie mit Begleitung« hält. Das Hauptthema im Sonatensatz in fließend-gesanglichem, rhythmisch wie melodisch unkompliziertem Gestus zeichnet sich ebenso durch Einfachheit aus wie die »haydnschen« Themen des Rondofinales.

Ein volkstümlicher Ton durchzieht sämtliche Sätze des Zyklus, den Brahms als »langes, sen-

Streichsextett G-Dur op. 36

Sätze 1. Allegro non troppo, 2. Scherzo: Allegro non troppo – Presto giocoso, 3. Adagio, 4. Poco Allegro
Entstehung September 1864 und Mai 1865
UA 11. Oktober 1866 Boston
Verlag Peters
Spieldauer ca. 32 Minuten

Entstehung »Hier habe ich mich von meiner Göttinger Liebe freigemacht«, äußerte Brahms im Hinblick auf sein zweites Streichsextett und spielte damit darauf an, dass er 1858 seine Verlobung mit Agathe von Siebold wieder gelöst hatte. Musikalisch setzte er ihren Namen in Musik: In das Seitenthema des Kopfsatzes ist die Tonfolge a-g-a-d-h-e eingearbeitet. Es wird von der ersten Violine getragen, wobei das d aus der zweiten Violine hinzugefügt werden muss.

Musik Außer dem Agathe-Kryptogramm gibt es im zweiten Streichsextett keine Andeutungen auf außermusikalische Bezüge. Es ist, sehr viel eindeutiger noch, als es im ersten Sextett der Fall war, explizite Kammermusik. Erkennbar ist dies nicht nur in den motivischen Bezügen zwischen den Sätzen, sondern auch an der kontrapunktischen Behandlung der einzelnen Stimmen. Die Instrumente treten selbstständig auf und werden nicht Klanggruppen (Violinen, Violen, Celli, also hohe, mittlere und tiefe Lage) untergeordnet.

Erster Satz Im Kopfsatz setzt zunächst ein Wechseltonmotiv (g-fis) in der Bratsche ein, das innerhalb der ersten Themengruppe als Begleitung präsent bleibt. Das Hauptthema ist wesentlich durch die Quinte aufwärts bestimmt und verknüpft zwei voneinander weit entfernte Tonarten: G-Dur und Es-Dur. Ausgesprochen expressiv im Kontrast zur kantablen Linie im Mezza voce zuvor gibt sich das Seitenthema, das ebenfalls durch eine Achtelpendelbewegung kommentiert wird. Die Durchführung konzentriert sich ausschließlich auf das Hauptthema gekoppelt mit dem Wechseltonmotiv, dem somit eine formkonstitutive Funktion zukommt.

Zweiter Satz Im Vergleich zum Opus 18 sind Scherzo und langsamer Satz hier nun vertauscht. Die ersten Takte des Scherzos (g-Moll) im ungarischen Timbre entlehnte Brahms einer Gavotte a-Moll für Klavier, die er 1854 komponiert hatte. Das Trio Presto giocoso stimmt dagegen den heiteren Scherzotonfall an.

Dritter Satz Analog zum ersten Sextett gliedert sich das bedrückend-melancholische Adagio (e-Moll) in ein Thema mit fünf Variationen und Coda, wobei zwischen der vierten und fünften Variation ein kurzes Intermezzo eingeschoben ist. Gegen Ende lichtet sich die Stimmung nach Dur hin auf.

Vierter Satz Den Schluss bildet ein aufgewecktes Sonatenrondo (G-Dur) mit thematischen und harmonischen Rückbezügen zum Kopfsatz.

Wirkung Die Uraufführung im amerikanischen Boston spielte The Mendelssohn Quintette Club, ein 1849 in Boston gegründetes Kammermusikensemble. Die europäische Erstaufführung fand am 20. November 1866 in Zürich statt. HI

Einspielungen (Auswahl)
• Raphael Ensemble, 1995; Hyperion

Britten | Benjamin

*22.11.1913
Lowestoft,
Suffolk
†4.12.1976
Aldeburgh

Britten gilt vor allem als Opernkomponist und als Schöpfer von Orchester- und Vokalwerken; doch hat er sein ganzes Leben lang auch Kammermusik geschrieben, intensiver am Beginn und gegen Ende seiner kompositorischen Laufbahn als in der opernbetonten Mitte. Die Mehrzahl dieser Stücke war für seine Freunde gedacht.

Die meisten von Brittens Kammermusikkompositionen sind für nicht mehr als zwei Instrumente geschrieben. Britten hat vor allem die Stücke für seine Freunde sorgfältig auf deren Persönlichkeit zukomponiert, auf ihre virtuosen Fähigkeiten, Vorlieben oder auch ihre Herkunft – etwa »Nocturnal after John Dowland« op. 70 (1963) für den Gitarristen Julian Bream (nach einem Lautenlied von Dowland) oder die drei Solosuiten (op. 72, 1964; op. 80, 1967; op. 87, 1972) für den Cellisten Mstislaw Rostropowitsch.

Benjamin Britten aus dem kleinen Ort Lowestoft im englischen Suffolk begann schon mit neun Jahren Musik zu schreiben; während seiner Schulzeit erhielt er Kompositionsunterricht bei Frank Bridge. Am Royal College of Music in London setzte er seine Studien fort – Klavier bei Arthur Benjamin, Komposition bei John Ireland. Prägend für sein Leben und Werk war die Verbindung zum Tenor Peter Pears, den er oft am Klavier begleitete und für den er u. a. seine großen Opernpartien schrieb. Mit ihm ging er 1939 in die USA, wo wichtige Werke wie die »Sinfonia da Requiem« und die »Michelangelo-Sonette«, aber auch das erste Streichquartett entstanden. 1944 zurückgekehrt, nahm die erste Oper, »Peter Grimes«, fast die gesamte Aufmerksamkeit des Komponisten in Anspruch, und das Musiktheater saugte für über ein Jahrzehnt fast seine gesamten kreativen Kräfte auf.

Nach »Peter Grimes« entstanden »The Rape of Lucretia« (1946), »Albert Herring« (1947), die Kinderoper »Let's Make an Opera!« (1949), »Billy Budd« (1951) und – zur Krönung von Elizabeth II. – »Gloriana« (1953). In späteren Jahren folgten u. a. »The Turn of the Screw« (1954) nach Henry James, »A Midsummer Night's Dream« (1960) nach Shakespeare und »Death in Venice« (1973) nach Thomas Mann. Brittens Bühnenwerke, von denen die meisten sich mit dem Schicksal gesellschaftlicher Außenseiter beschäftigen, bilden einen der umfangreichsten Beiträge zur Erneuerung der Gattung Oper im 20. Jahrhundert. Ihr Kennzeichen ist die changierende stilistische Vielfalt, die Britten mit hoher Sensibilität des Ausdrucks zum ausgeprägten Personalstil verschmolz.

Britten huldigte zeitlebens einer Haltung, die Hans Werner Henze den »pädagogischen Eros« nannte. Auch das von Britten gegründete Festival in Aldeburgh, das erstmals 1948 stattfand – eröffnet mit der Uraufführung seiner Kantate »Sankt Nikolaus« op. 42 in der Dorfkirche –, diente zu einem wichtigen Teil musikpädagogischen Zielen. Der Komponist starb mit 63 Jahren an den Folgen einer Herzoperation – völlig unvorbereitet, wenn man die große Zahl seiner unausgeführten Pläne bedenkt. PE

Suiten für Violoncello solo

Entstehung Dmitri Schostakowitsch, den Benjamin Britten seit Langem bewunderte (die Oper »Lady Macbeth von Mzensk« beeinflusste die Komposition von »Peter Grimes« in nicht unwichtigem Maße), vermittelte 1960 die Bekanntschaft zwischen dem englischen Komponisten und dem russischen Cellisten Mstislaw Rostropowitsch. Ein Ergebnis der langjährigen Freundschaft, die sich daraus entwickelte, sind die Cellosuiten op. 72, op. 80 und op. 87 wie auch die Cellosonate op. 65 und die »Symphony for Cello and Orchestra« op. 68.

Der Cellist Mstislaw Rostropowitsch

Als sich der russische Meistercellist, Dirigent und Komponist Mstislaw Rostropowitsch am 11. November 1989 mit seinem Instrument am Checkpoint Charlie an die Berliner Mauer setzte, um für die Deutschen zu spielen, begründete er das so: »Ich bin kein Politiker, kein Rhetoriker. Die Musik ist meine Sprache, durch sie allein konnte ich die unglaublichen Gefühle artikulieren, die mich in jenen Tagen bewegten.« Der Musiker sah sich als Kämpfer für die Menschlichkeit. Das verband ihn mit dem Pazifisten und für gesellschaftliche Außenseiter streitenden Benjamin Britten. Rostropowitsch setzte sich für neue Cellokompositionen ein, von denen er die meisten selbst uraufführte. Über 100 Stücke wurden für ihn geschrieben, darunter neben den Werken von Britten u. a. Sonaten von Dmitri Kabalewski und Nikolai Mjaskowski sowie die Passacaglia für Cello solo von William Walton. Noch bei seinem nach eigenen Angaben letzten öffentlichen Auftritt als Cellist am 19. Juni 2005 in Wien spielte Rostropowitsch eine Uraufführung: die des ihm gewidmeten Largos für Cello und Orchester von Krzysztof Penderecki.

Musik Die Solosuiten erinnern an einigen wenigen Stellen an ihre barocken Vorbilder, jene von Bach vor allem, bilden größtenteils aber eine Folge eigenständiger Charakterstücke, von denen jedes auf unterschiedliche technische Möglichkeiten des Cellospiels abzielt – zugeschnitten auf die virtuose Technik des Widmungsträgers. Mstislaw Rostropowitsch war auch ein wichtiger Vermittler der zeitgenössischen russischen und sowjetischen Musik; Hinweise auf diese sind deutlich zu hören – vor allem auf die musikalische Welt eines Prokofjew oder Schostakowitsch.

Wirkung Alle drei Cellosuiten wurden von Mstislaw Rostropowitsch uraufgeführt, die ersten beiden beim Aldeburgh Festival. Die dritte nahm Benjamin Britten mit auf die Reise, als er den Cellisten im April 1971 in der Sowjetunion besuchte; doch die Veröffentlichung des Werks wurde zurückgehalten, bis der Cellist wieder nach England kommen konnte. Am 21. Dezember 1974 wurde es schließlich in The Maltings, Snape, von Mstislaw Rostropowitsch zur Uraufführung gebracht. Von den drei Suiten sind die beiden ersten auch in Einspielungen durch den Widmungsträger erhältlich, aufgenommen 1968 in The Maltings. PE

Einspielungen (Auswahl)
- Mstislaw Rostropowitsch, 1968 (+ Cellosonate op. 65); Decca
- Timothy Hugh (Violoncello), 1987; Hyperion
- Robert Cohen (Violoncello), 1994; Decca
- Truls Mørk, 2000; Virgin/EMI

Suite Nr. 1 G-Dur op. 72

Sätze I Canto primo (sostenuto e largamente), 1. Fuga: Andante moderato, 2. Lamento: Lento rubato, II Canto secondo (sostenuto), 3. Serenata: Allegretto pizzicato, 4. Marcia: Alla marcia moderato, III Canto terzo (sostenuto), 5. Bordone: Moderato quasi recitativo, 6. Moto perpetuo e canto quarto: Presto
Entstehung November/Dezember 1964
UA 27. Juni 1965 Aldeburgh
Verlag Faber Music
Spieldauer ca. 24 Minuten

Musik Das Werk nutzt die barocke Form des Canto, der ritornellhaft wiederkehrt. Aus einer Folge von Doppelgriffen entsteht ein reiches harmonisches Fundament, wobei die Oberstimme eine melodische Linie suggeriert, während die in der Unterstimme auftretenden Dezimen- und Nonensprünge, so Peter Evans, an die »transfigurierte Welt« von Brittens »Sommernachtstraum« denken lassen. Dieser Canto kehrt dreimal wieder, in stets veränderter Form, und aus jedem dieser Statements ergeben sich zwei Sätze. Im letzten Satz werden Bauteile des Canto in seiner originalen Form und Tonart ein-

Mstislaw Rostropowitsch gilt als einer der bedeutendsten Cellisten des 20. Jahrhunderts. Britten verband eine enge Freundschaft mit Rostropowitsch und wurde von ihm zur Komposition seiner drei Cellosuiten inspiriert.

geführt; sie vereinigen sich mit der Energie des Moto perpetuo und führen das Werk zu einem besänftigten Abschluss. Unter den Zwischensätzen seien besonders die brillant-parodistische Serenata mit Flamencoallusionen und die darauf folgende Marcia mit ihrer Hommage an Strawinsky (und dessen »Geschichte vom Soldaten«), ihrem einleitenden köstlichen »Hornruf« und dem Trommeln des Rhythmus mit dem Bogenholz auf den leeren Saitenquinten hervorgehoben. PE

Suite Nr. 2 D-Dur op. 80

Sätze 1. Declamatio: Largo, 2. Fuga: Andante, 3. Scherzo: Allegro molto, 4. Andante lento, 5. Ciaccona: Allegro
Entstehung August 1967
UA 17. Juni 1968 Aldeburgh
Verlag Faber Music
Spieldauer ca. 23 Minuten

Musik Diese Suite ist fünfsätzig. Die eloquente melodische Linie des ersten Satzes wirkt wie eine Improvisation, erweist sich jedoch als genau organisiert. Äußerst geschickt komponiert ist der zweite Satz: Die Pausen des Hauptthemas gestatten dem Cellisten, ein Gegenthema einzusetzen und aus dieser »Trompe-l'Œil«-Konstellation zwei- bis dreistimmige Stretti resultieren zu lassen, ein meisterhaftes Beispiel von Brittens Adaption des »style brisé«, der »gebrochenen« Spielart französischer Lautenisten. Der dritte Satz lebt von zwei Hauptideen, die schließlich in »rhythmisch unvorhersehbarer Art« (Peter Evans) ineinandergeschoben werden. Der vierte Satz begründet die Vereinigung von zwei Begriffen, die von Komponisten allgemein als kontrastierende Alternativen betrachtet werden (»Andante« und »Lento«), mit zwei Temposchichtungen: Die Pizzicatofiguren sind in 6/8 notiert, während die gestrichenen Melodielinien in punktierten Achteln einen ruhigeren Puls aufweisen. Der fünfte und letzte Satz (Ciaccona: Allegro) verwendet eine von Benjamin Brittens Lieblingsformen, die Variationen zu einem Basso ostinato. Letzterer beruht auf einem in fünftaktiger Figur ausgebreiteten baro-

cken Prototyp, dem fallenden Tetrachord von der Tonika zur Dominante. PE

Suite Nr. 3 op. 87

Sätze 1. Introduzione (lento), 2. Marcia (allegro), 3. Canto (con moto), 4. Barcarolla (lento), 5. Dialogo (allegretto), 6. Fuga (andante espressivo); 7. Recitativo (fantastico), 8. Moto perpetuo (presto), 9. Passacaglia (lento solenne)
Entstehung Februar/März 1971
UA 21. Dezember 1974, The Maltings, Snape
Verlag Faber Music
Spieldauer ca. 22 Minuten

Das Werk basiert durchweg auf vier russischen Themen: drei von Tschaikowski adaptierten Volksliedern (»Der graue Adler«, »Herbst«, »Unter dem kleinen Apfelbaum«) sowie auf »Kontakion«, einer Totenhymne der russisch-orthodoxen Kirche. In ihrer Originalgestalt erscheinen sie erst am Schluss des Werks, wo sie hintereinander gespielt werden; zu diesem Zeitpunkt sind ihre musikalischen Gestalten dem Hörer bereits vollkommen vertraut, da zumindest je ein Abschnitt des wiederum neunsätzigen Werks auf einer dieser Melodien beruht. Hervorzuheben ist der sechste Satz, Brittens insgesamt dritte Fuge für Cello solo. Im Unterschied zum durchbrochenen »Trompe-l'Œil«-Spiel der Fuge aus der zweiten Cellosuite baut diese hier einen »gewichtigen Bogen« (Peter Evans): vom Eingangsthema (das »Unter dem kleinen Apfelbaum« beinahe wörtlich zitiert) über eine sonore akkordliche Textur, in der dem »Apfelbaum«-Thema seine Umkehrung entgegengestellt wird, bis hin zu einer ruhig fließenden finalen Inversion. In den ersten beiden Suiten höre man »unfehlbare Echos auf Mstislaw Rostropowitsch, den Bach-Interpreten und Gesandten der sowjetischen Musik«, die dritte hingegen sei die »persönlichste, liebevollste von allen«, urteilte Peter Evans. PE

Solostücke für andere Instrumente

»Six Metamorphoses after Ovid« für Oboe solo op. 49

Bezeichnungen 1. Pan, 2. Phaeton, 3. Niobe, 4. Bacchus, 5. Narcissus, 6. Arethusa
Entstehung 1951
UA 14. Juni 1951 Aldeburgh
Verlag Boosey & Hawkes
Spieldauer ca. 15 Minuten

Entstehung Britten schrieb die sechs »Metamorphosen« op. 49 im Jahr 1951 für die Oboistin Joy Boughton. Das Werk stelle auch aus heutiger Sicht eine bedeutende Leistung dar, nicht so sehr hinsichtlich der virtuosen Qualitäten, die es verlange (wobei auch diese nicht von der Hand zu weisen sind), sondern vor allem hinsichtlich seiner poetischen Qualitäten, so Peter Evans.

Musik Jeder Satz ist nach einer Figur der griechischen Mythologie benannt, die mit Metamorphose zu tun hat: »›Pan‹, der auf dem Schilfrohr spielte, welches Syrinx, seine Geliebte, war; ›Phaeton‹, der mit dem Streitwagen für einen Tag zur Sonne fuhr und von einem Blitz in den Fluss Padus geworfen wurde; ›Niobe‹, die um ihre 14 Kinder trauerte und in einen Berg verwandelt wurde; ›Bacchus‹, auf dessen Festen man die schwärmenden Weiber tratschen und die Knaben jauchzen hörte; ›Narcissus‹, der sich in sein eigenes Bild verliebte und zur Blume wurde; ›Arethusa‹, die, vor der Liebe des Flussgotts Alpheus fliehend, zur Quelle wurde.« (Ovid/Britten)

Der Begriff »Metamorphose« mag die Verwendung einer reichen orchestralen Palette suggerieren – auf jeden Fall nicht unbedingt die Reduktion auf die relativ begrenzten Farben, ja Monochromie der Oboe. Doch Britten erweist sich gerade hier als Meister poetischer Erfindung. Dabei vermeidet er auch naheliegende Anspielungen nicht, was schon der erste Satz belegt, »›Pan‹, auf der Syrinx spielend«: Die Einleitungsfigur entwickelt sich ausweitende Arabesken in A-Dur; das Kontrastmotiv setzt auf

einen sich mit dieser Harmonie reibenden, chromatischen Staccaton und auf immer größer werdende Intervall(bock)sprünge. Im Mittelabschnitt dieser dreiteiligen Miniatur werden beide Motive verarbeitet; der dritte Teil bringt ein energisches Accelerando.

Im episodenhaft kurzen »Phaeton« symbolisieren arpeggierte, munter auf- und abwogende Akkorde Sonnenfahrt und Absturz des Helden. »Niobe« trauert im Ton des großen Opernlamentos mit einem Schlussarpeggio in Des-Dur. »Bacchus« führt musikalisches »Aufstoßen« vermittels ungestümer Spielfiguren, deren Melodik ständig abreißt, vor; die tratschenden Weiber werden durch kreiselhafte Floskeln dargestellt.

Im elegischen »Narcissus« finden sich musikalische Spiegelfiguren, während die Metamorphose zur Blume gegen Schluss durch reines C-Dur symbolisiert wird. Möglicherweise ist die Oboe nicht das ideale Instrument, um das »Jeu d'eau« des letzten Satzes darzustellen; Brittens Quelle in »Arethusa« klinge vielleicht etwas träge, meint Peter Evans. »Doch dies bedeutet, dass wir jede Variation des Grundmusters umso deutlicher wahrnehmen.« Es ging dem Komponisten hier wohl auch weniger um klangmalerische Aussagen als um die Ausreizung des dynamischen Spektrums der Oboe.

Wirkung »Six Metamorphoses after Ovid« wurde während des Aldeburgh Festivals von Joy Boughton in einem Boot auf dem Thorpeness Meare uraufgeführt; auch das Publikum befand sich in Booten. Unter den zahlreichen Einspielungen ist auch eine des für seine Interpretationen zeitgenössischer Musik bekannten und auch selbst als Komponist hervorgetretenen Heinz Holliger. PE

Einspielungen (Auswahl)
- Heinz Holliger (Oboe), 1991 (+ Quartet op. 2, Insect Pieces, Temporal Variations, Mozart: Oboenquartett); Philips
- Sarah Francis (Oboe), 1995 (+ Quartet op. 2, Holiday Diary op. 5, Insect Pieces, Night Piece, Temporal Variations, Walzer); Hyperion

»Nocturnal after John Dowland« für Gitarre op. 70

Sätze 1. Musingly, 2. Very agitated, 3. Restless, 4. Uneasy, 5. March-like, 6. Dreaming, 7. Gently rocking, 8. Passacaglia (measured)
Entstehung 1963
UA 12. Juni 1964 Aldeburgh
Verlag Faber Music
Spieldauer ca. 14 Minuten

Entstehung Nach »Lachrymae« für Bratsche aus dem Jahr 1950 nahm Benjamin Britten hier wieder ein Lied des Komponisten John Dowland (1563–1626) zur Grundlage eines Kammermusikwerks, diesmal »Come, heavy sleep, the image of true death« aus dem »First Book of Songs or Ayres of Four Parts« (1597). Inspiriert wurde das »Nocturnal« durch die Persönlichkeit des Lautenvirtuosen Julian Bream – obwohl es für »Bream, den Gitarristen« (Peter Evans) komponiert wurde.

Musik Das komplette Lied, »Come, heavy sleep«, mit seiner originalen Begleitung wird erst am Schluss gespielt – wie so oft bei dieser Art von Kompositionen Brittens. Es gibt keine thematische Exposition zu Beginn, aber jeder der sieben Sätze vor der abschließenden Passacaglia führt eine verzerrte Version von Dowlands Lied und/oder charakteristischer Figuren der Begleitung vor. Wenn das Werk schließlich beim einfachen Liedzitat ankommt, symbolisiert dieses die endlich erreichte Ruhe des Schlafes – und die »vorhergehenden acht Variationen die wechselnden, oft peinigenden Stimmungen« (Peter Evans), denen der Dichter/Künstler auf dem Weg dahin ausgesetzt war.

Das Lied hat zwei Themen, dessen zweites wiederholt wird. Aber jede Variation lässt diese Wiederholung wie in Verzweiflung unkomplett zurück, hastet quasi auf dem unerbittlichen Weg weiter zur nächsten Variation. Am Schluss des »Nocturnal« wird das zweite Thema von Dowlands Lied schließlich ausgeblendet, die Musik verblasst, »als solle sie dem Vergessen anheimfallen« (Evans). Solch programmatische Lesart wird besonders durch die harmonische Struktur des Werks unterstrichen: »Manches davon bleibt eher schattenhaft, entsprechend dem typischen ›style brisé‹ der Gitarre. Aber Britten nutzt gleichzeitig die machtvollen von der Quart dominierten Akkorde, wie sie vom Stimmen des Instruments herrühren. In all dem verschlungenen Gewebe der ersten sieben Sätze wird die Ruhe eines verwurzelten tonalen Dreiklangs nie ohne Konflikte erreicht…« (Evans). Erst auf dem Höhepunkt der Passacaglia erscheint reines E-Dur, und seine Wiederholung bringt eine Beruhigung des Geschehens, das dann in Dowlands Lied ausklingt.

Wirkung In einem Interview aus dem Jahr 1969 vermerkte Britten, das »Nocturnal« berge einige für ihn »sehr verstörende Bilder« – er sagte freilich nicht welche. Auf jeden Fall ist es, wie Britten-Biograf Humphrey Carpenter feststellt, »ein sehr privates Werk« geworden. Der Verleger Donald Mitchell erinnert sich, dass der Komponist dem Gitarristen und Widmungsträger Julian Bream von Zeit zu Zeit Proben der Arbeit zeigte und ihn fragte, ob die Musik für die Gitarre spielbar sei. Bream habe in der Regel verneint, dann aber die Noten nach Hause ge-

---

John Dowland und die Lautenmusik

Der Komponist und Lautenist John Dowland, auf dessen Musik Britten wiederholt Bezug genommen hat, zählt nicht nur zu den herausragenden Musikern des Elisabethanischen Zeitalters, sondern Englands überhaupt. Gefeiert als »englischer Orpheus«, machte er sich vor allem mit Lautenliedern und Werken für Laute solo einen Namen. Rund 90 Lautenkompositionen, darunter Fantasien, Tänze und Liedbearbeitungen, werden ihm zugeschrieben. Typisch für ihn sind chromatische Fantasien wie »Farewell Fancy« und »Forlorn Hope Fancy«. Sein berühmtestes Sammelwerk ist der 1604 in London gedruckte Band »Lachrymae or seven teares figured in Seaven passionate Pavans«. Die darin enthaltenen »Lachrymae-Pavanen« stehen zwar auch für Dowlands eigenen, zu Schwermut und Melancholie neigenden Charakter. Trotzdem betont der Komponist im Vorwort: »Obwohl der Titel Tränen verspricht, ungeeignete Gäste in diesen frohen Zeiten, so sind doch die Tränen, welche die Musik weint, zweifellos angenehm; auch werden Tränen nicht immer aus Kummer vergossen, sondern manchmal auch aus Freude und Erleichterung.«

nommen und herausgefunden, dass die Komposition doch spielbar sei. Bream befand, dass das »Nocturnal after John Dowland« ein Beispiel dafür sei, wie ein Komponist über die etablierte Spieltechnik eines Instruments hinauskomponiert habe und dabei auf Spielmöglichkeiten gestoßen sei, die der Instrumentalist selbst nicht voraussehen konnte. Bream hat »Nocturnal« nicht nur uraufgeführt, sondern auch auf Platte eingespielt. PE

Einspielungen (Auswahl)
• Julian Bream (Gitarre), 1992 (+ Werke von Brouwer, Lutosławski, Martin & Takemitsu); EMI

Duos

»Lachrymae« – Reflections on a song of Dowland für Viola und Klavier op. 48

Sätze 1. Lento, 2. Allegretto molto comodo, 3. Animato, 4. Tranquillo, 5. Allegro con moto, 6. Largamente, 7. Appassionato, 8. Alla valse moderato, 9. Allegro marcia, 10. Lento, 11. L'istesso tempo, 12. A tempo semplice
Entstehung 1950
UA 20. Juni 1950 Aldeburgh
Verlag Boosey & Hawkes
Spieldauer ca. 13 Minuten

Entstehung In der ersten Hälfte des Jahres 1950 unterbrach Britten seine Arbeit an der Oper »Billy Budd«, um »Lachrymae« op. 48 für Bratsche und Klavier, eine Serie von »Reflections« (Variationen) auf das Lied »If my complaints could passions move« (»Wenn meine Klagen Leidenschaft erregen könnten«) von John Dowland zu komponieren. Das Kammermusikwerk ist dem schottischen Bratschisten William Primrose gewidmet, den der Komponist im Jahr zuvor auf einer Konzertreise durch die USA kennengelernt hatte.
Musik In der Lentoeinleitung präsentiert das Klavier im Bass das als Thema der Variationen dienende Lied John Dowlands. Es folgt eine Reihe kontrastierend-variierender »Gedanken« zu diesem Lied, gefasst in Sätze von beinahe

Die deutsche Bratschistin Tabea Zimmermann feierte Anfang der 1980er-Jahre ihren internationalen Durchbruch und zählt seither zur musikalischen Weltelite. Zu ihren zahlreichen Einspielungen zählen auch die »Lachrymae« von Benjamin Britten.

aphoristischer Kürze (acht der zwölf Abschnitte sind unter eine Minute lang, zwei knapp darüber; nur zwei – das einleitende Lento und der elfte Satz – dauern fast zwei Minuten). Alle Abschnitte gehen unmittelbar ineinander über. Britten führt nicht nur sehr geschickt das melodische Material Dowlands, das im Prinzip aus »recht eckigen und kadenziell begrenzten Phrasen« (Peter Evans) besteht, weiter, sondern entwickelt auch die harmonische Textur auf raffinierte Weise. In der sechsten Variation, Appassionato, verwendet Britten zudem ein Zitat aus einer anderen Komposition Dowlands, dem großen Lachrymae-Gesang »Flow my tears« (»Fließet meine Tränen«). Erst im letzten Satz erklingt Dowlands originale Melodie und Harmonie zu »If my complaints could passions move« vollständig. Dieses Prinzip einer »Heimkehr zum Ursprung« hat Britten auch später angewandt, etwa bei seinem »Nocturnal« (wiederum nach Dowland) oder bei den vier russischen Themen der dritten Cellosuite, die ebenfalls erst zum Schluss vollständig erklingen. Es mag auch als eine Vorwegnahme des »Aschenbach-Prinzips« aus der Oper »Death in Venice« (1973) und dem dritten Streichquartett (1975) gedeutet werden.
Wirkung Widmungsträger William Primrose und Benjamin Britten spielten die Uraufführung beim Aldeburgh Festival 1950. 1976, in seinem

letzten Lebensjahr, schrieb der Komponist die Klavierstimme für Streicher um und widmete diese Fassung – als »Lachrymae op. 48a für Viola und Streichorchester« – Cecil Aronowitz, einem weiteren herausragenden Bratschisten.   PE

Einspielungen (Auswahl)
• Kim Kashkashian (Viola), Robert Levin (Klavier), 1985 (+ Werke von Carter, Glasunow, Kodály, Liszt, Vaughan Williams & Vieuxtemps); ECM

Cellosonate C-Dur op. 65

Sätze 1. Dialogo: Allegro, 2. Scherzo – pizzicato: Allegretto, 3. Elegia: Lento, 4. Marcia: Energico, 5. Moto perpetuo: Presto
Entstehung 1960/61
UA 7. Juli 1961 Aldeburgh
Verlag Boosey & Hawkes
Spieldauer ca. 20 Minuten

Entstehung Kritiker warfen Britten in den Fünfzigerjahren vor, seine Instrumentalkompositionen seien zwar handwerklich gekonnt, hätten aber nicht jene imaginative Kraft und Präzision, mit der der Komponist auf verbale und dramatische Anstöße zu reagieren vermöge. Im Bereich der absoluten Musik scheint es Britten freilich zunächst am Stimulus persönlicher Art gefehlt zu haben – er fand diesen erst in Mstislaw Rostropowitsch, mit dem ihn Dmitri Schostakowitsch 1960 bekannt machte. Das erste Werk, das Britten dem russischen Cellisten widmete, ist die Cellosonate op. 65, die er im Herbst 1960 während eines Urlaubs in Griechenland plante und im darauffolgenden Dezember und Januar in Aldeburgh niederschrieb.

Musik Zu seiner Cellosonate hat Britten selbst folgende Kurzanalyse geschrieben: »Erster Satz: Der Satz besteht durchweg aus der Erörterung des winzigen Motivs einer aufsteigenden oder fallenden Sekunde. Es wird verlängert, um ein lyrisches Seitenthema zu schaffen, das auf einen Flageolettton im Pianissimo zuläuft und wieder abfällt. Zweiter Satz: eine Pizzicatostudie, manchmal beinahe gitarrenhaft in der Spielvorschrift für die rechte Hand des Pianisten. Dritter Satz: Vor einem ernst-getragenen Hintergrund des Klaviers singt das Cello eine ge-

dehnte Weise. Diese wird vermittels Doppel-, Tripel- und Quadrupelgriffen zu einem großartigen Höhepunkt gesteigert und sinkt dann zurück, um sanft zu verklingen. Vierter Satz: Das Cello spielt eine wilde Basslinie zur sprunghaft-abgehackten Melodie des Klaviers. Das Trio bringt hornartige Signale über Basstriolen. Dann kehrt der Marsch leise wieder; dabei übernimmt der Bass mit Flageolettönen die Oberstimme. Fünfter Satz: Ein 6/8-Saltando-Thema dominiert den gesamten Satz, wobei es seinen Charakter ständig ändert: bald hoch und expressiv, bald tief und brummend, bald fröhlich und sorglos.«

Etwas sehr Dunkles

Leonard Bernstein, selbst als Komponist wie als Dirigent erfolgreich, charakterisierte Brittens Musik mit folgenden Worten: »Benjamin Britten war uneins mit der Welt. Das klingt merkwürdig, weil seine Musik an der Oberfläche so dekorativ, positiv und charmant erscheint. Aber sie ist viel, viel mehr als das. Wenn man Brittens Musik hört – wirklich in sie hineinhört, nicht bloß oberflächlich zur Kenntnis nimmt –, nimmt man etwas sehr Dunkles wahr. Da gibt es Räder, die nicht ineinandergreifen, sondern knirschen und großen Schmerz erzeugen.«

Wirkung Nach der Uraufführung durch Mstislaw Rostropowitsch und Britten schrieb William Mann in der Londoner »Times«: »Die Art und Weise, wie diese Sonate komponiert ist, weist darauf hin, dass Britten… mit diesem Werk seinen Eindruck vom Charakter des Künstlers, dem es zugeeignet ist, wiedergeben wollte: ein fröhlicher, charmanter, ungewöhnlich brillanter Virtuose, aber hinter all dem ein suchender Musiker mit dem Hirn eines Philosophen…«. Noch 1961 erfolgte die erste Schallplatteneinspielung – durch den Komponisten und den Widmungsträger.   PE

Einspielungen (Auswahl)
• Mstislaw Rostropowitsch (Violoncello), Benjamin Britten (Klavier), 1961 (+ Suiten für Violoncello solo Nr. 1 & 2); Decca
• Jacqueline du Pré (Cello), Stephen Kovacevich (Klavier), 1965 (+ Bach, Suiten Nr. 1 & 2; de Falla, Canciones populares españolas; Brahms, Cellosonate op. 99; Händel, Sonate g-Moll); EMI

Streichquartette

Streichquartett D-Dur o. op.

Sätze 1. Allegro maestoso, 2. Lento ed espressivo, 3. Allegro giocoso
Entstehung 8. Mai bis 2. Juni 1931; rev. 1974
UA 7. Juni 1975 The Maltings, Snape
Verlag Faber Music
Spieldauer ca. 19 Minuten

Entstehung Schon vor seinen drei nummerierten Streichquartetten hat Britten zahlreiche »Fingerübungen« für diese Besetzung unternommen, darunter sechs in seiner Jugend, danach die »Go-play, -boy, -play«-Streichquartettsätze aus den Jahren 1933 bis 1936. Das einzige Jugendquartett, das zu Brittens Lebzeiten herausgegeben wurde (der Komponist revidierte es 1974), ist jenes in D-Dur, das er 1931 als 17-Jähriger komponiert hatte.
Musik Das Werk zeigt deutliche Spuren von Béla Bartók und Igor Strawinsky, die Britten in den 1930er-Jahren stark beeinflussten. Das abschließende Allegro giocoso nimmt das Tarantellafinale der 1932 entstandenen »Sinfonietta« op. 1 vorweg. PE

Streichquartett Nr. 1 D-Dur op. 25

Sätze 1. Andante sostenuto – Allegro vivo, 2. Allegretto con slancio, 3. Andante calmo, 4. Molto vivace
Entstehung Juli 1941
UA 21. September 1941 Los Angeles
Verlag Boosey & Hawkes
Spieldauer ca. 26 Minuten

Entstehung Britten schrieb dieses Quartett 1941 während seines US-Aufenthalts; es ist Elizabeth Sprague Coolidge gewidmet. In den zehn Jahren zwischen den beiden D-Dur-Quartetten hatte sich Brittens Kompositionstechnik entscheidend entwickelt, was im Vergleich beider Werke deutlich wird.
Musik Das Eindrucksvollste am Streichquartett op. 25 ist – neben Brittens differenzierter Auseinandersetzung mit der Form des Sonatensatzes – vor allem sein subtiles, elegantes Spiel mit den Tonarten.

Erster Satz Die Sonatensatzform tritt quasi maskiert auf: Das Allegro, das die Substanz dieses Abschnitts bildet, wird dreimal von einem Andante konterkariert, das als geräumige Einleitung auftritt und vor der Durchführung sowie als Coda wiederkehrt. Dieses Prinzip hat auch Beethoven in seiner c-Moll-Klaviersonate op. 13 (»Pathétique«) verwendet; während dort die langsamen Abschnitte als drastischer Kontrast auftreten, sind hier die beiden Bewegungstypen Andante und Allegro in perfekter Balance gehalten. Die Grundtonart D-Dur kann sich in diesem ersten Satz noch kaum etablieren, sie wird hartnäckig unterminiert vom Ton C – u. a. als Dominante von F-Dur, in das sich die Exposition schließlich flüchtet, und das auch den Folgesatz charakterisiert.
Zweiter Satz Nach einem F-Dur-Beginn scheinen die »tonalen Wanderungen eher launisch« (Peter Evans). Der atemlose Eindruck dieses Scherzos (con slancio = mit Leidenschaft) wird erreicht durch explosive Triolen, die die vorsichtigen Dreiklangandeutungen dieses Abschnitts quasi von Tonart zu Tonart schleudern. Der hektische Verlauf beruhigt sich zuletzt in einer Pianissimocoda in F-Dur.
Dritter Satz Haupttonart des Andante-calmo-Satzes ist B-Dur (F-Dur ist hier also die Dominante). Die Einleitung jedoch behandelt B-Dur als Dominante von Es-Dur und scheint diese Tonart auch etablieren zu wollen. Erst der Eintritt des Hauptthemas bei Takt 18 rückt die Verhältnisse zurecht. Übrigens ist dieses Thema ein schönes Beispiel dafür, wie Britten aus einfachstem, fast klischeehaftem Material (hier eine fallende Skala) beeindruckende Themen formuliert.
Vierter Satz Das Finale wahrt den Tonartenzuammenhang mit dem vorhergehenden Abschnitt: Das A-Dur der letzten Takte des dritten Satzes wird auch für das erste Thema bestimmend, das dem Allegrohauptthema des ersten Satzes entnommen ist. Die Haupttonart D-Dur etabliert sich nach einem kurzen, ausgelassen-wilden Fugato im zweiten Thema dieses Satzes, das eine großzügig erweiterte Version des ersten ist. Auch der Schlusssatz lebt aus dem Geist Beethovens – vielleicht eher unbewusst, denn

Britten hat sich nach einer Periode jugendlicher Beethoven-Begeisterung später von dem Klassiker abgewandt.

Wirkung Das Streichquartett wurde am 21. September 1941 auf einem Universitätscampus in Los Angeles durch das Coolidge String Quartet uraufgeführt. Der Auftrag brachte dem Komponisten, wie Humphrey Carpenter in seiner Biografie feststellt, eine Kommission von 400 Dollar ein. PE

Streichquartett Nr. 2 C-Dur op. 36

Sätze 1. Allegro calmo, senza rigore, 2. Vivace, 3. Chacony: Sostenuto
Entstehung Oktober 1945
UA 21. November 1945 London
Verlag Boosey & Hawkes
Spieldauer ca. 29 Minuten

Entstehung Das dreisätzige zweite Streichquartett entstand 1945, vier Jahre nach dem ersten und mit der Erfahrung der Komposition von »Peter Grimes« im Kopf. Britten komponierte es anlässlich des 250. Todestages von Henry Purcell (an dem dann auch die Uraufführung stattfand). Vor allem mit der Chaconne des letzten Satzes huldigte er dem berühmten Vorfahren.

Musik Erster Satz Das Eingangsthema setzt sich aus drei Abschnitten (A, B und C) zusammen, von denen jeder einen durchaus eigenen Charakter hat, alle drei von einer steigenden Dezime eingeleitet. Das zweite »Thema« der Exposition besteht im Grunde in einer Überlagerung der Abschnitte A und B. Die Sonatensatzform ist auch hier im Großen und Ganzen eingehalten, nur wird sie subtil durchbrochen: Die Exposition enthält bereits einen Teil der Durchführung (von A). Die eigentliche Durchführung ist kurz und behandelt vor allem die Abschnitte B und C; in der Reprise finden sich alle drei einleitenden Abschnitte übereinandergeschichtet. Die Coda stellt die kontemplative Stimmung des Anfangs wieder her: 23 Takte reinstes C-Dur.

Zweiter Satz In c-Moll gehalten, bleibt dieses Scherzo eher dunkel, voll rastloser Energie, die das Geschehen unbarmherzig durch die dreiteilige Form dieses Abschnitts treibt. Es ist der einzige Satz in Brittens Streichquartetten, der durchweg mit Dämpfern gespielt wird.

Dritter Satz Das Finale ist eine groß angelegte Chaconne mit 21 Variationen eines Themas (Britten überschrieb den Satz mit der zu Purcells Zeit üblichen englischen Bezeichnung »Chacony«). Der Satz ist in vier Teile gegliedert: Prelude, Scherzo, Adagio und Coda; sie sind jeweils durch Kadenzen für Cello, Bratsche und die erste Geige getrennt, formen gleichsam eine eigene Mikrosonate aus. Das Thema selbst moduliert von B- nach C-Dur, sodass bei jeder der 21 Variationen innerhalb einer im Grunde statischen Anlage eine gewisse Bewegung stattfindet. Das Adagio markiert den entferntesten Punkt der Entwicklung; dabei führt es eine Reihe von Variationen über ein Gegenthema vor. In der Coda kehrt das Thema wieder zum Ausgangspunkt zurück und kommt durch einen Nebel von Trillern und Tremolos zur Schlussklimax, die durch nicht weniger als 23 Wiederholungen des Durdreiklanges bestätigt wird.

Wirkung Die Uraufführung am 250. Todestag von Henry Purcell spielte das Zorian String Quartet in der Londoner Wigmore Hall. Britten äußerte in einem Brief an Mary Behrend, eine wohlhabende Dame der Gesellschaft und Mentorin des Komponisten, die auch das zweite Streichquartett in Auftrag gegeben hatte, über dieses Werk: »Meiner Meinung nach ist dies mein größter Fortschritt bislang; und obwohl es weit davon entfernt ist, perfekt zu sein, gab es mir den Mut, auf neuen Wegen fortzufahren...« PE

Streichquartett Nr. 3 op. 94

Sätze 1. Duets: With moderate movement, 2. Ostinato: Very fast, 3. Solo: Very calm, 4. Burlesque: Fast, con fuoco, 5. Recitativo and Passacaglia (La Serenissima): Slow – Slowly moving
Entstehung Oktober/November 1975
UA 19. Dezember 1976 The Maltings, Snape
Verlag Faber Music
Spieldauer ca. 26 Minuten

Entstehung Das späte Streichquartett Nr. 3 hängt eng mit der Komposition der Oper »Death in Venice« (1973) zusammen: Der letzte Satz, »La Serenissima« betitelt und im November 1975 während des letzten Venedig-Besuchs des Komponisten komponiert, weist direkt darauf hin – und kann als rein instrumentale Fortsetzung des Grundthemas der Oper betrachtet werden: der Suche nach idealer Schönheit. Da Britten sich sehr stark mit Aschenbach, dem Protagonisten von »Tod in Venedig«, identifiziert hat, darf das innere Programm des Werks als autobiografisch gelten. Außerdem zeigt das dritte Streichquartett gewisse Spuren einer Beeinflussung durch Dmitri Schostakowitsch; der dritte und vierte Satz, Solo und Burlesque, wurden als Huldigung Brittens an den russischen Komponisten interpretiert.

Musik In den letzten Werken Brittens ist die Tonalität – obwohl niemals gänzlich verlassen – eher verwischt. Das dritte Streichquartett erreicht sein Ziel, E-Dur (die Tonart Aschenbachs in »Death in Venice«), erst im Finale; vor allem die ersten beiden Sätze sind vieldeutig, wenngleich eine verborgene Tonartendramaturgie mit dem inneren Programm des Werks korrespondiert.

Erster Satz Peter Evans hat auf die Verwandtschaft des Hauptthemas der Einleitung des Satzes (von der zweiten Violine gespielt) mit einem der Themen, die Aschenbachs Herumirren in Venedig begleiten, verwiesen. Auf diese Weise ist dem Werk von Anfang an ein an den »Tod in Venedig« gemahnendes, inneres Programm beigegeben. Innerhalb dieses Themas findet sich überdies ein kurzes Motiv, das die Umkehrung des »I-love-you«-Motivs der Oper darstellt (Letzteres wird dann den fünften Satz des Streichquartetts prägen). Erneut folgt Britten auch hier dem Sonatensatzprinzip, wiederum freilich in maskierter Form. Die Reprise wird durch den erstmaligen Hinweis auf die Finaltonart E-Dur markiert. Insgesamt umkreist dieser Satz ein B-Dur, das wie hinter einem Schleier verborgen scheint (im Zusammenhang mit einem »inneren Programm« des Werks ist B-Dur die am weitesten von E-Dur entfernte Tonart).

Zweiter Satz Ein Ostinatobass mit Tendenz zur Tonart C-Dur unterlegt ein Hauptthema, das sich E-Dur annähert. Das hartnäckige C in der Begleitung (an Brittens erstes Streichquartett gemahnend) wird schließlich im H-Dur-Trio abgeschüttelt (H-Dur ist die Dominanttonart von E-Dur: ein Hinweis auf das Finale).

Dritter Satz Dieser langsame Abschnitt bringt eine rhapsodische Kantilene für die erste Violine. Das tonale Ziel c-Moll ist zunächst ebenfalls verschleiert und tritt erst in der konzentrierten, 21-taktigen Coda deutlich zutage, der letzten Komposition Brittens in dieser Tonart, »die er sich so sehr zu eigen gemacht hat« (David Matthews).

Vierter Satz Die Haupttonart dieses Abschnitts, A-Dur, sowie gewisse Ähnlichkeiten im thematischen Material und in der Textur dieses Satzes – bis hin zum Gebrauch eines Fugatos – wurden als Hinweis auf die Rondoburleske aus Mahlers Sinfonie Nr. 9 in der gleichen Tonart verstanden.

Fünfter Satz In der Einleitung werden wiederum Themen aus »Death in Venice« zitiert, zuletzt das »I-love-you«-Motiv. Der Satz hat die Form einer Passacaglia und steht in Aschenbachs Tonart E-Dur, wiewohl er zunächst eher zum tonartlichen Zwielicht des ersten Satzes zurückkehrt. Der Passacagliabass leitet sich nach Auskunft des Komponisten vom Klang venezianischer Glocken her. Wenn schließlich E-Dur erreicht ist (und Aschenbach/Britten am Ziel seiner Wanderung angelangt scheint), wird dies in einer ausgedehnten diatonischen, vom »I-love-you«-Motiv beherrschten Passage gefeiert. Doch der Satz endet nicht in E-Dur, sondern wiederum in tonaler Zweideutigkeit. Britten bemerkte dazu: »I want the work to end with a question…« (»Ich will, dass das Werk mit einer Frage endet.«)

Wirkung »Mit solch beredt-verstörender Geste nimmt Britten Abschied von der Kammermusik«, urteilte David Matthews im Hinblick auf das Ende des dritten Streichquartetts. Britten hat das Werk noch zu hören bekommen, allerdings nicht in einer öffentlichen Aufführung. Nach seiner Rückkehr aus Venedig im November 1975 spielten es die Brüder David und Colin Matthews für ihn in einer Fassung für Klavier zu vier Händen. Im September 1976 kam das Amadeus Quartet nach Aldeburgh, um die Uraufführung vorzubereiten. Diese fand dann wenige Tage nach dem Tod des Komponisten statt. PE

Einspielungen (Auswahl)
- Gesamtaufnahme: Endellion String Quartet, 1986 (+ Elegie für Soloviola, Fantasie für Streichquintett, Fantasie für Oboe und Streichtrio); EMI
- Quartette 1–3: Belcea Quartet, 2003/04 (+ Drei Divertimenti); EMI

Bruch | Max

* 6. 1. 1838
Köln
† 2. 10. 1920
Berlin

Bruch war und blieb Romantiker. Das führte ihn spätestens im frühen 20. Jahrhundert in die Isolation und ließ ihn verbittern. Sein Idol war Felix Mendelssohn Bartholdy. An dessen Kompositionen bewunderte er Form, Melodie, Klangschönheit und klassische Struktur.

Aufgewachsen in einer sangesfreudigen, mit Chören und Chorfesten reich gesegneten Gegend, widmete sich der gebürtige Rheinländer Max Bruch vorrangig dem Vokalschaffen. Folgerichtig umfasst seine stattliche, rund 100 Opusnummern zählende Werksammlung überwiegend groß besetzte, oratorische Chorwerke, orchesterbegleitete Arien und Duette bis hin zu mehrstimmigen Gesängen und Sololiedern mit Klavierbegleitung. Dazu kommen drei Opern und eine Vielzahl von Männerchor- und gemischt besetzten A-cappella-Sätzen. Dem gegenüber steht ein verhältnismäßig schmales Repertoire an Instrumentalwerken. Während sich jedoch der Ruhm von Max Bruch zu Lebzeiten auf seine oratorischen Großwerke, auf seine Dirigierleistungen, seine pianistischen Fähigkeiten und seine kom-positorische Lehrtätigkeit stützte, ist er heute nur noch durch einzelne Orchesterwerke bekannt, so das erste von drei Violinkonzerten, die »Kol Nidrei«-Meditation für Violoncello und die »Schottische Fantasie« für Violine und Orchester. Allen weiteren Orchesterkompositionen, darunter drei Sinfonien, eine Orchestersuite und weitere Instrumentalkonzerte, ist es weitgehend verwehrt geblieben, ihre Tragfähigkeit im modernen Konzertbetrieb unter Beweis zu stellen.

Die Klavier- und Kammermusik Bruchs umfasst zehn Kompositionen für Soloklavier, ein Klaviertrio, zwei Streichquartette, ein Streichquintett, ein Klavierquintett, ein Septett, eine Reihe klavierbegleiteter »Schwedischer Tänze« für Violine, vier Stücke für Violoncello und Klavier, schließlich acht Stücke für Klarinette, Viola und Klavier. Von ihnen haben nur die letztgenannten Klarinettentriostücke nichts von ihrer überzeitlichen Wirkung eingebüßt.

Nach erfolgreicher musikalischer Früherziehung durch seine Mutter, der bei den Niederrheinischen Musikfesten hoch geschätzten Sopranistin Almenräder, ging der talentierte Max Bruch sehr schnell auf Erfolgskurs. Mit 14 Jahren erlebte er in Köln die öffentliche Aufführung eines eigenen sinfonischen Beitrages, vertiefte als Stipendiat der Mozartstiftung bei Ferdinand Hiller seine verblüffend ausgereifte, am Stil Mendelssohns und Schumanns orientierte Kompositionstechnik und komplettierte als Meisterschüler bei Carl Reinecke und Ferdinand Breunung seine pianistischen Fähigkeiten.

Zu beruflichen Hauptstationen in wechselnden Funktionen als Chordirektor und Orchesterleiter wurden für ihn Koblenz (1865), Sondershausen (1867), Berlin (1878), Liverpool (1881) und Breslau (1883). Der Höhepunkt seiner Karriere war 1891 die Berufung als Professor und Leiter der Komponistenklasse an die Berliner Akademie, die ihm bis zum Eintritt in den Ruhestand (1910) viele internationale Auszeichnungen und mehrere Ehrendoktortitel einbrachte. 1920 starb Max Bruch im Alter von 82 Jahren als angesehener, künstlerisch jedoch erzkonservativer Zeitgenosse. Bereits als junger Mensch hatte er die »Zukünftler« Liszt und Wagner bissig als »Kuhzünftler« abgelehnt und fühlte sich eher mit Johannes Brahms und dessen Anhängerkreis verbunden. PÄ

Acht Stücke für Klarinette, Viola und Klavier op. 83

Bezeichnungen 1. Andante, 2. Allegro con moto, 3. Andante con moto, 4. Allegro agitato, 5. Rumänische Melodie: Andante, 6. Nachtgesang: Andante con moto, 7. Allegro vivace, 8. Moderato
Entstehung 1908
Verlag Simrock (Benjamin)
Spieldauer ca. 40 Minuten

Entstehung Anlässlich des 70. Geburtstags von Max Bruch (1908) wünschte sich sein ältester Sohn Felix, der zu dieser Zeit als Dirigent und Klarinettist in Hamburg lebte, vom Vater ein Werk, das in Anlehnung an die Besetzung von Mozarts »Kegelstatt-Trio« KV 498 und Schumanns »Märchenerzählungen« op. 132 ein entsprechendes Kammermusikprogramm abrunden sollte. Das Ergebnis waren acht Miniaturen, die nicht nur formal einen Kontrast zu den Werken der historischen Vorgänger bildeten, sondern auch inhaltlich als hörenswerte Ausdrucksstudien und Charakterbilder bestehen konnten. Bei der Aufführung ist es möglich, die Klarinette durch eine Violine, die Bratsche durch ein Cello zu ersetzen.

Musik Die für das kompositorische Schaffen von Max Bruch gern verwendeten Vokabeln von einem konservativen, rückwärtsgewandten Stilempfinden mögen im Hinblick auf seine Lebensdaten und im Vergleich zur Tonsprache seiner Zeitgenossen zutreffen. Ohne solche Rücksicht auf Jahreszahlen und auf das Postulat einer Fortschrittlichkeit repräsentiert seine Instrumentalmusik jedoch die besten Traditionen eines romantischen Musikempfindens. Insofern bilden auch die recht populär gewordenen acht »Klarinetten-Miniaturen« des alternden Meisters ein beachtenswertes Resümee seiner durchaus individuellen schöpferischen Kräfte.

Die Stücke sind gekennzeichnet von einem farbenreichen, rhythmisch-gesanglichen Ausdrucksreichtum voller ebenso dramatischer wie lyrischer Elemente. Harmonische Schönklänge wetteifern mit abwechslungsreichen Modulationen, und bei jedem Instrument wird der jeweils typischen Klangfarbe und Spielweise nachgespürt. Hier schließt sich der Kreis von Max

Bruchs erstem Streichquartettversuch und seinem (erst 1988 wiederentdeckten) Septett aus den Studienjahren um 1850 – in klassizistischer Manier dem Vorbild Beethoven folgend – bis zu den sinfonisch besetzten Konzerten: respektable Zeugnisse meisterhafter Erfindungskunst, akademisch-thematischer Arbeit und Instrumentierungstechnik.

Wirkung Indiz für die steigende Wertschätzung der Klarinettenstücke op. 83 ist die gegenwärtige Interpretenprominenz mit einer ständig wachsenden Auswahl repräsentativer CD-Einspielungen. Stellvertretend sei auf die Bläsersolisten Sabine Meyer, Eduard Brunner und Dieter Klöcker verwiesen, auf ihre Streicherpartner Tabea Zimmermann, Kim Kashkashian und Ernö Sebestyen, assistiert von den Pianisten Hartmut Höll, Aloys Kontarsky und Werner Genuit.

PÄ

Einspielungen (Auswahl)
• Janet Hilton (Klarinette), Nobuko Imai (Viola), Roger Vignoles (Klavier), 1989 (+ Mozart: Klarinettentrio, Schumann: Märchenerzählungen op. 132); Chandos

Buxtehude | Dietrich

* 1637 Bad Oldesloe (?)
† 9.5. 1707 Lübeck

Buxtehude zählte schon zu Lebzeiten zu den führenden Organisten und Orgelkomponisten Norddeutschlands, und noch heute gilt er als einer der bedeutendsten Repräsentanten norddeutscher Barockmusik vor Johann Sebastian Bach.

Die Vorfahren des Komponisten kamen ursprünglich aus der kleinen Stadt Buxtehude bei Hamburg, ließen sich jedoch später in dem damals dänischen Oldesloe (heute Bad Oldesloe nahe Lübeck) nieder. Doch bereits 1638 übersiedelte die Familie nach Helsingborg und bald darauf nach Helsingör. Hier besuchte Buxtehude die Lateinschule und ging bei seinem Vater Jo-

Reinhard Goebel (rechts) und das von ihm 1973 gegründete Ensemble »Musica Antiqua Köln« (2006 aufgelöst) machten sich mit vitalen Einspielungen von weniger bekannten Musikstücken des 17. Jahrhunderts einen Namen, darunter Werken von Buxtehude und Biber.

hannes in die musikalische Lehre, der an der Kirche St. Olaus als Organist tätig war. 1657/58 wurde Buxtehude als Organist an der Marienkirche in Helsingborg angestellt, bevor er 1660 an die Deutsche Kirche St. Marien in Helsingör ging. Mit dem Tod von Franz Tunder, dem Organisten der Lübecker Marienkirche, war Ende 1667 eine der begehrtesten Organistenstellen in Norddeutschland unbesetzt. Im Frühjahr des darauffolgenden Jahres wurde Buxtehude unter mehreren Bewerbern ausgewählt und zum Organisten bestallt. Zusätzlich übernahm er das Amt des Werkmeisters mit den Aufgaben eines Rechnungs- und Verwaltungsbeamten. Nachdem er im Juli 1668 Bürger Lübecks geworden war, heiratete er im August Anna Margareta Tunder, eine Tochter seines Vorgängers. Es ist durchaus möglich, dass die Heirat an das neue Amt geknüpft war, denn auch Buxtehudes Nachfolger Christian Schieferdecker musste die älteste Tochter des Amtsinhabers ehelichen.

Buxtehude erweckte die schon von Tunder gepflegten Abendmusiken zu neuem Leben und erweiterte sie zu großen Veranstaltungen mit Solisten, Chor und Instrumentalisten, an denen seit 1673 auch die Ratsmusiker teilnahmen. Er führte sie nicht mehr an Wochentagen auf, sondern an den letzten zwei Trinitatissonntagen und dem zweiten, dritten und vierten Advent nach dem Nachmittagsgottesdienst. Für die weit über die Landesgrenzen Lübecks hinaus bekannten Kirchenkonzerte schrieb er Oratorien und Kantaten (darunter den siebenteiligen Zyklus »Membra Jesu nostri« BuxWV 75), die allerdings nur zu einem geringen Teil erhalten sind.

Das Orgelwerk von Buxtehude besteht zum einen aus liturgisch gebundenen Kompositionen, insbesondere zahlreichen Choralvorspielen und -variationen, mit denen er vor den Gemeindeliedern zu präludieren pflegte, zum anderen aus zahlreichen freien Orgelwerken, vor allem Präludien und Fugen sowie Basso-ostinato-Variationen wie der bekannten d-Moll-Passacaglia BuxWV 161. Sein bekanntester Schüler war Nikolaus Bruhns (1665–1697), der spätere Domorganist in Husum. Doch auch Johann Mattheson und Georg Friedrich Händel (1703) sowie Johann Sebastian Bach (1705) reisten nach Lübeck, um sein Orgelspiel zu studieren.

Das thematisch-systematische Buxtehude-Werkverzeichnis (BuxWV) wurde 1974 von Georg Karstädt veröffentlicht. MÖ

Triosonaten op. 1 & op. 2 BuxWV 252–265

Entstehung 1694 gab Dietrich Buxtehude in Hamburg »VII Sonate à doi, Violino & Viola da gamba, con Cembalo« als Opus 1 heraus und widmete sie den »Bürgermeistern und Rathsverwandten« zu Lübeck. Zwei Jahre später folgten weitere sieben Triosonaten in gleicher Besetzung als Opus 2. Sie sind dem Gönner Konsul Johann Ritter zugeeignet. Die Triosonaten sind die einzigen größeren zu Buxtehudes Lebzeiten gedruckten Werke.

Es gehörte nicht zu seinen Aufgaben als Organist der Lübecker Marienkirche, Kammermusik zu schreiben; der Ankündigung einer Sammlung von 1684 ist jedoch zu entnehmen, dass er seine Sonaten nicht nur für die Kammer, sondern auch für die Kirche komponierte. Mit der Sonate B-Dur BuxWV 273 liegt eine handschriftliche Frühform von op. 1/4 mit angehängter Violinsuite (Allemande, Courante, Sarabande, Gigue) vor.

Musik Buxtehude ist nicht der erste deutsche Komponist, der von der Triosonatenbesetzung italienischer Provenienz mit zwei Violinen und Basso continuo abweicht. Seine Sonaten für Violine, Viola da Gamba und Cembalo bilden zusammen mit den Triosonaten von Johann Philipp Krieger (1693) und Philipp Heinrich Erlebach (1694) eine typisch deutsche Ausprägung der Gattung. Bekanntlich erfreute sich die Gambe in Deutschland großer Beliebtheit und wurde sogar dem Violoncello als Continuoinstrument vorgezogen. Ein Continuostreichbass fehlt allerdings in Buxtehudes Sonaten, in denen der bezifferte Generalbass allein vom Cembalo ausgeführt wird.

Auch in formaler Hinsicht orientiert sich Buxtehude nicht an Corellis Werken. Seine Triosonaten sind stärker der Improvisation bzw. dem »Stylus phantasticus« verpflichtet, den Johann Mattheson 1739 in »Der vollkommene Capellmeister« beschrieben hat. Damit ist ein freier Instrumentalstil gemeint, der nicht an Theater oder Kirche gebunden ist, sondern eher der Eigenart einzelner Instrumente entspringt.

Das Gemälde »Häusliche Musikszene« des Johannes Voorhout (1674) ist das Einzige, das vermutlich ein Porträt Buxtehudes zeigt (im Vordergrund mit Notenblatt). Bei dem Cembalisten handelt es sich wohl um den Komponisten Johann Adam Reinecken.

Die Zahl der Sätze bewegt sich zwischen drei und dreizehn, in der Regel aber zwischen fünf und acht. Zwar wechseln häufig schnelle und langsame Sätze ab, doch die langsamen Sätze sind eher kurz und bestehen manchmal nur aus wenigen Überleitungstakten. Da einige Sätze in nah verwandten Tonarten stehen, modulieren die langsamen Sätze oft zum nächsten schnellen Satz, wie zum Beispiel in der Sonate op. 1 Nr. 2. Die Allegrosätze beginnen häufig im Fugato, an dem das Cembalo allerdings nur selten beteiligt wird. In vielen Sonaten finden sich Basso-ostinato-Variationen, in denen das Bassthema unverändert wiederholt wird, ähnlich wie in Buxtehudes Orgelpassacaglia.

Buxtehude gibt die Triosonatenfaktur häufig auf, um die Streichinstrumente als Soloinstrumente zu exponieren. Dies gilt insbesondere für die Violine, der er sogar unbegleitete Soli einräumt, wie in den Sonaten Nr. 6 und Nr. 7 aus op. 2. In den Sonaten op. 2 Nr. 3 und Nr. 5 hat die Violine kadenzartige Passagen über einem Orgelpunkt im Bass, der ihr alle rhythmischen Freiheiten einer Solokadenz lässt. Hinsichtlich der Virtuosität steht die Gambe kaum hinter der Violine zurück. Ein instruktives Beispiel hierfür bietet die Sonate op. 1 Nr. 6, in der Buxtehude den Umfang der Gambe in der Höhe mit d^2 voll ausnutzt.

Wirkung Zu den wenigen Gesamtaufnahmen der Triosonaten op. 1 und op. 2 gehört die CD-Einspielung von John Holloway (Violine), Jaap ter Linden (Viola da Gamba) und Lars Ulrik Mortensen (Cembalo). Einzelne Sonaten wurden u. a. von Reinhard Goebel und der Musica Antiqua Köln sowie dem Ensemble Capriccio Stravagante unter Skip Sempé aufgenommen. MÖ

Einspielungen (Auswahl)
• John Holloway (Violine), Jaap ter Linden (Viola da Gamba), Lars Ulrik Mortensen (Cembalo), 1994; DaCapo

Cage | John

* 5. 9. 1912
Los Angeles
† 12. 8. 1992
New York

100562

Das Œuvre von Cage verweigert sich a priori der hergebrachten Einteilung in Kategorien; es ist vor allem konzeptuell gedacht und in den Besetzungen weithin variabel, oft sind es Anhäufungen von Einzelparts, die als Soli oder Ensembles aufgeführt werden können. Berühmt wurde John Cage auch für seine musikalischen Happenings und sein Mitwirken an der Ästhetik des Fluxus und der Concept-Art.

John Cage war ab 1928 Student am Pomona College in Claremont, Kalifornien, und dachte zunächst an eine literarische Karriere. 1930 ging er nach Paris, wo er neben Klavier auch Architektur studierte. In New York wurde er 1933 Kompositionsschüler von Adolphe Weiß und Henry Cowell; zurück in Kalifornien, studierte er ab 1934 bei Arnold Schönberg Kontrapunkt und Analyse. 1938 traf er in Seattle den Tänzer und Choreografen Merce Cunningham, mit dem er von da an eng zusammenarbeitete; 1943 ließ er sich endgültig in New York nieder. Bekannt wurde er zunächst durch seine Versuche mit dem »Prepared Piano«, wobei das Klavier quasi denaturiert als Schlaginstrument benutzt, der Klavierton überdies durch den Einsatz von Holzstückchen, Schrauben, Bolzen etc. verändert wird. Doch auch Cages übrige Kompositionen zu dieser Zeit – vor allem für Schlagzeug – entdeckten zahllose Möglichkeiten neuartiger Klang- und Geräuscherzeugung. In den späten 1940er-Jahren begann Cage, östliche Philosophien zu studieren. Eine Folge davon war seine Beschäftigung mit dem chinesischen Buch der Wandlungen (»I-ching«).

Der Zufall und seine methodische Erfassung hatte den Komponisten seit Langem interessiert; nun wandte er Zufallsverfahren bei der Konzeption seiner Stücke an, beispielsweise das sogenannte Münzorakel in »Music of Changes«, einem umfangreichen Werk für Klavier in vier Bänden (1951), wo Tonhöhe, -dauer und Klangfarben auf diese Weise ermittelt werden. Gelegentlich persiflierte Cage Aufführungstraditionen, wie etwa im Stück »4'33« (1952): Die Spieler sitzen stumm auf dem Podium; »Musik« ist alles, was in diesem Zeitraum an Geräuschen (Publikum, Außenlärm etc.) entsteht.

Erfahrungen aus Fluxus und Concept-Art gingen später in die Musiktheaterstücke »Europeras« ein (deren erster und zweiter Teil 1987 in Frankfurt am Main uraufgeführt wurde). Determinierung durch »bewegte Zeitklammern«

Freiheit – auch für die Spieler

1958 hatte John Cage einen ersten, viel beachteten Auftritt bei den Darmstädter Ferienkursen für Neue Musik. Wichtig sei ihm, betonte er dort, eine Musik, die bei ihrer Aufführung unbestimmt sei. Der Spieler solle nicht länger sklavisch an den Vorgaben eines Komponisten hängen. Wie Spielanweisungen umgesetzt würden, wolle er den Interpreten überlassen. Aus dem nur reproduzierenden Musiker solle ein selbstständig Handelnder werden. »Die Aufführung einer Komposition, die indeterminiert ist in ihrer Aufführung«, so Cage damals, »ist notwendigerweise einmalig. Wenn sie ein zweites Mal aufgeführt wird, ist der Ausgang ein anderer als zuvor.« Bei einem weiteren Aufenthalt in Darmstadt im Jahr 1990 bestätigte John Cage dieses Konzept. Gefragt, ob es ihm wichtig sei, dass seine Partiturangaben präzise umgesetzt würden, antwortete er, er sehe sich nicht in der Rolle eines Polizisten, der Forderungen stelle und Kontrolle ausübe. Allerdings wünsche er sich, dass die Töne nicht zu laut gespielt würden, denn sie stünden in einem freundschaftlichen Verhältnis zueinander.

(seine Bezeichnung für festgelegte Zeitspannen, in denen ein gegebener Musikabschnitt beginnen und enden kann) ist Kennzeichen von Cages späterem Werk, auch in der Kammermusik. »Thirty Pieces for String Quartet« sind nach diesem Prinzip gestaltet sowie die letzte Komposition John Cages für Streichquartett, »Four« (1989) – ein karges Stück mit vier unabhängig voneinander zu spielenden Stimmen, zusammengesetzt aus kurzen Passagen von wenigen ausgehaltenen Tönen. Von weiteren Kammermusikwerken seien erwähnt: »Composition for Three Voices« für beliebige drei Instrumente (1933), »Three Pieces (Tosses as It Is Untroubled)« für zwei Flöten (1935), »Nocturne« (1947) und »Six Melodies« (1950) für Violine und Klavier bzw. Keyboard sowie »59 1/2"« (1953) und »26'1.1499« (1955) für beliebige Streichinstrumente. PE

Werke für Streichquartett

Streichquartett in vier Teilen

Sätze 1. Quietly Flowing Along, 2. Slowly Rocking, 3. Nearly Stationary, 4. Quodlibet
Entstehung 1949/50
UA 12. August 1950 Black Mountain College, North Carolina (USA)
Verlag C. F. Peters New York
Spieldauer ca. 20 Minuten

Entstehung Cage begann das Werk 1949 in Paris – am Ende eines Jahrzehnts, während dem er sich fast ausschließlich mit der Komposition von Stücken für Schlagzeug und präpariertes Klavier beschäftigt hatte. Er beendete es im Februar 1950 in Paris; es wurde für das New Music String Quartet geschrieben und dem Freund Lou Harrison gewidmet, der ebenfalls bei Henry Cowell und Arnold Schönberg studiert hatte.

Musik Der Komponist schreibt: »Das Thema des ›String Quartet in Four Parts‹ sind die Jahreszeiten, aber es beschäftigt sich auch mit Orten. So ist das Thema des ersten Satzes ›Sommer in Frankreich‹, das des zweiten hingegen ›Herbst in Amerika‹. Der dritte und vierte Satz beziehen sich auch auf musikalische Themen, ›Winter‹ wird als Kanon ausgedrückt, ›Frühling‹ als Quodlibet. Das Tempo bleibt das Werk hindurch konstant (die halbe Note = 54), doch die dominierenden Zeitdauern wechseln von Satz zu Satz. Die Komposition, eine melodische Linie ohne Begleitung, benutzt Einzeltöne, Dreiklänge und Aggregate, für deren Produktion eines oder mehrere Instrumente erforderlich sind. Diese konstituieren eine Klangreihe. Die Saiten werden ohne Vibrato gespielt; und auf welchen Saiten die Töne zu produzieren sind, ist genau vorgeschrieben. Die rhythmische Struktur ist 2 1/2 + 1 1/2 + 2 + 3 + 6 + 5 + 1/2 + 1 1/2 …«. Diese entwickelt sich in 22 Abschnitten.

Eine Anmerkung zu dieser rhythmischen Kalkulation, einem Prinzip, auf dem nach Aussage von Cage ein wesentlicher Teil seiner Kompositionen zwischen 1935 und 1956 beruht: Schon bei »First Construction (in metal)« für sechs Schlagzeuger aus dem Jahr 1939 hatte Cage sich ein ähnliches Verfahren zurechtgelegt: »Ich entwarf eine auf Dauer basierende rhythmische Struktur, nicht eine aus Tönen, sondern eine aus Zeitstrecken. Das Ganze hat so viele Teile, wie jede Einheit kleinere Teile besitzt, und diese, große wie kleine, stehen im selben Verhältnis zueinander.« In diesem Werk wird eine 16-taktige Gruppe 16-mal wiederholt; die einzelnen Einheiten sind nach dem Prinzip 4 : 3 : 2 : 3 : 4 symmetrisch aufgeteilt.

Ein solches Prinzip der Einheitlichkeit groß- und kleinformaler Zahlenproportionen ist auch im »String Quartet in Four Parts« angewandt. Klaus Hinrich Stahmer weist in diesem Zusammenhang darauf hin, dass John Cage zur selben Zeit mit quantitativen und proportionierenden Methoden operiert habe, als Olivier Messiaen mit der 4. Klavieretüde die serielle Musik initiierte (noch dazu am gleichen Ort, in Paris!), doch sei Cages Streichquartett bisher noch nie ernsthaft als Schlüsselwerk der seriellen Musik in Betracht gezogen worden.

Die Bezugnahme auf die Jahreszeiten ist übrigens nicht als programmatisch misszuverstehen; die Absicht des Komponisten zielt vielmehr in Richtung fernöstlicher Philosophien: Sommer bedeutet Erhaltung, Herbst Zerstörung, Winter Beruhigung und Frühling Erneuerung, Schöpfung.

Wirkung Laut Monika Lichtenfeld legte John Cage in seinem Quartett »bei aller fantasievollen Entfaltung fremdartiger Streicherfarben größten Wert auf strenge Durchkonstruktion und homofones Ebenmaß des Ensembleklangs – der oft wie von einem Instrument hervorgebracht wirkt«. Der Höreindruck ist gleichwohl ein ganz anderer: So bemerkte Hans-Klaus Jungheinrich anlässlich einer Aufführung des Werks 1982 in Frankfurt am Main, die vier Sätze hätten »die Flüchtigkeit von schnell wechselnden Bildern (man denkt eher an Wolken als an Film), die sich nicht post festum zu einem Zusammenhang zwingen lassen: Sie vergehen konsequenz- und intentionslos als Erscheinungen, deren spielerische Unwillkürlichkeit nichts hinterlässt als Erinnerungen an Augenblicke des Friedens«. Das LaSalle Quartet hat das Werk auf CD eingespielt. PE

Einspielungen (Auswahl)
• LaSalle Quartet, 1978 (+ Werke von Lutosławski & Penderecki); Deutsche Grammophon

30 Stücke für Streichquartett

Entstehung 1983
UA 27. Juli 1984 Darmstadt
Verlag C. F. Peters, New York
Spieldauer ca. 30 Minuten

Entstehung John Cage schrieb »Thirty Pieces for String Quartet« im September 1983 in New York. Das Werk ist dem auf Musik des 20. Jahrhunderts spezialisierten Kronos Quartet aus San Francisco gewidmet.

Musik Wie die zwei Jahre zuvor entstandenen »Thirty Movements« für Orchester sind »Thirty Pieces for String Quartet« eigentlich eine Reihe sehr kurzer, kontrastierender Soli, die die mit dem Rücken zueinander sitzenden Musiker jeder für sich, unabhängig von den anderen, spielen – wobei sie einem ebenso freien wie strengen Timing unterworfen sind.

Cage schreibt: »Jedes Solo ist entweder mikrotonal, tonal oder chromatisch oder führt diese Verschiedenheiten gleichzeitig vor oder alle nacheinander. Jedes beginnt jederzeit, aber innerhalb einer Zeitspanne von 45 Sekunden und endet wiederum jederzeit, aber erneut innerhalb einer Zeitspanne von 45 Sekunden, welche die erste Zeitspanne 15 Sekunden lang überlagert. So kann ein vorgegebenes Stück so schnell wie möglich gespielt werden, oder es kann auf die maximale Länge von 75 Sekunden hinausgestreckt werden. Diese flexible Struktur des Werks macht es sozusagen ›erdbebensicher‹.«

Wirkung »Thirty Pieces for String Quartet« wurde bei einem Konzert der Darmstädter Ferienkurse für Neue Musik durch die Widmungsträger, das Kronos Quartet, uraufgeführt. Die Stücke »ließen sich hören als ein zufälliges und gleichwohl erstaunlich geordnetes Zusammentreffen von vier mikrotonal, tonal und chromatisch komponierten Stimmen«, urteilte die »Frankfurter Rundschau«; die »Frankfurter Neue Presse« sprach von »John Cages Zufallsästhetizismus, der hinreißende Klangstellen, aber auch lähmende Endlosigkeit mit sich bringt«. PE

Einspielungen (Auswahl)
• Arditti String Quartet, 1988; Mode

Quintette

Musik für Bläser

Besetzung Flöte, Oboe, Klarinette, Horn, Fagott
Sätze 1. Trio (Flöte, B-Klarinette und Fagott), 2. Duet (Oboe und Horn in F), 3. Quintet
Entstehung 22. Oktober 1938 (1. Satz), 24. Oktober 1938 (2. Satz), 31. Oktober 1938 (3. Satz)
UA Erste bekannte Aufführungen: März 1939 (2. Satz); 12. Februar 1962 (vollständig)
Verlag C. F. Peters New York
Spieldauer ca. 9 Minuten

Entstehung John Cage schrieb das Bläserquintett zwischen dem 22. und 31. Oktober 1938 in Seattle.
Musik »›Music for Wind Instruments‹ (1938) ist ein Zwölftonstück, komponiert aus Reihenfragmenten, die nie variiert werden. Die Transpositionen dieser Fragmente wurden nach den Intervallen der Reihen gewählt. Pausen wurden mitkomponiert, ihre Dauer entspricht jener der Reihenfragmente...« (John Cage)

Das Werk hat in seinen eher strengen Farben und dem rhythmischen Duktus, wie verschiedentlich festgestellt wurde, gewisse Ähnlichkeiten mit europäischen Kompositionen der 1930er-Jahre, hebt sich jedoch durch ein völlig eigenständiges strukturelles Denken ab. Als wechselnde Konstellationen eines »musikalischen Planetensystems« kehren gewisse Sekund- und Terzmodelle ostinatohaft wieder, was einen eher statischen formalen Verlauf suggeriert. Zweifellos verweist diese Bindung an unveränderliche Tonfolgen auf eine gewisse Affinität zur Zwölftontechnik (Cage hatte in den 1930er-Jahren bei Arnold Schönberg studiert), doch gehört das Werk in der Beziehung dieser zwölftonartigen Fragmente zu einer sehr eigenwilligen, schlagzeughaften Rhythmik in eine von üblichen dodekafonischen Kompositionen völlig abweichende Ausdruckswelt. Wie ein Spiegel reflektiert es jedoch die heterogenen Einflüsse, denen der Komponist in jenen Jahren ausgesetzt war – es zeigt den noch »suchenden« Cage.

Erster Satz Die musikalische Aktion in diesem Trio für Flöte, B-Klarinette und Fagott bezieht ihre Energie aus der Spannung zwischen bewegten und ruhigen Klangfiguren. Dieser Gegensatz wirkt an sich bereits formkonstitutiv; der Komponist verzichtet auf jede auch nur angenäherte Anbindung etwa an die Sonatensatzform mit ihrem Durchführungsdenken.

Zweiter Satz Ein Duo für Oboe und Horn in F nach Art eines Perpetuum mobile.

Dritter Satz In dem einzigen von allen Instrumenten bestrittenen Satz werden alle vorhergehenden Bewegungstypen vereinigt, »nach Art haydnscher Kassationen« (Klaus Hinrich Stahmer). PE

Einspielungen (Auswahl)
• Aulos Bläserquintett, 1989/90; Koch Schwann

Carter | Elliott

* 11. 12. 1908
New York

100880

Carter war als Komponist sicher nicht so auffällig produktiv wie manche seiner Zeitgenossen. Sein Œuvre ist vergleichsweise klein,
wenngleich durchaus vielfältig; er hat stets
langsam und sorgfältig gearbeitet. Auch wenn
seine Kompositionen für europäische Ohren
keineswegs extrem avantgardistisch klingen,
haben sie die Grenzen musikalischer Aus-
drucksmöglichkeit verschoben und zu einem
neuen Verständnis rhythmischer und metrischer Organisation geführt.

Wenn Charles Ives – wie Carl Ruggles und
Henry Dixon Cowell – die Unabhängig-
keitserklärung der Musik Nordamerikas abgege-
ben, Aaron Copland, Virgil Thomson und Roger
Sessions dieser ihre Verfassung gegeben
hätten, so habe Elliott Carter – neben John
Cage – für eine »neue Weltordnung« der amerikanischen Musik gesorgt, stellt der Musikschriftsteller Rodney Lister fest. Vor allem die
Streichquartette Carters seien unter den wichtigsten Werken des 20. Jahrhunderts einzurei-
hen – zumindest für Amerikaner.

Sein Interesse an zeitgenössischer Musik
wurde durch eine frühe Freundschaft mit
Charles Ives gefördert; der Hauptanstoß jedoch
war Nadia Boulanger zu verdanken, zu der
Carter im Anschluss an seine Studien an der
Harvard University und an der Longy School in

Cambridge, Massachusetts (1926–32, u.a. als
Schüler von Walter Piston), ging. 1932 hatte er
in Harvard noch einen Kurs unter Gustav Holst
belegt, im gleichen Jahr kam er nach Paris, um
von 1932 bis 1935 an der École Normale de Musique in Paris bei der Boulanger zu studieren.
Wichtige Kompositionen aus seiner ersten
Schaffensperiode wie die Musik für das Ballett
»Pocahontas« (1936) oder auch die »Holiday Ou-
verture« (1944) reflektieren den »Neostrawins-
kyanismus« der Boulanger.

Mit der »Piano Sonata No. 1« (1945/46) kam
ein wichtiger Wendepunkt: Carter ließ den Neoklassizismus zugunsten einer viel strengeren
musikalischen Sprache hinter sich. Er experimentierte mit erweiterten harmonischen Modellen, wobei er Material aus den Obertonreihen
des Klaviers ableitete. Vor allem mit der von ihm
so genannten »Metrical Modulation«, häufigen
Rückungen von Tempo, Metrum und Rhythmus,
machte er auf sich aufmerksam. In seiner Cellosonate (1948) und dem ersten Streichquartett
(1950/51) wandte er diese Techniken erfolgreich an; sein Bestreben in letztgenannter Komposition war, den einzelnen Instrumenten Unabhängigkeit voneinander zu gewähren, ein »Szenario von Individualisierung und Opposition«
(Lister) zu schaffen. Im zweiten Streichquartett
(1959) baute er diese Tendenzen aus; ebenso in
seinen »Variations for Orchestra« (1954/55),
die er als »eine Serie von Charakterstudien in
verschiedenen Stadien der Interaktion miteinander – sowohl innerhalb jeder Variation als
auch von einer Variation zur nächsten« bezeichnet.

Seine Kompositionen ab den 1950er-Jahren
sind gekennzeichnet von polyrhythmischer Komplexität und überbordenden Ideen, die Carter
der Rigorosität seines musikalischen Vokabulars unterordnete. Sein Spätstil ist gekennzeichnet von klaren, transparenten Strukturen sowie
einer neuen Direktheit bei der formalen Gestaltung. »Oft kann man Humorvolles und Gewitztes
in Carters Werken hören; ... zunehmend Schönheit und Gesangliches in den Kompositionen der
zurückliegenden Jahrzehnte. Er ist der große musikalische Poet Amerikas«, schrieb Andrew Por-
ter.   PE

Streichquartette

Streichquartett Nr. 1

Sätze 1. Fantasia, 2. Allegro scorrevole – Adagio, 3. Variations
Entstehung 1950/51
UA 26. Februar 1953 New York
Verlag Associated Music Publishers
Spieldauer ca. 45 Minuten

Entstehung Das erste Streichquartett bedeutete einen Wendepunkt in der Karriere Carters: Um sich der darin ausgedrückten, jedoch schon in vorangegangenen Werken virulent vorhandenen neuen musikalischen Konzepte bewusst zu werden, verließ der Komponist New York und zog sich ein Jahr lang als Guggenheim-Stipendiat nach Tucson in Arizona zurück. Rückblickend schrieb er 1970: »Das erste Quartett entstand hauptsächlich zu meiner Selbstfindung... Ich entschied mich in diesem Quartett, mich auf avancierte Musik zu konzentrieren... und mit nur minimalen Konzessionen gegenüber ihrer Rezeption meinen eigenen musikalischen Gedanken zu folgen...«.

Musik Der allgemeine Plan für das Streichquartett wurde Carter zufolge durch den surrealistischen Film »Le Sang d'un poète« (»Das Blut eines Dichters«, 1931) von Jean Cocteau angeregt, insbesondere durch die zwischendurch angehaltene zeitlupenhafte Sequenz der Sprengung eines Fabrikschornsteins, die die eigentliche Handlung umrahmt: »Ein ähnlich unterbrochener Zusammenhang wird am Anfang des Quartetts mit einer Kadenz für das solistisch eingesetzte Cello verwendet, die dann ganz am Schluss von der solistisch eingesetzten Violine wiederaufgenommen und fortgesetzt wird. Ich interpretiere Cocteaus Idee und meine eigene als die Darstellung des Unterschiedes zwischen realer Zeit (die durch den fallenden Schornstein bzw. durch die Kadenz gemessen wird) und erlebter Traumzeit (im Hauptteil des Werks) – die Traumzeit, die zwar nur einen Moment der realen Zeit andauert, aus der Sicht des Träumenden aber sehr lange währt...«, erklärt Carter.

Diese beiden Zeitebenen bilden den doppelten formalen Boden des Werks: auf der einen Seite die traditionelle Drei- oder besser Viersätzigkeit (der zweite Satz zerfällt in zwei völlig verschiedene Teile), auf der anderen eine durch zwei Zäsuren – im zweiten bzw. kurz nach Beginn des dritten Satzes – charakterisierte musikalische Gliederung.

Erster Satz Themen unterschiedlichen Charakters werden oft kontrapunktisch nebeneinandergestellt; als kleinen Hinweis auf die Vorbilder seines musikalischen Denkens zitiert Carter auch das Eröffnungsthema aus der Violinsonate von Charles Ives.

Zweiter Satz Der erste Teil sieht musikalische Tempi abrupt nebeneinandergesetzt, während der zweite Abschnitt den musikalischen Raum unter den Spielern quasi aufteilt: Zwei Paare (die beiden Violinen bzw. Bratsche und Cello) besetzen unterschiedliche Ausdrucksgestalten – die von den beiden Violinen gezeichneten kontemplativen Linien werden vom heftigen, rauen Rezitativ von Viola und Cello konterkariert.

Wittener Tage für neue Kammermusik

Alljährlich Ende April finden im östlichen Ruhrgebiet die Wittener Tage für neue Kammermusik statt, ein internationales Festival mit neuer und neuester Musik. Ausgangspunkt waren die Wittener Kammermusiktage, die Robert Ruthenfranz 1935 als regionales Ereignis gegründet hat. Musikredakteur Winfried Brennecke machte daraus 1969 die Wittener Tage für neue Kammermusik, die seither gemeinsam vom Westdeutschen Rundfunk und der Stadt Witten veranstaltet werden. 1989 übernahm der WDR-Redakteur Harry Vogt die Programmgestaltung. Mit gleich mehreren Werken in Witten vertreten waren u. a. die Komponisten Morton Feldman, Brian Ferneyhough, Beat Furrer, Heinz Holliger, Klaus und Nikolaus Huber, György Kurtág, Wolfgang Rihm, Salvatore Sciarrino und Iannis Xenakis. Von Elliott Carter wurden »Inner Song – to the memory of Stefan Wolpe« für Oboe solo (UA 1992), »Con Leggerezza Pensosa« für Klarinette, Violine und Violoncello (1996), »Fragment No. 1« für Streichquartett (1996) sowie das fünfte Streichquartett (deutsche Erstaufführung 1996) präsentiert.

Das Juilliard String Quartet zählt zu den berühmtesten Ensembles Amerikas und wurde 1962 zum Quartett der Library of Congress in Washington ernannt. 1960 und 1973 spielte es die Uraufführungen des zweiten und dritten Streichquartetts von Elliott Carter.

Dritter Satz In den Variationen wird eine Reihe kontrastierender Themen nacheinander vorgetragen. Auch hier zitiert Carter ein Vorbild: ein Stück von Conlon Nancarrow.

Wirkung Nach der Uraufführung 1953 an der Columbia University (Walden Quartet) wurde das Werk in Lüttich beim »Concours Internationale de Quatuor« mit dem ersten Preis ausgezeichnet. PE

Streichquartette Nr. 2–5

Entstehung Die vier folgenden Streichquartette Carters sind im Grunde nichts anderes als »weitere abenteurerhafte Forschungen im durch das erste Quartett geschaffenen Universum« (Rodney Lister). Das zweite wurde 1958/59 komponiert, das dritte 1971, das vierte 1986, das fünfte schließlich 1995 (Carter war zu diesem Zeitpunkt 87 Jahre alt!).

Musik Das Streichquartett Nr. 2 baut das im ersten Quartett vorgegebene Szenario weiter aus: Jedes Instrument vertritt quasi einen Charakter in einem Drama, ist nicht nur durch einen bestimmten Ausdrucksstil, sondern auch durch ein eigenes Repertoire an Intervallen und rhythmischen Gestalten charakterisiert. Die vier individualistischen Charaktere treten in den neun Abschnitten des Werks auf unterschiedliche Weisen in Kontakt zueinander, beschrieben als »Kameradschaft« gleichberechtigter Instrumente (erster, achter und neunter Abschnitt), »Jüngerschaft« mit einem führenden und drei folgenden Instrumenten (zweiter, vierter und sechster Abschnitt) oder »Konfrontation« zwischen Solo und Trio (dritter, fünfter und siebter Abschnitt). Das Quartett wurde am 25. März1960 vom Juilliard String Quartet in New York uraufgeführt und u. a. mit dem Pulitzerpreis ausgezeichnet.

Das dritte Streichquartett ist eine Weiterführung des langsamen Satzes aus dem ersten Quartett. Auch hier findet sich eine Aufteilung in simultane Paare. Duo I (Violine und Cello) spielt vier Sätze in freier Gestaltung nach Art eines Tempo rubato, Duo II (Violine und Viola) sechs Sätze in striktem Tempo-giusto-Stil. Jeder Satz ist durch ein bestimmtes »Verhaltensmuster« aus Intervallen, Geschwindigkeit, Phrasierung und rhythmischen Verfahren gekennzeichnet. Im Verlauf des Stücks wird jeder der vier Sätze des ersten Paares mit jedem der sechs des zweiten kombiniert. Die Uraufführung fand am 23. Januar 1973 in New York statt. Es spielte das Juilliard String Quartet, dem das Werk auch gewidmet ist.

Das vierte Streichquartett kehrt zum viersätzigen Schema zurück. Während die ersten drei Quartette einen Individualisierungsprozess bis hin zu Opposition und Konfrontation beschrieben, beschäftigt sich das vierte mit Phänomenen der Kooperation, »welche die demokratische Haltung spiegelt, mit der jedes Mitglied der Gesellschaft, während es im Sinne gemeinsamer Aufgaben mit anderen zuammenarbeitet, seine Identität aufrechtzuerhalten sucht« (Carter). Prozesse, die in den früheren Streichquartetten einzelnen Instrumenten zufielen, werden nun von allen geteilt. Im dritten Satz greift der Komponist auch die Paarbildung wieder auf. »In dieser Gesellschaft gibt es keine Führer, aber viele Anreger«, schreibt Lotte Thaler. Im vierten Satz erreicht die Kooperation ihren Höhepunkt, was sich auch in zunehmend harmonischen Gestalten bemerkbar macht. Die harmonische Stagnation vor allem des zweiten und dritten Streichquartetts scheint durchbrochen. Das vierte Quartett wurde am 17. September 1986 in Miami uraufgeführt.

Das fünfte Streichquartett treibt die im vierten Quartett ausgeführten konzeptionellen Gedanken noch weiter. Es ging Carter hier nach eigenen Worten um die zahlreichen Aspekte von Denken und Fühlen, die das menschliche Miteinander bestimmen. Konkret thematisiert er menschliche Verhaltensweisen in der Probensituation von Kammermusikern, bei der Fragmente eines Stücks probiert und diskutiert, Interpretationshaltungen ausgearbeitet oder verworfen werden: »Die Einleitung präsentiert die Spieler, einen nach dem andern, beim Ausprobieren von Bruchstücken aus einem der nachfolgenden sechs kurzen, kontrastierenden Ensemblesätze, wobei sie gleichzeitig um Dialog miteinander bemüht sind. Zwischen jedem der Sätze diskutieren die Spieler auf unterschiedliche Weise, was sie gespielt haben und was sie noch spielen werden.« Die Uraufführung fand am 19. September 1995 in Antwerpen, die deutsche Premiere am 28. April 1996 bei den Wittener Tagen für neue Kammermusik statt.

Wirkung Carters Streichquartette zählen zu den wichtigsten Kompositionen des 20. Jahrhunderts, vor allem für Amerikaner. Das erste nimmt eine Schlüsselstellung ein: »Für jeden amerikanischen Komponisten, der danach geboren wurde, hatte das erste Quartett enorme Bedeutung: ein Werk, das studiert, diskutiert, kontempliert werden musste, gehasst oder geliebt wurde, aber auf jeden Fall unvermeidbar war«, so Rodney Lister. Nach seinen fünf durchnummerierten Quartetten ließ Carter in den 1990er-Jahren noch zwei kurze Fragmente für die gleiche Besetzung folgen: das vierminütige, 1994 in New York vom Kronos Quartet uraufgeführte »Fragment No. 1« und das dreiminütige, 1999 in München vom Arditti Quartet erstmals vorgestellte »Fragment No. 2«. PE

Einspielungen (Auswahl)
• Quartette 1–4: Juilliard String Quartet, 1991; Sony Classical

Castelnuovo-Tedesco | Mario

* 3. 4. 1895 Florenz
† 17. 3. 1968 Los Angeles

Der Komponist und Pianist Mario Castelnuovo-Tedesco ist dem Musikpublikum heute vor allem noch mit seinen Werken für Gitarre bekannt. Darin verbindet er seine Begeisterung für spanische Musik mit der ihm eigenen Hervorhebung der Melodie in eher verhalten moderner Tonsprache am überzeugendsten.

Leben und Werk des heute weitgehend in den Hintergrund des öffentlichen Interesses geratenen Castelnuovo-Tedesco sind vierfach ineinander verwoben: durch seine ungebrochene Liebe zur toskanischen Heimat, seine intensive Pflege des jüdischen Erbes, durch die lebenslang bestimmende Verehrung für das Werk William Shakespeares und die künstlerische wie private Annäherung an das amerikanische Exil.

1939 verließ der Komponist das faschistische Italien Mussolinis, der ihn noch wenige Jahre zuvor mit der Schauspielmusik zu Alessis »Savonarola« beauftragt hatte. Der in den 1920er- und 1930er-Jahren vielfach aufgeführte und preisgekrönte Komponist, der dem Atonalen fremd gegenüberstand und einem vitalen italienischen Neoklassizismus zugerechnet wurde, konnte sich wegen seiner jüdischen Herkunft nun nicht mehr sicher fühlen. Die Übersiedlung – nach einem Jahr in Larchmont, New York, ließ sich die Familie in Beverly Hills nieder – brachte eine noch gesteigerte Produktivität. Insgesamt hinterließ er über 300 Kompositionen.

Da Castelnuovo-Tedesco ein exzellenter Pianist war, findet sich in seinem Werkregister auffallend viel für dieses Instrument. Gleichwohl hat er sich zeitlebens mit nahezu allen Gattungen und Formen – die Sinfonie ausgenommen – beschäftigt: Allein Shakespeares Werk inspirierte ihn zu zwei Opern, elf Ouvertüren und 60 Lied- bzw. Sonettvertonungen, das Alte Testament zu mehreren Oratorien. Einige seiner Instrumentalkonzerte wurden von Heifetz und Piatigorsky unter Leitung Toscaninis aus der Taufe gehoben. Für Hollywood schrieb Castelnuovo-Tedesco (bisweilen unter anderem Namen) mehr als zehn Jahre lang Filmmusiken und übte in Los Angeles als Lehrer wesentlichen Einfluss auf eine ganze Generation dieser Zunft (Henry Mancini, André Previn, Jerry Goldsmith, Nelson Riddle, Alfred Newman) aus. Die Vokalmusik fehlt ebensowenig wie die Kammermusik, die in vielfältigen Kombinationen vertreten ist.

Stilistisch blieb sich der als hochbegabter Jugendlicher bei Ildebrando Pizzetti in Florenz Studierende auch später treu: »Ich glaube nicht an Theorien. Ich habe niemals an Modernismus oder Klassizismus oder irgendeinen anderen Ismus geglaubt. Dagegen glaube ich, dass die Musik eine Sprachform ist, die des Fortschritts und der Erneuerung fähig ist (und ich glaube, dass ich selbst ein Gefühl für das Zeitgenössische besitze und deshalb ausreichend modern bin).« Diese Selbsteinschätzung bewahrte sein schier unüberschaubares Œuvre dennoch nicht immer vor dem Vorwurf des Konservativen und mangelnder schöpferischer Frische.   HO

Werke für Gitarre

Entstehung »Andrés Segovia hat meine sämtlichen Kompositionen für Gitarre inspiriert. Seit wir uns erstmals 1932 (bei einem der Internationalen Festivals in Venedig) trafen, habe ich in der Tat fast jedes Jahr ein neues Werk für ihn geschrieben.« Neben den zwei Konzerten und der »Sérénade« mit Kammerorchester kombinierte Castelnuovo-Tedesco das Instrument mit Klavier (Fantasia op. 145 von 1950), Flöte (Sonata op. 205 von 1965) und mehrfach mit Gesang. Für die Besetzung mit zwei Gitarren sind »Les guitares bien temperées« op. 199 (1962) besonders erwähnenswert. Neben dem Quintett op. 143 ragen die Werke für Gitarre solo heraus.

Musik »Variazioni attraverso i secoli« op. 71 (1932) entstand als erste Frucht der lebenslangen Künstlerfreundschaft und variiert eine gravitätische Chaconne in einem Präludium, zwei flotten Walzern und einem beschwingten Foxtrott.

Mario Castelnuovo-Tedesco war ein großer Bewunderer des spanischen Gitarristen Andrés Segovia (Foto um 1950). Er komponierte seit 1932 zahlreiche Werke für diesen herausragenden Interpreten.

Die Sonata op. 77 (1934), eine »Hommage an Boccherini«, orientiert sich in vier Sätzen am klassischen Vorbild.

»Platero y yo« op. 190 (1960) sind 28 Miniaturen nach der gleichnamigen »Andalusischen Elegie« von Juan Ramon Jimenez für Gitarre und Erzähler, der zur Musik rezitiert, nach Aussage des Komponisten jedoch auch entfallen kann. Musikalisch sehr abwechslungsreiche Momentaufnahmen charakterisieren in ausgewählten Kapitelchen des Buches einen silbergrauen Esel.

Ebenfalls von Literatur bzw. Kunst Spaniens und seinem musikalischen Kolorit inspiriert sind »La guarda cuydadosa, Escarraman« op. 177 (1955) nach Cervantes, die beliebten »24 Caprichos de Goya« op. 195 (1961) und die »Tonadilla sul nome di Andrés Segovia«. Letztere entstammt den »Danze del Novecento« (1954), von denen noch das »Capriccio diabolico« (zu Ehren Paganinis) hervorzuheben ist. HO

Der Gitarrist Andrés Segovia

Gitarren in der heutigen Form gibt es seit dem 16. Jahrhundert – und doch wurde Andrés Segovia zum Pionier für das Instrument: »Die Gitarre war in einem Teufelskreis gefangen«, so der Spanier über seine Anfänge. »Man konnte sie nicht an den Konservatorien studieren, mit dem Ergebnis, dass es keine Gitarristen gab. Da es keine Gitarristen gab, gab es auch keine Komponisten, die für Gitarre schrieben.« Segovia brachte die klassische Gitarre weltweit in die Konzertsäle. Er bearbeitete Vorlagen von Bach bis Albéniz und es gelang ihm, Komponisten seiner Zeit für die Gitarre zu interessieren. Widmungsstücke für ihn schrieben u. a. Federico Moreno Torroba (»Castillos de España«, »Piezas características«), Manuel Ponce (»Sonata romántica«, »Sonata mexicana«, »Canciones populares mexicanas«), Joaquín Rodrigo (»Fantasía para un gentilhombre« für Gitarre und kleines Orchester) und Heitor Villa-Lobos (»5 Preludes«).

Quintett für Gitarre und Streichquartett op. 143

Sätze 1. Allegro, vivo e schietto, 2. Andante mesto, 3. Allegro con spirito alla marcia, 4. Allegro con fuoco
Entstehung 7. Februar bis 5. März 1950
UA 26. April 1951 Los Angeles
Spieldauer ca. 20 Minuten

Entstehung 1950 wurde Andrés Segovia zu einem Kammermusikkonzert der Los Angeles Music Guild eingeladen. Er bat Castelnuovo-Tedesco für diesen Anlass um ein Quintett für Gitarre und Streichquartett, das er daraufhin bereits in Monatsfrist erhielt.

Musik Der Komponist hat das von Andrés Segovia und dem Paganini-Quartett uraufgeführte Werk selbst so beschrieben: »Der erste der vier Sätze ›Allegro, vivo e schietto‹ entspricht der regulären Form des Sonaten-Allegros. Der zweite Satz, ›Andante mesto‹, ist lyrischen Charakters mit spanischen Untertönen (das zweite Thema heißt ›Erinnerung an Spanien‹). Der dritte Satz ›Allegro con spirito alla marcia‹ ist ein Scherzo mit zwei Trios. Der letzte Satz ›Allegro con fuoco‹ in Form eines Rondos ist sehr brillant

und kontrapunktisch – das zweite Thema ist ebenfalls in spanischer Stimmung gehalten – was könnte für Andrés Segovia angemessener sein?« HO/STÜ

Chausson | Ernest

* 20. 1. 1855 Paris
† 10. 6. 1899 Limay/Paris

100563

Chausson zählt zum Kreis der Komponisten um César Franck, die nach 1870 eine Erneue-

rung der französischen Musik auf dem Gebiet der Instrumentalmusik anstrebten. Er setzte sich mit alter französischer Musik auseinander, wurde aber auch stark von der Harmonik und Leitmotivtechnik Richard Wagners beeinflusst.

Chausson entstammt einer wohlhabenden Unternehmerfamilie, die ihm eine breite künstlerische Bildung ermöglichte. Lange zwischen Literatur, bildender Kunst und Musik schwankend, musste er unter dem Druck des Vaters ein Jurastudium absolvieren, das er 1877 mit seiner Promotion und der Zulassung als Rechtsanwalt abschloss. Die finanzielle Unabhängigkeit bot ihm danach die Möglichkeit zum Musikstudium. Während der Unterricht bei Jules Massenet (1879–81) sich kaum auswirkte, übte César Franck einen nachhaltigen Einfluss auf ihn aus. Großen Eindruck hinterließen auch die Werke Schumanns und vor allem Wagners, die Chausson durch mehrere Reisen nach Deutschland (München, Bayreuth) intensiv kennenlernen konnte. Jahrelang unterhielt er in Paris einen gefragten Salon, in dem er mit den bekanntesten Künstlern seiner Zeit verkehrte. Ab 1886 bekleidete er das Amt des Sekretärs in der 1871 gegründeten Société Nationale de Musique, deren Ziel es war, die neue französische Musik vor allem in den zuvor stark vernachlässigten Gattungen Sinfonik und Kammermusik zu fördern. Erst 44 Jahre alt, starb er an den Folgen eines Fahrradunfalls auf dem für den Sommeraufenthalt gemieteten Landsitz Limay in der Nähe von Paris.

Ernest Chausson gilt im Allgemeinen als Vorläufer des französischen Impressionismus, wozu neben musikalischen Gesichtspunkten auch die Freundschaft mit dem jungen Debussy beigetragen haben dürfte. Diese Einschätzung ist jedoch im doppelten Sinne fragwürdig: Einerseits impliziert eine Vorläuferschaft die Vorstellung eines zweitrangigen Komponisten ohne eigenes Profil, andererseits sind Affinitäten zu Debussys impressionistischen Werken nur in vergleichsweise wenigen Werken wie etwa im morbiden Charme des Liederzyklus »Serres chaudes« op. 24 (»Treibhäuser«, 1893–96) nach Maurice Maeterlinck erkennbar. Zu betonen ist demgegenüber die stilistische Vielfalt in Chaussons umfangreichem Schaffen, in dem nahezu alle Gattungen vertreten sind. Bezeichnenderweise gibt sich gerade sein weitaus bekanntestes Werk, das »Poème« op. 25 für Violine und Orchester (1892/96), bei aller Klangsinnlichkeit als hochromantische sinfonische Dichtung.

Schon in den frühen Kompositionen treten die beiden Hauptfaktoren für die Entwicklung seiner Musiksprache, die vor allem von Franck vermittelte deutsche Musiktradition der Klassik und Romantik sowie die damals in Frankreich geradezu übermächtige Wirkung Wagners, hervor. Sein ambitioniertestes Werk, die Oper »Le roi Arthus« (1886–95), gilt als eines der Hauptwerke des französischen »Wagnérisme«. Andererseits führte er aber durch seine Sinfonie B-Dur op. 20 (1889/90) und seine Kammermusikwerke, darunter auch »Andante und Allegro« für Klarinette und Klavier (1881) sowie »Pièce« C-Dur op. 39 für Violoncello und Klavier (1897), die von Franck eingeleitete Erneuerung der französischen Instrumentalmusik mit einem eigenen, oft schwermütigen Ton weiter. JO

Klaviertrio g-Moll op. 3

Sätze 1. Pas trop lent – Animé, 2. Vite, 3. Assez lent, 4. Animé
Entstehung Sommer/Herbst 1881
UA 8. April 1882 Paris
Verlag Salabert
Spieldauer ca. 32 Minuten

Entstehung Der Misserfolg bei seiner Bewerbung um den Rom-Preis veranlasste Chausson dazu, 1881 das Pariser Conservatoire zu verlassen. Offenbar zur Stärkung des – zeitlebens immer wieder schwankenden – Selbstbewusstseins schrieb er im Anschluss an diese frustrierende Situation sein einziges Klaviertrio. Der unmittelbare Bezugspunkt dürfte das 1879 entstandene und ein Jahr später öffentlich aufgeführte Klavierquintett f-Moll von César Franck sein, dessen Einfluss sich am augenscheinlichsten in der Verwendung eines zyklischen Themas zeigt. Vor der endgültigen Ausarbeitung stand ihm Franck auch mit Ratschlägen zur Seite.

Musik Auch wenn in diesem frühen Kammermusikwerk die Abhängigkeiten von der Sonatenkonzeption Francks und der Harmonik Wagners den Raum zur persönlichen Entfaltung einengen, gibt ihm Chausson durch den dichten Zusammenschluss und den ihm eigenen elegischen Ton eine individuelle Färbung.

Erster Satz In der kurzen Introduktion intoniert die Violine das die gesamte Komposition verzahnende zyklische Thema. Der rhythmisch profilierte Hauptsatz exponiert zwei neue melodische Motive, die sich am Ende mit dem zentralen Thema des Werks in einer großen Steigerung verbinden.

Zweiter und dritter Satz Auch dem folgenden, auf zwei Motiven aufgebauten Scherzosatz ist eine kurze Introduktion vorangestellt. Der überraschend sanfte Ausklang bereitet auf den langsamen, durch seine feinsinnige Harmonik fesselnden dritten Satz vor, in dem das zyklische Thema nun in d-Moll erklingt.

Vierter Satz Wie der Eingangssatz weist auch das Finale die Sonatensatzform auf. Nach der Exposition neuer Themen rekapituliert es die Hauptmotive der vorangegangenen Sätze und steigert die zyklische Abrundung, indem am Schluss die chromatische Eröffnung des Trios wiederkehrt.

Wirkung Das in den Konzerten der Société Nationale de Musique aufgeführte Trio wurde zur Enttäuschung des Komponisten kaum beachtet; die Partitur konnte erst 1919 erscheinen. Auch in Frankreich wird das Trio bis heute – aufgrund seiner großen Ausdehnung, aber auch des Schwierigkeitsgrades – relativ selten aufgeführt. JO

Einspielungen (Auswahl)
- Les Musiciens, 1982 (+ Klavierquartett); Harmonia Mundi
- Beaux Arts Trio, 1983 (+ Ravel: Klaviertrio); Philips

Klavierquartett A–Dur op. 30

Sätze 1. Animé, 2. Très calme, 3. Simple et sans hâte, 4. Animé
Entstehung Sommer/Herbst 1897
UA 6. Oktober 1897 Brüssel
Verlag Salabert
Spieldauer ca. 38 Minuten

Entstehung Skizzen belegen, dass Chausson seine ersten Ideen zum Klavierquartett für eine Besetzung mit Oboe, Viola und Streichquartett – eine Parallele zu seinem »Konzert« für Klavier, Violine und Streichquartett op. 21 – niedergeschrieben hat. Im Juli 1897 komponierte er dann zunächst die beiden mittleren Sätze und schrieb dem belgischen Geiger Mathieu Crickboom: »Es fehlen noch der erste Satz und das Finale! Eine eigentümliche Art zu arbeiten, nicht wahr?« Die Fertigstellung der Außensätze zog sich bis zum September des Jahres hin.

Musik Auch hier folgt Chausson dem zyklischen Prinzip, im Finale die Themen und Motive der vorangehenden Sätze wiederaufzunehmen. Im Gegensatz zu seinen anderen Kammermusikwerken ist im Klavierquartett kaum etwas von Melancholie und Pessimismus zu spüren, vielmehr herrscht ein heiter-klarer Ton vor; nach Vincent d'Indy mutet das Werk wie eine Befreiung von Selbstzweifel und Traurigkeit an.

Der erste Satz weist drei Themen auf, deren erstes durch seine Dominanz in der Durchführung, aber auch durch Wiederverwendung im Finale hervorgehoben wird. Die harmonischen und rhythmischen Umformungen im Durchführungsabschnitt zeigen Chausson auf der Höhe seiner Kunst.

Der nachfolgende langsame Satz ist der Einzige, der passagenweise auch schmerzliche Töne anklingen lässt. Die ruhigen, getragenen Melodien gehören zu Chaussons schönsten Eingebungen.

Im dritten Satz exponiert das Cello ein einfaches, an ein französisches Volkslied anklingendes Thema, von dem auch der zweite Gedanke abgeleitet ist.

Getreu dem zyklischen Prinzip rekapituliert das in Sonatenform gehaltene Finale alle wichtigen Themen und Motive der vorangehenden Sätze und schließt mit dem nun mit einer lebhaften Sechzehntelbegleitung versehenen ersten Thema des Kopfsatzes.

Wirkung Das Klavierquartett ist dem Pianisten Auguste Pierret gewidmet, der bei den ersten sehr erfolgreichen Aufführungen in Brüssel und wenige Monate später in Paris den Klavierpart übernahm. Später geriet das Werk etwas in den Schatten des fraglos wirkungsvolleren »Konzertes« op. 21. JO

Ernest Chausson verband eine enge Freundschaft mit Claude Debussy, der ihn auch musikalisch beeinflusste (Debussy am Klavier, im Hause von Ernest Chausson, stehend, 1893).

Einspielungen (Auswahl)
• Les Musiciens, 1982 (+ Klaviertrio); Harmonia Mundi

Konzert für Klavier, Violine und Streichquartett D-Dur op. 21

Sätze 1. Décidé, 2. Sicilienne, 3. Grave, 4. Très animé
Entstehung 1889–91
UA 4. März 1892 Brüssel
Verlag Salabert
Spieldauer ca. 37 Minuten

Entstehung Nach eigenem Zeugnis gab der Geiger Eugène Ysaye die entscheidenden Anregungen zu diesem »Konzert«, bei dem wie beim Klavierquartett op. 30 die Binnensätze (das »Grave« 1889, die »Sicilienne« 1890) vor den Außensätzen (Sommer 1891) komponiert wurden.

Musik Trotz seines Titels »Konzert« gehört das Werk durch seine Besetzung, aber auch seine Struktur und Anlage, zur Kammermusik. Die äußerst ungewöhnliche Besetzung gab im-

mer wieder Anlass, nach ihren Ursprüngen zu fragen. Dabei wurde wohl nicht zu Unrecht auf die französische Konzerttradition nach dem Modell François Couperins im 18. Jahrhundert verwiesen. Jedoch bleibt diese Beziehung, die das Konzept der »Ars gallica« der 1871 gegründeten Société Nationale de Musique unterstreichen soll, rein äußerlich. Als Vorbild für den Aufbau und den harmonischen Ablauf rückt dagegen erneut Francks Klavierquintett in den Blickpunkt. Wie in keinem anderen Werk fühlt man sich aber auch an das kammermusikalische Œuvre von Gabriel Fauré erinnert. Bemerkenswert ist die relative Ausgewogenheit zwischen Klavier und Violine einerseits und dem wie ein konzertierendes Instrument auftretenden Streichquartett.

Erster Satz Bereits die Einleitung des ersten Satzes, die das zyklische Grundmotiv präsentiert, wirkt trotz der Durtonika etwas dunkel-beklemmend. Dieser für Chausson durchaus repräsentative Stimmungsausdruck ist fast in allen Teilen der Komposition spürbar.

Zweiter und dritter Satz Nur der am stärksten sich an Faurés Stil anlehnende zweite Satz weist träumerische Eleganz auf. Dieser »Sicilienne« folgt eine schwermütige Klage vor der Folie einer in sich kreisenden chromatischen Figur des Klaviers.

Vierter Satz Das als Variantenfolge aufgebaute Finale, das die früheren Motive wieder erscheinen lässt, mündet in eine für Chaussons Verhältnisse ungewöhnlich unbeschwert-heitere Coda ein.

Wirkung Von den ersten Aufführungen an hatte Chaussons »Konzert« großen Erfolg beim Publikum und galt – nach den Worten des Kritikers Pierre Lalo – als eines der bemerkenswertesten und interessantesten Kammermusikwerke der letzten Jahre. Obwohl ja immerhin sechs erstklassige Interpreten benötigt werden, steht Chaussons op. 21 auch heute noch an der Spitze seiner Kammermusik, was die Anzahl der Aufführungen und Aufnahmen anbelangt. JO

Cherubini | Luigi

* 8. oder 14. 9. 1760 Florenz † 15. 3. 1842 Paris

Von den biografischen Daten her ist Cherubini ein genauer Zeitgenosse Beethovens. Der musikalischen Welt an der Wende vom 18. zum 19. Jahrhundert schienen diese beide Komponisten auch vergleichbar in ihrer dominierenden Stellung: Beethoven als Meister und Revolutionär der Instrumentalmusik, der in Paris lebende Italiener Cherubini als »der« Opern- und Kirchenkomponist seiner Zeit.

Cherubini erhielt als Sohn einer Musikerfamilie schon früh auch Kompositionsunterricht und studierte ab 1778 bei Giuseppe Sarti, dem führenden Vertreter der neapolitanischen Opernschule. In seinen ersten 14 Opern, die er bis 1788 im gängigen italienischen Stil komponierte, zeigte er bereits die vollständige Beherrschung der Mittel der Zeit. 1786 siedelte er, nach einem Aufenthalt in London, nach Paris über und war dort Zeitzeuge der mehrfachen großen politischen Umwälzungen von Revolution und Restauration, die auch in seiner Biografie ihre Spuren hinterließen. In verschiedenen Funktionen an Theater und Conservatoire tätig, geriet er immer wieder in Gegensatz zu den gerade herrschenden Parteien (vor allem zu Napoleon) und zog sich zeitweise völlig aus dem öffentlichen Musikleben zurück. Sein hohes Ansehen war jedoch zeitlebens unstrittig und fand nach seinem Tod auch in einem pompösen Staatsbegräbnis Ausdruck.

Cherubinis historische Leistung liegt in der Umwandlung der Opera comique zu einem vollwertigen Musikdrama, das politische, moralische und aktuelle Fragen und Inhalte aufnimmt und in wirkungsvoller Weise gestaltet. So bedeutet sein dramatisches Schaffen eine Befreiung von den höfisch-heroischen Stoffen, hin zu einem Realismus, einer neuen Bürgerlichkeit der Oper. Dies geschieht natürlich auch im Zusammenhang mit den gesellschaftlichen Ereignissen: So ist »Lodoïska« (1791) eine Revolutionsoper mit großen Ensembles, Chor- und Massenszenen sowie mächtigem al-fresco-haftem Orchester. »Eliza« (1794) setzt das Rettungsgenre in Verbindung mit dem Bild der Natur und dem rousseauschen Idealismus. In »Médée« (1797) findet Cherubini dann auch im tragischen Sujet eine sehr dramatische, eng am Text bleibende Tonsprache, die psychologische Extremsituation in leidenschaftlicher Weise musikalisiert, und »Les deux journées« (»Der Wasserträger«, 1800) ist in ihrem Loyalitäts- und versöhnlichen Humanitätsideal ideologisch ein Werk der Restaurationsepoche.

Obwohl es gerade der stringent durchgeführte und brillant instrumentierte Orchestersatz seiner Opern mit seinen tonmalerischen Effekten war, der die bezwingende dramatische Wirkung garantierte, und obwohl Cherubini die Ouvertüre von einer kurzen Hinleitung zu einem selbstständigen Orchesterstück ausbaute, hat er nur wenig reine Instrumentalmusik komponiert. Wichtiger war ihm, vor allem nach 1805, als er sich der Oper nur noch selten zuwandte, die geistliche Chormusik. In sieben Messen und zwei Requiemvertonungen verband er den strengen Kontrapunkt der klassischen Vokalpolyfonie des 16. Jahrhunderts mit der modernen sinfonischen Orchestersprache. WA

Streichquartette

Entstehung Die sechs Streichquartette von Cherubini gehören alle den späteren Schaffensjahren an, das erste entstand 1814, zu einer Zeit, als der Komponist sich der Oper ab- und der geistlichen Chormusik zuwendete, mit der er die einhellige Bewunderung so verschiedener Komponistenkollegen wie Beethoven, Berlioz und Brahms fand. Das zweite (C-Dur), 1829 komponiert, ist die Umarbeitung seiner D-Dur-Sinfonie von 1815 für Quartettbesetzung mit einem neu dazugeschriebenen langsamen Satz.

Ausgesprochene Alterswerke sind die vier übrigen Quartette, die Cherubini zwischen seinem 74. und 77. Lebensjahr niederschrieb. Ohne äußeren Anlass oder Auftrag scheint er diese Kammermusikwerke wenn nicht als Erholung, so doch als privates, zurückgezogenes Komponieren (im Gegensatz zum publikumsorientierten Theaterschaffen) verstanden zu haben. Die ersten drei Quartette, 1834 publiziert, sind dem Geiger Pierre Baillot gewidmet, der in Paris Quartettabende veranstaltete.

Musik Cherubinis Quartette nehmen in der Gattungsgeschichte einen Außenseiterstatus ein. Sie stehen entwicklungsgeschichtlich und qualitativ nicht vor oder nach den zentralen Werken der Wiener Klassiker, sondern gleichsam unabhängig neben ihnen. Cherubinis Quartettstil speist sich aus verschiedenen Quellen und Einflüssen, von denen die Wiener Klassik – wenn überhaupt (es ist strittig, was Cherubini von diesen Kompositionen kannte) – nur eine sekundäre ist. Wichtiger war für ihn die Pariser Tradition des »Quatuor brillant«, bei der die erste Violine virtuos führt und koloristische und exotisch charakteristische Tonfälle vorherrschten.

Nicht zuletzt ist es aber seine persönliche Tonsprache, der dramatisch sprechende Gestus seiner Opern, aber auch die strenge kontrapunktische Schulung des kompositorischen Akademikers, die auch seine Kammermusik prägt. Eine kühne, stark chromatisierte Harmonik, scharfe Kontraste und das Gestalten mit elementaren und rhetorischen Figuren, Virtuosität in der Behandlung der Instrumente wie in der Klangregie zeichnet alle Quartette gleichermaßen aus.

Dennoch sind es ausgesprochene Einzelwerke von sehr unterschiedlicher Faktur und Ausdruckshaltung. Das Es-Dur-Quartett (Nr. 1) ist das freundlichste; bedingt vor allem durch sein spanisch gefärbtes Scherzo war es auch immer das beliebteste. Im C-Dur-Quartett (Nr. 2) sind die Spuren der orchestralen Entstehungsgeschichte spürbar – in der Flächigkeit des Klangs wie in der Extrovertiertheit der Motivik. Das dritte Quartett in d-Moll kann als besonders paradigmatisch für Cherubinis Stil gelten: Aus verschiedenen Einleitungsgedanken entfaltet sich ein großartiger, dramatisch zerrissener Kopfsatz, der von einem breit ausgebauten Scherzo

---

Der Geiger Pierre Baillot

»O! was ist doch die Violine ein mächtig Instrument, wenn Baillots Seele aus ihr spricht!«, schrieb der Komponist und Theologe Carl Friedrich Amenda 1815 an seinen Freund Ludwig van Beethoven. Der so gelobte französische Geiger Pierre Baillot, Widmungsträger der drei ersten Cherubini-Quartette, war seit 1799 Geigenprofessor in Paris. Mit seinen Quartettabenden, bei denen ab 1814 hauptsächlich Werke von Haydn, Mozart, Boccherini und Beethoven gespielt wurden, beeinflusste Baillot die Entwicklung der Kammermusik in Frankreich nachhaltig. Er komponierte neun Violinkonzerte und kleinere Werke wie »Scène champêtre« für Violine mit Begleitung einer zweiten Violine und Klavier (1829), eine Violinsonate (um 1815), Duos für zwei Violinen sowie Trios für zwei Violinen und Bass. Louis Spohr fand, dass seine Werke zwar »gewisser Originalität« nicht entbehrten, aber durch »etwas Erkünsteltes, Manieriertes und Veraltetes im Stil« meistens kalt ließen. Ein Standardwerk dagegen schuf Baillot mit seinem Unterrichtswerk »L'art du violon« (1834).

thematisch und inhaltlich aufgegriffen und gesteigert wird.

In den letzten Quartetten haben kritische Betrachter wiederholt ein Nachlassen der Kräfte, ein Erstarren in Manierismen diagnostiziert. Richtiger wäre wohl von einem Altersstil zu sprechen, der in seiner Intimität und Radikalität Parallelen zum späten Beethoven aufweist – wenngleich musikalisch in ganz anderer Art eingelöst. Überraschende Modulationen, opernhafte Gestik und polyfone Durchführung erscheinen verdichtet und bis zum Extremen gegeneinandergestellt: Besonders ernst und streng nimmt sich hierbei das E-Dur-Quartett (Nr. 4) aus, während das F-Dur-Quartett (Nr. 5) eher eine Sphäre entspannten Spiels evoziert. Wie ein gemilderter Rückblick wirkt das a-Moll-Quartett (Nr. 6) mit seiner liedhaften Melodik und schließlich dem erinnernden Zitat der Hauptthemen der ersten drei Sätze im Finale.

Wirkung Die Quartette sind, zumindest teilweise, gerade in Deutschland recht ausgiebig rezipiert worden, wie überhaupt Cherubini im 19. Jahrhundert als der deutschen Musikgeschichte zugehörig empfunden wurde. Dass die Werke vom gewohnten Gang der Gattung erheblich abwichen, ist immer wieder irritiert festgestellt worden, so von Robert Schumann in einer Rezension aus dem Jahr 1838: »Es ist nicht die trauliche Muttersprache, in der wir angeredet werden, es ist ein vornehmer Ausländer, der zu uns spricht: Je mehr wir ihn verstehen lernen, je höher wir ihn achten müssen.«　　　WA

Einspielungen (Auswahl)
• Melos Quartett, 1975; Deutsche Grammophon

Weitere Werke

Streichquintett e-Moll

Sätze 1. Grave assai – Allegro commodo, 2. Andante, 3. Scherzo, 4. Allegro
Entstehung Juli–Oktober 1837
UA (privat) Winter 1838 Paris
Verlag Edizioni Zanibon (über Peters)
Spieldauer ca. 20 Minuten

Entstehung Das Quintett entstand nach den Streichquartetten, als eine der letzten Kompositionen Cherubinis. Zum Zeitpunkt der Niederschrift war er 77 Jahre alt.

Musik Im Gegensatz zu den teilweise extremen Stileigentümlichkeiten in der Tonsprache der letzten Streichquartette (1834–37) bewahrt das Quintett einen unproblematischeren Tonfall, wirkt frischer und leichter komponiert. Cherubini verwendet die von seinem Landsmann Boccherini begründete Besetzung mit zwei Violinen, Bratsche und zwei Celli, die seit Mozart so ziemlich durch die »klassische« mit zwei Bratschen verdrängt worden war.

Auffallende formale Züge sind vor allem die wiederholte Durchführung im Kopfsatz, die überdies das Seitenthema in kühner Modulation über B-, C- und Des-Dur führt, und das ins Finale eingeschobene Larghetto. Klanglich ist die Faktur des Werkes durch die Traditionen brillanter Kammermusik französischen Zuschnitts geprägt, so in der konzertanten Selbstständigkeit des ersten Cellos und in den virtuosen Variationen des zweiten Satzes. Insgesamt ist der frische erfindungsreiche Gestus des Ganzen frappierend und einnehmend.

Wirkung Da das Quintett erst 1890 (bezeichnenderweise in Leipzig und nicht in Frankreich – so hatte sich das Zentrum der Cherubini-Rezeption bereits verschoben) gedruckt wurde, kann von einer kontinuierlichen Wirkungsgeschichte keine Rede sein.

Es ist allerdings bekannt, dass Cherubini das Quintett im Winter 1838 einigen Freunden vorspielen ließ. Der Musikpublizist François-Joseph Fétis, einer der Anwesenden, hat die Wirkung der Musik dabei anerkennend, wenn auch etwas taktlos beschrieben: Die Komposition sei, so Fétis, »durch eine Ursprünglichkeit des Einfalls charakterisiert, die niemand bei einem Manne für möglich gehalten habe, der sozusagen mit einem Fuß bereits im Grabe stand«.　　　WA

Copland | Aaron

* 14. 11. 1900
New York
† 2. 12. 1990
New York

103007

Dem breiten Publikum wurde Copland vor allem mit seiner »Fanfare for the Common Man« (komponiert 1942) bekannt – anlässlich der Olympischen Sommerspiele 1976 in Montreal. Entgegen der weitverbreiteten Meinung besteht sein Werk keineswegs vor allem aus »borrowed melodies«, aus Adaptationen von Folkloremusik und Jazzrhythmen. Nur in einer kleinen Anzahl von Werken hat der Komponist auf Volksweisen zurückgegriffen und auf Jazz in noch geringerem Maße.

Copland war Sohn litauisch-polnischer Immigranten. Er begann früh mit dem Klavier- (bei Victor Wittgenstein und Clarence Adler) sowie einem Kompositionsstudium (bei Rubin Goldmark). Von 1920 bis 1924 war er in Paris Schüler von Paul Vidal und Nadia Boulanger. Zurück in den USA, gründete er 1928 zusammen mit Roger Sessions die Copland/Sessions-Konzerte zur Förderung zeitgenössischer amerikanischer Musik. Er lehrte u. a. von 1935 bis 1944 sowie 1951/52 an der Harvard University, Cambridge. Für sein Werk erhielt er zahllose Preise, darunter 1945 den Pulitzer Prize und den New York Music Critics' Circle Award sowie 1950 den Oscar (für die Musik zum Film »The Heiress«).

Folklore wird von Copland hauptsächlich in seinen berühmten Balletten zitiert – in »Billy the Kid« (1938), »Rodeo« (1942) und »Appalachian Spring« (1943/44). Volksmusikmotive sind dabei nicht bloß in den musikalischen Fluss »eingeklebt«, sondern vielfach bearbeitet, häufig bloß Basismaterial. Nach »Appalachian Spring«, spätestens aber nach der Oper »The Tender Land« (1954) hatte sich das Interesse des Komponisten an »borrowed melodies« erschöpft. Im Alter komponierte Copland immer weniger, trat nur mehr als Dirigent hervor und als »großer alter Mann« der amerikanischen Musik.

Verglichen mit dem sinfonischen Œuvre von Aaron Copland ist sein kammermusikalisches Werk schmal. In seiner Jugend versuchte sich der Komponist mehrmals in diesem Genre – doch die damals geschriebenen Stücke blieben unveröffentlicht. Kleinere Werke für Streichquartett (»Rondino«, »Lento espressivo«, beide aus dem Jahr 1923, Letzteres erst 1984 uraufgeführt) und ein »Lento molto« (1928) sind die ersten gedruckten Kammerkompositionen. Das einsätzige Klaviertrio »Vitebsk« (1927–29) mit dem Untertitel »Studie über ein jüdisches Thema« entstand nach einem russisch-jüdischen Volkslied. Das Sextett für Streichquartett, Klarinette und Klavier nach der »Short Symphony« (1933), 1936 uraufgeführt, zitiert im letzten Satz (»Precise and rhythmic«) Musik aus dem deutschen Film »Der Kongress tanzt«.

Nach der Violinsonate (1942/43) komponierte Copland 1950 ein Klavierquartett, dem er – von Schönbergs Zwölftontechnik beeinflusst – eine Reihe von elf (!) Tönen zugrunde legte, die an eine Ganztonskala erinnert. Ein Nonett (für drei Violinen, drei Bratschen und drei Celli, 1960), das Duo für Flöte und Klavier (1971) und die beiden »Threnodies« für Igor Strawinsky (1971) und Beatrice Cunningham (1973) folgten.   PE

Sonate für Violine und Klavier

Sätze 1. Andante semplice – Allegro – Twice as slow (Tempo I), 2. Lento, 3. Allegretto giusto – Presto – Tempo I (Twice as fast) – Poco meno mosso – Presto – Molto allargando (Twice as slow) – Tempo of Movement I (Andante)
Entstehung 1942/43
UA 17. Januar 1944 New York
Verlag Boosey & Hawkes
Spieldauer ca. 17 Minuten

Entstehung Copland hat mit der Komposition seiner Violinsonate 1942 in Oakland, New Jersey, begonnen und sie im Jahr darauf in Hollywood fertiggestellt. Das zur gleichen Zeit entstandene Ballett »Appalachian Spring« scheint nicht ohne Einfluss auf die Sonate geblieben zu sein; sie zeitigt starke Affinität zur amerikanischen Folklore, wenngleich die gesamte Musik die eigene Erfindung des Komponisten ist. Das Werk ist Leutnant Harry H. Dunham gewidmet, einem nahen Freund Coplands, der 1943 bei einer Militäroperation im Südpazifik fiel.

Musik Der erste Satz weist Sonatenform auf. Die langsame Einleitung bringt zunächst einige Akkordblöcke des Klaviers (die in der rechten Hand zwischen A- und D-Dur changieren, während der Bass der linken Hand im Wechsel zwischen G^1 und A^1 schon auf G-Dur zielt), sie beschwören den Tonfall von kirchlichen Hymnen aus Neuengland. Dann führt die Violine ein fünftöniges Motiv, d-e-H-G-d, vor, das zum Motto des gesamten Satzes wird. Die quasi simultane Verwendung von Tonika- und Dominantharmonien in der Einleitung wird aufgegriffen und weiterentwickelt, wenn die Violine ein zweites Thema in D-Dur einführt, während das Klavier auf der Wiederholung des ersten Themas größtenteils in G-Dur beharrt. Der Charakter des gesamten Satzes wechselt zwischen kontrapunktischer, hauptsächlich kanonischer Entwicklung des Materials und lyrischen Einschüben der Violine, unterbrochen von kadenzierenden Phrasen des Klaviers.

Der zweite Satz, Lento, ist in der Bogenform A-B-A gehalten. Besonders dieser Abschnitt zeugt von der bewussten Schlichtheit der musikalischen Textur, die dem Komponisten in diesem Werk so wichtig war: Eine einfache Melodie aus auf- und absteigenden pentatonischen Skalen im Klavier ist die wellenhaft wiegende Begleitung zum modalen ersten Thema des Satzes, das Cantus-firmus-artig in der Violine auftaucht. Das zweite Thema wird aus absteigenden e-Moll- und G-Dur-Dreiklängen gebildet.

Das Finale setzt ohne Pause ein und hat die Form eines modifizierten Rondos: A-B-C-A-B-C-A-C-Coda. Das erste Thema, von der Violine ohne Begleitung gespielt, gibt sich fugenhaft und wird später im Wechselspiel mit dem Klavier kanonisch behandelt, ist aber keine Fuge. Das zweite Thema, obwohl mit dem ersten verwandt, geriert sich lyrischer. Auch das dritte Thema geht aus dem ersten hervor. Alle drei Themen kehren in der gleichen Reihenfolge, doch mit weiterentwickeltem Material, wieder. Nach dem energischen Höhepunkt beruhigt sich der ungestüme Vorwärtsdrang des Satzes, die Coda führt zur Einleitung des Werks zurück. Die Mottofigur des Anfangs, auf ihre ersten vier Noten reduziert, beschließt die Violinsonate in elegischer Stimmung.

Wirkung Die Uraufführung des Werks fand am 17. Januar 1944 in New York statt. 1983 erstellte Copland eine Alternativfassung für Klarinette und Klavier. Die Originalfassung hat der Komponist mit dem Geiger Isaac Stern für die Schallplatte eingespielt. PE

Einspielungen (Auswahl)
- Anne Akiko Meyers (Violine), André-Michel Schub (Klavier), 1994, (+ Werke von Baker, Ives und Piston); BMG/RCA

Duo für Flöte und Klavier

Sätze 1. Flowing, 2. Poetic, somewhat mournful, 3. Lively with bounce
Entstehung 1969/71
UA 3. Oktober 1971 Philadelphia
Verlag Boosey & Hawkes
Spieldauer ca. 14 Minuten

Entstehung Das »Duo for Flute and Piano« war ein Auftrag von Schülern und Freunden von William Kincaid, dem langjährigen ersten Flötisten des Philadelphia Orchestra, und entstand in den Jahren 1969 und 1971. In diesem Werk kehrt Copland zum »einfachen, tonalen, harmonischen und melodischen Tonfall seiner Violinsonate zurück« (Neil Butterworth).

Musik In einem Gespräch mit dem amerikanischen Komponisten und Musikschriftsteller Philip Ramey gab Aaron Copland die folgende Beschreibung des Werks: »Es ist ein lyrisches Stück in recht pastoralem Stil. Schon per definitionem musste es das eigentlich sein, denn kann man etwas Größeres für Flöte schreiben, das nicht die ›gesanglichen‹ Qualitäten dieses Instruments betont? Natürlich könnte man sich zunächst auf überspannte Effekte beschränken, aber das lyrische Moment ist meiner Meinung nach in dieses Instrument ›eingebaut‹.«

Alle drei Sätze sind in der dreiteiligen A-B-A-Form gehalten, wobei der erste Coplands Hang zur Bogenstruktur besonders deutlich spiegelt. Er wird mit einer Solopassage der Flöte eröffnet; die Einleitungstakte klingen kurzatmig, es sind Fragmente einer modalen Melodie in Phrasen von oft nur drei Noten in ständigem Auf und Ab. Wenn das Klavier hinzutritt, begleitet es den Solisten zu einer Melodie, die dem Ballett »Appalachian Spring« entnommen sein könnte. Mit zunehmendem Tempo verliert sich die Kurzatmigkeit des Anfangs, beide Instrumente wechseln sich mit fließenden Melodien ab. Nach einem Abschnitt, der als Durchführung der schnellen Satzteile definiert werden mag, kehrt die Musik in umgekehrter Reihenfolge zur Thematik der Einleitungstakte zurück.

Der langsame zweite Satz ist durch einen nahezu konstanten Orgelpunkt in der linken Hand des Klaviers, der Assoziationen mit einer Totenglocke hervorruft, geprägt. Die Flöte hält mit einer freien melodischen Linie, in Tonalität und Rhythmus vom Klavier völlig unabhängig, dagegen; ihre »sangbare Melodie scheint wie geschaffen, mit Worten versehen zu werden« (Butterworth). Dieser zentrale Abschnitt stellt das »emotionelle Herz« des ganzen Stücks dar, wobei die Flöte in hohen Lagen zu intensivstem Ausdruck kommt. Wie im ersten Satz kehrt das Geschehen auch hier in variierter Form zu den Einleitungstakten zurück. Copland urteilte, der mittlere Satz sei der »am wenigsten komplexe, formal (eine dreiteilige Struktur) wie vom Standpunkt melodischer Konstruktion. Ich glaube, dass er gut gelang – er hat eine bestimmte Stimmung, die ich mit mir selbst in Verbindung bringe; eine eher traurige und wehmütige Stimmung, denke ich.«

Copland komponierte »Threnody I« zum Gedenken an den Komponisten Igor Strawinsky. Dieser starb am 6. April 1971 im Alter von 88 Jahren in New York. Auf seinen Wunsch hin wurde er auf dem Inselfriedhof San Michele in Venedig beigesetzt.

Das Finale schließt attacca an; es ist ein modifiziertes Rondo im Stil eines frischen Tanzes, der seine Wurzeln in Coplands populären Balletten nicht verleugnen kann. »Der letzte Satz in freier Form steht in starkem Kontrast dazu, denn er ist lebendig, hell und temperamentvoll«, schreibt Copland.

Wirkung Das Duo wurde am 3. Oktober 1971 an der Settlement Music School in Philadelphia durch die Flötistin Elaine Shaffer und Hephzibah Menuhin, Yehudi Menuhins Schwester, uraufgeführt. PE

Einspielungen (Auswahl)
• Jeanne Baxtresser (Flöte), Israela Margalit (Klavier), 1995 (+ Klavierquartett, Rodeo, Violinsonate); EMI

Threnody I: Igor Strawinsky, in memoriam (1971)

Threnody II: Beatrice Cunningham, in memoriam (1973)

Entstehung »Threnodie« (Trauergesang) nennt Copland zwei Kammermusikwerke, die er im Andenken an den Komponistenkollegen Igor Strawinsky und die persönliche Freundin Beatrice Cunningham verfasst hat. »Threnody I: Igor Strawinsky, in memoriam« für Flöte und Streichtrio vollendete er am 19. September 1971. Die Komposition erschien erstmals in »Tempo«, der Zeitschrift des Verlags Boosey & Hawkes; nachträglich revidierte Copland das Werk, fügte ihm noch sieben Takte (vor dem Eintritt der Flöte) hinzu. »Threnody II: Beatrice Cunningham, in memoriam« datiert aus dem Jahr 1973.

Musik »Threnody I« für Flöte, Violine, Viola und Cello ist eine Miniatur: Das mit »Lento, espressivo« bezeichnete Werk dauert nur zwei Minuten und hat in den Streichern die Form einer Passacaglia, während das Lamento der Flöte frei strömt. »Kein Zweifel, dass Strawinsky die Ökonomie dieser schlichten Fingerübung in Kontrapunkt bewundert hätte«, meint Neil Butterworth.

»Threnody II« für Altflöte, Violine, Viola und Cello, mit »Slowly« überschrieben, ist ein etwas umfangreicheres (ca. viereinhalb Minuten Spieldauer) und komplizierteres Werk. Es basiert auf einer Grundreihe, die zuerst solistisch von der Bratsche vorgetragen wird. Die ebenfalls unbegleitete Altflöte hält das Geschehen insofern in der Balance, als sie anschließend diese Reihe im Krebsgang wiedergibt. Das Zentrum des Werks baut seine Spannung aus melodischen Linien, die der Grundreihe entnommen sind. Die Coda ist eine variierte Version der Einleitungstakte.

Wirkung »Threnody I« wurde im April 1972 in London uraufgeführt, »Threnody II« am 1. Juni 1973 im kalifornischen Ojai. PE

Einspielungen (Auswahl)
• Fenwick Smith (Flöte), Stephanie Chase (Violine), Katherine Murdoch (Viola), Ronald Thomas (Violoncello), 1989; Northeastern

Corelli | Arcangelo

* 17. 2. 1653
Fusignano
† 8. 1. 1713
Rom

100563

Arcangelo Corelli ist der erste Komponist, der seinen Ruhm allein der Instrumentalmusik verdankt. Er war der herausragende Vertreter der italienischen Violinmusik seiner Zeit und wirkte als Komponist, Lehrer, Solist und Kapellmeister hauptsächlich in Rom. Er standardisierte instrumentale Genres des 17. Jahrhunderts wie Sonate und Konzert und prägte

dadurch die spätbarocken Gattungen Solosonate, Triosonate und Concerto grosso.

Zu Corellis Schülern gehören so bedeutende Musiker wie Francesco Geminiani und Pietro Locatelli. Auch ausländische Komponisten wie Georg Muffat und der junge Georg Friedrich Händel zog es nach Rom, um bei Corelli die italienische Violinmusik und den neuen Concertogrosso-Stil zu studieren. Gemessen an dem relativ kleinen Œuvre war Corellis Einfluss auf seine Zeitgenossen und auch auf die nachfolgende Generation ungewöhnlich groß.

Geboren als Sohn einer wohlhabenden Familie in Fusignano, erhielt Corelli bereits früh Violinunterricht bei einem Priester in Faenza. 1666 nahm er Unterricht bei Giovanni Benvenuti und Leonardo Brugnoli in Bologna, zwei Schülern des Begründers der Bologneser Violinschule, Ercole Gaibara. Bereits 1670 wurde Corelli, gerade 17-jährig, in die Accademia Filarmonica aufgenommen. Bald darauf siedelte er nach Rom über und nahm in den Jahren 1676 bis 1679 an großen Oratorienaufführungen unter der Schirmherrschaft Kardinal Benedetto Pamphilis teil. 1684 ist er zusammen mit Alessandro Scarlatti als Mitglied der Congregazione dei Virtuosi di Santa Cecilia verzeichnet. Im gleichen Jahr begann Corelli, regelmäßig für Kardinal Pamphili zu spielen, und sorgte darüber hinaus für das Engagement und die Bezahlung der Musiker seines Dienstherrn. Pamphilis Akademien galten in Rom als gesellschaftliche Ereignisse ersten Ranges, und Corelli führte hier auch seine eigenen Konzerte auf. 1687 wurde er vom Kardinal zum »maestro di musica« ernannt und leitete fortan die großen Oratorien- und Opernaufführungen im Palazzo al Corso. Als Pamphili drei Jahre später nach Bologna übersiedelte, trat Corelli in den Dienst des Kardinals Pietro Ottoboni, der ihm ebenfalls die Leitung seiner Hofkapelle übertrug. 1706 wurde er zusammen mit Alessandro Scarlatti und Bernardo Pasquini in die unter der Schirmherrschaft Ottobonis stehende Accademia dell'Arcadia aufgenommen.

Corelli hat in Rom insgesamt fünf Sammlungen zu je zwölf Sonaten veröffentlicht: die Triosonaten op. 1 (1681), op. 2 (1685), op. 3 (1689) und op. 4 (1694) sowie die Violinsonaten op. 5

(1700). Seine Konzerte, die den konzertierenden Stil mit Prinzipien der Kirchen- und Kammersonate verbinden, hatte Muffat schon 1681/82 in Rom kennengelernt. Doch erst 1714 brachte Corellis Schüler Matteo Fornari die zwölf Concerti grossi op. 6 posthum in Amsterdam heraus. MÖ

Sonaten für Violine und Basso continuo op. 5

Entstehung Zum Abschluss der Werkreihe von insgesamt 60 Sonaten veröffentlichte Corelli in Rom nach den Triosonaten op. 1–4 (1681–94) zwölf Sonaten für Violine und Basso continuo op. 5. Der Originaldruck der Violinsonaten ist zwar ohne Jahreszahl erschienen, doch die Widmung für die Kurfürstin Sophie Charlotte von Brandenburg ist auf den 1. Januar 1700 datiert. 1710 autorisierte Corelli eine Neuausgabe bei Estienne Roger in Amsterdam mit zusätzlichen Verzierungen, die eindrucksvoll die Vielfalt barocker Aufführungspraxis dokumentieren.

»La Follia« – ein berühmtes Thema

Der Name »Folia« (portugiesisch für Tollheit) tauchte um das Jahr 1500 in Portugal erstmals als Bezeichnung für Tanz- und Gesangsdarbietungen auf. Im 17. Jahrhundert dann stand der Name – jetzt auch häufig ins Französische übertragen und erweitert zu »Les Folies d'Espagne« – für ein bestimmtes, gleichbleibendes harmonisches Modell mit einer sarabandenartigen Oberstimme. »La-Follia«-Variationen wurden zur regelrechten Mode. Berühmt sind bis heute vor allem die entsprechenden musikalischen Auseinandersetzungen mit dem Thema von Arcangelo Corelli aus seinen zwölf Violinsonaten op. 5. Der französische Komponist Marin Marais veröffentlichte 1701 im zweiten Band seiner »Pièces de viole« 32 Variationen über »Les Folies d'Espagne«. Die Originalbesetzung verlangt Gambe und Basso continuo. Im Vorwort betonte der Komponist indes, er sei bedacht gewesen, die Stücke so zu komponieren, dass sie auch auf anderen Instrumenten gespielt werden könnten.

Musik Die Violinsonaten op. 5 bestehen aus sechs Kirchen- und fünf Kammersonaten sowie den abschließenden »La-Follia«-Variationen.

In den sechs Kirchensonaten ergänzt Corelli die viersätzige Form aus seinen Sonaten op. 1 und op. 3 um einen fünften schnellen Satz. Er folgt in der Regel auf das erste Allegro (Satzfolge: langsam–schnell–schnell–langsam–schnell); nur in der dritten und fünften Sonate steht er vor dem Finale (langsam–schnell–langsam–schnell–schnell).

Die langsamen Sätze sind stets homofon und lassen der Violine Raum für die von Corelli selbst autorisierten Verzierungen der Melodie, die »Graces«. Im Unterschied zum Kopfsatz steht das zweite Adagio zumeist in der Paralleltonart. Das erste Allegro beginnt in der Regel mit einem Fugato. Dabei übernimmt die Violine durch ihr mehrstimmiges, polyfones Spiel selbst die Quintbeantwortung des Themas, bevor der Bass in das Fugato eingreift, das zumeist in konzertierende Solopassagen der Violine mündet. Der eingeschobene Allegrosatz ist homofon, verzichtet auf mehrstimmige Passagen und verlegt sich auf charakteristische Spielfiguren der italienischen Violinmusik, insbesondere auf Arpeggien. Das Finale ist oft tanzartig im Stil einer Gigue und wird in der Sonate Nr. 5 auch »Giga« genannt. Es ist teils homofon (Nr. 3), teils imitatorisch (Nr. 4) und beginnt manchmal im Fugato (Nr. 6).

Die fünf Kammersonaten aus Opus 5 bestehen aus einer Folge von vier bis fünf Tänzen mit einleitendem Preludio im langsamen Tempo. Vereinzelt tauchen tanzfreie Sätze auf, insbesondere kurze Adagios mit Überleitungscharakter, wie in der Sonate Nr. 9. Die Sonate Nr. 11 ist eine Mischform der Sonatentypen »da Chiesa« und »da Camera«, da sie bis auf das Finale (Gavotta) aus tanzfreien Sätzen besteht. In der Regel verwendet Corelli jedoch die Tänze Allemanda, Corrente, Sarabanda, Gavotta und Giga, allerdings nicht zusammen in einer Sonate. Corelli verzichtet in den Kammersonaten zwar auf jegliche Form mehrstimmigen Spiels, nicht aber auf imitatorischen Wettstreit zwischen Violine und Bass. Solche Passagen finden sich vor allem im Preludio (Nr. 8 und 9), in der Allemanda (Nr. 8) und in der Giga (Nr. 7 und 9).

Den virtuosen Ausklang der zwölf Sonaten bilden die berühmten »La-Follia«-Variationen. Diese basieren auf einem achttaktigen »harmoniekonstanten« Modell. Sie sind keine Basso-ostinato-Variationen im engeren Sinne, da nicht die Bassmelodie, sondern das harmonische Schema wiederholt wird. Die Variationen sind sehr kontrastreich angelegt und weisen zum Teil unterschiedliche Satzbezeichnungen auf. Die Variationen demonstrieren die Kunst der Bogenführung, wie sie im Italien des ausgehenden 17. Jahrhunderts praktiziert wurde. Dazu gehören Doppelgriffe, Arpeggien, das Spiel in der Bariolage und teilweise sogar kadenzartige Abschnitte über einem Tasto-solo-Orgelpunkt. Auch das Cembalo nimmt aktiv an den Variationen teil und imitiert dabei die Violinpassagen.

Wirkung Die Violinsonaten op. 5 sind Corellis bekannteste Sonatensammlung. Im Jahr 1700 kamen sie nicht nur in Rom, sondern auch in Bologna, London und Amsterdam heraus, und bis zum Ende des 18. Jahrhunderts erschienen nicht weniger als 42 Editionen. Vor allem in England wurden Corellis Werke durch die Veröffentlichungen von John Walsh bekannt, der von den Violinsonaten im Jahr 1726 u.a. die von Francesco Geminiani verfassten Concerto-grosso-Bearbeitungen verlegte.

Vor allem Barockviolinisten wie Sigiswald Kuijken und Monica Huggett haben die Sonaten auf CD eingespielt. Eduard Melkus hat in seine Interpretation mit der Capella Academica Wien auch Concerto-grosso-Bearbeitungen einbezogen. Flötenbearbeitungen ausgewählter Sonaten sind von Frans Brüggen eingespielt worden. Besondere Beachtung fanden im 20. Jahrhundert die »La-Follia«-Variationen, die auch von Geigern wie Arthur Grumiaux und Yehudi Menuhin interpretiert wurden. MÖ

Einspielungen (Auswahl)
- Eduard Melkus (Violine), Capella Academica Wien, 1972; Archiv Produktion
- Andrew Manze (Barockvioline), Richard Egarr (Cembalo), 2001/02; harmonia mundi

Triosonaten op. 1–4

Entstehung Corelli brachte in Rom insgesamt 48 (4 x 12) Triosonaten op. 1–4 für zwei Violinen und Basso continuo heraus. Die Sonaten op. 1 (1681) und op. 2 (1685) wurden von Giovanni Angelo Mutij verlegt. Nachdem Mutij seine Druckerei vorübergehend geschlossen hatte, übertrug Corelli Giovanni Giacomo Komarek den Druck der Triosonaten op. 3 (1689) und op. 4 (1694). Die Sonaten op. 1 widmete Corelli der in Rom lebenden Königin Christina von Schweden, bei der er vorübergehend als Kammermusiker angestellt war. Die Sonaten op. 2 sind seinem nächsten Dienstherrn, dem Kardinal Benedetto Pamphili, zugeeignet; die Sonaten op. 3 dedizierte er dem Herzog Francesco II. d'Este von Modena, der ihn an seinem Hof verpflichten wollte. Nachdem Corelli 1690 in den Dienst des Kardinals Pietro Ottoboni getreten war, widmete er ihm sogleich die Sonaten op. 4.

Musik Mit den Kirchensonaten op. 1 und op. 3 etablierte Corelli die viersätzige Form der So-

nata da Chiesa mit der Satzfolge langsam–schnell–langsam–schnell, die für die spätbarocke Triosonate richtungweisend war. Nur noch wenige Sätze sind nach Art des älteren Kanzonentyps aus mehreren kontrastierenden Abschnitten gebaut. Der langsame Kopfsatz der Sonata da Chiesa ist geradtaktig und beginnt in den Oberstimmen oft homorhythmisch in Terzen. Im weiteren Verlauf werden die beiden Violinen in der Regel gleichberechtigt geführt.

Der erste schnelle Satz ist meistens ebenfalls geradtaktig und beginnt häufig im Fugato mit einer regulären Quintbeantwortung des Themas, manchmal sogar mit festgehaltenem Kontrapunkt, beispielsweise im zweiten Satz der Sonate op. 1 Nr. 3. Das Fugato, an dem neben den Violinen zuweilen auch der Bass beteiligt ist, geht meist in konzertierende Abschnitte über. Der zweite langsame Satz ist in der Regel ungeradtaktig und homofon, manchmal auch imitatorisch wie in den Sonaten op. 3 Nr. 3 und Nr. 7. Er ist generell ruhiger als der Kopfsatz und steht vereinzelt in der Paralleltonart wie in den Sonaten op. 3 Nr. 2 und Nr. 7. Der abschließende schnelle Satz beginnt häufig imitatorisch und ist oft tanzartig nach Art einer Gigue komponiert.

Die drei- bis viersätzigen Kammersonaten op. 2 und op. 4 bestehen aus einer Folge von Tänzen, vor allem Allemanda, Corrente, Sarabanda, Gavotta und Giga, die von einem Preludio eingeleitet wird. Wenn die Sonaten op. 2 auch stets mit einer Allemanda beginnen und in den meisten Fällen mit einer Giga schließen, so ist die Reihenfolge der Tänze doch sehr verschieden. Überhaupt verwendet Corelli die Tänze keineswegs als Gebrauchstänze, sondern als mehr oder weniger freie Formen. Das belegen insbesondere die unterschiedlichen Tempobezeichnungen, die zum Beispiel für die Allemanda von largo bis presto reichen. Aus diesem Grund gibt es auch keinen motivischen Zusammenhang mehr zwischen dem ursprünglichen Tanzpaar Allemande und Courante, das manchmal sogar in umgekehrter Reihenfolge erscheint wie in den Sonaten op. 4 Nr. 1 und Nr. 11. Der Einleitungssatz ist nicht der einzige tanzfreie Satz in Corellis Kammersonaten. In den Sonaten op. 4 finden sich häufig langsame Sätze (Grave oder Adagio), die zum nächsten Tanzsatz überleiten wie etwa in den Sonaten Nr. 2 und Nr. 7.

Die Triosonate des Barock

Die von Corelli wesentlich geprägte Gattung der Triosonate entwickelte sich aus verschiedenen Formen der Musikpraxis wie der Orchesterkanzone, bei der Prinzipien der dreistimmigen Vokalmusik auf eine rein instrumentale Komposition übertragen wurden. Im Bestreben, die Stimmenanzahl zu reduzieren und die Generalbasspraxis in solistische Ensembles einzubeziehen, kristallisierte sich so mit der Triosonate eine der bedeutendsten musikalischen Gattungen des Barock heraus. Ihre Besetzung erfolgte nach dem Prinzip, zwei Melodieinstrumente in Diskantlage dialogisch einander gegenüberzustellen und diese dann mit einem Instrument zu verbinden, das die Bassstimme übernimmt. Gewöhnlich wurden dazu zwei Violinen, zwei Flöten, Violine und Flöte oder Zink und Oboe verwendet und mit Cembalo oder Orgel kombiniert. Ursprungsregion der Triosonate war Oberitalien. Die ersten Werke sind von Lodovico Grossi da Viadana (»Canzon francese«, 1602) und Salomone Rossi (»Sinfonie e gagliarde«, 1607) bekannt. Mitte des 17. Jahrhunderts breitete sich die Triosonate bis nach Deutschland und England aus.

Kirchen- und Kammersonaten sind unterschiedlich besetzt. Die Kirchensonaten op. 1 und op. 3 sind für zwei Violinen und Basso continuo komponiert, der sich aus »Violone ò Arcileuto col Basso per l'Organo« zusammensetzt. Die Besetzung der Kammersonaten op. 2 und op. 4 sind hingegen in den Drucken mit »doi Violini, e Violone, ò Cimbalo« angegeben. Sie lassen sich somit auch als Streichtrio spielen.

Wirkung Vermutlich hat Corelli die Sonaten op. 2 und op. 4 selbst mit seinem Freund und Schüler Matteo Fornari und dem Cellisten Giovanni Lorenzo Lulier gespielt. Darüber hinaus standen ihm für die Ausführung seiner Triosonaten der Cembalist Bernardo Pasquini und der berühmte Lautenist Gaetano zur Verfügung. Die Sonaten sind noch zu Lebzeiten Corellis ungewöhnlich oft nachgedruckt und dadurch international verbreitet worden. Einschließlich der Violinsonaten op. 5 sind insgesamt zehn Nachdrucke in Rom, 18 in Bologna, 15 in Venedig und vier in Modena erschienen. Später sorgte vor allem Corellis Schüler Francesco Geminiani für die Verbreitung der Werke in England, indem er von einigen Sonaten Concerto-grosso-Bearbeitungen veröffentlichte.

Corellis unterschiedliche Besetzungsangaben werden bei heutigen CD-Einspielungen berücksichtigt. Dementsprechend besetzen Interpreten wie das Ensemble London Baroque und die Mitglieder des English Concert um die Violinisten Micaela Comberti und Simon Standage die Kirchensonaten mit zwei Violinen, Violoncello oder Erzlaute und Orgel, die Kammersonaten mit zwei Violinen, Violoncello und Cembalo.   MÖ

Einspielungen (Auswahl)
- Triosonaten op. 1 & op. 3: London Baroque, 1990; Harmonia Mundi
- Triosonaten op. 2 & op. 4: London Baroque, 1990; Harmonia Mundi

Couperin | François

* 10. 11. 1668
Paris
† 11. 9. 1733
Paris

100880

François Couperin, genannt »le Grand«, ist das herausragende Mitglied der berühmten französischen, aus Organisten, Clavecinisten und Komponisten bestehenden Musikerfamilie. Er gilt heute als der bedeutendste französische Komponist zwischen Jean-Baptiste Lully und Jean-Philippe Rameau.

In Paris geboren und aufgewachsen, erhielt Couperin den ersten Musikunterricht von seinem Onkel François und vor allem seinem Vater Charles, dem Organisten an der Kirche von St. Gervais. Nach dessen frühem Tod im Jahr 1679 nahm ihn der Hoforganist Jacques Thomelin väterlich unter seine Fittiche. Bereits 1685, im Alter von nur 17 Jahren, übernahm Couperin das Organistenamt seines Vaters an St. Gervais, das übergangsweise Michel-Richard Delalande versehen hatte. 1689 heiratete er Marie-Anne Ansault; aus der Ehe gingen vier Kinder hervor.

1690 erhielt er zum ersten Mal das königliche Privileg, seine Werke drucken und verkaufen zu dürfen. Die im gleichen Jahr veröffentlichten »Pieces d'orgue« mit den beiden Orgelmessen sind leider Couperins einzige erhaltene Orgelmusik. 1693 bestimmte ihn Ludwig XIV. in der Nachfolge seines ehemaligen Lehrers Thomelin zum »Organiste du roi«, das heißt zu einem der vier königlichen Kapellorganisten neben Jean-Baptiste Buterne, Guillaume Gabriel Nivers und

Nicolas-Antoine Lebègue. Zu dieser Zeit komponierte er die ersten Triosonaten, mit denen er maßgeblich zur Einführung der italienischen Triosonate in Frankreich beitrug, obwohl sie erst 1726 in die Sammlung »Les nations« eingingen.

1702 nutzte Couperin die Möglichkeit der Nobilitierung und erhielt das römische Kreuz des »Chevalier de L'Ordre de Latran«. Er war nun auf dem Höhepunkt seiner Karriere, unterrichtete die königliche Familie, gab viele Konzerte in Versailles, Fontainebleau und Sceaux und wirkte darüber hinaus als Hofkomponist. Einige bedeutende kammermusikalische Werke dieser Zeit erschienen später in den Sammlungen »Concerts royaux« (1722) und »Les goûts-réunis« (1724). Neben der geistlichen Musik für die königliche Kapelle, wie den Psalmversetten, Motetten und den bekannten »Leçons de ténèbres«, komponierte Couperin vor allem Cembalowerke.

Nachdem er 1713 das Druckprivileg für weitere 20 Jahre erhalten hatte, veröffentlichte er die vier Bücher der »Pièces de clavecin« (1713, 1717, 1722, 1730) sowie sein viel beachtetes Lehrwerk »L'art de toucher le clavecin« (1716). Im Jahr 1717 löste er Jean-Baptiste-Henri d'Anglebert als »Ordinaire de la musique de la chambre du roi pour le clavecin« ab. 1730, drei Jahre vor seinem Tod, verschlechterte sich Couperins Gesundheitszustand zusehends, sodass er seiner talentierten Tochter Marguerite-Antoinette die Cembaloverpflichtungen bei Hof und Guillaume Marchand das Amt als Hoforganist übergeben musste. MÖ

Gambenstücke

Entstehung In den 1720er-Jahren begann Couperin seine Kammermusik zu sammeln und in zweijährigen Abständen in Paris zu veröffentlichen. Auf die »Concerts royaux« (1722) folgten »Les goûts-réunis ou nouveau concerts« (1724) und »Les nations« (1726). Im Jahr 1728 gab er die »Pièces de violes avec la basse chifrée« heraus, mit denen er die Werkreihe abschloss. Anschließend verlegte er nur noch das vierte Buch der »Pièces de clavecin« (1730).

Musik Die »Pièces de violes« sind für zwei Viole da Gamba und ein Generalbassinstrument komponiert. Couperin schrieb sie für die siebensaitige französische Form des Instruments mit der Stimmung $_1$A-D-G-c-e-a-d^1. Um 1675 hatte Sieur de Sainte-Colombe der sechssaitigen Viola da Gamba eine siebte Saite hinzugefügt. Die Beliebtheit des Gambenspiels hat in Frankreich eine lange Tradition und erreichte ihren Gipfelpunkt vor allem durch Couperins Zeitgenossen Marin Marais, den bedeutendsten französischen Gambisten der Barockzeit.

Nachdem Couperin um 1685 die Triosonaten Arcangelo Corellis kennengelernt hatte, versuchte er französische und italienische Stilelemente zu einem vermischten Geschmack zu verknüpfen. Wie er sich diesen vorstellte, hat er auch in den übrigen kammermusikalischen Sammlungen eindrucksvoll unter Beweis gestellt. Ähnlich wie in »Les nations« stellt er in den »Pièces de violes« französische Suite und italienische Sonate nebeneinander, obwohl beide Kompositionen als »Suiten« bezeichnet werden.

Der weltweit umjubelte spanische Gambenvirtuose Jordi Savall (hier bei einer Konzertprobe, 1994) setzte mit seinem einzigartigen Interpretationsstil alter Musik neue Maßstäbe. Zu den wenigen CD-Einspielungen der Gambenstücke von Couperin zählt die Aufnahme von Savall mit Ton Koopman am Cembalo.

Marin Marais (Bild) war einer der berühmtesten Gambisten seiner Zeit. Alain Corneaus Kinofilm »Die siebente Saite« erzählt die Geschichte seines Lebens, die Titelrolle spielt Gérard Depardieu.

den typischen dreiteiligen Aufbau der Chaconne mit einem Mollmittelteil zu gewährleisten. Die große Bedeutung des Finales im Vergleich zu den Tanzsätzen erinnert an Johann Sebastian Bachs d-Moll-Partita mit der berühmten Chaconne.

Die »Deuxième Suite« in A-Dur besteht im Unterschied zur ersten Suite aus vier tanzfreien Sätzen mit der Folge langsam–schnell–langsam–schnell. Das formale Schema folgt der italienischen, von Corelli etablierten Kirchensonate. Im Unterschied zu Corelli hat Couperin die Sätze allerdings mit den Satztiteln Prélude, Fuguéte, Pomp funèbre und »La chemise blanche« versehen. Die zweite Gambe wird wesentlich eigenständiger geführt als in der ersten Suite, insbesondere im zweiten, nach italienischem Vorbild gestalteten Fugato (Fuguéte). Mithilfe des prägnanten Themenkopfs findet ein ständiger imitatorischer Wettstreit zwischen den Gamben statt. Die bewegende Trauermusik des Pomp funèbre wird oft mit dem 1728 verstorbenen Gambisten Marin Marais in Verbindung gebracht, obwohl der Satz vermutlich nicht für diesen Anlass komponiert wurde. Das Finale trägt den rätselhaften Titel »La chemise blanche« (das weiße

Die »Première suite« in e-Moll repräsentiert die typisch französische Suite (Ordre) mit einleitendem Prélude und den traditionellen Sätzen Allemande légere, Courante, Sarabande grave, Gavotte und Gigue, gefolgt von einer abschließenden Passacaglia ou Chaconne. Die Tanzsätze sind einfach, gefällig, elegant und reich verziert. Typisch französisch ist zudem der Verzicht auf virtuose Solopassagen zugunsten einer ausdrucksvollen musikalischen Melodieführung und des mehrstimmigen polyfonen Spiels der ersten Gambe, vor allem in den langsamen Sätzen. Die zweite Viola da Gamba übt als Bestandteil der Continuogruppe lediglich Begleitfunktion aus. Abgeschlossen wird die erste Suite von einem Passacaille ou Chaconne genannten Satz, dessen Doppelbezeichnung die Unterschiede zwischen beiden Variationsformen ignoriert. Der Variationssatz ist der längste Satz der Suite, ein echtes Finale, in dem die musikalische Entwicklung und die spieltechnischen Anforderungen noch einmal gesteigert werden. Er steht in der Durvarianttonart, also in E-Dur statt in e-Moll, um

Die Gambe und die »siebente Saite«

Der französische Regisseur Alain Corneau stellte 1991 eine Gambe in den Mittelpunkt seines Kinofilms »Tous les matins du monde« (deutscher Titel: »Die siebente Saite«). Er erzählt darin von den beiden – neben Couperin – wichtigsten Komponisten für das Instrument im 17./18. Jahrhundert: Sieur de Sainte-Colombe (gespielt von Jean-Pierre Marielle) und dessen Schüler Marin Marais (Gérard Depardieu). Als Letzterer seinen Lehrer im Spiel zu übertreffen drohte – so will es die Legende –, wurde er kurzerhand aus dem Unterricht entlassen. Doch schlich er sich heimlich zur Holzhütte des Meisters ... Die besondere melancholische Note von Sainte-Colombe resultierte aus der siebenten (tiefsten) Saite, die er seinem Instrument hinzugefügt hatte. Nach seinem Unterricht bei Sainte-Colombe wurde Marin Marais bereits mit 23 Jahren Gambist am Hof Ludwigs XIV. – ein Amt, das er bis 1725 bekleidete. Als Komponist hinterließ er rund 800 Tanzsätze und Charakterstücke für die Gambe – späte Meisterwerke für das aussterbende Instrument.

Hemd). Es ist ein schneller, virtuoser Satz, der von durchlaufenden Sechzehntelfiguren der ersten Gambe vorwärtsgetrieben wird. Die Gambenpartie steht mit ihren virtuosen Solopassagen, insbesondere den Läufen, Arpeggien und zum Teil typisch italienischen Streicherfiguren auf hohem technischem Niveau.

Wirkung François Couperins Gambenkompositionen, insbesondere die »Pièces de violes«, bilden zusammen mit den Werken von Marin Marais einen letzten großen Höhepunkt in der Literatur des bereits zum Niedergang verurteilten Instruments.

Zu den wenigen CD-Einspielungen gehören die Aufnahmen der Gambisten Wieland Kuijken und Kaori Uemura mit dem Cembalisten Robert Kohnen sowie von Ariane Maurette und Jordi Savall mit Ton Koopman am Cembalo.   MÖ

Einspielungen (Auswahl)
- Wieland Kuijken (Viola da Gamba), Kaori Uemura (Viola da Gamba), Robert Kohnen (Cembalo), 1992 (+ Nouveaux Concerts); Accent

Trios

»Les nations« für zwei Violinen und Basso continuo

Entstehung Anlässlich seines Parisaufenthalts im Jahr 1695 stellte der Musikschriftsteller Sébastien de Brossard ein wenig spöttisch fest, dass »die Pariser Komponisten, und dort vor allem die Organisten, verzweifelt versuchen, Sonaten in italienischer Manier zu schreiben«. Er meinte damit vor allem François Couperin, dessen frühe Triosonaten er selbst abgeschrieben und dadurch der Nachwelt erhalten hat. Es sind die Sonaten »La pucelle«, »La visionnaire« und »L'astrée« mit ihren aus literarischen Werken entlehnten Titeln. Couperin komponierte sie zwar bereits um 1692, nahm sie aber erst in die 1726 in Paris veröffentlichte Sammlung »Les nations« für zwei Violinen und Basso continuo auf – in die Ordres »La françoise«, »L'espagnole« und »La piémontoise«.

Als viertes, neu komponiertes Werk vervollständigt »L'impériale« die Sammlung der vier Ordres, in denen auf jede Sonate eine Suite folgt. Die Suiten wurden speziell für diese Sammlung komponiert, sodass ihre Entstehungszeit auf 1726 bzw. kurz davor zu datieren ist.

Musik Im Vorwort zu »Les nations« bekräftigt Couperin, dass die erste Sonate »La pucelle« nicht nur seine erste Triosonate, sondern die erste in Frankreich komponierte Triosonate überhaupt sei. Angeregt wurde er dazu durch die Werke Arcangelo Corellis, dessen Kirchensonaten op. 1 und op. 3 in der römischen Originalausgabe bereits 1681 und 1689 vorlagen und spätestens durch die Nachdrucke in Amsterdam (1685) sowie Antwerpen (1688/91) auch in Paris bekannt wurden. Eigenen Angaben zufolge schrieb Couperin die frühen Triosonaten unter einem italienischen Pseudonym. Er ließ das Pariser Publikum in dem Glauben, es handele sich dabei um neue italienische Werke. Der Erfolg ermutigte ihn, die nachfolgenden Sonaten wieder unter seinem eigenen Namen aufzuführen.

Couperin war einer der ersten Komponisten in Frankreich, der seine Triosonaten mit schmückenden Titeln versah. Allerdings beweist die großzügige Umbenennung der frühen Sonaten in den Ordres aus »Les nations«, dass es sich keineswegs um Programmmusik, sondern höchstens um charakteristische Musik handelt. In den »Sonates et Suites de Symphonies en Trio«, wie Couperin die Ordres nennt, verknüpft er einerseits die italienische Triosonate Arcangelo Corellis mit der französischen Ballettsuite Jean-Baptiste Lullys; andererseits löst er damit die pompöse Ouvertürensuite Lullys durch die kammermusikalische Sonatensuite ab, indem die Sonate die Funktion eines ausgedehnten Einleitungssatzes übernimmt. Nur in der Verbindung von französischem und italienischem Geschmack (»réunion des goûts français et italiens«) sah er die Vervollkommnung der Ensemblemusik erreicht, die er auch in den übrigen zwischen 1722 und 1728 veröffentlichten Kammermusikwerken erprobt hat. Seinen Vorbildern erwies Couperin in den »Apothéose«-Sonaten »L'apothéose de Corelli« (1724) und »L'apothéose de Lully« (1725) seine Reverenz.

Die sechs- bis zehnsätzigen Suiten enthalten sowohl traditionelle Tänze (Allemande, Courante, Sarabande und Gigue) als auch französische Intermezzi (Menuett, Gavotte, Bourrée und

Rondeau), in den ersten drei Ordres zudem eine Chaconne oder Passacaglia. Die zweite Stimme spielt in den Tänzen eine unbedeutendere Rolle als in den Sonaten und erhebt sich nur selten über die erste.

Couperin übernimmt in »Les nations« nur die äußere Form von Corellis »Sonata da Chiesa« mit der Satzfolge langsam–schnell–langsam–schnell. Die schnellen Sätze sind fugiert, häufig auch unter Beteiligung des Basses. Trotzdem bleiben charakteristische französische Stilelemente erhalten. So verzichtet Couperin beispielsweise auf die Virtuosität italienischer Triosonaten zugunsten einer natürlich fließenden Melodieführung und erweitert außerdem jede Sonate um ein französisches Air.

Wirkung Das Ensemble Musica Antiqua Köln hat in seiner CD-Einspielung von »Les nations« die übliche Triosonatenbesetzung um zwei Traversflöten erweitert, die teilweise mit den Violinen colla parte geführt werden. Damit lassen sich besondere instrumentale Kontraste erzielen. Dass die Triosonaten nicht allein von den Violinen, sondern auch von den in Frankreich sehr beliebten Holzblasinstrumenten gespielt werden konnten, geht aus Couperins Vorwort zu den »Concerts royaux« (1722) hervor. MÖ

Einspielungen (Auswahl)
• Hespèrion XX, 1984, Auvidis Astrée

»Concerts royaux«/»Les goûts-réunis ou nouveaux concerts«

Entstehung Die vier »Concerts royaux« wurden 1722 in Paris als Anhang des »Troisième livre de pièces de clavecin« veröffentlicht. Der Titel bezieht sich auf die Kammerkonzerte am Hof Ludwigs XIV., die Couperin zusammen mit den Hofmusikern Duval, Philidor, Alarius und Dubois für den König gegeben hat. Die »Königlichen Konzerte« wurden speziell für diesen Anlass geschrieben und schon in den Jahren 1714/15 aufgeführt. Im Vorwort der Druckausgabe von 1722 weist Couperin ausdrücklich darauf hin, dass die auf zwei Systemen notierten Werke nicht nur für das Cembalo bestimmt sind. Das obere System

kann auch auf der Violine, Flöte oder Oboe, das untere von der Viole oder dem Fagott gespielt werden. Hinzu kommt ein Generalbassinstrument, gewöhnlich das Cembalo.

An die »Concerts royaux« (Nr. 1–4) knüpfen die zehn »Nouveaux concerts« (Nr. 5–14) der »Les goûts-réunis« an, die 1724 ebenfalls in Paris veröffentlicht wurden. Sie sind ebenfalls explizit für »toutes les sortes d'instruments de musique« geschrieben.

Musik Im Vorwort zu »Les goûts-réunis« betont Couperin den Einfluss, den die italienische Musik auf ihn ausgeübt hat. Konservative Musiker wie Le Cerf de la Viéville befürchteten zwar, dass sich italienische und französische Stilelemente nicht verbinden ließen, ohne dass es den nationalen Stilen schaden würde, doch Couperin entgegnete: »Die ersten italienischen Sonaten, die vor mehr als 30 Jahren in Paris erschienen und die mich zur Komposition eigener Sonaten anregten, schaden meiner Meinung nach weder den Werken Monsieur de Lullys noch meiner Vorfahren.« Mit den italienischen Sonaten waren Arcangelo Corellis Kirchensonaten op. 1 und op. 3 gemeint, die spätestens seit den Druckausgaben von Amsterdam (1685) und Antwerpen (1688/91) auch in Paris bekannt waren. Für Couperin konnte die Musik nur im vermischten Geschmack zur höchsten Vollendung geführt werden. Beispiele hierfür liefern auch die Sammlungen »Les nations« (1726) und »Pièces de violes« (1728).

Die nach Tonarten im Quintabstand (G-D-A-E) geordneten »Concerts royaux« und die »Nouveaux concerts« sind Suiten mit drei bis elf Sätzen. Die meisten Konzerte, darunter die vier »Concerts royaux«, beginnen mit den Sätzen Prélude und Allemande, und auch die übrigen traditionellen Suitensätze Courante, Sarabande und Gigue finden Verwendung. Noch häufiger erscheinen charakteristische französische Tänze wie Menuett, Gavotte, Musette, Rondeau, Rigaudon, Forlane en Rondeau, Loure und Badinage. Hinzu kommen zahlreiche Airs, wie im achten Konzert sowie die Chaconne als Finalsatz in den Konzerten Nr. 3 und Nr. 13.

Das eindrucksvolle Konzert Nr. 8 mit der Überschrift »Dans le goût théâtral« lehnt sich an Lullys Ballettsuiten an. Es beginnt mit einer zweiteiligen französischen Ouvertüre, gefolgt von einem »Grande Ritournéle« und mehreren charakteristischen »Airs à danser«. Auch das folgende »Neuvième Concert« hat mit »Ritratto dell'Amore« eine Überschrift und als einziges Werk deskriptive Satztitel, wie zum Beispiel »Le charme«, »L'enjouement«, »La vivacité« und »La douceur«.

Trotz eines deutlichen Übergewichts an französischen Stilelementen ist der italienische Einfluss deutlich erkennbar. Er zeigt sich vor allem in der imitatorischen Struktur vieler Tänze, die zudem häufig fugiert beginnen, wie beispielsweise die »Allemande fuguée« im zweiten Konzert. Manchmal fehlt den Tänzen die typisch französische Ausprägung, wie zum Beispiel den schnellen Allemandes, in denen Achtel und Sechzehntel überwiegen. Im vierten Konzert erscheint eine »Courante à Italienne«, die Couperin einer »Courante française« gegenüberstellt. Italienischer Provenienz sind schließlich auch zahlreiche tanzfreie Sätze, insbesondere die »Fuguéte«. Sie erscheint in den Konzerten Nr. 7 und Nr. 14 und ist ein Fugato, das formal in die Sonata da Chiesa gehört.

Die Konzerte Nr. 12 und 13 sind für zwei Gamben oder zwei alternative Instrumente ohne Generalbass komponiert. Es handelt sich also um echte Duos. Eine weitere Besonderheit bietet der zweite Satz »Plainte« aus dem zehnten Konzert. Es ist ein Trio für zwei Gamben und Bass (ohne Generalbass).

Wirkung Die »Concerts royaux« werden in der Regel mit den von Couperin im Vorwort vorgeschlagenen Instrumenten gespielt, wie zum Beispiel von den Smithsonian Chamber Players unter Kenneth Slowik, die zusätzlich eine Erzlaute verwenden. Die Gebrüder Kuijken haben die Konzerte mit Lucy van Dael und anderen Musikern auf zahlreichen »historischen« Instrumenten eingespielt. Die instrumentale Klangvielfalt ermöglicht es ihnen, nahezu jeden Satz unterschiedlich zu besetzen.   MÖ

Einspielungen (Auswahl)
- Concerts royaux Nr. 1–4: Barthold Kuijken, Frans Brüggen (Flöte), Sigiswald Kuijken (Violen), Robert Kohnen (Cembalo) u. a., 1971; Seon / Sony BMG
- Concerts royaux Nr. 3 & Nouveaux concerts Nr. 6, 9: London Baroque, Charles Medlam (Viola da Gamba), 1988 (+ Les nations Nr. 1); Musicaphon

Danzi | Franz (Ignaz)

* 15. 5. 1763
Schwetzingen
† 13. 4. 1826
Karlsruhe

100880

Sein großes musikalisches Vorbild war Mozart, sein Lieblingsinstrument die Klarinette. Mit farbenreicher Klangkombination der Bläserstimmen in seinen Werken wurde der Komponist Franz Danzi zum Wegbereiter der Romantik. Vor allem seine neun Bläserquintette zeugen davon.

Danzi wurde zunächst von seinem Vater, einem Berufscellisten, im Cello- und Klavierspiel unterwiesen. Ab etwa 1775 erhielt er zusätzlich Kompositionsunterricht bei Georg Joseph Vogler in Mannheim. Seine erste musikalische Stellung trat der junge Danzi 1779 als Orchestermitglied und Opernrepetitor im neu gegründeten Mannheimer Nationaltheater an, wo er auch Schauspielmusiken komponierte und als Dirigent leitete. Zwei Jahre später wurde er Cellist der Münchner Hofkapelle. Hier trat er im Januar 1784 die Nachfolge seines pensionierten Vaters als Solocellist an. Zusammen mit seiner Frau Margarethe Marchand, einer Opernsängerin, begleitete er zwischen 1790 und 1793 die Opernkompanie des Domenico Guardasoni nach Italien.

Einen seiner größten musikalischen Triumphe feierte Danzi 1798 in München mit dem komischen Singspiel »Die Mitternachtsstunde«. Im gleichen Jahr wurde er Vizekapellmeister der bayerischen Hofkapelle. 1807 wechselte der Musiker als erster Kapellmeister und Direktor des Konservatoriums (mit Leitung der Bläser-klasse) nach Stuttgart. In jenen Jahren schloss Danzi Freundschaft mit dem 30 Jahre jüngeren Carl Maria von Weber, dessen Opern ihm so sehr gefielen, dass er sie auch vermehrt auf den Spielplan setzte, als er 1812 seine letzte Kapell-meisterstelle in Karlsruhe antrat.

In Mannheim zur Komposition von Schauspiel-musiken und in München zur Komposition von Singspielen und von Kirchenmusik verpflichtet, zudem mit acht Sinfonien hervorgetreten, fand Danzi vor allem in seinen letzten Jahren in Karls-ruhe Zeit für kammermusikalische Werke, da-runter seine bedeutenden Bläserquintette op. 56 (1821), op. 67 und op. 68 (beide Sammlun-gen 1822). Ohne Letztere wäre er heute sicher-lich vergessen. STÜ

Bläserquintette

Entstehung Seine insgesamt neun Bläser-quintette – je drei in den Sammlungen op. 56, op. 67 und op. 68 – komponierte Danzi 1821/22 in Karlsruhe. Er knüpfte dabei an Anton Reicha an, der seit 1814 in Paris zum Wegbereiter des Bläserquintetts geworden war. Die Ziele der bei-den glichen einander: die Mischung aus den fünf Bläserstimmen zu einer dem Streichquartett ebenbürtigen Kammermusikgattung zu erhe-ben. Die Erstausgabe der drei Quintette op. 56 erschien in Paris – mit einer Widmung an Reicha.

Musik Die Bläserquintette von Danzi sind von ihrem Charakter her unterhaltsam-elegante Serenadenmusiken im klassischen Stil. Homo-foner Satz herrscht vor, zum Teil wandern die Themen aber auch durch die Stimmen. Führende Instrumente sind im Wechsel Flöte und Oboe; aber auch das Horn (op. 56 Nr. 2 g-Moll, zweiter Satz) und selbst das Fagott (op. 56 Nr. 1 B-Dur, zweiter Satz) können schon mal ein Thema ein-führen. Gegenüber Reicha sind die Quintette melodischer, harmonisch reicher und zugleich formal einfacher gehalten. Danzis bevorzugte Spielanweisung lautet: »piano dolce«.

Alle Quintette sind viersätzig mit einem Me-nuett an dritter Stelle. Das Schwergewicht liegt auf dem ersten, als Sonatensatz gestalteten Ab-schnitt, dem in drei Fällen eine langsame Einlei-tung vorausgeht (op. 56 Nr. 3 F-Dur, op. 67 Nr. 3 Es-Dur und op. 68 Nr. 3 d-Moll). Der als Andante oder Larghetto bezeichnete zweite Satz kann auch schon mal den Charakter eines figurativ umspielten Chorals annehmen (op. 67 Nr. 1 G-Dur). Unter den tänzerischen Schlusssätzen findet sich in einem Fall eine Polacca (op. 68 Nr. 1 A-Dur).

Wirkung Spätestens seit Danzi gilt das Blä-serquintett als bedeutende kammermusikali-sche Gattung. In den letzten Jahren haben diese Werke auch vermehrt wieder aufs Konzertpo-dium zurückgefunden. Eine moderne Ausgabe der neun Bläserquintette ist bei der Edition Pe-ters erschienen. STÜ

Einspielungen (Auswahl)
- Gesamtaufnahme: Das Reicha'sche Quintett, 1996; NCA
- Quintette op. 56: Michael Thompson Wind Quin-tet, 1994 (+ Sextett Es-Dur); Naxos
- Quintette op. 68: Michael Thompson Wind Quin-tet, 1995 (+ Hornsonate op. 44); Naxos

Debussy | Claude

* 22. 8. 1862
Saint-Ger-main-en-Laye
† 25. 3. 1918
Paris

100913

Debussys Name ist fest mit dem Begriff des musikalischen Impressionismus verbunden. Obwohl die Übertragung von Stilbegriffen aus einem anderen Kunstbereich generell frag-würdig ist, trifft die Kennzeichnung »impres-sionistisch« als Kürzel für die Aufwertung von

Klangfarbe, differenzierter Rhythmik und nicht funktioneller Harmonik, von Ornament und Arabeske gegenüber der traditionellen motivisch-thematischen Gestaltung, die bei Debussy deutlich zurücktritt, durchaus den Kern dieser Musik.

Als Sohn kleiner Geschäftsleute wuchs Debussy ohne eigentliche schulische und künstlerische Bildung auf, die er sich später durch Lektüre bzw. während Auslandsaufenthalten in Russland, Italien, Österreich und der Schweiz (1880–82) als Pianist im Dienst von Nadeschda von Meck, der Mäzenin Tschaikowskis, mühsam aneignen musste. Bei der Begegnung mit Madame Mauté de Fleurville, einer Schülerin Chopins, wurde das musikalische Talent von Debussy entdeckt. Aufgrund der raschen Fortschritte als Klavierschüler wurde er bereits als Zehnjähriger am Pariser Conservatoire aufgenommen. Seine wichtigsten Lehrer dort waren Antoine François Marmontel (Klavier) und Ernest Guiraud (Komposition). Die Hoffnungen der Familie auf eine Karriere ihres Sohnes als pianistisches Wunderkind erfüllten sich angesichts der akademischen Prüfungshürden nicht. Debussy gab die Virtuosenlaufbahn 1880 endgültig zugunsten des Komponierens auf.

Mit der Kantate »L'Enfant prodigue« gewann er 1884 den Rom-Preis des Conservatoire. Den anschließenden Rom-Aufenthalt, bei dem er u. a. mit Liszt und Verdi zusammentraf und sich von der alten Musik Palestrinas und Orlando di Lassos begeistern ließ, brach er aufgrund der negativen Reaktionen auf seine nach Paris gesandten Kompositionen, aber auch seiner dortigen Lebensweise vorzeitig ab und kehrte nach Paris zurück. Durch den Besuch der Aufführungen von »Parsifal«, »Die Meistersinger von Nürnberg« sowie »Tristan und Isolde« in Bayreuth 1888/89 geriet er in den Bannkreis von Richard Wagner, aus dem er sich aber – im Gegensatz zu vielen anderen französischen Komponisten der Zeit – bald wieder befreien konnte. Von anhaltender Bedeutung wurden dagegen die Erfahrungen mit bislang unbekannter Musik, namentlich aus Spanien und dem Fernen Osten, die er 1889 auf der Weltausstellung in Paris machte.

Nachdem in der Frühzeit insbesondere Lieder im Vordergrund standen, widmete sich Debussy nun vor allem seinem Opernprojekt »Pelléas et Mélisande« nach dem gleichnamigen Drama von Maurice Maeterlinck. Die Arbeit daran zog sich über nahezu zehn Jahre hin; in diese Zeitspanne, in der er seine persönliche Musiksprache entwickeln konnte, fallen auch die ersten bedeutenden Orchesterwerke: »Prélude à l'après-midi d'un faune« (1892–94) nach einem Gedicht von Stéphane Mallarmé, die drei »Nocturnes« (1897–99, Nr. 3 mit Frauenchor) sowie die drei sinfonischen Skizzen »La Mer« (1903–05). Im ersten Jahrzehnt des neuen Jahrhunderts verbesserte sich Debussys finanzielle Situation durch erste kompositorische Erfolge, aber auch durch seine Tätigkeit als Musikkritiker, wobei er unter dem Pseudonym »Monsieur Croche« den Boden für eine neue ästhetische Sichtweise öffnete. Ab 1908 trat Debussy auch als Dirigent hervor und unternahm zahlreiche Konzertreisen. In dieser Periode entstanden die ersten namhaften Klavierwerke: »Estampes« (1903), »L'isle joyeuse« (1904), »Children's corner« (1906–08) sowie die zwei Serien der »Images« (1905–07), denen später die 24 »Préludes« (1910–13) und »Études« (1915) folgen sollten. Die Kammermusik trat, abgesehen vom frühen Streichquartett (1893), erst in der Spätzeit gewichtiger hervor, spielt jedoch im Gesamtwerk nur eine untergeordnete Rolle. JO

»Syrinx« für Flöte solo

Entstehung 1913
UA 1. Dezember 1913 Paris
Verlag Henle
Spieldauer ca. 2 1/2 Minuten

Entstehung Das kurze Stück entstand als Bühnenmusik für das Drama »Psyché« von Gabriel Mourey. Für die Nymphen auf der Bühne unsichtbar, begleitet Pan dort zu Beginn des dritten Akts deren Gespräch mit der Flöte. Daher wurde das Musikstück vom Flötisten Louis Fleury bei der Uraufführung auch als »La flûte de Pan« bezeichnet. Erst im posthumen Druck von 1927 wurde der Titel in »Syrinx« (die Hirtenflöte Pans) geändert.

»Syrinx« widmet sich dem antiken Mythos um die Hirtenflöte des Gottes Pan. Auch in anderen Kulturkreisen, wie in Südamerika, wird die Flöte als »göttliches« Instrument verehrt und bei rituellen Festen gespielt (Indianermarkt in Otavalo, nördlich von Quito).

Musik In »Syrinx« erscheinen charakteristische Stilmerkmale der Musik Debussys auf engstem Raum – nur 35 Takte! – verdichtet. Die ausgewählte metrisch-rhythmische Bewegung mit synkopischen Überbindungen und scheinbaren Taktwechseln, die zwar um den Zentralton b kreisende, die (auch durch die Vorzeichnung suggerierte) Tonart b-Moll jedoch nirgends kadenziell absichernde Melodik und die arabeskenhafte Bewegung eröffnen im langsamen Tempo (»Très modéré«) einen poetischen Zauber, dem sich der Hörer kaum entziehen kann.

Wirkung Louis Fleury führte das Werk mit großem Erfolg auch im Konzert auf, zunächst noch – wie in der Bühnenmusik – für die Zuhörer unsichtbar. Heute gehört »Syrinx«, eines der bekanntesten Solostücke überhaupt, zum festen Repertoire der Flötisten.   JO

Einspielungen (Auswahl)
• James Galway (Flöte), 1995 (+ andere Werke von Debussy); BMG

Duos mit Klavier

Violinsonate g-Moll

Sätze 1. Allegro vivo, 2. Intermède: Fantasque et léger, 3. Finale: Très animé
Entstehung Februar / März 1917
UA 5. Mai 1917 Paris
Verlag Durand
Spieldauer ca. 14 Minuten

Entstehung Auf Anregung seines Verlegers Jacques Durand entschloss sich Debussy, der seit 1915 durch ein schweres Krebsleiden immer stärker behindert wurde, zur Ausführung von sechs Sonaten für verschiedene Besetzungen, die in einheitlicher Aufmachung erscheinen sollten. Der Zusatz »Musicien français« unter seinem Namen sollte vor dem Hintergrund des Ersten Weltkriegs das unzweideutige Bekenntnis zu seinem Heimatland ausdrücken.

Als Erstes entstanden 1915 die Cellosonate und die Sonate für Flöte, Viola und Harfe. Die Violinsonate als drittes Opus der Sonatenfolge blieb jedoch sein letztes ausgeführtes Werk. Auf dem Manuskript vermerkte er noch: »Die vierte [Sonate] wird für Oboe, Horn und Cembalo sein.«

Musik Der Zusatz »französischer Musiker« ist als Programm für alle drei vollendeten Sonaten aus dieser Spätzeit zu sehen. Es ging Debussy um eine bewusste Hommage an die französische Musik des 18. Jahrhunderts, insbesondere die Zeit von Jean-Philippe Rameau, den er von allen französischen Komponisten des Barock am höchsten schätzte. Die Rückbezüge äußern sich in der Violinsonate in kleinteiliger Motivik, in modalen Anklängen (insbesondere im Eingangssatz), vor allem aber in einer gewissen formalen Freiheit: Offenbar bemühte sich Debussy, die Sonatensatzform mit zwei kontrastierenden Themen, wie sie seit Beethoven als verbindliches Modell galt, zu umgehen.

So weist zwar der Allegrosatz zwei Themen auf, jedoch gibt es keine eigentliche Durchführung, vielmehr werden nach der Reprise des Hauptthemas beide Gedanken in einer ausgedehnten Coda miteinander verzahnt. Der Schlusssatz ist dagegen – wie es noch häufig im 18. Jahrhundert der Fall war – monothematisch angelegt, wenn man von einem Intermezzo in doppelt so langsamem Tempo absieht. Unwillkürlich stellt sich der Eindruck eines Perpetuum mobile ein. Originell mutet zu Beginn des Finales die Anspielung an das erste Thema des ersten Satzes an. Die ostinaten Rhythmen des als »Zwischenspiel« bezeichneten mittleren Satzes weisen erneut auf die Anlehnung an barocke Stilcharakteristika hin.

Wirkung Obwohl die Violinsonate gegenüber den beiden zuvor entstandenen Werken weniger inspiriert erscheint (was wohl mit dem prekären Gesundheitszustand ihres Schöpfers zu tun hat), ist sie heute die bekannteste. JO

Einspielungen (Auswahl)
- Kyung-Wha Chung (Violine), Radu Lupu (Klavier), 1977; Decca
- Augustin Dumay (Violine), Maria João Pires (Klavier), 1993 (+ Franck: Sonate, Ravel: Stücke für Violine); Deutsche Grammophon
- Mirijam Contzen (Violine), Waléry Rogatschew (Klavier), 1998 (+ Violinsonaten von Franck und Saint-Saëns); Arte Nova/BMG

Cellosonate d-Moll

Sätze 1. Prologue, 2. Sérénade, 3. Finale
Entstehung Juli/August 1915
UA 4. März 1916 Paris
Verlag Durand
Spieldauer ca. 12 Minuten

Entstehung Die erste der sechs geplanten Sonaten für den Verleger Jacques Durand, von denen nur noch zwei weitere zur Ausführung kamen (für Flöte, Viola und Harfe bzw. für Violine und Klavier), wurde innerhalb sehr kurzer Zeit ausgeführt. Ursprünglich wollte Debussy der Sonate den Untertitel »Pierrot fâché avec la lune« (»Pierrot im Streit mit dem Mond«) beigeben und damit auf die bei französischen Dichtern und Komponisten so überaus populäre Theaterfigur

---

Naturlaut und Götterkult

Egal, ob Pan, Buddha, der von den Hindus verehrte Krishna oder auch Osiris im alten Ägypten – vielen Gottheiten wird ein besonderes Verhältnis zur Flöte nachgesagt. So sollen sie das Instrument entweder erfunden, selbst gespielt und/oder an die Menschen übermittelt haben. Wegen des göttlichen Ursprungs werden aus Naturmaterialien wie Schilf und Bambus oder auch Holz, Knochen, Stein, Horn und Elfenbein gefertigte Flöten auch in magischen Kulten eingesetzt. Dort stehen sie häufig im Zusammenhang mit Fruchtbarkeits- und Wiedergeburtsriten. In Zentralafrika gibt es etwa in der Form eines Phallus geschnitzte Exemplare. Abbildungen aus dem antiken Ägypten zeigen Flötenspielerinnen als Priesterinnen einer Liebesgöttin. Flöten finden sich auch als Grabbeigaben. Von Medizinmännern, Schamanen oder Priestern benutzte Instrumente sind vielfach aus menschlichen oder tierischen Knochen geschnitzt. Verbreitet ist beispielsweise der Aberglaube, dass das Spiel auf den Knochen eines Ermordeten seinen Tod rächen kann.

anspielen. Mitunter wurde versucht, Bezüge zur Melancholie Pierrots im Klavierpart des zweiten Satzes zu sehen.

Musik Der Komponist vermerkte ausdrücklich im Manuskript, dass der Pianist seine Begleitfunktion nicht vergessen dürfe: Im Gegensatz zu vielen Cellosonaten des 19. Jahrhunderts dominiert hier nicht das Tasten-, sondern das Saiteninstrument.

Der erste Satz gemahnt zu Beginn an den majestätischen Ton der Französischen Ouvertüre und stellt damit den Bezug zur französischen Tradition des 18. Jahrhunderts her, der ohnehin alle drei Sonaten huldigen. Das hier vorgestellte Thema erscheint in allen drei Sätzen und sichert so auf einfache, aber wirkungsvolle Weise den zyklischen Zusammenhalt ab. Auffallend ist das häufige Schwanken der Tonalität zwischen Dur und Moll bzw. einer dorischen Färbung; der Satz endet auch bezeichnenderweise mit einer leeren Quinte des Cellos.

Während der ironisch getönte Mittelsatz das spanische Musikidiom durch gitarren- und mandolinenähnliche Pizzicati und Portandi des Cellos im Habanerarhythmus suggeriert, vermittelt das Finale das Kolorit »en espagnol« durch Anklänge an die vor allem in der Orchesterfassung berühmt gewordene »Iberia« aus den »Images«.

Wirkung Die Sonate steht, möglicherweise wegen des relativ undankbaren Klavierparts, etwas im Schatten der populäreren für Violine und Klavier. JO

Einspielungen (Auswahl)
- Mstislaw Rostropowitsch (Violoncello), Benjamin Britten (Klavier), 1961 (+ Schubert: Arpeggione-Sonate, Schumann: Stücke im Volkston); Decca
- Daniel Müller-Schott (Cello), Robert Kulek (Klavier), 2001 (+ Cellosonaten von Franck und Poulenc); EMI

Première Rhapsodie für Klarinette und Klavier

Bezeichnung Rêveusement lent
Entstehung Dezember 1909–Januar 1910
UA 16. Januar 1911 Paris
Verlag Durand
Spieldauer ca. 9 Minuten

Entstehung 1909/10 komponierte Debussy zwei Pflichtstücke für den Bläservorspielwettbewerb des Pariser Konservatoriums, die von den Kandidaten vorbereitet bzw. vom Blatt vorgetragen werden sollten. Ersteres war die Rhapsodie, Letzteres sein »Petite Pièce« für Klarinette und Klavier, ein Stück von nur 36 Takten und knapp zwei Minuten Dauer.

Musik Die rhapsodische Stimmung ist durchweg gegenwärtig in der »Première Rhapsodie«. Dennoch betont Debussy das Moment des Zusammenhalts weit mehr als die Aufreihung von musikalischen Einzelereignissen. Und obwohl dem Entstehungsanlass gemäß die technische Versiertheit des Klarinettisten auf die Probe gestellt wird, so herrschen doch insgesamt gesehen weit geschwungene, lyrische Kantilenen vor. Die Grundstimmung ist eine magische.

Wirkung Im Rahmen des Pariser Konservatoriumswettbewerbs, bei dem Debussy mit in der Jury saß, wurde die Rhapsodie am 14. Juli 1910 erstmals von den elf Wettbewerbsteilnehmern gespielt. Anschließend schrieb der Komponist an seinen Verleger Durand: »Den Gesichtern meiner Kollegen nach zu urteilen, war die Rhapsodie ein Erfolg ... Einer der Kandidaten, Vandercruyssen, spielte sie auswendig und sehr musikalisch.« Die offizielle Uraufführung des Stücks folgte am 16. Januar 1911 in der Salle Gaveau durch den Klarinettisten Prosper Mimart. Im August 1911 ließ Debussy dann noch eine Orchestrierung der Rhapsodie folgen. Im Druck erschien das Stück als »Première Rhapsodie«. Seine geplante zweite Rhapsodie (für Saxofon) stellte Debussy allerdings nie fertig. STÜ

Trios

Klaviertrio G-Dur

Sätze 1. Andantino con moto allegro – Allegro appassionato, 2. Scherzo – Intermezzo, 3. Andante espressivo, 4. Finale (Appassionato)
Entstehung September 1880
UA 20. Oktober 1985 University of Michigan
Verlag Henle
Spieldauer ca. 30 Minuten

Entstehung Das erst vor etwa 15 Jahren wiederentdeckte Trio stellt Debussys erstes bekanntes Instrumentalwerk überhaupt dar. Es entstand im September 1880 in der Villa Oppenheim in Fiesole bei Florenz. Der Komponist stand in jenem Sommer im Dienst der russischen Baronin Nadeschda von Meck. Der Titel der Handschrift, »Premier Trio en Sol«, lässt auf den Plan weiterer Werke in Klaviertriobesetzung schließen, der aber offenbar nicht zur Ausführung kam.

Musik Das Frühwerk spiegelt die Situation eines jungen Komponisten wider, der seine eigenen Ausdrucksformen noch nicht gefunden hat. Dementsprechend sind sehr stark Einflüsse von Vorbildern spürbar. In einem Brief Nadeschda von Mecks an Tschaikowski vom September 1880 heißt es über Debussy: »Gerade schreibt er ein Trio, auch sehr nett und auch von Massenet zehrend.«

Neben dem Tonfall jenes berühmten Lied- und Opernkomponisten, den Debussy damals sehr bewunderte, spielen vor allem Robert Schumann (Klaviersonate g-Moll) und César Franck (Klavierquintett f-Moll) eine große Rolle als Inspirationsquelle. Während sich die Sätze 2 bis 4 an traditionellen Formmustern orientieren (Scherzo, langsamer Satz in dreiteiliger Liedform, Finale in Rondoform), folgt der mit einer langsamen Einleitung versehene Eingangssatz nicht dem gängigen Allegromuster. Es handelt sich vielmehr um eine Folge von Variationen über mehrere Themen, wofür Debussy allenfalls in einzelnen Werken Haydns Vorbilder gefunden haben könnte.

Wirkung Trotz der unübersehbaren Schwächen dieses noch aus Debussys Lehrzeit stammenden Werkes, die neben der Verarbeitung der Motive und Themen etwa die unangemessene oder ungeschickte Behandlung der Instrumente betrifft, stellt die Komposition ein bemerkenswertes und inzwischen auch dankbar von Trioformationen angenommenes Dokument für den kompositorischen Weg eines kommenden Genies dar. JO

Einspielungen (Auswahl)
- Jean-Jacques Kantorow (Violine), Philippe Muller (Violoncello), Jacques Rouvier (Klavier), 1988 (+ Trios von Fauré, Ravel); Denon

Sonate für Flöte, Viola und Harfe F-Dur

Sätze 1. Pastorale: Lento, dolce rubato – Vif et joyeux, 2. Interlude: Tempo di Minuetto, 3. Finale: Allegro moderato, ma risoluto
Entstehung September/Oktober 1915
UA 10. Dezember 1916 Paris
Verlag Durand
Spieldauer ca. 17 Minuten

Entstehung Die zweite der Durand-Sonaten entstand ziemlich rasch nach der ersten für Cello und Klavier und wurde in einem vergleichbaren Zeitraum ausgeführt. Ursprünglich war die ungewöhnliche Besetzung Flöte, Oboe und Harfe vorgesehen; die definitive Ersetzung der Oboe durch die Viola lässt den Klang zwar in konventionellere Bahnen einmünden, die Beteiligung der Harfe (statt des Klaviers oder eines weiteren Streichinstruments) verleiht dem Werk dennoch einen ganz eigenen Klangcharakter.

Musik Debussy äußerte, er wisse selbst nicht, ob man bei dieser Sonate lachen oder weinen solle, vielleicht beides zugleich. Damit ist etwas sehr Charakteristisches angesprochen: Die tonale Fluktuation lässt keine einheitlichen Stimmungscharaktere zu, vielmehr wirken Dur-Abschnitte melancholisch, Mollpassagen – wie im letzten Satz – heiter-gelöst. Für viele Musikfreunde ist sie die schönste der drei späten Sonaten für verschiedene Besetzungen, wofür der besonders im Mittelsatz streckenweise dominierende Harfenklang ausschlaggebend sein dürfte.

Die zahlreichen modulierenden Sequenzen und die völlig veränderte Reprise des Anfangsteiles demonstrieren, wie weit sich Debussy hier vom Sonatensatzmodell gelöst hat. Bereits der Anfangsgedanke der Flöte zeigt, wie die Melodik durch die Figuration in wechselndes harmonisches Licht getaucht wird, indem weit entfernte Tonarten kurz anklingen, um sogleich wieder verlassen zu werden.

Auch der zweite Satz nimmt nur den Ton eines langsamen Menuetts, nicht deren formales und harmonisches Ablaufschema auf; das tänzerische Element ist stark stilisiert. Für das rhythmisch scharf profilierte Finale ist überraschenderweise f-Moll vorgezeichnet. Zentrale Teile

Der Schweizer Emmanuel Pahud (hier bei einem Auftritt in München, 2006), Soloflötist der Berliner Philharmoniker, gilt wegen seiner ausdrucksstarken Tongestaltung als herausragender Interpret. Zu seinen Einspielungen zählen auch Werke von Debussy.

stehen jedoch in Dur oder sind – wie das »Un poco più mosso« – modal gefärbt. Im Anschluss an diesen Abschnitt begegnet eine polytonale Schichtung, die zur Reprise überleitet. Wie eine melancholische Erinnerung wirkt am Ende das dreitaktige Zitat vom Anfang des Pastorale-Satzes.

Wirkung In ihrer formalen Ausgewogenheit und ihrer einheitlichen Gewichtung der durchaus individuellen Sätze ist die Sonate für Flöte, Viola und Harfe ihren Nachbarwerken für zwei Instrumente überlegen. Die reizvolle, aber auch heute noch ungewöhnliche Beteiligung einer Harfe an einer Kammermusiksonate steht freilich häufigeren Aufführungen entgegen.   JO

Einspielungen (Auswahl)
- Osian Ellis (Harfe), Melos Ensemble, 1960; Decca
- Aurèle Nicolet (Flöte), Nobuko Imai (Viola), Naoko Yoshino (Harfe), 1994 (+ Werke von Britten, Denisow, Honegger, Takemitsu); Philips

Quartett

Streichquartett g-Moll op. 10

Sätze 1. Animé et très décidé, 2. Assez vif et bien rythmé, 3. Andantino, doucement expressif, 4. Très modéré – Très mouvementé et avec passion
Entstehung 1893
UA 29. Dezember 1893 Paris
Verlag Durand
Spieldauer ca. 25 Minuten

Entstehung Debussys Streichquartett, das 1894 – als einzige Komposition überhaupt – mit einer Opuszahl versehen im Druck erschien, entstand zur Zeit der Arbeit am »Prélude à l'après-midi d'un faune«. Während das Orchesterstück, fraglos Debussys erstes Meisterwerk, weit in die Zukunft weist, mutet das Kammermusikwerk wie ein Abschluss der frühen Periode an. Nach kritischen Äußerungen von Ernest Chausson versprach Debussy dem Freund, einen zweiten Gattungsbeitrag zu schreiben, und möglicherweise gedieh dieses heute verlorene Streichquartett sogar bis zum dritten Satz.

Musik Debussy folgte in diesem reifsten unter seinen Jugendwerken dem traditionellen viersätzigen Formschema: Kopfsatz in Sonatenform, Scherzo mit herkömmlichem Trio, darauf ein langsamer Satz, der in seiner gedämpften Klanglichkeit an ein Nocturne erinnert, und schließlich ein Finale, in dem sich Rondo- und Sonatensatzform mischen. Der starke Einfluss von César Franck zeigt sich zum einen in der Grundlage eines in allen vier Sätzen präsenten zyklischen Kernthemas, das zu Beginn des Kopfsatzes von der ersten Geige intoniert wird, zum anderen finden sich melodische und strukturelle Anklänge an Kammermusikwerke Francks.

Die ständige Abwandlung des Kernthemas hinterlässt über weite Strecken den Eindruck einer fluktuierenden melodischen Variation. Dieser dem Wesen des traditionellen Streichquartetts eher fremde Zug wird durch subtile Kunstgriffe kompensiert: So sind zwei Abschnitte im zweiten Satz auf der Grundlage von Vergrößerungen des Kernthemas gestaltet. Trotz der Neuartigkeit der musikalischen Struktur, die eher in sich kreisend als zielgerichtet wirkt, gibt sich das Streichquartett nur mäßig modern und keinesfalls revolutionär. Debussys wollte offenbar seine Kritiker durch gediegene handwerkliche Arbeit wie auch durch Anlehnung an Francks Vorgaben überzeugen.

Wirkung Bei der Uraufführung durch das Quatuor Ysaÿe wurde die Komposition freundlich, aber keineswegs begeistert aufgenommen. Lediglich Paul Dukas, der Debussy schon sehr früh wohlwollend gegenüberstand, äußerte sich vorbehaltlos zustimmend. Heute gehört dieses Streichquartett weltweit zum Repertoire namhafter Quartettformationen.　　　　JO

Einspielungen (Auswahl)
- Quartetto Italiano, 1965 (+ Ravel: Streichquartett); Philips
- Auryn Quartet, 2002 (+ Streichquartette von Fauré und Ravel); Tacet

Dessau | Paul

100562

* 19. 12. 1894
Hamburg
† 27. 6. 1979
Königs Wusterhausen bei
Berlin

Heute scheint es, als müsse Paul Dessau neu entdeckt werden. Ähnlich wie im Fall Hanns Eisler war und ist die Rezeption seiner Musik im Osten wie im Westen ideologiebefrachtet.

Dessau, der einer jüdischen Kantorenfamilie entstammte, trat als Elfjähriger erstmals als Violinsolist auf. Mit 16 Jahren nahm er Unterricht am Klindworth-Scharwenka-Konservatorium, mit 18 Jahren wurde er Korrepetitor am Hamburger Stadttheater. Zeitweilig dirigierte er in Bremen Operetten, ging dann aber wieder nach Hamburg zurück und wurde von Otto Klemperer nach Köln berufen. Zwei Jahre lang war Dessau Dirigent in Mainz, bis er 1925 den Dienst als 1. Kapellmeister (unter Bruno Walter) an der Städtischen Oper Berlin antrat. In dieser Zeit schloss er sich der sozialistischen Bewegung an. 1933 verließ er Deutschland und ging zunächst nach Paris, wo er René Leibowitz kennenlernte und sich mit der Zwölftontechnik befasste. In New York, seiner nächsten Station, war Dessau als Musiklehrer tätig. In Hollywood (ab 1942) arbeitete er mit Brecht zusammen, verdiente seinen Lebensunterhalt jedoch mit Filmmusiken. 1948 kehrte Dessau nach Deutschland zurück und ließ sich zunächst in Berlin, später in Zeuthen nieder. Die Uraufführung seiner Oper »Die Verurteilung des Lukullus« 1951 an der Ostberliner Deutschen Staatsoper brachte ihn in ernsthafte Schwierigkeiten.

Ihm wurde der Vorwurf des Pazifismus gemacht. Dennoch gelang es dem Komponisten, der mit der Opernregisseurin Ruth Berghaus verheiratet war, über die Grenzen der DDR hinaus als Opernkomponist bekannt zu werden. In seinen letzten Lebensjahren schrieb der nahezu erblindete Komponist neben Opern vorrangig Kammer- und Chormusik.

Galt er in der DDR lange Zeit als Repräsentant des sozialistischen Realismus, was bei vielen mit einer bestenfalls unwilligen Duldung verbunden war, glaubte man im Westen vielfach, in seinem Œuvre verborgene Zeichen eines heimlichen Widerstands entdecken zu müssen. Tatsache ist, dass Dessau unbeirrt so komponierte, wie er es für richtig und notwendig hielt, dass er dabei stets ein großes Interesse an neuen musikalischen Entwicklungen bekundete und gern mit bisher Unerprobtem experimentierte. Es wäre sicherlich aufschlussreich zu untersuchen, inwiefern er sich geweigert hat, sich der restriktiven Kulturpolitik der DDR zu unterwerfen. Bisher fehlt eine Werkanalyse, die Dessaus Arbeit ohne ideologische Scheuklappen darstellt. Dass eine erneute Beschäftigung mit seiner Musik sinnvoll ist, zeigen nicht zuletzt die zahlreichen Kompositionen mit Verwurzelung in der jüdischen Kulturtradition, die bislang kaum zur Kenntnis genommen worden sind.

Die Ästhetik Dessaus lässt sich vor allem in den Gattungen Oper, Chorsinfonik und Lied ablesen, die Kammermusik hingegen galt ihm als »Inbegriff musikalischer Intimität, Esoterik und Exklusivität« (Frank Schneider). Seine sieben Streichquartette, im Verlauf von mehr als 40 Jahren entstanden, erlauben einen guten Überblick über die Entwicklung seines Stils. ZA

Streichquartette

Streichquartett Nr. 1

Sätze 1. Intrata und Passacaglia, 2. Intermezzo capriccioso, 3. Präludium und Fuge
Entstehung 1932
Verlag Edition Peters
Spieldauer ca. 26 Minuten

Entstehung Das 1932 komponierte Werk ist Max Burchard gewidmet, der, mütterlicherseits mit Dessau verwandt, in Hamburg Mitglied eines Liebhaberquartetts war.

Musik Schon an den Satzbezeichnungen wird deutlich, dass Dessau hier mit bewusstem Rückgriff auf tradierte Formprinzipien arbeitet. Dies kann als neobarocke Tendenz, ebenso gut aber auch nur als disziplinierte Unterwerfung unter eine strenge Form gedeutet werden.

Die Intrata hat feierlich-gemessenen Charakter, die Passacaglia mit mehreren kraftvoll-leidenschaftlichen Ausbrüchen enthält schon Material für den Schlusssatz. Das Intermezzo ist eine Karikatur auf den Walzer und damit wohl auch ein Kommentar Dessaus auf gar zu festgefahrene Hörgewohnheiten. Das Finale mit einem rezitativischen Beginn ist tatsächlich eine streng angelegte Fuge, die jedoch nicht ohne einige bärbeißige Seitenhiebe abläuft: Sie nimmt motivisches Material aus dem ersten und den Gestus des zweiten Satzes wieder auf. Der kontrapunktische Satz hat bisweilen die Kraft eines großen Orchesterklangs. ZA

Streichquartett Nr. 2

Sätze 1. Andante con tenerezza, 2. Adagio
Entstehung 1942/43
UA 1948 Frankfurt am Main
Verlag Schott
Spieldauer ca. 25 Minuten

Entstehung Das 1942/43 im New Yorker Exil komponierte zweite Streichquartett entstand in zeitlicher Nähe zu den Brecht-Vertonungen »Lied einer deutschen Mutter« und »Deutsches Miserere«. Die Uraufführung fand erst 1948 in Frankfurt am Main statt.

Musik Die Werkanlage mutet seltsam an: nur zwei Sätze, der erste doppelt so lang wie der zweite, noch dazu die Spielanweisung »con tenerezza«, obwohl von Zärtlichkeit in den Noten sehr wenig zu finden ist. Dessau hat unter den Verhältnissen in den USA (wo er zeitweilig auf einer Hühnerfarm und als Gärtner arbeiten musste, um überhaupt etwas Geld zu verdienen) gelitten. Man hört dies dem Quartett an, ohne sich auf gefährliche Spekulationen einzulassen.

Die leisen Passagen des Andante wirken ungemein zerbrechlich, die lauten bewusst trotzig und gewollt kraftvoll. Dahinter ist die Gefährdung unüberhörbar.

Gemessen an dem Sturm des ersten Satzes wirkt der zweite (Adagio) zunächst fast wie eine in Töne gefasste innere Erstarrung, die erst im weiteren Verlauf aufbricht und größerer Bewegung Raum gibt. Dieses Quartett ist eine der herbsten Kompositionen, die je für diese Besetzung geschrieben wurde. ZA

Streichquartett Nr. 3

Entstehung 1943–46
Verlag Schott
Spieldauer ca. 7 Minuten

Entstehung Dessau begann mit der Komposition im Jahr 1943 in Laguna Beach bei Los Angeles und schloss sie 1946 in Hollywood ab. Das Werk ist ein Ergebnis der Zwölftonstudien, die Dessau 1935 mit René Leibowitz in Paris betrieben hat. Zeitlebens hat er Schönberg, für den er gelegentlich sogar arbeitete, geachtet und die Zwölftontechnik gegen unsachliche Angriffe verteidigt, ohne dabei die Begrenztheit des Systems zu verkennen.

Musik Dessau hat das einsätzige Werk auf einer zwölftönigen Grundreihe aufgebaut, die er aber nicht spekulativ berechnet hat, sondern die ein »sogenannter Einfall« gewesen ist. Einer eigenen Äußerung zufolge hat die Komposition vornehmlich lyrischen Charakter. Der aber wird immer wieder durch erregte Passagen unterbrochen. ZA

»99 Bars for Barbara«

Streichquartett Nr. 4

Entstehung 1948
Verlag Schott
Spieldauer ca. 5 Minuten

Auch das vierte Streichquartett ist nur einsätzig und mit knapp fünf Minuten noch kürzer als das dritte. Es ist 1948 entstanden und damit eines der letzten Werke der Exilzeit. Wegen der

Widmung »99 Takte für Barbara« – gemeint ist wohl Barbara Burchard, eine junge Verwandte des Komponisten – wird es auch als »Barbara-Quartett« bezeichnet. ZA

Streichquartett Nr. 5
(»Felsenstein-Quartett«)

Sätze 1. Kleine Ouvertüre, 2. »Es ist ein Ros' erblühet«, 3. Tänzchen, 4. Nachdenklich, 5. Kratzbürste, 6. Froher Ausklang
Entstehung 1955
Verlag Edition Peters
Spieldauer ca. 10 Minuten

Entstehung Das kleine, 1955 in Ostberlin komponierte Quartett hat Dessau der Familie Walter Felsensteins gewidmet. Es ist einfach genug, um auch von guten Amateuren gespielt zu werden.

Musik Schon die Satzüberschriften geben Aufschluss darüber, dass es sich um leichte und gelockerte Faktur handelt. Die Sätze sind kleine Charakterstücke, wie sie auch Robert Schumann geschrieben hat. Der Ausdrucksbereich reicht vom herben Lyrismus (zweiter Satz) bis zu robustem Humor (fünfter Satz). ZA

Sieben Sätze für Streichquartett

Streichquartett Nr. 6

Sätze (sieben unbezeichnete Sätze)
Entstehung 1971 (1. und 2. Satz), 1973 (3. Satz), 1974 (Sätze 4–7)
Verlag Edition Peters
Spieldauer ca. 12 Minuten

Entstehung Die Komposition ist nicht als geschlossenes Werk konzipiert worden, sondern über einen längeren Zeitraum (1971–74) entstanden, ohne dass ein zwingender Zusammenhang zwischen den Sätzen bestünde. Daher rührt auch der Alternativtitel »Sieben Sätze für Streichquartett«. Dessau hat das Werk seinem Sohn Maxim gewidmet.

Musik Das Quartett mit seinen sieben durchnummerierten, aber unbezeichneten Sätzen kann als Beispiel für den Altersstil Dessaus gewertet werden, den Frank Schneider als »aphoristisch« und »konstruktiv-kristallin« bezeichnet. Der erste Satz ist von großer Ruhe gekennzeichnet. Klangreibungen sind weit weniger scharf als in anderen Werken. Das tiefe Register gibt dem Satz allerdings etwas Düsteres.

Trauer und schrille Klänge, durchsetzt mit plötzlichen dramatischen Ausbrüchen kennzeichnen die beiden folgenden Sätze. Der vierte und zugleich längste Satz pendelt zwischen großer Erregung und dem Versuch, Ruhe zu finden. Der fünfte hat entfernt den Charakter eines Scherzos, aber die Heiterkeit ist nicht recht überzeugend.

Nach neuer Dramatik im sechsten Satz bleibt der Schluss offen – dies ist kein Werk von vordergründigem Optimismus, wie er in der DDR oftmals gefordert wurde. ZA

Satz (Lebhaft) heraushören, der aber immer noch voll Trauer ist: eine zugleich würdevolle und von Schmerz durchsetzte Grabrede.

Wirkung Das Neue Leipziger Streichquartett, laut Hartmut Lück »ein herausragendes junges Ensemble, das durch seine kulturelle Sozialisation und durch die hohen Standards der Musikausbildung in der ehemaligen DDR für Dessau geradezu prädestiniert ist«, hat 1994 alle sieben Quartette auf zwei CDs eingespielt. Dabei »erhalten die polyfon dichten Ecksätze des ersten Quartetts ebenso bedachtsame Betreuung wie die verspielten Miniaturen des fünften oder die introvertierten Ausdrucksvaleurs des siebenten.« ZA

Einspielungen (Auswahl)
• Quartette 1–7: Neues Leipziger Streichquartett, 1994; cpo/jpc

Streichquartett Nr. 7

Sätze 1. Trauer um Blacher, 2. Stille, 3. Allegro vivace, 4. Lebhaft
Entstehung 1975
Verlag Schott
Spieldauer ca. 14 Minuten

Entstehung Dessaus letztes Streichquartett entstand im Sommer 1975 als Würdigung von Boris Blacher, der im Januar 1975 gestorben war. Zwischen den beiden Komponisten hatte es durch künstlerische und menschliche Gemeinsamkeiten eine enge Verbindung gegeben.

Musik Die Erinnerung an den Freund wird durch ein Zitat aus Blachers »Fantasie für Orchester« von 1955 beschworen, das in unterschiedlicher Weise variiert und mit eigenem Material durchsetzt wird. Zwischen beiden Ausdrucksformen ist kein Unterschied festzustellen – Zeichen der Ähnlichkeit beider Komponisten. Eigentlicher Ort der Trauer ist nicht der erste (»Trauer um Blacher«), sondern der zweite Satz (»Stille«) mit liedhaftem Gestus, der Stille und Nachdenklichkeit verdeutlicht. Dieser Satz scheint ins Nichts zu versinken. Seltsam zerrissen wirkt der dritte Satz (Allegro vivace) mit seinen hart gegeneinandergesetzten dissonanten Akkorden und vielen Zäsuren und Pausen. Viel Energie und Tatkraft lässt sich aus dem vierten

Dutilleux | Henri

* 22. 1. 1916
Angers

100563

Henri Dutilleux gilt als Altmeister der Neuen Musik in Frankreich. Seine Lehrzeit in Paris empfand er wegen der traditionell-nationalistischen Begrenzung als sehr unbefriedigend, doch nahm er dort Anregungen unterschiedlichster Art auf, wie die Werke der Gruppe »Jeune France« mit Olivier Messiaen und André Jolivet oder später der Schönberg-Schule. Der Individualist Dutilleux schloss sich jedoch keiner Stilrichtung oder gar Schule an.

Die Vorfahren von Dutilleux waren in vielfältiger Weise mit der Kunst verbunden: Sein Urgroßvater Constant Dutilleux war Maler und mit Eugène Delacroix befreundet, der Vater seiner Mutter, Julien Koszul, war Organist und stand mit Gabriel Fauré in Verbindung. Zu den Schülern Koszuls zählte u. a. Albert Roussel, dessen Musik nicht ohne Einfluss auf Dutilleux blieb. Dieser lernte die musikalischen Grundlagen noch während seiner Schulzeit am Conservatoire von Douai kennen. Das eigentliche Musikstudium absolvierte er 1933 bis 1938 am Pariser Conservatoire, wo er 1938 den Rom-Preis gewann. Der anschließende Rom-Aufenthalt musste zu Kriegsbeginn wegen der Einberufung zum Militär abgebrochen werden. Nach seiner Entlassung ließ sich Dutilleux im Herbst 1940 in Paris nieder und war als Pianist, Pädagoge und Arrangeur tätig. Von 1944 bis 1963 leitete er die Musikproduktionen beim französischen Rundfunk ORTF. 1961 bis 1970 lehrte er als Professor für Komposition an der Pariser École Normale, 1970/71 auch als Gastprofessor am Conservatoire. Im Jahr 2005 wurde Dutilleux für sein Schaffen in München mit dem renommierten Ernst-von-Siemens-Musikpreis ausgezeichnet.

Kennzeichen des sehr schmalen, hauptsächlich Instrumentalmusik aufweisenden Werkkatalogs von Dutilleux ist die Affinität zu poetisch-literarischen Titeln, die fern jeder konkreten Programmatik bei aller Formstrenge auf einen magisch-mystischen Hintergrund im Sinne des französischen Symbolismus hindeuten. Diese Konzeption wurde erstmals in »Métaboles« für großes Orchester (1962–64) vorgestellt und u. a. im Cellokonzert »Tout un monde lointain« (»Eine ganz ferne Welt«, nach einem Gedicht von Charles Baudelaire, 1960–70) und im Violinkonzert »L'arbre des songes« (»Der Baum der Träume«, 1983–85) fortgeführt.

Zu dieser konzeptionellen Linie gehören auch die wenigen Kammermusikwerke, unter denen das Streichquartett »Ainsi la nuit« hervorsticht. Der Eindruck einer freien Assoziationskette wird durch die Kompositionstechnik der permanenten Variation hervorgerufen, die über eine metamorphosenhafte klangsinnliche Durchgestaltung das Gefühl ständigen Erinnerns hervorruft.

Die klanglich und strukturell so reizvolle und anziehende Musik hat – nicht zuletzt durch die jahrzehntelang von der selbst ernannten Avantgarde bestimmte Musikwelt Frankreichs – lange nicht die ihr gebührende Beachtung gefunden, was sich erst seit einigen Jahren zu ändern scheint. Außerhalb Frankreichs blieb die Musik von Dutilleux sogar so gut wie unbekannt.   JO

Sonatine für Flöte und Klavier

Sätze 1. Allegro, 2. Andante, 3. Animé
Entstehung 1943
Verlag Leduc
Spieldauer ca. 9 Minuten

Entstehung Der 27-jährige Dutilleux schrieb seine Sonatine als Stück für den Flötenwettbewerb am Pariser Konservatorium. Die Widmung ging an den Flötenprofessor Gaston Crunelle.

Musik Das Frühwerk zeigt noch deutlich die Einflüsse von Maurice Ravel, Claude Debussy und Albert Roussel. Deshalb schätzte der Komponist es später selbst auch nicht mehr so hoch ein. Als erstes vollgültiges Werk erkannte er erst seine Klaviersonate aus dem Jahr 1948 an. Die dreisätzige Sonate ist ein klassizistisches, doch atmosphärisch dichtes und geistvolles Werk. Gleich zu Beginn fallen das flexible Metrum und die geheimnisvolle Modalität auf. In der eingebauten Kadenz werden die extremen Register der Flöte ausgereizt.   STÜ

Einspielungen (Auswahl)
• Philippe Bernold (Flöte), Alexandre Tharaud (Klavier), 2000 (+ Werke für Flöte von Boulez, Jolivet, Messiaen und Varèse); HMF / Helikon

Streichquartett »Ainsi la nuit«

Sätze 1. Nocturne, 2. Miroir d'espace, 3. Litanies, 4. Litanies II, 5. Nocturne II, 6. Constellations, 7. Temps suspendu
Entstehung 1974/76
UA 6. Januar 1977 Paris
Verlag Heugel
Spieldauer ca. 17 Minuten

Entstehung Der bislang einzige Beitrag von Dutilleux zur Gattung des Streichquartetts entstand als Auftragswerk der Koussevitzky Foundation und war für das Juilliard String Quartet bestimmt, das die Komposition jedoch erst ein Jahr nach der Uraufführung in Washington spielte. »Ainsi la nuit« ist dem Andenken an Dutilleux' amerikanischen Freund Ernest Sussman gewidmet. Nach eigener Aussage begann der Komponist diese für ihn neuartige Aufgabe Schritt für Schritt durch Skizzierung einzelner Stücke, die zunächst noch unabhängig voneinander blieben. Bei der definitiven Ausarbeitung wurden diese Einzelstücke bzw. -sätze durch Zwischenspiele miteinander verbunden.

Musik Die Assoziation der Nacht durch den Titel, die wenig später auch im Orchesterwerk »Timbres, espace, mouvement ou ›La nuit étoilée‹« (Farben, Raum, Bewegung oder »Die Sternennacht«, 1977/78) begegnen sollte, eröffnet eine Naturdimension, die sich in der Kompositionstechnik spiegelt.

Die Introduktion (»Libre et souple«) des ersten Satzes hat insofern Leitmotivcharakter, als hier alle prägenden Elemente und Verfahren vorgeführt werden: rasch an- und abschwellende Dynamik- und Tempogestaltung, spezielle Tongebung (Wechsel von Pizzicato und Bogenstrich), aber auch synkopische Rhythmen und individuelle Harmonik.

Zusammen mit den Zwischenspielen, den »Parenthèses« (»Klammern«), die die an sich unabhängigen Sätze ohne Pausen miteinander verbinden, garantieren diese leitmotivischen Faktoren den engen zyklischen Zusammenhalt des Quartetts, das in struktureller Hinsicht an die Traditionslinie von Ludwig van Beethoven bis Arnold Schönberg anknüpft. Die Parenthesen stiften den Zusammenhang durch Metamorphose von charakteristischen Elementen des jeweils gerade beendeten Satzes oder durch Vorwegnahme solcher Elemente aus einem nachfolgenden Satz.

Die Folge der Sätze ist grundsätzlich durch Kontraste gekennzeichnet: Dem quasi statischen ersten Satz folgt ein Kanon von erster Violine und Cello, der im Krebs repetiert wird und so den Raum zwischen hoher und tiefer Lage der beiden Streichinstrumente spiegelt (Miroir d'espace = Spiegelung des Raumes). Insgesamt entsteht ein breites Spektrum, das in seiner »nächtlichen« Atmosphäre den regulären Zeitablauf durch ständiges Erinnern aufzubrechen scheint. Am Schluss kommt es zum Höhepunkt der »aufgehobenen Zeit« (Titel des Schlusssatzes), in dem sich das Material gewissermaßen zersetzt. JO

Einspielungen (Auswahl)
• Juilliard String Quartet, 1992 (+ Streichquartette von Debussy und Ravel); Sony Classical

Dvořák | Antonín

* 8. 9. 1841
Nelahozeves
bei Prag
† 1. 5. 1904
Prag

100562

Dvořáks Opern sind bedeutende Dokumente eines originellen eigenen Wegs, seine Chormusik ist unmittelbar wirkungsmächtig, vor allem aber ist die facettenreiche Kammermusik, die ihm besonders wichtig war, geeignet, das Bild des böhmischen Komponisten zu erweitern und abzurunden.

Die Biografie Antonín Dvořáks ist eine Erfolgsgeschichte, wie sie im Musikleben des 19. Jahrhunderts kaum eine Parallele hat. Gefeiert von Publikum und Presse eroberte sich der aus einfachen Verhältnissen stammende böhmische Komponist zuerst nationale, dann europäische und schließlich weltweite Reputation. Umfassende Kenntnisse in den verschiedenen Stilen und Traditionen der Musik hatte sich Dvo-

řák als Organist, Bratschist (an der Nationaloper, aber auch in einer Tanzkapelle) und im
Studium der Klassiker angeeignet. Nach dieser
Zeit des Reifens und Experimentierens repräsentieren dann ganz bestimmte Werke und
Konzerte die Stufen seines Aufstiegs: Mit dem
Chorhymnus »Die Erben des weißen Berges«
op. 30 gelang 1873 der nationale Durchbruch,
den »Slawischen Tänzen« op. 46 lag 1878 ganz
Mitteleuropa zu Füßen. Das von der Oratorien-
tradition geprägte England begeisterte sich
1883 am »Stabat mater« op. 58, und dem gerade aufkeimenden amerikanischen Musikleben
gab Dvořák 1893 mit seiner berühmten Sinfonie »Aus der Neuen Welt« op. 95 entscheidende
Impulse.

In einer musikideologisch tief gespaltenen
Zeit wurde der bezwingende folkloristische Ton
in Dvořáks Musik gleichsam mit einem tiefen
Aufatmen wahrgenommen. Die bis heute immer
wieder beschworene »himmlische Natürlichkeit«
der dvořákschen Musik, die ihn als Musterbeispiel böhmischen Musikantentums erscheinen
lässt, benennt sicherlich einen zentralen Aspekt
seiner künstlerischen Persönlichkeit: Leicht und
unerschöpflich scheinen ihm die Melodien aus
der Feder zu fließen, farbenreich und meisterlich
ist die Orchestration, und häufig stellt sich jenes
schwer zu benennende, aber unverwechselbare
nationale Timbre ein, das seinen Ursprung in der
slawischen Volksmusik hat.

Dabei sollte allerdings nicht übersehen wer-
den, wie intensiv und offen sich Dvořák mit den
Stilrichtungen seiner Zeit und den Normen der
Gattungsgeschichte auseinandergesetzt hat:
Immer wirken verschiedene Einflüsse auf sein
Schaffen ein, und in der Synthese, im Ausgleich
der Spannungen, in der Einbindung in seinen
persönlichen Tonfall liegt seine musikhistorische Leistung: In den frühen Jahren ist es der
Gegensatz von klassischem Modell und neu-
deutscher Programmatik, in den Reifejahren die
Verschmelzung von folkloristischer Melodik und
klassizistischer (an Brahms geschulter) Formbeherrschung, in den letzten Jahren wird auch die
große Musikdramatik noch ins Œuvre integriert.
Eine Folge dieser ganz und gar nicht naiv musikantischen Haltung ist, dass Dvořák (weit mehr
als andere große Komponisten seiner Zeit) in allen Gattungen wichtige Werke geschaffen hat:

eine Universalität, die angesichts der heutigen
Popularität einiger weniger Orchesterwerke leider in den Hintergrund gerückt ist.   WA

Sonate für Violine und Klavier F-Dur op. 57

Sätze 1. Allegro, ma non troppo, 2. Poco soste-
nuto, 3. Allegro molto
Entstehung März 1880
UA 23. September 1880 Chrudim
Verlag Artia
Spieldauer ca. 23 Minuten

Entstehung   In den ersten Jahren des internationalen Erfolgs drängte Dvořáks mit ebenso
viel Geschäfts- wie Kunstsinn begabter Verleger
Simrock vor allem auf Werke mit starkem natio-
nalem Kolorit, besonders auf eine Fortsetzung
der »Slawischen Tänze«, die von vornherein einen guten Verkauf garantierten. Dvořák wahrte
aber durchaus seine eigenen Belange, so schrieb
er am 18. Februar 1880 an Simrock: »Mit den
Slawischen Tänzen könnten wir vielleicht noch
bis zum Herbst warten. Ich fühle auch jetzt mehr
das Bedürfnis, etwas Seriöses zu schreiben…
eine Violinsonate, das wäre so etwas, was mich
jetzt bei guter Stimmung hält.«

Musik   Etwas »Seriöses« ist die Violinsonate
F-Dur dann auch geworden: ein Werk, in dem
Dvořák den beliebten tschechischen Elementen
nur im Finale eine größere Rolle einräumt, sich
aber sonst sehr stark am Vorbild von Johannes
Brahms und dessen formal raffinierter Kammer-
musikkunst orientiert. Sowohl in der Art der Themen als auch in deren Verarbeitung in »entwi-
ckelnder Variation« ist die Sonate ausgesprochen brahmsisch. Außerdem scheint Dvořák in
gewissem Maße ein kontrastierendes Gegenstück zu seinem eben entstandenen Violinkonzert vorgeschwebt zu haben: eine Musik, die die
Möglichkeiten der Solovioline weniger in virtuoser Kontur, sondern mehr in den intimen Nuancen der Diktion sucht. So ergibt sich die durchweg lyrische, stellenweise geradezu fragile
Grundstimmung der Sonate.

Der Kopfsatz beginnt mit einer fragenden Gebärde, mit der Dvořák eine Quasivertauschung

von Hauptthema und Seitenthema vorbereitet, denn dem sanften Beginnen ist ein volkstümlicher und bewegter zweiter Gedanke (in D-Dur) gegenübergestellt. Der langsame Satz ist eine knapp gefasste Gesangslinie im ungewöhnlichen 6/4-Takt.

Im Finale dominiert das tänzerische Element, der in Sonatensatzform angelegte Aufbau arbeitet mit drei charakteristischen Themen (in F-Dur, f-Moll und Es-Dur) und bringt in der Durchführung sogar noch einen neuen Gedanken. Nicht nur in der nationalen Färbung, auch in den unvermittelten Schnitten zwischen den Gedanken nähert sich der durchweg fröhliche Satz am ehesten den bekannteren Werken der »slawischen« Periode, innerhalb derer die Sonate als Ganzes ein bemerkenswerter Ausnahmefall ist.

Wirkung »Ich spielte die Sonate gestern mit [Joseph] Joachim, und er mochte sie sehr«, berichtete Dvořák am 1. April 1880 seinem Freund Göbl aus Berlin. Die Affinität Joachims erklärt sich leicht – aus der Qualität der Musik und dem musikalischen Geschmack des Brahms-Freundes. Ein besonders bekanntes Stück ist die Sonate allerdings nie geworden, sicher weil sie nicht (bzw. nur teilweise) den typischen populären, schwungvoll-naiven Dvořák zeigt. Von den wenigen Aufnahmen verdient die von Dvořáks Urenkel Josef Suk nicht nur historisches Interesse. WA

Einspielungen (Auswahl)
• Josef Suk (Violine), Josef Hála (Klavier), 1995 (+ Sonatine op. 100); Supraphon

Sonatine für Violine und Klavier G-Dur op. 100

Sätze 1. Allegro risoluto, 2. Larghetto, 3. Scherzo: Molto vivace, 4. Allegro
Entstehung November/Dezember 1893
Verlag Peters
Spieldauer ca. 18 Minuten

Entstehung Die Sonatine ist das dritte amerikanische Kammermusikwerk Dvořáks, er komponierte sie nach dem Streichquartett op. 96 und dem Streichquintett op. 97 nach seiner Rückkehr nach New York. Die Opuszahl 100 gerade für diese kleine Sonatine ist mit Absicht gewählt: Das für seine Kinder geschriebene Werk feiert das runde Schaffensjubiläum gleichsam hausmusikalisch im familiären Kreis. In die Sonatine sind amerikanische Anregungen eingeflossen, vor allem beschäftigte und beeindruckte Dvořák das Indianerepos »Song of Hiawatha« von Henry W. Longfellow, und beim Besuch der Minnewahawasserfälle im September 1893 notierte er das Thema des langsamen Satzes.

Musik Die beiden Kinder, an die Dvořák bei der Komposition besonders dachte, waren die 15-jährige Otilie und der 10-jährige Antonín. Die Sonatine sollte auch für diese nicht nur technisch spielbar, sondern auch inhaltlich verständlich sein. So ergibt sich der übersichtliche, klare Aufbau des kurz gefassten Werks, das an jeder Stelle liebevolle Sorgfalt verrät. »Sie ist bestimmt für die Jugend, aber auch Große, Erwachsene, sollen sich damit unterhalten, wie sie eben können«, kommentierte Dvořák die Sonatine.

Stilistisch zeigt das Opus 100 mit pentatonischer Melodik und trommelnden Rhythmen ähnliche Züge wie die anderen amerikanischen Werke, individuell ist (pädagogisch bedingt) die Neigung zu breiten liedhaften Themen und nur kurzen Phasen komplizierter Verarbeitung. Der beschwingte Kopfsatz arbeitet mit drei Themen und ist bei aller Schlichtheit fein ausgearbeitete und kunstvollste Kammermusik.

Das Larghetto ist zwar der bekannteste, aber sicher nicht der wertvollste Satz des Zyklus: Das »indianische« Thema, eine zarte und einprägsame Melodie, wird in konventioneller Romanzenart vorgeführt.

Ein eleganter, mozartisches Scherzo schiebt sich noch vor das besonders interessante Finale: Dieses ist wieder ein veritabler Sonatensatz, bei dem im Seitenthema die trommelnden Rhythmen ins Auge fallen. Die eigentliche Überraschung ist aber die Schlussgruppe der Exposition: In ruhigem Zeitmaß (Molto tranquillo) entfaltet sich eine bezaubernde aufsteigende Melodie – mitten im ansonsten lebhaft-ausgelassenen Musizieren.

Wirkung »Ich habe eine Sonatine für Violine und Piano (leicht aufführbar).« – So bot Dvořák 1895 seinem Verleger Simrock das neue Werk an, dieser nahm es, unbesehen, sofort an. Zu schweren Verstimmungen und lang anhaltend gereizter Korrespondenz führte dann aber die Honorarfrage, weil Dvořák bei seiner Forderung versehentlich eine »0« vergessen hatte: Er wollte 10 000 Mark für vier Kompositionen, schrieb aber 1 000 Mark. Diese wollte Simrock ihm dann zwar pro Werk zahlen, aber damit blieb er immer noch 60 Prozent unter dem eigentlichen Kaufpreis. Auch wenn Simrock schließlich einlenkte, hat er bei der Sonatine gewiss kein schlechtes Geschäft gemacht: Allein das Larghetto gab er, ohne Wissen des Komponisten, in verschiedenen Besetzungen und unter diversen Titeln (»Indianisches Wiegenlied« etc.) heraus, sodass es zu einem populären Salonstück wurde. WA

Einspielungen (Auswahl)
• Josef Suk (Violine), Josef Hála (Klavier), 1995 (+ Sonate op. 57); Supraphon

Terzetto für zwei Violinen und Viola C-Dur op. 74

Sätze 1. Introduzione: Allegro, ma non troppo, 2. Larghetto, 3. Scherzo: Vivace, 4. Tema con variazioni: Poco adagio – Molto allegro
Entstehung Januar 1887
UA 30. März 1887 Prag
Verlag Bärenreiter
Spieldauer ca. 22 Minuten

Entstehung Die seltene Streichtriobesetzung des »Terzetto« mit zwei Violinen und Bratsche (gebräuchlicher sind Violine, Bratsche und Cello oder zwei Violinen und Cello) hat eine gewisse Tradition in der Pariser und Londoner Vorklassik. Dvořáks Werk hat aber wohl keinen Bezug dazu, sondern erklärt sich eher als radikales Kontrastprogramm zu den kompositorischen und aufführungstechnischen Anstrengungen seines monumentalen Oratoriums »St. Ludmila«, das ihn in den Jahren 1885/86 beschäftigte: »Ich schreibe jetzt kleine Bagatellen, denken Sie, nur für zwei Violinen und Viola«, ließ Dvořák seinen Verleger Simrock wissen, »die Arbeit freut mich ebenso, als wenn ich eine große Sinfonie schreibe.«

Einmal eine Stradivari spielen

Gute Musikinstrumente sind teuer, sehr gute manchmal unbezahlbar. Da gibt es für entsprechend begabte Künstler oft nur eines: sich bei einem der öffentlichen oder privaten Fonds um ein Musikinstrument zu bewerben. Die größte und bedeutendste Instrumentenvermittlung dieser Art für den hochbegabten Streichernachwuchs in Deutschland ist der 1993 als gemeinsame Initiative der Deutschen Stiftung Musikleben und des Bundes gegründete Deutsche Musikinstrumentenfonds. Anfangs verfügte der über gerade einmal 16 kostbare Geigen, Bratschen und Celli. Mittlerweile sind es über 130. Und seit 2002 sind sogar zwei Violinen von Antonio Stradivari dabei. So liegt schon der Versicherungswert des Fonds im zweistelligen Millionenbereich. Die Instrumente werden in einem jährlichen Wettbewerb mit strengen Ausschreibungskriterien von einer Fachjury an den Nachwuchs aus ganz Deutschland vergeben. Die Musiker erhalten die Instrumente zunächst für ein Jahr, können die Leihfrist aber mit einem neuen erfolgreichen Vorspiel maximal bis zum 30. Lebensjahr verlängern bzw. sich ein noch besseres Instrument erspielen.

Direkter Anstoß für das »Terzetto« war ein Kammermusikkreis, in dem neben dem Komponisten auch ein noch wenig erfahrener Violinist mitwirkte. Dvořák wollte deshalb seine technischen und inhaltlichen Anforderungen einschränken. Im Lauf der Ausarbeitung hat er die selbst gesteckten Grenzen allerdings überschritten, sodass das »Terzetto« keinesfalls typische Laienmusik oder gar eine didaktische Studie geworden ist. Eine solche lieferte er noch im Januar 1887 mit den »Drobnosti« (»Miniaturen«) op. 75a nach.

Musik Das Streichtrio op. 74 ist ein charmantes und unprätentiöses kleines Werk. Am Vorbild der Großgattung Streichquartett gemessen handelt es sich gewissermaßen um Kammermusik »en miniature«: mit verkleinerter Besetzung, verkleinerten Dimensionen und verkleinertem Anspruch, aber ansonsten modellgetreu nachgebaut. Dabei ist die Fülle der satztechnischen Möglichkeiten, die Dvořák der basslosen Dreistimmigkeit abgewinnt, verblüffend.

Ausgefallen ist auch die Gesamtanlage. Von den vier Sätzen folgen nur der romantische zweite Satz und das Scherzo (mit »Furiant«-Charakter und ländlermäßigem Trio) als dritter Satz den üblichen Gepflogenheiten und Typen der viersätzig-zyklischen Form: Der Kopfsatz ist dagegen kein Konflikte setzender Sonatensatz, sondern eine kurz gefasste Hinführung zum attacca anschließenden langsamen zweiten Satz.

Das Finale wird durch eine Variationskette über ein archaisches, harmonisch gewohnt waghalsig geführtes Thema gebildet. Hier finden in zehn, jeweils sehr kurz gehaltenen Variationen die verschiedensten Techniken Anwendung: melodische, polyfone, rhythmische, rezitativische Veränderungen des Materials. Dabei wechseln sich schnelle und langsame Variationen regelmäßig ab.

Wirkung Die etwas abseitige Besetzung für zwei Violinen und Viola (statt Violine, Viola, Violoncello) macht das Werk zu einem eher seltenen Gast in Konzertsaal und Aufnahmestudio – dabei verdiente die geistvolle Komposition sicher größeres Interesse. WA

Klaviertrios

Dvořák hat sechs Klaviertrios geschrieben, von denen er die beiden ersten, vermutlich um 1871 entstandenen vernichtet hat. Die verbleibenden vier bilden immer noch die nach den Streichquartetten zweitgrößte und auch -gewichtigste Gruppe innerhalb seiner Kammermusik. Den Grundlinien der Gattung folgend, steht im Gegensatz zu den Streichquartetten mehr die Intensivierung des emotionalen Ausdrucks im Vordergrund, weniger Fragen der technischen Verarbeitung und der Formbeherrschung.

In den Trios op. 21 und op. 26 ist der Klaviersatz teilweise noch etwas weniger geschickt gesetzt, während in op. 65 und op. 90 die charakteristischen Spannungen der Besetzung mit großer Fantasie gestaltet sind. Mit letzteren Meisterwerken begründete Dvořák, zusammen mit Smetana, einen spezifisch tschechischen Typus der Gattung, der in den Werken von Fibich, Suk, Novák und Foerster seine Fortsetzung fand. WA

Klaviertrio B-Dur op. 21

Sätze 1. Allegro molto, 2. Adagio molto e mesto, 3. Allegretto scherzando, 4. Finale: Allegro vivace
Entstehung Frühjahr 1875
UA 17. Februar 1877 Prag
Verlag Artia
Spieldauer ca. 30 Minuten

Entstehung Das B-Dur-Trio ist nicht ganz präzise zu datieren, beendet wurde es spätestens am 14. Mai 1875, die Kompositionszeit erstreckte sich vermutlich mehr auf März und April des Jahres. Das Werk steht damit in der Nachbarschaft des Streichquintetts op. 77, der Serenade op. 22 und des Klavierquartetts op. 23. Für die Druckfassung 1880 oder auch schon früher hat Dvořák das Trio überarbeitet. Dabei erhielt das Scherzo einen völlig neuen Mittelteil, das Finale wurde erheblich gekürzt.

Musik Im Vergleich zum vorhergehenden Streichquintett ist Dvořáks erstes erhaltenes Klaviertrio ein viel persönlicheres, ernsteres und konzentrierter gearbeitetes Werk, das klanglich zuweilen an Schubert und Schumann denken lässt, in den harmonischen Modulationen aber seine kompositorische Eigenart klar hervortreten lässt. Der Anspruch besonderer emotionaler Beteiligung, in den beethovenschen Klaviertrios begründet, wird hier aufgegriffen. Ein weit ausholender Gestus und leidenschaftliche Spannung bestimmen die Dramaturgie der Komposition, in der sich auch der Tonfall der slawischen Folklore immer deutlicher zu Wort meldet (so im Kopfsatz in der modalen Melodiewendung des Hauptthemas und im polkaartigen dritten Satz). Darüber hinaus sind eine sorgfältige thematische Ökonomie und Themenverknüpfungen zwischen den Sätzen für die Faktur kennzeichnend.

Erster Satz Das Trio beginnt mit einem bemerkenswerten Kunstgriff: Das Hauptthema erscheint zuerst als weiche, ruhige Kantilene, mit einer plötzlichen Diminution (halbierte Notenwerte) des Themas kommt lebhafteste Bewegung in Gang. Der spannungsreich und dicht gestaltete Satz endet mit einem kraftlosen Verlöschen.

Zweiter und dritter Satz Das Adagio ist von wehmütiger, trauriger Stimmung, die sich in

Die frühen Klaviertrios von Dvořák entstanden in Prag, wo der Komponist mit Ausnahme seines Amerikaaufenthalts (1892–95) und verschiedener Gastspielreisen lebte und arbeitete (Blick vom Pulverturm auf die Altstadt von Prag).

mehreren Steigerungen bis zum Ausdruck offenen Schmerzes steigert. Das Scherzo setzt dagegen mit einem eher gemütlichen Tanztypus einen beruhigenden Kontrapunkt.

Vierter Satz Im Finale ist die parallele Molltonart g-Moll sehr präsent und unterstreicht den ernsten Charakter des Ganzen. Eine ganz besondere Wirkung hinterlässt hier auch ein Zitat des Themas des langsamen Satzes in beschleunigtem Tempo.

Wirkung František Ondříček, Alois Sládek und Karel von Slavkovský waren die Ausführenden bei der Uraufführung 1877 in Prag. 1878, als sich nach dem Erfolg der »Klänge aus Mähren« die Anfragen der Verlage häuften, bot Dvořák das Trio zusammen mit dem Trio op. 26 für (zusammen) 400 Mark dem Verlag Bote & Bock an. Dieser nahm aber nur das g-Moll-Trio, sodass das B-Dur-Werk erst 1880 (bei Schlesinger/Berlin) erschien. In der Rezeption stand es immer deutlich im Schatten der berühmten Dvořák-Trios op. 65 und op. 90. WA

Einspielungen (Auswahl)
• Borodin Trio, 1992 (+ Klaviertrio op. 26); Chandos

Klaviertrio g-Moll op. 26

Sätze 1. Allegro moderato, 2. Largo, 3. Scherzo: Presto, 4. Finale: Allegro non tanto
Entstehung Januar 1876
UA 29. Juni 1879 Turnau
Verlag Artia
Spieldauer ca. 27 Minuten

Entstehung Ungefähr ein halbes Jahr nach seinem ersten (nicht vernichteten) Klaviertrio wandte sich Dvořák erneut der Gattung zu. So entstand Anfang 1876 innerhalb von nur 16 Tagen das g-Moll-Trio. Es war dies zugleich das Jahr, in dem die »Klänge aus Mähren« komponiert und das »Stabat mater« begonnen wurde – jene Werke, die Dvořáks internationalen Ruhm begründen sollten. Ob der düstere Tonfall des

Trios mit dem Tod der kurz nach ihrer Geburt gestorbenen Tochter Josefa zu erklären ist, ist ebenso behauptet wie bestritten worden.

Musik Das g-Moll-Trio ist stilistisch mit dem Vorgängerwerk in B-Dur zu vergleichen: Aber alle Charakteristika scheinen noch geschärft und radikaler verfolgt. Die Gesamthaltung ist, wie schon die Tonart nahelegt, dunkler und meditativer, wird aber im Finale durchbruchartig nach G-Dur aufgehellt. Wichtiger noch ist die Tendenz zur Vereinheitlichung des thematischen Materials: Dvořák, dem ja immer ein Überschuss an melodischer Erfindung nachgesagt wird, geht ungewöhnlich sparsam mit den Gedanken um. Er beschränkt die Zahl der Themen auf maximal zwei pro Satz, die zudem noch teilweise abgeleitet erscheinen.

Die interessantesten Sätze sind das an zweiter Stelle stehende Largo, das aus einer einzigen Melodie mit einer modulierend verarbeitenden Durchführung entfaltet wird, und das daran anschließende Scherzo, das bereits wie ein Vorbote der »Slawischen Tänze« klingt.

Wirkung Dvořák selbst hat bei der Uraufführung in Turnau am Klavier mitgewirkt, begleitet von dem Geiger Ferdinand Lachner und dem Cellisten Alois Neruda. Noch 1879 erschien das Werk bei Bote & Bock in Berlin erstmalig im Druck. Bei einer Art Abschiedstournee durch Böhmen und Mähren vor seiner Abreise nach Amerika hat der Komponist das Trio 1892 (mit Lachner und dem Cellisten Hanuš Wihan) mehrfach gespielt.

Von wissenschaftlicher Seite her ist das Trio zuweilen sehr kritisch betrachtet worden: So sah der ausgewiesene Dvořák-Experte John Clapham den Komponisten in dem Werk noch nicht in der Lage, das sparsame Material formal optimal auszuwerten. Vor allem die Ecksätze seien unsicher, ja schwach gestaltet. WA

Einspielungen (Auswahl)
• Borodin Trio, 1992 (+ Klaviertrio op. 21); Chandos

Klaviertrio f-Moll op. 65

Sätze 1. Allegro, ma non troppo, 2. Allegro grazioso, 3. Poco adagio, 4. Finale: Allegro con brio
Entstehung Februar/März 1883
UA 27. Oktober 1883 Mladá Boleslav
Verlag Artia, Simrock
Spieldauer ca. 40 Minuten

Entstehung An diesem Klaviertrio hat Dvořák länger und härter gearbeitet als normalerweise an einem Kammermusikwerk dieses Umfangs: Über fast zwei Monate zieht sich die Komposition hin, und das Manuskript zeigt, dass auch danach noch korrigiert und geändert wurde. Biografische Hinweise deuten darauf hin, dass sich Dvořák in dieser Zeit in einer kritischen Umbruchphase befand. So fehlt zum Beispiel beim Trio und einigen anderen Kompositionen des Jahres 1883 das »Bohu díky« (Gott sei's gedankt), mit dem er üblicherweise seine Partituren abschloss.

Die Verärgerung über und Verunsicherung durch die Kritik an seiner Oper »Dimitrij«, aber auch zunehmendes Unbehagen an seiner Rolle als liebenswürdiger böhmischer Musikant führten zu einer gewissen Ratlosigkeit, forderten aber auch seine schöpferische Kraft heraus.

Musik In seiner depressiven Stimmung und seinem fast aggressiven Aufbegehren lässt das Trio zwar die persönlichen Probleme des Komponisten spürbar werden, weist aber zugleich eine vorher nicht erreichte epische Größe und Tiefe des Ausdrucks auf. Enorm sind, mit ungefähr 40 Minuten Spieldauer, auch die Dimensionen des Klaviertrios. Es ist (vorbereitet schon im Streichquartett op. 61) eine Absage an die »slawische Periode«, es meidet ganz entschieden den unverbindlichen folkloristischen Reiz und die gefällige, marktgerechte Genrekomposition. Wenn jetzt der nationale Ton noch angeschlagen wird (und das wird er im zweiten und vierten Satz durchaus), dann nicht im Dienste eines exotischen Kolorits, sondern als ernst gemeinte Ausdrucksebene. Der leidenschaftliche Charakter (in den B-Dur- und g-Moll-Trios in milderer Form angedeutet) wird hier ohne konfliktlösende Kontraste durchgehalten, die tragische Stimmung erfährt dabei immer neue Beleuchtung.

Typisch und für Dvořáks Themenbildung ganz neu ist bereits der Anfang des Kopfsatzes: Innerhalb weniger Takte steigert sich das Thema vom pp zum ff, gleichzeitig spannt sich der Tonumfang von der Einstimmigkeit in der Mittellage zu einer sinfonischen Klangdichte bis in den hohen Diskant. Der Satz ist reich an thematischen Gedanken, die aber alle solch dynamische und lapidare Formung aufweisen.

Der Scherzosatz ist an die zweite Stelle gerückt, bringt aber kein humorvolles Intermezzo, sondern setzt in der fremden Tonart cis-Moll eine eigentümliche neue Spannung. Das Poco adagio beginnt als leise klagender Gesang, steigert sich aber zu schroffen Ausbrüchen.

Das Finale greift tonal sowohl auf die Grundtonart als auch auf das cis-Moll des Scherzos zurück: Eigentlicher Gegenstand des überaus erregt-kämpferischen Satzes (mit typischen »Furiant«-Rhythmen) ist aber der Durchbruch nach F-Dur: Diese Wendung zu einem positiven Ende ist nach dem insgesamt so düsteren Gesamtgeschehen umso wirkungsvoller. Sehr dramatisch und kompliziert verwirklicht Dvořák diese Formidee, lässt die Durtonart immer wieder am wiedererstarkenden f-Moll scheitern, bis schließlich die auch melodisch verklärte Form der Themen den strahlenden Schlusspunkt setzt.

Wirkung Die Uraufführung am 27. Oktober 1883 in Mladá Boleslav sah wieder das Trio Antonín Dvořák, Ferdinand Lachner und Alois Neruda als Ausführende. Ob Dvořáks offensichtliche Absicht, mit diesem Werk zu zeigen, was er »auch« kann, erfolgreich war, ist schwer zu sagen.

Obwohl es sich in jeder Hinsicht um ernste und schwere Kammermusik handelt, gehört das Werk ohne Frage zum zentralen Repertoire der Klaviertrioliteratur und wird bis heute dementsprechend häufig im Konzertsaal gespielt und auf Tonträger aufgenommen. **WA**

Einspielungen (Auswahl)
• Florestan Trio, 1996 (+ Dumky op. 90); Hyperion

»Dumky« e-Moll op. 90

Sätze 1. Lento maestoso, 2. Poco adagio, 3. Andante, 4. Andante moderato, 5. Allegro, 6. Lento maestoso
Entstehung November 1890 bis Februar 1891
UA 11. April 1891 Prag
Verlag Bärenreiter, Simrock
Spieldauer ca. 35 Minuten

Entstehung Die Dumky (ukrainische Mehrzahl von Dumka) – Dvořák bezeichnete das Werk nie als Klaviertrio – entstanden um die Jahreswende 1890/91. Zu jener Zeit suchte der Komponist in Werken wie den »Poetischen Stimmungsbildern« op. 85 oder der 8. Sinfonie G-Dur freiere und programmatisch erweiterte Wege des Komponierens. Er wolle, so heißt es in einem Brief, in anderer Art als in den »gewohnten, allgemein benützten und anerkannten Formen« schreiben: eine Art Emanzipation vom klassisch-romantischen Traditionalismus.

Musik In radikaler Weise gilt dies für das »Dumky«-Trio: Die sonst, auch bei Dvořák, fast

Die Dumka

Duma oder – in der Verkleinerungsform – Dumka bedeutet in den slawischen Sprachen so viel wie Gedanke oder Nachsinnen. In der Ukraine wird mit Dumka seit dem 15. Jahrhundert ein episch-historisches Volkslied bezeichnet, das von den Kämpfen, Siegen und allgemein Heldentaten der Kosaken handelte. Später wurden auch liedhafte Musikstücke und – in der Kunstmusik des 19. Jahrhunderts – sogar rein instrumentale Kompositionen mit dem Namen Dumka versehen. Entsprechende Werke für Klavier schrieben u. a. Franz Liszt (»Complaintes, dumka«, 1848) und Peter Tschaikowski (Dumka c-Moll »Scène rustique« op. 59, 1886). Die Violine als Soloinstrument verlangt u. a. die Dumka von Henri Wieniawski (1853). Berühmtester Komponist von Dumki ist aber Antonín Dvořák: Neben den »Dumky« op. 90 sind vor allem die Klavierstücke »Dumka« d-Moll op. 35 (1876) und »Dumka und Furiant« op. 12 (1884) sowie jeweils die zweiten Sätze des Streichquartetts Es-Dur op. 51, des Klavierquintetts A-Dur op. 81 und des Streichsextetts A-Dur op. 48 zu nennen.

Dvořáks »Dumky« lehnen sich an traditionelle ukrainische Volkslieder an, in denen die Heldentaten der Kosaken besungen wurden (»Kampf zwischen Saporoger Kosaken und Tataren«, Gemälde von Sergej Wassilkowskij, 1892).

ganz verbindliche viersätzige Form mit Kopfsatz in Sonatenhauptsatzform, langsamem Satz, Scherzo und Finale ist hier völlig suspendiert. Als Formidee tritt die Dumka an ihre Stelle. Bei Dvořák verbindet sich mit dem Titel immer ein heftiger Wechsel von schwermütiger Gesangsmelodie und schnellen, tanzähnlichen Formabschnitten, der so im originären Volkslied nicht vorkommt, und den er vielleicht von Dumkastilisierungen ukrainischer Komponisten wie Zawadsky oder Lyssenko entlehnt hat. Jedenfalls ersetzt dieses Prinzip der Kontrastierung und auch der Variation hier die thematische Arbeit und zyklische Fügung der traditionellen Kammermusik. Und dies bedeutet einen »Slawismus« neuer Qualität – nicht als klangliche Färbung, sondern als formale Alternative.

Obwohl die Themen der einzelnen Dumkasätze nicht miteinander verknüpft sind und obwohl die Tonartenfolge offen und asymmetrisch ist (e-Moll; cis-Moll; A-Dur; d-Moll; Es-Dur; c-Moll/C-Dur), bilden die sechs Sätze durchaus einen geordneten Zusammenhang, sind nicht einfach eine Abfolge von Charakterstücken: Die

ersten drei Nummern sind durch Attaccaanschluss zu einem Großsatz verbunden, der durch den steten Wechsel langsam–schnell und insgesamt durch eine sinkende, sich besänftigende Affektlinie gekennzeichnet ist. Der vierte Satz ist vor allem ruhig, der fünfte hauptsächlich bewegt. Im Schlusssatz sind die gegensätzlichen Tempi wieder ausgewogener.

Die Fülle an Stimmungen und poetischen Klangeffekten, die ganz eigene Fügung und die Meisterschaft in der Behandlung des Satzes machen die »Dumky« zu einem besonders glänzenden und originellen Musikstück.

Wirkung Obwohl die Uraufführung schon im April 1891 stattfand, anlässlich einer Feier zur Verleihung der Ehrendoktorwürde an den Komponisten, wurde das Werk erst 1894 gedruckt und die eigentliche Wirkung so verzögert. Grund war der zeitweilige Bruch zwischen Dvořák und seinem Verleger Simrock. Als dieser sich 1891 wieder meldete, schrieb der Komponist an seinen Freund Alois Göbl: »Er möchte gerne wieder etwas haben, aber ich lasse ihn zur Strafe einstweilen warten.« 1894 kamen die »Dumky« dann aber doch bei Simrock heraus, am 23. Juni des Jahres wurden sie in London sogleich aufgeführt und gehörten schnell zu jener Handvoll Werke, die das Bild von Dvořák bis heute dominieren. Dennoch mangelte es auch nicht an ablehnenden Stimmen, George Bernard Shaw zum Beispiel fand sie »hinreichend hübsch, aber nicht viel mehr als das« – ein recht grober kritischer Schnitzer.

Die bedeutendsten Klaviertrioensembles haben das Werk eingespielt: vom Abegg-Trio über das Beaux Arts Trio, das Suk Trio, Florestan Trio bis zum Trio Fontenay. WA

Einspielungen (Auswahl)
• Trio Fontenay, 1992 (+ Klaviertrios Nr. 1–3); Teldec
• Florestan Trio, 1996 (+ Klaviertrio op. 65); Hyperion
• Beaux Arts Trio, 2004 (+ Mendelssohn, Klaviertrio Nr. 1); Warner Classics

Streichquartette

Die 14 Streichquartette Antonín Dvořáks sind ein überaus bedeutender Beitrag zur Geschichte der Gattung. Über 33 Jahre hinweg pflegte der Komponist die Form und begann mehrfach gerade in diesen Werken eine neue stilistische Phase. Für einen Komponisten seiner Genera-

tion war dies keine Selbstverständlichkeit, angesichts der hohen Gattungsnorm mieden viele Kollegen die Komposition von Quartetten und wichen auf weniger anspruchsvolle Genres aus.

Dvořák hat sich dagegen dem Anspruch gestellt, immer wieder neue Wege gesucht, neue Einflüsse integriert. So kam ein höchst vielgestaltiger Werkkorpus zustande, der Experimentierlust und Klangfreude, Klassizität und tschechisches Kolorit in raffinierter Weise verschmilzt und Dvořák weniger als »böhmischen Musikanten«, sondern als Meister von hoher intellektueller Kühnheit und bewusstester Kompositionstechnik zeigt. WA

Einspielungen (Auswahl)
• Prager Streichquartett, 1975–77; Deutsche Grammophon

Streichquartett Nr. 1 A-Dur op. 2

Sätze 1. Andante – Allegro, 2. Andante (Adagio) affettuoso ed appassionato, 3. Allegro scherzando, 4. Allegro animato
Entstehung März 1862; 1887 (Revision)
UA 6. Januar 1888 Prag
Verlag Artia
Spieldauer ca. 45 Minuten (revidierte Fassung: ca. 30 Minuten)

Die Streichquartette von Antonín Dvořák

Entstehung	Uraufführung	Titel
1862	1888	Streichquartett Nr. 1 A-Dur op. 2
ca. 1868/69	nicht bekannt	Streichquartett Nr. 2 B-Dur o. op.
ca. 1869	nicht bekannt	Streichquartett Nr. 3 D-Dur o. op.
1870	nicht bekannt	Streichquartett Nr. 4 e-Moll o. op.
1873	1930	Streichquartett Nr. 5 f-Moll op. 9
1873	nicht bekannt	Streichquartett Nr. 6 a-Moll op. 12
1874	1878	Streichquartett Nr. 7 a-Moll op. 16
1876	1889	Streichquartett Nr. 8 E-Dur op. 80
1877	1882	Streichquartett Nr. 9 d-Moll op. 34
1878/79	1879	Streichquartett Nr. 10 Es-Dur op. 51
1881	1882	Streichquartett Nr. 11 C-Dur op. 61
1887	1888	Zwölf Stücke für Streichquartett o. op. (»Zypressen«)
1893	1894	Streichquartett Nr. 12 F-Dur op. 96 (»Amerikanisches Streichquartett«)
1895	1896	Streichquartett Nr. 13 G-Dur op. 106
1895	1897	Streichquartett Nr. 14 As-Dur op. 105

Entstehung In den Jahren 1860–72 fristete Dvořák noch ein recht mühsames Dasein als Bratschist und Musiklehrer. Im Stillen aber komponierte er zahlreiche Werke, von denen er die meisten später vernichtete, sein erstes Streichquartett (gewidmet seinem Lehrer Josef Krejří) ist dagegen erhalten, womöglich dank eines glücklichen Zufalls. Als das Manuskript dem Komponisten 25 Jahre nach der Entstehung wieder in die Hände fiel, überarbeitete er es, indem er in erster Linie beträchtliche Kürzungen vornahm.

Musik Das A-Dur-Quartett ist ein ambitionierter Erstling, sowohl in seinen Stärken wie in seinen Schwächen, in seiner sorgfältigen Durcharbeitung wie in seiner überladenen Dichte. Deutlich zeigt sich das Bemühen des jungen Dvořák, ein anspruchsvolles Kammermusikwerk auf der stilistischen Höhe seiner Zeit zu entwerfen.

»Im Stile Mendelssohns« sei es, bekannte der Komponist 1898 in einem Brief, und meinte damit wohl nicht nur die kantablen, liedhaften Melodien, sondern auch das Verfahren, aus der langsamen Einleitung des Kopfsatzes wie aus einer Keimzelle die thematischen Figuren der anderen Sätze abzuleiten – wie es sich zum Beispiel in Mendelssohns op. 13 findet. Auch das zitierende Aufgreifen des Kopfsatzes im Finale erinnert an dieses Vorbild.

Daneben hat aber auch das Studium beethovenscher und schubertscher Partituren seine Spur im Notentext hinterlassen. Eine Besonderheit bildet aber die Harmonik des Werks, die in ihrer Vermeidung von Ganzschlüssen der Faktur eine gleichsam atemlose Weite gibt.

Traditionelle Form – viersätzig mit ausgedehnten Sonatensätzen zu Beginn und als Finale – und übersprudelnde Vielfalt an Ideen im Detail stehen noch in einer unausgewogenen Spannung, was vor allem in den Ecksätzen zu einigen Längen führt. Der zweite Satz erprobt in seiner orchestralen Klangstruktur und seiner feinen Kantilene schon recht charakteristisch einen eigenen Ton. Noch origineller und gelungener scheint aber das folgende Allegro scherzando, das kühn und frei mit dem Taktschwerpunkt spielend, mit metrischen und melodischen Verschiebungen ein ausgesprochen kräftig erfundenes Stück ist. Die interessante Rhythmik sollte jedoch nicht als tschechisch gedeutet werden –

diese Quelle der Inspiration war damals für Dvořák noch nicht aktuell.

Wirkung Obwohl Dvořák 1885 in einem Interview berichtete, das Quartett habe zu seinem »Entzücken« das »Glück« gehabt, »von einigen Freunden gespielt zu werden«, und auch dem Lehrer Krejčí habe es gefallen, wurde das Werk erst 1888 öffentlich (und gekürzt) uraufgeführt. Dvořák dachte offenbar nicht an eine Publizierung – nur so lässt sich erklären, dass er das Hauptthema des ersten Satzes fast wörtlich in sein Cellokonzert A-Dur übernommen hat. Erstmals gedruckt wurde das Quartett erst 1948.   WA

Streichquartett Nr. 2 B-Dur o. op.

Sätze 1. Allegro, ma non troppo, 2. Largo, 3. Allegro con brio, 4. Finale: Andante – Allegro giusto
Entstehung vermutlich ca. 1868/69
UA nicht bekannt
Verlag Artia
Spieldauer ca. 50 Minuten

Entstehung Das B-Dur-Streichquartett gehört zu jener recht umfangreichen Gruppe von Frühwerken, die Dvořák später vernichtet hat. Es gibt keine autografe Partitur, die Stimmen sind aber wieder aufgetaucht, und so konnte das Quartett 1962 publiziert werden. Die Datierung bleibt freilich unsicher, aus stilkritischen Gründen pflegt man die Entstehungszeit um 1868/69 anzusetzen. Dvořáks biografische Situation damals war von seiner Tätigkeit als Bratschist bestimmt: Am Theater kam er in Kontakt mit der Musik der sogenannten Neudeutschen Schule, die der Direktor Smetana ab 1866 engagiert vertrat.

Wie sehr den jungen Dvořák die Musik Wagners beeindruckt hat, zeigt sich in den Quartetten dieser Zeit (Nr. 2 B-Dur, Nr. 3 D-Dur, Nr. 4 e-Moll) wie auch in der 1870 begonnenen heroischen Oper »Alfred«.

Musik Dem großen zeitlichen Abstand von sechs Jahren zum ersten Quartett entspricht ein gewaltiger stilistischer Bruch: Das B-Dur-Quartett steht in einem Verhältnis extremer Negation zu den klassisch-romantischen Modellen, denen Dvořák in seinem vorhergehenden Gattungsbeitrag noch so engagiert zu entsprechen suchte.

In dem ganz offensichtlich radikal experimentellen Konzept des B-Dur-Quartetts geht es um nicht weniger als die Adaption des wagnerschen Komponierens auf dem Gebiet der Kammermusik. »Die Kunst des Übergangs«, die Wagner als seine Errungenschaft betrachtete, führt in Dvořáks Aneignung zu einer Musik, in der die traditionellen Satztypen ebenso verwischt werden wie architektonische Gliederung und harmonische oder thematische Kontraste.

Alle Sätze haben einen fließenden, prozesshaften Charakter, alle sind thematisch miteinander verwoben, wobei die Zitate völlig in den jeweiligen Kontext eingebunden werden. Es gibt keine klar umrissenen Themen, sondern nur kleine Motive, die in fortwährender Variation und polyfoner Verarbeitung einen freien, oszillierenden und dramatischen Zusammenhang bilden. Die Komposition ist ebenso faszinierend in ihrer Eigenart wie auch fragwürdig als Werkkonzeption.

Vielleicht handelt es sich – Dvořáks missglückte Vernichtung des Werks deutet in diese Richtung – tatsächlich mehr um eine Fingerübung (und Vorarbeit für die Oper) im Wagner-Stil als um einen Beitrag zur Geschichte des Streichquartetts.

Wirkung Manches weist, wie erwähnt, darauf hin, dass Dvořák eine Aufführung, auch im privaten Rahmen, gar nicht erwogen hat. Auch heute dürften Konzertaufführungen oder Aufnahmen äußerst selten zu finden sein, in der Gesamtaufnahme der Dvořák-Quartette durch das Prager Quartett ist das Werk aber enthalten. WA

Streichquartett Nr. 3 D-Dur o. op.

Sätze 1. Allegro con brio, 2. Andantino, 3. Allegro energico, 4. Finale: Allegretto
Entstehung vermutlich um 1869
UA nicht bekannt
Verlag Artia
Spieldauer ca. 70 Minuten

Entstehung Von diesem Quartett sind, wie vom B-Dur-Quartett, nur die Stimmen überliefert, die Partitur hat Dvořák vernichtet. Zu datieren ist es stilistisch und biografisch wohl in den gleichen Zeitraum, also gegen 1869. Dafür spricht auch, dass in diesem Jahr die tschechische Freiheitsbewegung starke Aktivitäten entfachte: eine nationale Aufbruchstimmung, die der Partitur – neben der starken Wirkung Wagners – ihr spezifisches Gepräge gibt.

Musik Das D-Dur-Quartett steht auch in der musikalischen Gestalt dem benachbarten B-Dur-Quartett nahe, ist gewissermaßen durch Steigerung, aber auch Regulierung der dort auffallenden Charakteristika gekennzeichnet. Die Dimensionen sind endgültig ins Riesenhafte gewachsen: Mit 70 Minuten ist es wohl das längste Streichquartett der Welt, zudem auch eines der längsten absoluten Instrumentalwerke überhaupt.

Einflüsse Wagners lassen sich an der prozesshaften Form in Wellen von Verdichtung und Entspannung, der zweideutig gespannten Harmonik sowie dem ständigen Variieren und Fortspinnen der Motive festmachen. Klanglich ist am ehesten an die spezifische schwebende Stimmung des »Lohengrin« zu denken, satztechnisch dürfte die polyfone Schichtung mehrerer Themen, die Dvořák (als Bratschist) in der »Meistersinger«-Ouvertüre kennenlernte, als Modell gedient haben.

Andererseits ist das Bemühen des jungen Komponisten zu spüren, mehr Struktur, mehr Kontrast und Gliederung in den Strom der Musik zu bringen: Es gibt gegensätzliche Themen, die auch deutlicher und wiedererkennbarer gezeichnet sind und ausgedehntere harmonische Ausweichungen. Auch die Rhythmik ist klarer und konturierter.

So werden die traditionellen Satztypen wieder präsenter und gegeneinander abgesetzt: Der erste Satz ist ein konflikthaft organisierter Sonatensatz mit dramatischen und kunstvollen Durchführungen, der zweite Satz eine »unendliche Melodie« in hoher Lage, der dritte Satz ein typisches Scherzo mit kräftigem Hauptteil und kontrastierendem Trio. Das Finale beschließt in tanzhaftem Schwung und mit einer mächtigen Coda das Werk.

Neben diesen Elementen, die auf eine – freilich höchst problematische – Synthese von wagnerschem Musikdenken und tradiertem Quartettstil hinarbeiten, ist aber auch auf eine unüberhörbar poetische, ja politische Perspektive hinzuweisen: Im Scherzo (Allegro energico) verwendet Dvořák das damals offiziell verbotene, aber häufig gesungene tschechische Kampflied »Hej, Slované«, und zwar wörtlich zitiert, durch abgeleitete Passagen erweitert und mit einem etwas schwerfälligen harmonischen Gewand mit Gewicht und Nachdruck versehen. Da diese Melodie mit der Nationalhymne Polens verwandt ist und die polnischen Freiheitskämpfer in ganz Europa als Avantgarde der Revolution begriffen und gefeiert wurden, lässt sich auf diese Weise auch die auffallende Häufung des punktierten (Mazurka-)Rhythmus in allen Sätzen des Quartetts als Hinweis verstehen, dass hier in gewisser Weise ein musikalisches Manifest der slawischen Volksbewegung komponiert ist.

Wirkung In den Stimmen, die Dvořák Professor Antonín Bennewitz überlassen hatte – und die so der selbstkritischen Zerstörung durch den Komponisten entgingen –, sind deutliche Spuren eines Probenstudiums zu erkennen: Zu einer Aufführung kam es aber nicht – sei es wegen der großen Schwierigkeiten, der außergewöhnlichen Faktur des Werks oder auch nur wegen der zahlreichen Nachlässigkeitsfehler in der Abschrift. Gedruckt wurde das Quartett erst 1964, und die Herausgeber zweifelten selbst da noch daran, es jemals zu Gehör zu bekommen. WA

Streichquartett Nr. 4 e-Moll o. op.

Sätze (einsätzig) Velmi pohyblive a rázne [Assai con moto ed energico] – Andante religioso – Allegro con brio
Entstehung 1870
UA nicht bekannt
Verlag Artia
Spieldauer ca. 35 Minuten

Entstehung Das e-Moll-Quartett ist das dritte der Gruppe von 1868/70 – auch dieses hat Dvořák um 1873 als so missglückt empfun-

den, dass er die Partitur vernichtete. Die Stimmen sind aber auch hier zufälligerweise erhalten, allerdings völlig unbenutzt und unkorrigiert, sodass davon ausgegangen werden kann, dass das Werk zu Lebzeiten des Komponisten niemals auch nur probehalber angespielt worden ist. Den langsamen Teil (Andante religioso) hat Dvořák in umgearbeiteter Form später (als »Intermezzo«) in sein Streichquintett op. 77 übernommen, dann aber wieder entfernt und als selbstständiges »Nocturne« op. 40 für Streichorchester veröffentlicht.

Musik »An der Schwelle zur Neuen Musik« sieht der Musikwissenschaftler Hartmut Schick, der das Quartett einer umfangreichen Analyse unterzogen hat, hier den jungen Dvořák. In einem dritten Anlauf versucht dieses Werk die neudeutsche Tonsprache Liszts und Wagners in die Kammermusik zu integrieren. Und wieder findet der Komponist neue Verfahren und Techniken: nach dem formal etwas indifferenten B-Dur-Quartett und dem monströsen Kraftakt des D-Dur-Werks nun eine Konzeption, die zwischen der avancierten Klangtechnik und der formalen Anlage zu vermitteln sucht.

Freilich wird man Dvořáks Leistung nicht gerecht, und darauf weist Schick nachdrücklich hin, wenn man in dem Quartett nur eine nachahmende Kombination von Liszts einsätziger Großform (Klaviersonate h-Moll) und Wagners schwüler Vorhaltsharmonik (»Tristan und Isolde«) sieht. Diese Modelle sind zwar unübersehbarer Anstoß, im Detail und Verlauf geht Dvořák aber durchaus eigene Wege.

Die Form ist dreiteilig (genauer fünfteilig, da der Andanteeinschub in verkürzter Form am Ende wiederkehrt) und ergibt sich als Wechsel von extrem bewegter und extrem statischer Musik. Die Allegroabschnitte sind dabei von starker Auflösung von Tonalität und Metrum gekennzeichnet, auch von äußerst dramatischer und leidenschaftlicher Ausdruckshaltung. Das »Andante« dagegen ruht geradezu über einem 60 Takte langen Orgelpunkt-Fis des Cellos (dieser ca. 9 Minuten dauernde Ton ist vermutlich die längste Note der Musikgeschichte).

Die Tonsprache ist mit ihrer Auslassung und Umschreibung der Grundtonart, mit ihrer Reihung unaufgelöster Spannungsklänge und ihrer völligen Emanzipation von periodischen Strukturen und metrisch gebundenen Rhythmen dem historischen Stand von 1870 – und eben auch der Tonsprache Wagners und Liszts – um Jahre, wenn nicht Jahrzehnte voraus. Dvořák erreicht hier eine experimentelle Modernität, die über die Krisis seiner kompositorischen Entwicklung, die das Quartett sicher auch in schlagender Weise dokumentiert, weit hinausweist. Es ist das Werk eines Avantgardisten, nicht eines »böhmischen Musikanten«.

Wirkung Erst 1968 (!) publiziert, hat das e-Moll-Quartett selbstredend keine Rezeptionsgeschichte. Man kann sich auch schwer vorstellen, was ein zeitgenössisches Publikum mit diesem radikalen Stück Musik gerade auf dem konservativen Gebiet der Kammermusik hätte anfangen sollen. Stilistisch und formal vergleichbare Quartette, die zum Beispiel die einsätzige Form oder den Expressionismus im Detail ähnlich exponieren, finden sich erst wieder Anfang des 20. Jahrhunderts: bei Schönberg, Zemlinsky oder Janáček – natürlich ohne jegliche Kenntnis des einzigartigen Dvořák-Werks.   WA

Streichquartett Nr. 5 f-Moll op. 9

Sätze 1. Moderato – Allegro con brio, 2. Andante con moto quasi allegretto, 3. Tempo di Valse, 4. Allegro molto
Entstehung September/Oktober 1873
UA 11. Januar 1930 Prag
Verlag Breitkopf & Härtel, Artia
Spieldauer ca. 32–35 Minuten

Entstehung Das Jahr 1873 war für Dvořák außerordentlich bedeutsam: Mit einem patriotischen Hymnus nach einem Gedicht von Vitezslav Halek, einer kantatenartigen Komposition, die sich ganz befreit hatte von den neudeutschen Tonfällen, war er praktisch auf einen Schlag ein anerkannter und berühmter Komponist in Prag geworden.

In dieselbe Zeit fällt allerdings auch ein schwerer Fehlschlag: Seine ambitionierte Oper »Der König und der Köhler« musste nach wenigen Proben am Interimstheater wegen offenbarer Unspielbarkeit zurückgezogen werden.

Stilistische Umkehr, neues Selbstbewusstsein, aber auch dunkle Stimmungen kennzeichnen das am 4. Oktober 1873 fertiggestellte neue Streichquartett. Dvořáks radikale Umorientierung zeigt sich auch in der Nummerierung des Quartetts: anfänglich sein Opus 23, wurde es zu op. 10 und dann op. 9, weil der Komponist 1873 zahlreiche Werke vernichtete.

Musik Nach den drei experimentellen Quartetten Nr. 2 bis 4 kehrt Dvořák im op. 9 zum Stil der Werke um 1865 zurück. Seine kompositorische Handschrift ist aber sicherer und persönlicher geworden. Es findet sich zwar immer noch der Hang zur Länge, zur Monothematik, auch zur Redundanz – das Streben nach Plastik, Maß und Kontur wird aber immer deutlicher. Keine Spur dagegen mehr von den Wagner- und Liszt-Einflüssen.

Und zum ersten Mal bestimmen Tonfälle der slawischen Folklore in Ansätzen die musikalische Gestalt, geben eine Vorahnung vom typischen Dvořák der späteren Jahre: Schon das Kopfthema des ersten Satzes scheint rhythmisch einem tschechischen Volkslied nachempfunden. Das Trio des dritten Satzes lebt ganz von der nationalen Färbung, und der tänzerische Schwung des Finales ist den berühmten »Slawischen Tänzen« von 1878 schon sehr nahe. Hinter dem Ablauf des Ganzen scheint eine programmatische Aufhellung zu stehen, vom düsteren ersten Satz hin zum fröhlich wirbelnden Finale.

Erster Satz Erregt und leidenschaftlich in der Stimmung, bewahrt der Kopfsatz dennoch eine »klassische« Haltung durch klar geprägte geschlossene Themen und durchsichtigen Klang.

Zweiter Satz Dieser ist keine »unendliche Melodie« mehr, sondern eine schlichte liedhafte Serenade, ebenso intim im Klang wie klar in der Struktur.

Dritter Satz Der Walzer greift zum einen chopinsche Färbung auf, verfremdet aber den Walzercharakter mit einer schwebenden synkopierten Begleitung.

Vierter Satz Er ist neben seinem bezwingenden Kolorit auch formal höchst originell gestaltet: Hauptthema (kantabel) und Seitenthema (energisch-tänzerisch) sind charakterlich vertauscht, dazu tritt refrainartig eine immer wiederkehrende Introduktion aus unspezifischen musikalischen Elementarfiguren – ein gewissermaßen verdrehter Sonatensatz im Rahmen einer merkwürdig verdrehten Rondoform.

Wirkung Obwohl Dvořák offensichtlich von seinem neuen Gattungsbeitrag mehr hielt als von allen vorangegangenen (»Ich meinte, dass ich ein Werk geschrieben, das die Welt erobern werde.«), wurde auch dieses Quartett erst lange nach dem Tod des Komponisten erstmals gespielt. Der Primarius des Bennewitz-Quartetts lehnte es 1873 ab: »Mangels an Quartett-Stil.« WA

Streichquartett Nr. 6 a-Moll op. 12

Sätze (revidierte Fassung) 1. Allegro, ma non troppo, 2. Poco allegro, 3. Poco adagio, 4. Finale: Allegro molto
Entstehung November/Dezember 1873; Anfang 1874 (Revision)
UA nicht bekannt
Verlag Artia
Spieldauer ca. 30 Minuten

Entstehung Vom sechsten Streichquartett Dvořáks ist keine vollständige spielbare Partitur überliefert. Der Komponist hat das Werk zwar am 5. Dezember 1873 abgeschlossen, kurz darauf aber einer tief greifenden Umarbeitung unterzogen, an der er offenbar dann das Interesse verlor. Weder die ursprüngliche noch die überarbeitete Fassung sind dabei intakt geblieben. Dieser Kompositionsprozess und die daraus resultierende Quellenlage sind ohne Frage ein Ausdruck der gewaltigen Spannungen in Dvořáks Schaffen in den Jahren 1873/74. Im Rahmen der Dvořák-Gesamtausgabe hat Jarmil Burghauser 1982 eine komplette Version hergestellt, die seriös und plausibel, aber eben nicht authentisch ist.

Musik Der gespaltenen, fragmentarischen Situation beim Notentext entspricht musikalisch eine stilistische Zweideutigkeit. Das a-Moll-Quartett op. 12 zeigt, dass die Ablösung vom neudeutschen Stil, die Dvořák in den Jahren 1873/74 so heftig umtrieb, nicht so einfach und schlagartig zu bewerkstelligen war, wie es in op. 9 den Anschein hatte. In der Tat ist das Opus 12

(Erstfassung) in Formidee und musikalischem Detail wieder viel »wagnerischer« als sein Vorgänger, in der Umarbeitung und mehr noch im folgenden op. 16 tilgt der Komponist gleichsam in drei Stufen diesen Aspekt auf gründlichste Weise. Der Dvořák-Biograf Clapham sieht denn auch in diesen Werken »den letzten Kampf, sich aus den Klauen dieses Klingsor des Theaters, Wagner, zu befreien, um die reine Luft der Klassik zu atmen«.

Die Erstfassung ist eine einsätzige Großform, die in fünf ineinander übergehende Sektionen geteilt ist. Zwischen den Satzteilen 1, 2 und 5 sowie zwischen 3 und 4 bestehen enge thematische Zusammenhänge, sodass sich ein großer geschlossener Bogen ergibt, der durch die großräumige tonale Anlage unterstützt wird: zweifellos eine Konzeption im Geiste Liszts (und vergleichbar mit Dvořáks e-Moll-Quartett Nr. 4 o. op.) – zudem ist die Harmonik wieder komplexer und moderner.

Die Umarbeitung besteht, vereinfacht gesprochen, in einer Trennung und Erweiterung der Satzteile zu echten Sätzen einer traditionellen viersätzigen Form. Das Ganze wird erheblich gekürzt und in der Reihenfolge umgestellt, sorgfältig eliminiert werden dabei auch die Themenbezüge zwischen den Sätzen; der »wagnerischste«, das Andante appassionato, wird völlig entfernt. Dabei bleibt das Ergebnis, bei allen reizvollen Zügen, vor allem der immer vernehmlicheren slawischen Färbung, etwas blass und unprofiliert: Ausdruck einer problematischen Gärungs- und Reifungsphase und so sicher auch der Grund, weshalb der Komponist die Arbeit schließlich liegen ließ und im Opus 16 quasi die Sache noch einmal von vorne anging. WA

Streichquartett Nr. 7 a-Moll op. 16

Sätze 1. Allegro, ma non troppo, 2. Andante cantabile, 3. Allegro scherzando, 4. Allegro, ma non troppo
Entstehung September 1874
UA 29. Dezember 1878 Prag
Verlag Bärenreiter, Supraphon
Spieldauer ca. 25 Minuten

Entstehung 1874 nahm Dvořák eine in der Musikgeschichte wohl einzigartige Mühe auf sich: Er komponierte die eben vollendete und bei den Proben sozusagen durchgefallene Oper »Der König und der Köhler« neu. Nicht in dem Sinn, dass er problematische Stellen verbessert hätte, sondern er vertonte das ganze Libretto vom ersten bis zum letzten Takt ein zweites Mal, ganz anders, ohne jede Verwandtschaft mit der ersten Fassung.

Das Streichquartett op. 16, im September desselben Jahres binnen zehn Tagen niedergeschrieben, scheint eine ähnliche Neukomposition zu sein. Es ersetzt prononciert das liegen gebliebene Fragment des Opus 12 als ein Werk in derselben Gattung und derselben Tonart – aber mit 100 Prozent neuen Noten. Gewidmet ist es einem Förderer von Dvořák, dem Musikkritiker Ludevít Procházka.

Musik Nach den vielfältigen und leidenschaftlichen Versuchen zwischen 1868 und 1873 ist das neue Quartett nun ein Werk der bewussten Beschränkung, der Orientierung an klassischen Vorbildern (vor allem Beethoven) und der Absage an alle Spuren wagnerschen Einflusses. Es markiert sogar einen Extrempunkt der Konsolidierung: ein Maß an Zurückhaltung und Kontrolle, das Dvořák sich hier wohl bewusst setzte, um später seiner musikalischen Fantasie wieder größeren Freiraum zu geben.

Eine begrenzte Zahl von klar geformten Themen, eine gediegen gearbeitete thematische Arbeit im besten, wenn man so will, orthodoxen Quartettstil und deutlich national geprägte Tonsprache bestimmen das Werk, das auch stimmungsmäßig mit Verhaltenheit und Intimität zu den expressiven Tendenzen besonders der Quartette Nr. 2–4 in vielsagendem Kontrast steht.

Für die ausgewogenen Proportionen ist der Kopfsatz, ein übersichtlicher Sonatensatz mit weichem Hauptthema und beweglicherem Seitengedanken bereits ein gutes Beispiel: Die einzelnen Satzteile sind hier exakt symmetrisch und gleich lang. Die Musik ist nicht mehr »fließend und auch wuchernd, sondern gebaut« (Ludwig Finscher).

Nach dem Andante mit einem choralartigen Mittelteil folgt ein Scherzo in der Art eines schnellen Menuetts. Das Finale bewahrt noch am meisten den originellen Impetus der Frühwerke: Es ist frei in der Form und vermeidet fast konsequent die Grundtonart, F-Dur und A-Dur bestimmen den Verlauf – und in der Aufhellung nach A-Dur schließt auch das Werk.

Wirkung Das Opus 16 ist das erste Kammermusikwerk Dvořáks, das gedruckt wurde, und zwar schon 1875. Eine erste Aufführung fand am 17. Juni 1875 in der Vereinigung Junger Musiker in Prag statt, die öffentliche Uraufführung dann am 29. Dezember 1878. Es spielte das Bennewitz-Quartett, das noch das Quartett op. 9 abgelehnt hatte. In der nun einsetzenden Popularität Dvořáks nimmt das liebenswürdige Quartett zweifellos einen gesicherten, wenngleich noch bescheidenen Platz ein. WA

Streichquartett Nr. 8 E-Dur op. 80

Sätze 1. Allegro, 2. Andante con moto, 3. Allegretto scherzando, 4. Allegro con brio
Entstehung Januar / Februar 1876
UA 2. Februar 1889 Boston
Verlag Simrock, Artia
Spieldauer ca. 27 Minuten

Entstehung Die hohe Opuszahl ist irreführend: Sie stammt auch nicht von Dvořák, sondern entsprang dem unternehmerischen Kalkül seines Verlegers Simrock, der bei der Drucklegung 1890 das Werk als eine aktuelle Komposition verkaufen wollte. Bei Dvořák, der sich über solche »Tricks« sehr unwillig zeigte, hatte das Anfang 1876 entstandene Quartett die Opuszahl 27. Von jeher ist der Tod der Dvořák-Tochter Josefa im Jahr 1875 als Ursache für die elegische Grundstimmung der Musik gedeutet worden.

Musik Ebenso wohlproportioniert und thematisch durchgearbeitet wie das Quartett op. 16, reiht sich das Werk in die neue Phase beherrschter und klassisch geprägter Formkunst ein. Es ist freilich bedeutend dichter, differenzierter und reicher ausgeführt, löst sich so von der schulmäßigen Strenge des Vorgängers. Die kammermusikalische Linearität wird noch stärker unterstrichen, ganz im Gegensatz zur zeittypischen orchestralen Klangentfaltung in der

Mendelssohn-Nachfolge. Am stärksten aber gibt die Behandlung der Tonalität, stark chromatisiert und charakteristisch schwebend zwischen Dur und Moll, dem Werk stilistisch sein eigenes Gesicht. Diese Dur-Moll-Wechsel sind durch Schubert-Einflüsse, aber auch durch die Charakteristika der tschechischen Volksmusik zu erklären.

Die schwermütig-lyrische Grundstimmung wird bereits im ausgedehnten Kopfsatz exponiert und im zweiten Satz zur tiefen Traurigkeit verdichtet. Hier finden sich auch erstmals Dumkaanklänge, jenes Genre, das für Dvořáks Kammermusik später noch so bedeutsam werden sollte. Der dritte Satz ist kein keck auftrumpfendes Scherzo, sondern ein romantisch umflorter Walzer mit heftigem und düsterem Trio in cis-Moll.

Das kühn gestaltete Finale vermeidet die Durgrundtonart besonders konsequent und kontrastiert beruhigende Abschnitte mit episodischen Schmerzensausbrüchen. Gerade in diesem Allegro (und auch im ersten Satz) zeigt Dvořák ein eindrucksvolles Niveau. Gewagte Tonartenpläne modernisieren die Sonatensatzform auf organische Weise: Es handelt sich um die ausgereifte Musik eines großen Meisters.

Wirkung Irritierenderweise kursieren in der Forschung eine ganze Anzahl von Uraufführungsorten und -terminen für dieses Quartett, nach neueren Gesichtspunkten scheint die des amerikanischen Kneisel Quartets am 2. Februar 1889 in Boston doch wohl die erste gewesen zu sein. Jedenfalls wurde gerade das E-Dur-Quartett 1889/90 in schneller Folge an verschiedenen Orten, zumeist von renommierten Ensembles, gespielt, in Berlin etwa von dem Quartett des berühmten Geigers und Dvořák-Freundes Joseph Joachim.

Im Gegensatz zu diesem offensichtlichen, freilich um zwölf Jahre verspäteten Erfolg steht ein Dokument, das zeigt, wie kritisch Dvořák noch im Jahr 1878 auf diesem Gebiet seines Schaffens eingeschätzt wurde. Der Verleger Simrock ließ Johannes Brahms in einem Brief wissen, die Quartette (u. a. op. 80) seien »in vieler Hinsicht unreif« und mitunter recht »wüscht«: »Erfindung hat er wohl – aber die Arbeit macht doch den Eindruck des unsagbar Gequälten.« Gedruckt hat es Simrock (1890) dann aber doch.   WA

Streichquartett Nr. 9 d-Moll op. 34

Sätze 1. Allegro, 2. Alla Polka: Allegretto scherzando, 3. Adagio, 4. Finale: Poco allegro
Entstehung Dezember 1877; 1879 (Revision)
UA 27. Februar 1882 Prag
Verlag Bärenreiter, Robert Linau
Spieldauer ca. 30–35 Minuten

Entstehung »Nun wage ich es noch, eine ehrerbietige Bitte an Sie, hochgeehrter Meister, zu richten. Erlauben Sie mir, dass ich Ihnen aus Dankbarkeit und tiefster Hochachtung für Ihre unvergleichlichen Schöpfungen die Dedikation meines d-moll Quartetts anbieten darf!... ich würde der glücklichste Mensch sein.« – Mit diesen Zeilen Dvořáks an Johannes Brahms von Anfang 1878 begann die jahrzehntelange tiefe Freundschaft zwischen den beiden Komponisten. Brahms nahm die Widmung an, erlaubte sich aber einen kritischen Hinweis: »Sie schreiben einigermaßen flüchtig. Wenn Sie jedoch die fehlenden ♯ ♭ ♮ nachtragen, so sehen Sie auch vielleicht die Noten selbst, die Stimmführung usw. bisweilen etwas scharf an.« Dvořák, der, wie er sich ausdrückte, nun auch »die vielen schlechten Noten« sah, unterzog das 1877 komponierte Quartett darum 1879 einer Revision.

Musik Das d-Moll-Quartett ist in mancherlei Hinsicht ein enger Nachbar des vorangegangenen E-Dur-Quartetts: Es teilt mit ihm vor allem die wiederum wehmütig-melancholische Grundstimmung. Auf der anderen Seite trägt es aber auch deutlich andersgeartete Züge, ist schlichter und melodiebetonter im Satz. Die entstehungsgeschichtlich begründete Verbindung des Werks zu Brahms ist, auch wenn Dvořák vermutlich schon bei der Komposition an die Widmung dachte, stilistisch häufig überbewertet worden: Zum einen kannte Dvořák 1877 wohl überhaupt erst wenige Werke des deutschen Komponisten, zum anderen zielte Brahms' kritische Förderung des böhmischen Kollegen sicher nicht auf eine Nachahmung seiner Art des Komponierens, sondern gerade auf Dvořáks persönliche Tonsprache. In der hierarchischen Teilung des Satzes in kantable Melodie und charakteristische Begleitfiguren, in den ostinaten Figuren und Dur-Moll-

Wechseln erinnert das Streichquartett denn auch weit mehr an Schubert als an Brahms.

Der erste Satz ist ein versonnener Sonatensatz, bei dem ein rhythmisches Motiv (punktierte Viertel plus drei Achtel) weite Strecken prägt. Es folgt, ein Novum bei Dvořák, ein Stück echte, stilisierte Volksmusik, eine rustikale, gleichwohl keineswegs fröhliche Polka, die als Trio ebenfalls einen tschechischen Volkstanz, die ländlerartige Sousedská, einschiebt.

Der dritte Satz ist vielleicht das erste wahrhaft große Adagio des Komponisten: ebenso fein abgestimmt in seiner klanglichen Gestalt wie gehaltvoll in seiner motivischen Struktur. Ein Sonatensatzfinale schroffen, schmerzerfüllten Charakters beschließt das durchweg ernste Werk.

Wirkung Brahms setzte sich für das ihm gewidmete Quartett ein und betrieb dessen baldige Publikation. Nachdem es Simrock abgelehnt hatte, kam es 1879/80 bei Schlesinger in Berlin heraus. Die Erstaufführung folgte ebenfalls vergleichsweise bald, 1882 in einem Konzert der Künstlervereinigung Umelcká beseda. WA

Dvořáks Streichquartett Nr. 10 Es-Dur war ein Auftragswerk, das er 1879 ausdrücklich im folkloristischen Stil seiner ein Jahr zuvor gefeierten »Slawischen Tänze« komponieren sollte (in Tracht gekleidete Paare bei einem Fest im tschechischen Brünn).

Streichquartett Nr. 10 Es-Dur op. 51

Sätze 1. Allegro, ma non troppo, 2. Dumka: Andante con moto – Vivace, 3. Romanza: Andante con moto, 4. Finale: Allegro assai
Entstehung Dezember 1878 – März 1879
UA 17. Dezember 1879 Prag
Verlag Simrock
Spieldauer ca. 30 Minuten

Entstehung Es waren die »Slawischen Tänze« op. 46 und besonders eine viel zitierte Rezension Louis Ehlerts in der »Berliner Nationalzeitung«, die Dvořák 1878 schlagartig international bekannt machten. Das »Slawische« wurde zur gefragten Mode: Verlage meldeten sich, Konzerte wurden gewünscht, Kompositionen bestellt. Eine der wohl wichtigsten dieser Anfragen war die des Primarius des berühmten Florentiner Streichquartetts, Jean Becker, nach einem recht »slawischen« Streichquartett. Dvo-

řák begann umgehend im Dezember 1878, stellte das Werk aber, unterbrochen durch andere Aufträge, erst im März des folgenden Jahres fertig.

Musik Dem Wunsch seines Auftraggebers entsprach Dvořák in der Komposition in hohem Maße. Der Folklorismus ist, durchaus mit Blick auf die Marktchancen, zum Prinzip erhoben. In keinem anderen Quartett ist Dvořák so tschechisch, so charakteristisch in den Melodietypen, so eingängig und volkstümlich. Dabei ist alles mit großem Geschmack und großer Feinheit gestaltet.

Stilisierungen von Volkstänzen oder -liedern prägen alle Sätze des Zyklus: Im behaglich-heiteren ersten Satz sind es Polkatonfälle und -rhythmen, die wellenartig immer wiederkehren. Eine originale formale Besonderheit zeichnet hier die Durchführung aus, wenn das Hauptthema in Vergrößerung (doppelte Notenwerte) vom Seitenthema kontrapunktisch begleitet erscheint.

Der zweite Satz ist eine Dumka – ein ukrainisch-polnischer Volksmusiktypus, für den der stete und heftige Wechsel zwischen melancholischer langsamer Musik (hier: Lamento der ersten Violine/Viola über harfenartigen Akkorden des Cellos) und übermütigen schnellen Passagen bestimmend ist.

Auch die Romanze trägt die werktypischen Züge, ist eine Art slawisches Erzähllied. Im Finale schließlich wird das nationale Kolorit durch Anlehnung an schnelle Springtänze wie den Furiant oder die Skočná noch einmal besonders gut greifbar.

Wirkung Der Erfolg des Quartetts knüpfte nahtlos an den Erfolg anderer Werke des Jahres 1879 an: Die Zahl der Aufführungen ist erstaunlich, schon im Juli und Oktober kam es zu privaten Aufführungen durch Joseph Joachim (Berlin) und Joseph Hellmesberger jun. (Wien). Dem Florentiner Quartett gelang es nicht einmal, die Uraufführung zu reservieren, Sobotka (17. Dezember 1879 in Prag) und Bargheer (7. Januar 1880) kamen zuvor, ab dem 18. Januar 1880 hat Becker dann aber »sein« Quartett in zahlreichen Städten mit großer Resonanz gespielt. Aus Halle schrieb er am 18. Januar 1880 an Dvořák: »Das Publikum war enthusiasmiert. Empfangen Sie herzlichste Gratulation.« Noch im selben Jahr war das Menuett bis nach London gedrungen, und 1882 wurde es bereits in Moskau und St. Petersburg gespielt. Welch ein Unterschied zu den früheren Quartetten! WA

Einspielungen (Auswahl)
• Alban Berg Quartett, 1999 (+ Streichquartett Nr. 14); EMI

Streichquartett Nr. 11 C-Dur op. 61

Sätze 1. Allegro, 2. Poco adagio e molto cantabile, 3. Scherzo: Allegro vivo, 4. Finale: Vivace
Entstehung Oktober/November 1881
UA 2. November 1882 Berlin
Verlag Simrock, Artia
Spieldauer ca. 35–40 Minuten

Entstehung Den Auftrag für dieses Quartett erhielt Dvořák von dem Wiener Geiger und Dirigenten Joseph Hellmesberger jun., er schob die Arbeit aber zunächst zugunsten seiner Oper »Dimitrij« auf. Als er dann zu seiner Verblüffung in der Zeitung bereits den Aufführungstermin für sein – noch gar nicht komponiertes – Quartett

las, schrieb er es notgedrungen in großer Eile zwischen dem 25. Oktober und 10. November 1881 nieder. Der Zeitdruck mag vielleicht erklären, dass Dvořák in einigen Sätzen auf thematisches Material früherer Werke zurückgegriffen hat.

Musik Die Faktur des C-Dur-Quartetts zeigt einen frappierenden Gegensatz zum »slawischen« Es-Dur-Quartett op. 51. Es scheint dezidiert auf die anspruchsvollen Wiener Kammermusikkreise zugeschnitten und greift in seinem Kunstanspruch direkt auf die höchsten Normen der Gattung zurück: Nicht als Modell, aber als Orientierung können Beethovens große Streichquartette der mittleren Periode – die Rasumowsky-Quartette op. 59 – gelten.

Eigenwillige Tonartenpläne, reiche, komplexe Harmonik und fast schon sinfonisch ausgreifende Größe geben dem Werk einen ernsten, dramatischen, fordernden Charakter. So fließen denn auch verschiedene Linien aus Dvořáks Schaffen in glücklicher, bewältigter Synthese zusammen: Weiträumigkeit (aber ohne die Längen aus den späten 1860er-Jahren), formale Strenge (aber ohne die Gefahr schulmäßiger Schablone, wie in op. 16) und behutsame persönlich-nationale Färbung (aber ohne den pointierten Folklorismus des op. 51).

Der Kopfsatz ist ein machtvoll beethovenscher Sonatensatz, mit zwei klar kontrastierenden Themen und einer auf das Hauptthema konzentrierten Durchführung. Im Poco adagio fällt besonders der versonnene Klangreiz des Des-Dur-Mittelteils auf.

Der dritte Satz ist gerade kein tschechischer Volkstanz, sondern ein typisches Scherzo mit rhythmisch scharf geprägtem Ausdruck. Die böhmisch-musikantische Atmosphäre dringt nur im Trio in die Musik ein, dort war dieses exotisch-ländliche Genre aber auch schon bei den Wiener Klassikern durchaus üblich. Unüblich sind Umfang und Vielgestaltigkeit dieses Trios, das so eigentlich die Grenzen des Satzteils sprengt. Ein kompliziert gebautes und energisch musiziertes Sonatenrondo gibt dem Quartett einen adäquaten Abschluss.

Wirkung Die avisierte Uraufführung in Wien musste abgesagt werden, da nach der Brandkatastrophe im Ringtheater öffentliche Trauer angeordnet war. So spielte Joseph Joachim mit seinem Ensemble das Quartett am 2. November 1882 in Berlin. Wohl folgten noch einige weitere Aufführungen in Bonn, Köln und anderen Städten, doch wurde schnell deutlich, dass das Quartett nicht an die großen Erfolge der »slawischen« Periode anknüpfen konnte.

Und obwohl Dvořák unmittelbar nach Abschluss der Komposition (nicht zu Unrecht) bekannte, »es ist von meinen Kammermusikstücken das größte und auch vollendetste« (Brief vom 10. Dezember 1881 an Simrock), ist es in der Rezeption immer eher vernachlässigt worden: eine verhängnisvolle Konsequenz jenes reduzierten Dvořák-Bildes, das nur das Naive, Natürliche und Rustikale an ihm herausstellte. Schon in einer der ersten Kritiken des Quartetts kommt genau diese Spannung zur Sprache: Anstatt der »volkstümlichen Frische und Naivität« sei das »Streben zum Bedeutenden, ja Sublimen« zu erkennen, bemerkte der Rezensent der »Vossischen Zeitung« – aber ihm sei »der frühere Dvořák mit seiner unverkünstelten Natur« lieber.   WA

Streichquartett Nr. 12 F-Dur op. 96

(»Amerikanisches Streichquartett«)

Sätze 1. Allegro, ma non troppo, 2. Lento,
3. Molto vivace, 4. Finale: Vivace, ma non troppo
Entstehung Juni 1893
UA 1. Januar 1894 Boston
Verlag Bärenreiter
Spieldauer ca. 22–25 Minuten

Entstehung Von 1892 bis 1895 lebte Dvořák als Direktor des New Yorker National Conservatory in den USA. Das Streichquartett komponierte er im Sommerurlaub 1893, den er in einem Dorf tschechischer Einwanderer in Spillville (Iowa) verbrachte. In nur drei Tagen war das Werk skizziert und nach zwei Wochen fertiggestellt: »Gott sei's gedankt. Ich bin zufrieden. Es ist schnell gegangen«, notierte der Komponist unter die Skizzen.

Musik Zwölf Jahre trennen das Opus von dem vorhergehenden Streichquartett, aber der musikalische Abstand scheint noch viel größer.

»Als ich dieses Quartett schrieb, wollte ich einmal etwas recht Einfaches und Melodiöses niederschreiben«, äußerte Dvořák in einem Brief an seinen Komponistenkollegen Foerster. Und in der Tat scheint hier der Gattungsanspruch kühner und artifizieller Gestaltung bewusst vermieden. Das Werk ist kurz, der Satz ist schlicht, die Stimmung entspannt und heiter. Der ganz spezifische Tonfall des Quartetts ergibt sich aber aus dem biografischen Umfeld. Es sind dies der Einfluss der amerikanischen Volksmusik und das Erlebnis amerikanischer Landschaft.

Was Ersteres betrifft, besonders die Suche nach indianischen Spuren in der Melodik, so ist hier schon viel gefunden und behauptet worden, es empfiehlt sich aber eine vorsichtige Haltung: Zwar ist bekannt, dass Dvořák in Spillville Indianern begegnete und diese ihm auch auf seine Bitte hin vorsangen und -tanzten, dennoch sind die musikalischen Spuren wohl eher sehr allgemein. Dvořák war Komponist, nicht Ethnologe. Die pentatonischen Skalen (Fünftonleiter) in allen Sätzen des Quartetts sowie die Neigung zu rhythmischen Ostinati (gleichsam als Abbildung von trommelgeprägten Tänzen) dürfen aber sicher so gedeutet werden.

Mehr als »Indianermusik« ist das F-Dur-Quartett aber sicher »Naturmusik«: Die Weite der Landschaft, die Ruhe der menschenleeren Fluren beeindruckte Dvořák ungemein und tat ihm, vor allem nach dem hektischen Betrieb in New York, ganz einfach gut. Ähnlich wie in Beethovens »Pastorale« bestimmt das »Erwachen heiterer Gefühle bei der Ankunft auf dem Lande« Dvořáks plötzlich und heftig erwachte Lust zu Komponieren – und bedingt die bukolisch-idyllische Atmosphäre des Werks, in dessen drittem Satz dann auch folgerichtig in hoher Geigenlage ein Vogelruf, den der Komponist bei seinen Morgenspaziergängen erlauschte, hineinklingt.

Wirkung Das »amerikanische« Quartett ist schnell zum mit Abstand beliebtesten Streichquartett Dvořáks geworden – und dies bis heute geblieben. Man kann ohne Übertreibung sagen, dass es allein so oft zu hören ist wie alle anderen zusammen. Das F-Dur-Quartett wird als Inbegriff dvořákscher Kammermusik gehandelt – und ist doch keinesfalls repräsentativ, ja nicht einmal typisch für ihn: In seiner Simplizität, dem Sichausklinken aus den stilgeschichtlichen Auseinandersetzungen, bildet es vielmehr eine inselartige Ausnahme. Bei aller Freude über die bezwingende Unmittelbarkeit der Melodien sollte das nicht vergessen werden. WA

Einspielungen (Auswahl)
- Hollywood Quartet, 1955 (+ Kodály: Quartett Nr. 2, Smetana: Quartett Nr. 1); Testament
- Vlach-Quartett, 1958 (+ Quartette Nr. 9, 11, 13, 14); Helikon Praga

Streichquartett Nr. 13 G-Dur op. 106

Sätze 1. Allegro moderato, 2. Adagio, ma non troppo, 3. Molto vivace, 4. Finale: Andante sostenuto – Allegro con fuoco
Entstehung November/Dezember 1895
UA 9. Oktober 1896 Prag
Verlag Simrock
Spieldauer ca. 37 Minuten

Entstehung Die Entstehungsgeschichte des G-Dur-Quartetts ist eng verschränkt mit der des As-Dur-Quartetts op. 105, daher auch der Widerspruch von Nummerierung und Opuszahl. Der Komposition geht die längste Schaffenspause in Dvořáks Leben voraus: In der ersten Hälfte des Jahres 1895 kam er in den USA wegen anderer Verpflichtungen sowie Heimweh und Sehnsucht nach seinen in Böhmen gebliebenen Kindern wenig zum Komponieren, und als er endlich in die Heimat zurückkehrte, legte er eine ausgiebige Erholungsphase ein: »Hier in Vysoká«, schreibt er in einem Brief, »ist mir leid um die Zeit und ich genieße lieber Gottes Natur.«

Als Dvořák dann im November wieder zu komponieren begann, brach sich die angestaute Energie Bahn in höchster Inspiration und gelöster Schaffensfreude: »Mir sind selten die Themen so vorbildlich und buchstäblich zugeflossen. Wenn einem der liebe Gott die Speisen so mundgerecht zubereitet, da braucht man ja nur die Hände auszustrecken«, heißt es in einer Notiz.

Musik So ideal dieses Zitat dem Klischee vom naiven Musikanten entspricht, so muss es doch gleich um eine Äußerung Dvořáks zu einem

Schüler aus derselben Zeit ergänzt werden: »Einen schönen Gedanken zu haben ist nichts Besonderes. Aber den Gedanken gut auszuführen und etwas Großes aus ihm zu schaffen, das ist das Schwerste – das ist Kunst.« In der Tat lebt der künstlerische Rang des G-Dur-Quartetts weniger aus der selbstverständlichen Inspiration, sondern aus dem artifiziellen Niveau der Verarbeitung und der äußerst avancierten Anlage des Ganzen.

In verschiedener Weise greift Dvořák auf die Modernitäten und Extreme der »wilden« Zeit der Quartette Nr. 2–4 zurück, gestaltet aber diese Elemente nun mit höchster Meisterschaft und souveränem Überblick. So sind die klangliche Schönheit und die humorvoll-innigen Tonfälle hier nur die Oberfläche einer höchst kunstvollen Kammermusik.

Die Harmonik ist überaus reich und weitausgreifend, wie schon die Tonarten der Sätze andeuten (G-Dur, Es-Dur, h-Moll, G-Dur). Wie in der Gesamtdisposition spielen auf der Ebene der einzelnen Sätze terzverwandte Tonalitäten eine konstruktive Rolle, wobei auch entfernteste Bereiche einbezogen werden – die Nähe zur Harmonik des späten Liszt ist sicher kein Zufall. Wie sehr sich Dvořák nun wieder neudeutsch orientiert, sieht man auch daran, dass ab 1895 die Gattungen sinfonische Dichtung und Oper sein Schaffen ausnahmslos beherrschen.

Der moderneren Harmonik steht zugleich ein motivisches Verfahren zur Seite, das, anstelle der thematischen Arbeit im klassisch-romantischen Sinn, dem Material rhetorische Qualitäten abgewinnt, den Gestus der Motive individualisiert und fast schon dramatisch isoliert. So erhält die Musik eine versteckte Programmatik, die freilich ganz im Ideellen, rein Musikalischen verbleibt.

Der erste Satz bringt ein raffiniertes und subtiles Spiel mit Elementarfiguren, das feierlich-hymnische Adagio lebt vom changierenden Dur-Moll-Wechsel, der dritte Satz zeigt zwar mit pentatonischen Motiven deutlich amerikanischen Einschlag, ist aber formal viel eigenwilliger und komplizierter gehalten. Der bemerkenswerteste Satz ist das Finale, das in freier Form mit Zitaten aus dem Kopfsatz dramatischen Konflikt und musikalische Reflexion verknüpft.

Das As-Dur-Quartett vollendete Dvořák nach seinem Aufenthalt in New York (hier eine Ansicht der Carnegie Hall, in der 1893 seine 9. Sinfonie uraufgeführt wurde). In der fröhlichen Grundstimmung des Quartetts scheint sich seine Freude über die Heimkehr auszudrücken.

Wirkung Musikhistorisch (zusammen mit dem Quartett op. 105) sicher der Höhepunkt des dvořákschen Bemühens um die Gattung, hat das Quartett nie die Popularität des Es-Dur- oder des F-Dur-Quartetts erreichen können. Es ist eine Musik für Kenner und nicht für das breite Publikum. WA

Einspielungen (Auswahl)
• Melos Quartett, 1999 (+ Streichquartett Nr. 14); HMF/Helikon Harmonia Mundi

Escher 3/3/13

Streichquartett Nr. 14 As-Dur op. 105

Sätze 1. Adagio, ma non troppo – Allegro appassionato, 2. Molto vivace, 3. Lento e molto cantabile, 4. Allegro non tanto
Entstehung März und Dezember 1895
UA 10. November 1897 Wien
Verlag Simrock, Artia
Spieldauer ca. 30 Minuten

Entstehung Im März 1895 begann Dvořák noch in Amerika mit einem neuen Streichquartett in As-Dur, unterbrach die Arbeit aber nach der Exposition des ersten Satzes. Zurückgekehrt nach Vysoká, komponierte er dann aber zunächst das G-Dur-Quartett und schloss daran die Fertigstellung des begonnenen Werkes an. Wie schon beim vorangehenden Quartett führte die fast euphorisch-glückliche Stimmung des in seine Heimat Zurückgekehrten auch hier zu einem schnellen und erfüllten Schaffensprozess – zwischen dem 12. und dem 30. Dezember. Seinem Freund Alois Göbl berichtete Dvořák: »Ich bin jetzt sehr fleißig. Ich arbeite so leicht und es gelingt mir so wohl, dass ich es mir gar nicht besser wünschen kann...«.

Musik Das As-Dur-Quartett ist gleichsam das mildere, entspanntere, auch konziliantere Seitenstück zum G-Dur-Quartett: Wie dieses besticht es durch seine freundliche Grundstimmung und die freie, originelle Handhabung des kammermusikalischen Stils. Es verzichtet aber auf die konstruktive Dichte und die spezifische

Typik der Motivpräsentation, die das Schwesterwerk auszeichnete. Dafür kommt wieder der slawische Einschlag, die persönlich-nationale Färbung, zu seinem Recht. Es ist Dvořáks letztes Kammermusikwerk. Mit poetischer Feinheit nimmt der Komponist hier Abschied von diesem Gebiet seines Schaffens.

Der Kopfsatz beginnt (wie zuvor nur im Quartett op. 2) mit einer langsamen Einleitung, die mit ihrem düsteren as-Moll das spätere As-Dur-Hauptthema umso strahlender herausarbeitet und zudem die Elemente des Themas quasi in seinem Entstehungsprozess zeigt. Dem melodisch geprägten, komplex gefügten Hauptthema ist ein geradlinig entworfenes rhythmisches Seitenthema gegenübergestellt. Und die Spannung zwischen diesen Musizierhaltungen beherrscht den ganzen Satz.

Das an die zweite Stelle gerückte Scherzo greift mit seiner »furiantartigen« Rhythmik typisch folkloristisches Material auf, reizvoll kontrastiert dazu das kantable Des-Dur-Trio. Das Lento ist ein schlichter, anstrengungslos intimer Liedsatz; der chromatisch aufgeladene Mittelteil intensiviert die Stimmung.

Das breit ausgesponnene Finale, im Typus an eine Polka erinnernd, ist durchweg fröhlich bis wirbelnd gehalten und verknüpft Sonatensatz und Rondoform in freier Weise, wirkt aber weniger konzentriert und durchgearbeitet als der Schlusssatz des G-Dur-Quartetts.

Wirkung Mitte der 1890er-Jahre hatten Dvořáks Werke nicht mehr den selbstverständlichen Erfolg wie noch zehn Jahre zuvor: Im Feuilleton wurden nun sogar häufig die zuvor an ihm gerühmte Natürlichkeit und Naivität als Manko kritisiert: »Zuviel Träumen und wenig Denken, mehr Gemütlichkeit als Geist«, wollten die Rezensenten etwa plötzlich bei ihm entdecken. Wer aber die Mühe auf sich nahm, die Werke wirklich zu prüfen anstatt in simplifizierenden Klischees zu denken, der konnte die durchaus neuen und modernen Qualitäten gerade dieser letzten Streichquartette nicht verkennen.

Kein Geringerer als der berüchtigte Eduard Hanslick schrieb an den Komponisten: »Was Ihnen, lieber Freund, da gelungen ist…, das will ich die reine Meisterschaft nennen. Es will mir scheinen, als hätten Sie die redlichen und genialischen Bemühungen von Beethoven und Brahms nunmehr gekrönt.« Das Quartett sei einzigartig: »Schwerlich wird dem etwas nachwachsen.« WA

Einspielungen (Auswahl)
- Smetana-Quartett , 1965 (+ Janáček: Streichquartett Nr. 1); Testament
- Alban Berg Quartett, 1999 (+ Streichquartett Nr. 10); EMI
- Hagen Quartett, 1999 (+ Schulhoff: Fünf Stücke für Streichquartett, Kurtág: Hommage à Mihály András); Deutsche Grammophon

Zwölf Stücke für Streichquartett o. op.
(»Zypressen«)

Bezeichnungen 1. Moderato, 2. Allegro, ma non troppo, 3. Andante con moto, 4. Poco adagio, 5. Andante, 6. Andante moderato, 7. Andante con moto, 8. Lento, 9. Moderato, 10. Andante maestoso, 11. Allegro scherzando, 12. Allegro animato
Entstehung Juli 1865 (Lieder); April/Mai 1887 (Streichquartettbearbeitung)
UA 6. Januar 1888 Prag (fünf Stücke)
Verlag Editio Supraphon, Artia
Spieldauer ca. 40 Minuten

Entstehung Zu den ersten Kompositionen Dvořáks gehörte 1865 ein Liederzyklus »Zypressen« (nach Gedichten von Gustav Pfleger-Moravský) – direkter Ausdruck seiner unglücklichen Liebe zu Josefina Cermáková. Der Komponist hat diesen Zyklus nie veröffentlicht – wohl wegen seiner Schwächen der Behandlung in der Deklamation –, aber immer besonders geliebt. So verwendete er Melodiematerial aus diesen Liedern in anderen Liedwerken, in Opern und Klavierstücken. Die bemerkenswerteste Verwandlung der so tief empfundenen Musik nahm er 1887 vor, aus zwölf der 18 Lieder machte er miniaturartige Stücke für Streichquartett, die er ursprünglich »Nachhall von Liedern« nannte.

Musik »Denken Sie sich einen Jungen, der verliebt ist – das ist der Inhalt«, so umschrieb der Komponist selbst das Werk, und schon hier wird deutlich, dass diese Musik mit der Gattung

Streichquartett nicht viel mehr als die Besetzung gemein hat. Die zwölf Stücke bleiben sowohl in ihren Umrissen als auch in ihrer Haltung ganz nahe beim lyrischen Lied. Zwar hat Dvořák die Mittelstimmen kammermusikalisch aufgewertet und mit variierten Wiederholungen von Abschnitten instrumentale Formtechniken eingesetzt, aber der Gestus ist spürbar vokal: Immer hat ein Instrument die (Gesangs-)Melodie, die anderen begleiten. Immer auch lebt die musikalische Gestalt von der Subjektivität des Gefühlsausdrucks, von der Schilderung lyrischer Stimmung.

Zyklische Überformung erhalten die kurzen Stücke durch die tonale Disposition: Bestimmte Tonarten gliedern die Einzelsätze inhaltlich zu Gruppen oder schaffen bogenartige Zusammenhänge.

Wirkung Dvořák und ebenso seine Zeitgenossen konnten nur fünf der zwölf Nummern öffentlich hören, am 6. Januar 1888. Als er das Werk seinem Verleger Simrock anbot, legte er es ihm besonders ans Herz als »etwas in seiner Art Neues, das verdient, bald das Licht der Welt zu erblicken«. Simrock war aber nicht interessiert, scheute wohl das unternehmerische Risiko, gerade weil die Komposition so andersartig war. Erst 1921 erschien eine Druckausgabe (von Josef Suk erheblich redigiert und um zwei Nummern verkürzt) und erst 1957 die Originalausgabe. Leider sind die eigenartigen Stücke bis heute recht unbekannt geblieben. WA

Einspielungen (Auswahl)
• Lindsay String Quartet, 1989; ASV

Klavierquartette

Im Abstand von 15 Jahren (1875 und 1890) hat Dvořák seine beiden Klavierquartette geschrieben: beides wichtige und interessante Werke, sowohl im Rahmen seiner persönlichen Entwicklung als auch innerhalb der Gattungsgeschichte. Die Tendenz zu Gewichtigkeit und formalen Experimenten, jeweils ganz unterschiedlich verwirklicht, ist dabei auch typisches Element bei anderen Komponisten in der Brahms-Nachfolge. WA

Klavierquartett D-Dur op. 23

Sätze 1. Allegro moderato, 2. Andantino con variazioni, 3. Finale: Allegretto scherzando – Allegro agitato
Entstehung Mai/Juni 1875
UA 12. Dezember 1880 Prag
Verlag Artia
Spieldauer ca. 30 Minuten

Entstehung In nur 18 Tagen und unmittelbar nach dem Klaviertrio op. 21 und dem Streichquintett op. 77 komponiert, teilt das erste Klavierquartett mit den anderen Werken aus dem Frühjahr 1875 jene Zwischenstellung zwischen Wagner-Einfluss und »slawischer« Periode.

Musik Im Charakter vermittelt das Klavierquartett zwischen dem heiteren Streichquintett und dem um persönlichen Ausdruck ringenden Klaviertrio. Verbunden ist es mit den Nachbarwerken durch das sorgfältige Augenmerk auf die thematische und formale Gestaltung sowie den Reichtum an melodischer Erfindung. Gerade in formaler Hinsicht dürfte es das originellste und kühnste der Gruppe sein, wobei die Frage, ob die Experimente immer ganz glücklich gelöst sind, in Forschung und Analyse grotesk unterschiedliche Einschätzungen gefunden haben: Während Ludwig Finscher das Quartett zu »Dvořáks besten Kammermusikwerken« mit einem »ganz bedeutenden Variationensatz« rechnet, sieht Gervase Hughes in ihm eine einzige »Enttäuschung«, mit »uncharakteristischen Variationen über ein uninteressantes Thema«.

Erster Satz Der Kopfsatz ist in weiträumiger Sonatenform gestaltet, mit eher ruhigen Themen, aber dennoch großer dramatischer Spannung, die Modulationen sind von großer Buntheit, eine besondere Wirkung erzielt die Schichtung der Themen in der Coda.

Zweiter Satz Der Variationensatz (in h-Moll) gewinnt seinen Reiz aus der Freiheit, mit der sich die Veränderungen in Stimmung, Melodik und Satztechnik vom Thema entfernen, wobei nur die vierte Variation, mit ihrem Ausbruch nach Es-Dur, auch in die harmonische Struktur eingreift.

Dritter Satz Der letzte Satz kombiniert in bemerkenswert unverschliffener Weise den Typus des Scherzos mit dem des Finales: Ein fließendes 3/8-Allegretto und ein beschwingtes Allegro agitato im 4/4-Takt werden getrennt und für sich durchgeführt, eine 6/8-Version des Allegro-agitato-Themas führt zum Schluss gleichsam zur Verbindung der Elemente.

Wirkung Die Uraufführung fand erst am 12. Dezember 1880 in einem Konzert der Prager Künstlervereinigung statt. Im selben Jahr erschien das Quartett auch bei Schlesinger im Druck. WA

Klavierquartett Es-Dur op. 87

Sätze 1. Allegro con fuoco, 2. Lento, 3. Allegro moderato grazioso, 4. Finale: Allegro, ma non troppo
Entstehung Juli/August 1889
UA 23. November 1890 Prag
Verlag Simrock
Spieldauer ca. 30–35 Minuten

Entstehung Schon 1886 hatte der Verleger Fritz Simrock Dvořák um ein weiteres Klavierquartett gebeten, sicher auch im Hinblick auf den guten Erfolg der drei Klavierquartette von Brahms. Mehrfach erinnerte er Dvořák an seine Bitte. Dieser notierte zwar im Oktober 1887 eine erste Skizze, der eigentliche Kompositionsprozess begann dann aber erst im Juli 1889.

Musik Das Klavierquartett op. 87 ist eine komplementäre Ergänzung zum Klavierquintett op. 81, das ihm um zwei Jahre vorausging. Auffallend ist vor allem eine in der Struktur der Besetzung vorgezeichnete starke Polarisierung der Klanggruppen: Streicher auf der einen, gewichtig gestalteter Klavierpart auf der anderen Seite. Schon gleich zu Beginn stehen sich das Marcatounisono der Streicher und eine punktierte Antwort des Klaviers dramatisch gegenüber, und dieses Verfahren wird im ganzen Verlauf beibehalten. Eine solche Schreibweise bedeutet natürlich einen zuweilen auch beklagten Verlust an kammermusikalischer Ausgewogenheit, zugleich aber einen Gewinn an klanglicher Spannung und unmittelbar wirkungsvollem Kontrast.

Erster Satz In Sonatensatzform wird er vom kräftigen Hauptthema dominiert und entwickelt sich zu einem konfliktreichen Musizieren, das

auch durch große harmonische Freiheit geprägt wird.

Zweiter Satz Das formal ganz eigenständige Lento bringt insgesamt fünf sehr verschiedenartige thematische Gedanken. Diese werden jedoch praktisch nicht verarbeitet, sondern nur (teils transponiert) wiederholt, sodass sich eine unvermittelte Reihung von Affekthaltungen ergibt.

Dritter Satz Auch das Scherzo hat ungewöhnliche Züge: Es ist im Hauptteil von geschmeidiger Eleganz, das zweite Thema lebt dann von einem orientalischen Tonfall, und das Trio – in Umkehrung des üblichen Verhältnisses – ist belebter und rhythmischer als der Hauptteil gehalten.

Vierter Satz Das Finale beginnt in es-Moll, wie im Kopfsatz bleibt das Seitenthema episodisch, und die Spannung von Moll und Dur findet erst am Ende ihre Lösung in feierlich-gehobenem Ton.

Wirkung Die Uraufführung am 23. November 1890 fand in einem Konzert der Prager Künstlervereinigung statt, am 5. Januar 1892 erfolgte die englische Erstaufführung in London. Das Es-Dur-Quartett stand immer im Schatten anderer, mehr »tschechisch« geprägter Kammermusikwerke. Zudem benötigt das pathetisch aufgeladene Werk einen Pianisten, der autonomes Gestalten und dialogisches Zusammenwirken gleichermaßen beherrscht. Eine glückliche Ausnahmestellung nimmt aus diesem Grund die Aufnahme mit Arthur Rubinstein und Mitgliedern des Guarneri-Quartetts ein. WA

Einspielungen (Auswahl)
• Domus, 1987 (Klavierquartette op. 23 und op. 87); Hyperion

Streichquintette

Ein Streichquintett steht fast ganz am Anfang von Dvořáks Schaffen: Das hier nicht näher behandelte a-Moll-Quintett op. 1 aus dem Jahr 1861 ist eine Mozart verpflichtete Stilübung, die Dvořák auch später nie einem Verlag angeboten hat. Seine beiden weiteren Werke der Gattung nutzen raffiniert die etwas größeren Freiheiten und die etwas gelöstere Atmosphäre der hierarchisch unterhalb des Quartetts angesiedelten Gattung. Sie gefallen durch orchestrale Klangfülle und volksmusikalische Zitate, ohne freilich die Subtilität der reifen Streichquartette anzustreben oder zu erreichen. WA

Quintett für zwei Violinen, Viola, Violoncello und Kontrabass G-Dur op. 77

Sätze 1. Allegro con fuoco, 2. Allegro vivace, 3. Poco andante, 4. Allegro assai
Entstehung Januar und März 1875, revidiert 1888
UA 18. März 1876 Prag
Verlag Bärenreiter
Spieldauer ca. 33 Minuten

Entstehung Das bereits 1875 komponierte Werk hatte eigentlich die Opuszahl 18; als es 13 Jahre später publiziert wurde, gab der Verleger Simrock ihm aber, zur Verärgerung Dvořáks, die heute gebräuchliche hohe Nummerierung. Ursprünglich hatte das Quintett fünf Sätze, wobei das »Intermezzo« dem unveröffentlichten Streichquartett e-Moll entnommen war. Diesen langsamen H-Dur-Satz hat Dvořák dann aber herausgenommen und 1883 selbstständig als »Nocturne« op. 40 herausgegeben. In der großen Überarbeitungsphase 1887/88, als der Komponist zahlreiche, wie er es nannte, »alte Sünden« revidierte, nahm er sich auch das Quintett wieder vor. Es kam jedoch nur zu geringfügigen Detailänderungen.

Musik Das Streichquintett op. 77 gehört (wie die Quartette op. 9, op. 12 und op. 16) in die Phase der bewussten Abwendung von Wagner und den Neudeutschen. Sein munterer, vorherrschend unproblematischer Tonfall lässt auch eine ausgesprochene Nähe zur komischen Oper erkennen (wie Dvořák unmittelbar zuvor eine komponiert hatte: »Der Dickschädel« op. 17). Eine recht seltene Besonderheit, die dem Werk seinen ganz eigenen klanglichen Reiz gibt, ist die Besetzung mit einem Kontrabass (üblich ist die Verdopplung der Bratsche oder auch des Cellos): Dadurch wird die Cellostimme von ihrer Fundamentfunktion befreit und kann mehr kantabel-melodiös am Musizieren teilnehmen.

Der erste Satz ist ein klar konturierter Sonatensatz, der ganz durchformt wird von einer charakteristischen Triolenfigur. Eher ungewöhnlich tritt an die zweite Stelle des Zyklus das Scherzo: ein hüpfend-temperamentvoller Satz mit ruhigerem romantischem Trio. Deutlich ist hier ein nationaler Einschlag zu spüren, vor allem in der »mährischen« Modulation in die Untersekunde. Das Poco andante vertritt den Typus des satztechnisch schlichten, liedhaften langsamen Satzes, ist aber in Melodie und Klangformung überaus anmutig. Ein Finale mit ausgesprochenem Kehrauscharakter gibt dem Werk einen vital-bewegten Abschluss.

Wirkung Die Uraufführung (der fünfsätzigen Erstfassung) fand am 18. März 1876 in einem Konzert der Prager Künstlervereinigung Umelecká beseda statt. Dvořák gewann mit diesem Quintett auch einen Kammermusikwettbewerb der Vereinigung; im Urteil der Jury wurde ihm »technische Fähigkeit in der polyfonen Komposition, Meisterschaft in der Form und Kenntnis der Instrumente« bescheinigt. Das Werk gehört bis heute zu den meistgespielten Kammermusikwerken Dvořáks. WA

Einspielungen (Auswahl)
- Gaudier Ensemble, 1992 (+ Klavierquartett op. 81); Hyperion
- Lindsay String Quartet, Patrick Ireland (Viola), 1992; ASV
- L'Archibudelli, 2001 (+ Streichquintett op. 97, Nocturne op. 40); Sony Vivarte

Quintett für zwei Violinen, zwei Bratschen und Violoncello Es-Dur op. 97

Sätze 1. Allegro non tanto, 2. Allegro vivo, 3. Larghetto, 4. Finale: Allegro giusto
Entstehung Juni/Juli 1893
UA 12. Januar 1894 New York
Verlag Simrock, Artia
Spieldauer ca. 30 Minuten

Entstehung Sein insgesamt drittes Streichquintett komponierte Dvořák im Sommer 1893

Während seines Amerikaaufenthalts studierte Dvořák indianische Musik und Tänze (hier Indianerinnen aus Wisconsin, 1910). In seinem exotisch anmutenden Es-Dur-Quintett verarbeitete er diese Inspirationen.

während des geruhsamen Urlaubs in der tschechischen Auswanderersiedlung Spillville im amerikanischen Mittelwesten. Die gesellige Atmosphäre mit lange entbehrten Landsleuten, die Weite der Landschaft und die Anregungen durch Begegnungen mit Indianern vom Stamm Kickapoo, die in dem Dorf Kräuter verkauften, geben den entstehungsgeschichtlichen Hintergrund für das ebenso friedliche wie inspirierte Werk.

Musik Wie das Streichquartett op. 96 trägt auch dieses Es-Dur-Quintett den Beinamen »Das Amerikanische« – und zwar mit noch mehr Recht. Waren dort die Bezüge eher allgemeiner Natur, so treten nun charakteristische Einflüsse plastischer und ungefilterter hervor. Zwar muss betont werden, dass Dvořák, wenn er von »amerikanischer Volksmusik« sprach, den Begriff recht weit und ungenau fasste – und ohne feinere Unterscheidung darunter sowohl indianische Musik und afroamerikanische Spirituals als auch zum Beispiel die Musik der irischen Einwanderer verstand: Dennoch gibt die ausgeprägte Verwendung pentatonischer Skalen und ostinater (vor allem punktierter und synkopier-

ter) Rhythmen dem Streichquintett einen geradezu exotischen Grundton, der sich stellenweise auch in bewusster Primitivität gefällt.

Exotismus und Primitivismus sind freilich in eine kunstvoll gestaltete kammermusikalische Konzeption (man beachte nur die Tonartenabfolge der Sätze: Es-Dur, H-Dur, as-Moll, Es-Dur) eingebunden. Die interessantesten Sätze sind die ersten beiden: In beiden bildet ein durchgängiges rhythmisches Modell gleichsam die Trommelbegleitung eines indianischen Tanzes ab. Im zweiten Satz tritt hierzu eine ganz »amerikanische«, überaus einfache Tanzmelodie, die aber sogleich von einer aufsteigenden Kantilene raffiniert kontrapunktiert wird.

Der dritte Satz ist eine Variationsfolge über ein Thema, das sich Dvořák schon Ende 1892, kurz nach seiner Ankunft in den USA, notiert hat. Im abschließenden Rondo, das formal weniger konzentriert scheint als bei ihm gewohnt, sind ostinate Rhythmen (hier vor allem punktierte) wieder sehr präsent.

Wirkung Das (erweiterte) Kneisel-Quartett spielte das Quintett 1894 in verschiedenen amerikanischen Städten, zum ersten Mal wohl am 12. Januar in New York (in einer Quelle ist dagegen der 1. Januar/Boston genannt). Das Werk gehörte zu den unmittelbar populären Erfolgen des »amerikanischen« Dvořák. Der Verleger Simrock, der zur großen Genugtuung des Komponisten nach einer Entfremdung als Erster wieder den Kontakt suchte, zahlte Dvořák, mit dem er häufig erbittert feilschte, das außergewöhnlich stattliche Honorar von 3000 Mark.   WA

Einspielungen (Auswahl)
* Wiener Streichsextett, 1991 (+ Streichsextett op. 48); EMI
* L'Archibudelli, 2001 (+ Streichquintett op. 77, Nocturne op. 40); Sony Vivarte

Klavierquintette

Der recht wenig gepflegten Gattung in der Besetzung Klavier plus Streichquartett, die im 19. Jahrhundert durch Schumann (op. 44) und Brahms (op. 34) begründet wurde, hat Dvořák gleich zwei Werke gewidmet. Diese sind entstehungsgeschichtlich miteinander verknüpft, markieren aber gerade deshalb eindrucksvoll den weiten Weg, den der böhmische Komponist stilistisch zwischen 1872 und 1887 zurücklegte.   WA

Klavierquintett A-Dur op. 5

Sätze 1. Allegro, ma non troppo, 2. Andante sostenuto, 3. Finale: Allegro con brio
Entstehung August 1872
UA 22. November 1872 Prag
Verlag Artia
Spieldauer ca. 30 Minuten

Entstehung Mit seiner Entstehungszeit im Sommer 1872 steht das erste Klavierquintett praktisch am Ende von Dvořáks erster Schaffensphase, in der der noch völlig unbekannte Komponist im Stillen eine große Menge – später teilweise vernichteter – Werke schrieb. In ihnen wirken sprudelnde Erfindungsgabe, Experimentierlust und Auseinandersetzung mit der Ton-

sprache der Neudeutschen in einem kritischen Gärungsprozess zusammen.

1887 ließ sich Dvořák von Ludevít Procházka, der offensichtlich im Besitz der einzigen Partitur war, das Quintett zur Überarbeitung schicken. Daraufhin kürzte er vor allem den Kopfsatz des Werkes gründlich. Dann scheint er die Revision völlig aufgegeben zu haben – und komponierte stattdessen ein ganz neues Quintett (op. 81).

Musik Im Klavierquintett op. 5 finden sich vorherrschend Züge des neudeutschen Einflusses: eine zuweilen ans Abenteuerliche grenzende Harmonik mit zahlreichen chromatischen Vorhalten, eine Vorliebe für den verminderten Septakkord, schließlich wuchernde Weitschweifigkeit. Andererseits sind die Themen bereits konziser und prägnanter als in den Werken der 1860er-Jahre.

Der Kopfsatz ist ein Sonatensatz von ernstem Pathos. Da neben dem Haupt- und Seitenthema auch die Überleitungs- und Schlussgruppe me-

Mit seinen Klavierquintetten widmete sich Dvořák einer Gattung, die im 19. Jahrhundert mit nur wenigen Werken vertreten ist (Flügel des Komponisten im Antonín-Dvořák-Museum in Prag).

lodisch sehr selbstständig ausgeführt sind, entfaltet sich der Satz praktisch aus vier Themen, die auch alle in der Durchführung verarbeitet werden. Nach dieser innerlich sehr belebten Musik ist das Andante sostenuto – trotz nervöser wagnerischer Modulatorik – ein Satz großer Ruhe.

Das Finale (das mit seinem 3/8-Takt zugleich Momente des weggefallenen Scherzos aufnimmt) ist zuerst stark bewegt, erreicht aber später in der Variation eines kantablen Gedankens fast flächige Effekte. Typisch für den jungen Dvořák ist der Rückbezug auf den Werkbeginn mit einer Reminiszenz des Hauptthemas aus dem ersten Satz kurz vor Schluss des Finales.

Wirkung Das Quintett wurde bereits am 22. November 1872 während einer Matinee bei dem Prager Musikpublizisten Ludevít Procházka aufgeführt. Procházka, ein Förderer Dvořáks, hatte großen Anteil an dem zunehmenden Erfolg des Komponisten ab 1873. In einer ersten Rezension wurde, wie meist in dieser Phase der Rezeption und nicht ganz zu Unrecht, Dvořáks Talent gelobt (»lebendige, schwungvolle und poetisch überquellende Fantasie«), seine Formbeherrschung dagegen gerügt. Die »formale Unfertigkeit im kompositorischen Satz« sei, so der Kritiker, begründet durch den »hohen künstlerischen Vorsatz, jeder Schablone mit Entschlossenheit auszuweichen«. Nach der Uraufführung ist das Werk, dessen Publikation Dvořák nie betrieben hat, in Vergessenheit geraten. Erst 1959 wurde es gedruckt. WA

Einspielungen (Auswahl)
• Rudolf Firkusny (Klavier), Ridge Quartet, 1990 (+ Klavierquintett, op. 81); BMG/RCA

Klavierquintett A–Dur op. 81

Sätze 1. Allegro, ma non tanto, 2. Dumka: Andante con moto – Vivace, 3. Scherzo (Furiant): Molto vivace, 4. Finale: Allegro
Entstehung August/September 1887
UA 6. Januar 1888 Prag
Verlag Simrock, Artia, Bärenreiter
Spieldauer ca. 30–35 Minuten

Entstehung In den Jahren 1887 bis 1889 befasste sich Dvořák besonders intensiv mit der Überarbeitung älterer Kompositionen. Dabei nahm er sich auch das Klavierquintett op. 5 wieder vor. Die neuerliche Beschäftigung mit dem Werk führte im August und September 1887 zur Komposition eines ganz neuen Quintetts – aber in der gleichen Tonart A-Dur. Dvořák ging also, wie etwa auch bei den Streichquartetten op. 12/op. 16 der Fall, ein Kompositionsproblem gleichsam in Wiederholung noch einmal an. Abgesehen von dieser interessanten Problematik ist das Opus 81 ein Werk gelöster Schaffensfreude und spiegelt auch die glückliche Atmosphäre der von Dvořák so geliebten Sommermonate in Vysoká. Gewidmet ist es dem Prager Professor Bohdan Neureuther.

Musik Von jeher hat man im Klavierquintett op. 81 das Paradigma dvořákscher Kammermusik gesehen, die klarste Verkörperung seiner persönlichen Tonsprache: reich blühende Melodik, vitaler Rhythmus, feine Schattierung der Stimmungen, brillante Klangeffekte, folkloristische Charakterstücke als Mittelsätze. Lässt man die Einschränkung zu, dass Dvořáks Œuvre auch Werke ganz anderen Zuschnitts enthält, so kann man das Klischee durchaus gelten lassen.

Als repräsentatives Werk der zweiten »slawischen Periode«, in der der tschechische Tonfall stärker in die Werkstruktur integriert ist (vgl. auch die »Dumky« op. 90), scheint Dvořák hier tatsächlich ganz bei sich. Nirgendwo entsteht eine Schwierigkeit im Verhältnis von Thematik und Form, und mühelos ist auch die heikle Balance zwischen Klavier und Streicherensemble gemeistert.

Mehr Variation und Umdeutung als motivische Arbeit im klassischen Sinn bestimmen den farbigen und reichen Bau des Kopfsatzes. Als langsamer Satz erscheint eine Dumka, in fünfteiliger Form mit dem charakteristischen tanzmäßig heiteren Einschub. Der dritte Satz trägt ebenfalls einen allerdings nachträglich von Dvořák eingefügten folkloristischen Titel (»Furiant«), ist aber eher ein schneller Walzer mit einem Poco-tranquillo-Trio von kantabel-melancholischer Tönung. Ein heiteres Finale mit einer recht polyfonen Durchführung beschließt das unbeschwerte Werk.

Wirkung Das Klavierquintett op. 81 war am 6. Januar 1888 erstmalig in Prag und vier Monate später bereits in London zu hören. Es gehört zu den meistgespielten und meistgerühmten Werken nicht nur Dvořáks, sondern des klassisch-romantischen Repertoires überhaupt – auf einer Stufe mit den Quintetten von Schumann und Brahms. Diese Prominenz schlägt sich auch im umfangreichen Katalog der Schallplatteneinspielungen nieder: Die Liste reicht von Aufnahmen mit František Maxian und dem Ondriček-Quartett (1947) über Swjatoslaw Richter mit dem Borodin-Quartett (1982) bis zu Menahem Pressler und dem Emerson String Quartet (1993) bzw. dem Gaudier Ensemble. WA

Einspielungen (Auswahl)
- Gaudier Ensemble, 1992 (+ Streichquintett op. 77); Hyperion
- Swjatoslaw Richter (Klavier), Borodin-Quartett, 1982; Philips
- Stefan Vladar (Klavier), Jerusalem Quartet, 2005 (+ Streichquartett op. 95); harmonia mundi

Werke für größere Besetzungen

Streichsextett A-Dur op. 48

Sätze 1. Allegro moderato, 2. Dumka: Poco allegretto, 3. Furiant: Presto, 4. Finale. Tema con variazioni: Allegretto grazioso, quasi Andantino
Entstehung Mai 1878
UA 29. Juli 1879 Berlin
Verlag Artia, Simrock
Spieldauer ca. 30–32 Minuten

Entstehung Die Entstehungszeit des Streichsextetts fällt in jene Monate, in denen Dvořák sozusagen entdeckt wurde. Mit einem wahren Schaffensrausch reagierte der Komponist auf den plötzlichen Erfolg, und das Streichsextett fügt sich nahtlos an die »Slawischen Tänze« op. 46 und die »Bagatellen« op. 47 an. Nur zu gern erfüllte Dvořák damals den Wunsch des internationalen Publikums nach dezidiert tschechischer Musik.
Musik Die wenig verfestigte Gattung des Streichsextetts bot sich für eine lockere folklo-

ristische Aneignung besonders an (auch wenn Dvořák wenig später im op. 51 den slawischen Ton auch ungefiltert in die hehre Gattung Streichquartett einführte): Die Besetzung mit zwei Violinen, zwei Bratschen und zwei Celli neigte schon rein klanglich eher zu orchestraler Breite.

Die nicht sehr zahlreichen Werke dieser Art entfernen sich spürbar vom dialogischen Ideal der Kammermusik, setzen eher klangsinnliche oder programmatische Akzente. Direktes Vorbild dürften die Sextette op. 18 und op. 36 von Johannes Brahms sein, der sich ebenfalls die gewissen Freiheiten der offeneren Form zunutze gemacht hatte.

Dvořák geht es insgesamt augenscheinlich um eine volkstümliche Musik, die spontan nachzuempfinden ist und sich so auch deutlich von der Norm der Kammermusik – als Musik für ein besonders kennerisches und gebildetes Publikum – löst. Volkstümlich ist dabei sowohl die Neigung zu opulenter, gleichwohl strukturell schlichter Klangfülle durch Parallelführung in Sexten und Terzen als auch die unverstellte Präsentation der typischen Elemente slawischer Volksmusik.

So sind die Mittelsätze hier schon im Titel als Volkstänze kenntlich gemacht: Der langsame zweite Satz ist eine Dumka, eine schwermütige d-Moll-Melodie mit kontrastierenden Teilen in fis-Moll und Fis-Dur. Der Scherzosatz ist ein Furiant und zitiert teils wörtlich aus den »Slawischen Tänzen«.

Mit einem hochinteressanten Variationssatz (Brahms verwandte diese Form ebenfalls in seinen Sextetten) schließt Dvořák das Werk: Die sechs Variationen über das raffiniert in seiner Tonalität schwankende Thema sind als mehrstufige Beschleunigung angelegt, sodass der ruhig-versonnen beginnende Satz in einem freudigen Taumel endet.

Wirkung Wie zu erwarten, hatte Dvořák mit dem Sextett genau den Publikumsgeschmack getroffen. Das Werk wurde häufig aufgeführt, zuerst 1879 durch das erweiterte Joachim-Quartett in Berlin, und bereits 1879 bei Simrock gedruckt. So befestigte es schnell den Ruhm des Komponisten (Brahms fand es »unendlich schön«), aber auch das Klischee vom »natürlichen Musikanten« Dvořák.

Das Streichsextett erwies sich aber nicht nur als bedeutend für die Karriere Dvořáks, sondern auch für die Gattung: Es öffnete die Kammermusik für neue Inhalte. So ist es sicherlich kein Zufall, dass etwa Arnold Schönberg, der mehrfach seine Affinität zu Dvořák bekannt hat, 1899 mit einem poetisch aufgeladenen Streichsextett aufwartete.

Das Wiener Streichsextett erzielt bei seiner Aufnahme des Werks aus dem Jahr 1991, so Martin Elste im »FonoForum«, »ein ausgesprochen homogenes Spiel, wie es auch bei den etabliertesten Quartettensembles nur selten anzutreffen ist. Die sechs Instrumente klingen wie ein einziges Instrument.« WA

Einspielungen (Auswahl)
• Wiener Streichsextett, 1991 (+ Streichquintett op. 97); EMI

Eisler | Hanns

* 6.7. 1898
Leipzig
† 6.9. 1962
Berlin

Die Musik von Hanns Eisler sollte als politische Musik gesellschaftliche Veränderungen bewirken. Neben Chören, Kampfliedern, Theater- und Filmmusiken sowie der Nationalhymne der DDR schuf er aber auch absolute Musik. Seine Kammermusik diente ihm als Experimentierfeld für groß besetzte Werke.

Der Sohn des liberalen österreichischen Philosophen Rudolf Eisler besuchte in Wien die Schule und studierte nach Teilnahme am Ersten Weltkrieg am Neuen Wiener Konservatorium. 1919 bis 1923 nahm Eisler Privatunterricht bei Arnold Schönberg, dessen Kompositionsweise und Ästhetik er allerdings nicht völlig übernahm. Mit der Leitung zweier Wiener Arbeiterchöre begann im Jahr 1923 das künstlerische Engagement für die kommunistische sowie die Arbeiterbewegung und damit auch eine zweite Schaffensphase. Der Wandel lässt sich deutlich an den Liedern nachvollziehen, die den Hauptteil seines etwa 500 Werke umfassenden Œuvres ausmachen: Während die Liedkompositionen vor dieser Zeit in ihren Texten eher den bürgerlichen Geschmack des ersten Viertels des 20. Jahrhunderts repräsentieren (Rilke, Trakl, Tagore, chinesische Lyrik), wurden die Lieder zwischen 1923 und 1933 in erster Linie für den politischen Tageskampf geschrieben. In dem Sänger und Schauspieler Ernst Busch fand Eisler einen kongenialen Partner und eine Quelle beständiger Inspiration für neue Lieder.

1933 begann für Eisler, der als Kommunist und »Halbjude« doppelt gefährdet war, die Zeit des Exils. Erste Stationen waren Wien, Paris und London. Nach Aufenthalten in den USA, in Prag, London und Moskau ließ er sich 1938 ganz in den USA nieder. In dieser Zeit widmete er sich hauptsächlich der theoretischen (»Composing for the Films«, 1943/44, zusammen mit Theodor W. Adorno) und praktischen Beschäftigung mit Filmmusik und komponierte Liedersammlungen. Nach seiner Anhörung vor dem »Komitee zur Untersuchung unamerikanischer Umtriebe« wurde er 1948 trotz internationalen Protests aus den USA ausgewiesen und ging zunächst wieder nach Wien.

Die Zusammenarbeit mit Johannes R. Becher mündete in der Nationalhymne der DDR und führte dazu, dass Eisler 1950 in die DDR übersiedelte. An der Ostberliner Akademie der Künste übernahm er eine Meisterklasse, an der Hochschule für Musik, die später nach ihm benannt wurde, eine Professur für Komposition. Zu seinen bedeutendsten Schülern gehört Siegfried Matthus. In den Folgejahren vertrat Eisler die DDR bei Kongressen, Fachtagungen und bei der Internationalen Gesellschaft für Neue Musik (IGNM). In seinem Todesjahr wurde er noch zum Präsidenten des Musikrats der DDR gewählt.

Aus der ersten Schaffensphase, den Jahren vor 1923, stammt ein einziges kammermusikalisches Werk, ein Scherzo für Streichtrio, das 1918 bis 1920 als Studie im Rahmen des Unterrichts bei Arnold Schönberg entstanden sein dürfte. Dafür spricht die Anweisung »Mit Humor« an einer Stelle, an der die Viola das Intervall a–es (für Arnold Schönberg) zu spielen hat. Die dreiteilige Komposition, die nur etwa dreieinhalb Minuten dauert, ist in ihrer Architektur leicht zu überschauen. In dem zweisätzigen »Divertimento für Bläserquintett« von 1923 kommt dann bereits Eislers Fähigkeit zu Schärfe und Zuspitzung zum Ausdruck, beides mit einer Prise Humor gewürzt. ZA

Duo für Violine und Violoncello op. 7

Sätze 1. Tempo di minuetto, 2. Allegretto vivace
Entstehung 1924
UA September 1925
Verlag Universal Edition
Spieldauer ca. 7 Minuten

Entstehung Das Duo ist dem Geiger Rudolf Kolisch und dem Cellisten Joachim Stutschewski gewidmet, die es auch uraufführten.
Musik Günter Mayer urteilt im Vergleich mit dem »Divertimento für Bläserquintett« op. 4: »Auch hier durchdringen sich kontrastierende Elemente, aber die Faktur ist, auch der Spezifik der virtuos entfalteten Instrumente entsprechend, durchsichtiger, in größeren melodischen Abschnitten, in variierender oder direkter Wiederholung.« Eisler verlangt von den Ausführenden viel: Diese kleine Komposition hat Passagen, die technische Brillanz fordern, und andere, die mit äußerster Wildheit zu spielen sind.
Wirkung Trotz erfolgreicher Uraufführung war Eisler mit der Wirkung seiner Musik zunehmend unzufriedener. Für ihn, der sich immer enger an die Arbeiterbewegung anschloss, war der bürgerliche Konzertsaal nicht der Ort, den er für seine Kompositionen bevorzugte. Bis 1934 entstand, abgesehen von einigen Klavierstücken,

kein einziges kammermusikalisches Werk mehr. Erst mit seinem Opus 46, »Präludium und Fuge über B-A-C-H«, einer Studie über eine Zwölftonreihe für Streichtrio, kehrte Eisler zur Kammermusik zurück. ZA

Einspielungen (Auswahl)
• Recherche Ensemble unter Leitung von Lothar Zagrosek, 1994/95; Auvidis Montaigne

»Vierzehn Arten, den Regen zu beschreiben« op. 70

Besetzung Flöte, Klarinette, Violine/Viola, Violoncello, Klavier
Entstehung 1940/41
Verlag Edition Peters
Spieldauer ca. 14 Minuten

Entstehung Innerhalb seines Film Music Project griff Eisler auf alle möglichen Filmmaterialien zurück, u.a. Sequenzen aus Wochenschauen, Spielfilmszenen, Gelegenheitsaufnahmen von Kindern. Der niederländische Dokumentarfilmer Joris Ivens gab ihm seinen alten Film »Regen«. Aus einer Musik hierzu entstand Eislers wohl bekanntestes kammermusikalisches Werk: »Vierzehn Arten, den Regen zu beschreiben«.
Musik Die Komposition ist ein in gelockerter Zwölftontechnik gehaltenes Variationswerk. Eisler gelingt dabei der Beweis, dass Schönbergs Kompositionsprinzip nur eine Material-, nicht aber eine Stilfrage ist. Mit dieser Technik lassen sich Stimmungen und Haltungen ebenso ausdrücken wie mit den Kompositionstechniken vor Schönberg. An den »Vierzehn Arten« fällt besonders das beständige Drängen auf, das sich durch weite Passagen zieht und nicht in eine Verlangsamung mündet, sondern meist abrupt endet. Klangmalerisch sind viele Tonwiederholungen und »tropfenartige« Tonfolgen, durch die das Werk den Charakter einer realistischen Illustration erhält.
Wirkung Eisler hielt das Werk für die beste Kammermusik, die er je geschrieben hat. Gleich zu Beginn steht die Tonfolge a-es-c-h-b-g, das Anagramm des Namens von Arnold Schönberg, seinem Lehrer, dem er das Stück später

zum 70. Geburtstag (13. September 1944) widmete. ZA

Septette

Musik Ebenfalls zur Filmmusik Eislers gehört die Suite für Septett Nr. 1 op. 92 aus dem Jahr 1940 mit dem Untertitel »Variationen über amerikanische Kinderlieder«. Die 13-minütige Komposition für Flöte, Klarinette und Streichquartett ist eine Aneinanderreihung von Genreszenen, die den Inhalten der Lieder entsprechen. Der Stimmungsgehalt variiert zwischen den Extremen Zartheit und Übermut. Es ist nicht immer leicht, das Liedmaterial herauszuhören.

Das Septett Nr. 2 »Zirkus« für die gleiche Instrumentalbesetzung entstand 1947, also lange nach Beendigung von Eislers Studie über Filmmusik, als Musik zu dem Stummfilm »Zirkus«

von Charlie Chaplin. Es ist noch deutlicher als das erste Septett ein Beispiel für die Fähigkeit des Komponisten, mit knappstem Materialeinsatz eine bemerkenswert intensive und breit gefächerte Ausdrucksskala zu verwirklichen. Das Werk ist in sechs Sätze gegliedert (1. Allegretto, 2. Con moto, 3. Andante, 4. Allegretto, 5. Allegretto, 6. Finale) und dauert ca. 16 Minuten. ZA

Nonette

Nonett Nr. 1 (Variationen)
(Improvisationen über ein fünftaktiges Thema)

Entstehung November 1939
Verlag Edition Peters
Spieldauer ca. 6 Minuten

Das Septett Nr. 2, »Zirkus«, komponierte Eisler 1947 als Filmmusik für den gleichnamigen Stummfilm von Charlie Chaplin (Filmszene aus »Zirkus« mit Chaplin und Merna Kennedy, 1928).

Musik Nicht einmal sechs Minuten dauert Eislers Nonett für Flöte, Klarinette, Fagott, Horn, Streichquartett und Kontrabass aus dem Jahr 1939. Laut Untertitel handelt es sich um »Improvisationen über ein fünftaktiges Thema«. Dass es genau 32 Variationen sind, lässt sich wohl auf die Wertschätzung zurückführen, die der Komponist den ebenfalls 32 Klaviervariationen WoO 80 von Beethoven entgegenbrachte. Die Veränderungen belegen erneut Eislers Fähigkeit zu äußerster Verknappung und Konzentration. ZA

1920er- und frühen 1930er-Jahre verwendet hatte. Die scharfen, aggressiven Klänge der Trompete im Finale und die freundliche Sanftheit des ruhig strömenden Largos bilden die beiden Pole, zwischen denen die Musik nahezu alle Ausdrucksregister annimmt.

Eislers kommentierende und Stellung nehmende Funktion wird besonders im achten Satz deutlich. Hier wird die Musik zu einem Trauermarsch (im Film auf den Tod eines Kindes bezogen), in dem der Komponist seinen Personalstil mit Anklängen an – allerdings stark verfremdete – mexikanische Volksmusik verquickt. ZA

Nonett Nr. 2 Suite für neun Instrumente

Besetzung Flöte, Klarinette, Fagott, Trompete, Schlagzeug, drei Violinen, Kontrabass
Sätze 1. Allegro molto – Andante l'istesso, 2. Allegro, 3. Allegretto, 4. Allegretto, 5. Largo, 6. Andante, 7. Comodo, 8. Marcia funebre à la Mexicana, 9. Final: Allegro spirito
Entstehung Dezember 1940/Januar 1941
Verlag Edition Peters
Spieldauer ca. 22 Minuten

Entstehung John Steinbeck rief im Dezember 1940 den in Hollywood arbeitenden Eisler nach Mexico City und bat ihn, eine Musik für den Film »The Forgotten Village« (Das vergessene Dorf) zu schreiben. Eisler war in Mexiko kein Unbekannter: Seine Arbeit für das Film Music Project stieß auch hier bei Fachleuten auf Interesse, zudem war er von Mai bis September 1939 Gastprofessor am staatlichen Konservatorium in Mexico City gewesen. Aus der Musik zu dem sozialkritischen Film wurde fast gleichzeitig die konzertante Suite herausgefiltert, die seither als selbstständiges konzertantes Werk existiert.

Musik Steinbecks Film schildert auf sehr realistische Weise das Leben und Schicksal amerikanischer Indios und ist entsprechend eine harte Anklage der Zustände. Dies erlaubte es Eisler, auch mit seiner Musik über das Illustrative hinauszugehen und eindeutig Stellung zu beziehen. So fand er zwangsläufig zu der Musiksprache zurück, die er in seinen »Kampfliedern« und den Filmen und Bühnenmusiken der späten

Elgar | Edward

* 2. 6. 1857
Broadheath
bei Worcester
† 23. 2. 1934
Worcester

100563

Nach dem Tod des »Orpheus Britannicus« Henry Purcell hatte eine so stolze und mächtige Nation wie England Generationen hindurch keinen Komponisten von internationalem Rang hervorgebracht. Lange Zeit buhlte man deshalb im Inselreich um die Gunst ausländischer Musiker. Eben jene historische Situation macht es doppelt verständlich, dass ein Meister wie Edward Elgar zu einer Art nationaler »Institution« wurde.

Der Sohn eines Musikalienhändlers und Organisten an der römisch-katholischen Kirche in Worcester hatte sich (u. a. auf Klavier, Violine und Fagott) weitgehend autodidaktisch herangebildet. Nach einem Engagement als Geiger in Birmingham ging er 1882 als Konzertmeister nach Worcester. 1885 wurde er Nachfolger seines Vaters als Organist von St. George's in Worcester, bevor er sich nach der Heirat mit seiner Klavierschülerin Caroline Alice Roberts auf seinen Landsitz Malvern zurückzog. In dessen Abgeschiedenheit entstanden in den letzten Jahren des 19. Jahrhunderts mehrere Werke, die seinen internationalen Ruhm begründeten: 1899 und 1900 brachte der bedeutende Wagner-Dirigent Hans Richter die an Brahms geschulten »Enigma Variations« und das Oratorium »The Dream of Gerontius« in London bzw. Birmingham zur Uraufführung. Schon 1901 kam das damals von keinem Geringeren als Richard Strauss hoch geschätzte Oratorium beim Niederrheinischen Musikfest in Düsseldorf zur deutschen Erstaufführung. Und 1904 rüstete man in London zu einem großen Edward-Elgar-Musikfest.

Nicht zuletzt durch die »Proms« in Londons Royal Albert Hall avancierte der erste der fünf »Pomp-and-Circumstance«-Märsche mit dem ihm unterlegten Text »Land of Hope and Glory« zur inoffiziellen Nationalhymne. Mit gutem Grund gilt Elgar als repräsentativer Komponist der »Edwardian Epoch«. Demgegenüber ließ die vergleichsweise spärliche Rezeption seiner Werke auf dem Kontinent das Wort von deren »Exportunfähigkeit« aufkommen. Schrittmacherdienste für Elgar außerhalb seiner englischen Heimat leistete dann jedoch nach dem Zweiten Weltkrieg die Schallplatte. Mehr noch als die beiden Sinfonien (1908 bzw. 1911), das von Fritz Kreisler uraufgeführte Violinkonzert (1910) oder die Kammermusik aus dem Jahr 1918 setzte sich dabei neben den »Enigma Variations« vor allem das 1919 in London uraufgeführte Cellokonzert durch.

Werke für Violine und Klavier bilden einen Schwerpunkt im Kammermusikœuvre des Geigers Edward Elgar: Für diese Besetzung komponierte er zunächst eine Reihe von Charakterstücken – »Romance« op. 1 (1878), »Une idylle, Pastourelle, Virelai« op. 4 (1883), »Mot d'amour, Bizarrerie« op. 13 (1889), »Chanson de nuit, Chanson de matin« op. 15 (ca. 1890), »La capricieuse« op. 17 (1891) – und Jahrzehnte später die Sonate e-Moll op. 82 (1918). WO

Violinsonate e-Moll op. 82

Sätze 1. Allegro, 2. Romance: Andante, 3. Allegro non troppo
Entstehung August/September 1918
UA 21. März 1919 London
Verlag Novello
Spieldauer ca. 25 Minuten

Entstehung Edward Elgar komponierte seine e-Moll-Violinsonate 1918 in seinem Haus in Brinkwells (West Sussex). Widmungsträgerin war die eng mit ihm befreundete Marie Joshua, eine gebürtige Deutsche.

Musik Wie das Violinkonzert aus dem Jahr 1910 verrät auch die Violinsonate Elgars geigerische Schulung. Er selbst verwies in diesem Zusammenhang auf die typische Geigenmelodie im Mittelteil der von ihm als »fantastisch« apostrophierten Romanze. Beim Beginn dieses zweiten Satzes hatte der Musikwissenschaftler Percy Young die Assoziation an die Nachtstücke des amerikanischen Malers James McNeill Whistler. Auch von einer sagenumwobenen, skurrilen

---

Geigenbau und Geigenklang

Die Geigenbauer von heute haben vor allem ein großes Problem: Alle Welt zieht alte, italienische Violinen ihren eigenen Instrumenten vor. Den Maßstab in puncto handwerklicher Perfektion, Form und Klang setzte nun einmal Antonio Stradivari, und der lebte von 1644 bis 1737 in Cremona. Und so versuchen viele, durch möglichst genaues Kopieren aller konstruktiven Details einer alten Stradivari auch deren Klang zu imitieren. Manchmal gelingt das sogar recht gut.
Der Bonner Geigenbauer Stefan-Peter Greiner geht einen anderen Weg: In Zusammenarbeit mit dem Physiker Heinrich Dünnwald von der Technischen Hochschule Aachen hat er das Phänomen des Geigenklangs erforscht und mittels einer neuen Messmethode Klangprofile alter Geigen in Form von Frequenzkurven erstellt. Diese bilden laut Greiner die wichtigste Grundlage für die neu zu bauenden Instrumente: »Wir sind von den sakrosankten baulichen Vorgaben einer Stradivari mitunter abgewichen, haben Maße verändert gegenüber dem Original, um den Klang des Originals zu erreichen.«

Baumformation in der Nähe von Brinkwells ist zu lesen, an der sich Elgars schöpferische Fantasie entzündet haben mochte. Auf jeden Fall ist die charaktervolle Romanze das Herzstück der Sonate, die ansonsten mit ihrem leidenschaftlich gespannten ersten Allegro mehr überzeugt als mit ihrem Finale.

Wirkung Billy Reed, der Konzertmeister des London Symphony Orchestra, und der Pianist Landon Ronald waren die Interpreten bei der Uraufführung der Sonate in Londons Aeolian Hall. In einer Rezension las man von einem »Protest gegen die gesuchten Einfälle der Ultramodernen«. WO

Einspielungen (Auswahl)
- Nigel Kennedy (Violine), Peter Pettinger (Klavier), 1983 (+ Stücke für Violine und Klavier); Chandos
- Daniel Hope (Violine), Simon Mulligan (Klavier), 2000 (+ Walton: Violinsonate, Finzi: Elegie); Nimbus/Naxos

Streichquartett e-Moll op. 83

Sätze 1. Allegro moderato, 2. Piacevole (poco andante), 3. Finale: Allegro molto
Entstehung 1918
UA 21. Mai 1919 London
Verlag Novello
Spieldauer ca. 28 Minuten

Entstehung Wie die e-Moll-Violinsonate op. 82 und das a-Moll-Klavierquintett op. 84 stammt auch das Streichquartett aus Elgars »Kammermusikjahr« 1918.

Musik Erster Satz Nach Worten Elgars haftet dem Beginn des feinnervigen Kopfsatzes etwas »Phantomhaftes« an: Über einem Mosaik an Motiven spannt sich ein großer Bogen. Mit einer ungewöhnlich umfangreichen Durchführung weicht der Formverlauf des Sonatensatzes vom gewohnten Muster ab; das zweite Thema (G-Dur) wird in der Reprise zunächst zögernd, in stockendem Rhythmus aufgegriffen.

Zweiter Satz Zu Beginn des sanft fließenden G-Dur-Mittelsatzes begnügt sich Elgar mit einer dreistimmigen Textur. Erst später setzt die erste Violine ein. Der in sich ruhende Satz erklang auch im April 1920 anlässlich der Beiset-

Der Geigenbauer Stefan-Peter Greiner (hier in seinem Bonner Atelier, 2003) gilt unter Experten als einer der weltweit führenden Vertreter seiner Zunft.

zung von Elgars Frau Alice, die sich gerade diesem Stück verbunden fühlte.

Dritter Satz Nach fünf einleitenden Takten setzt das von seiner Intervallik her weitmaschige Hauptthema ein. Rhythmische Impulse tragen fortan immer wieder den energiegeladenen, vielgestaltigen Finalsatz.

Wirkung Elgars Freund Albert Sammond war der Primarius des Streichquartetts, das in einem reinen Elgar-Konzert in der Londoner Wigmore Hall das Opus 83 uraufführte. Außerhalb Englands ist das Werk noch keineswegs seinem Rang entsprechend gewürdigt worden. WO

Einspielungen (Auswahl)
- Medici Quartet, 1986 (+ Klavierquintett); Meridian

Klavierquintett a-Moll op. 84

Sätze 1. Moderato – Allegro, 2. Adagio, 3. Moderato – Allegro
Entstehung 1918/19
UA 21. Mai 1919 London
Verlag Novello
Spieldauer ca. 38 Minuten

Entstehung Elgar hat das Quintett 1918/19 in Hampstead und der ländlichen Stille von Brinkwells in West Sussex komponiert.
Musik Erster Satz Nach dem ausgesprochen fatalistischen, splitterhaften Werkbeginn intonieren Geige und Bratsche ein elegisch weiches, chromatisches Seufzerthema, das sich später geradezu als Motto des Werks entpuppt. Der sich an das Moderato unmittelbar anschließende gestaltenreiche Allegroteil steht Johannes Brahms auffallend nahe. Nach einer kurzen Reminiszenz an das chromatische Seufzerthema weht wie aus der Ferne ein zweites Thema herüber, das spanisch eingefärbt ist.
Zweiter Satz Im Pianissimo, dabei espressivo, intoniert die Bratsche im E-Dur-Adagio das achttaktige Hauptthema. Elgars Affinität zur Musik von Johannes Brahms schlägt sich auch in diesem Satz nieder.
Dritter Satz In der Adagioeinleitung greift Elgar die Seufzerfigur aus der Einleitung zum Kopfsatz auf. Doch bald wischt das Allegro mit seinem weitgesponnenen Hauptthema und dem synkopierten Seitenthema elegische Stimmungen hinweg. In der Durchführung klingen wiederum Reminiszenzen an den ersten Satz auf, wenn etwa das an Brahms erinnernde »ungarische« Thema con sordino im Pianissimo gespielt wird. Die klangmächtige Coda des Satzes wertete Elgar als »Apotheose« des Werks.
Wirkung Das Klavierquintett erlebte seine Uraufführung in der Londoner Wigmore Hall. George Bernard Shaw, der zuvor bei einer Aufführung in privatem Kreis zugegen war, äußerte sich nicht zuletzt über den Beginn des Werks geradezu euphorisch.　　　　　　WO

Einspielungen (Auswahl)
• Medici Quartet, 1986 (+ Streichquartett); Meridian

Enescu | George

* 19. 8. 1881
Liveni (heute
George
Enescu, Rumänien)
† 4. 5. 1955
Paris

100880

Enescus Rang als bedeutendster Komponist Rumäniens in neuerer Zeit ist mit dem von Béla Bartók in Ungarn oder Karol Szymanowski in Polen vergleichbar. Frankreich, wo er sich die Namensform Georges Enesco zulegte, wurde zu seiner zweiten Heimat, ohne dass er seine erste vernachlässigte.

Bereits im Alter von acht Jahren kam Enescu nach Wien, um hier bei Sigismund Bachrich und Joseph Hellmesberger (Violine), Ludwig Ernst (Klavier) und Robert Fuchs (Theorie, Kontrapunkt und Komposition) zu studieren. Hier begegnete er auch Johannes Brahms, dessen Musik seine frühen Kompositionen beeinflusste. Nach Rumänien zurückgekehrt, konnte das Wunderkind große Erfolge als Geiger verbuchen. Sein Studium setzte er von 1894 bis 1899 am Pariser Conservatoire bei Martin Pierre Joseph Marsick (Violine) sowie André Gédalge, Jules Massenet und Gabriel Fauré (Komposition) fort. Der Auseinandersetzung mit der französischen Musik des Fin de Siècle stand bei Enescu das Interesse für die rumänische Volksmusik gegenüber; beide Elemente formten auf entscheidende Weise seine nun entstehenden Werke. Der Komponist Enescu stand jedoch zeitlebens im Schatten des ausübenden Musikers: als gefeierter Violinvirtuose und Kammermusiker (u.a. Zusammenarbeit mit Alfred Cortot und Pablo Casals, Gründung eines nach ihm benannten Streichquartetts), aber auch als Dirigent. Nicht zuletzt machte er sich auch als Pädagoge (berühmte Schüler sind Arthur Grumiaux und Yehudi Menuhin) und als Reformer des rumänischen Musiklebens verdient.

Enescus musikalischer Stil lässt sich insofern nur sehr schwer beschreiben, als sich in seiner reifen Periode ganz unterschiedliche, ja konträre Gestaltungsformen – etwa kontrapunktische Verfahren und klangsinnliches Kolorit, traditionelle Harmonik und folkloristische Heterofonie, archaische Melodik und moderne Vierteltönigkeit – mischen. Sein eigentliches Hauptwerk, die Oper »Oedipe« (1921–31), hat bis heute außerhalb Rumäniens nicht die Anerkennung gefunden, die sich der Komponist erhofft hatte. Bekannter ist demgegenüber seine Orchestermusik mit drei Sinfonien (Nr. 1 Es-Dur op. 13, 1905; Nr. 2 A-Dur op. 17, 1912–14; Nr. 3 C-Dur op. 21, 1916–21), drei Orchestersuiten und vor allem den beiden »Rumänischen Rhapsodien« op. 11 (1901) geworden.

In dem alle Gattungen umfassenden Schaffen spielt auch die Kammermusik eine große Rolle. Dabei kam dem Komponisten zugute, dass er nicht nur die Violine als »sein« Instrument beherrschte, sondern auch ein respektabler Pianist war. Der Werkkatalog weist neben kleineren Stücken u.a. drei Violin- und zwei Cellosonaten, je zwei Klaviertrios, Klavierquartette und Klavierquintette, zwei Streichquartette, ein Streichoktett sowie eine späte Kammersinfonie für zwölf Instrumente auf.   JO

Violinsonaten

Sonate Nr. 1 D-Dur op. 2

Sätze 1. Allegro, 2. Quasi Adagio, 3. Allegro
Entstehung 1897
UA 1898 Paris
Verlag Enoch
Spieldauer ca. 20 Minuten

Sonate Nr. 2 f-Moll op. 6

Sätze 1. Assez mouvementé, 2. Tranquillement, 3. Vif
Entstehung 1899
UA 1900 Paris
Verlag Enoch
Spieldauer ca. 22 Minuten

Sonate Nr. 3 a-Moll op. 25 »dans le caractère populaire roumain«

Sätze 1. Moderato malinconico, 2. Andante sostenuto e misterioso, 3. Allegro con brio, ma non troppo mosso
Entstehung 1926
UA 1927 Oradea
Verlag Enoch
Spieldauer ca. 25 Minuten

Entstehung   Wie an der Opuszahl ablesbar, gehört die 1897 geschriebene erste Violinsonate D-Dur op. 2 zu den frühesten von Enescu als vollgültig anerkannten Werken. Nur wenig später und dennoch stilistisch eine neue Etappe markierend, komponierte er die zweite Violinsonate f-Moll op. 6. Die dritte Sonate a-Moll op. 25 »dans le caractère populaire roumain« (1926) fällt in eine Zeit der vollkommenen Beherrschung seiner persönlichen Tonsprache.

Musik   Die erste Violinsonate ist – wie die zeitlich benachbarte erste Cellosonate (1898, erst 1935 als op. 26/1 veröffentlicht) – noch stark den Vorbildern der deutschen Kammermusik (Schumann, Brahms) verhaftet und folgt mit den konventionell angelegten Allegroecksätzen in Sonatenform, die ein Quasi Adagio (mit einem Andantinomittelteil) in Liedform umschließen, sehr genau den Vorgaben der Tradition, der Enescu in seiner Wiener Zeit begegnete.

Die zweite Violinsonate weist die gleiche herkömmliche Satzfolge mit zwei schnellen Außensätzen und einem langsamen Mittelsatz auf, zeigt jedoch eine ungleich größere Geschlossenheit, wozu auch die Synthese der Gedanken aller Sätze im Finale beiträgt. Angelpunkt der Sonate ist der Mittelsatz, in dem die archaischen, vom altüberlieferten Volksgut seiner moldawischen

Heimat inspirierten Züge am deutlichsten zum Vorschein kommen.

Die folkloristischen Elemente werden in der dritten Violinsonate zum beherrschenden Faktor. Das leicht abgeänderte klassische Sonatenschema in drei Sätzen bildet nur noch ein Gerüst, das Enescu mit einer neuartigen Musiksprache aus dem Geiste der heimischen Volksmusik ausfüllt. Er benutzt indes nur deren Tonfall, ohne authentische Melodien zu zitieren. In der Sonate sind zwei Grundtypen verarbeitet: In den beiden ersten Sätzen bildet Enescu verschiedene rumänische Volksliedtypen (wie die Doine) nach, für die eine nicht funktionale Harmonik (pentatonische Skalen, Dur-Moll-Parallelismus) und eine sich frei ändernde, nur schwer mit dem klassischen Taktsystem vereinbare Rhythmik charakteristisch sind. Im Finale beschwört er den rumänischen Volkstanz, rhythmisch prägnant, aber mit regelmäßigen metrischen Schwerpunkten.

Wirkung Die beiden ersten Sonaten stehen im Schatten der dritten, die mit ihren klanglich-strukturellen Innovationen als ebenbürtig zu Bartóks beiden Violinsonaten von 1921/22 gelten darf.   JO

Einspielungen (Auswahl)
- Sonaten Nr. 2 & 3: Adelina Oprean (Violine), Justin Oprean (Klavier), 1991; Hyperion
- Sonate Nr. 3: Yehudi Menuhin (Violine), Hephzibah Menuhin (Klavier), 1936 (+ Bach: Sonate C-Dur BWV 1005, Pizzetti: Sonate A-Dur); Naxos Historical
- Sonate Nr. 3: Ida Haendel (Violine), Vladimir Ashkenazy (Klavier), 1996 (+ Werke von Bartók, Beethoven, Szymanowski); Decca

Weitere Werke

Streichquartett Es-Dur op. 22 Nr. 1

Sätze 1. Allegro moderato, 2. Andante pensieroso, 3. Allegretto scherzando, non troppo vivace, 4. Allegretto moderato
Entstehung 1906, 1920
UA 1921 Bukarest
Verlag Salabert
Spieldauer ca. 45 Minuten

Streichquartett G-Dur op. 22 Nr. 2

Sätze 1. Molto moderato, 2. Andante molto sostenuto ed espressivo, 3. Scherzo: Allegretto non troppo mosso, 4. Con moto – Molto moderato, Energico
Entstehung 1951
UA 1953 Boston
Verlag Salabert
Spieldauer ca. 28 Minuten

Entstehung Mit der Gattung des Streichquartetts musste sich Enescu lange auseinandersetzen, bevor er ein gültiges Werk vollenden konnte. Bereits 1906 stellte er ein weitläufiges Allegro fertig, blieb aber bei der Komposition des nachfolgenden zweiten Satzes hängen. Erst 1920 nahm er den schon vollendeten Satz wieder vor und fügte drei weitere hinzu. Dieses erste Quartett in Es-Dur erschien als Opus 22 Nr. 1. Die frei gelassene zweite Nummer füllte der Komponist erst 31 Jahre später, 1951, mit dem Streichquartett in G-Dur aus.

Musik Beide Streichquartette weisen vier Sätze nach klassischem Vorbild auf. Stilistisch liegen indes Welten zwischen beiden Werken, was schon durch die große zeitliche Distanz begründet ist. Das erste Quartett leidet unter dem zu großen Umfang, insbesondere in den ausgedehnten Außensätzen. Deren Rückgriffe auf romantische Stilelemente wollen zudem nicht recht zu den zeitgemäßeren Binnensätzen – darunter ein in freier Variationenform gehaltenes Andante pensieroso mit Anklängen an den rumänischen Volksgesang – passen.

Das zweite Streichquartett aus der abgeklärten Spätphase des Komponisten zeichnet sich durch äußerste Konzentration und Transparenz aus, die bei allen stilistischen Unterschieden an die späten Quartette Beethovens erinnern. Ungewöhnlich ist schon die Satzfolge: Zwei langsamen, kantablen Sätzen (Molto moderato in extrem dicht gefügter Sonatenform und Andante molto sostenuto ed espressivo) schließen sich zwei rasche, rhythmisch betonte (Scherzo: Allegretto non troppo mosso und Con moto – Molto moderato, Energico) an. Charakteristisch für Enescus kammermusikalischen Spätstil sind die weiten Intervalle der melodischen Linien und die allenfalls noch mittelbar wirkende rumänische Volksmusik.   JO

Einspielungen (Auswahl)
• Quartett Athenaeum-Enescu, 1992; CPO

Falla | Manuel de

* 23. 11. 1876
Cádiz
† 14. 11. 1946
Alta Gracia
(Argentinien)

100563

Manuel de Falla zählt zu den wenigen spanischen Komponisten von europäischem Rang. Und dies, obwohl sein nicht sehr umfangreiches Schaffen nicht einmal vollständig im Druck vorliegt.

Gehindert von einer labilen Gesundheit und mit einem hohen Maß an Selbstkritik gegenüber den eigenen Werken ausgestattet, nahmen auch kürzere Kompositionen gleich mehrere Jahre bis zur Vollendung in Anspruch. So existieren wichtige Hauptwerke (vier Bühnenstücke und die sinfonischen Impressionen für Klavier und Orchester »Noches en los jardines de España«) in jeweils zwei ganz unterschiedlichen Fassungen.

Den ersten Klavierunterricht erhielt de Falla, Sohn eines Kaufmanns, bei seiner Mutter. 1897 wandte er sich nach Madrid und studierte dort bei José Tragó, einem Enkel und Schüler Chopins. Obwohl de Falla das Konservatorium preisgekrönt verließ, entschied er sich gegen eine

Virtuosenlaufbahn und widmete sich der Komposition. Zwischen 1900 und 1903 entstanden insgesamt fünf Zarzuelas, damals in Spanien allgemein beliebte komische Opern. Der dreijährige Unterricht bei Felipe Pedrell, zu dessen Schüler auch Albéniz und Granados zählen, machte de Falla mit der altspanischen Musik und den europäischen Traditionen des 19. Jahrhunderts vertraut.

Nachdem er mit »La vida breve« (»Das kurze Leben«) einen Wettbewerb für Operneinakter gewonnen hatte, ging de Falla 1907 nach Paris und freundete sich dort mit Debussy, Ravel, Dukas und Florent Schmitt an. Nach Ausbruch des Ersten Weltkriegs kehrte er nach Spanien zurück und erlebte dort mit zahlreichen erfolgreichen Aufführungen seiner Werke den Durchbruch als Komponist. Zu dieser Zeit lässt sich aber auch die entscheidende Stilwende vom farbenprächtigen Impressionismus zu einem Neoklassizismus beobachten, indem de Falla sich zunehmend an der Musik der Renaissance und dem Klavierstil Domenico Scarlattis orientiert. Nach dem Spanischen Bürgerkrieg (1936–39) und schwerer Krankheit brach er 1939 als eine Art Flucht vor dem Franco-Regime zu einer letzten Konzertreise nach Argentinien auf.

Neben seiner kompositorischen Arbeit betätigte sich de Falla auch als Autor kleiner Schriften über Debussy, Ravel und Wagner. Daneben gründete er die spanische Sektion der Internationalen Gesellschaft für Neue Musik (IGNM).

Von dem »Concerto para clavicembalo y cinco instrumentos« (1923–26) einmal abgesehen,

---

Quellen der Inspiration

Manuel de Falla bekennt sich zu seinen künstlerischen Wurzeln: »Zwei Zarzuelas von Barbieri haben besondere Verdienste geleistet: ›Pan y toros‹ und ›El barberillo de Lavapiés‹, weil sie am Ende des 18. und zu Beginn des 19. Jahrhunderts den rhythmischen und melodischen Charakter der spanischen Lieder und Tänze heraufbeschworen. Diese Werke übten zweifellos einen großen Einfluss auf spanische Komponisten aus und verliehen unserer Musik, angefangen von 1850 bis zu den Werken von Isaac Albéniz und Enrique Granados, Eigenschaften, die sie von allen anderen unterscheidet.«

In seiner »Suite populaire espagnole« ließ sich de Falla von traditionellen spanischen Volksliedern inspirieren (Frauen in andalusischen Trachten beim Aprilfest in Sevilla).

schrieb de Falla Kammermusik nur während seiner Lehrjahre. Erhalten und noch immer unveröffentlicht sind: »Melodía« (1897–99) und »Romanza« (1899) für Violoncello und Klavier, eine »Serenata andaluza« für Violine und Klavier (1899), ferner ein »Mireya« überschriebenes Werk für Flöte und Klavierquartett (1899) sowie zwei Sätze zu einem Klavierquartett aus dem gleichen Jahr.   KU

»Suite populaire espagnole« für Violoncello und Klavier

Sätze 1. El Paño moruno: Allegretto vivace, 2. Nana: Calmo e sostenuto, 3. Canción: Allegretto, 4. Polo: Vivo, 5. Asturiana: Andante tranquillo, 6. Jota: Allegro vivo
Entstehung 1914 (Liedfassung)
UA 14. Januar 1915 Madrid (Lieder)
Verlag Max Eschig
Spieldauer ca. 15 Minuten

Entstehung Manuel de Falla komponierte diese Suite als eine Folge von sieben Klavierliedern (»Siete canciones populares españolas«). Paul Kochanski übertrug die Gesangsstimme nachträglich für die Violine, Maurice Maréchal richtete die Stücke für das Cello ein. In beiden Fällen fiel der Titel »Seguidilla murciana« weg.

Musik Bei den Stücken handelt es sich um Volkslieder aus verschiedenen spanischen Regionen. »El Paño moruno« (Das Gewand des Mauren) ist ein zynisches Lied aus der Provinz Murcia, in dem das Cello wechselweise gestrichen und gezupft wird. Mit »Nana« folgt ein Wiegenlied mit orientalischem Einschlag aus Andalusien. In »Canción« wird ein wehmütiges Liebeslied vorgetragen. Das wiederum aus Andalusien stammende Stück »Polo« weist im Cellopart Verzierungen des Cante hondo sowie Imitationen der für diesen Volksgesang typischen Ay-Rufe auf, während die akzentuierten Spielfiguren im Klavier an eine Gitarre erinnern. Ein Lamento aus dem Norden Spaniens wird in »Asturiana« vorgetragen. Die »Jota« schließlich ist ein Tanzlied aus Aragón im lebhaften 3/8-Takt.   STÜ

»Concerto para clavicembalo y cinco instrumentos«

Besetzung Cembalo, Flöte, Oboe, Klarinette, Violine und Violoncello
Sätze 1. Allegro, 2. Lento (giubidoso ed energico), 3. Vivace (flessibile, scherzando)
Entstehung Oktober 1923–1926
UA 5. November 1926 Barcelona
Verlag Max Eschig
Spieldauer ca. 14 Minuten

Entstehung Als Wanda Landowska, die Grande Dame der Cembalorenaissance, de Falla 1922 mit den Klangmöglichkeiten des gerade wiederentdeckten Instruments vertraut machte, arbeitete dieser kurzerhand einen Cembalopart in seine fast abgeschlossene Kammeroper »El retablo de maese Pedro« ein. Ferner begann er das Cembalokonzert, dessen Vollendung sich aus gesundheitlichen Gründen hinauszögerte.

Musik In den Programmen der ersten Aufführungen betonte de Falla, dass es sich bei dem Konzert um ein Sextett handele, in dem das Cembalo lediglich das Hauptinstrument sei, denn »alle Instrumente sind Solisten, und ihre Zahl darf auf keinen Fall erhöht werden«. Ferner bemerkte er, dass die Musik trotz ihrer kühnen Harmonik »alte spanische Melodien, religiöse, höfische und volkstümliche Weisen« zugrunde liegen.

Als Thema des ersten Satzes zitiert de Falla gleich mehrfach das von Juan Vázquez (ca. 1510–1560) in die Kunstmusik eingeführte Lied »De los álamos vengo, madre« (»Von den Pappeln komm ich, Mutter«), während das Cembalo komplizierte rhythmische Figurationen spielt.

Der zentrale zweite Satz mit der Schlussbemerkung »A. D. MCMXXVI. In Festo Corporis Christi« erinnert tatsächlich an eine machtvolle Fronleichnamsprozession. Kanonbildungen (mit dem Gesang »Tantum ergo more hispano«) und die eigenwillige Schichtung von C-Dur und E-Dur weisen de Falla als Meister der Polyfonie und der Klangfarbe aus. Das tänzerisch-leichte Finale (im 3/4- und 6/8-Takt) kann als stilisierte Huldigung an Domenico Scarlatti angesehen werden, der als Cembalist und Hofkomponist des spanischen Königs in Madrid wirkte.

Wirkung Wanda Landowska, der das Konzert gewidmet ist, erschien das Werk zu modern, sodass sie lediglich die Uraufführung spielte. Maurice Ravel hielt es für das »vollendetste Dokument zeitgenössischer Kammermusik«. Bereits zu einem Konzert 1927 in Paris übernahm der Komponist selbst den Solopart. Dort (und wenig später in London) erklang das Werk sowohl auf dem Cembalo als auch auf dem Klavier, was zahlreiche, sonst nicht ausführbare dynamische Anweisungen in der Partitur erklärt. Cembalokonzerte mit der gleichen Kammermusikbesetzung schrieben in der Nachfolge de Fallas Karl Höller (1934), Helmut Degen (1945) und jüngst Roberto Sierra. KU

Einspielungen (Auswahl)
• Gonzalo Soriano (Cembalo), Orchester des Pariser Conservatoire unter Leitung von Rafael Frühbeck de Burgos, 1963; EMI

Fauré | Gabriel

* 12. 5. 1845
Pamiers
(Ariège)
† 4. 11. 1924
Paris

Faurés Œuvre verwundert in seiner Vielfalt. In seinen Werken verbinden sich Raffinement und erlesener Geschmack des Salons mit einer schlichten Klarheit der Konzeption, die im Spätwerk in eine geradezu asketische Reinheit und Transparenz einmündet. Schwerpunkte bilden die »Mélodie«, der spezifisch französische Zweig des Klavierliedes sowie die reichhaltige Klavier- und Kammermusik.

Geboren als letztes von sechs Kindern eines Schullehrers in der südfranzösischen Provinz, kam Fauré neunjährig nach Paris an die erst wenige Jahre zuvor gegründete École Niedermeyer. Ihm wurde hier eine gründliche, aber auf die Kirchenmusik vom gregorianischen Choral bis zu Johann Sebastian Bach eingeschränkte Ausbildung zuteil. Nach dem Tod von Louis Niedermeyer übernahm Camille Saint-Saëns, mit dem Fauré eine lebenslange Freundschaft verbinden sollte, die Klavierklasse an dem Kirchenmusikinstitut. Durch den neuen Lehrer lernte er die Musik moderner Komponisten, namentlich von Schumann, Liszt und Wagner, kennen, die ihm quasi eine neue Welt öffneten. Durch Saint-Saëns' Anregung entstanden auch Faurés erste Kompositionen. Nach der Beendigung der Ausbildung (1866) trat dieser seine erste Organistenstelle in Rennes an, die weder dem Musiker noch dem Komponisten fördernde Impulse geben konnte. 1871 wurde er an die Chororgel der Pariser Kirche Saint-Sulpice berufen, 1877 mit der Unterstützung von Saint-Saëns zum Kantor und Chorleiter an der berühmten Madeleine ernannt.

Sein Freund führte ihn auch in die Pariser Salons ein, wo sich berühmte Musiker, Literaten und Künstler begegneten. Die zwar angesehene, aber schlecht bezahlte Arbeit an der Madeleine zwang Fauré zu Nebentätigkeiten als Klavierbegleiter und -lehrer. Sein derweil kontinuierlich anwachsendes Œuvre wurde in den aristokratischen Salons bewundert, blieb in der Öffentlichkeit indes nahezu ohne Echo. Erst 1896 wurde Fauré als Nachfolger Jules Massenets zum Professor für Komposition an das Pariser Conservatoire berufen und im selben Jahr zum Organisten der Madeleine ernannt. Entgegen der konservativen Tradition des Conservatoire ließ Fauré seinen Schülern, darunter Maurice Ravel, Charles Koechlin, Florent Schmitt und George Enescu, große Freiheiten. 1905 führte die »Affäre Ravel« (unverdiente Zurückweisung des Fauré-Schülers vom Wettbewerb um den Rom-Preis) zum Rücktritt des Direktors Théodore Dubois und zur Wahl Faurés als Nachfolger. Inzwischen hatte sich sein Ruf als Komponist durch mehrere größer angelegte Werke verbreitet, allen voran das berühmte »Requiem« (1887/88, revidiert bis 1899) und die Bühnenmusik zu

»Prométhée«, denen 1913 die zunächst sehr erfolgreichen Aufführungen der ambitionierten Oper »Pénélope« folgen sollten. Die schon 1903 bemerkte fortschreitende Ertaubung veranlasste Fauré 1920, sich ganz der Komposition zu widmen.

Neben Saint-Saëns und Franck war Fauré der einzige Komponist in Frankreich, der sich im letzten Drittel des 19. Jahrhunderts intensiv der Kammermusik widmete, was ihm den fragwürdigen Beinamen »französischer Brahms« einbrachte. JO

Violinsonaten

Sonate Nr. 1 A-Dur op. 13

Sätze 1. Allegro molto, 2. Andante, 3. Scherzo: Allegro vivo, 4. Finale: Allegro quasi Presto
Entstehung 1875/76
UA 27. Januar 1877 Paris
Verlag Breitkopf & Härtel
Spieldauer ca. 25 Minuten

Entstehung Rückblickend gestand Fauré 1922, dass eine entscheidende Voraussetzung, Kammermusik zu schreiben, von der 1871 von Saint-Saëns mitgegründeten Société Nationale de Musique geschaffen worden war, da es in Paris zuvor praktisch kein Forum zur Aufführung solcher Musik gab. Die unmittelbare Anregung zur ersten Violinsonate dürften von der Bekanntschaft mit dem belgischen Geiger Hubert Léontard sowie der ersten Violinsonate Saint-Saëns' ausgegangen sein. Faurés kammermusikalischer Erstling entstand größtenteils im Sommer 1875 während eines Ferienaufenthalts in Sainte-Adresse (Normandie) bei der Familie des wohlhabenden Ingenieurs Camille Clerc, der auch die Drucklegung des Werkes in Deutschland vermittelte, nachdem französische Verlage abgelehnt hatten. Vollendet wurde die Sonate dann Anfang 1876 in Paris; gewidmet ist sie dem Sohn von Pauline Viardot-Garcia, dem befreundeten Geiger Paul Viardot, mit dessen Schwester Marianne Fauré 1877 für kurze Zeit verlobt war.

Musik In der ersten Violinsonate mischen sich auf sehr persönliche Weise unterschiedliche Einflüsse: Aufbau und thematische Disposition orientieren sich am Vorbild der deutschen Klassik und Romantik, namentlich an Beethoven und Schumann, Eleganz und Subtilität verweisen auf die französische Musik.

Erster Satz Aus dem Grundthema à la Schumann in weitgespannten Vierteln und Halben wird das Seitenthema nach dem Prinzip der kontrastiven Ableitung, wie sie dem Hörer oft bei Beethoven begegnet, entwickelt. Die Durchführung, die sich hauptsächlich dem ersten Thema widmet, überrascht durch einen Kanon beider in der Sonate absolut gleichwertig behandelten Instrumente.

Zweiter und dritter Satz Auch der nachfolgende langsame Satz in d-Moll ist in Sonatensatzform mit zwei Themen gehalten. Den nachhaltigsten Eindruck beim ersten Hören hinterlässt sicher der Scherzosatz mit seiner – an sich für Faurés Kammermusik insgesamt untypischen – Virtuosität, die sowohl vom Klavier- als auch vom Violinpart verlangt wird (äußerst rasche Pizzicato- und Staccatopassagen mit rhythmischen und harmonischen Überraschungen).

Vierter Satz Wie schon der Kopfsatz, so schlägt auch das Finale leidenschaftliche Töne an und steigert sich zu fast orchestral anmutender Brillanz und Klangfülle, mit der auch die Sonate ausklingt.

Wirkung Das Neuartige der Komposition, die unverbrauchte Harmonik und der kräftig zupackende Gestus in den schnellen Sätzen, schreckten bei den ersten Aufführungen konservative Kreise genauso ab, wie sie Saint-Saëns und seinen Gesinnungskreis begeisterten. Noch zu Lebzeiten Faurés avancierte die erste Violinsonate zu einem gern gespielten Repertoirestück.   JO

Einspielungen (Auswahl)
• Krysia Osostowicz (Violine), Susan Tomes (Klavier), 1987 (+ Violinsonate Nr. 2); Hyperion

Sonate Nr. 2 e-Moll op. 108

Sätze 1. Allegro non troppo, 2. Andante, 3. Finale: Allegro non troppo
Entstehung 1916/17
UA 10. November 1917 Paris
Verlag Durand
Spieldauer ca. 23 Minuten

Entstehung Vier Jahrzehnte nach der ersten geschrieben, gehört die zweite Violinsonate zum Spätwerk Faurés. Äußerungen belegen, dass sich der Komponist bereits viele Jahre mit dem Gedanken einer neuen Sonate für Klavier und Violine trug, aber immer wieder auf andere Besetzungen ausgewichen war. Die beiden Ecksätze entstanden im August/September 1916 in Évian, wo Fauré seine Ferien verbrachte. Die Fortsetzung wurde zunächst durch das Ende der Ferien und die Verpflichtungen am Conservatoire verhindert; die Sonate konnte daher erst Anfang Januar 1917 fertiggestellt werden.

Musik Gegenüber dem feurig-ornamentalen und oft auch leidenschaftlich-sentimentalen Stil der ersten Sonate ist kaum ein größerer Gegensatz denkbar: Ganz im Dienste des Ausdrucks stehend, ist die musikalische Struktur von allem Zierrat gereinigt und aufs Wesentliche konzentriert, gewissermaßen objektiviert. Harmonisch bleibt Fauré zwar dem tonalen System verhaftet, versucht es jedoch bis zu seinen Grenzen auszuloten. Der dunkle Grundton des Eingangssatzes wurde öfter mit dem Zeithintergrund des Ersten Weltkriegs in Verbindung gebracht; gestützt wird diese Vermutung durch die Widmung des Werkes an die damalige belgische Königin Elisabeth – ein politisch zu verstehender Akt als Solidarbezeugung für das 1914 von den Deutschen ohne Kriegserklärung überfallene Land.

Erster Satz Ähnlich wie in anderen Kammermusikwerken von Fauré begegnet in diesem Kopfsatz neben den beiden Themen ein weiterer Gedanke, der von seiner Position und Anlage her zweitrangig erscheint, aber den beiden Themen vergleichbare Entwicklungsmöglichkeiten gibt. Entsprechend wird dieser Gedanke auch in Durchführung und Reprise wie ein eigenständiges Thema behandelt. Ohne das Sonatensatzschema prinzipiell infrage zu stellen, belegt der Satz den freien Umgang mit dem Modell, so etwa durch das veränderte Metrum (12/8- statt 9/8-Takt) in der Reprise.

Zweiter Satz Das Hauptthema des langsamen Satzes ist dem Andante von Faurés zweiter Sinfonie d-Moll op. 40, die der Komponist nach wenigen Aufführungen vernichtete, entnommen und besitzt gewisse Affinitäten zu seinen Klaviernocturnes.

Dritter Satz Den Höhepunkt der Sonate bildet das als Rondo angelegte Finale in E-Dur, in dem das Hauptthema als Refrain wiederkehrt. Nach der Reprise werden die beiden Hauptthemen des ersten Satzes wieder aufgegriffen, verbinden sich mit dem Refrainthema und unterstreichen so nachdrücklich die zyklische Anlage des Werks. JO

Einspielungen (Auswahl)
• Krysia Osostowicz (Violine), Susan Tomes (Klavier), 1987 (+ Violinsonate Nr. 1); Hyperion

Cellosonaten

Sonate Nr. 1 d-Moll op. 109

Sätze 1. Allegro, 2. Andante, 3. Finale: Allegro commodo
Entstehung 1917
UA 10. November 1917 Paris
Verlag Durand
Spieldauer ca. 19 Minuten

Entstehung Unmittelbar nach Vollendung der zweiten Violinsonate begann Fauré im Frühjahr 1917 in Paris mit der Niederschrift seiner ersten Cellosonate und beendete die beiden ersten Sätze während seines Ferienaufenthalts in Saint-Raphaël. Hier wurde auch das Finale ausgeführt und am 18. August abgeschlossen. Pläne für eine Cellosonate reichen allerdings sehr viel weiter zurück – so war etwa die berühmte »Élégie« von 1880 ursprünglich als Mittelsatz einer Sonate geplant.

Musik Neben der zeitlichen Nachbarschaft haben die zweite Violinsonate und die erste Cellosonate noch mehr Gemeinsamkeiten: einen gleichberechtigten Dialog zwischen Tasten- und Saiteninstrument, die sich oft kontrapunktisch

Der englische Cellist Steven Isserlis (hier bei einem Auftritt in Köln, 2006) nahm 1994 zusammen mit dem Pianisten Pascal Devoyon alle Werke für Cello und Klavier von Fauré auf.

miteinander verbinden, eine vergleichbare Anlage der drei Sätze, ein ähnlich dunkler Grundzug des Kopfsatzes und ein vergleichbar unbeschwertes heiteres Finale, die Verwendung von thematischem Material aus der vernichteten Sinfonie op. 40 (hier aus dem Allegro-deciso-Satz), schließlich die gemeinsame Uraufführung in Paris. Ein wesentlicher Unterschied zwischen beiden Werken besteht in der stärkeren Konzentration der Cellosonate, deren Satztechnik insgesamt einfacher gestaltet ist.

Erster Satz Der Kopfsatz überrascht im Hauptthema durch einen rauen, mitunter geradezu roh wirkenden Ton, der nach landläufiger Ansicht dem Idiom des meist kantabel eingesetzten Cellos nicht entspricht. Der Eindruck des Ungebändigt-Wilden – ein Zug, der so gar nicht zur Persönlichkeit Faurés und dem Klischee des »Salonkomponisten« passen will – entsteht nachdrücklich durch die Dominanz des ersten Themas, gegen die das lyrische Seitenthema nur wie eine kurze Episode in Exposition und Reprise wirkt.

Zweiter und dritter Satz Das Andante (g-Moll) in dreiteiliger Liedform gibt sich demgegenüber als zarte Nocturne zu erkennen. Den eigentlichen Zielpunkt bildet erneut das nach Dur gewendete Finale, das sich als Sonatenrondo mit zwei rhythmisch prägnanten Themen und doppelter Durchführung beschreiben lässt. In seiner Spielfreude und Ausdruckskraft übertrifft es noch den Schlusssatz der zweiten Violinsonate. JO

Einspielungen (Auswahl)
- Steven Isserlis (Violoncello), Pascal Devoyon (Klavier), 1994 (+ Cellosonate Nr. 2, kleinere Stücke für Cello und Klavier); BMG

Sonate Nr. 2 g-Moll op. 117

Sätze 1. Allegro, 2. Andante, 3. Finale: Allegro vivo
Entstehung 1921
UA 13. Mai 1922 Paris
Verlag Durand
Spieldauer ca. 18 Minuten

Entstehung Die Anregung zur zweiten Cellosonate erhielt Fauré durch einen Staatsauftrag zur Zeremonie des 100. Todestages von Napoleon I. im Frühjahr 1921. Den zu diesem Zweck komponierten »Chant funéraire« ließ der Komponist durch den Leiter der republikanischen Garde für Militärmusik instrumentieren. Er übernahm die Melodik, die ihm doch zu wertvoll für ein bloßes Gelegenheitswerk erschien, danach für das Andante der Cellosonate. Die Ecksätze entstanden wenig später, im Herbst 1921.

Musik Obwohl nur vier Jahre nach der ersten Cellosonate entstanden und insofern derselben kompositorischen Periode Faurés zugehörig, zeigt die zweite Sonate einen anderen Zuschnitt. Auffallend sind die weiter gesponnenen Themen und vor allem die ungleich stärker ausgearbeitete kontrapunktische Technik (Kanon, Themenaugmentation etc.). Wie im Finale des früheren Schwesterwerks schließt sich nach der Reprise ein weiterer Durchführungsteil an, der

sich dem in der ersten Durchführung zu kurz gekommenen zweiten Thema widmet.

Der zweite Satz ist, bedingt durch seine Übernahme aus der Napoleon-Musik ein Trauermarsch in c-Moll mit einer einfachen, aber ergreifenden Melodie und einem ebenso schlichten Durmittelteil. Eine überraschende harmonische Rückung bereitet die Reprise beider Themen vor.

Der Kontrast des Finales zu den beiden vorangehenden Sätzen könnte kaum größer sein: Es ist ein überschäumendes Scherzo, in dem sich verschiedene Formanlagen mischen. Einerseits bildet das zweite Thema sozusagen das Trio des Scherzos, andererseits schließt sich nach der Wiederholung des Hauptthemas eine Art Durchführung über dessen Anfangsnoten an, der eine erneute Reprise beider Gedanken in einer sich steigernden Coda folgt.

Wirkung Gegenüber den Violinsonaten haben sich die beiden Cellosonaten auf dem Konzertpodium bisher nicht recht durchsetzen können, was wohl vor allem auf die weniger geschlossene Anlage zurückzuführen sein dürfte. JO

Einspielungen (Auswahl)
- Steven Isserlis (Violoncello), Pascal Devoyon (Klavier), 1994 (+ Cellosonate Nr. 1, kleinere Stücke für Cello und Klavier); BMG

Duos für Klavier und Violine/Violoncello

Neben zehn Sonatenbeiträgen weist der Werkkatalog Faurés im Kammermusikbereich noch zahlreiche Kompositionen kleineren Umfangs in freier Form auf. Von diesen sind die Solostücke für Harfe (»Impromptu« op. 86, 1904, und »Une châtelaine en sa tour« op. 110, 1918) für eine junge Harfenistin in Paris, Micheline Kahn, geschrieben. Ungleich populärer – wenngleich zumeist in ihrer jeweiligen Fassung mit Orchesterbegleitung aufgeführt – sind jedoch einige Stücke für Klavier und Violine oder Cello geworden.

Entstehung Die drei bekanntesten Duos entstammen der ersten Schaffensperiode des

Komponisten; die »Romance« B-Dur op. 28 entstand im Sommer 1877, die »Berceuse« op. 16 in den Jahren 1878/79, beide für Klavier und Violine. Zweifellos wollte Fauré hier an den Erfolg seiner ersten Violinsonate anknüpfen, zumal er in dieser Zeit auch an einem (Fragment gebliebenen) Violinkonzert arbeitete.

Unter dem Eindruck der erfolgreichen Aufführungen seiner ersten Violinsonate und seines ersten Klavierquartetts plante Fauré eine Cellosonate und begann 1880 mit dem langsamen Satz, der auch begeistert aufgenommen wurde. Nachdem sich die Fortsetzung des Werks zerschlug, gab Fauré diesen Einzelsatz unter dem Titel »Élégie« op. 24 heraus. Auch die als Teil einer aus der Bühnenmusik zu »Pelléas et Mélisande« zusammengestellten Suite bekannte »Sicilienne« op. 78 entstand ursprünglich als Komposition für Klavier und Cello. Für die gleiche Besetzung schrieb Fauré 1884 »Papillon« op. 77 und 1908 eine Pablo Casals gewidmete »Sérénade« op. 98, die aber wie die »Fantaisie« op. 79 für Flöte und Klavier (1898) keinen Eingang ins Konzertrepertoire gefunden haben.

Musik »Romance«, »Berceuse« und »Élégie« huldigen sehr stark einer sentimentalen Romantik, die einerseits ihren Erfolg erklären, andererseits aber die Gefahr bergen, als typisch für Fauré angesehen zu werden und das Etikett des seichten »Salonkomponisten« zu verfestigen, obwohl dieser nach 1880 solche »romantischen« Stilrelikte abzustreifen suchte. Die Stücke sind ganz auf die kantablen Möglichkeiten der Saiteninstrumente abgestimmt und gelten als sehr dankbar für die Interpreten.

Insbesondere das leidenschaftliche Pathos der dreiteiligen »Élégie« in c-Moll und die Süßlichkeit der »Berceuse« muten heute doch etwas befremdlich an bei einem Komponisten, dessen Kammermusik sonst dem Ideal der intimen Zurücknahme und der subtilen Nuancierung folgt.

Wirkung Zu den herausragenden Interpreten dieser Stücke zählen der Geiger Pierre Amoyal und der Cellist Steven Isserlis. JO

Einspielungen (Auswahl)
• Steven Isserlis (Cello), Pascal Devoyon (Klavier), 1994 (+ Cellosonaten); BMG

Trios

Klaviertrio d-Moll op. 120

Sätze 1. Allegro, ma non troppo, 2. Andantino, 3. Finale: Allegro vivo
Entstehung 1922/23
UA 12. Mai 1923 Paris
Verlag Durand
Spieldauer ca. 21 Minuten

Entstehung Der rasch einsetzende Alterungsprozess und gesundheitliche Probleme – das Augenlicht des schon fast ertaubten Meisters ließ erheblich nach – führten Anfang 1922 zu einer ernsten Schaffenskrise Faurés. Der Verleger Jacques Durand, mit dem Fauré seit 1913 vertraglich verbunden war, regte ihn daher zur Komposition eines Klaviertrios an, wobei er wohl den Erfolg des Trios von Maurice Ravel von 1914 im Auge hatte. Fauré ging zunächst nur zögerlich und ohne große Lust an diese Aufgabe. Nach der Skizzierung im Frühjahr 1922 arbeitete er zunächst in Annecy-le-Vieux, seiner Sommerresidenz der letzten Jahre, den langsamen Satz und im Winter/Frühjahr 1922/23 die Ecksätze aus. Eine Zeit lang war das Trio für die Besetzung mit Klarinette oder Violine vorgesehen, spätestens bei der Drucklegung ließ Fauré jedoch nur noch die klassische Klaviertriobesetzung gelten.

Musik Das Trio wird in seiner Tendenz nach Klarheit und Transparenz wohl nur noch von dem nachfolgenden Streichquartett übertroffen. Die Harmonik zeigt eine starke Tendenz zum Modalen, ohne aber das tonale Prinzip zu verlassen.

Erster Satz Im Kopfsatz findet sich wie in Einzelsätzen der zuvor entstandenen Kammermusikwerke das Phänomen der doppelten Durchführung; der Formteil dazwischen erhält somit eine zweifache Funktion: als Reprise der Exposition und zugleich neue Exposition des thematischen Materials.

Zweiter Satz Der ruhige Zwiegesang der Streichinstrumente im Andantino (in lydisch gefärbtem F-Dur) über ruhigen Akkordrepetitionen des Klaviers ist von abgeklärter Schönheit. Wie im zweiten Klavierquintett und in der zweiten Cellosonate zeigt das zweite Thema choralartige Züge.

Dritter Satz Ähnlich wie in der zweiten Cellosonate hebt sich das Scherzofinale durch sein rasches Tempo, seinen Humor, Schwung und seine Virtuosität deutlich von den vorangehenden Werkteilen ab. Der Exposition des tänzerisch wirkenden Hauptthemas im Cello geht eine relativ lange Einleitung voraus. Auch das zweite Thema ist rhythmisch bestimmt, erscheint gar als eine rhythmische Ableitung des ersten. Wie so oft in seinen Spätwerken bedient sich Fauré des Kanons in den Durchführungspassagen und nutzt auch die Möglichkeiten zur Kombination verschiedener Thementeile oder Motive. Eine kurze, aber grandiose Coda beschließt den mitreißenden Satz.

Wirkung In Paris führte erst die zweite Aufführung am 29. Juni 1923 mit Interpreten von Weltrang (Alfred Cortot, Jacques Thibaud und Pablo Casals) zum Durchbruch. Während die Komposition in Frankreich neben dem Trio Ravels als bedeutendster Gattungsbeitrag im 20. Jahrhundert gilt, fristet Faurés Klaviertrio in anderen Ländern ein eher stiefmütterliches Dasein. JO

Einspielungen (Auswahl)
• Trio Fontenay, 1990 (+ Klaviertrios von Debussy & Ravel); Teldec

Quartette

Streichquartett e-Moll op. 121

Sätze 1. Allegro moderato, 2. Andante, 3. Finale: Allegro
Entstehung 1923/24
UA 12. Juni 1925 Paris
Verlag Durand
Spieldauer ca. 22 Minuten

Entstehung Aus übergroßem Respekt vor der Tradition der Gattung und vor allem den durch Ludwig van Beethoven eingeführten Maßstäben hat Fauré lange Zeit das Streichquartett aus seiner Kammermusik ausgeklammert. Erst im Sommer 1923 verdichteten sich seine Ideen zur Komposition des mittleren Satzes. Für das Eingangsallegro, das in den Herbstmonaten

entstand, benutzte er das thematische Material aus seinem unvollendeten Violinkonzert von 1878/79. Das Finale schrieb er erst im Sommer 1924, den er erneut in Annecy-le-Vieux zubrachte. Am 11. September 1924, knapp zwei Monate vor seinem Tod, setzte er den Schlusspunkt unter seine letzte Komposition, mit dem Vorbehalt eines noch möglichen weiteren Satzes nach dem Allegro, den er aber nicht mehr ausführte.

Nach dem Zeugnis seines Sohnes erlebte der körperlich labile und durch seine Taubheit von jeder Konversation ausgeschlossene Komponist noch einmal eine große innere Freude bei der Komposition dieses krönenden Abschlusses seines gewichtigen Kammermusikschaffens. Obwohl er selbst mit seiner Arbeit, die er bis zum Schluss seinen Bekannten verschwiegen hatte, zufrieden war, setzte er testamentarisch fest, dass das Quartett erst nach der Erprobung und dem günstigen Urteil seiner Freunde und Schüler aufgeführt und publiziert werden sollte.

Musik Generell setzt das Streichquartett die Tendenz des Klaviertrios zu Klarheit und ausgeglichenen Proportionen fort. Fauré selbst äußerte: »Die beiden ersten Teile des Quartetts sind in expressiv-kräftigem Stil gehalten. Der dritte soll dagegen leicht und gefällig sein, eine Art Scherzo wie in meinem Trio.« Der Kontrast zwischen diesen beiden verschiedenen Werkteilen fällt freilich weniger deutlich als beim Trio aus. Das Quartett wirkt durch den Ausschluss des Klaviers klanglich sehr viel einheitlicher.

Erster Satz Der wiederum in Faurés eigener Variante mit zwei Durchführungsteilen ablaufende Sonatensatz wirkt in seiner melodischen Dominanz fast meditativ mit eingestreuten melancholischen Passagen.

Zweiter Satz Dieser Ausdruckscharakter setzt sich im zentralen Andante in gesteigerter Weise fort. Der kaum anders als durchgeistigt zu bezeichnende Stil mit seiner zwischen tonalem und modalem System schwankenden Harmonik, die sich aus den die klassische Kadenz meidenden frei schwingenden melodischen Linien der vier Stimmen ergibt, erreicht hier einen zuvor unbekannten Höhepunkt.

Dritter Satz Demgegenüber fällt das als Sonatenrondo angelegte Finale mit seinen vom

Komponisten selbst betonten Scherzoelementen etwas ab, überzeugt aber durch die wohlgeformten melodischen Linien der Themen und deren souveräne Verarbeitung.

Faurés letztes Werk erscheint insgesamt weniger als Endpunkt, denn als Beginn eines neuen, durch den Tod abgebrochenen Wegs, der schon durch das Trio eingeleitet wurde; eines Wegs, der ihn entgegen dem allgemeinen Bild als einen Komponisten zeigt, der stilistisch auf die musikgeschichtliche Entwicklung reagierte und durchaus auf die neue Generation (Maurice Ravel, Charles Koechlin, Arthur Honegger u. a.) einzuwirken vermochte.

Wirkung Dem Ansehen als künstlerisches Vermächtnis Faurés stehen die relativ seltenen Aufführungen des Werks entgegen. Das Streichquartett verlangt sehr große Aufmerksamkeit vom Publikum und gilt insofern als undankbar, was aber auch auf das Spätwerk anderer Komponisten zutrifft.   JO

Einspielungen (Auswahl)
- Quatuor Pro Arte, 1935 (+ Quartette von Debussy & Ravel); Biddulph

Klavierquartett Nr. 1 c-Moll op. 15

Sätze 1. Allegro molto moderato, 2. Scherzo: Allegro vivo, 3. Adagio, 4. Finale: Allegro molto
Entstehung 1876–79, 1883 (neues Finale)
UA 14. Februar 1880 Paris; 5. April 1884 Paris (mit neuem Finale)
Verlag Hamelle
Spieldauer ca. 29 Minuten

Entstehung Das Werk entstand größtenteils 1876 in Sainte-Adresse (Normandie) auf dem Feriensitz der mit Fauré befreundeten Familie Clerc. Danach geriet die Arbeit jedoch ins Stocken. 1879 konnte Fauré die Komposition zwar beenden, war jedoch mit dem Finale nicht zufrieden und schrieb dieses 1883 komplett neu. Unmittelbares Vorbild für das Klavierquartett dürfte das 1875 aufgeführte Werk gleicher Besetzung seines engen Freundes Saint-Saëns gewesen sein, das ganz bewusst als Muster verfasst wurde, um die jüngeren Komponisten vermehrt zur Kammermusik zu inspirieren.

Musik Wie die vorangegangene erste Violinsonate zeigt auch dieses Werk noch den Einfluss der deutschen Meister der Klassik und Romantik. Dieser Einfluss äußert sich jedoch nur allgemein in der Bindung an das traditionelle Sonatensatzschema und im Ton des Werks, das ansonsten durch seine frische Erfindung und gelungene klangliche Balance von Streichinstrumenten und Klavier schnell große Beliebtheit erlangen konnte.

Erster Satz Wie meist in dieser frühen Periode dominiert das Hauptthema im ersten Satz nahezu das gesamte Geschehen, das gesangliche Seitenthema bleibt demgegenüber nur Episode. Obwohl diese formale Unausgewogenheit dem Werk nicht zum Nachteil gereicht, sollte Fauré dieses Grundproblem später durch eine weitere, dem zweiten Thema gewidmete Durchführung nach der Reprise lösen.

Zweiter Satz Das Scherzo in der Paralleltonart Es-Dur gehört zu den Teilen, die den verführerischen Reiz von Faurés Musik am besten zur Geltung bringen. Der Gesang der gedämpften Streicher im Trioteil, der effektvoll zu den schwungvollen Rahmenteilen kontrastiert, gehört zweifellos zu den schönsten Eingebungen des Komponisten.

Dritter Satz Das Hauptthema des Adagios ist nicht auf einer ausgedehnten Kantilene, sondern auf der Entwicklung eines sehr kurzen Motivs aufgebaut, das aus einer rhythmisierten Skala von c-Moll besteht und von großer melancholischer Wirkung ist.

Vierter Satz Das in Sonatenform gehaltene Finale wird von punktierten Rhythmen geprägt und mündet in eine subtil gearbeitete Coda in C-Dur ein, die beide Themen kontrapunktisch miteinander verzahnt.

Wirkung Die ersten Aufführungen hatten eine der ersten Violinsonate vergleichbare Resonanz; schon bald mehrten sich jedoch erfolgreiche Aufführungen. Bis heute ist das erste Klavierquartett neben der erwähnten Violinsonate Faurés beliebtestes Kammermusikwerk geblieben.   JO

Einspielungen (Auswahl)
- Domus, 1984 (+ Klavierquartett Nr. 2); Hyperion

Klavierquartett Nr. 2 g-Moll op. 45

Sätze 1. Allegro molto moderato, 2. Scherzo: Allegro molto, 3. Adagio non troppo
Entstehung 1885/86
UA 22. Januar 1887 Paris
Verlag Hamelle
Spieldauer ca. 32 Minuten

Entstehung Über die Komposition dieses Werks ist nahezu nichts bekannt, da das Manuskript nicht datiert ist und überdies briefliche Belege fehlen. Vermutlich wurde es 1885/86 komponiert, vielleicht als Plan auch schon früher entworfen, da Fauré nach dem Erscheinen des ersten Quartetts 1884 an ein neues Werk dieser Besetzung gedacht haben mag. Die Widmung an Hans von Bülow dürfte sich von dessen wohlwollender Erwähnung Faurés in einem offenen Brief an Édouard Colonne, den Dirigenten der gleichnamigen Pariser Konzerte, herleiten.

Musik Mit dem zweiten Klavierquartett liegt ein erstes gewichtiges Werk aus Faurés Reifezeit vor. Die zuvor noch mehr oder weniger spürbaren Fremdeinflüsse sind einer inzwischen erprobten und verfestigten eigenständigen Musiksprache gewichen. So ist die stilistische Differenz zum ersten Klavierquartett größer, als es der zeitliche Abstand vermuten lässt. Statt des süß-verführerischen, gelegentlich aber auch süßlichen Tons ist ein fester und kräftiger Ton zu konstatieren, auch eine gewisse Zurücknahme des zuvor oft überströmenden Gefühls.

Erster Satz Schon der Beginn markiert mit seinem fortissimo vorgetragenen Hauptthema die veränderte ästhetische Position Faurés. Die Durchführung wartet mit einer subtilen kontrapunktischen Behandlung der vier beteiligten Stimmen auf, bevor die Reprise zur früheren Kraftentfaltung zurückkehrt, der sich eine ausgedehnte Coda anschließt.

Zweiter Satz Das Scherzo ist öfter als »hoffmannesk«, das heißt als in der bizarr-geheimnisvollen Manier der Erzählungen von E. T. A. Hoffmann ablaufend, bezeichnet worden. Der sonst übliche schlichte Triogesang als Ruhepol gegenüber den schwungvoll-bewegten Eckteilen wirkt hier seltsam verfremdet durch ungewöhnliche Harmonien.

Dritter Satz Nach eigenem Eingeständnis des Komponisten verarbeitet das Adagio eine Kindheitserinnerung an die träumerische Stimmung, die der Klang ferner Glocken auslöste, wiedergegeben über eine glockenähnliche Begleitung des Klaviers zu einer zarten Bratschenkantilene. Unweigerlich fällt das Finale gegenüber den vorangegangenen Sätzen und insbesondere gegenüber dem Schlusssatz des ersten Klavierquartetts durch seine geringere Inspiration bei der Themenerfindung und ihrer Verarbeitung etwas ab; auch scheint die enorme Ausdehnung des Satzes nicht dem gedanklichen Inhalt entsprechend. JO

Einspielungen (Auswahl)
- Quatuor Via Nova, 1969/70 (+ Klaviertrio op. 120, Klavierquintette op. 89 und op. 115); Erato/ Warner Classics
- Domus, 1984 (+ Klavierquartett Nr. 1); Hyperion

Quintette

Klavierquintett Nr. 1 d-Moll op. 89

Sätze 1. Molto moderato, 2. Adagio, 3. Finale: Allegretto moderato
Entstehung 1887–90; 1903–05
UA 23. März 1906 Brüssel
Verlag Schirmer
Spieldauer ca. 30 Minuten

Entstehung Im Jahr 1887 plante Fauré ein drittes Klavierquartett, kam aber über einige wenige Skizzen nicht hinaus. Möglicherweise gab Eugène Ysaye, mit dem Fauré 1888/89 in Brüssel konzertierte, die Anregung zur Transformation der Ideen in ein Klavierquintett. Ende 1890 waren ein Allegro und ein Andante skizziert, und der künftige Widmungsträger Ysaye äußerte sich begeistert. Dennoch wollte die Arbeit nicht voranschreiten, und Fauré gab sie bald darauf auf. Weitere Versuche der Vollendung in den 1890er-Jahren scheiterten, und Fauré konnte die ihm ungeahnte Schwierigkeiten bietende Partitur erst in den Schweizer Sommeraufenthalten 1903 bis 1905 beenden.

Musik Im Gegensatz zum zweiten Klavierquintett und zu den beiden Klavierquartetten weist das erste Klavierquintett nur drei Sätze auf. Der Verzicht auf einen schnellen Scherzosatz trug erheblich zum Eindruck einer allzu großen Gleichförmigkeit bei. Aber nicht nur das moderate Tempo aller drei Sätze, sondern auch der fehlende atmosphärische Kontrast besonders zwischen erstem und zweitem Satz haben dem Werk in seiner Verbreitung sehr geschadet. Die Komposition spiegelt in ihrer späten Um- und Ausarbeitung die Neigung zu jeglichem Verzicht auf äußerlichen Effekt, der danach für die späten Werke charakteristisch werden sollte. Fauré selbst war sich bewusst, dass er mit diesem Werk nur einen Teil der Musikwelt ansprechen würde.

Gegenüber den normalen Charakteristika der Themen scheinen die Verhältnisse im Eingangssatz umgekehrt, was sich allerdings auch schon im langsamen Tempo andeutet. Das erste Thema atmet große Ruhe und Leichtigkeit aus, die sonst dem Seitenthema zu eigen ist, während der zweite Gedanke fortissimo und espressivo erklingt. Die Durchführung kombiniert

1909 gründete Fauré (sitzend vorn) mit Maurice Ravel (Dritter von links) und anderen Künstlern die »Société Musicale Indépendente« zur Förderung zeitgenössischer Musik (Titelblatt der Zeitschrift »Musica«, Juni 1910).

Von der SNM zur SMI

An der Seite der jungen Komponistengeneration gründete Fauré 1909 die Société Musicale Indépendante (SMI), deren erster Präsident er wurde. Die Vereinigung verstand sich damals als Gegenbewegung zur 1871 gegründeten, als fortschrittlich angetretenen, aber mittlerweile selbst in ihren Regeln erstarrten Société Nationale de Musique (SNM). Faurés bewusste Entscheidung für die SMI deutet auf die ihm zukommende Scharnierfunktion zwischen Romantik und Moderne in einer Zeit sich rasant auseinanderentwickelnder musikalischer Standards hin.

beide Themen sowie einen weiteren Nebengedanken des Klaviers auf vielfältige Weise. Die kontrapunktische Kunst dieser Kombinationen, die sich auch in der Reprise fortsetzt, erscheint jedoch nie äußerlich aufgetragen, sondern ergibt sich aus innerer Notwendigkeit, wie sie allen Werken absoluter Musik – eine Formulierung, die Fauré ausdrücklich auf das erste Klavierquintett bezog – zu eigen ist.

Nach dem lyrisch-intimen mittleren Satz, der die Grundstimmung des ersten fortführt, wirkt das schlicht-volkstümliche Refrainthema des abschließenden Sonatenrondos – Scherzo und Finale zugleich – besonders erfrischend, ja, durch seine Wendung nach D-Dur und seine unverfälschte Spielfreude geradezu befreiend.   JO

Klavierquintett Nr. 2 c-Moll op. 115

Sätze 1. Allegro moderato, 2. Scherzo: Allegro vivo, 3. Andante moderato, 4. Finale: Allegro molto
Entstehung 1919–21
UA 21. Mai 1921 Paris
Verlag Durand
Spieldauer ca. 33 Minuten

Entstehung Auch das zweite Klavierquintett wurde nur sehr langsam ausgearbeitet, da die Gattung insbesondere hinsichtlich des klanglichen Gleichgewichts zwischen den vier Streichinstrumenten und dem Klavier besondere Schwierigkeiten bot, die sich Fauré bei der Konzeption der Klavierquartette und des Klaviertrios nicht stellten. Der Beginn der Arbeit datiert vom September 1919, die Komposition zog sich mit mehreren Unterbrechungen bis zum Februar 1921 hin.

Musik Erster Satz Die thematische Disposition entspricht in vielen Punkten derjenigen des ersten Klavierquintetts. Auch hier ist das Hauptthema melodisch, das Seitenthema rhythmisch geprägt. Der entscheidende Unterschied liegt in der doppelten Durchführung, die auch auf den umrahmten Teil dazwischen, wiederum Reprise und neue Exposition zugleich, einwirkt. Die Tendenz zu einer Verarbeitung des thematischen Materials über den ganzen Satz hinweg ist unübersehbar, zu Recht ist daher der Satz als der am meisten durchkomponierte Faurés bezeichnet worden.

Zweiter und dritter Satz So weit wie in kaum einem anderen Fauré-Satz wagt sich das Scherzo an die Grenzen des tonalen Systems vor; über weite Strecken droht jedes tonale Gefühl verloren zu gehen. Im langsamen Satz kontrastiert das stark modulierende, expressive erste Thema mit einem schlichten choralartigen zweiten.

Vierter Satz Wie der Eingangssatz knüpft auch das Rondofinale unmittelbar an das erste Klavierquintett an, nur scheint die Spielfreude hier noch ungebrochener, die rhythmisch-harmonische Variationspalette noch vielfältiger.

Wirkung Das Paul Dukas gewidmete Werk wurde bei seiner Pariser Uraufführung zu einem unerwarteten Triumph. Nach dem Zeugnis von Philippe Fauré-Fremiet, dem Sohn des Komponisten, wurden alle Erwartungen des Publikums, die sie einem neuen Werk des greisen, körperlich gebrechlichen, aber auf dem Höhepunkt seiner Schaffenskraft stehenden Komponisten entgegenbrachten, übertroffen: Nach dem letzten Akkord wurde der anwesende Meister stürmisch gefeiert. Zumindest in Frankreich blieb die Popularität des Quintetts ungebrochen; qualitativ wird es auf eine Stufe mit den entsprechenden Werken von Schumann und Brahms gestellt. JO

Einspielungen (Auswahl)
- Gesamtaufnahme: Quintetto Fauré di Roma, 1986; Claves
- Domus, Anthony Marwood (Viola), 1994; Hyperion

Françaix | Jean

* 23.5.1912
Le Mans
† 25.9.1997
Paris

100563

Es gibt kein Instrument und kaum eine Besetzungsvariante, die Françaix nicht mit raffiniertester, oft spitzbübisch schmunzelnder Delikatesse zu offerieren versteht. Selbst die außergewöhnlichsten Klangkombinationen sind ein Qualitätsmerkmal von Françaix. Mit dieser kreativen Begabung gehört er neben Francis Poulenc zu jenen Repräsentanten der französischen Musik des 20. Jahrhunderts, deren Modernität zu einer charmanten Heiterkeit fähig ist und die von jedem Hörer ohne musiktheoretisches Fachwissen verstanden werden kann.

In meinem Elternhaus musizierte die ganze Familie in sämtlichen Räumen, sodass ich schon mit drei Jahren die Marseillaise sang und mit fünf Jahren Noten lesen konnte.« – Wie so mancher andere Großmeister der Musikgeschichte hatte Jean Françaix das Glück, quasi von der Wiege an in allen musikalischen Disziplinen eine Idealförderung zu genießen. Ideal schon deswegen, weil das enthusiastische Engagement und die Berufspraxis der Eltern die gesamte Palette einer künstlerischen Früherziehung berücksichtigte. Der Vater Alfred Françaix war als Pianist, Kompositionslehrer und Direktor des Konservatoriums von Le Mans ein solider Praktiker und zugleich mit allen Fragen umsichtigen Verwaltens und Wirtschaftens vertraut (was dem Sohn als lebenslang erfolgreich freischaffendem Künstler zugute kommen sollte), während die Mutter, Jeanne Françaix, als versierte Sängerin die künstlerische Praxis mit ihrer musikpädagogischen Begabung für die Ausbildungsfächer Opern-, Chor- und Liedgesang am Konservatorium zu verbinden wusste.

Als Jean Françaix seine eigenen kompositorischen Studien bei der berühmten Nadia Boulanger in Paris begann, war er 1930 bereits am Conservatoire in der Klavierklasse von Isidore Philipp mit einem ersten Preis ausgezeichnet worden. Längst hatte er sich intensiv und analytisch mit den Werken von Mozart, Schubert, Chabrier, Ravel und Strawinsky auseinandergesetzt und sie zu Leitbildern erhoben. Diese stilistische Vielseitigkeit setzte er unmittelbar in schöpferische Eigentätigkeit um.

Beispielhaft ist seine Kunst, in alle bewegten Satzteile mitreißenden Schwung hineinzuzaubern. Die häufige Komik seiner Themen, deren oft virtuos-verrückte Intervalle heitere Purzelbäume schlagen, und eine bewusst irritierende Freude an »falschen« Modulationen und Kadenzierungen machen jedes Zuhören zur vergnüglichen Überraschung. Sogar die wehmütigen Klagetöne eines Englischhorns verwandelt er in die tänzerische Gestik eines Saxofons (Quartett für Englischhorn und Streichtrio, 1970). Immer wieder schlüpft der Komponist in die Rolle eines Harlekins, der dennoch in seinen langsamen Sätzen anrührend Nachdenkliches zu vermitteln weiß. Die Opern und Ballette streifen gern das Burleske, seine Orchesterwerke sind klangvolle Divertissements, seine Instrumentalkonzerte brillieren mit artistischen Clownerien, seine unzähligen Kammermusiken verkürzen sich im Extremfall zum lichtenbergschen »Sudelbuch«-Aphorismus (»Quasi Improvisando«, 1975). PÄ

Bläserquintett Nr. 1 E-Dur

Sätze 1. Andante tranquillo – Allegro assai, 2. Presto, 3. Tema con variazioni, 4. Tempo di marcia francese
Entstehung 1948
UA 2. Dezember 1954 Paris (ORTF)
Verlag Schott
Spieldauer ca. 20 Minuten

Entstehung »Für meine französischen Holzbläserfreunde habe ich (1948) das Quintett Nr. 1 mit hohen Schwierigkeitsgraden komponiert. Aber es war ein Hindernislauf mit zu hohen Hindernissen«, erinnert sich der Komponist, »sechs Jahre lang hat sich niemand die waghalsige Interpretation zugetraut.«

Musik Erster Satz Françaix versteht sich auf Pointen: Mit großem Ernst zelebriert er eine feierliche Introduktion im Wechsel von Horn und Oboe, um unversehens einen musikalischen Spaß anzuzetteln. Ein witziges Oboenthema und ulkige Begleiteffekte des Horns eröffnen die Exposition. In tiefer Klarinettenlage erklingt ein zweites Thema, das alsbald vom Horn als dominierender Cantus firmus übernommen wird. Die anderen Instrumente liefern die Begleitung dazu.

Zweiter Satz Brillant synkopierende Staccatorhythmen führen in die Sackgasse einer Atempause. Spannung! Da intoniert die Klarinette Anklänge an das Eulenspiegelthema von Richard Strauss und verliert sich sogleich in ein witzig-spritziges Fabulieren. Eine lyrische Episode mit Fagottbässen markiert einen Trioteil. Das Dacapo entpuppt sich als verkürzte Variante mit plötzlich nachlassender Tempoenergie. Ein Trugschluss! Frisch und munter sprudelt die Coda.

Dritter Satz Nach einem Eröffnungs-»Vorhang« stimmt die Oboe ein pastorales 6/8-Thema an. Statt der erwarteten Variation überrascht ein hurtiges Etüdenintermezzo. Dann endlich variiert die Klarinette das Thema, gefolgt von einer Variation der Flöte. Nochmals unterbricht ein Zwischenspiel die traditionelle Reihenform. Eine originelle Tuttivariation III beschließt den Satz.

Vierter Satz Es erklingt eine köstliche Marschparodie, in der noch einmal alle musikalischen Späße virtuos ausgekostet werden.

Wirkung Längst gehört das Werk zum brillanten Vorzeigestück aller renommierten Bläserensembles. Dass es dennoch relativ selten in öffentlichen Konzerten zu hören ist, liegt an der kaum zu erklärenden Zurückhaltung vieler Veranstalter gegenüber reinen Bläserkammermusiken. PÄ

Bläserquintett Nr. 2

Sätze 1. Preludio, 2. Toccata: Allegro, 3. Scherzando, 4. Andante, 5. Allegrissimo
Entstehung 1987
UA 18. Juli 1987 Neumünster
Verlag Schott
Spieldauer ca. 20 Minuten

Entstehung Françaix komponierte sein zweites Bläserquintett 1987 im Auftrag des Schleswig-Holstein Musik Festivals und widmete es dem Aulos Bläserquintett.

Musik Erster Satz Die würdevolle Intrada im akkordisch-vierstimmigen Satz mutiert allmählich zum Solo mit wachsender Anzahl der Begleitstimmen.

Zweiter Satz Die rastlose Bewegung einer typischen Toccata wird durch untypische, äußerst virtuose Kontrapunktfigurationen charakterisiert: Halsbrecherische Staccatorepetitionen, Akkordbrechungen und Skalenläufe bilden das harmonische Gerüst für einen unversehens aufleuchtenden Oboen-Klarinetten-Zwiegesang.

Dritter Satz Humorig und vertrackt zugleich erklingt ein typisches »Stolperstück« in schräger Wechselrhythmik. Atempausen mit spritzigen Akkordtupfern führen zu einem Trio mit trivialer Walzerthematik. Da sich der Tanz nicht so recht entwickeln will, wird kurzerhand ein neues Thema angestimmt.

Vierter Satz Ein kantabler Dialog zwischen dem Englischhorn und der Flöte gewinnt seinen besonderen Reiz aus den dissonanzgewürzten Begleitharmonien. Abschließend darf auch einmal das Fagott das Thema betulich brummen.

Fünfter Satz Polkascherz im Stolpertakt mit kuriosem Figurenwechsel aller Instrumente in raffiniert durchbrochener Satztechnik. Den Abschluss bildet eine quirlige Coda mit einer Soloverbeugung des Hornisten.

Wirkung »Nachdem mein erstes Bläserquintett Anklang gefunden hat, hoffe ich nicht, dass man von meinem zweiten sagen wird: Jean Françaix wird alt«, so der Komponist. Kritiker kommentierten übereinstimmend: »Wie das erste lebt auch Françaix' zweites Bläserquintett von einem schier unablässigen Einfallsreichtum, von kecken und übermütigen musikalischen Ideen.« PÄ

Einspielungen (Auswahl)
• Aulos Bläserquintett, 1988 (+ Divertissement); Koch Schwann

Oktett für Bläser und Streicher

Besetzung Klarinette, Horn, Fagott, zwei Violinen, Viola, Violoncello und Kontrabass
Sätze 1. Moderato – Allegrissimo, 2. Scherzo, 3. Andante – Adagio, 4. Mouvement de Valse
Entstehung 1972
UA 7. November 1972 Wien
Verlag Schott
Spieldauer ca. 20 Minuten

Entstehung Das 1972 komponierte Werk ist dem Octuor de Paris gewidmet. Erklärte Absicht des Komponisten war es, für Aufführungen des Schubert-Oktetts durch einen kurzen, besetzungsmäßig identischen, musikalisch aber kontrastierenden Anhang ein abendfüllendes Programm zu ermöglichen.

Musik Erster Satz Scheinheilig beginnt das Oktett als braves Streichquartett, dem sich ein Klarinetten-Fagott-Dialog anschließt. Ein Accelerando beschleunigt das Tempo, das sich unvermutet in einen Quickstep mit stimmführender Klarinette, Horn, dann auch zu einem Streichersatz verwandelt. Die Übernahme des Themas durch das Fagott signalisiert den Beginn einer Quasidurchführung voller Motivspielereien. Ein heiteres Duettieren der Geige mit der Klarinette wird von ruhigen Pendeltönen des Horns begleitet. Keine Reprise, keine Sonatensatzform.

Zweiter Satz Aus einem spukhaften Streicherpizzicato erwächst eine freche Klarinettenmelodie, die im Wechselspiel von allen Instrumenten imitiert wird. Der Trioteil entfaltet eine großzügige, mit Bläsertupfern garnierte Streicherkantilene. Noch einmal erklingt das freche Klarinettenthema im schnellen Walzertakt als Dacapoeffekt und verflüchtigt sich mit einem Diminuendo in ein verklingendes Nichts.

Dritter Satz Kontrast! Die Streicher stimmen im Quartettsatz eine Art Wiegenlied an, das von der Solovioline mit begleitenden Bläserfigurationen weitergesponnen wird. Melodiezitate der Einzelbläser formieren sich zu einer besinnlichen Coda.

Vierter Satz Eine kurze Tuttieinleitung gibt das Startsignal zu einer persiflierenden Wiener-Walzer-Folge. Tugenden (und Untugenden) von Kaffeehausgeigern dienen offensichtlich der Erheiterung der Zuhörer. Im zweiten Walzer übernimmt die Klarinette die Führung, deren simples Thema durch »falsche« Begleitakkorde karikiert wird. Der Walzer Nr. 3 stolpert schließlich im ständigen Taktwechsel vor sich hin. Themenwiederholungen und Motivreminiszenzen beenden den Salonorchesterulk.

Wirkung »Die Partituren von Jean Françaix wurden weder bei Kongressen noch in Workshops und Nachtstudios seziert; die Sachwalter des Tiefsinns nehmen ihn nicht ernst, hüten sich aber, über ihn herzufallen, um nicht der Humorlosigkeit geziehen zu werden. Moral: Heiterkeit macht nahezu kugelsicher.« Diese Feststellung des Kritikers Karl Schumann lässt sich mehr oder weniger auf alle Werke des Komponisten übertragen, obwohl sie auch den Beweis dafür erbringen, dass man dank vital-kreativer Satztechniken und zeitnaher Dissonanzbehandlung die Kenner und Liebhaber mit Geist und Witz unterhalten kann und gleichzeitig die immer noch bestehenden Publikumsbarrieren gegenüber der konzertanten Gegenwartsmusik leicht zu überwinden vermag. PÄ

Einspielungen (Auswahl)
• Charis Ensemble, 1987; MDG

Musikalische Moderne

Vermittelt durch seine Schüler, zählt César Franck in Frankreich zu den Vätern der musikalischen Moderne. Die romantische Harmonik in seinen Werken ist von kühner Chromatik und häufiger Modulation bestimmt; sie weist bereits auf den Impressionismus hin. Die Geschichte der Musik im 19. Jahrhundert verlief – ähnlich wie die anderer Künste – als ein Prozess, der von einer relativ einheitlichen Tonsprache um 1800 ausging und zu einer Vielzahl immer stärker auseinanderstrebender Stilrichtungen um 1900 führte. Angesichts dieses Stilpluralismus der Musik um 1900 verlieren Begriffe wie »Spätromantik« oder »Impressionismus« heute an Bedeutung.

Franck | César

* 10. 12. 1822
Liége (Lüttich)
† 8. 11. 1890
Paris

100977

Zunächst für die Pianistenlaufbahn bestimmt, fand César Franck sein Hauptinstrument schließlich in der Orgel. Charakteristisch für seine eigene Musik ist die Vermittlung zwischen traditioneller Kompositionsweise in teilweise historischen Formen und neuer, chromatisch-farbiger, schon auf Debussy verweisender Klanglichkeit.

Die Jugend von César Franck wurde von der unnachgiebig strengen Erziehung durch den Vater bestimmt, der seine beiden »Wunderkinder« (César spielte Klavier, der Bruder Joseph Geige) auf die Virtuosenlaufbahn vorbereitete. Den ersten musikalischen Unterricht erhielt Franck am Königlichen Konservatorium Lüttich, wo er bereits in seinem neunten Lebensjahr den ersten Preis im Gesangswettbewerb, zwei Jahre später im Klavierwettbewerb gewann. Damit war ein wirksames Fundament für die nachfolgenden Konzertreisen gelegt, die der Vater im Jahr 1834 mit seinen beiden Söhnen unternahm. Im darauffolgenden Jahr siedelte die Familie nach Paris über, wo Franck zunächst Privatunterricht bei dem berühmten Musikpädagogen und Beethoven-Freund Anton Reicha erhielt, weil er das Mindestalter für die Aufnahme am Pariser Konservatorium noch nicht erreicht hatte. Ab 1837 studierte er am Conservatoire Klavier, Komposition und Orgel.

Gegen den Willen seines Vaters gab Franck 1844 endgültig die Virtuosenlaufbahn auf und verdiente sich seinen Lebensunterhalt mit dem Unterricht an verschiedenen Schulen und religiösen Einrichtungen sowie als Organist an Notre-Dame de Lorette. Mit 36 Jahren konnte er seine erste große Stelle als Kantor und Organist von Ste-Clothilde in Paris antreten, die er bis zu seinem Tod innehatte. Die endgültige Festigung seiner führenden Position im Pariser Musikleben erlangte er 1872, als er zum Nachfolger seines Orgelprofessors François Benoist am Pariser Konservatorium ernannt wurde.

Von Francks Schüler Alexis de Castillon, dem Sänger Romain Bussine und Camille Saint-Saëns wurde 1871 die Société Nationale de Musique gegründet, deren Hauptinteresse der Förderung junger französischer Komponisten (u. a. Henri Duparc, Vincent d'Indy) galt. Doch auch zahlreiche Werke César Francks gelangten in ihren Veranstaltungen zur Uraufführung. 1886 wurde Franck schließlich zum Präsidenten dieser musikalischen Vereinigung gewählt, wodurch ein heftiger Streit unter seinen Anhängern und der Lobby des kulturhistorisch reaktionär gesinnten Saint-Saëns entbrannte.

Erst in seiner letzten Schaffensperiode hatte Franck Erfolg als Komponist. Nach dem öffentlichen Scheitern mit der sinfonischen Dichtung »Rédemption« (1871/72) erwirkten möglicherweise seine Schüler d'Indy und Duparc durch ihre Ermutigung zur Überarbeitung des Werkes eine neue Schaffenskraft, denn ab 1875 entstanden jene Werke, die seinen heutigen Ruhm begründen: die sinfonischen Dichtungen »Les Éolides« und »Psyché«, die »Variations Symphoniques« für Klavier und Orchester und vor allem die Sinfonie d-Moll (1886–88).   HAR

Violinsonate A–Dur

Sätze 1. Allegretto ben moderato, 2. Allegretto, 3. Recitativo – Fantasia: Ben moderato – Molto lento, 4. Allegretto poco mosso
Entstehung 1886
UA 31. Dezember 1887 Brüssel
Verlag Henle
Spieldauer ca. 30 Minuten

Entstehung Franck komponierte seine Violinsonate 1886 als Hochzeitsgeschenk für den berühmten belgischen Virtuosen Eugène Ysaye. Im selben Jahr begann er mit der Komposition seiner einzigen Sinfonie in d-Moll, die er – da er meist nur in den Sommermonaten Zeit zum Schreiben fand – erst zwei Jahre später vollendete.

Musik Die vier Sätze der Sonate sind durch eine gemeinsame motivische Substanz, die aus dem ersten Thema (Violine) des Kopfsatzes herausgefilterte Idée fixe, miteinander verknüpft. Die so erzielte zyklische Verbundenheit der Sätze, die zudem durch variative Ableitungen weiterer Themen unterstrichen wird, gehört zu den markanten Stilmerkmalen Francks. Typisch für ihn ist auch die Verbindung von motivischer Arbeit mit Variationsprinzipien und die an Wagner, Liszt oder Brahms gemahnende Harmonik.

Erster Satz Der Kopfsatz dient der gesamten Sonate in der Art eines versonnenen Präludiums als übergeordnete Eröffnung, beansprucht dabei jedoch großes Eigengewicht. Das nach tastendem Beginn im Klavier erklingende, wie eine Frage anmutende erste Thema in der Violine erhält mit dem zweiten Thema, das nur im Klavierpart erscheint, eine aufgewühlte Antwort, die ihre Spuren hinterlässt: Das erste Thema findet nach dessen jeweiligem Erscheinen zu einer weniger fragenden, ja am Ende scheinbar befriedigten Gestalt.

Zweiter Satz Mit drei kontrastierenden Themenkomplexen – einem leidenschaftlichen ersten, lyrischen zweiten und sehnsuchtsvoll entrückten dritten – wird dieses Allegro in der Form eines erweiterten Sonatensatzes bestritten. Das »konstitutive Intervall« der kleinen Sekunde (bzw. chromatische Tonfolgen) und der Gegensatz von treibender und gestauter Motorik bestimmen die variative Arbeit mit den Themen.

Dritter Satz Sowohl in seinem rezitativischen ersten wie im fantasieartigen zweiten Teil ergeht sich dieser Satz wiederholt in Reminiszenzen an die vorangegangenen Stationen der Sonate und wandelt sie ab oder um. Doch der Fantasiaabschnitt hält auch ein neues Thema bereit. So weit Franck mit den an seine Bach-Studien erinnernden Solo-»Kadenzen« der Violine zunächst ausgreift, so nah kommt er am

Satzende dem ersten Thema (mit der Idée fixe) vom Sonatenanfang.

Vierter Satz Der Refrain dieses virtuosen Rondos hält ein herrlich sangliches Thema bereit, das die Klangfarben von Violine und Klavier ausdrucksvoll verschmelzen lässt. In den Zwischenteilen wird Franck der Idee des zyklischen Gedankens durch satzübergreifende Bezüge weiterhin kunstvoll gerecht.

Wirkung Die Violinsonate Francks wurde schon bei ihrer Uraufführung in Brüssel vom Publikum begeistert aufgenommen. Heute gehört sie zum Standardrepertoire. Von dem Werk existiert auch eine Bearbeitung für Violoncello, die allerdings nicht von Franck selbst stammt. HAR

Einspielungen (Auswahl)
- Jascha Heifetz (Violine), Arthur Rubinstein (Klavier), 1937; Biddulph
- Kyung-Wha Chung (Violine), Radu Lupu (Klavier), 1977 (+ Sonaten von Debussy & Ravel); Decca
- Gérard Poulet (Violine), Noël Lee (Klavier), 1992 (+ Lekeu, Violinsonate); Arion
- Augustin Dumay (Violine), Maria João Pires (Klavier), 1993 (+ Debussy: Violinsonate, Ravel: Berceuse, Vocalise-Etude, Tzigane); Deutsche Grammophon

Streichquartett D-Dur

Sätze 1. Poco lento – Allegro, 2. Scherzo: Vivace, 3. Larghetto, 4. Finale: Allegro molto
Entstehung 1889
UA 19. April 1890 Paris
Verlag Eulenburg
Spieldauer ca. 40 Minuten

Entstehung Das letzte kammermusikalische Werk Francks aus dem Jahr 1889 ist zugleich sein einziger Beitrag zur anspruchsvollen Gattung des Streichquartetts. Zuvor hatte sich der gebürtige Belgier gründlich mit den späten Quartetten Beethovens auseinandergesetzt – Werken, die auch für einen Komponisten des ausgehenden 19. Jahrhunderts noch zum »Maß aller Dinge« gehörten.

Musik Die ersten 14 Takte stellen den musikalischen Fundus (Melodik, Harmonik, Rhythmik) für das gesamte Quartett bereit: Wie schon das Klavierquintett, die Violinsonate und die d-Moll-Sinfonie beruht das Streichquartett auf einer alle vier Sätze miteinander verknüpfenden motivischen Grundidee. Die expressiven Möglichkeiten der »spätromantischen« Harmonik mit innovativen, jedoch aus der Arbeit mit den Themen heraus gebildeten Formkonzeptionen zu verbinden, galt Francks Hauptinteresse. Dabei besann er sich stets auf die Errungenschaften der Vorbilder (Beethoven, Schubert, Liszt, Schumann), sodass mit dem Streichquartett ein aus der Tradition gewachsenes und dennoch um 1890 durchaus neuartiges Werk entstehen konnte.

Erster Satz Die langsame Einleitung (Poco lento) übernimmt eine doppelte Funktion: Sie dient einerseits als satzübergreifende Eröffnung und ist andererseits im Kopfsatz nicht nur dem formalen Prozess des (Allegro-)Sonatensatzes vorangestellt, sondern in ihn durch zweimalige Wiederkehr (eigenständige Durchführung und Reprise) integriert. Die Beziehung zwischen langsamer Einleitung und Sonatenhauptsatzform erreicht hier eine eigenwillige und einzigartige Ausformulierung.

Zweiter Satz Dem quirligen und geisterhaften Scherzo kommt weniger die Aufgabe zu, ein Gegengewicht zu dem voluminösen ersten und expressiven dritten Satz zu bilden, als vielmehr eine substanzvolle Abwechslung zu bieten.

Dritter Satz Das Larghetto, dessen breit strömender Melodienfluss sowohl Passagen ruhiger Klanglichkeit als auch leidenschaftlicher Ausbrüche durchläuft, besteht aus fünf Abschnitten in der erweiterten Liedform. Im vierten Teil knüpft Franck an das Scherzotrio an, um auch die Binnensätze über den zyklischen Werkgedanken hinaus in Beziehung zu setzen.

Vierter Satz Ähnlich wie Beethoven im Finale seiner 9. Sinfonie lässt Franck in diesem sinfonisch dimensionierten Satz (881 Takte!) die vergangenen drei Sätze durch kurze Rückerinnerungen Revue passieren, die von einem markanten Unisonothema umrahmt werden. An die Reprise der wirkungsvoll erfüllten Sonatenform schließt nicht unmittelbar eine Coda an, sondern es folgt eine zweite Durchführung, in die sowohl das Scherzothema als auch Cantus-firmus-artig die Larghettomelodik nochmals eingeflochten sind. Über die nahe Verwandtschaft der Themen hinaus erweist sich dieser Satz als letzte konsequente Einlösung der zyklischen Idee.

Wirkung Neben der Violinsonate wurde einzig das Streichquartett bei der Uraufführung mit Begeisterung aufgenommen, sodass Franck glauben konnte, das Publikum beginne seine Musik allmählich zu verstehen. Ein halbes Jahr später starb er. Einen festen Platz im Repertoire der großen Streichquartettformationen konnte sich das Werk bislang noch nicht erobern. HAR

Einspielungen (Auswahl)
- Quatuor Pro Arte, 1933 (+ Bartók: Streichquartett Nr. 1); Biddulph
- Juilliard String Quartet, 1989 (+ Smetana, Streichquartett Nr. 1); Sony Classical

Klavierquintett f-Moll

Sätze 1. Molto moderato quasi lento – Allegro, 2. Lento con molto sentimento, 3. Allegro non troppo, ma con fuoco
Entstehung 1878/79
UA 17. Januar 1880 Paris
Verlag Eulenburg
Spieldauer ca. 30 Minuten

Entstehung Dieses Camille Saint-Saëns gewidmete dreisätzige Klavierquintett bildet den Ausgangspunkt der kleinen, aber erlesenen Reihe von kammermusikalischen Werken im späten Œuvre César Francks. Zwischen dem Quintett von 1878/79 und den vier Klaviertrios, mit denen er seine kompositorische Karriere begonnen hatte, liegen mehr als 30 Jahre, in denen er sich nur sinfonischen Aufgaben gewidmet hatte.

Musik Das f-Moll-Quintett ist die erste Komposition, in der Franck charakterlich unterschiedliche Sätze durch motivisch-thematische Gemeinsamkeiten zu einem zyklischen Ganzen verband.

Erster Satz Eine expressive, rhythmisch besonders profilierte Melodie, die zu Beginn der langsamen Einleitung von der ersten Violine exponiert wird, liefert den Ausgangspunkt für das thematische Geschehen aller drei Sätze. Aus ihr ist die zunächst folgende arabeske Motivik im Klavier gewonnen. Doch auch das Hauptthema des unmittelbar anschließenden, in Sonatenform konzipierten Allegros ist aus dem scharf punktierten Rhythmus und den engen Intervallschritten des Einleitungsgedankens geformt. In

César Franck lebte von 1844 bis zu seinem Tod 1890 in Paris und verdiente dort seinen Lebensunterhalt als Organist (»Notre-Dame in Paris vom Pont des Tournelles«, Aufnahme von Louis Jacques Mandé Daguerre, 1838/39). Als Komponist hatte er erst spät Erfolg. Sein Streichquartett D-Dur war sein letztes kammermusikalisches Werk.

dem lyrisch-fließenden Seitensatz greift Franck hingegen auf die Klavierarabeske zurück.

Zweiter Satz Schon die Bezeichnung con molto sentimento weist auf den hohen Grad an melodischer Sensualität hin, die das lyrische Zentrum des Quintetts durchzieht. Die im 12/8-Takt dahinströmende Idylle wird von kleinen Ausbrüchen in dramatische Gefilde unterbrochen, bleibt aber bis zum Satzende letztlich unangetastet bestehen.

Dritter Satz Umso düsterer beginnt das Sonatensatzfinale: Mit einem chromatischen, eintaktigen Sechzehntelmotiv gibt die zweite Violine den dräuenden Tonfall an, der den nachfolgenden Con-fuoco-Sturm schon in sich trägt. Die wachsende Intensität entlädt sich in dem aus der rhythmischen Keimzelle geformten Hauptthemenunisono der Streicher. Mit dem zweiten Thema greift Franck auf eine Begleitfigur des Lentos zurück, die hier nun vorrangige Bedeutung erlangt. Der Satz endet mit einer wirkungsvoll angelegten Steigerung in der Coda.

Wirkung Bei seiner Uraufführung fiel das Werk durch, und auch der Widmungsträger Saint-Saëns, der den Klavierpart übernahm, fand keinen Zugang. Franck musste darauf hoffen, dass man seine intensive Musik eines Tages verstehen und achten würde, was im Lauf des 20. Jahrhunderts zunehmend geschah, abzulesen auch an einer Anzahl von Schallplatteneinspielungen.   HAR

Einspielungen (Auswahl)
• Victor Aller (Klavier), Hollywood String Quartet, 1953 (+ Schostakowitsch: Klavierquintett op. 57); Testament

Giuliani | Mauro

* 27. 7. 1781 Bisceglie
† 8. 5. 1829 Neapel

Mit seinen spielerischen Fähigkeiten, die ihm den Ruf eines »Paganini der Gitarre« eintrugen, sowie mit seinen Kompositionen, die sein Instrument sowohl im Dialog mit dem Or- chester als auch im Miteinander kammermusikalischen Ensemblespiels zu bis dahin kaum vermuteter Entfaltung brachten, verlieh Giuliani der Gitarre einen völlig neuen Stellenwert auf dem Podium.

Giuliani hat ganz wesentlichen Anteil an der Entwicklung der lange als zweitrangig eingestuften Gitarre zum vollgültigen Soloinstrument. Welche Popularität sich der apulische Meister erwarb, mag der Umstand belegen, dass 1833 in London ein Jahr lang die Zeitschrift »Giulianad« erschien. Mit seiner unbestrittenen Meisterschaft und dem anerkannten Niveau seiner Werke überzeugte der autodidaktisch ausgebildete Giuliani ab 1806 in Wien auch die skeptischen Kritiker, denen die Aufwertung der »zweitklassigen« Gitarre im Konzertsaal fragwürdig erschien. Das wachsende Interesse am Instrument und eine steigende Zahl professioneller wie dilettierender Spieler(innen), die in Wien zeitweise zwei Gitarrenfabriken notwendig machte, begünstigte Giulianis Aufenthalt, bis ihn materielle Schwierigkeiten 1819 zur Rückkehr nach Italien zwangen.

Dort dominierte nach wie vor die Oper das Musikleben. Die Schwierigkeit, einen Konzertsaal zu füllen, zeigt ein Brief des Komponisten an einen Freund: »Ich zweifle, ob ich nach Neapel oder Rom fahren werde, denn, lieber Freund, das Elend ist groß, und vor allem ist der Geschmack bei der Instrumentalmusik so gefallen, dass es eine Schande ist… In Verona raten mir alle meine besten Freunde, kein Konzert zu geben, da sie sich sicher sind, dass es nichts bringt, wie auch der arme Paganini nicht einmal die Unkosten eingenommen hat.«

Umso verständlicher ist es, dass Giuliani dem Operngeschmack mit wirkungsvollen Stücken wie »Le Rossiniane«, Ouvertürenbearbeitungen oder der Preghiera aus »Semiramide« entsprach; dem jungen Verleger Ricordi bot er seine Werke in Wendungen wie »niemals gekannter Stil« oder »neuer und galanter Art« mit wechselndem Erfolg an. Darunter sind Kompositionen, die heute zum klassischen Repertoire des Gitarristen zählen: neben den drei Konzerten mit Orchester op. 30, op. 36 und op. 70 die »Gran Sonata Eroica«. Giuliani hinterließ, bei durchweg beständiger Qualität, ein Œuvre von großer Spannbreite hinsichtlich der Spielbarkeit und des Umfangs.   HO

Werke für Flöte und Gitarre

Gran duetto concertante A-Dur op. 52

Sätze 1. Andante sostenuto, 2. Menuetto: Allegro vivace, 3. Rondo militare: Allegretto
Entstehung 1814
Verlag Schott
Spieldauer ca. 15 Minuten

Entstehung Das dreisätzige Duett steht im Umfeld des Wiener Kongresses; der militärische Genius Loci klingt im abschließenden Rondo an.
Musik Die Gitarre stimmt den Anfangssatz (A-Dur) ländlich liedhaft im ruhigen 6/8-Takt ein. Diesem Duktus passt sich die Flöte mit weich sequenzierter Melodik an. Ein dem nicht unähnliches Trio ist dem Menuett (a-Moll) zwischengeschaltet, das der Flöte die Führung überlässt. Der Schlusssatz überträgt auch der Gitarre einige Koloraturen und verbindet im 2/4-Takt Passagen gleichmäßig fließender Notenwerte mit punktierten Phrasen.   HO

Grand duo concertant A-Dur op. 85

Sätze 1. Allegro maestoso, 2. Andante molto sostenuto, 3. Scherzo, 4. Allegretto espressivo
Entstehung 1817
Verlag Zimmermann
Spieldauer ca. 17 Minuten

Entstehung Giuliani widmete die Sonate der Baronin Anne Marie de Schloissnigg und gab in der Erstausgabe (wie auch bei op. 52) als Alternative zur Flöte die Violine an.
Musik Als Entwicklung des Komponisten zeigt sich im Vergleich zu op. 52 hier eine stärkere Beachtung des Gleichgewichts zwischen den ausführenden Instrumenten, die sich im Be-

ginn eines Satzes bzw. Satzteiles jeweils abwechseln. Die in A- und D-Dur gekleidete Satzfolge weist nebst viel Charmantem ein arioses Andante und ein mit Tonwiederholungen gespicktes Scherzothema auf.
Wirkung Über beide Werke befand die »Wiener Zeitschrift für Kunst, Literatur, Theater und Mode« im Jahr 1818: »Für die Guitarre sind diese Sachen sehr effektvoll; wo Schwierigkeiten vorkommen, sind sie immer belohnend, und so werden allen Liebhabern der Guitarre diese Neuigkeiten gewiss höchst willkommen seyn.« Da sich zur anmutig arglosen Melodik immer wieder technische Herausforderungen gesellen, handelt es sich allerdings nicht um Stücke für Amateure.   HO

Einspielungen (Auswahl)
• Mikael Helasvuo (Flöte), Jukka Savijoki (Gitarre), 1989 (+ Stücke op. 52, 75, 77); BIS

Glasunow | Alexander

* 29.7. (10.8.) 1865 St. Petersburg
† 21.3. 1936 Paris

Die musikhistorische Leistung Glasunows besteht in der Vermittlung zwischen dem russisch-national orientierten »Mächtigen Häuflein« um Mussorgski, Borodin und Rimski-Korsakow sowie der westlich beeinflussten Musik von Peter Tschaikowski. Sein kammermusikalisches Werk wurde besonders gefördert von dem russischen Mäzen Mitrofan Belaieff.

Die außergewöhnliche Musikalität von Alexander Glasunow, dem Sohn eines Buchverlegers und einer Pianistin, zeigte sich schon in der Kindheit: Die Lehrer der Mutter gaben bald auch dem Knaben Unterricht, so Narziss Jelenkowski. Als dieser 1879 Petersburg verließ, gab Balakirew der Mutter Stunden und wurde dabei mit den ersten Kompositionen des 14-Jährigen bekannt. Beeindruckt von dessen ungewöhnlicher Begabung, brachte Balakirew den Jungen zu Rimski-Korsakow, damit dieser die musikalische Ausbildung fortführe. Nach wenig mehr als einem Jahr hielt Rimski-Korsakow die Ausbildung für beendet. Mit 16 Jahren schloss Glasunow seine erste, Rimski-Korsakow gewidmete Sinfonie ab. Ihre Uraufführung im Frühjahr 1882 wurde zu einem denkwürdigen Ereignis.

Nach dieser Aufführung wurde Glasunow – trotz des meist beträchtlichen Altersunterschiedes – als Freund und Kollege in den Kreis der Petersburger Komponisten aufgenommen, was zu der scherzhaften Bezeichnung »Adoptivkind des Mächtigen Häufleins« geführt hat; später verbanden ihn auch freundschaftliche Bande mit Tschaikowski und Tanejew. Mitrofan Belaieff begann unter dem Eindruck jener Uraufführung mit der systematischen Förderung russischer Musik. Er nahm Glasunow 1884 auf eine Reise nach Westeuropa mit, wo sie u. a. Liszt trafen, der als Widmung für Glasunow schrieb: »Von diesem Komponisten wird die ganze Welt sprechen.« Nach dem Tod Borodins nahmen sich Glasunow und Rimski-Korsakow des fragmentarischen Nachlasses an; Glasunow rekonstruierte – eine beispiellose Leistung – aus dem Gedächtnis die gesamte Ouvertüre zu Borodins Oper »Fürst Igor«.

Die weiteren Lebensstationen Glasunows als engagierter Pädagoge (seit 1899 Professor am Petersburger Konservatorium, nach den Studentenunruhen 1905 frei gewählter Direktor) und international auftretender Dirigent sowie sein fast unübersichtlich großes Werkverzeichnis lassen darauf schließen, dass sich seine Bedeutung tatsächlich in dem Maße entwickelte, wie man es bereits dem Gymnasiasten prophezeit hatte. Aber schon zu seinen Lebzeiten wurde nicht übersehen, dass die zweifelsohne qualitätvolle Musik Glasunows eine eigentliche »Tiefe« nur selten erreichte. Dennoch ist seine Musik mehr als bloß verdienstvoll. In ihr vereinte er das nationalrussische Element, das insbesondere seine frühen Werke prägt, mit westeuropäischer Satzkultur und formaler Vollendung. »In dieser Beziehung«, so der russische Kritiker Alexander Ossowski im Jahr 1907, »ist er sogar wichtiger und wirksamer als Tschaikowski.«

Obwohl er in seinen eigenen ästhetischen Ansichten einen musikalischen Konservatismus verfocht, unterstützte Glasunow dennoch die ihn abstoßende modernere Musik seiner Schüler (zum Beispiel Schostakowitsch), im Bewusstsein, dass sein persönlicher Geschmack für die Musikgeschichte nicht ausschlaggebend sein würde und die offenkundige kompositorische Qualität solcher Werke nicht beeinträchtigen könne. FL

Streichquartette

Entstehung In seiner Kammermusik zeigen sich Glasunows kompositorische Eigenheiten besonders deutlich. Dass er auf diesem Gebiet fast ausschließlich für Streichquartett geschrieben hat, ist kein Zufall. Bereits Rimski-Korsakow hielt den jungen Schüler zur Beschäftigung mit Kammermusik an und schenkte ihm zu diesem Zweck die Partituren der zwölf berühmten Haydn-Quartette.

Als geradezu schicksalhaft erwies sich die intensive Bindung an Belaieff, bei dessen – in erster Linie Streichquartettwerken gewidmeten – musikalischen Freitagabenden Glasunow häufig Cello spielte und zu diesem Anlass auch viele Transkriptionen anfertigte. Eine späte »Elegie« für Streichquartett (op. 105, 1929), »den Manen M. P. Belaieffs« zu dessen 25. Todestag gewidmet, zeugt von der lebenslangen Verbundenheit des Komponisten mit seinem väterlichen Gönner.

Zwischen 1882 und 1932 entstanden vor allem sieben Streichquartette, eine fünfsätzige Suite C-Dur op. 35 (1887) sowie mehrere Beiträge zu Gemeinschaftskompositionen, daneben ein Streichquintett (op. 39, 1892). Als Sonderformen sind ein Quartettsatz für Blechbläser »In modo religioso« (op. 38, 1886) und das bekanntere Saxofonquartett op. 109 zu nennen.

Relativ populär wurden die fünf »Novellettes« op. 15 für Streichquartett, die als Einzelwerke für die belaieffschen Freitage entstanden waren und 1886 zu einer Sammlung kompiliert und Ljadow gewidmet wurden. Es handelt sich dabei um nachempfundene Musikstile verschiedener Länder und Zeiten, deren Themen jedoch (mit Ausnahme des letzten Stückes) von Glasunow neu erfunden wurden: 1. Alla spagnola, 2. Orientale, 3. Interludium in modo antico, 4. Valse, 5. All'ungherese. Glasunow hat überliefert, dass auch Borodin und Hans von Bülow sein Opus 15 sehr geschätzt haben sollen. **FL**

Einspielungen (Auswahl)
- Quartette Nr. 3 & 5: Schostakowitsch-Quartett, 1975 / 79 (+ Prelude und Fuge); Olympia
- Quartette Nr. 6 & 7: Schostakowitsch-Quartett, 1975 / 76; Olympia

Streichquartette Nr. 1–3

Musik Als Zeugnis kompositorischer Frühreife, aber auch bereits eines Hangs zum Ausgleich der Gegensätze (so in den oft wenig kontrastierenden Haupt- und Nebenthemen), sind Glasunows drei erste Quartette zu betrachten. Sie stehen noch deutlich unter dem Einfluss des »Mächtigen Häufleins«, dessen Musiker aber die Streichquartettgattung weitgehend gemieden hatten.

Das erste Streichquartett D-Dur op. 1 (1. Andantino moderato – Allegro moderato, 2. Scherzo, 3. Andante, 4. Finale) wurde 1882, nur wenige Monate nach Glasunows erster Sinfonie, aufgeführt; zuvor hatte der junge Komponist das Werk auf den belaieffschen Freitagen in privatem Kreis vorgestellt. Charakteristische Elemente sind der betont russisch-folkloristische Tanzcharakter der beiden Themen des Kopfsatzes und im Finale; als Abweichung vom klassischen Modell ist das Fehlen einer Durchführung im Sonatenhauptsatz zu bemerken.

Das zweite Streichquartett F-Dur op. 10 (1. Allegro non troppo, 2. Scherzo: Allegro, 3. Adagio molto, 4. Allegro moderato; 1884) widmete Glasunow Belaieff an dessen Namenstag. Da den

---

Die Abende des Mitrofan Belaieff

Der reiche Holzgroßhändler Mitrofan Belaieff scharte ab den frühen 1880er-Jahren in St. Petersburg befreundete Musiker und Komponisten um sich, um jeweils an Freitagabenden gemeinsam zu musizieren, insbesondere Streichquartette. Belaieff selbst spielte dabei die Bratsche. Auf dem Programm standen in erster Linie klassische westeuropäische Werke (Haydn, Mozart, Beethoven). Es wurde den mitwirkenden Musikern aber auch ermöglicht, eigene Werke vorzustellen und zu diskutieren.

Ein bleibendes Zeugnis von der geselligen Atmosphäre bei den Petersburger Freitagabenden sowie von der Dankbarkeit der Musiker dem Gastgeber gegenüber bilden mehrere Gemeinschaftswerke für Streichquartett. Darunter sind das »Quatuor sur le nom de B-la-F« von Rimski-Korsakow, Ljadow, Borodin und Glasunow (1886) sowie das von den gleichen Komponisten mit Ausnahme von Borodin geschaffene dreisätzige Werk »Jour de fête« (1887). Zu nennen ist ferner eine Sammlung mit kleineren Stücken, die 1898 / 99 in zwei Heften unter dem Titel »Les Vendredis« veröffentlicht wurde (heute Edition Peters).

---

ersten Interpreten und Rimski-Korsakow »einige harmonische Härten« zumal im Finale missfielen, kam es zwischen Glasunow und Rimski-Korsakow sogar zu einem kurzfristigen Zerwürfnis. Das klassische Formmodell ist diesmal ganz erfüllt; wieder stehen die Themen in einem feinsinnigen Ableitungsverhältnis zueinander, und oft vermitteln sie in ihrer Rhythmik oder Melodik slawisches Kolorit. Glasunows souveräner Umgang mit kontrapunktischen Techniken ist besonders im Adagio evident.

In seinem dritten Streichquartett G-Dur op. 26 (1888) – es ging als »Quatuor slave« in die Musikgeschichte ein – hat Glasunow die russische musikalische Idiomatik nicht nur einzelnen Themen oder Sätzen einverleibt, sondern endgültig zum programmatischen Wesenszug des ganzen Zyklus erhoben.

Die Entstehung der einzelnen Teile des Quartetts erstreckte sich über mehr als zwei Jahre. Bereits den Satzüberschriften (1. Moderato, 2. Interludium, 3. Alla Mazurka, 4. Finale: Une fête slave) lässt sich entnehmen, dass der klassische Zyklus zwar gewahrt bleibt, aber zunehmend programmatische über absolute sowie suitenähnliche über sonatenförmige Gestaltungsmuster dominieren (als »slawisches Fest« charakterisierte auch Smetana sein e-Moll-Quartett von 1881).

Bereits der langsam bewegte Kopfsatz beginnt mit einem unverwechselbar »slawischen« Thema, doch erst nach dem stillen Interludium bricht mit einer Mazurka (statt einem Scherzo) das slawische Element unmissverständlich hervor. Dieses findet in dem unkonventionell bunten und durch zahlreiche Tempo-, Tonarten- und Rhythmuswechsel gekennzeichneten Themenreigen des zu orchestraler Klangwirkung gesteigerten Finales seinen rauschenden Höhepunkt. Als sinfonische Skizze »Jour de fête slave« op. 26a hat Glasunow diesen Schlusssatz nachträglich orchestriert. FL

Nathan Milstein, der mit Wladimir Horowitz und Gregor Piatigorsky ein weltweit bekanntes Trio bildete, debütierte 1914 als Zehnjähriger mit dem Violinkonzert von Glasunow unter Leitung des Komponisten.

Streichquartette Nr. 4 & 5

Musik Zwischen dem dritten und vierten Quartett liegt eine Zeit künstlerischen Zweifels, die schöpferische Krise zu Beginn der 1890er-Jahre. Glasunow hatte sich zunehmend von seinen Petersburger »Vätern« abgewandt und auf die Tonsprache der Moskowiter Tschaikowski und Tanejew zubewegt.

Unmittelbar nach dem frühen Tod Tschaikowskis (1893), mit dem Glasunow zuletzt sehr eng verbunden war, entstand das vierte Streichquartett a-Moll op. 64 (1894). Bereits die Einleitung des Kopfsatzes (Andante – Allegro) ist von jener schmucklos konstruktiven und dennoch (oder gerade deswegen) konzentrierten Spannung, die die späten Quartette Beethovens prägt; Vladimir Stassow meinte hierin »Verzweiflungsschreie« (über den Tod Tschaikowskis) zu hören.

Das anschließende Allegro übernimmt die thematische »Vorform« des Einleitungsgedankens, aber auch die Folgesätze (2. Andante, 3. Scherzo: Vivace, 4. Finale: Allegro) bleiben zumindest den fallenden Sekunden der Einleitung motivisch verpflichtet. Überhaupt eignet diesem Quartett neben seinem ernsten Ausdruck ein besonders auffälliger Zug zur zyklischen Vereinheitlichung, beides Kennzeichen großer künstlerischer Reife.

Gemeinsam mit diesem Werk wird auch das nur wenige Jahre später entstandene fünfte Streichquartett D-Dur op. 70 (1898) gelegentlich als Höhepunkt der glasunowschen Kammermusik betrachtet. Auch hier sind gedankliche Konzentration, emotionale Anspannung und polyfone Dichte wesentliche Charakteristika. Die elegische Grundstimmung zeigt sich u. a. in der exponierten Verwendung der dunkler timbrierten Viola, so schon in der fugierten Einleitung des ersten Satzes (Andante – Allegro), besonders aber im langsamen dritten Satz, einem schwermütigen Adagio con licenza. Demgegenüber birgt das Scherzo (Allegretto) humoristische Momente, das Finale (Allegro) kommt zuweilen gar in folkloristische Nähe. FL

Streichquartett Nr. 6 B-Dur op. 106

Sätze 1. Allegro, 2. Intermezzo rusticano: Allegretto, 3. Andante piangevole, 4. Allegro
Entstehung 1921
Verlag Belaieff/Schott
Spieldauer ca. 45 Minuten

Musik Nach mehr als zwei Jahrzehnten »Pause« wandte sich Glasunow 1921 und 1930 mit zwei weiteren Streichquartetten wieder dem Kammermusikensemble zu. Die mittlerweile geschehenen Entwicklungen der musikalischen Moderne haben hier wie in Glasunows späten Werken insgesamt nahezu keinen Niederschlag gefunden, es sei denn den der bewussten Opposition. Das sechste Quartett erstreckt sich über lange 45 Minuten; Glasunow schrieb es für das 1919 in Petrograd gegründete Quartett seines Namens.

Erster Satz Der von ausgeglichenen Stimmungen charakterisierte Kopfsatz (Allegro) beginnt dolce mit einem Thema der Bratsche, er findet trotz seiner sinfonischen Breite nicht zu dramatischen Konflikten.

Zweiter Satz Das folgende Intermezzo rusticano (Allegretto) steht in der zusammengesetzten Taktart 3/8 + 2/8 + 3/8, die hauptsächlich von der Volksmusik des Balkans bekannt ist (oft »bulgarische Rhythmen« genannt). Anders als das Interludium im Quatuor slave vertritt es hier die Stelle des Scherzos.

Dritter Satz Das Andante piangevole hebt mit einer ausdrucksvollen lyrischen Geste der ersten Violine an, die als Reminiszenz an die Einleitung zum 3. Akt von Wagners »Die Meistersinger von Nürnberg« interpretiert wurde.

Vierter Satz Im abschließenden Variationensatz (Allegro) führt Glasunow das ernste und im Unisono vorgestellte Thema durch insgesamt zehn groß angelegte Veränderungen bis zum Giocoso der letzten Variation – ein Panoptikum der Möglichkeiten des Streichquartettsatzes überhaupt. FL

Streichquartett Nr. 7 C-Dur op. 107

Sätze 1. Hommage au passé: Adagio – Allegro giocoso, 2. Le souffle du printemps: Andante affettuoso, 3. Dans la forêt mystérieuse: Allegretto scherzando, 4. Festival russe
Entstehung 1930
Verlag Belaieff/Schott
Spieldauer ca. 30 Minuten

Musik Sein letztes Streichquartett schrieb Glasunow in der Emigration. Die programmatischen Titel der einzelnen Sätze legen nahe, in diesem Werk einen nostalgischen Rückblick auf die eigene Jugend, aber auch eine Huldigung an das verlorene Heimatland zu erkennen: Autobiografische und patriotische Elemente durchdringen sich.

Erster Satz Wie schon im vierten und fünften Quartett schickt Glasunow dem Kopfsatz

In seinem letzten Streichquartett, das Glasunow in der Emigration komponierte, beschwor er das alte Russland mit seinen glanzvollen Festen herauf (russisch-orthodoxes Osterfest in Moskau).

eine langsame Einleitung voraus, die betont kontrapunktisch gehalten ist, dann aber in ein heiteres Allegro giocoso mündet. Die Hommage an die Vergangenheit könnte neben persönlichen Erinnerungen auch eine Verbeugung vor den alten, inzwischen als veraltet geltenden musikalischen Werten bedeuten, die ein derartiger C-Dur-Quartettsatz im Jahr 1930 zweifelsohne repräsentiert hat.

Zweiter Satz Auch die Frühlingsmetaphorik des Andante affettuoso meint sicherlich ein über ein bloßes Naturbild hinausgehendes Symbol: die Reinheit und Zartheit der Jugend überhaupt – und auch hier ist denkbar, dass musikästhetische Implikationen im Spiel sein könnten.

Dritter Satz Der Wald spielt im russischen Zaubermärchen eine bedeutende Rolle; in ihm hausen die Hexe Baba Jaga, der Waldgeist und zahlreiche andere Wesen. Den dritten Satz als »mysteriösen Wald« zu bezeichnen, kommt daher einer Reverenz an das russische Märchen gleich, an die Vorliebe für Märchensujets bei den Komponisten des »Mächtigen Häufleins« und womöglich auch an die eigene, von solchen Bildern geprägte Kindheit. Die ebenfalls scherzoartigen Baba-Jaga-Porträts von Mussorgski und Ljadow kommen als musikalische Vorbilder jedoch weniger in Betracht als die jeder groben und grotesken Effekte bare Elfenfantastik Mendelssohns.

Vierter Satz Das Finale präsentiert ein weiteres Mal einen russischen Festtag: Volkstümliche Weisen, feierliche Glockenklänge und gegen Ende mit »quasi Balalaika« bezeichnete Akkordfolgen machen diesen Schlusssatz zu einer eindrucksvollen Auferstehung des alten Russlands, das Glasunow nur noch aus der Erinnerung kannte und das auch nur noch in Erinnerungen fortleben konnte. FL

Einspielungen (Auswahl)
• Schostakowitsch-Quartett, 1975/76; Olympia/Helikon

Weitere Quartette

Saxofonquartett B-Dur op. 109

Sätze 1. Allegro, 2. Canzona variée: Andante (+ 5 Variationen), 3. Finale: Allegro moderato – Più mosso
Entstehung 1932
UA Herbst 1933
Verlag Belaieff / Schott
Spieldauer ca. 25 Minuten

Entstehung Aufgrund seiner ungewöhnlichen Besetzung und auch als letztes Kammermusikwerk Glasunows überhaupt ist das Saxofonquartett B-Dur (1932) zu einer gewissen Popularität gelangt. Der Komponist widmete es den Mitgliedern des berühmten Pariser Quatuor des Saxophones de la Garde Républicaine.

Musik Das Quartett für Sopran-, Alt-, Tenor- und Baritonsaxofon ist ein klangfarbliches Experiment, kein formales oder satztechnisches, daher finden sich auch keine Anleihen an den Jazz (den Glasunow gleichwohl geschätzt hat). Auf den Kopfsatz, ein Allegro mit beschleunigter Coda, folgen eine »Canzona variée« und das Finale. Das Thema des zweiten Satzes wird in fünf Variationen verarbeitet; besonders interessant ist die Ausweisung der dritten Variation als Stilkopie »à la Schumann« (Grave) sowie der vierten Variation als »à la Chopin« (Allegretto).

Wirkung Einen Bericht von dem großen Erfolg der Uraufführung des Stücks im Herbst 1933 gab der dänische Saxofonist Sigurd Raschèr, der Glasunow nach diesem Erlebnis um ein Saxofonkonzert bat (und im folgenden Jahr auch eines erhielt): »Mir ist der homogene Klang der vier Saxofone lebhaft gegenwärtig. Ich war begeistert und klatschte meine Hände rot. Es war eine veritable Ovation, die in ihrer andauernden Lebhaftigkeit offensichtlich nicht nur den Ausführenden, sondern mehr noch dem Komponisten galt. Dieser stand ruhig im Salon, ein hoher, leicht gebeugter Herr mit weißem Haar. Mit wohlwollendem Lächeln bedankte er sich für den Beifall. Glasunow hatte in seinem Leben viele Ovationen erlebt; diese jedoch war anders: Seine Freunde ehrten ihn.« FL

Einspielungen (Auswahl)
- Berliner Saxophon Quartett, 1991 (+ Werke von Bumcke, Françaix, Moulaert); Koch Schwann
- Aurelia Quartett, 1993 (+ weitere Werke russischer Komponisten); Vanguard/Note 1

Glinka | Michail

* 20. 5. (1. 6.)
1804 Nowospasskoje bei Smolensk
† 15. 2. 1857
Berlin

4601

Glinka ging als »Vater der russischen Musik« in die Musikgeschichte ein; seine Bedeutung für die Entwicklung einer nationalen Kunstmusik wurde mit der Puschkins für die russische Literatur verglichen. Dieser Ruhm beruht auf vergleichsweise wenigen Werken: zwei Opern (»Ein Leben für den Zaren«, »Ruslan und Ljudmila«), einigen Orchesterouvertüren oder -fantasien (vor allem »Kamarinskaja«) und Romanzen.

Der russische Komponist verbrachte seine Kindheit auf dem ländlichen Gut seiner Eltern, wo seine einzigen musikalischen Eindrücke Volkslieder, Kirchengesang und Glockenläuten waren. Eine höhere schulische Ausbildung erfolgte ab 1817 in St. Petersburg. Dort nahm Glinka Klavierstunden bei John Field und begegnete Johann Nepomuk Hummel. Intensiveren Unterricht erhielt er von dem deutschstämmigen Pianisten Karl (Charles) Mayer, der selbst ein Field-Schüler war. Mit 18 Jahren verließ er das Adelsinternat als freischaffender Künstler. Anfang der 1820er-Jahre entstanden erste Kompositionen, hauptsächlich Klavierwerke unter dem Einfluss französischer und italienischer Modekomponisten; Glinka machte sich daneben aber auch mit Werken der Wiener Klassiker bekannt.

1823 konnte er bei einem längeren Aufenthalt in seiner Heimatstadt durch das Leibeigenenorchester seines Onkels wertvolle praktische Erfahrungen machen. Von 1824 bis 1828 bekleidete Glinka eine Stelle im Amt für Verkehrswesen, die ihm reichlich Zeit zum Komponieren ließ. 1830 bis 1833 lernte er in Italien Bellini, Donizetti, Mendelssohn und erstmals Berlioz kennen, danach nahm er in Berlin fünf Monate Kompositionsunterricht bei dem Theoretiker Siegfried Dehn – seine einzige systematische Unterweisung überhaupt. Nach der erfolgreichen Premiere seiner Oper »Ein Leben für den Zaren« (1836) war Glinka 1837 bis 1839 Leiter der Petersburger Hofsängerkapelle. Von seinen zahlreichen späteren Auslandsreisen ist der Spanienaufenthalt 1845/46 musikalisch besonders befruchtend gewesen. 1856 begab sich Glinka für weitere Studien nochmals zu Dehn nach Berlin, wo er bald einer Erkältung erlag.

Glinkas Verdienst besteht darin, dass er – nachdem er sich die zeitgenössischen mitteleuropäischen Kompositionstechniken angeeignet hatte – in seiner Musik zu einem russischen Idiom fand. Dabei beschränkte er sich nicht wie seine Vorgänger auf Anlehnungen an städtisches Liedgut, sondern er brachte auch bäuerliche, im eigentlichen Sinn volksmusikalische Elemente ein. Glinkas Kompositionstechniken wie die ständige Variation der Begleitung einer folkloristischen Melodie sollten zum festen Bestandteil der russischen Tonkunst werden. Durch den jungen Balakirew wurde Glinkas Schaffen einer der Bezugspunkte der neurussischen Schule, doch auch Tschaikowski ließ sich von ihm anregen.

Glinkas gesamte Kammermusik (ohne reine Klavierwerke) entstand bis 1832, also vor seinem Berliner Kompositionsstudium bei Dehn und vor seinen für die russische Musikgeschichte eigentlich bedeutenden Werken. Sie ist in erster Linie Ausdruck eines mitteleuropäisch orientierten Musikgeschmacks, in dem virtuose und sentimentale Elemente überwiegen.

Die ungewöhnliche Besetzung mit Oboe, Fagott, Horn, zwei Violinen, Violoncello und Kontrabass für sein frühes viersätziges Septett in Es-Dur (1823) wählte Glinka speziell für die Musiker aus dem Privatorchester seines Onkels, mit denen er in dieser Zeit eng zusammenarbeitete. Das Werk zeichnet sich nicht nur durch einen an den Wiener Klassikern geschulten Formplan aus, sondern auch durch wesentlich größere Ernsthaftigkeit der Erfindung und Verarbeitung als in seinen zeitgleichen, trivialen Klavierwerken.

Unter dem Eindruck persönlicher Bekannt- oder Liebschaften schuf Glinka 1832 zwei Paraphrasen über Opernmelodien für gemischte Besetzungen: eine Serenade über Themen aus »Anna Bolena« von Donizetti – ein geradezu rhapsodisch-freies Werk mit Einleitung, fünf kontrastierenden Abschnitten und Finale – und ein formal geschlosseneres Divertimento brillante über Themen aus Bellinis »La sonnambula«. FL

»Trio pathétique« für Klavier, Klarinette und Fagott d-Moll

Sätze 1. Allegro moderato, 2. Scherzo: Vivacissimo, 3. Largo, 4. Allegro con spirito
Entstehung Ende 1832
Verlag Musica rara (London)
Spieldauer ca. 15 Minuten

Entstehung Während die beiden Opernparaphrasen von unbeschwerten Monaten in angenehmer Gesellschaft zeugen, steht das nahezu zeitgleich in Mailand entstandene »Trio pathétique« für Klavier, Klarinette und Fagott (1832) für die dunklen Seiten von Glinkas Italienreise. Nicht nur, dass seine zahlreichen tatsächlichen und eingebildeten körperlichen Gebrechen auch in südlichem Klima nicht geheilt werden konnten – die Sehnsucht nach Russland und nach großen künstlerischen Aufgaben ergriff den Komponisten, der während seines Italienaufenthaltes bislang wenig und fast nur unbedeutame Gebrauchsmusik geschrieben hatte.

»Damals gelang es mir noch, meiner Leiden einigermaßen Herr zu werden, und ich schrieb ein Trio für Klavier, Klarinette und Fagott. Meine Freunde, Künstler des Teatro alla Scala – Tassistro, ein Klarinettist, und der Fagottbläser Cantú –, begleiteten mich, und nach Beendigung des Finales sagte Letzterer bestürzt: ›Ma questo e disperazione!‹ Und ich war in der Tat verzweifelt… Meine Gliedmaßen waren wie abgestorben, ich glaubte zu ersticken, konnte weder essen noch schlafen und verfiel in jene ungeheure Verzweiflung, die ich in dem erwähnten Trio zum Ausdruck gebracht habe« (Glinka).

Musik Der Komponist stellte der Partitur als Losung »J'ai connu l'amour que par les peines qu'il cause!« voran – ein deutlicher Hinweis darauf, dass die Stimmungen des Werkes keineswegs nur als Spiegel körperlichen Unwohlseins zu interpretieren sind, sondern als Ausdruck seelischer Leidenschaften. Auf eine mottoartig kurze und abrupt abbrechende Unisonoeinleitung von asymmetrischer Zerrissenheit folgt das ausdrucksvoll sehnende Kernmotiv des Hauptsatzes in der Klarinette, dem später ein eher anmutiger zweiter Gedanke im Fagott kontrastiert.

Die düstere Stimmung des Allegros wird attacca von den brillanten Läufen des Klaviers im knapp gehaltenen Scherzo abgelöst und aufgehellt. Im Mittelteil dieses zweiten Satzes erklingt eine breite Fagottkantilene, die von der Klarinette wiederholt wird.

Wiederum ohne Unterbrechung kündigen dramatische Tremoli das Largo an. Die Klarinette bringt eine ariose Melodie, die danach vom Fagott aufgegriffen und schließlich im Klavier ausgeziert und variiert wird.

Das Finale überrascht durch seine Kürze und Dichte, die durch zahlreiche thematische Rückbezüge (vor allem auf Motive des Kopfsatzes) und einen chromatisch geprägten Schlussabschnitt von geradezu barockem Pathos charakterisiert wird.

Wirkung Gattungsgeschichtlich ist Glinkas »Trio pathétique« offensichtlich ein Einzelgänger ohne Vorbild oder direkten Nachfolger. Lässt sich für Klaviertrios mit Bläsern ohnehin allenfalls die Grundregel einer Besetzung (Klavier mit Blasinstrument und Streichinstrument, meist Cello) ausmachen, so blieb die Kombination mit Klarinette und Fagott ein gänzlich isoliertes Unterfangen (vergleichbar sind Beethovens Klaviertrio mit Flöte und Fagott WoO 37 von 1786 oder Poulencs Klaviertrio mit Oboe und Fagott von 1926). So wird die Fagottstimme des »Trio pathétique« im modernen Konzertbetrieb auch gern vom Cello übernommen.

In Glinkas kammermusikalischem Schaffen nimmt das Trio zwar eine herausragende Position ein, es bleibt aber im Schatten der Bühnen- und sinfonischen Werke. Innerhalb Russlands traditionsbildend wirkte dagegen die Befrachtung des Klaviertrios mit düsteren, elegischen und pathetischen Inhalten: Solche Trios schufen nach Glinka u. a. Tschaikowski, Rachmaninow, Schostakowitsch und Georgi Swiridow (1945).   FL

Einspielungen (Auswahl)
• Borodin Trio (+ Arenski: Klaviertrio Nr. 1), 1992; Chandos

Streichquartett F-Dur

Sätze 1. Allegro spiritoso, 2. Andante con moto, 3. Minuet, 4. Rondo
Entstehung Frühjahr 1830
Verlag Wollenweber
Spieldauer ca. 21 Minuten

Entstehung Nach seinem Ausscheiden aus dem Beamtendienst verbrachte Glinka seine Zeit als freier Musiker und Komponist gemeinsam mit Dichtern und Künstlern in Petersburger Adelskreisen. Nicht zuletzt aufgrund seiner labilen Gesundheit fuhr er im Oktober 1829 nochmals auf sein elterliches Gut in Nowospasskoje. Dort entstand im Frühjahr 1830 das Streichquartett in F-Dur. Der Komponist nannte es in seinen Erinnerungen ein »unvollkommenes Werk«: »Ich glaube, mein kränklicher Zustand spiegelt sich darin wider.«

Bereits 1824 hatte Glinka ein weitaus umfangreicheres Streichquartett in D-Dur begonnen, aber unvollendet zurückgelassen; es wurde später von Nikolai Mjaskowski ergänzt.

Musik Das F-Dur-Streichquartett ist Schluss- und Höhepunkt von Glinkas klassizistischer Frühphase. Das betrifft nicht nur den klaren formalen Aufbau der Einzelsätze und des Zyklus, sondern insbesondere auch die ungewöhnliche Transparenz, Leichtigkeit und harmonische Ausgewogenheit der Satztechnik und Stimmbehandlung sowie die insgesamt apollinische Atmosphäre des ganzen Quartetts.

Auf die lichten Stimmungen des Kopfsatzes folgt ein sanft bewegtes Andante, das etwas von der Abgeklärtheit des späten Beethoven atmet. Aufgrund seiner hohen Stilisierung mutet das Menuett geradezu anachronistisch an. Der Schlusssatz steigert den Ausdruck zu maßvoller Ausgelassenheit und führt das Werk in einer Stretta zu einem fröhlich beschwingten Ende. Der von Glinka erwähnte »kränkliche Zustand« ist in der Musik nicht zu finden; vielleicht war der Komponist rückblickend mit dem völligen Fehlen extrovertierter Gesten unzufrieden.

Wirkung Glinka hat sich der Gattung Streichquartett nach diesem Werk nicht wieder zugewandt; unter dem zunehmenden Eindruck der westeuropäischen Romantik kam es auch sonst zu keiner weiteren ähnlich direkten Auseinandersetzung mit der Wiener Klassik. Und nur wenige Jahre später, nach seiner Italienreise, änderte sich Glinkas musikalisches Vokabular noch tiefgreifender: Jetzt galt es, zu einer russischen Musiksprache zu finden, die sich gattungsgeschichtlich und stilistisch auf ganz anderen Gebieten bewegen sollte. So steht das F-Dur-Quartett ganz für sich – einerseits als Dokument einer produktiven Aneignung der klassischen Vorbilder, andererseits als Ausdruck persönlicher Ausgeglichenheit, die noch von keinen Sinnzweifeln verdüstert wird, sowie eines handwerklichen Könnens, das sich der junge Glinka autodidaktisch angeeignet hatte.

Eine bemerkenswerte Aufnahme der beiden Streichquartette Glinkas (also auch des D-Dur-Quartetts) stammt von dem russischen Schostakowitsch-Quartett (1979).   FL

Einspielungen (Auswahl)
• Schostakowitsch-Quartett, 1979 (+ Glasunow: Novelletten op. 15); Olympia

Zu den kammermusikalischen Werken Glinkas zählt auch eine Serenade über Themen aus der 1830 uraufgeführten Oper »Anna Bolena« von Gaetano Donizetti (Joan Sutherland [Mitte] 1988 in der Titelrolle der »Anna Bolena« am Royal Opera House in London).

»Gran sestetto originale« Es-Dur

Besetzung Klavier, zwei Violinen, Viola, Violoncello und Kontrabass
Sätze 1. Allegro, 2. Andante, 3. Finale: Allegro con spirito
Entstehung Sommer/Herbst 1832
Verlag Kunzelmann
Spieldauer ca. 25 Minuten

Entstehung Wie seine Vorgänger entstand auch Glinkas letztes Klavierkammermusikwerk, das »Große Sextett über eigene Themen«, im Hinblick auf die Ausführenden, diesmal für die Klavier spielende Tochter des Mailänder Arztes De Filippi, mit der auch Chopin bekannt war. Glinka notierte dazu: »Selbstverständlich besuchte ich De Filippis Tochter oft, da wir durch eine ähnliche Erziehung und die Liebe zu derselben Kunst viel Gemeinsames hatten. In einer Komposition passte ich mich ihrem kräftigen Klavieranschlag an, ich schrieb ein Sestetto originale für Klavier, zwei Geigen, Bratsche, Violoncello und Kontrabass, musste jedoch nach Beendigung des Sextetts im Herbst mein neues Werk nicht ihr, sondern ihrer Freundin widmen. Ich war gezwungen, meine häufigen Besuche einzustellen, da sie zu Verdächtigungen und Klatsch Anlass boten.« Die neue Widmungsträgerin hieß Sofie Medici de Marchesi di Marignano.

Für den Konzertpianisten Glinka bedeutete das Sextett aber nicht nur ein anspruchsvolles Widmungsgeschenk, sondern geradezu ein virtuoses Konzertstück auch für den eigenen Gebrauch. Als Datum der Vollendung der Komposition ist auf dem Manuskript der 17. Oktober 1832 angegeben.

Musik In seiner Besetzung mit überwiegend solistisch agierendem Klavier und Streichquintett (also einem mit Einzelstimmen besetzten Streichorchester) sowie in der dreisätzigen An-

lage orientiert sich Glinkas Sextett am Klavierkonzert. Mit einer heroischen Geste (energico)
eröffnet das Klavier den Kopfsatz, dagegen
bleibt das lyrische zweite Thema den Streichern
vorbehalten. Die virtuos-brillanten (Begleit-)Fi-
guren des Klaviersatzes entsprechen dem zeittypischen Vokabular etwa der Konzerte von
Weber, Hummel und Chopin.

Auch durch das Verlegen des arpeggienseli-
gen Andantes (dessen Mittelteil von Seufzermo-
tiven in den Streichern charakterisiert wird)
nach G-Dur – also in eine terz- statt quintver-
wandte Tonart – erweist sich Glinka als Vertreter
der zeitgenössischen musikalischen Romantik.
Gegen Ende des langsamen Satzes setzen völlig
unerwartet dumpf grollende Oktavtremoli im
Klavier ein, die attacca einem optimistisch-vita-
len Finalallegro Platz machen. Besonders in diesem Schlusssatz scheint etwas von jener elementaren Lebens- und Musizierfreude auf, die
sich als musikalisches Porträt Italiens deuten
lässt.

Wirkung Das Sextett wurde im Haus der
(zweiten) Widmungsträgerin unter ihrer Mitwirkung uraufgeführt. Nach Glinkas Worten spielte
diese »mein Sestetto unbefriedigend, wurde jedoch von den besten Künstlern begleitet, die die
Aufführung retteten«.

Da Glinka nach seiner Italienreise keine Kammermusikwerke mehr schrieb, blieb auch das
Sextett ohne direkten Nachfolger in seinem
Schaffen. Und obwohl zu Beginn des 19. Jahrhunderts einige Werke gleicher Besetzung entstanden sind (zum Beispiel von Mendelssohn und
Onslow), hat auch Glinkas Sestetto nicht zur
Ausbildung einer Gattungstradition führen können.   FL

Einspielungen (Auswahl)
• Russian National Orchestra Soloists; Mikhail Plet-
nev (Klavier), 1993 (+ Septett; Donizetti: Serenade, Bellini: Divertimento); Olympia

Goldschmidt | Berthold

* 18. 1. 1903
Hamburg
† 17. 10. 1996
London

In den 1990er-Jahren, als man das Werk
Goldschmidts wiederentdeckte, schien unverständlich, dass so kraftvolle Musik vollständig vergessen werden konnte. Dies war sie
lange Jahre, nachdem der Komponist vor den
Nationalsozialisten nach England geflohen
war. Bekannt wurde Goldschmidt vor allem
als Dirigent.

Als Komponist war Goldschmidt noch lange
nach Ende der Nazizeit in Deutschland aus
dem Bewusstsein gelöscht, u.a. auch, weil er
sich abfällig über die »Darmstädter Schule« geäußert hatte. In England wurde er als Komponist
lange »übersehen«. Dabei hatte seine Karriere
vielversprechend begonnen. 1903 in Hamburg
geboren, zog es ihn schon mit 19 Jahren nach
Berlin, wo er Schüler von Franz Schreker wurde,
in dessen Kompositionsklasse unter anderen
auch Ernst Krenek, Alois Hába, Karol Rathaus
und Ignaz Strasfogel studierten. 1927 ging Goldschmidt als Korrepetitor zu Carl Ebert nach
Darmstadt – damals ein Zentrum der progressiven Oper. Seine auf Anregung des dortigen
Oberspielleiters Arthur Maria Rabenalt entstandene Oper »Der gewaltige Hahnrei« wurde 1932
in Mannheim uraufgeführt, danach aber von den
Nationalsozialisten als »entartet« verboten. Der
Komponist selbst erhielt 1935 eine Vorladung
von der Gestapo, floh daraufhin nach London,
war einige Zeit als Lehrer tätig und trat schließlich dem Deutschen Dienst der BBC bei.

Nach dem Zweiten Weltkrieg war Goldschmidt Chordirigent in Glyndebourne, dirigierte beim Festival in Edinburgh, komponierte u. a. die Oper »Beatrice Cenci«, die 1951 den ersten Preis im Wettbewerb für neue Opern beim »Festival of Britain« erhielt, aber erst 1988 in London (konzertant) uraufgeführt wurde. Bei der BBC hatte Goldschmidt mit seinen Kompositionen ebenfalls wenig Glück, er galt lange Zeit als »veraltet«. Erst seit Anfang der 1980er-Jahre fand er als Komponist wieder stärkere Beachtung, auch in Deutschland. Einer breiten Öffentlichkeit freilich wurde das Werk von Berthold Goldschmidt Anfang der 1990er-Jahre im Zusammenhang mit der Schallpattenserie »Entartete Musik« bekannt, die das Œuvre der von den Nazis unterdrückten Komponisten aufarbeitete.

Der Instrumentalmusik in kleinen Besetzungen hat sich der Komponist vor allem in seinem letzten Lebensjahrzehnt gewidmet, u. a. mit den Streichquartetten Nr. 3 (1988/89) und Nr. 4 (1992), mit »Berceuse« für Violine und Viola, dem Streichtrio »Retrospectrum« sowie der Fantasie für Oboe, Cello und Harfe (alle 1991 entstanden), »Capriccio« für Violine solo (1991/92), »Dialogue with Cordelia« für Violoncello und Klarinette sowie »Encore, une méditation agitée« für Violine und Klavier (beide 1993). PE

Streichquartette

Streichquartett Nr. 1

Sätze 1. Allegro, 2. Scherzo: Allegro comodo, 3. Adagio, 4. Finale: Presto
Entstehung 1925/26
UA 2. Juni 1926 Berlin
Verlag Boosey & Hawkes
Spieldauer ca. 23 Minuten

Entstehung Goldschmidt komponierte sein erstes Streichquartett noch während des Studiums bei Franz Schreker an der Berliner Musikhochschule.
Musik Schon das erste Streichquartett reflektiert den hohen kontrapunktischen Anspruch, den Goldschmidt stets zu erfüllen

suchte: »Bereits die ersten 25 Takte des Eröffnungssatzes machen deutlich, in welcher Weise Gegenstimmen mitgedacht, die Motive nicht um ihrer selbst willen oder als Aperçu erfunden werden«, schreiben Winfried Jacobs und Reinhold Dusella. Die Viertonskala im Takt 4 der Bratsche, beim ersten Auftreten noch als Füllsel verdächtigt und vorher als beliebiger Skalenausschnitt wahrgenommen, wird in unterschiedlicher Form neben dem dominanten Kopfmotiv des Themas und dem Thema selbst zum wichtigen Gestaltungselement. Und auch das Thema selbst wird nicht einfach begleitet, sondern in seinen melodischen Entwicklungsmöglichkeiten ausgelotet. Dabei habe Goldschmidt sich an die von Ferruccio Busoni gelernte Maxime gehalten, stets einen melodischen Kontrapunkt zu setzen.

Wirkung Die Uraufführung des Quartetts fand in der Berliner Musikhochschule statt. Bei dem Konzert war auch Arnold Schönberg anwesend, der laut Goldschmidt anschließend etwas zögernd gesagt hat: »Sie haben einen großen Erfolg gehabt, gratuliere!« Das Werk wurde noch 1926 von der Universal Edition in Wien gedruckt. PE/STÜ

Streichquartett Nr. 2

Sätze 1. Allegro molto e con fuoco, 2. Scherzo, 3. Folia: Elegie, 4. Finale
Entstehung 1936
UA 1936 (privat), 14. Juli 1953 London (öffentlich)
Verlag Boosey & Hawkes
Spieldauer ca. 27 Minuten

Entstehung Das zweite Streichquartett entstand 1936 für ein Hauskonzert des Londoner Cellisten Dr. Edward May. Es reflektiert Goldschmidts bittere Erfahrungen jener Zeit. In ihm schlagen sich die Repressionen des Naziregimes und die Flucht des Komponisten aus Deutschland im Jahr 1935 nieder. Der dritte Satz, »Folia«, trauert um die in Nazi-Deutschland verstorbenen Angehörigen.
Musik Goldschmidt schreibt in einem Kommentar zu seinem Werk, der erste Satz sei »eine dicht gesetzte Entfaltung verschiedener, leicht

erkennbarer Themen, die in kaleidoskopähnlichen Verschiebungen der Tonarten weiterentwickelt werden und schließlich in einem grotesk-komischen Fis enden«.

Das nachfolgende Scherzo sei unnachgiebig schnell wie der vorangegangene Satz: »Das Tempo ist geradezu erbarmungslos, wie gejagt. Synkopierte Episoden bilden einen scharfen Kontrast zu den trügerischen Lyrismen des Trios, das eher wie erstickt wirkt und sich nicht wie üblich entfalten darf.«

Der dritte Satz erweitere den tragischen Hintergrund. »Es ist eine Chaconne, ›Folia‹ genannt, mit deutlichem Hinweis auf den Wahnsinn der damaligen Zeit. Der elegische Charakter dieser Chaconne wird aufrechterhalten durch einen ungebrochenen 6/8-Rhythmus und eine sich nie verändernde Folge von drei Noten: E, A und Gis.«

Das Finale ist laut Goldschmidt »ein Perpetuum mobile, hier und da etwas ironisch. Das erste Thema stammt aus meiner ›unterdrückten‹ Partitur für Jürgen Fehlings Inszenierung von ›Wilhelm Tell‹ am Berliner Schauspielhaus (1933)«.

Wirkung Bei der privaten Uraufführung im Haus des Komponisten in London spielten der polnische Virtuose Henry Temianka (1. Violine), David Wise vom London Philharmonic Orchestra (2. Violine), der international bekannte Solist William Primrose (Viola) sowie Nicolai Graudan, der zuvor erster Cellist bei den Berliner Philharmonikern gewesen war. Goldschmidt: »Diese Musiker spielten das Stück vom Blatt, als ob sie es tagelang geprobt hätten. Wir hatten ungefähr 30 Leute eingeladen, und es machte einen großen Eindruck.«

Bei den Berliner Festwochen von 1987, die unter dem Motto »Verdrängte Musik« standen, wurde das zweite Streichquartett vom Auryn Quartet gespielt. Im November 1988 erklang es dann auch bei der Einweihung des jüdischen Museums in der ehemaligen Synagoge von Rendsburg in Schleswig-Holstein. Dort zeigte sich ein Staatssekretär des schleswig-holsteinischen Innenministeriums so begeistert, dass er Goldschmidt mit einem weiteren, dem dritten, Streichquartett beauftragte.   PE

Streichquartett Nr. 3

Entstehung 1988/89
UA 6. November 1989 Rendsburg
Verlag Boosey & Hawkes
Spieldauer ca. 17 Minuten

Entstehung Als er im November 1988 von der Kulturbehörde Schleswig-Holsteins für das jüdische Museum Rendsburg den Auftrag für sein drittes Streichquartett erhielt, meinte Goldschmidt zunächst: »Ich weiß nicht, ob ich im Alter von 86 Jahren noch imstande bin, etwas zu komponieren. Die Niederschrift ist fraglich, ob ich noch die nötige Ruhe in der Hand habe, eine Partitur zu schreiben, und vor allen Dingen, ob mir noch etwas einfallen wird.« Doch noch vor Jahresende rang er sich zur Komposition durch. Auch in diesem Werk spielt die Abrechnung mit der Vergangenheit eine wichtige Rolle: Das Thema des Naziterrors entnahm der Komponist seinem 1985 entstandenen A-cappella-Chorwerk »Belsatzar«, das seine Ursprünge in einer 1930 komponierten Schauspielmusik hat.

Musik Goldschmidts drittes Streichquartett ist eine einsätzige »Rhapsodie« über die Anagramme (e)S-C-H-H und H-B-G. Dazu der Komponist: »Ich entschloss mich, die Noten (e)S-C-H-H (Schleswig-Holstein) und als Partnermotiv H-B-G (Hamburg) aus melodischen Keimzellen so zu entwickeln, dass kaum eine Episode ohne diese sieben Töne abläuft.«

Die Verbindung zum Nationalsozialismus und dem »Belsatzar«-Chor sieht er so: »Vor wenigen Jahren hatte ich Heinrich Heines Gedicht ›Belsatzar‹ für A-cappella-Chor komponiert. Belsatzars blasphemische Worte ›Jehova, dir sag ich auf ewig Hohn, ich bin der König von Babylon‹ wurden bei der Uraufführung in Österreich 1985 dank des fanatischen Marschrhythmus meiner Thematik sofort als Persiflage der verruchten Vergangenheit erkannt. Dieses Selbstzitat spielt im ersten Teil der 3. Quartetts eine drohende Rolle, bis zu einem Moment, in dem als völlig natürlicher Kontrapunkt die traditionelle jüdische Melodie zum Lichterfest ›Chanukka‹ die Oberhand gewinnt.«   PE

Streichquartett Nr. 4

Entstehung April–Juli 1992
UA 26. Mai 1993 Lübeck
Verlag Boosey & Hawkes
Spieldauer ca. 13 Minuten

Entstehung Goldschmidts letztes Quartett ging aus der Zusammenarbeit und Freundschaft des Komponisten mit dem Mandelring Quartett hervor, das 1990 das erste bis dritte Streichquartett auf CD eingespielt hatte. Komponiert wurde es zwischen April und Juli 1992.

Musik Das wiederum einsätzige Werk vertritt deutlich ein Prinzip, das den Gestaltungsprozess aller Streichquartette Goldschmidts geprägt hat: das Auffinden einer rein musikalischen Ausgangsidee. »Ich habe dieses immer wiederkehrende Thema als Rückgrat empfunden oder wie bei einer Pflanze als Stamm, von dem die Zweige und Äste sich entwickeln«, schreibt Goldschmidt.

Viermal, von Bratsche, der ersten und der zweiten Geige gespielt, leitet das alle zwölf Töne der chromatischen Tonleiter umfassende Hauptthema in das Satzgeschehen ein. Es wird im weiteren Verlauf nur noch wenige Male in seiner vollständigen Gestalt intoniert, dennoch bleibt es, so Winfried Jacobs und Reinhold Dusella, »durchgängig präsent, ruft sich, motivisch zergliedert, im kontrapunktisch und episodenhaft vielgestaltigen Satzgeschehen immer wieder in Erinnerung, ohne je dominant zu werden«.

Wirkung Die Uraufführung des Quartetts fand im Rahmen der 800-Jahr-Feierlichkeiten der Stadt Lübeck statt. Es spielte das Mandelring Quartett. PE

Einspielungen (Auswahl)
• Mandelring Quartett, 1990–93; Largo

Grieg | Edvard

* 15. 6. 1843
Bergen
† 4. 9. 1907
Bergen

Die einst in aller Welt gespielten »Lyrischen Stücke« für Klavier haben im Lauf der Zeit viel von ihrem einstigen Reiz eingebüßt. Lebendiger geblieben sind vom Miniaturisten Grieg einige der häufig für seine Frau Nina Hagerup geschriebenen Lieder oder die Kammermusik, das a-Moll-Klavierkonzert oder die Musik zu »Peer Gynt«, die nach heutiger Einschätzung die Rezeption von Ibsens Menschheitsdrama in eine romantisierende Richtung lenkte.

Der als Sohn einer Pianistin in Bergen geborene Edvard Grieg (seine Vorfahren väterlicherseits stammten aus Schottland) kam bereits im Alter von 15 Jahren zum Studium an das Leipziger Konservatorium. Werke wie Robert Schumanns Klavierkonzert, das er hier im Gewandhaus mit Clara Schumann als Solistin hörte, blieben nicht ohne Einfluss auf sein eigenes Schaffen. Eine neue Phase in seinem kompositorischen Œuvre leitete dann jedoch in Kopenhagen die Begegnung mit Niels Wilhelm Gade und seinem norwegischen Landsmann Richard Nordraak ein: »Es fiel mir wie Schuppen von meinen Augen; erst durch ihn lernte ich die nordischen Volkslieder und meine eigene Natur kennen. Wir verschworen uns gegen den durch Mendelssohn verweichlichten Skandinavismus und schlugen mit Begeisterung den neuen Weg ein, auf dem sich noch heute die nordische

Schule befindet.« Nach dem Kopenhagener In-termezzo lebte Grieg abwechselnd in Kristiania (Oslo), in seiner Heimatstadt Bergen, in Italien (wo es zu einer Begegnung mit seinem Förderer Franz Liszt kam) und seit 1885 in seinem Land-haus Troldhaugen in der Nähe von Bergen. Der Ehrensold des norwegischen Staates hätte es ihm erlaubt, sich ab 1874 ausschließlich seinem kompositorischen Schaffen widmen zu können. Gleichwohl unternahm der geschätzte Pianist und Dirigent zahlreiche Konzerttourneen durch Europa.

In mannigfachen Arrangements fanden einige Kompositionen Griegs den Weg in die soge-nannte Unterhaltungsmusik. »Ich kann doch nicht dafür, dass meine Musik in Hotels dritten Ranges und von Backfischen gespielt wird«, heißt es in einem Brief aus dem Jahr 1906 an den Freund Julius Röntgen, den niederländischen Pianisten und Komponisten. Keineswegs jedoch verfocht Grieg eine Exklusivität seiner Kunst: »Künstler wie Bach und Beethoven haben auf den Höhen Kirchen und Tempel errichtet. Ich wollte in den Tälern Wohnstätten für die Men-schen bauen, in denen sie sich heimisch und glücklich fühlen.« WO

Violinsonaten

Sonate F-Dur op. 8

Sätze 1. Allegro con brio, 2. Allegretto quasi andantino, 3. Allegro molto vivace
Entstehung Sommer 1865
UA Mitte November 1865 Leipzig
Verlag Peters
Spieldauer ca. 25 Minuten

Entstehung Seine F-Dur-Violinsonate kom-ponierte der junge Grieg in zeitlicher Nachbar-schaft mit seiner Klaviersonate e-Moll: im Som-mer 1865 im dänischen Dorf Rungsted bei Kopenhagen. Er widmete das Opus 8 dem in Ber-gen lebenden Dirigenten und Geiger August Fries, der es wenig später auch mit Griegs Mut-ter, einer in Hamburg ausgebildeten Pianistin, musizieren sollte.

Musik Wie er seinem Landsmann, dem Dichter Bjørnstjerne Bjørnson, in einem Brief vom 16. Januar 1900 verriet, zählte Grieg seine insgesamt drei Violinsonaten zu seinen besten Werken. Jugendfrische und Unbeschwertheit zeichnet dabei die reich inspirierte F-Dur-Sonate aus.

Erster Satz Der Beginn des vor der Durch-führung von einem kurzen Mollzwischensatz (Andante) unterbrochenen Kopfsatzes lässt, mo-dal gefärbt, die Tonart F-Dur in der Schwebe. Der wiegende 6/8-Rhythmus bestimmt den Charak-ter des Satzes, in dem sich auch die kanonische Arbeit beim Einsatz des zweiten Themas nicht ins Hörbewusstsein drängt.

Zweiter Satz Das Allegretto in dreiteiliger Scherzoform führt im Mittelteil von a-Moll in die parallele Durtonart. Mit Liegetönen, parallelen Quintbässen und der erhöhten vierten Stufe schwebte Grieg das Spiel der Hardangerfiedel vor, bei der ein flacher Steg und ein flaches Griff-brett ein bordunartiges zweistimmiges Spiel er-leichtern.

Dritter Satz Auch in dem vor Einfällen über-quellenden Finale klingen Musizierpraktiken norwegischer Bauernfiedler nach. Andererseits erinnert das Fugato des zweiten Themas zu Be-ginn der Durchführung an die strengen Kontra-punktstudien, denen sich Grieg am Leipziger Konservatorium unterziehen musste.

Wirkung Auf seiner ersten Reise nach Ita-lien machte Grieg im Herbst 1865 Station in Leipzig. Im dortigen Gewandhaus brachte er Mitte November zusammen mit dem erst 24-jäh-rigen schwedischen Geiger Anders Petterson seine erste Violinsonate zur Uraufführung, wo-bei nach einem Bericht der Zeitschrift »Signale für die musikalische Welt« das Werk »reichsten Beifall« erhielt. Zwar fand die Sonate zunächst keine weite Verbreitung – die Erstauflage des Drucks beschränkte sich 1866 auf nicht mehr als 125 Exemplare. Doch schon 1874 erklang das nicht zuletzt von Franz Liszt hoch geschätzte Stück auch in Moskau, wo es der Pianist und Di-rigent Hans von Bülow »mit enormem Pläsir« hörte. WO

Sonate G-Dur op. 13

Sätze 1. Lento doloroso – Allegro vivace, 2. Allegretto tranquillo, 3. Allegro animato
Entstehung Juli 1867
UA 16. November 1867 Kristiania (Oslo)
Verlag Peters
Spieldauer ca. 21 Minuten

Entstehung Die zweite Violinsonate schrieb Grieg bald nach der Gründung einer »Musikakademie« in Kristiania und der Heirat mit der Sängerin Nina Hagerup in drei Sommerwochen des Jahres 1867. Gewidmet wurde sie dem Geiger und Komponisten Johan Svendsen, dessen im August 1867 uraufgeführte 1. Sinfonie Grieg in der Zeitung »Aftenbladet« als Meisterwerk norwegischer Musik feierte.
Musik Grieg sprach von dem zweiten Duo für Violine und Klavier als seiner »nationalen« Sonate. In der Tat wurzelt das Opus 13 mehr als die beiden anderen Violinsonaten in heimischer Folklore.
Erster Satz Die elegische g-Moll-Stimmung des rhapsodischen Lento doloroso lichtet sich sukzessiv auf. Obwohl sich mit dem folgenden Allegro eine neue Klangwelt auftut, stimmt das Anfangsmotiv des Hauptthemas fast tongetreu mit dem Beginn der improvisatorischen Geigenpassage im Lento doloroso überein. Nach dem tänzerisch pointierten, in der Reprise von vier auf sechs Takte erweiterten Springtanzthema wirkt das h-Moll-Seitenthema wie eine Erzählung aus vergangenen Zeiten.
Zweiter Satz Im dreiteiligen Mittelsatz der Sonate umschließt ein e-Moll-Rahmenteil einen kontrastierenden Zwischenteil in der gleichnamigen Durtonart.
Dritter Satz Die Springtanzrhythmen des Kopfsatzes bestimmen auch das Finale. Darüber hinaus geben auch die gleich zu Beginn aufklingenden Bordunquinten diesem Schlusssatz einen folkloristischen Anstrich.
Wirkung Der Geiger Gudbrand Bøhn war Griegs Partner bei der Uraufführung in Kristiania (Oslo). Später spielte Grieg seine Sonate mit so bedeutenden Interpreten wie dem russischen Geiger Adolf Brodsky, mit Joseph Joachim, der aus Böhmen stammenden, in London

wirkenden Wilma Norman-Neruda und Henri Wieniawski. WO

Sonate c-Moll op. 45

Sätze 1. Allegro molto ed appassionato, 2. Allegretto espressivo alla Romanza, 3. Allegro animato
Entstehung 1886
UA 10. Dezember 1887 Leipzig
Verlag Peters
Spieldauer ca. 24 Minuten

Entstehung 1885 hatten Edvard Grieg und seine Frau Nina das im viktorianischen Stil gebaute Haus Troldhaugen bei Bergen bezogen. 1886 entstand hier, beflügelt durch einen Besuch der damals erst 20-jährigen italienischen Geigerin Teresina Tua, die c-Moll-Violinsonate. Grieg widmete sein Opus 45 dem Maler Franz von Lenbach als Dank für das noch heute in der Villa Troldhaugen zu sehende, einst in Rom gemalte Porträt von Nina Grieg geb. Hagerup.
Musik Das leidenschaftlich gespannte Hauptthema des dicht gearbeiteten ersten Satzes weitet sich zum breiten Themenkomplex. Nach einem sanglichen Es-Dur-Seitenthema führt Grieg, in dreifachem Piano intoniert, noch ein vom Anfangsmotiv des Hauptthemas abgeleitetes drittes Thema ein.
Zweiter Satz Die Romanze beginnt mit einem 44-taktigen Klaviersolo im Charakter der »Lyrischen Stücke« für Klavier. Von den E-Dur-Rahmenteilen setzt sich deutlich der tänzerische, rhythmisch pointierte Mittelteil (Allegro molto) in e-Moll ab.
Dritter Satz Spezifisch norwegisches Kolorit gewinnt die c-Moll-Sonate durch das erste Thema des Schlusssatzes. Wie Bälle spielen sich hier, harmonisch unterschiedlich beleuchtet, Klavier und Geige in lebendiger Interaktion die Motive zu. Fast allein der Geige gehört dagegen das breit strömende zweite Thema.
Wirkung Mit dem russischen Geiger Adolf Brodsky hob Edvard Grieg am 10. Dezember 1887 im Leipziger Gewandhaus die Sonate aus der Taufe. Jeder Satz wurde stürmisch umjubelt; nach einem Bericht Griegs waren schon bald nach Drucklegung 1500 Exemplare der Sonate

Seit er 15 Jahre alt war, hatte Grieg ein Leben als Reisender geführt. 1885 zog er in das Landhaus Troldhaugen bei Bergen in Westnorwegen und kehrte damit an seinen Geburtsort zurück. Hier komponierte er seine Sonate c-Moll op. 45.

verkauft. Zu den namhaftesten Interpreten des Werks zählten Joseph Joachim und Henri Wieniawski. Fritz Kreisler nahm die Sonate 1928 mit Sergei Rachmaninow für die Schallplatte auf.

WO

Einspielungen (Auswahl)
• Gesamtaufnahme: Augustin Dumay (Violine), Maria João Pires (Klavier), 1993; Deutsche Grammophon

Weitere Werke

Cellosonate a-Moll op. 36

Sätze 1. Allegro agitato, 2. Andante molto tranquillo, 3. Allegro – Allegro molto e marcato
Entstehung vollendet April 1883
UA 22. Oktober 1883 Dresden
Verlag Peters
Spieldauer ca. 28 Minuten

Entstehung Bei seinen Aufenthalten in Bergen wohnte Grieg in der ehemaligen elterlichen Wohnung bei seinem älteren Bruder John. Dieser hatte am Leipziger Konservatorium bei Friedrich Grützmacher und Karl Dawydow Cello studiert, ohne jedoch seine hier erworbenen Fähigkeiten später professionell zu nutzen – er trat als Teilhaber in die Firma des Vaters ein. Grieg widmete die a-Moll-Sonate seinem Bruder, mit dem er häufiger zusammen musizierte. Noch vor der Drucklegung spielte er sie mit dem auch von Brahms hoch geschätzten Cellisten Julius Klengel.

Musik Einen häufigen Rollentausch zwischen Violoncello und Klavier praktiziert Grieg im ersten Satz der für beide Instrumente dankbaren Sonate. Von dem Hauptthema mit der wiederholt zur Quinte zurückfallenden Kantilene ist auch die Klavierphrase abgeleitet, die nach einer Generalpause zu dem zunächst vom Cello intonierten lyrisch versonnenen Thema überleitet.

Zweiter Satz Das Hauptthema entpuppt sich als auffallende Reminiszenz an den Huldigungsmarsch aus Griegs Bühnenmusik zu dem historischen Drama »Sigurd Jorsalfar« (1872) von Bjørnstjerne Bjørnson. In enger Verflechtung beider Instrumente steigert sich der Satz zu leidenschaftlicher Emphase.

Dritter Satz Nicht zuletzt aufgrund häufiger Sequenzierungen ist der Schlusssatz mit seinen 828 (!) Takten der neuralgische Punkt des Werkes. Das zunächst leggiero intonierte kapriziöse Hauptthema hat den Charakter eines Halling, eines norwegischen Springtanzes im 2/4-Takt.

Wirkung Grieg, der bei der Uraufführung Partner des Cellisten Friedrich Grützmacher war, hat sich mehrfach selbstkritisch über seine Cellosonate ausgelassen. So heißt es in einem Brief an seinen Verleger launig in Anspielung auf das Musenross der griechischen Mythologie: »Um nun vom Pegasus zu reden: Er ist zwar da gewesen, aber ›Presto‹ nenn ich ihn nicht, ›Allegro‹ kann er nicht heißen; sollte ich ihn taufen, müsste der Name ›Andante, quasi lento‹ werden.« WO

Einspielungen (Auswahl)
- Steven Isserlis (Violoncello), Stephen Hough (Klavier), 1994; BMG
- Truls Mørk (Cello), Håvard Gimse (Klavier), 2000 (+ Streichquartett); Virgin Classics/EMI

Streichquartett g-Moll op. 27

Sätze 1. Un poco Andante – Allegro molto ed agitato, 2. Romanze: Andantino – Allegro agitato, 3. Intermezzo: Allegro molto marcato, 4. Finale: Lento – Presto al Saltarello
Entstehung 1877/78
UA 29. Oktober 1878 Köln
Verlag Peters
Spieldauer ca. 33 Minuten

Entstehung In der Nähe des Hardangerfjords hatte sich Grieg im Jahr 1877 ein Komponierhäuschen bauen lassen. Hier arbeitete er auch an seinem Streichquartett, mit dem er eine Schaffenskrise zu überwinden hoffte. »Ich will mich durch die großen Formen kämpfen, koste es, was es wolle«, heißt es in einem Brief von Grieg an den dänischen Organisten und Komponisten Gottfried Matthison-Hansen.

Widmungsträger des Quartetts ist Robert Heckmann, der Primarius eines damals bekannten deutschen Streichquartetts. Grieg schickte ihm im April 1878 die handschriftliche Partitur zur Begutachtung zu. Er fürchtete, die Spieler der Mittelstimmen zu überfordern und dachte lange Zeit sogar an eine Umarbeitung des Werkes für eine andere Besetzung. Noch drei Wochen vor der Uraufführung musste Heckmann ihn in einem Brief beruhigen: »In Anwesenheit meiner Quartettkollegen, mit denen ich soeben dein Quartett nochmals gespielt, beeile ich mich dir unser aller Überzeugung auszusprechen, dass keinerlei Grund zu einer Umarbeitung als Klavierquartett od. Streichquintett vorliegt, sondern dass die Klangwirkung in allen 4 Sätzen eine charakteristische, & jedenfalls mehr geigenmäßig als claviermäßig (ist).«

Musik Erster Satz Das in der Einleitung intonierte Motto – es stammt aus dem auf Verse Henrik Ibsens geschriebenen Lied »Der Spielmann« (op. 25/1) – zieht sich in manchen Varianten als Klammer durch das ganze Werk. Über pochenden Bassvierteln stimmen erste Violine und Viola in Engführung das drängende Hauptthema an. Schon hier überrascht das Opus 27 durch ausgesprochen orchestrale Klangwirkungen.

Zweiter Satz Träumerischen Empfindungen wollte Edvard Grieg in diesem langsamen Satz nicht nachgeben: Mehrfach unterbrechen aufbegehrende Molleinschübe den romanzenhaften B-Dur-Satzteil.

Dritter Satz Scherzocharakter hat das vielsträhnig mit Themen und Motiven der anderen Sätze verbundene Intermezzo. Im Trio greift Grieg typische Intonationen der Bauernfiedler von Hardanger auf; von ihm selbst allerdings stammt die Hallingmelodie, die zu Beginn sukzessiv von allen vier Instrumenten intoniert wird.

Vierter Satz Wie im Kopfsatz erklingt das Motto des Quartetts auch – nunmehr kanonisch gearbeitet – zu Beginn des Finales. Nach dem Presto im Charakter eines nordisch eingefärbten Saltarellos krönt schließlich die Durvariante des Mottos im Fortissimo die Coda.

Wirkung Das Heckmann-Quartett erspielte dem Werk in Anwesenheit des Komponisten bei der Uraufführung im Kölner Konservatorium einen beachtlichen Erfolg. Auch nach der Aufführung im Leipziger Gewandhaus applaudierte nach einer zeitgenössischen Rezension die »mit starken Fäusten« begabte »Fraktion« mit »Getöse«, während der kritische Gewährsmann dem Komponisten »unter dem Deckmantel des Skandinavisch-Nationalen begangene Geschmacklosigkeiten« ankreidete. Wenig später zeigte sich Franz Liszt nach einer Aufführung in Wiesbaden stark beeindruckt von dem g-Moll-Streichquartett. 1893 gewann, wie der englische Musikwissenschaftler Gerald Abraham nachwies, Debussy bei der Komposition seines einzigen Streichquartetts Anregungen durch Griegs Opus 27. WO

Einspielungen (Auswahl)
- Kontra-Quartett, 1991 (+ 2 Sätze aus dem Streichquartett F-Dur von 1891, Fuge f-Moll); BIS
- Oslo String Quartet, 1993 (+ Streichquartett F-Dur, Johansen: Streichquartett op. 36); Naxos
- Sølve Sigerland und Atle Sponberg (Violinen), Lars Anders Tomter (Viola), Truls Mørk (Cello), 2000 (+ Cellosonate); Virgin Classics/EMI

Gubaidulina | Sofia

* 24. 10. 1931
Tschistopol
(Tatarische
Republik)

100562

Wie ihr Studienkollege Edison Denissow ging Sofia Gubaidulina in ihrer Musik konsequent ihren eigenen Weg abseits von Stilen oder Schulen, wobei etwa dreiklangorientiertes Denken und serielle Verfahren für sie nie in Widerspruch zueinander standen.

Geboren in Tschistopol in der Tatarischen Autonomen Sowjetrepublik – ihr Vater war Tatar, die Mutter Russin –, studierte Sofia Gubaidulina zunächst an der Musikakademie (1946–49), dann am Konservatorium von Kazan (1949–54, Komposition bei Albert Leman). Anschließend ging sie ans Moskauer Konservatorium, war Studentin bei Nikolai Pejko (1954–59) und Wissalion Schebalin (1959–63). Durch ihre deutschstämmigen und jüdischen Lehrer wurde sie multikulturell beeinflusst. In der Sowjetunion bis zur Perestroika bloß Außenseiterin, verdiente sie sich ihren Lebensunterhalt zunächst durch die Komposition von Filmmusiken. Im Westen war Sofia Gubaidulina freilich längst anerkannt. Für die Sinfonie »Stufen« etwa erhielt sie 1975 den ersten Preis beim internationalen Kompositionswettbewerb in Rom; ihre Sinfonie »Stimmen – Verstummen« in zwölf Sätzen – einer davon als Solo des Dirigenten gedacht – war die Sensation der Berliner Festspiele 1986. Seit 1992 lebt die Komponistin in der Nähe von Hamburg.

Die Werke von Sofia Gubaidulina erwecken den Eindruck von Polystilistik à la Alfred Schnittke; doch sind Zitate bei ihr nicht, wie bei diesem, »Ausdruck eines Weltbilds, einer Wahrheit hinter Tönen. Sie sind sich selbst genug... als strukturelle Basis und Symbol eines Prozesses«, schreibt Dorothea Redepenning.

Grundmaterialien der Kompositionen sind – seit den »Fünf Etüden« für Harfe, Kontrabass und Schlagzeug (1965) – vor allem subtil eingesetzte Klangfarben; außerdem interessiert sie die Untersuchung von Intervallkonstellationen, Tonhöhen und Artikulationsarten. So vollzieht sie in ihrer Sinfonie »Stufen« (1972) den schrittweisen Einstieg in innere Sammlung durch Klangfarben nach. Seit den 1980er-Jahren experimentiert die Komponistin vor allem mit rhythmischen Prozessen: »Makrorhythmus«, »konsonante« bzw. »dissonante Rhythmen« (Gubaidulina) bedeuten, »dass die Werke sowohl im Verhältnis der Formteile zueinander als auch auf der Ebene der Themen und Motive nach Zahlenproportionen ausgerichtet werden« (Redepenning): Ein »konsonanter« Rhythmus kommt der »Fibonacci-Reihe« (1+2+3+5+8+13 etc.), also den Verhältnissen des Goldenen Schnitts, nahe; ein »dissonanter« entfernt sich davon.

Komponistinnen der Kammermusik

Eine der wichtigsten Komponistinnen des 19. Jahrhunderts war Fanny Hensel, die Schwester von Felix Mendelssohn Bartholdy. Ihr Hauptwerk: das Klaviertrio d-Moll op. 11 (1847). Auch Clara Schumann machte mit einem Klaviertrio von sich reden (g-Moll op. 17, 1846). Die englische Suffragette Ethel Smyth tat sich trat als Opernkomponistin hervor, hinterließ aber auch u. a. ein Streichquartett d-Moll, ein Klaviertrio d-Moll und eine Cellosonate c-Moll (alle 1880). Die als Mutter der amerikanischen Komponistinnen verehrte Amy Marcy Beach schrieb Ende des 19. Jahrhunderts u. a. ein Klavierquintett, Violinsonaten, Variationen für Flöte und ein Streichquartett.

Furore als Komponistin machte die früh verstorbene Lili Boulanger: 1913 gewann sie (mit ihrer Kantate »Faust et Hélène«) als erste Frau den renommierten Prix de Rome des Pariser Konservatoriums. An Kammermusik hat sie mehrere impressionistische Stücke für Violine (Flöte) und Klavier hinterlassen. Ihre französische Landsmännin Germaine Tailleferre (u. a. Streichquartett, 1919) war die einzige Frau in der »Groupe des Six«.

In ihren Kammermusikwerken der 1970er-Jahre »weist die Form durch die Disposition der Tonhöhen über sich selbst hinaus; sie wird zum Symbol einer religiösen Handlung, die in den Titeln angedeutet ist« (Redepenning). Überhaupt ist vieles im Œuvre von Sofia Gubaidulina durch die tiefe Religiosität der Komponistin bestimmt. Sie betrachtet Komponieren als religiösen Akt im Versuch, eine Einheit wiederherzustellen, die im »Staccato des Lebens« (Gubaidulina) verloren gegangen sei. Ein Beispiel dafür ist auch das Trio für Violine, Viola und Violoncello (eine Folge von drei unbezeichneten Sätzen) aus dem Jahr 1988.   PE

Zehn Präludien für Violoncello solo

Bezeichnungen 1. Staccato – legato, 2. Legato – staccato, 3. Con sordino – senza sordino, 4. Ricochet, 5. Sul ponticello ordinario sul tasto, 6. Flagioletti, 7. Al taco – da punta d'arco, 8. Arco – pizzicato, 9. Pizzicato – arco, 10. Senza arco
Entstehung 1974
UA 12. Dezember 1977 Moskau
Verlag Sikorski
Spieldauer ca. 20 Minuten

Entstehung Ursprünglich für pädagogische Zwecke komponiert, sollte das Werk den Titel »Zehn Etüden« bekommen; dieser wurde jedoch später auf Anregung des Cellisten Vladimir Toncha, der auch die Uraufführung spielte, in »Zehn Präludien« abgeändert, da die Stücke eher Studien des Ausdrucks als solche der Spieltechnik sind.

Musik Die Bezeichnungen der einzelnen Präludien sprechen eigentlich für sich; fast alle heben auf Kontrastierung gegensätzlicher Spielmöglichkeiten ab: staccato – legato; gestrichen – gezupft, am Frosch – an der Bogenspitze, mit Dämpfer – ohne Dämpfer, am Steg – am Griffbrett.

Einzelne Stücke, wie etwa das sechste, »Flagioletti«, loten die Möglichkeiten einer Spielart nach allen Richtungen aus. Alle gehen auf gemeinsames Baumaterial zurück: Das aus Ganz- und Halbtönen mit wechselnden Kreuz- und b-Vorzeichen gebaute motivische Geschehen des ersten Stücks bleibt für die weiteren wichtig, meist hinsichtlich der melodischen Linien, aber etwa im vierten Präludium, »Ricochet« (hier im Sinne von Springbogen gemeint) – auch für die akkordische Struktur.

Das experimentellste und auch originellste Stück ist das letzte; hier verlangt die Komponistin verschiedene Artikulationen ohne Bogen, Pizzicatoglissandi etwa, oder Tremoli, bei denen die Saite mit dem Fingernagel des Daumens der linken Hand festgehalten wird, während der Daumen der rechten auf die Saite klopft. Dies soll nach dem Willen Gubaidulinas einen Effekt ergeben, der an das »Tremolo der kleinen Trommel« erinnert.   PE

»In Croce« für Violoncello und Orgel

Entstehung 1979
UA 27. März 1979 Kasan
Verlag Sikorski
Spieldauer ca. 15 Minuten

Entstehung Sofia Gubaidulina komponierte »In Croce« im Jahr 1979; das Werk wurde dem russischen Cellisten Vladimir Toncha gewidmet. Es ist eine Meditation über den Begriff »Kreuz«, ganz im Sinne der Aussage der Komponistin, dass Musik nach innen führen, kontemplativ wirken solle: »Außen ist jetzt alles unsympathisch. Es gibt sehr viel Lärm, sehr viel Musik, Unterhaltungsmusik… Ernste Musik hat meiner Meinung nach eine wichtige innere Aufgabe. Sie stellt die notwendige Distanz zur Außenwelt her. Manche Leute finden eine so große Distanz zwischen ernster Musik und Alltag schrecklich. Mir scheint sie aber notwendig zu sein, um nach innen und in die Stille zu gehen – nicht unbedingt nur mit Pianissimo-Tönen. Nach innen können auch sehr differenzierte Fortissimo-Prozesse geschehen.«

Musik Der Titel »In Croce« bezieht sich, wie der Komponist Viktor Suslin feststellt, »nicht nur auf den Wesensgehalt des Werks, sondern auch auf dessen Satzstruktur«: Während die Instrumente am Anfang in extremen Lagen spielen – hoch die Orgel, tief das Cello, kreuzen sie sich später. »Wann immer beide Linien sich kreuzen, kommt es zu einem Höhepunkt – gleich einer elektrischen Entladung« (Suslin).

Die Orgel beginnt solo mit zwei Motiven, die einige Zeit das Geschehen bestimmen: eine horizontal-wellenhaft verlaufende Sekundkette sowie eine eher vertikal orientierte Dreiklangsfloskel. Sofia Gubaidulina vereint hier zwei unterschiedliche Bedeutungsinhalte aus der musikalischen Tradition: Dreiklangbrechungen stehen nach überkommenen Vorstellungen für Voranschreiten, aktiven Aufbruch, während repetitive Sekundschritte Bewahren, Stillstand, Passivität bedeuten können. Schon damit wird auf eine Kreuzform angespielt.

Auch die Sekundpassagen aus der Tiefe, mit denen das Cello einsetzt, können aus der (romantischen) Tradition heraus interpretiert werden: als Sehnsucht, Liebesqual – oder Trauer; vor allem Letzteres ist hier wohl gemeint. Zunächst scheint das Instrument wie erstarrt, versucht durch Chromatismen, Mikrointervalle und grelle Akzente aus dem – um den Ton »E« zentrierten – Tonraum auszubrechen, was endlich auch gelingt. Während die Orgel nach etwa einem Drittel des Stücks im Pedal lang gezogene Haltetöne »zuschaltet« und in den Manualen sich bewegende Cluster spielt, schwingt sich das Cello immer leidenschaftlicher auf, bis zum Fortefortissimo crescendierend.

Im Verlauf dieser Entwicklung kreuzen sich beide Stimmen erstmals; danach ergeben sich weitere solcher Kreuzungspunkte, bis die Instrumente gegen Ende, beim Poco piu mosso der Coda, ihre Rollen und Lagen endgültig getauscht haben: Das Cello bewegt sich nun in ätherischen Höhen, den Orgelpunkt »E« figurativ umspielend (wie die Orgel es zu Beginn tat) und sich schließlich in »irisierenden Klängen der Obertonreihe der A-Saite« (Suslin) auflösend; während die Orgel zu Haltetönen in den tiefen Registern Zuflucht nimmt.

Wirkung In der Zeitschrift »Musik und Bildung« wurde der Schluss von »In Croce« als symptomatisch für die spirituelle Haltung Sofia Gubaidulinas bezeichnet: »Betrachtet man die Orgel als Symbol für kirchlich-traditionelle Repräsentation und das Violoncello als Ausdruck der Gefühlswelt, des Leidens und Liebens, deutet die Verwandlung der beiden Instrumente in ihrem Klangbild am Schluss auf die Verschmelzung der beiden Pole zu einem Gesamten, das die religiösen Vorstellungen der Komponistin umreißt.«

Die Meditation »In Croce« für Violoncello und Orgel wurde 1979 von Vladimir Toncha und dem Organisten Robin Abdulin in Kasan uraufgeführt. 1991 bearbeitete Sofia Gubaidulina das Werk in Zusammenarbeit mit der Akkordeonistin Elsbeth Moser für Cello und Bajan (Knopfakkordeon). PE

Einspielungen (Auswahl)
- Maya Beiser (Cello), Dorothy Papadakos (Orgel), 1994 (+ Gubaidulina: Ten Preludes, Ustvolskaya: Grand Duet für Cello und Klavier); Koch
- Maria Kliegel (Cello), Elsbeth Moser (Bajan), 1995 (+ Sieben Worte, Silenzio); Naxos

Händel | Georg Friedrich

* 23. 2. 1685
Halle
† 14. 4. 1759
London

Georg Friedrich Händel war schon zu Lebzeiten einer der bekanntesten deutschen Komponisten. Seinen Weltruhm verdankte er vor allem einer Gattung, die seither nicht mehr das breite Publikum findet, der Opera seria. Heute ist er wesentlich bekannter für seine Instrumentalmusik.

Zwischen 1704 und 1740 komponierte er nicht weniger als 40 Opern. Kennengelernt hat er das Genre an der von Reinhard Keiser geleiteten Hamburger Oper am Gänsemarkt. Nachdem er seine musikalische Ausbildung bei dem Hallenser Organisten Friedrich Wilhelm Zachow abgeschlossen hatte, kam Händel 1703 nach Hamburg, wurde Mitglied des Opernorchesters und leitete 1705 mit großem Erfolg die Uraufführung seiner ersten Oper »Almira«. Im Jahr darauf reiste er nach Italien, wo er bis 1709 in den musikalischen Zentren Florenz, Venedig, Rom und Neapel lebte. Im Auftrag weltlicher und geistlicher Mäzene komponierte er zahlreiche Kantaten, zwei weitere Opern und mit »Il Trionfo del Tempo« (1707) und »La Resurrezione« (1708) seine ersten Oratorien.

Als Händel 1710 in London eintraf, kannte er sich im Opernbetrieb bestens aus. Er reiste mehrfach nach Italien zurück, um Primadonnen und Kastraten zu engagieren, die mit ihrem Virtuosentum zum Erfolg der Opera seria beitragen sollten. 1711 inszenierte er am Queen's Theatre of the Haymarket mit »Rinaldo« seine erste Oper auf englischem Boden. Aufgrund des großen Anfangserfolges wurde Händel als »Composer to the Opera« engagiert und ließ sich 1712 endgültig in London nieder. In der Zeit der Royal Academy of Music (1720–28) errang er insbesondere mit den drei 1724 entstandenen Werken »Tamerlano«, »Rodelinda« und seiner heute wohl bekanntesten Oper »Giulio Cesare« große Erfolge, die ihm 1727 die englische Staatsbürgerschaft einbrachten. Doch nachdem sich die englischsprachige Oper mit den gelungenen Aufführungen von »The Beggar's Opera« (1728) von Johann Christoph Pepusch und John Gay durchgesetzt hatte, war der Niedergang der Opera seria in London nicht mehr aufzuhalten. Händel wandte sich daher nach 1730 zunehmend dem Oratorium zu und schrieb Meisterwerke wie »Saul«, »Israel in Egypt« (beide 1738), »Belshazzar« (1744), »Judas Maccabaeus« (1746) und sein berühmtes Oratorium »Messiah« (»Messias«, 1741).

Mit der »Wassermusik« und der »Feuerwerksmusik« leistete der Komponist bedeutende Beiträge zur Entwicklung der Orchestersuite, und mit den Orgelkonzerten op. 4 und op. 7 schuf er sogar eine neue Konzertgattung. Neben dem Solokonzert widmete sich Händel auch der von Arcangelo Corelli etablierten Gattung des Concerto grosso. In seinen Konzerten op. 3 und op. 6 werden sowohl Einflüsse Corellis als auch der deutsch-französischen Suitentradition wirksam.

Zu Händels Kammermusik zählen insbesondere die »Hallenser Sonaten«, die Solosonaten op. 1 und die Triosonaten op. 2 und op. 5. Im Bereich der Klaviermusik sind vor allem die »Suites de Pièces pour le Clavecin« hervorzuheben. MÖ

Drei Sonaten für Traversflöte und Basso continuo HWV 374–376

(»Hallenser Sonaten«)

Sonate a-Moll HWV 374

Sätze 1. Adagio, 2. Allegro, 3. Adagio, 4. Allegro
Entstehung vor 1730
Verlag Bärenreiter
Spieldauer ca. 11 Minuten

Sonate e-Moll HWV 375

Sätze 1. Adagio, 2. Allegro, 3. Grave, 4. Minuet
Entstehung vor 1730
Verlag Bärenreiter
Spieldauer ca. 8 Minuten

Sonate h-Moll HWV 376

Sätze 1. Adagio, 2. Allegro, 3. Largo, 4. Allegro
Entstehung vor 1730
Verlag Bärenreiter
Spieldauer ca. 8 Minuten

Entstehung Die drei Sonaten für Traversflöte und Basso continuo HWV 374–376 sind als »Hallenser Sonaten« bekannt geworden. Die Bezeichnung stammt von dem Händel-Forscher Friedrich Chrysander, der sie als in Halle entstandene Jugendwerke einstufte, obwohl es dafür keinerlei Hinweise gibt. Händels Verleger John Walsh publizierte sie 1730 in einem Sammeldruck zusammen mit Violinsonaten von Francesco Geminiani und Giovanni Battista Somis sowie einer Flötensonate von Giuseppe Ferdinando Brivio.

Zwei der drei Sonaten stammen möglicherweise nicht von Händel. Da die »Hallenser Sonate« Nr. 1 in a-Moll in keiner anderen Quelle überliefert ist und überdies stilkritische Bedenken bestehen, wird ihre Echtheit von der Händel-Forschung angezweifelt. Auch die »Hallenser Sonate« Nr. 3 in h-Moll gilt als nicht authentisch. Darauf deuten auch die fehlenden thematischen Bezüge zu anderen Werken des Komponisten. Beide Sonaten sind vor 1730 in London entstanden.

Die »Hallenser Sonate« Nr. 2 in e-Moll stammt zwar eindeutig aus Händels Feder, doch handelt es sich nicht um eine Originalkomposition. Die Sonate wurde vielmehr ca. 1730 für den Druck aus einzelnen Sätzen anderer Werke zusammengesetzt. Die ersten beiden Sätze stammen aus der Oboensonate op. 1 (HWV 366), der dritte Satz geht auf die zweiten Sätze der Sonaten op. 1 Nr. 1a (HWV 379) und Nr. 2 (HWV 360) zurück, das Menuett hat Händel als Finale der Cembalosuite HWV 434 verwendet.

Musik Die steigende Beliebtheit der Flötenmusik in England hat auch Händel veranlasst, zunehmend Kammermusik mit Beteiligung der Traversflöte zu schreiben und zu publizieren. Hierzu zählen neben den »Hallenser Sonaten« insbesondere die Flötensonaten aus op. 1 sowie die Triosonaten op. 2 und op. 5. Die Traversflöte hatte nach 1720 einen vollchromatischen Umfang von d^1 bis a^3. Allerdings verwendet Händel das Instrument in dieser Hinsicht eher wie eine Blockflöte mit dem Umfang d^1 bis e^3. Formal lehnen sich die »Hallenser Sonaten« an die von Arcangelo Corelli etablierte viersätzige Sonata da Chiesa mit der Satzfolge langsam–schnell–langsam–schnell an.

Nur die als authentisch angesehene zweite Sonate, die Sonate e-Moll HWV 375, folgt Corellis Satzcharakteren. Der Kopfsatz, ein Adagio, ist homofon und überlässt der Flöte die musikalische Gestaltung. Typisch für Händel ist der fast einen ganzen Takt lang gehaltene Anfangston über einer in Achtelbewegung schreitenden Continuostimme. In dieser Art beginnen auch die Sonaten Nr. 2 bis 10 aus op. 1 (HWV 360–368). Den Anfang des folgenden Allegros bildet ein Fugato der Außenstimmen. Die Flöte stellt ein chromatisch absteigendes Thema ohne Begleitung der Continuogruppe vor, das an-

Die Querflöte löste zu Lebzeiten Händels, im Zeitalter des Barock, die Blockflöte ab (»Der Flötenspieler«, Gemälde von Orazio Fidani; 1640). Damals wurde sie noch aus Holz gefertigt, während ihre modernen Nachfolgerinnen aus Metall hergestellt werden.

schließend vom Bass imitiert wird. Überhaupt sind die Außenstimmen in diesem Satz völlig gleichberechtigt. Die chromatische Linie wird später auch in der Umkehrung verwendet und verleiht dem Satz einen expressiven Charakter. Der dritte Satz, ein homofones Grave, ist mit den Kolorierungen der Melodie in hoher Lage nicht weniger ausdrucksvoll. Mit dem anschließenden Menuett hat Händel der Sonate ein tänzerisches Finale gegeben.

Die beiden in ihrer Authentizität angezweifelten Sonaten, die Sonaten HWV 374 und HWV 376, gehen mit Corellis Satzcharakteren wesentlich freier um. Die langsamen Sätze sind in den Außenstimmen zuweilen imitatorischer als die schnellen, wie beispielsweise in der Sonate Nr. 3. Ein solches Vorgehen ist für Händels Solosonaten tatsächlich untypisch.

Wirkung Die »Hallenser Sonaten« wurden von William Bennett und Peter-Lukas Graf auf der Querflöte sowie Vertretern der »historischen« Aufführungspraxis wie Barthold Kuijken und Lisa Beznosiuk auf der barocken Traversflöte eingespielt. MÖ

Blockflöte oder Querflöte?

Es ist ein trauriges Schicksal, das die Blockflöte Anfang des 20. Jahrhunderts durch die Jugendmusikbewegung ereilt hat. Nur weil diese hölzerne Längsflöte in den Anfängen leicht erlernbar ist, wurde sie zum Übungsinstrument »für die Kleinen« degradiert – und damit als Konzertinstrument diskreditiert. Der Niedergang des Instruments begann schon viel früher, in der ersten Hälfte des 18. Jahrhunderts. Da lief die Querflöte der Blockflöte den Rang ab.
Die Hochzeit der Blockflöte waren Renaissance und Barock. Schon damals gab es das Instrument in verschiedenen Stimmlagen: Sopran-, Alt-, Tenor- und Bassblockflöte. Wie die Blockflöte bestand auch die Querflöte zunächst aus Holz. Für die barocke Querflöte komponierten sowohl Bach und Händel als auch noch Mozart. Die wichtigsten Lehrwerke für das Instrument schrieben Jacques Hotteterre (»Principes de la flûte traversière«, 1707) und Johann Joachim Quantz, der Flötenlehrer Friedrichs des Großen (»Versuch einer Anweisung, die Flöte traversière zu spielen«, 1752).

Einspielungen (Auswahl)
• L'Ecole d'Orphée, 1989; CRD

Sonaten op. 1 für ein Soloinstrument und Basso continuo HWV 359–373 und HWV 379

Entstehung Der Händel-Forscher Friedrich Chrysander stellte für seine Gesamtausgabe 15 Sonaten zusammen und veröffentlichte sie als »Opus 1«, obwohl eine solche Sammlung zu Händels Lebzeiten nicht erschienen ist. In zwei zeitgenössischen Druckausgaben wurden lediglich zwölf dieser Sonaten publiziert, und zwar ohne Opuszahl. Den ersten, vermutlich um 1730 veröffentlichten Druck gab John Walsh ca. 1732 in überarbeiteter Form in London heraus. Er ersetzte die Violinsonaten Nr. 14 und 15 durch die Violinsonaten Nr. 10 und 12.

Im Gegensatz zu den übrigen Werken existieren gerade von diesen vier Sonaten keine Autografe, und ihre Echtheit wird aufgrund stilkritischer Bedenken von der Händel-Forschung infrage gestellt. Chrysander nahm als Nr. 1a noch eine weitere Flötensonate in e-Moll in die Sammlung auf, die lediglich im ersten und vierten Satz mit der Sonate Nr. 1b übereinstimmt. Vervollständigt wird die Sammlung durch die erst 1750 entstandene Violinsonate Nr. 13.

Die drei Sonaten für Traversflöte (Nr. 1b, 5 und 9) sind in den Handschriften in anderen Tonarten überliefert und waren nicht für die Flöte bestimmt. Die Sonate Nr. 5 wurde ca. 1712/16 komponiert, die beiden anderen 1724. Die vier Blockflötensonaten (Nr. 2, 4, 7 und 11) sind im Autograf überliefert und wurden um 1725/26 verfasst. Die einzige echte Oboensonate ist die um 1710/11 entstandene Sonate Nr. 8, denn die in zeitgenössischen Drucken als Oboensonate veröffentlichte Sonate Nr. 6 hat Händel im Autograf eindeutig als Violinsonate bezeichnet. Ihre Entstehungszeit ist um 1724 anzusetzen. Die größte Gruppe bilden die sieben Violinsonaten, zu denen neben den vier angezweifelten Werken (Nr. 10, 12, 14, 15) und den bereits erwähnten Sonaten Nr. 6 und 13 auch die um 1725/26 komponierte Sonate Nr. 3 gehört.

Sonaten für ein Melodieinstrument und Basso continuo von Georg Friedrich Händel

Entstehung	Titel	Besetzung
ca. 1710/11	Sonate c-moll HWV 366	Oboe, Basso continuo
ca. 1724	Sonate g-Moll HWV 364a	Violine (Oboe), Basso continuo
ca. 1725/26	Sonate g-Moll HWV 360	Blockflöte, Cembalo
ca. 1725/26	Sonate A-Dur HWV 361	Violine, Basso continuo
ca. 1725/26	Sonate a-Moll HWV 362	Blockflöte, Cembalo
ca. 1725/26	Sonate C-Dur HWV 365	Blockflöte, Cembalo
ca. 1725/26	Sonate F-Dur HWV 369	Blockflöte, Cembalo
ca. 1725/26	Sonate A-Dur HWV 372	Violine, Basso continuo
ca. 1725/26	Sonate E-Dur HWV 373	Violine, Basso continuo
ca. 1726/32	Sonate e-Moll HWV 359b	Traversflöte, Basso continuo
ca. 1726/32	Sonate G-Dur HWV 363b	Traversflöte, Basso continuo
ca. 1726/32	Sonate h-Moll HWV 367b	Traversflöte, Basso continuo
ca. 1727/28	Sonate e-Moll HWV 379	Traversflöte, Basso continuo
ca. 1730	Sonate g-Moll HWV 368	Violine, Basso continuo
ca. 1730	Sonate F-Dur HWV 370	Violine, Basso continuo
ca. 1730	3 Sonaten HWV 374–376 (»Hallenser Sonaten«)	Traversflöte, Basso continuo
ca. 1750	Sonate D-Dur HWV 371	Violine, Basso continuo

Musik Die Besetzung der drei (vier) Sonaten für Traversflöte scheint nachträglich von Walsh vorgenommen worden zu sein, um seiner Ankündigung von ca. 1732 gerecht zu werden, es handele sich um »Solos for a German Flute a Hoboy or Violin with a Thorough Bass« (Solos für eine deutsche Flöte oder Oboe oder Violine mit Generalbass). Dagegen können die Violinsonaten aufgrund ihres mehrstimmigen Spiels nicht ohne Weiteres von Blasinstrumenten gespielt werden.

Händel verbindet in den Sonaten italienische und französische Stilelemente zu einem »vermischten Geschmack, welchen man, ohne die Grenzen der Bescheidenheit zu überschreiten, nunmehr sehr wohl den deutschen Geschmack nennen könnte«, wie Johann Joachim Quantz in seiner Lehrschrift »Versuch einer Anweisung, die Flöte traversière zu spielen« feststellt. In den meisten Sonaten verwendet Händel die Form der italienischen Sonata da Chiesa mit vier abwechselnd langsamen und schnellen Sätzen. Der erste langsame Satz beginnt oft mit einem lang gehaltenen Anfangston über einem in gleichmäßiger Achtelbewegung schreitenden Bass. Im weiteren Verlauf wird der Bass in der Oberstimme zuweilen durch punktierte Sechzehntelnoten in Zweiergruppen kontrastiert, die

französischer Provenienz sind, vor allem in den Sonaten Nr. 1, 7 und 13.

Der folgende schnelle Satz beteiligt den Bass motivisch an der Oberstimmenmelodie und beginnt vereinzelt im Fugato, beispielsweise in der Sonate Nr. 5. In den Violinsonaten ist er häufig virtuos angelegt, wie in der Sonate Nr. 13. Der langsame Mittelsatz verzichtet auf polyfone Elemente, und die langen Melodietöne des Soloinstruments laden zu Verzierungen ein. Das Finale ist oft tanzartig nach Art einer Gigue (Nr. 11) oder ein regulärer Tanz, etwa ein Menuett (Nr. 5) oder eine Bourrée anglaise (Nr. 8). In den Sonaten Nr. 1a, 5 und 7 erweitert Händel das viersätzige Schema um einen fünften Satz. Die Sonate Nr. 9 hat sogar sieben Sätze. Die angehängten Sätze sind häufig französische Tänze, insbesondere Bourrée, Menuett und Gavotte.

Wirkung Die Camerata Köln hat die Sonaten op. 1 mit wechselnden Solisten vollständig eingespielt. Darüber hinaus wurden die Traversflötensonaten von Interpreten wie Peter-Lukas Graf, Barthold Kuijken und Lisa Beznosiuk aufgenommen. CD-Einspielungen der Blockflötensonaten liegen von Frans Brüggen, Hans Martin Linde, Rachel Beckett und Marion Verbruggen vor. Obwohl Händel die Besetzung der Blockflötensonaten Nr. 2, 4, 7 und 11 mit »Flauto e Cembalo« jeweils genau vorgeschrieben hat, werden sie in der Regel mit Basso continuo gespielt. Zu den wenigen Ausnahmen zählt Jean-Pierre Rampal, der einige Sonaten mit Cembalobegleitung aufgenommen hat, allerdings auf der Querflöte. Die Sonaten Nr. 6 und 8 wurden vor allem von Heinz Holliger, Burkhard Glaetzner, Sarah Francis und Paul Goodwin auf der Oboe eingespielt.

Große Geiger des 20. Jahrhunderts wie Nathan Milstein, Yehudi Menuhin und Isaac Stern haben einzelne Violinsonaten häufig mit Klavierbegleitung aufgenommen. Aus jüngerer Zeit liegen zudem Interpretationen auf der Barockvioline von Elisabeth Wallfisch und Conrad von der Goltz vor. MÖ

Einspielungen (Auswahl)

- Violinsonaten op. 1 Nr. 3, 6, 10, 12, 13: Andrew Manze (Barockvioline), Richard Egarr (Cembalo), 1998; Harmonia Mundi USA/Helikon
- Violinsonaten op. 1 Nr. 3, 6, 10, 13: Hiro Kurosaki (Barockvioline), William Christie (Cembalo, Orgel), 2002 (+ Sonaten HWV 359a, 358, Largo aus HWV 370); Virgin Veritas/EMI

Triosonaten

Sechs Triosonaten op. 2 HWV 386–391

Entstehung Die sechs Sonaten für zwei Violinen, Oboen oder Traversflöten und Basso continuo op. 2 (HWV 386–391) sind nicht im Autograf überliefert. Die vermutlich ca. 1730/32 (keinesfalls vor 1726) veröffentlichte Erstausgabe wurde bisher Jeanne Roger in Amsterdam zugeschrieben. Es konnte jedoch vor Jahren nachgewiesen werden, dass es sich dabei um eine Falsifikation des Verlegers John Walsh handelt, der kurz darauf (ca. 1733) in London einen unter Verwendung gleicher Stichplatten hergestellten Nachdruck mit dem Vermerk publizierte: »This is more correct than the former edition.« Den sechs Sonaten op. 2 der Erstausgabe fügte der Händel-Forscher Friedrich Chrysander in seiner Gesamtausgabe ohne ersichtlichen Grund drei weitere Sonaten hinzu (HWV

392–394), deren Authentizität teilweise angezweifelt wird.

Die Sonaten Nr. 1, 3, 4 und 5, die zeitlich zusammengehören, sind vermutlich um 1718 entstanden. Die Sonate Nr. 2 hat Händel nach einem Vermerk von Charles Jennens bereits im Alter von 14 Jahren komponiert, also um 1700 in Halle. Die Entstehungszeit der Sonate Nr. 6 fällt vermutlich in die Zeit von Händels Italienaufenthalt zwischen 1707 und 1710. 1739 veröffentlichte Walsh in London weitere sieben Triosonaten für zwei Violinen oder Traversflöten als op. 5 (HWV 396–402). Lediglich die Sonaten Nr. 5 und 6 sind im Autograf erhalten, und nur sie scheinen speziell für diese Edition komponiert worden zu sein. Entstanden sind sie jedoch spätestens im Jahr zuvor, da Händel die Druckvorlagen bereits Ende 1738 fertiggestellt hatte. Die übrigen Sonaten sind um diese Zeit aus einzelnen Sätzen anderer Werke zusammengesetzt worden, vor allem aus den »Chandos Anthems«. Die Zusammenstellung der siebten Sonate (vermutlich Nr. 4) geht wahrscheinlich auf Walsh zurück, denn Händel hatte nur sechs Sonaten geliefert.

Musik Trotz der alternativen Besetzungsangaben in der Erstausgabe der Sonaten op. 2, mit denen Walsh zweifellos den Verkauf fördern wollte, sind die Sonaten in den Stimmheften lediglich für zwei Violinen und Basso continuo notiert. Eine Ausnahme bilden die mit Traversflöte und Violine besetzten Sonaten Nr. 1 und 4. Die Triosonaten op. 2 folgen dem Schema der von Arcangelo Corelli etablierten Sonata da Chiesa mit der viersätzigen Folge langsam–schnell–langsam–schnell. Lediglich die Sonate Nr. 4 ist fünfsätzig mit einem angehängten Allegro. Die Struktur der einzelnen Sätze unterscheidet sich jedoch teilweise recht erheblich von Corellis Vorbild. So gibt es etwa nur wenige homofone Sätze.

Vor allem der Kopfsatz, zumeist ein Andante, beginnt stets imitatorisch und wird oft von einem Basso continuo in gleichmäßiger Achtelbewegung begleitet. Der zweite Satz ist schnell und imitatorisch mit Beteiligung des Basses. Der dritte Satz ist ruhiger als der Kopfsatz und weist vereinzelt auch homofone Satzstrukturen auf. In der Sonate Nr. 1 hat er die Faktur eines Solosonatensatzes, da nur die erste Violine den Satz

Konservative Briten

Das englische Musikleben des 18. Jahrhunderts war durch einen konservativen Grundzug gekennzeichnet und durch die Pflege italienischer Vokal- und Instrumentalmusik geprägt. Ungewöhnlich für jene Zeit, führte man auch Musik bereits verstorbener Komponisten auf und besann sich zugleich auf die eigene künstlerische Vergangenheit. So wurde 1726 (nicht, wie oft angegeben, 1710) in London eine »Academy of Vocal Music« gegründet, die ab 1731 den Namen »Academy of Ancient Music« trug. Mitglieder dieses auf geistliche Musik ab dem 16. Jahrhundert, englische Madrigale und Musik von Purcell, Händel und Pergolesi spezialisierten »Clubs« waren die Komponisten Giovanni Bononcini und Francesco Geminiani, der Flötist Jean-Baptiste Loeillet, der Kastratensänger Francesco Bernardi (»Il Senesino«) und Händels Librettist Nicola Haym. Weitere Einrichtungen folgten, darunter die 1741 u. a. vom Musikforscher John Hawkins mitbegründete »Madrigal Society« und dann ein Jahrhundert später die auf ältere englische Musik spezialisierte »Musical Antiquarian Society« von 1840.

melodisch ausgestaltet, während sich die zweite Violine mit ihren Doppelgriffen in die gleichmäßige Begleitung der Continuogruppe einreiht. Das Finale ist entweder imitatorisch oder tänzerisch. Ein Sonderfall ist der Schlusssatz der Sonate Nr. 3, in der die virtuosen Solopassagen der ersten Violine von ritornellartigen Abschnitten unterbrochen werden, sodass der Eindruck eines Konzertsatzes entsteht.

Für Händels Triosonaten ist der imitatorische Wettstreit der konzertierenden Oberstimmen konstitutiv. Es gibt keine kurzen, prägnanten Soggetti, sondern sechs-, acht- oder sogar zwölftaktige kantable Themen der ersten Violine, die von der zweiten Violine oder zusätzlich auch vom Bass übernommen werden. In den schnellen Sätzen wird die erste Violine besonders exponiert, doch an Virtuosität stehen ihr die beiden anderen Instrumente in nichts nach. MÖ

Einspielungen (Auswahl)
• London Baroque, 1992; HMC

Sieben Triosonaten op. 5 HWV 396–402

Entstehung Die Triosonaten op. 5 HWV 396–402 sind keine Kirchensonaten, sondern in der Regel Suiten mit fünf, meist sechs Sätzen. Die Suitenform geht vermutlich auf den Verleger Walsh zurück, denn die Sonaten Nr. 1, 5 und 7 waren ursprünglich viersätzig im Sinne der Kirchensonate, wurden aber in der Druckausgabe um ein bzw. zwei Tänze erweitert. Offenbar wollte Walsh die Sammlung durch die Tanzsätze aus Händels Bühnenwerken der Saison 1734/35 attraktiver machen, die ihre Beliebtheit den Balletteinlagen der französischen Primaballerina Marie Sallé zu verdanken hatten. Die Tänze stammen hauptsächlich aus dem Tanzspiel »Terpsicore« zur neu bearbeiteten Oper »Il pastor fido«, den Ballettopern »Ariodante« und »Alcina« sowie der wieder aufgenommenen Oper »Arianna«. Dabei handelt es sich um französische Modetänze wie Menuett (Nr. 4, 6 und 7), Gavotte (Nr. 1, 2 und 7), Rondeau (Nr. 3), Musette (Nr. 2), Bourrée (Nr. 5), aber auch um Allemande (Nr. 3), Sarabande (Nr. 3) und Gigue (Nr. 4). In den Triosonaten op. 5 zeigt sich nicht nur Händels Nähe zur französisch-deutschen Suitentradition, sondern vor allem die für seine Musik charakteristische dramatische Qualität, die ihn von reinen Instrumentalkomponisten wie Arcangelo Corelli und Francesco Geminiani unterscheidet.

Wirkung Die Sonaten op. 2 wurden bereits in den 1960er-Jahren von Alice Harnoncourt und Walter Pfeiffer auf der Barockvioline eingespielt. Diese Tradition hat vor allem das Ensemble London Baroque fortgeführt. Die von Händel vorgeschriebene Besetzung der Sonaten Nr. 1 und 4 für Flöte und Violine wurde von Frans Brüggen (Flöte) und Alice Harnoncourt (Violine) bei ihren Aufnahmen berücksichtigt. Die Sonaten Nr. 3 bis 5 sind zudem von Heinz Holliger und Maurice Bourgue auf zwei Oboen eingespielt worden. Die Sonaten op. 5 liegen hauptsächlich in Aufnahmen von dem Ensemble La Stravaganza Salzburg und dem Ensemble London Baroque vor. MÖ

Haydn | Joseph

* 31. 3. 1732
Rohrau (Nie-
derösterreich)
† 31. 5. 1809
Wien

In heutigen Konzerten fungiert eine
haydnsche Sinfonie, ein Streichquartett oder
eine Klaviersonate oft als eine Art gemütliches Vorprogramm zu den romantischen
»Hauptwerken«. Dies bedeutet eine ziemliche
Verkennung der musikhistorischen Stellung
des Wiener Klassikers und steht im krassen
Gegensatz zum Urteil der Zeitgenossen, die
Haydns Musik als ungeheuer spannend und
aufregend empfanden – von ihr zu Begeiste-
rungsstürmen, ja gar zu Ohnmachtsanfällen
hingerissen wurden.

Haydns Lebenslauf war ein kontinuierlicher
gesellschaftlicher Aufstieg aus einfachsten
Verhältnissen: Als Sohn eines Wagnermeisters
im Burgenland geboren, bedeutete schon die
Aufnahme als Chorknabe in Hainburg, später am
Stephansdom in Wien, einen überraschenden
Aufstieg, auch wenn Haydn dort, wie er später
erzählte, »mehr Prügel als zu essen« bekam.
Schwere Jahre am Rand des Existenzminimums
folgten dem Stimmbruch und dem damit verbundenen Ausscheiden aus dem Chor. Mit dem Eintritt in den Dienst des Hauses Esterházy begannen dann 1761 die Jahrzehnte, in denen sich
Haydn mit unermüdlichem Kompositionseifer
zum berühmtesten Musiker seiner Zeit regelrecht hochschrieb. Die triumphalen Englandreisen der 1790er-Jahre, die Verleihung der Ehrendoktorwürde der Universität Oxford und Audien-
zen bei den europäischen Herrscherhäusern
markierten den Höhepunkt einer äußerlich un-
spektakulären, aber zielbewusst gestalteten
Biografie.

Haydns künstlerische Entwicklung ist geprägt
von Selbstständigkeit und Unabhängigkeit –
lange Jahre auf Esterházy ohne engeren Kontakt
mit den musikalischen Zentren, erarbeitete er
sich seinen persönlichen Stil: Musik aus dem La-
boratorium eines brillanten Forschers, der immer tiefer in die Geheimnisse der Harmonien,
Melodien und Strukturen eindringt. Im Experimentieren mit Form und Satzbild gelang ihm in
einer kritischen Übergangszeit die Synthese von
gelehrtem und galantem Stil zu einer flüssigen,
aber doch kunstvollen Faktur, eben jener emphatisch »Wiener Klassik« genannten Tonsprache. Dabei gleicht kaum ein Werk dem anderen,
die hartnäckige Konsequenz der Arbeit führt zu
immer neuen charakteristischen Stadien und
Perioden. Ab 1781, als Haydn immer öfter in
Wien weilte, brachte die Bekanntschaft mit Mozart, mit dem ihn eine fruchtbare, neidlose
Freundschaft verband, einen neuen Zug in seine
Musik: einen populäreren, auf breitere Wirkung
gestellten Ton.

In nahezu allen Gattungen der Musik hat
Haydn nicht nur Bedeutendes, sondern Bahnbre-
chendes geschaffen: In seinen über 100 Sinfonien verwandelte er das aus der leichtgewichti-
gen italienischen Opernouvertüre hervorge-
wachsene Genre zum modernen, bewegenden
Musikstück mit dramatischer Formung und hohem Anspruch. Seine Streichquartette erreichten aus den Ursprüngen der unterhaltenden
Divertimentokultur den Charakter feinsten musikalischen Dialogs, in den Klaviersonaten eroberte er sich ein Arbeitsfeld subjektiven, radikalen Ausdrucks. Seine späten Messen und
Oratorien begründeten die Tradition des abend-
füllenden Werkes im großen Format und prägten
die Entwicklung des Chorgesangs bis in unsere
Zeiten. Mehr am Rand seines Œuvres steht die
Oper; die italienische Opera buffa und ihre musikdramatischen Errungenschaften wirken bei
ihm aber weiter auf andere Schaffensgebiete.
Wirklich wenig interessiert hat ihn nur das konzertante Sujet, seine Musikästhetik stand der
virtuosen Zurschaustellung prinzipiell fern. Im

Frühwerk des Komponisten finden sich mit den sechs Flötenquartetten (»Six quatuors à flute, violon, alto & basse«), die 1768 als sein Opus 5 bei Hummel in Amsterdam im Druck erschienen, geistreiche Divertimenti in kammermusikalischer Besetzung.

Haydns Musik fordert (und befriedigt deshalb auch nur) den aufmerksamen, wachen Hörer, den Rezipienten, der sich auf das reizvolle, oft witzige, zuweilen höchst ernste Spiel mit Erwartung und Täuschung einlässt, den Hörer, der die Normen kennt und ihre kalkulierte Verletzung zu erleben und zu schätzen weiß. Im 19. Jahrhundert verblasste der Ruhm des Komponisten parallel zur Herausbildung eines mehr emotionalen und in die Musik eintauchenden Hörtypus schnell, und er wurde zum belächelten »Papa Haydn« mit Zopfperücke und Schnallenhose, einem Relikt aus merkwürdigen Zeiten. Herausragende Musikkenner haben die Position Haydns aber immer gewürdigt und richtig eingeordnet, so zum Beispiel Johannes Brahms, der sagte: »Eine Sinfonie ist seit Haydn kein bloßer Spaß mehr, sondern eine Angelegenheit auf Tod und Leben.« WA

Duotendenzen

Als kammermusikalische Gattung ist die Duobesetzung mit zwei Melodieinstrumenten schwerer zu fassen als die »großen« klassischen Besetzungs- und Formtypen. Ihr haftet auch fast generell etwas Didaktisch-Instruktives an. Auf der anderen Seite gilt es aber zu beachten, dass sich auch hier Spielarten entwickelten, die über einen solchen engen Rahmen hinausgehen: So finden sich im zahlenmäßig erstaunlich umfangreichen Repertoire (zwischen 1760 und 1800 weist eine neuere gattungsgeschichtliche Studie allein in Wien über 700 Werke nach) verschiedene Tendenzen zwischen polyfonem (beide Stimmen gleichberechtigt), dialogischem (die Stimmen führen abwechselnd) und virtuosem (eine Stimme führt) Modell.

Bemerkenswert ist auch der hohe theoretische Rang, der der Duokomposition zuweilen zugewiesen wird, zum Beispiel von Johann Philipp Kirnberger (1774): »...das Duet ist allemal ein Werk, das nur der Setzer unternehmen kann, der ein vollkommener Harmonist ist, und sowol die Kunst der Fugen, als des doppelten Kontrapunkts in seiner Gewalt hat... dies ist der Gipfel der Kunst.«

Sonaten (Duos) für Violine und Bratsche

Entstehung Die sechs Duos Hob. VI: 1–6 entstanden vermutlich in der ersten Hälfte der 1770er-Jahre, jedenfalls vor 1775. Nach dem Zeugnis eines Zeitgenossen, er habe zumindest die ersten beiden schon 1769 gehört, ist auch ein deutlich früherer Kompositionszeitpunkt denkbar. In seinem Entwurfskatalog hat Haydn die Werkgruppe bezeichnenderweise unter dem Titel »Solo per il violino« eingetragen. Es liegt nahe, anzunehmen, dass sie für den versierten Konzertmeister am Esterházy-Hof, Luigi Tomasini, gedacht waren – und dass Haydn selbst die wesentlich bescheidenere Violastimme übernahm.

Musik Haydns Sonaten sind Solosonaten für Violine, bei denen die Bratschenstimme nur die Funktion einer harmonischen Stützung hat. Die Violinstimme ist dagegen einfallsreich und idiomatisch behandelt. Die Sonaten sind dreisätzig mit der Tempofolge (mäßig) schnell–langsam–Menuett. Bei aller musikalischen Schönheit stehen sie nicht auf der Höhe haydnscher Kunst und sind vielleicht am ehesten als Gelegenheitsmusik oder vorbereitende Studien zu den Quartettfolgen op. 9, op. 17 und op. 20 einzuordnen.

Wirkung 1775 erschien bei Bailleux in Paris die Erstausgabe, allerdings eine Bearbeitung für Violine und Cello, im Titel wird der Solocharakter ebenfalls betont: »Six Sonates à Violin seul avec la Basse«.

Es folgten zahlreiche Nachdrucke sowohl dieser Cellofassung als auch einer weiteren Bearbeitung (für zwei Violinen) bei André in Offenbach. Erst 1800 (!) erschien eine vollständige Ausgabe der Originalfassung bei Artaria, Wien, die ebenfalls in ganz Europa nachgedruckt wurde. Am publizistischen Erfolg des eigentlich für Haydn untypischen Nebenwerks kann also kein Zweifel bestehen. WA

Einspielungen (Auswahl)
• Duo ongarese, 1992/93; Hungaroton/Klassik Center Kassel

Streichtrios

Entstehung Die Quellenlage und die Datierungsfrage bei den haydnschen Trios ist ausgesprochen schwierig: Neben 21 durch Entwurfskatalog und Elssler-Katalog als echt nachgewiesenen Streichtrios (Hob. V: 1–21), von denen allerdings drei verloren gegangen sind, existiert eine große Zahl (über 50!) von Trios für zwei Violinen und Bass, die allesamt in unterschiedlichem Grad von zweifelhafter Authentizität sind – H. C. Robbins Landon nennt daher das Gebiet auch den »Albtraum der Haydn-Forschung um 1930«. Seitdem hat sich die Lage etwas geklärt, und ca. ein Dutzend der fragwürdigen Trios wird heute dem haydnschen Schaffen zugeordnet (diese sind 1982 bis 1985 von Robbins Landon ediert worden). Alle Trios stammen zweifellos aus Haydns früher Zeit, etwa ab Mitte der 1750er-Jahre bis spätestens Ende der 1760er-Jahre, über eine präzisere Platzierung herrschen unterschiedliche Ansichten.

Musik Die gängige Einordnung der Streichtrios als Vorläufer und Vorbereitung für die Streichquartette ist wohl nicht zutreffend; zwar hat Haydn offenbar nach dem Quartettzyklus op. 9 (Hob. III: 19–24) keine Streichtrios mehr geschrieben, sich also eindeutig für die Quartettbesetzung als das maßgebliche Streicherensemble entschieden, aber von der kompositionstechnischen Faktur der Trios führt eigentlich kein Weg zum Opus 9: Weder in der Satzfolge und der formalen Anlage noch in der Satztechnik gibt es vergleichbare Bestrebungen.

Die Trios stehen vielmehr in eigenen Traditionslinien und Gattungsgesetzen: Während Haydn beim Quartett quasi die Normen der Gestaltung selbst entwickelte, war er auf dem Gebiet des Streichtrios stärker an typische Gepflogenheiten der zeitgenössischen Triokomposition gebunden, die sich um 1760 in einer Umbruchphase zwischen der barock-polyfonen Triosonate und dem teils dialogisierenden, teils mehr homofonen Trio neuer »galanter« Prägung

befand. Hob. V: 1–21 (sowie die 13 weiteren Trios der Ausgabe von Robbins Landon) gehen dabei recht geradlinig den Weg des einfacher gebauten galanten Streichtrios: Die erste Violine führt fast ausschließlich die Melodie, der zweiten Violine sind nur kurze dialogisierende Einwürfe zugedacht, die Bassstimme (Violoncello) hat nur harmonische Funktion (aufführungspraktisch ist ein zusätzlich mitgehendes Tasteninstrument denkbar).

In der Satzfolge werden eine ganze Reihe unterschiedlicher zwei- und dreisätziger Muster erprobt, neben dem etwas dominierenden Aufbau der alten Sonata da Chiesa (langsam–schnell–Menuett) finden sich auch die italienische Sinfoniafolge schnell–langsam–sehr schnell (auch mit Varianten wie: schnell–Menuett–sehr schnell, oder schnell–Menuett–Thema mit Variationen). Die zweisätzigen Werke bestehen aus einem Moderato-Satz und einem abschließenden Menuett.

Im Charakter sind die Streichtrios durchweg eher leichterer Art, rokokohaft und ganz der Sphäre des Divertimentos verhaftet, steigern sich aber durchaus zuweilen zu leidenschaftlicher oder virtuoser Erregung. Die Dimensionen sind unterschiedlich, generell aber eher knapp gehalten.

Wirkung Der größte Teil der Streichtrios wurde in den Breitkopf-Katalogen von 1766 und 1767 angeboten. Im Rahmen der teils heftigen Diskussion in der zeitgenössischen Musikliteratur vor allem im norddeutschen Raum, wo man die anspruchsvolle Triosonate barocker Prägung noch hochhielt, wurden sie häufig, zusammen mit ähnlichen Werken anderer Komponisten, scharf angegriffen: So heißt es etwa bei J. C. Stockhausen (Berlin 1771) über »die Sachen« von Toeschi, Haydn, Pugnani u. a.: »Man darf aber nur ein halber Kenner seyn, um das Leere... zu merken. Die Fehler gegen den Satz, und meistentheils eine große Unwissenheit des Contrapunkts, ohne die noch keiner ein gutes Trio gemacht hat, sind in allen diesen sehr häufig. Nur der lobt sie, dem eine glänzende Zeile Melodie alles ist.« WA

Einspielungen (Auswahl)
• Trios Hob. V: 15–19: Wiener Philharmonia Trio, 2001; Camerata/Codaex

Klaviertrios

Entstehung Ähnlich wie der Komposition von Streichquartetten hat sich Haydn auch dem Klaviertrio praktisch über seine ganze Schaffenszeit verteilt gewidmet: Die ersten Trios stammen aus der Dienstzeit beim Grafen Morzin (also aus denselben Jahren wie die ersten Streichquartette), sind aber eben deshalb auch schwer zu datieren: Die Mehrzahl dürfte noch vor 1760 komponiert worden sein, die Jahre 1766 bis 1771 bezeichnen den spätestmöglichen Zeitpunkt, da sie in diesen Jahren im Breitkopf-Katalog angeboten wurden. Erst 15 bis 20 Jahre später griff Haydn wieder zu der Besetzung und schrieb zwischen 1784 und 1789, teils in Dreiergruppen zusammengefasst, 13 weitere Klaviertrios.

Die letzte und bedeutendste Gruppe der Trios (Hob. XV: 18–32) ist dann 1794 bis 1796 (oder 1797) anzusetzen: Es sind dies die großen Klaviertrios, die im Zusammenhang mit Haydns englischen Publikationspartnern stehen und die er einer Reihe (offenbar sehr gut) Klavier spielender Damen gewidmet hat: Marie Therese von Esterházy, Maria Josepha Hermengild, Rebecca Schröter und Therese Bartolozzi, geborene Jansen.

Musik Die über 40 Klaviertrios von Haydn sind eine den Streichquartetten in Entwicklung, Umfang und Bedeutung fast gleichzustellende Werkgruppe: Auch hier beginnt Haydn mit aus den Musiziergewohnheiten der höfischen Musikpflege herauswachsenden Gelegenheitswerken und arbeitet sich durch zahlreiche spannende Experimente zu einer geschlossenen Gattungsvorstellung durch, die gleichwohl offen genug ist, eine weite Spannweite an Gestaltungsweisen aufzunehmen. Die kontinuierliche Steigerung des musikalischen Gehalts findet dabei – das ist vielleicht der Unterschied zum Streichquartett – weniger im Sinne einer ausgewogenen Selbstständigkeit aller Stimmen (das Cello bleibt immer in seiner Bassrolle verhaftet) oder der zyklischen Balance statt als vielmehr in Richtung einer emotionalen Vertiefung und einer Verfeinerung der Klangmischungen. Bedeutsam sind hierbei auch der Fortschritt und die Wandlungen auf dem Gebiet des Tasteninstrumentenbaus: Die Werke der 1750er- und 1760er-Jahre sind natürlich noch für das Cembalo gedacht, bei den mittleren Trios weist manche Artikulationsvorschrift bereits auf das neue »Pianoforte«, die späten für England geschriebenen Trios setzen eindeutig auf die dort gebräuchlichen, klanglich stärkeren und technisch ausgereifteren Hammerklaviere.

Die frühen, meist »Divertimento« oder »Partita« genannten Trios stehen im Gattungszusammenhang der (von verschiedenen Instrumenten) begleiteten Klaviermusik: Die Bezeichnung »Sonaten für Klavier mit Begleitung…« hat Haydn sogar später beibehalten, auch als es schon »echte« Trios waren. Die meist dreisätzigen Werke, mit einem Menuett in der Mitte, gehören ganz dem galanten Stil an und haben mehr fortspinnende als sonatenhafte Formbildung. Die Klavierstimme ist teils solistisch, teils generalbassmäßig gearbeitet.

Die viel späteren Trios Hob. XV: 5–17 zeigen ein deutlich neues Bild, in dem die Funktion gepflegter Hausmusik (im geringen technischen Anspruch vor allem der Streicherstimmen) in einer gewissen Spannung mit der experimentellen Offenheit der Gestaltung steht: Haydn scheint, nachdem Sinfonie und Streichquartett deutlich als gefestigte und anspruchsvolle Gattungen entworfen sind, mit großer Freude hier das hierarchisch tiefer angesiedelte Genre für freies Spiel mit Satzfolgen und Satztypen zu nutzen. Dabei gehen vor allem die Trios Hob. XV: 11–13 (Es-Dur, e-Moll und c-Moll) in Richtung eines ernsten, leidenschaftlichen Ausdruckswillens.

Wie auf dem Gebiet des Streichquartetts überschreiten auch die letzten Klaviertrios den Rahmen des intimen Musizierens, werden zur Konzertmusik für ein Publikum. Die Gruppe von 1796 (Hob. XV: 27–30; C-Dur, E-Dur, Es-Dur, Es-Dur) gehört dabei zu den bedeutendsten Werken Haydns überhaupt, versammelt die ganze originelle Kraft und Meisterschaft des erfahrenen Komponisten und bringt in Erfindung, Verarbeitung, vor allem aber der Schattierung des Klangs immer neue überraschende Wunder hervor. Der pianistische Satz ist dabei anspruchsvoll und höchst differenziert ausgeführt.

Wirkung Das Genre der begleiteten Klaviermusik war zur Zeit Haydns außerordentlich beliebt und empfahl sich vor allem für die häusliche Musikpflege. Es handelte sich um einen echten

Markt, der von den Verlegern nicht nur in Wien, sondern mehr noch in Paris und London engagiert beliefert wurde. So sind die mittleren Trios von Haydn ganz explizit für Verleger wie Artaria, Forster und John Bland komponiert und fraglos gut verkauft worden. Die letzten 15 Quartette waren fast ausnahmslos für London gedacht, wo sie von Longman & Broderip sowie Preston herausgegeben wurden.

Ein dauerhafter Erfolg und die Haftung im Repertoire, die die Klaviertrios eigentlich verdienen, haben sie allerdings nicht erreicht, wohl wegen des etwas vernachlässigten Celloparts, der für Klaviertrioensembles weniger attraktiv ist als der gleichberechtigtere Satz ab Mozart und Beethoven. Natürlich spielt da auch das verwendete Instrumentarium eine Rolle: Die Cello-Bass-Verstärkung, die beim historischen Hammerklavier durchaus eigenes Gewicht haben kann, wirkt bei grundtönigeren modernen Klavieren eher überflüssig. Schon aus diesem Grund sind Interpretationen im Sinne der historischen Aufführungspraxis klar zu bevorzugen. WA

Das Baryton und sein Repertoire

»Das Baryton ist eines der seltensten und komplexesten Saiteninstrumente der Welt«, schwärmt die 1992 in England gegründete internationale Baryton-Gesellschaft auf ihrer Internetseite: »Seine delikaten und exotischen Klänge haben Hörer seit fast 400 Jahren begeistert.« Im frühen 17. Jahrhundert aus der Bassgambe entwickelt, fand das Baryton vor allem in Österreich und Deutschland Verbreitung. Das Besondere des Instruments: Zusätzlich zu 6 bis 7 gegriffenen und mit dem Bogen gestrichenen Darmsaiten verfügt es über bis zu 20 Metallsaiten, die neben und unterhalb des Griffbretts verlaufen. Diese schwingen beim Spielen klangverstärkend mit, können aber auch mit dem Daumen der linken Hand gezupft werden. Allerdings: Schon zur Zeit Haydns galt das Baryton eher als instrumentale Kuriosität, und fast alle Kompositionen dafür stammen aus dem Umkreis des Esterházy-Hofs. Zu nennen sind etwa Sonaten des Konzertmeisters der dortigen Hofkapelle, Luigi Tomasini, und Divertimenti des Komponisten, Geigers und Bratschisten Joseph Burgksteiner.

Einspielungen (Auswahl)
- Beaux Arts Trio, 1972; Philips
- Hob. XV: Nr. 18–20, 26, 31: Trio Vivente, 2001; Eigenart/Tacet

Barytontrios

Entstehung »Endlichen wird ihme Capelmeister Haydn bestermaßen anbefohlen... solche stücken die man auf der Gamba spielen mag, und wovon wir noch sehr wenig gesehen haben, zu Componieren.« Dieser Befehl ist Teil eines recht schroffen Verweises, den der junge Vizekapellmeister Haydn von seinem Dienstherrn, dem Fürsten Nikolaus von Esterházy, 1765 bekam. Bis dahin hatte sich Haydn nicht viel aus dem Lieblingsinstrument des Fürsten, dem Baryton (im Schreiben als »Gamba« bezeichnet), gemacht. In den nächsten acht Jahren aber komponierte er pflichtschuldig 126 Trios für Baryton, Viola und Cello Hob. XI: 1–126 (sowie über 30 weitere Werke für andere Besetzungen mit Baryton – Letztere sind fast alle beim Brand auf Esterháza von 1779 verloren gegangen). Um 1775 kam dieses Schaffensgebiet zu einem Ende, da der Fürst offenbar das Interesse an dem Instrument verlor.

Musik Beim Baryton verbindet sich der Gambenklang mit harfenartigen Klängen. Die Besonderheit der gezupften Spieltechnik hat Haydn allerdings erst ab dem Trio Nr. 25 angewandt und auch später (ab Nr. 73) wieder weitgehend darauf verzichtet, sodass ein Großteil der Trios auch in einer konventionellen Streichtriobesetzung aufführbar ist.

Haydns Komponieren auf diesem Gebiet war aber nicht nur durch das merkwürdige Instrument selbst bestimmt, sondern auch durch Rücksicht auf den Fürsten, der zum einen gefällige Gesellschaftsmusik erwartete, zum anderen offenbar bei aller dilettierenden Liebe spieltechnisch kein Virtuose auf seinem Instrument war, beschränkt. Alle Barytontrios sind deshalb in den der Grundstimmung nahen Tonarten gehalten. Innerhalb dieser engen Beschränkungen aber sind die Trios eine ebenso schöne wie interessante Werkgruppe: vorwiegend anmutig heitere Musik voller versteckter Feinheiten, zum Beispiel mit Zitaten aus anderen Werken.

Meist knapp und nur dreisätzig – oft mit einem Menuett zum Schluss – angelegt, finden sich aber auch größer dimensionierte Werke mit höherem Anspruch. Vor allem werden die Affekthaltungen und Satzcharaktere sehr deutlich herausgearbeitet. Auch die strukturell bedeutenden Errungenschaften von Haydns stilistischer Entwicklung (immerhin umschließt die Entstehungszeit die »Sturm-und-Drang«-Phase) finden, wenngleich in der Konvention gemäßigt, ihren Niederschlag: so etwa kontrapunktische Elemente bis hin zu kleinen Fugen, thematische Arbeit und Vereinheitlichung (vor allem in Finali) und manch überraschend kühne harmonische Trübung.

Wirkung Obwohl die Barytontrios als persönliches Eigentum des Dienstherren von Haydn nicht an die Öffentlichkeit gegeben wurden, müssen sie sich, hauptsächlich in Bearbeitungen (bzw. Umbenennungen) als Streichtrios sehr schnell verbreitet haben, denn schon ab 1766 (!) finden sich in der musikkritischen Publizistik zahlreiche Hinweise auf den speziellen Triostil Haydns, um den (vor allem wegen des Reizthemas der parallelen Stimmführung in Oktaven) kontrovers gestritten wurde: »Große Wirkung« wird den Parallelen da zugemessen, aber auch bemängelt, sie seien »den Bettelmusikanten abgehört« und ein »widerwärtiges Octaviren«.

Bei der Einschätzung des Instruments, dem Haydn mit diesen Trios praktisch allein einen Platz in der Musikgeschichte erobert hat, herrscht ein allgemeines Wohlwollen: Als »angenehmes Kammerinstrument« wird es gerühmt, voll »süßer Anmuth«, die dem Hörer »Thränen auszupressen« vermag. Nur der bekannte Musikschriftsteller Charles Burney goss 1789 beißende Ironie über das Baryton und seine Möglichkeit des kombiniert gestrichen-gezupften Spiels aus: »Dies ist gewiss ein ausgezeichnetes Hilfsmittel, wenn man in einer Wüste musiziert oder auch in einem Haus, in dem man ganz allein ist. Doch in einem großen Konzerte sich selbst zu begleiten, wenn man von Musikern umgeben ist, die untätig daneben sitzen, erscheint besten Falles als überflüssig.«   WA

Streichquartette

»Folgender ganz zufälliger Umstand habe ihn veranlasst, sein Glück mit der Komposition von Quartetten zu versuchen«, erzählte Haydn seinem ersten Biografen Griesinger: »Ein Baron Fürnberg hatte eine Besitzung in Weinzierl, einige Posten von Wien, und er lud von Zeit zu Zeit seinen Pfarrer, seinen Verwalter, Haydn und Albrechtsberger… zu sich, um kleine Musiken zu hören. Fürnberg forderte Haydn auf, etwas zu komponieren, das von diesen vier Kunstfreunden aufgeführt werden könnte.«

Aus dieser Gelegenheitsmusik im wörtlichen Sinn hat Haydn im Lauf mehrerer Jahrzehnte einen der beeindruckendsten Gattungskorpora der Musikgeschichte geschaffen: seine über 70 Streichquartette, mit denen er die wichtigste Gattung der Kammermusik gleichsam begründet hat, auch wenn es am chronologischen Beginn zeitgleiche Entwicklungen gab (etwa bei Luigi Boccherini). Dabei ist weder die schiere Menge noch das durchgängig hohe qualitative Niveau der Kompositionen das Entscheidende – solches wäre auch bei anderen, wenig bekannten Zeitgenossen zu finden –, sondern der Umstand, dass Haydn von Werkgruppe zu Werkgruppe immer neue Möglichkeiten findet, den vierstimmigen Streichersatz zu strukturieren, die selbst gesetzten Grenzen wieder zu sprengen.

Sowohl die zyklische Form als auch das Satzbild werden dabei zum Modell und Anknüpfungspunkt für alle nachfolgenden Komponisten der Gattung: Gleichberechtigung der Stimmen, logisch durchgearbeitete thematische Struktur, balancierte Gesamtanlage. Die Opera 1, 2, 9, 17 und 20 zeigen dabei den komplizierten Weg von den divertimentohaften Anfängen zum klassischen Muster, das in Opus 33 erreicht ist, in den späteren Gruppen (op. 50 bis op. 103) wird dieses Modell immer wieder hinterfragt, individualisiert – und es werden innovative Ideen integriert.

Da eine Nachfolge des haydnschen Streichquartetts so nie korrekte Nachahmung des Vorbilds, sondern eigene Weiterentwicklung bedeuten musste, überträgt sich das kammermusikalische Ideal des »vernünftigen Gesprächs« – wie es im berühmten Goethe-Wort ausgedrückt

Die Streichquartette von Joseph Haydn	
Entstehung	**Titel**
1755–59	Streichquartette op. 1 Nr. 1–4, 6 Hob. III: 1–4, 6
1755–59	Streichquartett o. op. Hob II: 6
1755–59	Streichquartette op. 2 Nr. 1, 2, 4 und 6 Hob. III: 7, 8, 10 und 12
1769/70	Streichquartette op. 9 Nr. 1–6 Hob. III: 19–24
ca. 1771	Streichquartette op. 17 Nr. 1–6 Hob. III: 25–30
ca. 1772	Streichquartette op. 20 Nr. 1–6 Hob. III: 31–36 (»Sonnenquartette«)
ca. 1781	Streichquartette op. 33 Nr. 1–6 Hob. III: 37–42 (»Russische Quartette«)
1785	Streichquartett op. 42 Hob. III: 43
1787	Streichquartette op. 50 Nr. 1–6 Hob. III: 44–49 (»Preußische Quartette«)
1787	Streichquartett op. 51 »Die Sieben Worte Jesu Christi am Kreuz« Hob. III: 50–56
1788	Streichquartette op. 54 Nr. 1–3 Hob. III: 57–59
1788	Streichquartette op. 55 Nr. 1–3 Hob. III: 60–62
1790	Streichquartette op. 64 Nr. 5, 6, 1, 4, 3 und 2 Hob. III: 63–68
1793	Streichquartette op. 71 Nr. 1–3 Hob. III: 69–71 (»Apponyi-Quartette«)
1793	Streichquartette op. 74 Nr. 1–3 Hob. III: 72–74 (»Apponyi-Quartette«)
1796/97	Streichquartette op. 76 Nr. 1–6 Hob. III: 75–80 (»Erdödy-Quartette«)
1799	Streichquartette op. 77 Nr. 1, 2 Hob. III: 81, 82 (»Lobkowitz-Quartette«)
1803	Streichquartett op. 103 Hob. III: 83

wird – in produktiver Weise auf den geschichtlichen Zusammenhang: Haydns Quartette und die seiner Zeitgenossen und Nachfolger werden zum Gespräch zwischen den Komponisten, zu einem Diskurs über die Möglichkeiten, ein Streichquartett zu komponieren. WA

Streichquartette op. 1 und op. 2

Streichquartett B-Dur Hob. III: 1

Sätze 1. Presto, 2. Menuetto, 3. Adagio, 4. Menuetto, 5. Finale: Presto
Entstehung ca. 1755–59
Verlag Henle, Doblinger
Spieldauer ca. 15 Minuten

Streichquartett Es-Dur Hob. III: 2

Sätze 1. Allegro molto, 2. Menuetto, 3. Adagio, 4. Menuetto, 5. Presto
Entstehung ca. 1755–59
Verlag Henle, Doblinger
Spieldauer ca. 17 Minuten

Streichquartett D-Dur Hob. III: 3

Sätze 1. Adagio, 2. Menuetto, 3. Presto, 4. Menuetto, 5. Presto
Entstehung ca. 1755–59
Verlag Henle, Doblinger
Spieldauer ca. 17 Minuten

Streichquartett G-Dur Hob. III: 4

Sätze 1. Presto, 2. Menuetto, 3. Adagio, 4. Menuetto, 5. Presto
Entstehung ca. 1755–59
Verlag Henle, Doblinger
Spieldauer ca. 17 Minuten

Streichquartett C-Dur Hob. III: 6

Sätze 1. Presto, 2. Menuetto, 3. Adagio, 4. Menuetto, 5. Finale: Presto
Entstehung ca. 1755–59
Verlag Henle, Doblinger
Spieldauer ca. 16 Minuten

Streichquartett Es-Dur Hob. II: 6

Sätze 1. Presto, 2. Menuetto, 3. Adagio,
4. Menuetto, 5. Finale: Presto
Entstehung ca. 1755–59
Verlag Henle, Doblinger
Spieldauer ca. 17 Minuten

Streichquartett A-Dur Hob. III: 7

Sätze 1. Allegro, 2. Menuetto, 3. Poco Adagio,
4. Menuetto, 5. Allegro molto
Entstehung ca. 1755–59
Verlag Henle, Doblinger
Spieldauer ca. 17 Minuten

Streichquartette E-Dur Hob. III: 8

Sätze 1. Allegro, 2. Menuetto, 3. Adagio,
4. Menuetto, 5. Finale: Presto
Entstehung ca. 1755–59
Verlag Henle, Doblinger
Spieldauer ca. 19 Minuten

Streichquartett F-Dur Hob. III: 10

Sätze 1. Presto, 2. Menuetto, 3. Adagio non
troppo, 4. Menuetto, 5. Allegro
Entstehung ca. 1755–59
Verlag Henle, Doblinger
Spieldauer ca. 17 Minuten

Streichquartett B-Dur Hob. III: 12

Sätze 1. Adagio, 2. Menuetto, 3. Presto,
4. Menuetto, 5. Presto
Entstehung ca. 1755–59
Verlag Henle, Doblinger
Spieldauer ca. 17 Minuten

Entstehung Obwohl Haydns eigener Bericht uns über Anlass und Entstehung der ersten Quartettkompositionen Auskunft gibt, lässt sich eine genauere Datierung dennoch nicht feststellen. Die Angabe Griesingers, Haydn sei damals 18 Jahre alt gewesen, würde auf 1750 deuten.

Heute wird jedoch eher angenommen, dass von 1755 bis 1759 auszugehen ist. Außer den Datierungsfragen gibt es auch noch Echtheitsprobleme: Die Werke op. 1/5 (Hob. III: 5), op. 2/3 (Hob. III: 9) und op. 2/5 (Hob. III: 11) sind keine authentischen Streichquartette, sondern Bearbeitungen (von fremder Hand) von einer Haydn-Sinfonie bzw. zwei Sextetten (für zwei Hörner und Streichquartett). Dafür muss mit dem Es-Dur-Quartett Hob. II: 6 noch ein authentisches Quartett zu den beiden Serien dazugezählt werden.

Musik Haydns erste Quartette – er selbst verwendete den Begriff »Divertimento a quatro« (die Bezeichnung Quartett war damals noch nicht geläufig) – haben zahlreiche verbindende Charakteristika, die sie zu einer geschlossenen Werkgruppe werden lassen. Stilistischer Ausgangspunkt ist die süddeutsch-österreichische Divertimentotradition: Musik in einem flüssigen, galanten Tonfall, empfindsam und verspielt. Die Melodik entwickelt sich fortspinnend und ein-

Nicht Haydn, sondern Hoffstetter

Die lange für Werke Haydns gehaltenen sechs Streichquartette op. 3 stammen in Wahrheit von Romanus Hoffstetter, einem Benediktinermönch aus der Abtei Amorbach im Odenwald, der sie wohl in den 1760er-Jahren komponiert hat. Der Grund für die fehlerhafte Zuweisung an Haydn war, dass der alte Komponist 1805 ein Werkverzeichnis autorisierte, das Werke enthielt. Zahlreiche philologische Erwägungen sprechen jedoch gegen Haydns Autorschaft: das Fehlen früher handschriftlicher Kopien, der radierte Name Hoffstetters in den Druckvorlagen, die für ein Haydn-Frühwerk verspätete Publikation (1777 in Paris) sowie die Tatsache, dass die Werke nicht in Haydns Entwurfkatalog verzeichnet sind. Untypisch für den Wiener Klassiker sind der glatte, oberflächliche Tonfall und die ungewöhnlich bunte Werkfolge. Und wenn die Quartette hie und da doch nach Haydn klingen, dann liegt das an der Haydn-Begeisterung Hoffstetters, die dieser 1802 so in Worte fasste: »Mir ist alles, was nur aus haydnscher Feder fleußt, so schön, bleibt so tief bey mir sitzen, dass ich mich nicht enthalten kann, hie und da etwas, so gut es eben gehen mag, nachzuahmen.«

heitlich aus kleinen Motiven, ausgeprägte thematische Nebengedanken sind selten.

Alle Quartette sind fünfsätzig, wobei in der Regel (sehr) schnelle Ecksätze zwei Menuette (an zweiter und vierter Stelle) und einen langsamen Mittelsatz umgeben. Dabei bilden sich typisierte und stark kontrastierende feste Satzformen: Der Kopfsatz ist gewichtiger als das Finale im Typus eines Kehraus, die beiden Menuette unterscheiden sich jeweils stark, die Trios der Menuette sind im Charakter besonders deutlich abgesetzt. Der langsame Satz ist in der Regel eine figurierte Kantilene der ersten Violine, die von den anderen Instrumenten begleitet wird.

Allerdings bedeutet diese direkte Anknüpfung an das Modell des Divertimentos, also an die höfische Unterhaltungsmusik, nicht allein eine Einordnung in ein leichtgewichtiges musikalisches Genre, sondern auch einen wichtigen kompositorisch-strukturellen Ansatzpunkt. Für das Divertimento, darauf hat die Musikwissenschaftlerin Nicole Schwindt-Gross hingewiesen, ist eine satztechnische Klangfarbendramaturgie typisch: Es wechseln rasch und häufig Abschnitte mit unterschiedlicher Ordnung der Stimmen. Dieses Verfahren ist in den Quartetten op. 1 und op. 2 zum Beispiel in wechselnden Stimmpaaren oder in der Verteilung der Melodie auf mehrere Stimmen meisterhaft verwirklicht und zugleich bereits eine Vorahnung auf die noch viel selbstständigere Stimmführung der späteren Werke.

Wie immer bei Haydn umgreift auch bereits in diesen frühen Kompositionen der stilistische Rahmen ein weites Spektrum an individuellen Lösungen und Ideen: Selbst wenn man von den Bearbeitungswerken, die deutlich anders sind (op. 1/5 ist dreisätzig; op. 2/3 und op. 2/5 sind schlichter in der Faktur), absieht, so fallen doch die Experimentierlust und auch bereits die Tendenz der Entwicklung ins Auge: In den Streichquartetten D-Dur op. 1/3 (Hob. III: 3) und B-Dur op. 2/6 (Hob. III: 12) stellt Haydn etwa den langsamen Satz an die erste Stelle, die beiden »Presti« folgen dann an dritter und fünfter Stelle, in op. 2/6 ist der genannte langsame Satz überdies eine Variationskette. Im F-Dur-Quartett op. 2/4 (Hob. III: 10) steht der langsame Satz in Moll, und auch sonst ist dieses Werk besonders interessant in seiner Verbindung von barockem Pathos und modernen Ausdrucksmitteln.

Generell ist zu beobachten, wie im Lauf der Kompositionsarbeit das Satzbild immer eleganter durchgeformt erscheint und auch die thematische Arbeit konzentrierter und dichter wird. Immer souveräner handhabt Haydn die selbst geschaffene Gattung. Vor allem tritt auch die für Haydn kennzeichnende Freude an überraschenden Wendungen, Pausen, harmonischen Wechseln immer deutlicher zutage.

Wirkung Die ersten Quartette von Haydn wurden schon ab 1762 mehrfach gedruckt und machten, wie es in einem zeitgenössischen Bericht heißt, »allgemein Sensation«. In den ersten Drucken in Paris, Amsterdam und London findet sich allerdings auch bereits jene verlegerische Unsitte, gefälschte oder bearbeitete Kompositionen unterzumischen oder überhaupt die Serien frei umzustellen. Dem unstrittigen Erfolg der haydnschen Erstlinge tat dies aber keinen Abbruch: Es war besonders der zupackende humorvolle Ton, der gut ankam – allerdings auch zuweilen heftig kritisiert wurde: Vor allem die häufige Parallelführung von zwei Stimmen (auch in Oktaven) wurde erbittert diskutiert. Ernst Ludwig Gerber schreibt darüber 1790: »Man gewöhnte sich aber bald, trotz allen Schreyens an diese manier. Ja man ahmte sie endlich gar selbst nach.« WA

Einspielungen (Auswahl)
• Kodály Quartett, 1991; Naxos
• Quartette op. 1: Petersen Quartett, 1997; Capriccio/EMI

Streichquartette op. 9

Streichquartett C-Dur Hob. III: 19

Sätze 1. Moderato, 2. Menuetto, 3. Adagio, 4. Finale: Presto
Entstehung ca. 1769/70
Verlag Henle, Doblinger
Spieldauer ca. 21 Minuten

Langjährige Wirkungsstätte Haydns war das Schloss Esterháza im heutigen Fertőd am Neusiedler See. Das »ungarische Versailles« hatte Fürst Nikolaus Joseph Esterházy von Galántha 1760–69 erbauen lassen.

Streichquartett Es-Dur
Hob. III: 20

Sätze 1. Moderato, 2. Menuetto, 3. Adagio cantabile, 4. Allegro molto
Entstehung ca. 1769/70
Verlag Henle, Doblinger
Spieldauer ca. 17 Minuten

Streichquartett G-Dur
Hob. III: 21

Sätze 1. Allegro moderato, 2. Menuetto, 3. Largo, 4. Finale: Presto
Entstehung ca. 1769/70
Verlag Henle, Doblinger
Spieldauer ca. 15 Minuten

Streichquartett d-Moll
Hob. III: 22

Sätze 1. Allegro moderato, 2. Menuetto, 3. Adagio cantabile, 4. Presto
Entstehung ca. 1769/70
Verlag Henle, Doblinger
Spieldauer ca. 20 Minuten

Streichquartett B-Dur
Hob. III: 23

Sätze 1. Poco Adagio (+ 4 Variationen), 2. Menuetto, 3. Largo cantabile, 4. Presto
Entstehung ca. 1769/70
Verlag Henle, Doblinger
Spieldauer ca. 19 Minuten

Streichquartett A-Dur
Hob. III: 24

Sätze 1. Presto, 2. Menuetto, 3. Adagio, 4. Allegro
Entstehung ca. 1769/70
Verlag Henle, Doblinger
Spieldauer ca. 15 Minuten

Entstehung Zwischen den ersten Quartetten (op. 1 und op. 2) und dem Opus 9 liegen ca. zehn Jahre Abstand. In dieser Zeit – ab 1761 war er am Hof Esterházy angestellt – komponierte Haydn seinen Amtspflichten entsprechend hauptsächlich Sinfonien (für die fürstliche Kapelle) und Barytontrios (für den Fürsten). Als er sich dann 1769/70 wieder dem Quartett zuwendet, geht es offensichtlich nicht mehr um Gele-

genheitswerke, sondern um das gezielte Aus-
komponieren einer dezidierten Vorstellung von
dieser Gattung.

Die Quartettserien op. 9, 17 und 20 entstehen
in schneller Folge, und die gewaltige Energie, die
Haydn nun auf die Gattung verwendet, zeigt
schon allein, dass weniger eine Fortsetzung der
frühen Divertimenti intendiert ist als vielmehr
ein grundsätzlicher Neubeginn. Haydn hat folgerichtig auch später erst seine Streichquartette
ab Opus 9 als »echte« Streichquartette gelten
lassen.

Musik Das chronologisch erste Quartett der
neuen Gruppe, Opus 9/4 (Hob. III: 22), steht bezeichnenderweise in Moll. Es ist Haydns erstes
Mollquartett und markiert mit seinem durchweg
ernsten, leidenschaftlichen Ton und seiner formalen Avanciertheit die entschiedene Abwendung vom munteren Divertimentocharakter der
Frühwerke.

Und diese gewichtige Vertiefung des Ausdrucks gilt für das ganze Opus 9. Haydn verschmilzt hier verschiedene Entwicklungen zu
einem neuen Gattungsstil, der zwar noch nicht
die klassische Ausgewogenheit späterer Werke
erreicht, aber den erhöhten Anspruch schon im
Rahmen des Ganzen vorgibt.

Von der Sinfonie (Haydn hat in den 1760er-
Jahren in ca. 30 Sinfonien die orchestrale Klangsprache entscheidend weiterentwickelt) wirken
die bewusste Themenbildung und die geweiteten Dimensionen auf das Quartett, von den Barytontrios übernimmt Haydn gewisse formale
Strukturen und Experimente – und schließlich ist
es die empfindsame Tonsprache Carl Philipp
Emanuel Bachs mit ihren harmonischen und
dynamischen Kühnheiten, die Haydn hier aufgreift.

Im Ergebnis und durch Haydns souveränen
Umgang mit den heterogenen Elementen entsteht ein Zyklus von sechs Quartetten, bei denen
die Satztypen und die formale Großanlage (viersätzig mit Menuett an zweiter Stelle) in charakteristischer Weise normiert ist, durch Vielfalt an
Ausdruckstechniken und satztechnischen Texturen aber kein Satz dem anderen auch nur ähnlich
scheint: Die Kopfsätze sind nicht mehr so hastige Prestos wie früher, sondern im Tempo gemäßigte, von permanenter motivischer Arbeit
geprägte Sonatensätze, die Spannweite reicht

aber von kantabel-singenden Sätzen bis zu
schroff-zerrissenen.

In den Menuetten vermeidet Haydn ganz auffällig das Genre des tänzerischen, sie wirken in
ihrer spröden Verdichtung des Satzes und ihrer
irregulären Metrik gleichsam gegen den galanten Stil geschrieben. Die langsamen Sätze folgen zwar dem bekannten Typus der arienartigen
Kantilene der ersten Violine, steigern aber das
Modell durch Pausen und harmonische Wendungen zur pathetischen Klangrede.

Die Finale setzten den komplizierten Kopfsätzen eine übersichtlichere, klar kontrastierende
Faktur entgegen, in der vor allem Überraschungseffekte und witzig-humorvolle Brechun-
gen eine zentrale Rolle spielen. Die Fülle an
originellen Ausprägungen dieser Typen ist verblüffend.

Wichtig ist festzuhalten, dass das Opus 9 in
der Summe seiner vielgestaltigen Einzellösun-
gen einen geschlossenen Zyklus bildet, der die
sechs Quartette zu einer Einheit werden lässt
(diesem Modell ist Haydn auch später treu geblieben): Die Quartette stehen in sechs verschiedenen Tonarten, eines beginnt mit einem langsamen Variationssatz (op. 9/5; Hob. III: 23),
die vorderen Quartette sind gewichtiger
(op. 9/1–3; Hob. III: 19–21), das letzte bildet einen gelockerten Ausklang (op. 9/6; Hob. III:
24).

Wirkung Schon 1771 gedruckt, gehören
auch die Quartette op. 9 zu jenen Werken, mit
denen Haydns Ruf sich schnell in ganz Europa
verbreitete und sein persönlicher Stil zum Teil
heftig diskutiert wurde. Im Vergleich mit den
ersten Streichquartetten und denen op. 33
scheinen aber gerade die Serien der Jahre 1769
bis 1772, zumindest was die kompositorische
Rezeption betrifft, weniger stark gewirkt zu haben, zeigen sie doch eine persönliche, subjektive Seite Haydns, die direkter Nachahmung
weniger zugänglich war.   WA

Einspielungen (Auswahl)
• op. 9 Nr. 1, 3 & 4: Kodály Quartett, 1992; Naxos

Streichquartette op. 17

Streichquartett E-Dur
Hob. III: 25

Sätze 1. Moderato, 2. Menuet, 3. Adagio,
4. Finale: Presto
Entstehung ca. 1771
Verlag Henle, Doblinger
Spieldauer ca. 20 Minuten

Streichquartett F-Dur
Hob. III: 26

Sätze 1. Moderato, 2. Menuet poco allegretto,
3. Adagio, 4. Finale: Allegro di molto
Entstehung ca. 1771
Verlag Henle, Doblinger
Spieldauer ca. 17 Minuten

Streichquartett Es-Dur
Hob. III: 27

Sätze 1. Andante grazioso (+ 4 Variationen),
2. Menuet: Allegretto, 3. Adagio, 4. Allegro di
molto
Entstehung ca. 1771
Verlag Henle, Doblinger
Spieldauer ca. 20 Minuten

Streichquartett c-Moll
Hob. III: 28

Sätze 1. Moderato, 2. Menuet: Allegretto,
3. Adagio cantabile, 4. Finale: Allegro
Entstehung ca. 1771
Verlag Henle, Doblinger
Spieldauer ca. 21 Minuten

Streichquartett G-Dur
Hob. III: 29

Sätze 1. Moderato, 2. Menuetto, 3. Adagio,
4. Presto
Entstehung ca. 1771
Verlag Henle, Doblinger
Spieldauer ca. 18 Minuten

Streichquartett D-Dur
Hob. III: 30

Sätze 1. Presto, 2. Menuet, 3. Largo, 4. Finale:
Allegro
Entstehung ca. 1771
Verlag Henle, Doblinger
Spieldauer ca. 18 Minuten

Entstehung Praktisch unmittelbar an die
Serie der Quartette op. 9 anschließend, komponierte Haydn 1771 eine weitere Folge von sechs
Streichquartetten. Die Reihenfolge der Einzelwerke ist dabei im Autograf und im Entwurfskatalog eine etwas andere als im Erstdruck (Nr. 2,
1, 4, 6, 3, 5), die Blattzählung im Autograf legt
überdies die Vermutung nahe, dass Haydn die
Serie gleichsam in einem Zug niedergeschrieben
hat.

Musik Die Quartette op. 17 gehen den im
Opus 9 eingeschlagenen Weg geradlinig und folgerichtig weiter. Der Rahmen der Gattung ist
nun aufgestellt – und wird nun im Detail vertieft,
verfeinert und individualisiert. Auf den ersten
Blick ist die neue Serie der vorhergehenden sehr
ähnlich: Wieder findet sich ein Quartett in Moll,
das zugleich in seiner leidenschaftlichen Tonsprache am gewichtigsten wirkt (Quartett c-Moll
op. 17/4; Hob. III: 28), eines mit einem Variationensatz zu Beginn (Quartett Es-Dur op. 17/3;
Hob. III: 27) und zum Abschluss ein »leichteres«
(Quartett D-Dur op. 17/6; Hob. III: 30). Wieder
sind Einflüsse Carl Philipp Emanuel Bachs zu finden – vor allem in den harmonisch kühnen und
empfindsam »sprechenden« langsamen Sätzen
der Quartette Nr. 3 und Nr. 5. Und wieder zeigt
sich eine große Vielfalt an Tonfällen und Satztypen, an charakteristischen Prägungen, die eine
reiche Spannweite eröffnen und Haydns Originalität und Fantasie immer wieder neu dokumentieren.

Diese stilistische Nähe der beiden Serien kann
aber über den entschiedenen Fortschritt des
Opus 17 nicht hinwegtäuschen. Diesen Fortschritt hat der Musikhistoriker Friedrich Blume
schon 1931 unter dem Leitwort »Durchorgani-
sation« zusammengefasst. Satzfolge, Stimmver-
band und Satzbau sind in diesem Quartett sehr
viel gezielter gearbeitet und aufeinander abgestimmt: Die Stimmen sind weit mehr gleichbe-

rechtigt als in Opus 9 (dort dominierte noch deutlich die brillant geführte erste Violine); der zyklische Zusammenhang ist dichter, die Sätze der einzelnen Quartette sind strukturell und thematisch verknüpft.

Das wichtigste Merkmal der Streichquartettgruppe ist aber sicher die formale Bewältigung der Sonatenhauptsatzform in den Kopfsätzen und den Finale (die so auch formal aufgewertet sind): Haydn gelingt es hier weit stärker als je zuvor, die Großform aus der thematischen Arbeit heraus zu entfalten, sodass der Entwicklungsgedanke der klassischen Musik voll ausgeprägt erscheint.

Wirkung Bereits 1772, also fast unmittelbar nach ihrer Niederschrift, erschienen die Quartette – ein Umstand, der Haydns Popularität unterstreicht. Obgleich sie bei der musikwissenschaftlichen Einschätzung immer ein wenig im Schatten der epochemachenden Quartette op. 33 standen, so hat sie doch der erwähnte Friedrich Blume als den ersten »historischen Moment« in Haydns Quartettwerk ausdrücklich gewürdigt: »Hier vollzieht sich einmal der Umschlag des Problems vom Technischen ins Geistige und zum anderen der Umschlag von der retrospektiven in eine zukunftsweisende Haltung. In dem Augenblick, als er die Entwicklungsidee erfasst, stellt Haydn der gesamten neueren Instrumentalmusik bis in unsere Gegenwart hinein ihr grundlegendes Problem.« WA

Streichquartette op. 20
(»Sonnenquartette«)

Streichquartett Es-Dur
Hob. III: 31

Sätze 1. Allegro moderato, 2. Menuet un poco allegretto, 3. Affettuoso e sostenuto, 4. Finale: Presto
Entstehung ca. 1772
Verlag Henle, Doblinger
Spieldauer ca. 17 Minuten

Streichquartett C-Dur
Hob. III: 32

Sätze 1. Moderato, 2. Capriccio: Adagio, 3. Menuet: Allegretto, 4. Fuga a 4 soggetti: Allegro
Entstehung ca. 1772
Verlag Henle, Doblinger
Spieldauer ca. 20 Minuten

Streichquartett g-Moll
Hob. III: 33

Sätze 1. Allegro con spirito, 2. Menuet: Allegretto, 3. Poco adagio, 4. Allegro di molto
Entstehung ca. 1772
Verlag Henle, Doblinger
Spieldauer ca. 21 Minuten

Streichquartett D-Dur
Hob. III: 34

Sätze 1. Allegro di molto, 2. Un poco adagio e affettuoso (+ 4 Variationen), 3. Menuet alla zingarese, 4. Presto e scherzando
Entstehung ca. 1772
Verlag Henle, Doblinger
Spieldauer ca. 23 Minuten

Streichquartett f-Moll
Hob. III: 35

Sätze 1. Moderato, 2. Menuet, 3. Adagio, 4. Finale: Fuga a 2 soggetti
Entstehung ca. 1772
Verlag Henle, Doblinger
Spieldauer ca. 21 Minuten

Streichquartett A-Dur
Hob. III: 36

Sätze 1. Allegro di molto e scherzando, 2. Adagio, 3. Menuet, 4. Fuga a 3 soggetti: Allegro
Entstehung ca. 1772
Verlag Henle, Doblinger
Spieldauer ca. 17 Minuten

Entstehung Die Streichquartette op. 20 schließen Haydns konzentrierte Arbeitsphase an der Gattung zu Beginn der 1770er-Jahre vorläufig ab. Sie wurden 1772 komponiert, ursprünglich in der Reihenfolge Nr. 5, 6, 2, 3, 4, 1. Mit dieser Entstehungszeit stehen die Werke chronologisch in der Nähe jener Mollsinfonien (Nr. 39, 44, 45, 49, 52), die man wegen ihrer düster-leidenschaftlichen Tonsprache als »romantische Krise« oder auch »Sturm-und-Drang«-Phase in Haydns Entwicklung bezeichnet hat.

Musik Mancher Komponist hätte sich wohl mit dem technischen und inhaltlichen Niveau, das Haydn in seinem Opus 17 erreicht hatte, zufriedengegeben und nach deren Modell eine lange Kette durchaus erfreulicher gediegener Musik fortgeschrieben. Wie fern ein solch gleichsam gemütliches Schaffen Haydns experimenteller und schöpferischer Natur lag, beweist sein folgender Gattungsbeitrag, die Quartette op. 20 (Hob. III: 31–36), die sozusagen erneut alles infrage stellen: Die erreichte Balance in Satztechnik und zyklischem Bau wird sofort wieder verlassen, Haydn erprobt nun vielmehr die äußersten Möglichkeiten, die Besetzung und Form bieten.

Dabei geht sein gestalterisches Interesse in ganz verschiedene, sich eigentlich widersprechende Richtungen: Er greift zurück auf barocke Techniken und Tonfälle, gestaltet drei der Finalsätze als komplizierte Fugen, zum anderen aber erscheint das Ausdrucksbedürfnis intensiviert. Haydns Tonsprache erreicht hier eine Subjektivität und einen Reichtum an konträren Stimmungen, die die Elemente des empfindsamen Stils der Quartette op. 9 und op. 17 weit hinter sich lässt. Und diese Gleichzeitigkeit von satztechnischer Strenge und gesteigerter Dramatik, von Rationalität und Emotionalität gibt den Werken ihre ganz eigene Spannung.

Neben diesen beiden zentralen Merkmalen sind aber auch die Elemente volkstümlichen Zitierens (in den Menuetten), verschärfter Prozesshaftigkeit der Form (in den Kopfsätzen und nun auch teilweise in den langsamen Sätzen) und schließlich Neuordnung der Satzfolge (Menuett und langsamer Satz tauschen teils ihre Stellung) wichtig.

Die Quartette des Opus 20 sind damit weit uneinheitlicher als ihre direkten Vorgänger; sie vereinen divergierende Tendenzen zu einer angespannten, ja problematischen Faktur, die zeigt, dass Haydn schon hier, und zwar mit radikalen Mitteln, das Streichquartett zur ernsthaftesten und gewichtigsten Gattung der Kammermusik ausformen wollte. Das Ergebnis ist dabei ebenso eindrucksvoll wie letztlich krisenhaft. »Weder früher noch später hat Haydn Streichquartette geschrieben, die so dunkel und schwer zugänglich sind, in denen sich so viele Sphären so verwirrend durchdringen wie hier«, urteilte Ludwig Finscher.

Wirkung Die Streichquartette op. 20 erschienen 1774 bei Chevardière in Paris, der noch heute gebräuchliche Beiname »Sonnenquartette« geht auf das Titelblatt (mit dem Bild einer Sonne) einer Amsterdamer Ausgabe von 1779 zurück, weckt aber im Hinblick auf die stilistische Stellung der Werke eher irreführende Assoziationen.

Beethoven war von dem Quartett op. 20/1 so beeindruckt, dass er sich die Partitur komplett abschrieb. In seinen späten Quartetten (und dann auch in der Romantik) wird wohl auch am ehesten an den extremen Stil dieses Werks angeknüpft. Die wissenschaftliche Einordnung des Opus 20 insgesamt ist recht uneinheitlich, die Bewertung reicht von »Durchbruch zur Meisterschaft« (Sir Donald Tovey) bis zu »Sackgasse eines übersteigerten Radikalismus« (Friedrich Blume). WA

Einspielungen (Auswahl)
- Quatuor Mosaïques, 1992; Astrée Auvidis
- Hagen Quartett, 1992/93; Deutsche Grammophon

Streichquartette op. 33
(»Russische Quartette«)

Streichquartett h-Moll Hob. III: 37

Sätze 1. Allegro moderato, 2. Scherzo: Allegro di molto, 3. Andante, 4. Finale: Presto
Entstehung ca. 1781
Verlag Henle, Doblinger
Spieldauer ca. 18 Minuten

Streichquartett Es-Dur
Hob. III: 38

(»Der Scherz«)

Sätze 1. Allegro moderato, 2. Scherzando,
3. Largo sostenuto, 4. Finale: Presto
Entstehung ca. 1781
Verlag Henle, Doblinger
Spieldauer ca. 17 Minuten

Streichquartett C-Dur
Hob. III: 39

(»Vogelquartett«)

Sätze 1. Allegro moderato, 2. Scherzo, 3. Adagio, 4. Finale – Rondo: Presto
Entstehung ca. 1781
Verlag Henle, Doblinger
Spieldauer ca. 18 Minuten

Streichquartett B-Dur
Hob. III: 40

Sätze 1. Allegro moderato, 2. Scherzo,
3. Largo, 4. Presto
Entstehung ca. 1781
Verlag Henle, Doblinger
Spieldauer ca. 17 Minuten

Streichquartett G-Dur
Hob. III: 41

Sätze 1. Vivace assai, 2. Largo cantabile,
3. Scherzo, 4. Finale: Allegretto
Entstehung ca. 1781
Verlag Henle, Doblinger
Spieldauer ca. 20 Minuten

Streichquartett D-Dur
Hob. III: 42

Sätze 1. Vivace assai, 2. Andante, 3. Scherzo:
Allegro, 4. Finale: Allegretto
Entstehung ca. 1781
Verlag Henle, Doblinger
Spieldauer ca. 18 Minuten

Entstehung Nach der gewaltigen Folge der ersten 18 Streichquartette (op. 9, 17 und 20), in denen Haydn die Konturen der Gattung definierte und sogleich in die Krise führte, hat er eine fast zehnjährige Quartettpause eingelegt. Als er dann 1781 wieder eine Sechsergruppe komponiert hatte, bot er sie in mindestens 16 Briefen an Musikliebhaber und Mäzene zur »Pränumeration« (Verkauf vor Drucklegung in handschriftlichen Kopien) an und pries sie dabei als »auf eine gantz neu Besondere art« geschrieben an. Der spätere Beiname »Russische Quartette« geht auf die nicht authentische Widmung an den späteren Zaren Paul I. zurück.

Musik Was es mit der »gantz neu Besonderen art« dieses Werks auf sich hat, ist verschieden gedeutet worden. Der Musikhistoriker Adolf Sandberger, der um 1900 eine erste bahnbrechende Studie über Haydns Quartette vorlegte, formulierte es emphatisch: »Das Kind aus der Ehe des Kontrapunkts mit der Freiheit ist die thematische Arbeit ... das moderne Streichquartett ist erfunden.« Spätere Forscher haben dies bestenfalls als grobe Übertreibung betrachtet, ja zuweilen Haydns Worte als pure Reklame interpretiert. In der Tat scheint es fragwürdig, das Opus 33 als völligen Neuansatz zu sehen: Alles, was das neue Werk an satztechnischen, formalen und zyklischen Gegebenheiten bietet, scheint in den Opera 9, 17 und 20 durchaus schon vorhanden.

Die Leistung, das schon früh als das »Klassische« schlechthin Verstandene, ist eher die Bändigung der schöpferischen Kräfte, der Ausgleich widerstrebender Tendenzen in einer abgeklärten, abgerundeten Sicherheit des Gestaltens. Damit einher geht (gerade im Rückblick auf die radikalen Quartette op. 20) eine Vereinfachung und Verklarung der Satztechnik und der Sonatensatzanlage: Es bilden sich feste Typen, die ganz selbstverständlich mit individualisiertem Inhalt gefüllt werden können. Das Epochemachende des Opus 33 liegt so in der völligen Verschmelzung von galantem Stil und Expression, von Volkstümlichkeit und Esoterischem, von Subtilität und Strenge.

Im Gesamtüberblick ergibt sich dabei folgendes Bild: Besondere Sorgfalt hat Haydn auf den zyklischen Zusammenhang und die Tempoproportionen innerhalb der einzelnen Quartette gelegt. Die Satzfolge ist in ihren Geschwindigkeitskontrasten genau abgestuft: Ist der erste Satz ein moderates Allegro, so folgt zuerst das Scherzo, dann der langsame Satz, dann ein sehr schnelles Finale (op 33/1–4). Ist der erste Satz dagegen sehr schnell, so rückt der langsame Satz an die zweite Stelle, und das Finale bildet den Allegrettotypus aus (op. 33/5, 6). Darüber hinaus sind die einzelnen Sätze durch thematische Bezüge, durch vermittelnde Anschlüsse und einheitliche Techniken bzw. einheitliches Stilniveau eng verbunden.

Die Kopfsätze der Quartette sind klar aufgebaute Sonatensätze, in denen die Form ganz logisch aus dem thematischen Material heraus entwickelt wird; sie bilden den Schwerpunkt des zyklischen Aufbaus. Das Finale stellt Haydn jetzt (eine Errungenschaft der Sinfonien der Jahre 1772 bis 1781) als deutlich lockerer gefügten, knapperen Ausgang dagegen, wobei neben Variationsformen vor allem die reihende Formung des Rondos dominiert. Die Scherzi sind trotz der neuen Bezeichnung stärker dem Tanzmenuett verhaftet als in seinen früheren Quartetten. Formal und stimmungsmäßig am ungebundensten und vielfältigsten sind die langsamen Sätze.

Der verallgemeinernde Überblick darf allerdings nicht den Eindruck erwecken, dass die Quartette sehr gleichartig wären: Vielmehr bieten sie einen bunten Reichtum an Tonfällen und Eigenarten, jedes hat sein ganz eigenes Gesicht, was hier nur kursorisch gestreift werden kann: So ist das h-Moll-Quartett (op. 33/1; Hob. III: 37) durch seine schweifende, zwischen Dur und Moll changierende Harmonik ausgezeichnet.

Quartett op. 33/2 (Hob. III: 38) hat den Beinamen »Der Scherz« erhalten, weil es im Finale das Thema mit Adagiopassagen und Pausen durchsetzt zitiert – eigentlich eine recht nachdenkliche Wendung.

Besonders beliebt dank seiner genrehaften Motivik ist das »Vogelquartett« op. 33/3 (Hob. III: 39), das sozusagen (einem Bonmot Alfred Einsteins folgend) »bei geöffnetem Fenster komponiert« erscheint.

Eine Besonderheit sind auch die Finale der Quartette Nr. 5 und Nr. 6 (Hob. III: 41, 42), in denen Haydn mit Variationsformen experimentiert und zwischen ernsthaften, witzigen und entspannten Haltungen eine faszinierende Spannung aufbaut.

Wirkung Die Quartette waren ohne Übertreibung »das« kulturelle Ereignis ihrer Zeit in ganz Europa: Schon 1782 erschienen sie in mehreren Verlagen im Druck – durchaus auch ein Hinweis

---

Kuckuck und Nachtigall

Die englischen Virginalisten des frühen 17. Jahrhunderts waren es, die mit Vorliebe lautmalerische Stücke erfanden und in ihrer Instrumentalmusik auch Vogelrufe imitierten. Beispiele dafür bieten u. a. John Hilton mit seinen »Fantazies« oder William Williams mit seiner Triosonate »In Imitation of Birds«. Besonderer Beliebtheit erfreute sich – auch auf dem europäischen Kontinent – der leicht nachzuahmende Kuckuck mit seinen Terzrufen, so etwa in dem reizvollen Stück »Die Hochzeit der Henne und des Kuckucks« für zwei Violinen und Basso continuo von Marco Uccellini oder in der Violinsonate »Cucu« von Johann Heinrich Schmelzer. Im frühen 18. Jahrhundert dann wurde aus naturalistischer Nachahmung idealistische Nachgestaltung – und der Vogelgesang vermochte nun auch Affekte wiederzugeben. Da gleicht denn die »Verliebte Nachtigall« (»Le Rossignol en Amour«) eines François Couperin eher einer schmachtenden Primadonna.

---

auf den hoch entwickelten Geschäftssinn des Komponisten – und wurden in ungeteilter Begeisterung begrüßt. »Es hat wohl nie ein Komponist so viel Eigenheit und Mannigfaltigkeit mit so viel Annehmlichkeit und Popularität verbunden als Haydn«, heißt es im »Musikalischen Kunstmagazin«. Und genau diese in der Tat wichtige Synthese von hohem Kunstanspruch und leichter Fasslichkeit wird immer wieder herbeizitiert, auch in den immer häufigeren allgemeineren Würdigungen der Person Haydns, so in Schubarts 1784 erschienenen »Ideen zu einer Ästhetik der Tonkunst«: »Das Genie jauchzt ihm Beifall zu, und der mäßige Kopf schlingt mit Entzücken seine Töne.«

Wichtiger aber als der unmittelbare Publikumserfolg waren die musikgeschichtlichen Konsequenzen der Quartette op. 33, deren Klassizität sich auch als eine Mustergültigkeit erwies, die zahlreiche Komponisten (wichtig hier in der ersten Zeit Hoffmeister und Pleyel) zur Nachahmung anregte und eine schwungvolle Produktion von Streichquartetten in Gang setzte.

Ein bedeutender Sonderfall in dieser Streichquartettmode à la Haydn sind die sechs Quartette, die Mozart in den Jahren 1782 bis 1785, wie er selbst sagte, in »langer und mühevoller Arbeit« komponierte und Haydn widmete: Hier nämlich suchte ein gleichwertiger Komponist das haydnsche Modell nicht zu imitieren, sondern in seiner eigenen Sprache fortzusetzen. Damit begann jener Dialog zwischen den Komponisten, der die Geschichte des Streichquartetts in ihrem Fortgang so nachdrücklich bestimmte.

Nicht zuletzt ist auch auf die sozialgeschichtliche Wirkung des Opus 33 hinzuweisen: Im Zuge des Erfolgs der Quartette konstituierten sich reisende Ensembles, die Konzerte mit der immer beliebteren Besetzung gaben – eine kulturelle Einrichtung, die bis heute Bestand hat.   WA

Einspielungen (Auswahl)
- Festetics Quartet, 1990/91 (+ Streichquartett op. 42); Harmonia Mundi
- Lindsay String Quartett, 1994/95; ASV
- Quatuor Mosaïques, 1995/96; Auvidis Astrée

Streichquartett d-Moll op. 42 Hob. III: 43

Sätze 1. Andante ed innocentemente, 2. Menuet, 3. Adagio cantabile, 4. Finale: Presto
Entstehung 1785
Verlag Doblinger
Spieldauer ca. 13 Minuten

Entstehung Haydn hat dieses Quartett 1785 komponiert und es im folgenden Jahr, ganz gegen seine Gewohnheit, als einzelnes Werk (also nicht in einer Sechser- oder Dreiergruppe) publizieren lassen. Aus stilkritischen Gründen hat man immer wieder versucht, eine frühere Datierung dieses merkwürdigen Einzelgängers anzusetzen – am Entstehungsjahr 1785 (durch Haydn auf dem Autograf angegeben) kann jedoch kein Zweifel bestehen.

Musik Das eigentlich recht unscheinbare Quartett steht nicht nur publikationstechnisch, sondern auch stilistisch vereinzelt, ja allein gelassen im Œuvre des Komponisten und hat in der Forschung nicht geringe Irritationen verursacht. Es handelt sich um ein sehr knapp geformtes Werk mit einigen Eigenarten, die sich nicht recht in die geradlinige Entwicklung des haydnschen Quartettschaffens einpassen lassen. Dazu zählen der langsame Kopfsatz (Andante ed innocen-

temente), der aber keine Variationsfolge, sondern ein monothematischer Sonatensatz ist, und das Finale (Presto), das auf engstem Raum (103 Takte) eine Synthese von Fuge und Sonatensatz anstrebt. Die beiden Mittelsätze sind tonartlich etwas ungewöhnlich (D-Dur-Menuett mit d-Moll-Trio – normal wäre es umgekehrt – sowie ein Adagio cantabile in B-Dur), in Form und Satztechnik jedoch sehr einfach gehalten.

Je nachdem, ob man die gedrängte Kürze des Werks als Anspruchslosigkeit oder als verdichtende Konzentration empfindet, ist das Quartett ganz unterschiedlich interpretiert worden: Eine Möglichkeit wäre, dass Haydn es für Spanien (ein Briefwechsel mit seinem Verlag von 1784 weist in diese Richtung) komponiert hat und dem dortigen Geschmack – bzw. was er dafür hielt – entgegenzukommen suchte. Eine andere Möglichkeit ist, mit Hinblick auf das Fugenfinale von Mozarts KV 378, im d-Moll-Quartett einen direkten Reflex auf Mozarts gerade erschienene, Haydn gewidmete Streichquartette zu sehen: eine Anknüpfung, die Haydn selbst womöglich noch nicht völlig befriedigte, sodass er im folgenden Opus 50 mit der kompositorischen Auseinandersetzung nochmals neu begann.

Wirkung Im Gegensatz zu fast allen anderen Streichquartetten Haydns ist dieses – abgesehen von den Spekulationen darüber in der Fachliteratur – offenbar nie besonders beachtet worden.   WA

Einspielungen (Auswahl)
- Festetics Quartet, 1990/91 (+ Streichquartette op. 33); Harmonia Mundi
- Kodály Quartett, 1992; Naxos

Streichquartette op. 50
(»Preußische Quartette«)

Streichquartett B-Dur Hob. III: 44

Sätze 1. Allegro, 2. Adagio non lento, 3. Menuetto, 4. Finale: Vivace
Entstehung 1787
Verlag Doblinger
Spieldauer ca. 22 Minuten

Streichquartett C-Dur
Hob. III: 45

Sätze 1. Vivace, Adagio cantabile, 3. Menuetto,
4. Finale: Vivace assai
Entstehung 1787
Verlag Doblinger
Spieldauer ca. 20 Minuten

Streichquartett Es-Dur
Hob. III: 46

Sätze 1. Allegro con brio, 2. Andante più tosto
allegretto, 3. Menuetto, 4. Finale: Presto
Entstehung 1787
Verlag Doblinger
Spieldauer ca. 20 Minuten

Streichquartett fis-Moll
Hob. III: 47

Sätze 1. Allegro spirituoso, 2. Andante,
3. Menuetto, 4. Fuga: Allegro moderato
Entstehung 1787
Verlag Doblinger
Spieldauer ca. 19 Minuten

Streichquartett F-Dur
Hob. III: 48

(»Der Traum«)

Sätze 1. Allegro moderato, 2. Poco adagio,
3. Menuetto, 4. Finale: Vivace
Entstehung 1787
Verlag Doblinger
Spieldauer ca. 17 Minuten

Streichquartett D-Dur
Hob. III: 49

(»Froschquartett«)

Sätze 1. Allegro, 2. Poco adagio, 3. Menuetto:
Allegretto, 4. Finale: Allegro con spirito
Entstehung 1787
Verlag Doblinger
Spieldauer ca. 23 Minuten

Entstehung Schon im April 1784 kündigte Haydn seinem Verleger Artaria eine neue Quartettfolge an, die »bis Ende July verfertiget« sei – schließlich dauerte es aber noch drei Jahre, sodass die sechs Streichquartette op. 50 erst 1787 herauskamen. Man darf annehmen, dass es die 1785 vollendeten Quartette Mozarts (KV 387, 421, 428, 458, 464, 465) waren, die Haydn sozusagen in die Quere kamen. Die ihm gewidmeten Quartette des befreundeten Kollegen forderten gleichsam eine besonders sorgfältige »Entgegnung« – wobei der hier entfachte kompositorische Wettstreit in einer Atmosphäre höchster gegenseitiger Hochachtung stattfand. Beide Komponisten haben sich mehrfach voller Bewunderung über den jeweils anderen geäußert (so etwa Haydn nach Mozarts Tod auf einer Englandreise zu dem Musikalienhändler Broderip: »Ich werde oft von meinen Freunden damit geschmeichelt, einiges Genie zu haben, doch er stand weit über mir.«). Mozarts Quartette von 1782 bis 1785 und Haydns Opus 50 sind wohl die direktesten musikalischen Dokumente für den Dialog der beiden großen Meister der Wiener Klassik – den Austausch der Gedanken, das Aneignen und Nacheifern. Ein schöpferisches Geben und Nehmen, das die 1780er-Jahre zu den »goldenen Jahren der Musik« (Robbins Landon) machte.

Der Titel »Preußische Quartette« gründet sich auf die Widmung an den König Friedrich Wilhelm II.

Musik Der selbstständigen Führung der vier Stimmen, der balancierten Anlage, der Konsequenz der thematischen Verarbeitung – also jenen klassischen Errungenschaften des Opus 33 – fügte Mozart in seinen Haydn gewidmeten Quartetten die Dichte und Dramatik seiner eigenen Tonsprache hinzu. Und in Haydns Opus 50 lässt sich in vielfältiger Art beobachten, wie Haydn diese neuen Merkmale aufgreift, sowohl in allgemeiner Hinsicht als auch in ganz speziellen Details: Allgemein betrachtet sind es die »geweiteten Formen und das Erlebnis des Klangs« (H. Mersmann): Das Finale wird strukturell wieder gestärkt und erscheint als vollwertiges Gegengewicht zum ersten Satz (im Quartett op. 50/4 taucht sogar wieder eine Fuge auf, aber nicht mehr als kontrapunktisches Übertrumpfen, sondern als ein melancholisch ge-

Das Amadeus Quartet, 1947 in England gegründet, entwickelte sich rasch zu einem der bedeutendsten Kammermusikensembles der Nachkriegszeit. Besonders bekannt wurde das Ensemble durch seine Aufführungen von Werken der Wiener Klassik, insbesonders der Streichquartette Haydns, und der Romantik.

prägtes Zuendekommen), und die Farbigkeit des Satzes sowie die Möglichkeiten charakteristischer Prägung werden viel intensiver ausgelotet.

Konkret ist vor allem eine reichere, kühnere Harmonik, die zuweilen in weitausgreifenden Modulationen fast schon romantische Vorahnungen streift, zu beobachten (oft besonders in den Durchführungen der Kopfsätze, so in op. 50/1). In der Melodik fällt der starke chromatische Einschlag auf, der den Themen, wie bei Mozart, zuweilen eine geschmeidige Mehrdeutigkeit, ein klangliches Schweben gibt, und nicht zuletzt sind es Eintrübungen und jähe Stimmungswechsel verbunden mit irregulärer Periodik und irritierenden rhythmischen Elementen (Kopfsatz von op. 50/2), die die typische Theatralik des mozartschen Stils nachbilden.

Man würde allerdings den Stellenwert der Haydn-Quartette op. 50 völlig verkennen, wenn man in ihnen eine Art »Versuch im Mozart-Stil« sehen würde: Ebenso wenig, wie Mozart in seinen Quartetten Haydns Quartette op. 33 imitiert, geht es Haydn um eine Nachahmung: Das zeigt vor allem eine kompositionstechnische

Tendenz, die das Opus 50 in sehr starker Weise bestimmt – die Monothematik, also das Verfahren, die Themen eines Satzes nicht kontrastierend zu gestalten, sondern aus einem einzigen melodischen Gedanken abzuleiten.

Dieses für Haydns logisches und ökonomisches musikalisches Denken ganz typische Verfahren – das Mozart wohl zuweilen aufgriff, das ihm aber zeitlebens im Innersten fremd blieb – wird in den Quartetten op. 50 äußerst konsequent verfolgt: Die Sonatensätze (Kopfsatz und Finale) sind meist aus nur einem Thema entwickelt – im fis-Moll-Quartett gar nur aus einem kleinen klopfenden Motiv, das schon fast an Beethoven gemahnt. Die langsamen Sätze sind vorwiegend Variationssätze, also ebenfalls auf eine einzelne melodische Gestalt bezogen. Auch Menuett und Trio erscheinen zuweilen als reine Varianten (op. 50/4 und op. 50/5). So ist die ganze Serie von einer Einheitlichkeit und gedanklichen Konzentration, die bei Mozart undenkbar wäre.

Als Einzelwerk hervorzuheben ist das letzte Quartett in D-Dur (Hob. III: 49). Es trägt den irreführend verniedlichenden Beinamen »Froschquartett« – wegen seines Finales, bei dem zu

Beginn in der sogenannten Bariolage derselbe Ton auf zwei verschiedenen Saiten repetiert wird (leere Saite und gegriffener Ton). Dabei ist es ein grandioses, kühnes Streichquartett, das sowohl im pathetisch ernsten Ton wie in der komplizierten und vielgestaltigen Technik als eine Musik erscheint, die nicht allein an Mozart geschult ist, sondern auch schon auf Beethoven hinarbeitet.

Wirkung Sowohl der Mozart-Bezug als auch die Monothematik wurden von den Zeitgenossen bald erkannt und beschrieben: So wurde Haydn 1788 im »Mercure de France« als Genie gerühmt, »welches in jedem seiner Stücke so gut aus einem einzigen Thema so reiche und so verschiedene Entwicklungen zu gewinnen weiß«. Und in einer frühen Musikgeschichte heißt es: Haydn »belebte der freie Flug der jugendlichen Fantasie Mozarts, und er begann von dieser Zeit an seine schönsten Quartette zu schreiben«.   WA

Einspielungen (Auswahl)
• Nomos Quartett, 1992/93; CPO
• Salomon String Quartet, 1993; Hyperion

Streichquartette op. 54 und op. 55

Streichquartett C-Dur
Hob. III: 57

Sätze 1. Vivace, 2. Adagio, 3. Menuetto: Allegretto, 4. Adagio – Presto – Adagio
Entstehung 1788
Verlag Doblinger
Spieldauer ca. 19 Minuten

Streichquartett G-Dur
Hob. III: 58

Sätze 1. Allegro con brio, 2. Allegretto, 3. Menuetto: Allegretto, 4. Finale: Presto
Entstehung 1788
Verlag Doblinger
Spieldauer ca. 22 Minuten

Streichquartett E-Dur
Hob. III: 59

Sätze 1. Allegro, 2. Largo cantabile, 3. Menuetto, 4. Finale: Presto
Entstehung 1788
Verlag Doblinger
Spieldauer ca. 22 Minuten

Streichquartett A-Dur
Hob. III: 60

Sätze 1. Allegro, 2. Adagio cantabile, 3. Menuetto, 4. Finale: Vivace
Entstehung 1788
Verlag Doblinger
Spieldauer ca. 17 Minuten

Streichquartett f-Moll
Hob. III: 61

(»Rasiermesserquartett«)

Sätze 1. Andante più tosto allegretto, 2. Allegro, 3. Menuetto, 4. Finale: Presto
Entstehung 1788
Verlag Doblinger
Spieldauer ca. 25 Minuten

Streichquartett B-Dur
Hob. III: 62

Sätze 1. Vivace assai, 2. Adagio ma non troppo, 3. Menuetto, 4. Finale: Presto
Entstehung 1788
Verlag Doblinger
Spieldauer ca. 19 Minuten

Entstehung Während zwischen den Werkgruppen bis Opus 50 oft lange, auch schöpferisch bedingte Unterbrechungen liegen, komponiert Haydn ab hier sehr kontinuierlich Streichquartette. So folgen dem Opus 50 von 1787 schon im folgenden Jahr weitere Quartette (die eine Sechsergruppe bilden – die Zweiteilung der Opuszahl ist belanglos).

Diese Quartette hat Haydn 1788 dem ehemaligen Geiger bei der Esterházy-Hofkapelle Johann Tost mit nach Paris gegeben, um sie dort dem Verleger Sieber verkaufen zu lassen. Obwohl Haydn die Quartette op. 54 und 55 Tost nicht gewidmet hat und obwohl jener sich zwar als tüchtiger, aber etwas zwielichtiger Geschäftsmann erwies – er verkaufte dazu gleich noch eine Sinfonie von Gyrowetz unter Haydns Namen! –, werden sie üblicherweise wie auch die Quartette op. 64 als »Tost-Quartette« bezeichnet.

Musik Man könnte die neue Werkfolge etwas emphatisch unter den Begriff »Freiheit« stellen. Nachdem die Gattungsnorm formuliert und bereits erweitert und zugespitzt wurde (op. 33; op. 50), gönnt sich Haydn nun ein Komponieren, das einen bunten Reichtum an Erfahrung ungezwungen entfaltet und ausbreitet. Verschiedene Elemente der weitgehend von ihm selbst geprägten Gattungsgeschichte fließen hier zusammen: Kontrapunktische Einschübe (wie in den Quartetten op. 20 – hier im Finale des op. 55/1, Vivace), mozartisch verfeinerte Harmonik (op. 54/1), virtuoses Dominieren der ersten Violine (wie in den Quartetten op. 9), expressive Verdichtungen (vor allem im düster leidenschaftlichen op. 55/2 mit seinen jähen Stimmungs- und Satzwechseln), Monothematik (wie in Opus 50, jetzt aber nur noch eine Methode unter verschiedenen), Experimente mit der Finalefrage (besonders ausgefallen: ein Adagiosatz, bei dem das ansonsten typische Presto nur Episode ist – op. 54/2).

Die außerordentliche Kühnheit dieser Quartette, ihre Komplexität und die zahlreichen Überraschungen, teils humoristischer, teils ernstdramatischer Art, sind hier aber nicht Ausdruck einer Krise, sondern finden sozusagen auf gesichertem Boden statt. Es ist gerade der klare Rahmen, der radikale Experimente erlaubt, der es ermöglicht, jeden einzelnen Satz charakteristisch und mit höchster Freiheit der Fantasie auszuformen. So vermeidet Haydn jede Erstarrung, jeden Schematismus, der ja nach der Leistung der Quartette op. 33 und op. 50 wirklich hätte drohen können.

Wirkung Die sechs Werke erschienen 1789/90 in Wien und auch bei Longman & Broderip in London. »Diese Quartette sind voll Geist und Feuer, so als ob ein junges, noch unverausgabtes Genie schriebe«, bemerkte Charles Burney, der bekannte Chronist des damaligen Musiklebens, und wies damit zwischen den Zeilen auch darauf hin, dass Haydn damals ja bereits 57 Jahre zählte, im Maß der Zeit ein alter Mann war.

Mit einem anderen Urteil soll aber auch dokumentiert werden, dass sich in die allgemeine Begeisterung der zeitgenössischen Musikliebhaber an Haydns Werken durchaus auch einmal kritische Töne mischen konnten. In der »Allgemeinen Deutschen Bibliothek« von 1792 will man »allzu frappante Ausweichungen« gehört haben und bemängelt auch das Dominieren der ersten Violine (wobei Haydn interessanterweise genau an dem satztechnischen Standard gemessen wird, den er selbst aufgestellt hat): »Einem Haydn müsste es doch wohl wenig Mühe verursachen, wirkliche Quartette zu schreiben.« WA

Einspielungen (Auswahl)
- Quartette op. 54 & 55: Amadeus Quartet, 1963–70; Deutsche Grammophon
- Quartette op. 54: Salomon Quartet, 1994; Hyperion

Streichquartette op. 64

Streichquartett D-Dur Hob. III: 63

(»Lerchenquartett«)

Sätze 1. Allegro moderato, 2. Adagio, 3. Menuet: Allegretto, 4. Finale: Vivace
Entstehung 1790
Verlag Henle, Doblinger
Spieldauer ca. 18 Minuten

Streichquartett Es-Dur Hob. III: 64

Sätze 1. Allegro, 2. Andante, 3. Menuetto: Allegretto, 4. Finale: Presto
Entstehung 1790
Verlag Henle, Doblinger
Spieldauer ca. 17 Minuten

Während der ersten Englandreise Haydns 1791/92 (hier der Platz vor der Londoner Börse, um 1750) wurden einige seiner Streichquartette op. 64 mit großem Erfolg öffentlich aufgeführt. Die Gattung entwickelte sich damit von der Haus- zur Konzertmusik.

Streichquartett C-Dur
Hob. III: 65

Sätze 1. Allegro moderato, 2. Menuet: Allegro, ma non troppo, 3. Allegretto scherzando, 4. Finale: Presto
Entstehung 1790
Verlag Henle, Doblinger
Spieldauer ca. 21 Minuten

Streichquartett G-Dur
Hob. III: 66

Sätze 1. Allegro con brio, 2. Menuetto, 3. Adagio cantabile sostenuto, 4. Finale: Presto
Entstehung 1790
Verlag Henle, Doblinger
Spieldauer ca. 17 Minuten

Streichquartett B-Dur
Hob. III: 67

Sätze 1. Vivace assai, 2. Adagio, 3. Menuet: Allegretto, 4. Finale: Allegro con spirito
Entstehung 1790
Verlag Henle, Doblinger
Spieldauer ca. 20 Minuten

Streichquartett h-Moll
Hob. III: 68

Sätze 1. Allegro spirituoso, 2. Adagio, ma non troppo, 3. Menuetto, 4. Finale: Presto
Entstehung 1790
Verlag Henle, Doblinger
Spieldauer ca. 18 Minuten

Entstehung Die 1790 komponierten Quartette op. 64 entstanden in einer Zeit, in der sich Haydn auf Schloss Esterházy zunehmend isoliert und von der gesellig-kultivierten Welt in Wien ausgeschlossen fühlte:»In meiner Einöde« ist eine häufige Formel in den Briefen an seine Freundin und Gönnerin Marianne von Genzinger, und das früher so wohltuend empfundene Dienstverhältnis wird nun auch beklagt:»Immer ein Sklav sein.« Gewidmet ist die Gruppe dem Geschäftsmann Johann Tost, der auch ein versierter Violinist war – und deswegen hat die erste Violine hier auch eine gewisse Vorrangstellung und ist mit teils recht anspruchsvollen spieltechnischen Aufgaben bedacht.

Musik Wie in den vorhergehenden Quartetten op. 54 und 55 verblüfft hier die Vielgestaltigkeit und der Reichtum der musikalischen Mittel, die stark ausgeprägte Charakterautonomie der einzelnen Sätze. Dies alles ist aber mit noch größerer Souveränität gearbeitet, sodass das Opus 64 einen Höhepunkt in Haydns Quartettschaffen bildet.

Eine besondere Vertiefung erfährt die Gestaltung nun vor allem im strukturellen Detail und hier vor allem in der Anlage der Sonatensätze: Immer wieder variieren neue Ideen und Techniken den Verlauf, täuschen und überraschen den Hörer. Die Reprise ist nicht mehr hauptsächlich die Wiederkehr der Themen, sondern ein raffiniertes Spiel mit den Erwartungen: Abschnitte werden vertauscht, ausgelassen oder hinzugefügt, die Harmonik wird anders schattiert, oder die Motive werden erneut variiert. Auch die Coda wird aufgewertet, oft erscheinen die thematischen Gedanken nochmals in einer letzten bedeutsamen Verwandlung.

Besonders repräsentativ für den Stil der Gruppe ist vielleicht das h-Moll-Quartett op. 64/2 (Hob. III: 68), das eine ungeheure Spannweite durchschreitet: Wie eine Reminiszenz an die »Sturm-und-Drang«-Jahre wirkt der zerklüftete Kopfsatz, ein ganz ruhig und zart gehaltenes Adagio schließt sich an. Das Menuett trägt den Kontrast in sich: schroff und energisch der Hauptteil, ländlerhaft weich das Trio. Und ein pointenreiches Finale voll musikalischem Übermut schließt in hellem H-Dur.

Viel bekannter ist freilich das Quartett op. 64/5 in D-Dur (Hob. III: 63) geworden, das seinen Beinamen »Lerchenquartett« der sich aufschwingenden Geigenmelodie zu Beginn verdankt, seine Popularität aber vermutlich auch dem in unablässiger Bewegung dahineilenden Schlusssatz.

Wirkung Es ist bekannt, dass zumindest ein Teil dieser Quartette bei Haydns erster Englandreise in London vor einem großen Publikum mit gutem Erfolg aufgeführt wurde. Hier ist ein Wendepunkt in der Sozialgeschichte des Streichquartetts markiert, der in der kompositorischen Faktur dieser Musik vorbereitet ist: Es handelt sich nicht mehr um Hausmusik für gebildete Liebhaber, sondern um Konzertmusik, die professionelle Musiker fordert und sich an ein breiteres Publikum wendet. WA

Einspielungen (Auswahl)
- Amadeus Quartet, 1963–70 (+ »Die Sieben Worte« op. 51); Deutsche Grammophon
- Festetics Quartett, 1991; Harmonia Mundi
- Op. 64 Nr. 2, 4 & 5: Quatuor Mosaïques, 2001; Astrée Naive/Harmonia Mundi

---

Vater des Streichquartetts

Etwa als 50-Jähriger hatte Joseph Haydn die Form erreicht, die ihn zum hauptsächlichen Begründer der Musik der Wiener Klassik machte. Besonders seine Streichquartette und Sinfonien stehen für den neuen Instrumentalstil, der diese Epoche ausmachte. Das Neuartige dieser Kompositionen erkannten bereits die Zeitgenossen, etwa Carl Friedrich Zelter (1802):»Diejenigen Werke, in welchen Haydn sich vor allen Komponisten ausgezeichnet hat, bestehen besonders in Sinfonien und Quartetten, zu deren Einrichtung er sich eine ganz neue Bahn gebrochen hat, die vor ihm kein musikalisches Stück hatte.«

Streichquartette op. 71 und op. 74
(»Apponyi-Quartette«)

Streichquartett B-Dur Hob. III: 69

Sätze 1. Allegro, 2. Adagio, 3. Menuet: Allegretto, 4. Finale: Vivace
Entstehung 1793
Verlag Henle, Doblinger
Spieldauer ca. 20 Minuten

Streichquartett D-Dur
Hob. III: 70

Sätze 1. Adagio – Allegro, 2. Adagio, 3. Menuet: Allegretto, 4. Finale: Allegretto
Entstehung 1793
Verlag Henle, Doblinger
Spieldauer ca. 17 Minuten

Streichquartett Es-Dur
Hob. III: 71

Sätze 1. Vivace, 2. Andante con moto, 3. Menuet, 4. Finale: Vivace
Entstehung 1793
Verlag Henle, Doblinger
Spieldauer ca. 22 Minuten

Streichquartett C-Dur
Hob. III: 72

Sätze 1. Allegro moderato, 2. Andantino grazioso, 3. Menuet: Allegretto, 4. Finale: Presto
Entstehung 1793
Verlag Henle, Doblinger
Spieldauer ca. 23 Minuten

Streichquartett F-Dur
Hob. III: 73

Sätze 1. Allegro spiritoso, 2. Andante grazioso, 3. Menuet, 4. Finale: Presto
Entstehung 1793
Verlag Henle, Doblinger
Spieldauer ca. 22 Minuten

Streichquartett g-Moll
Hob. III: 74

(»Reiterquartett«)

Sätze 1. Allegro, 2. Largo assai, 3. Menuet: Allegretto, 4. Finale: Allegro con brio
Entstehung 1793
Verlag Henle, Doblinger
Spieldauer ca. 21 Minuten

Entstehung Diese Graf Apponyi gewidmete Werkgruppe (es handelt sich wieder eindeutig um eine Sechserserie, die Zweiteilung der Opuszahl ergibt sich nur aus den Usancen der ersten Verleger) entstand 1793, zwischen den beiden großen Englandreisen, die Haydn 1791/92 und 1794/95 unternahm und die auch die spezielle Eigenart der neuen Quartette entscheidend prägten.

In England, wo Haydn als das »erste musikalische Genie des Zeitalters« bejubelt wurde, durfte er nicht nur eine Vielzahl an Würdigungen und gesellschaftliche Anerkennung erfahren, sondern – womöglich noch wichtiger – er erlebte auch die ungeheure Wirkung seiner Musik auf ein breites Publikum. Eine Macht, die er in den speziell für London komponierten Kompositionen (vor allem den zwölf »Londoner Sinfonien«) auch gezielt zu steigern und zu perfektionieren suchte. Kammermusik wurde dabei in die Konzertprogramme integriert und so ebenfalls vor großen Zuhörermengen präsentiert. Für Haydns Quartettschaffen bedeutete dies eine Wendung zur Öffentlichkeit, die sich im vorhergegangenen Opus 64 schon angedeutet hatte, jetzt aber auch kompositorisch eingelöst wird.

Musik Es ist vor allem der orchestrale Gestus, der durch die neue Werkgruppe weht, der sie von der intim-intellektuellen Musizierhaltung der früheren Gattungsentwicklung unterscheidet: Die Musik ist zugleich einfacher, eindeutiger und größer, emphatischer gebaut. Kompakte Unisoni und klangvolle Homofonie, aber auch virtuose Einlagen der ersten Violine ergeben einen weltmännischen Ton, einen sinfonischen Atem. Besonders deutlich wird dies in den Einleitungen, mit denen fast alle der Quartette, ganz ähnlich wie in Sinfonien, beginnen: Ein paar Akkordschläge, eine kurze Modulation, ein einprägsames einstimmiges Motiv – so wird das Anheben der Musik regelrecht unterstrichen und inszeniert.

Das besondere Interesse für die klangliche Wirkung, das in den Quartetten op. 71/74 immer wieder ins Auge fällt, hat aber auch Konsequenzen auf die harmonische Tonsprache, die hier nochmals kühner und gewagter erscheint als je zuvor bei Haydn: Überraschende Modulationen, Beleuchtungswechsel durch Molltrübungen, dissonante Vorhalte, Sätze und Satzteile in weit entfernten Tonarten (Des-Dur-Trio im F-Dur-Quartett op. 74/2; E-Dur-Largo im g-Moll-

Quartett op. 74/3) sind gewissermaßen besonders kräftige Mittel, die auch den weniger erfahrenen Hörer verblüffen und bewegen. In der Konsequenz dieser gesteigerten harmonischen Ausdruckstechniken erreicht Haydn eine Klangwelt, die teils schon romantische Züge trägt, vor allem in der Verwendung von terzverwandten Tonarten.

Im Einzelnen sind die Quartette der Gruppe, wie bei Haydn gewohnt, ausgeprägte Individualitäten mit stilistischen und stimmungsmäßigen Eigenheiten: So sind in op. 71/1 (Hob. III: 69) die ebenso effektvollen wie konstruktiv eingesetzten Oktavsprünge im Kopfsatz und der zweigeteilte Schlusssatz, der erst in der Coda den schnellen Finaletypus annimmt, bemerkenswert. Das Quartett op. 74/1 (Hob. III: 72) könnte in seiner Mischung von graziöser Anmut, chromatischer Zweideutigkeit und umschatteter Tiefe eine Huldigung an das mozartsche Idiom sein.

Repräsentativ für den orchestral-sinfonischen Impetus der Werke ist das F-Dur-Quartett op. 74/2 (Hob. III: 73), das mit seiner Kombination von eingängiger Thematik und weiträumig-dramatischer Verarbeitung wie ein kammermusikalisches Pendant zu den Londoner Sinfonien wirkt. Am populärsten ist aber in dieser Serie das letzte, das g-Moll-Quartett op. 74/3 (Hob. III: 74), geworden. Seinen Beinamen »Reiterquartett« verdankt es der rhythmischen Vehemenz der Ecksätze. Sein eigentliches Schmuckstück und musikalisches Zentrum ist aber das Largo von subtilem Erfindungsreichtum.

Wirkung Bei der zweiten Englandreise des Komponisten 1794/95 sind die Quartette (zumindest einige) in London aufgeführt worden – und haben ohne Zweifel ihren Teil zum allgemeinen Erfolg dieser Unternehmung beigetragen. Auch für sie mag gelten, was damals im »Morning Chronicle« über die Wirkung der haydnschen Musik in England gesagt wurde: »Er bewegt und regiert die Leidenschaften nach seinem Willen.« WA

Einspielungen (Auswahl)
- Amadeus Quartet, 1964 (+ Quartette op. 77 & 103); Deutsche Grammophon

Streichquartette op. 76
(»Erdödy-Quartette«)

Streichquartett G-Dur
Hob. III: 75

Sätze 1. Allegro con spirito, 2. Adagio sostenuto, 3. Menuet: Presto, 4. Finale: Allegro, ma non troppo
Entstehung 1796/97
Verlag Henle, Doblinger
Spieldauer ca. 22 Minuten

Streichquartett d-Moll
Hob. III: 76
(»Quintenquartett«)

Sätze 1. Allegro, 2. Andante o più tosto allegretto, 3. Menuetto, 4. Finale: Vivace assai
Entstehung 1796/97
Verlag Henle, Doblinger
Spieldauer ca. 20 Minuten

Streichquartett C-Dur
Hob. III: 77
(»Kaiserquartett«)

Sätze 1. Allegro, 2. Poco adagio: cantabile (+ 4 Variationen), 3. Menuetto, 4. Finale: Presto
Entstehung 1796/97
Verlag Henle, Doblinger
Spieldauer ca. 23 Minuten

Streichquartett B-Dur
Hob. III: 78
(»Sonnenaufgang«)

Sätze 1. Allegro con spirito, 2. Adagio, 3. Menuet: Allegro, 4. Finale: Allegro, ma non troppo
Entstehung 1796/97
Verlag Henle, Doblinger
Spieldauer ca. 22 Minuten

Streichquartett D-Dur
Hob. III: 79

Sätze 1. Allegro, 2. Largo cantabile e mesto,
3. Menuetto, 4. Finale: Presto
Entstehung 1796/97
Verlag Henle, Doblinger
Spieldauer ca. 19 Minuten

Streichquartett Es-Dur
Hob. III: 80

Sätze 1. Allegretto, 2. Fantasia: Adagio,
3. Menuetto: Presto, 4. Finale: Allegro spiri-
tuoso
Entstehung 1796/97
Verlag Henle, Doblinger
Spieldauer ca. 23 Minuten

Entstehung »Die Welt macht mir zwar viele Komplimente, auch über das Feuer meiner letzten Arbeiten: aber Niemand will mir glauben, mit welcher Mühe und Anstrengung ich dasselbe hervorsuchen muss, in dem mich manchen Tag mein schwaches Gedächtnis und die Nachlassung der Nerven dermaßen zu Boden drückt, dass ich in die traurigste Lage verfalle und hiedurch viele Tage nachher außer Stand bin, nur eine einzige Idee zu finden.« – Kaum will diese sicher aufrichtige Klage Haydns in einem Brief aus dem Jahr 1799 zu jener schöpferischen Frische passen, die aus jedem Takt der Streichquartette op. 76 (entstanden 1796/97) herausklingt. Sie zeigt aber deutlich, wie sehr Haydns Arbeit vom Ringen mit dem musikalischen Material geprägt ist – ein Umstand, der wohl auch gerade der neuen Quartettserie ihre innere Dichte und ihren Rang gibt. Die sechs Werke sind dem Grafen Joseph Erdödy gewidmet, der sie für 100 Dukaten einige Zeit zum alleinigen Gebrauch erhielt.

Musik Als »Ernte« bezeichnet der Musikwissenschaftler Barrett-Ayres in seiner großen Monografie über Haydns Quartette das Opus 76. In der Tat sind hier alle Errungenschaften von Haydns Schaffen auf diesem Gebiet versammelt, und immer wieder werden sie als die großartigste und mächtigste Gruppe innerhalb des Gesamtwerks eingeschätzt. Es ist allerdings nicht ganz einfach, ihre spezifischen Qualitäten im Vergleich zu den vorhergegangenen Serien präzise zu benennen: Es sind vielmehr verschiedene Tendenzen.

Auffallend ist zuerst die Rückkehr der Polyfonie, der Elemente des strengen kontrapunktischen Satzes (vor allem nach den eher kompakten Quartetten op. 71/74), die allerdings ganz integriert sind in die Freiheit der thematischen Arbeit: Dies gibt der Faktur eine Verdichtung und gleichsam satztechnische Tiefe und Räumlichkeit. Ein anderer Zug ist die Spannung zwischen Konvention und Reflexion: In nicht wenigen Sätzen greift Haydn auf bekannte und gewohnte Satztypen und Genres zurück, verfremdet sie aber, oder präsentiert sie merkwürdig distanziert: Dies gibt der klanglichen Oberfläche eine ganz eigene Hintergründigkeit. Darüber hinaus ist aber eine summierende Besprechung kaum möglich, denn – und das ist die dritte Tendenz des Opus 76 – die einzelnen Quartette sind hier so originell und individualisiert, dass jedes für sich eine musikalische Welt bildet, deren Charakteristika hier nur angedeutet werden können.

Das Streichquartett op. 76 von Haydn erfreute sich großer Beliebtheit und wurde allein beim Wiener Verlag Artaria 300-mal gedruckt (Titelblatt eines Londoner Notendrucks von 1799).

Das G-Dur-Quartett op. 76/1 (Hob. III: 75) überrascht mit einem echten Scherzo (nach Beethoven-Art in ganzen Takten) und einem sehr gewichtigen, dem Kopfsatz gleichgestellten Sonatensatzfinale.

Das »Quintenquartett« genannte Quartett op. 76/2 in d-Moll (Hob. III: 76) ist besonders stark kontrapunktisch geprägt und verbindet die strengen Techniken mit düster-bizarren Tonfällen.

Vielleicht das bekannteste Haydn-Quartett überhaupt ist das »Kaiserquartett« C-Dur op. 76/3 (Hob. III: 77), das seinen Namen wegen der Variationskette über die Hymne »Gott erhalte Franz, den Kaiser« (heute als deutsche Nationalhymne verwendet) trägt, aber auch sonst sozusagen ein »kaiserliches« Werk ist: ein grandioses, glänzendes Stück mit spannungsreichen und zur Monumentalität gesteigerten Ecksätzen.

In ein ganz anderes Klangreich führt dagegen das B-Dur-Quartett op. 76/4 (Hob. III: 78), das mit seinem ganz ungewöhnlichen lyrisch-statischen Kopfsatz der Klanglichkeit der Besetzung neue Wege eröffnet.

Vom fünften Quartett der Reihe in D-Dur (Hob. III: 79) ist besonders das melancholische »Mesto«-Adagio in fis-Moll berühmt geworden: Es bildet den Schwerpunkt des Werks. Haydn hat es mit leichtgewichtigeren Sätzen umgeben, die eine sublimierte Divertimentosphäre aufziehen.

Diese Gewichtung der Satzfolge verbindet es mit dem besonders frei gestalteten Es-Dur-Quartett op. 76/6 (Hob. III: 80), dessen langsamer Satz (Fantasia) eine einmalige harmonische Gratwanderung bildet, bei der über zahlreiche enharmonische Verwechslungen das tonale Zentrum erst in der zweiten Hälfte des Satzes erreicht und bestätigt wird. Von den anderen, neutraleren Sätzen ist besonders der unkonventionelle Variationensatz zu Beginn bemerkenswert.

Wirkung Der Verlag Artaria gab sich 1799 bei der Herausgabe besondere Mühe mit Titelblatt und Stich des neuen Werks. Die Originalität und der ungebrochene, fast jugendliche Experimentierdrang des 67-jährigen Komponisten wurde allgemein bewundert. So hieß es in der Leipziger »Allgemeinen Musikalischen Zeitung«: »Diese Quartette, deren daseyn und Anzeige dem Recensenten eine wahre Freude macht, sind wieder ein neuer Beweis von der unversiegbaren Quelle der Laune und des Witzes ihres berühmten Verfassers, und seiner ganz werth.« WA

Einspielungen (Auswahl)
- Amadeus Quartet, 1963–70; Deutsche Grammophon
- Kodály Quartett, 1989; Naxos
- Quatuor Mosaïques, 1998; Astrée/Helikon

Streichquartette op. 77

(»Lobkowitz-Quartette«)

Streichquartett G-Dur Hob. III: 81

Sätze 1. Allegro moderato, 2. Adagio, 3. Menuet: Presto, 4. Finale: Presto
Entstehung 1799
Verlag Henle, Doblinger
Spieldauer ca. 23 Minuten

Streichquartett F-Dur Hob. III: 82

Sätze 1. Allegro moderato, 2. Menuet: Presto, 3. Andante, 4. Finale: Vivace assai
Entstehung 1799
Verlag Henle, Doblinger
Spieldauer ca. 25 Minuten

Entstehung 1799 beauftragte Fürst Lobkowitz, der auch als verdienstvoller Förderer des jungen Beethoven in die Musikgeschichte eingegangen ist, Haydn mit einem neuen Quartettwerk. Sicher war damit wieder eine Folge von sechs Quartetten gemeint. Allein der zunehmend fragile Gesundheitszustand Haydns, verknüpft mit der vorhergehenden Anstrengung des Oratoriums »Die Schöpfung« und dem schon geplanten Folgewerk »Die Jahreszeiten«, ließ es nicht mehr zur Vervollständigung einer kompletten Serie kommen (ohnehin ist eigentlich schon ab Opus 71 das Einzelquartett so gewichtig, dass die Zusammenstellung von jeweils sechs eher den Charakter einer Gewohnheit trägt, denn eine schöpferische Notwendigkeit ist).

Haydn komponierte 1799 also »nur« zwei Streichquartette, die 1802 bei Artaria als Opus 77 erschienen. Es sind die letzten vollendeten Streichquartette (Opus 103 blieb Fragment).

Musik Es ist zuweilen spekuliert worden, ob neben den gesundheitlichen Beschwerden und dem prinzipiellen Vorzug der Vokalmusik in den letzten Lebensjahren Haydns auch das 1801 erschienene ambitionierte Streichquartettdebüt des jungen Beethoven (op. 18) Haydns Energie auf diesem Gebiet zum Erliegen brachte. Ob er, der 1785 die mozartsche »Herausforderung« begeistert aufnahm, nun auf eine neue Verwandlung des klassischen Quartettstils nicht mehr angemessen reagieren wollte oder konnte. In den beiden vollendeten Quartetten op. 77 ist jedenfalls durchaus ein Reagieren auf von Beethoven eingeführte Entwicklungen zu spüren, vor allem in den Menuett-Trio-Sätzen, in denen Haydn genau den beethovenschen Scherzotypus mit seinem ganztaktigen Presto, seinen Taktschwerpunktverschiebungen und anderen elementaren Wirkungen aufgreift.

Dieser Einfluss bleibt aber Randerscheinung in den stilistisch mit dem beethovenschen Opus 18 ansonsten kaum vergleichbaren Quartetten: Vielmehr äußert sich in deren struktureller Auflockerung, in ihrer gelösten Freizügigkeit eine Art esoterischer Spätstil, der freilich nicht zum Extremen neigt (im Vergleich zu den Quartetten op. 76 ist sogar eher eine Mäßigung und Normalisierung der dortigen Experimente zu beobachten), sondern eher ein entspanntes Spiel in völliger Meisterschaft verkörpert.

In beiden Quartetten sind die Kopfsätze raffiniert gebaute Sonatensätze mit vielseitiger Motivverarbeitung. Zwei unterschiedliche Typen bilden die langsamen Sätze aus: Das Adagio des G-Dur-Quartetts (in Es-Dur!) ist ein weihevoller Dialog von erster Violine und Cello, ein Satz, der seine Qualität nicht aus der thematischen Logik gewinnt, sondern aus dem fein abgetönten Wechsel von Anspannung und Lösung der harmonischen Kräfte; das Andante des F-Dur-Quartetts ist dagegen ein Variationssatz über ein sanft marschartiges Thema – und wohl der subtilste und reifste dieser Art bei Haydn. Beide Quartette zielen deutlich auf ihr jeweiliges Finale hin: Zwei vitale, pointenreiche Sonatensätze voller Besonderheiten, die so ein ebenso

würdiger wie temperamentvoller Abschluss von Haydns Instrumentalmusik sind.

Wirkung In den ersten Jahren des 19. Jahrhunderts steht das Musikleben Wiens – neben dem erwähnten Aufstieg Beethovens – ganz im Zeichen der beiden Oratorien »Die Schöpfung« und »Die Jahreszeiten«, die Haydns Ruhm nochmals steigerten und ihm eine beispiellose allgemeine Popularität eintrugen. Natürlich wurde neben dieser auch musikalisch ins Volkstümliche gehenden Musik die intimere Kunst der letzten Streichquartette eher weniger beachtet. Immerhin waren sie so erfolgreich, dass Breitkopf & Härtel schon Ende des Jahres 1802 der Artaria-Ausgabe einen Nachdruck folgen ließ. WA

Einspielungen (Auswahl)
- Quatuor Mosaïques, 1990 (+ Streichquartett op. 103); Astrée Auvidis
- Alban Berg Quartett, 1993/94 (+ Streichquartett op. 33 Nr. 3, Serenade Op. 3 Nr. 5); EMI
- L'Archibudelli, 1996 (+ Streichquartett op. 103); Sony BMG

Streichquartett d-Moll op. 103 Hob. III: 83

Sätze 1. Andante grazioso, 2. Menuet, ma non troppo presto
Entstehung 1803
UA vermutlich 1806
Verlag Doblinger, Henle
Spieldauer ca. 10 Minuten

Entstehung 1803 – also vier Jahre nach den letzten Streichquartetten op. 77 – komponierte Haydn zwei Sätze, die offensichtlich als Mittelsätze eines neuen Streichquartetts gedacht waren. Vermutlich war dies der Versuch, die Sechsergruppe für den Fürsten Lobkowitz fertigzustellen oder zumindest teilweise weiterzuführen. Bis 1806 hoffte Haydn offenbar, das angefangene Quartett vollenden zu können, dann sah er ein, dass seine Kräfte dazu nicht mehr ausreichten, und er ließ die beiden Sätze allein publizieren und ans Ende der Partitur den Anfang seines Chorlieds »Der Greis« setzen: »Hin ist alle meine Kraft, alt und schwach bin ich.« Bei dieser Entscheidung mag sicher der hohe Anspruch, den Haydn (gerade in »seiner« Gattung) an sich stellte, die Hauptrolle gespielt haben.

Musik In ihrer subtilen kammermusikalischen Durchsichtigkeit und in ihrem außerordentlichen harmonischen Reichtum sind die beiden Sätze des Opus 103 die direkte Fortsetzung des in den beiden Quartetten op. 77 formulierten Spätstils. Die melancholisch gedämpfte Stimmung aber darf wohl, auch ohne allzu klischeehafte biografisch-psychologische Trivialisierung, als eine Geste des Abschieds von der Welt gedeutet werden. Dabei ist freilich – rein vom kompositorischen Niveau her betrachtet – ein Nachlassen der Kräfte, eine geistige Erschöpfung Haydns in keinster Weise spürbar:

Die Passionsmusik über die sieben letzten Worte Jesu komponierte Haydn im Auftrag eines Domherrn aus Cádiz zunächst für großes Sinfonieorchester und bearbeitete sie 1787 für Streichquartett (»Kreuzigung« des Braunschweiger Monogrammisten, um 1540).

Das Andante ist eine neuartige Verknüpfung von Variations- und dreiteiliger Liedform und wartet mit kühnen Modulationen auf. Und das zum verhaltenen Charakterstück umgeformte und chromatisch aufgeladene Menuett wirkt wie eine raffinierte Entgegnung auf den neuen Scherzotypus Beethovens (den Haydn selbst zuvor in Opus 77 verwendet hatte) und zeigt einen ganz anderen Weg der Stilisierung des ursprünglichen Tanzsatzes auf. So ist auch der letzte Quartettsatz Haydns eine Äußerung im musikalischen »Dialog der Komponisten«.

Wirkung Breitkopf & Härtel brachte Haydns Quartettfragment 1806, annonciert als »sein Schwanenlied«, heraus. Einige Komponisten bearbeiteten in der Folge aus Verehrung für Haydn das vom Verleger fälschlich als »wehmütiger Kanon« bezeichnete Schlussmotto tatsächlich als Kanon.

In den letzten Lebensjahren wurde Haydn zum »großen alten Mann« des europäischen Musiklebens: Die ersten Biografien und Gesamtausgaben erschienen, und in der revidierten Auflage von 1806 wurde das Opus 103 als Quartett Nr. 83 geführt. Diese Zahl ergibt sich, wenn man die Hoffstetter-Quartette op. 3 und die »Sieben Worte« – als sieben Quartette gerechnet – mitzählt. WA

Einspielungen (Auswahl)
- Quatuor Mosaïques, 1990 (+ Streichquartette op. 77); Astrée Auvidis
- L'Archibudelli, 1996 (+ Streichquartette op. 77); Sony BMG

»Die Sieben Worte Jesu Christi am Kreuz« für Streichquartett op. 51 Hob. III: 50–56

Bezeichnungen Introduzione: Maestoso ed Adagio, 1. Largo (»Vater, vergib ihnen, denn sie wissen nicht, was sie tun«), 2. Grave e cantabile (»Wahrlich, ich sage dir: heute wirst du mit mir im Paradiese sein«), 3. Grave (»Weib, siehe hier: Dein Sohn; und Du, siehe hier: Deine Mutter«), 4. Largo (»Mein Gott, mein Gott, warum hast du mich verlassen?«), 5. Adagio (»Mich dürstet«), 6. Lento (»Es ist vollbracht«), 7. Largo (»Vater, in deine Hände befehle ich meinen

Geist«), Presto e con tutta la forza (Das Erdbeben)
Entstehung 1785/86 (Orchesterfassung); 1787 (Streichquartettfassung); 1795/96 (Oratorienfassung)
Verlag Doblinger, Henle
Spieldauer ca. 60–70 Minuten

Entstehung Die Passionsmusik über die sieben letzten Worte Jesu (nach Lukas 23, Johannes 19 und Matthäus 27) steht entstehungsgeschichtlich in einem spezifischen liturgischen Kontext: 1785 erhielt Haydn von einem Domherren in Cádiz (Spanien) den Auftrag, eine Folge von langsamen Instrumentalsätzen zu komponieren, die bei der Karfreitagsliturgie die exegetische Betrachtung des Bischofs unterbrechen und musikalisch nachgestalten sollten. Haydn, der 1801 bekannte, »die Aufgabe, sieben Adagios, wovon jedes gegen zehn Minuten dauern sollte, aufeinander folgen zu lassen, ohne den Zuhörer zu ermüden« sei »keine von den leichtesten«, komponierte diese Musik zunächst für großes Sinfonieorchester (sogar mit Trompeten und Pauken) – und schätzte diese Komposition selbst sehr. Deshalb, und auch, um ihre leichtere Verbreitung zu ermöglichen, fertigte er 1787 (oder schon zuvor) eine Reduktion für die Streichquartettbesetzung an. 1795/96 griff er noch einmal auf das Werk zurück und gestaltete es zu einem veritablen Oratorium um.

Musik Natürlich ist das Opus 51 im Rahmen der Streichquartette Haydns ein absoluter Sonderfall: Es geht hier (schon, weil es eine Bearbeitung ist) nicht um den linearen dialogischen Quartettsatz und nicht um die formalen Komplikationen des viersätzigen Zyklus. Die »Sieben Worte« sind vielmehr eine Meditationsmusik, die zwischen barocken rhetorischen Traditionen und einer neuen persönlich-subjektiven Reflexion vermitteln. Die melodischen Figuren sind aus der Wortmelodie der jeweiligen (ursprünglich lateinischen!) Überschrift abgeleitet und entfalten sich dann in vorwiegend homofon gehaltenen, frei gehandhabten Sonatensätzen zu ausdrucksstarken Affektbildern, bei denen direktere musikalische Textdeutung und freiere musikalische Stimmungsformung ineinandergreifen. Dabei werden nicht nur für die Bereiche Schmerz und Leiden ausdrucksstarke Tonfälle gefunden, son-dern auch für den Aspekt des Trostes, der Heilsgewissheit. So äußert sich in diesem Werk auf bewegend eindrückliche Weise auch Haydns tiefe Gläubigkeit. Den Rahmen für die »Sieben Worte« bilden ein langsamer Einleitungssatz sowie eine klangmalerische Vorstellung des Erdbebens nach dem Tod Jesu (»Und die Erde erbebte, und die Felsen zerrissen...«).

Wirkung Die »Sieben Worte« waren in allen Versionen (Artaria ließ auch noch einen Klavierauszug, der nicht von Haydn selbst stammt, anfertigen) sehr erfolgreich. In Deutschland und Österreich gehörten sie in den 1790er-Jahren zu den bekanntesten Werken des Komponisten überhaupt. WA

Einspielungen (Auswahl)
• Lindsay String Quartet, 1992; ASV

Hensel | Fanny

* 14. 11. 1805
Hamburg
† 14. 5. 1847
Berlin

Im 19. Jahrhundert war es für eine Frau fast unmöglich, sich als Komponistin durchzusetzen. So blieb der begabten Fanny Mendelssohn Bartholdy – der Schwester des Komponisten Felix Mendelssohn Bartholdy – als eine der großen Frauengestalten der Romantik nichts weiter übrig, als musikalisch im häuslichen Kreise zu dilettieren. Ihr Kammermusikschaffen umfasst nur wenige, aber qualitativ bemerkenswerte Werke.

Es klingt paradox, aber als Tochter eines reichen Bankiers war es für Fanny Mendelssohn Bartholdy besonders schwer, gar unschicklich, Musik zum professionellen Broterwerb zu betreiben. Da sah es für eine Clara Schumann, die aus weniger gut betuchtem Hause stammte, in dieser Hinsicht zwar auch nicht sehr rosig, aber bei entsprechendem Können und persönlichem Durchsetzungsvermögen besser aus. Immerhin wurde Fanny (als ältestes von vier Geschwistern) von der gesamten Familie, allen voran von ihrer Mutter und von ihrem drei Jahre jüngeren Bruder Felix, mit Hingabe gefördert. So erhielt sie von der Mutter, die selbst in der Berliner Bach-Tradition aufgewachsen war, den ersten Klavierunterricht und wurde als junges Mädchen von Karl Friedrich Zelter musiktheoretisch ausgebildet. Bereits mit 13 Jahren beherrschte sie große Teile von Bachs »Wohltemperiertem Klavier« auswendig.

1820 trat sie als Sopranistin in die Berliner Singakademie ein. Aus dieser Zeit datieren ihre ersten Kompositionsbeiträge: Lieder und Klavierstücke, 1822 auch ein Klavierquartett im Charakter eines Klavierkonzerts. Später sollten zu ihren kammermusikalischen Werken noch zwei Streichquartette dazukommen (in denen beethovensche Motivarbeit mit kontrapunktischer Satztechnik nach dem Vorbild Bachs kombiniert wird),

Ohne Öffentlichkeit

Fanny Hensel, die »gleich begabte Schwester« Felix Mendelssohn Bartholdys, hat ihr Leben lang komponiert. Doch nur ein Bruchteil ihrer Werke wurde auch gedruckt: Bei den wenigen Kompositionen, die sie kurz vor ihrem Tod veröffentlichte, handelt es sich durchweg um Lieder und lyrische Klavierstücke – also um Gattungen, die damals als »typisch weiblich« galten. Hensels Sonntagsmusiken in der Leipziger Straße waren zweifellos eine »Institution« des Berliner Musiklebens (schon weil sich im Publikum und unter den Mitwirkenden so illustre Gäste wie Franz Liszt befanden). Doch weil der Aufführungsort Teil der eigenen Wohnung war und es sich bei den mehreren 100 Personen, vor denen Fanny Hensel dort dirigierte, um ein geladenes und nicht um ein zahlendes Publikum handelte, galten ihre Sonntagsmusiken als Privatveranstaltungen – und wurden nicht Teil der Interpretations- oder Institutionengeschichte.

ein Adagio für Violine und Klavier, vor allem aber das pianistisch virtuose Klaviertrio op. 11. Neben den rund 400 Liedern und Klavierstücken, von denen nur eine kleine Auswahl (auch unter dem Namen ihres Bruders Felix) gedruckt wurde, gehören eine Ouvertüre, je zwei Oratorien sowie Kantaten zu ihrem Œuvre. Die meisten Beiträge jedoch, einschließlich etlicher A-cappella-Chöre, werden heute im Mendelssohn-Archiv der Stiftung Preußischer Kulturbesitz in Berlin und in der Bodleian Library Oxford als bisher unveröffentlichte Manuskripte aufbewahrt.

Ab Oktober 1823 wurden regelmäßige Sonntagsmusiken im Berliner Haus der Familie Mendelssohn Bartholdy veranstaltet, für die der Vater Mitglieder der Hofkapelle engagierte. Hier wirkte Fanny in zunehmendem Maße künstlerisch mit und übernahm auch die Vorbereitung und Leitung, als Felix seine Bildungsreisen antrat. 1829 heiratete die Künstlerin, eine inzwischen renommierte Pianistin und Dirigentin, den Königlich-Preußischen Hofmaler Wilhelm Hensel. Zeit ihres Lebens blieb Fanny Hensel eine wichtige Beraterin ihres Bruders in allen künstlerischen Fragen. Mit vielen bedeutenden Persönlichkeiten stand sie im Briefwechsel, u. a. mit Goethe und Robert Schumann. 1844 gehörte Franz Liszt zu den Besuchern ihrer Sonntagsmatineen. Als glänzende Brief- und Tagebuchschreiberin hat Fanny Hensel kulturhistorische Dokumente hohen Ranges geschaffen, vor allem über Komponisten und Virtuosen ihrer Zeit.   PÄ

Klaviertrio d-Moll op. 11

Sätze 1. Allegro molto vivace, 2. Andante espressivo, 3. Lied: Allegretto, 4. Finale: Allegro moderato
Entstehung 1847
UA 11. April 1847 Berlin
Verlag Kunzelmann
Spieldauer ca. 24 Minuten

Entstehung »Ich bin mit einem Trio beschäftigt, das mir sehr zu schaffen macht«, lautet eine Tagebucheintragung der Komponistin im März 1847. Anfang April spielte Fanny das Werk ihrem Bruder Paul vor und erlebte ihn »so davon eingenommen, wie ich es gar nicht erwartet hatte«.

Musik Erster Satz Dem d-Moll-Klaviertrio op. 49 von Felix Mendelssohn Bartholdy nicht ganz unähnlich, wird der erste Satz von einer rastlos vorwärtseilenden Klavierbewegung beherrscht; diese Vorrangstellung des Klaviers kennzeichnet auch die Folgesätze. In der Exposition werden zwei Themen vorgestellt, wobei das Thema I für den weiteren Satzverlauf zwei wichtige konstruktive Elemente aufweist: ein rhythmisch markantes Kopfmotiv und eine melodische Legatofortführung. Eine kurze Überleitungsgruppe entwickelt in den späteren Durchführungsteilen ebenfalls formbildende Kräfte. Das vom Cello eingeführte kontrastierende zweite Thema übernimmt eine satzübergreifende Leitfunktion. Ausgedehnte Durchführungsabschnitte kombinieren alle thematischen Elemente, ohne sich jedoch zu einer klaren Reprise durchringen zu können.

Zweiter Satz Eine Insel der Ruhe schafft nach dem lebhaft wogenden Kopfsatz die schlichte, dreiteilige Liedform (a–b–a) des Andante. Das Klavier stellt das Thema solistisch vor, dessen Wiederholung die anderen Instrumente im farbenreichen Wechselklang übernehmen. Wiederum wird dem punktiert-rhythmischen Mittelteil (b), der vom Cello vorgestellt wird, eine besondere Bedeutung für die sich entwickelnde Durchführungstechnik zugewiesen. Ein Klavierzitat des Satzanfanges dient als kurze Coda.

Dritter Satz Eine Verlegenheitslösung? Das zweite Thema des Eröffnungssatzes wird als »Lied« (ohne Worte) verarbeitet.

Vierter Satz Romantische Auflösung klassischer Formenstrenge: Eine kurze Solokadenz des Klaviers dient als Auftakt für ein improvisiert wirkendes Impromptu im Polonaisenstil Chopins. Mit dem rhythmisch gefestigten Einsatz von Violine und Cello gewinnt auch die Form an Konturen. Als eine Art »Leitmotiv« gesellt sich das zweite Thema des Kopfsatzes hinzu und führt eine doppelthematische Finalsteigerung herbei.

Wirkung Am 8. November 1847 war in der »Allgemeinen Augsburger Zeitung« über Fanny Hensel zu lesen, dass »von allen Tonkünstlerinnen der Vergangenheit wie der Gegenwart sie die bedeutendste und vielseitigste gewesen sein dürfte«. Als nachgelassenes Werk wurde das Opus 11 im Jahr 1850 von Breitkopf & Härtel in Leipzig gedruckt. P. Ä.

Henze | Hans Werner

* 1. 7. 1926
Gütersloh

Hans Werner Henze verstand sich stets als Eklektiker, der »Stil« als Kategorie kompositorischer Reinheit ablehnte, was ihm umgekehrt als »Kokettieren mit der Tradition« vorgehalten wurde. Das Theatralische als Kern seines Œuvre wirkt sich somit auch hinsichtlich seines kammermusikalischen Schaffens aus.

Henze stammt aus einer kinderreichen Lehrerfamilie. Als Frühbegabter begann er schon mit zwölf Jahren zu komponieren. 17-jährig verließ er das Elternhaus und studierte ohne Abitur an der Musikhochschule in Braunschweig. Noch in den letzten Kriegsmonaten wurde er zur Wehrmacht eingezogen, »was in ihm ein Trauma ohnmächtiger Mitschuld, aber auch den niemals erlahmenden Widerwillen gegen Krieg und Faschismus erweckte« (Hans-Klaus Jungheinrich). 1946 setzte er sein Musikstudium bei Wolfgang Fortner in Heidelberg fort. Auch an den »Internationalen Ferienkursen für Neue Musik« in Darmstadt nahm er teil; dort vermittelte ihm René Leibowitz die kompositorischen Grundlagen der Zwölftontechnik. Nach einigen Jahren am Theater, die ihm nicht die gewünschte Erfüllung brachten, verließ Henze im Jahr 1953 Deutschland, um sich in Italien niederzulassen. Grund dafür war auch, dass ihm der Darmstädter

Kreis zu dogmatisch geworden war. Dem mediterranen Ambiente ist Henze seitdem treu geblieben, wenn er auch immer wieder nach Deutschland zurückkehrte und dort vor allem in jüngerer Zeit auch als Pädagoge und Organisator von Festivals (u.a. Münchener Biennale für Neues Musiktheater, 1988–94) und Workshops hervortrat.

Den unbestrittenen Schwerpunkt von Henzes Schaffen bilden Kompositionen fürs Musiktheater: von seinem ersten Erfolg mit der Oper »Boulevard Solitude« (1952) über »Der junge Lord« (1965) und »The English Cat« (»Die englische Katze«, 1983) bis zu »Venus und Adonis« (1997). Dennoch sind seine Werke in den anderen Genres nicht weniger wichtig; zudem gibt es kaum eine strikte Trennungslinie: »Alles bewegt sich auf das Theater hin und kehrt von dort zurück«, schrieb Henze. So sind zum Beispiel die neun Sätze seiner beiden Sonaten für Gitarre solo, »Royal Winter Music«, musikalische Porträts von Gestalten aus Shakespeare-Dramen. Die Sonata für Violine solo bezieht sich schon durch ihren Untertitel »Tirsi, Mopso, Aristeo« auf die Figuren dreier Hirtenjungen aus dem Vorspiel der »Favola d'Orfeo« des Angelo Ambrogini aus Montepulciano. Die Bratschensonate wiederum nannte der Komponist selbst ein »Kammermusikstück mit einem theatralischen Aspekt« bzw. ein »Zwei-Personen-Drama«. Auch Henzes Trios und sogar seine Streichquartette können als »instrumentales Theater« bezeichnet werden; das fünfte Quartett beispielsweise folgt einem »choreografischen Traum« des Tänzers Mark Wraith. PE

Solostücke für Violine

Henze hat neben seiner Sonate »Tirsi, Mopso, Aristeo« zwei weitere Stücke für Violine solo komponiert: Die virtuose Geläufigkeitsstudie »Étude philharmonique« mit Flageoletts, Arpeggien, Pizzicati, Doppelgriffen – und mit Anklängen an die berühmte Bach-Chaconne aus der d-Moll-Partita BWV 1004 – entstand 1979 für Gidon Kremer. Die nur rund zweiminütige »Serenade« wurde 1986 von Adelina Oprean uraufgeführt. STÜ

Sonata für Violine solo »Tirsi, Mopso, Aristeo«

Sätze 1. Tirsi, 2. Mopso, 3. Aristeo
Entstehung 1976/77, revidiert 1992
UA 10. August 1977 Montepulciano
Verlag Schott
Spieldauer ca. 14 Minuten

Entstehung Die Violinsonate »Tirsi, Mopso, Aristeo« entstand in den Jahren 1976/77 als Beitrag zum zweiten »Cantiere Internazionale d'Arte« in Montepulciano – als ein Beitrag zeitgenössischer Musik zum Orpheus-Thema. Die Anregung dazu ging, so Henze, von der deutschen Geigerin Jenny Abel aus, »deren Arbeit ich sehr schätze und bewundere... Ihre Aufnahme der bartókschen Violinsonate, die mich sehr beeindruckte, ließ in mir auch den Wunsch reifen, eine Solosonate für Geige zu schreiben«. Der Komponist hat das Stück im Jahr 1992 einer Revision unterzogen.

Musik Der für den Uneingeweihten merkwürdig anmutende Untertitel des Werks, der sich auch in den Satzbezeichnungen wiederfindet, leitet sich von den Namen dreier Hirten her, die in der »Favola d'Orfeo« (1480) des Komponisten Angelo Ambrogini aus Montepulciano auftreten. »Durch sie erhalten wir Informationen über Landschaft und Jahreszeit. Wir gewinnen den Eindruck eines erotischen Klimas, es ist Aristeo, der es bestimmt, der die Nymphe Eurydice begehrt. Die beiden anderen Hirtenjungen kommentieren seinen Zustand, verlachen und beklagen ihn«, so Henze. Insgesamt stellt die Sonate ein »Triptychon von Porträts« dar.

Erster Satz Tirsi, einer der Hirtenjungen, gab dem ersten Satz seinen Namen. Seine Musik ist »nach dem Modell der haydnschen Sonate gebildet« (Henze). Der Komponist hat dabei versucht, das virtuose Element mit dem komischen zu verschmelzen. Tänzerische Rhythmik bestimmt den Satz, der insgesamt metrisch frei und in freier Tonalität gehalten ist. In den Verlauf sind Zitate eingefügt, Teile des Chores »Ahi! sorte acerba« aus dem »Orfeo« des Monteverdi. »Der Tod wird«, schreibt Henze, »damit in die heitere Welt des Pastoralen eingelassen, höfische Musik in bäurische verwoben, Archaik in Moderne.«

Zweiter Satz »Mopso« zeigt lustigen, ausgelassenen Gestus. Auch hier findet sich ein Zitat aus dem »Orfeo« Monteverdis, eines der Hirtenlieder, das variiert, mit modernen Techniken verwandelt und »somit der neuen Musik integriert« (Henze) wird.

Dritter Satz Nach der Gelassenheit des ersten und der Ausgelassenheit des zweiten Satzes geht es der Beschreibung des Komponisten zufolge nun um die »wahnwitzigen Zustände des Aristeo«. Henze stellte sich bei der Komposition vor, wie Aristeo »über die Hügel der Val d'Orcia kommt, laut pfeifend und inbrünstig unter seinem Strohhut, unter der Mittagssonne im August«. Er sieht die Nymphe Eurydike und setzt ihr nach: »Als Eurydike eben den schützenden Wald erreicht, wird sie von dieser kleinen, grauen mörderischen Viper, einer Höllenbrut, gebissen: Sie schreit, und im selben Augenblick schreit auch Aristeo, gut und gerne noch über einen Kilometer von seinem Lustobjekt entfernt, laut auf! Ein doller Moment.«

Die Musik versucht nach Angaben des Komponisten, die entscheidenden Augenblicke dieses Vorgangs »wie in fotografischer Technik«, also quasi in Momentaufnahmen, festzuhalten. Der Satz wird durch die Rondoform zusammengebunden.

Ein Ritornell aus den Klageliedern von Monteverdis »Orfeo« klingt wie aus weiter Ferne auch hier, in die moderne Rondomusik, hinein, »die Tragödie vorausnehmend, anachronistisch und prophetisch wie die Liebe, wie die Musik« (Henze).

Wirkung Die »Sonata per violino solo« stellt die weitaus umfangreichste Solokomposition Henzes für dieses Instrument dar (sein Werkverzeichnis führt außerdem noch eine vierminütige »Étude philharmonique« in der Einrichtung von Gidon Kremer aus dem Jahr 1979 sowie die 1986 entstandene, knapp zweieinhalbminütige »Serenade für Violine solo« auf). »Die Abel spielte das Stück wild und schön am Abend des 10. August«, notierte Henze über die Uraufführung durch die Widmungsträgerin Jenny Abel. Die Geigerin hat »Tirsi, Mopso, Aristeo« auch auf Platte eingespielt. PE

Solostücke für Gitarre

Entstehung Die Idee, aus dem Monolog Gloucesters, »Now is the winter of our discontent« (»Nun ward der Winter unsres Missvergnügens«) aus dem Königsdrama »Richard III.« von William Shakespeare, Musik zu entwickeln, »und weitere Musik aus dieser,« geht nach Angaben Hans Werner Henzes bis in die 1960er-Jahre zurück, nahm aber erst Mitte der 1970er-Jahre konkrete Gestalt an, als Julian Bream dem Komponisten den Vorschlag zu einem umfangreichen Werk für Gitarre machte.

Nach Beendigung der Komposition zur Oper »Wir erreichen den Fluss« führte Henze diesen Plan aus. »Damit begann eine sich über mehrere Phasen erstreckende Zusammenarbeit mit dem Instrumentalisten, aus der ich eine vertiefte Kenntnis der klanglichen und technischen Aura der Gitarre zurückbringen konnte, ja vielleicht sogar eine neue Vorstellung vom Schreiben für traditionsreiche Instrumente«, so Henze. Denn die Gitarre sei aufgrund ihrer Geschichtlichkeit ein »wissendes« Instrument »voller Limiten, aber auch voller unbekannter Weiten und Tiefen«.

Fünf Jahre nach der ersten Sonate für Gitarre entstand eine zweite, nicht nur, so Henze, »um den Gesamttitel des Zyklus (der hiermit geschlossen ist) beibehalten zu können mit seiner klaren Beziehung zu Richard III., sondern auch wegen meiner Anhänglichkeit an Shakespeares Gestalten (die zum Zustandekommen meines Weltbildes beigetragen haben)«.

Es war das erklärte Ziel von Henze und Bream, »die Gitarrenliteratur um einen substanziellen Beitrag zu bereichern… Julian sagte: Das, was die Hammerklaviersonate für die Pianisten und für die Klavierliteratur bedeutet, das muss ›Royal Winter Music‹ für die Gitarre bedeuten. Er wollte mit mir in das Innere der Gitarre vordringen, wollte das Instrument zu einem der farbenreichsten und interessantesten unserer Zeit aufsteigen sehen«, notierte Henze. PE

»Royal Winter Music. First Sonata on Shakespearean Characters«

Sätze 1. Gloucester, 2. Romeo and Juliet, 3. Ariel, 4. Ophelia, 5. Touchstone, Audrey and William, 6. Oberon
Entstehung 1975/76
UA 20. September 1976 Berlin
Verlag Schott
Spieldauer ca. 25 Minuten

Musik Die in »Royal Winter Music« gezeichneten Dramatis Personae treten, wie der Komponist es beschreibt, durch den Klang der Gitarre hindurch wie durch einen Theatervorhang. »Mit ihren Masken, ihren Stimmen und Gesten sprechen sie zu uns von großen Leidenschaften, von Zärtlichkeit, Traurigem, Komischem, seltsamen Dingen im Leben der Menschen.« In »Royal Winter Music I« hält der Komponist dabei ein eher traditionell sonatenartiges, dialektisches Verfahren ein.

Erster Satz Gloucester ist »das konzentrierte psychologische Porträt dieses virtuosen Machiavell« (Hermann Conen). Der Satz wird mit sich zur Höhe hin aufbäumenden Akkorden eröffnet, wobei diese kaum einmal den Schlag des Metrums markieren; es ist, »als ob sich Gloucester mit dem Monolog endgültig aus der menschlichen Ordnung herauskatapultiert« (Conen). Dies führt zum »aus dem Korpus herausgeschleuderten« sogenannten Gloucester-Akkord, dessen Intervallstruktur den ganzen Satz hindurch penibel eingehalten wird. Gleich zu Beginn werde deutlich, so Conen, dass »erst die Räume, die die neue Musik in allen Parametern und deren satztechnischer Verarbeitung der Musik hinzugewonnen hat, eine Figur wie Gloucester hinreichend fassen können«. Der zweite Themenkomplex dieses Satzes ist durchweg leise und stilistisch schillernd, bringt Wiederholungen auf engstem Raum. So zeichnet der Sonatendualismus die Doppelbödigkeit der hier

Julian Bream gilt als herausragender klassischer Gitarrist. Die »Royal Winter Music« komponierte Henze im Auftrag von Bream, der die erste Sonate 1976 in Berlin uraufführte.

beschriebenen Figur. In der Durchführung wird kein Ton, kein Klang mehr neu komponiert, sondern nur noch verschieden gereiht, transponiert, umgestellt und rhythmisch verändert; was an Neuem noch aufgeboten wird, ist nicht mehr Ton, sondern Geräusch, vermittelt durch die tambourageschlagenen Akkorde.

Zweiter Satz Dieser lässt Romeo und Julia singen, wobei beide Figuren sich eine Zwölftonreihe imitierend teilen. Eines der zentralen kompositorischen Mittel ist in diesem Abschnitt die Quart, »das in der Musikgeschichte zwischen den feindlichen Lagern der Konsonanz und Dissonanz hin- und hergeschobene enigmatische Intervall« (Conen).

Dritter Satz Der scherzohafte dritte Satz, dem Luftgeist Ariel aus Shakespeares »Sturm« gewidmet, ist über weite Strecken aus heterogenem Material montiert; Henze versucht, in den unkaschierten Brüchen und Sprüngen wohl die überraschenden Kapriolen von Ariels Flug nachzuzeichnen. Das Eingangsmotiv kann als Folge von Molldreiklängen betrachtet werden, wobei diese tonale Struktur, so Hermann Conen, auf die »Einbeziehung anderer tonaler Elemente (tonal deutbare Melodien, Dreiklänge, Bitonales), die hier so greifbar wie sonst nirgendwo in der ersten Sonate sind«, verweist.

Vierter Satz Er schildert Ophelias Lautenspiel, das zwischen Melodiebogen und figurativer Begleitung hin- und herpendelt. Henze greift hier in verfremdeter Übernahme auf das irische Volkslied »The Grives of Blarney« – das, von Thomas Moore umgetextet, weithin als »Last Rose of Summer« bekannt wurde – zurück.

Fünfter Satz Dieser Satz bringt ein Buffoterzett nach Shakespeares »Wie es euch gefällt«. Hier schreibt der Komponist zum ersten und einzigen Mal in dieser ersten »Royal Winter Music« durchgängig von fühlbarem Puls bestimmte Musik. Die formale Gliederung dieses Abschnitts in Perioden von meist gleichbleibender Länge lässt alte Formen durch die modernen Strukturen hindurchwirken.

Sechster Satz Der letzte Satz ist zeitlich fixiert auf die Wende vom 21. zum 22. Juni, die Mittsommernacht. Des Geisterfürsten Oberon Willkür wird durch eine hierarchisch in keiner Weise fixierte Überfülle des Materials signalisiert. Festen metrischen Halt gibt nur der allererste Takt (durch die 12/8-Vorzeichnung), doch geht dieser sogleich verloren – freier Rhythmus tritt an seine Stelle. In seinem »Reichtum an Finten und blitzschnellen Wechseln der Texturen übertrifft Oberon den Luftgeist Ariel noch um einiges... Henze hat auf dem Höhepunkt seiner musikalischen Imagination komponiert, die sich nicht vom Zwang, immer und überall verstanden zu werden, gängeln ließ«, so Conen.

Wirkung Über die Uraufführung durch den Widmungsträger Julian Bream anlässlich der Berliner Festwochen 1976 urteilte Wolfgang Burde im Berliner »Tagesspiegel«, es seien vor allem drei Strukturen hörbar geworden: »Eine virtuose, die in immer neuen Ansätzen eine durch die Register schweifende, scheinbar unendliche, jedenfalls kaum zielgerichtete Linie ausspann; eine vorwiegend harmonische Struktur, oft genug traditionell orientiert, schlagkräftig, auch gelegentlich den Gitarrenkörper einbeziehend. Und am interessantesten – als dritte Struktur – waren jene Augenblicke, in denen die Musik sich in einen imaginären Innenraum der Klänge zurückzuziehen schien, in die Welt zarter Flageoletts.« PE

»Royal Winter Music. Second Sonata on Shakespearean Characters«

Sätze 1. Sir Andrew Aguecheek, 2. Bottom's Dream, 3. Mad Lady Macbeth
Entstehung 1979
UA 25. November 1980 Brüssel
Verlag Schott
Spieldauer ca. 20 Minuten

Musik »Royal Winter Music II« verlässt das dialektische Verfahren der ersten Sonate und baut auf eine Gegenüberstellung tragischer und (tragi)komischer Charaktere. Im Zirkelschlag kommt Henze am Schluss des Werks mit der Figur der machtbesessenen, intriganten Lady Macbeth zum Anfang des Zyklus, zu Gloucester, zurück.

Erster Satz Dieser ist Sir Andrew Anguecheek (Junker Bleichenwang) aus »Was ihr wollt« gewidmet, einer der »Lieblingsgestalten«

Der Gitarrist Julian Bream

Der Engländer Julian Bream löste in den 1960er-Jahren Andrés Segovia als bedeutendsten klassischen Gitarristen ab. Mit einem rationaleren Zugang zum Instrument als sein spanischer Kollege eroberte er sich ein weltweites Publikum, auch auf der Laute – solistisch und im 1960 gegründeten, auf alte englische Lauten- und Consortmusik spezialisierten »Julian Bream Consort«. Allerdings übernahm Bream für die Laute die Spieltechnik der Gitarre und spielte originale Lautenmusik (etwa die Suiten von Bach) auch weiterhin auf der modernen Konzertgitarre.

Auf die Erweiterung des Gitarrenrepertoires hatte Bream eine ähnliche Wirkung wie vor ihm Segovia. Zahlreiche Komponisten schrieben neue Stücke für ihn, darunter neben Henze u. a. Lennox Berkeley (Sonatina op. 52 Nr. 1, 1957), Benjamin Britten (»Nocturnal after John Dowland« op. 70, 1963), Malcolm Arnold (Fantasy op. 107, 1971), William Walton (Fünf Bagatellen, 1972), Peter Maxwell Davies (»Hill Runes«, 1981) und Toru Takemitsu (»All in Twilight«, 1987).

Henzes aus seiner Braunschweiger Studentenzeit. »Die Komik Bleichenwangs liegt in seiner Unfähigkeit, sich in der Welt zurechtzufinden und in ihr zu leben«, so Henze. Dies wird zu Beginn durch einen von fallenden Halbtonschritten bestimmten, mit Irrlichtern durchsetzten Trauermarsch (Marcia, non troppo funebre. Sempre incalzando) symbolisiert. Köstlich die »Cadenza II« dieses Satzes, in der Sir Andrew quasi eine Zwölftonreihe erfindet. »Wir können zuhören, wie sie entsteht, wie er sie seinem tonalen Geschmack geradezu abringt«, meint Conen. Bleichenwang will uns dabei wohl zeigen, »dass selbst in einem hochsensiblen Körper wie dem seinen noch eine hochmusikalische, ja konstruktive Seele auf ihren Einsatz wartet«.

Zweiter Satz Er führt zurück zur Mittsommernachtsszenerie vom Schluss der ersten Sonate: »Bottom's Dream« (Zettels Traum). Zwischen dem Seufzermotiv in parallelen kleinen Terzen, halbtonweise hin- und hergeschoben, zu Beginn und den Waldhornimitationen am Schluss des Satzes gießt Henze Zettels Wunsch, nie mehr aus seinem Traum zu erwachen, um in

die Form vielschichtig auskomponierter Wiederholungen.

Dritter Satz Schließlich tritt im letzten Satz Lady Macbeth auf, »wie Maria Callas in dieser Rolle aussehend (aber nicht so tönend), mit langem Gewand und aufgelöstem Haar, irren Blickes« (Henze). Ihr Wahnsinn legt ungeheure Kräfte frei: »Henze setzt die Eruptionen in diesem grandiosen Schlusssatz in Virtuosität der ständig wechselnden Texturen und in eine Form um, die mit herkömmlichen Begriffen nicht mehr zu beschreiben ist.« Er fügt extrem heterogenes Material zusammen, fasst »den Wahnsinn der Lady, das Aus-den-Fugen-der-Wirklichkeit-Geraten in die Gestalt einer linearen Collage… in der die in sich stimmigen Teile durch freie Assoziation zusammenmontiert werden« (Conen).

Wirkung Die zweite Sonate, obwohl wiederum Julian Bream gewidmet, wurde von dem deutschen Gitarristen Reinbert Evers uraufgeführt. Beide Künstler haben den vollständigen Zyklus auch eingespielt.   PE

Einspielungen (Auswahl)
- Gesamtaufnahme: David Tanenbaum (Gitarre), 2003; Stradivarius/harmonia mundi

Duos

Die meisten Stücke von Henze für ein Melodieinstrument und Klavier verlangen die Geige als Soloinstrument: Nach einer frühen Violinsonate (1. Prélude, 2. Nocturne, 3. Intermezzo, 4. Finale; 1946) komponierte er eine Sonatine mit Musik aus dem Märchen für Musik »Pollicino« (1. Allegretto, 2. Moderato assai, 3. Passacaglia; 1979), »Fünf Nachtstücke« (1990), die in ihrer Klanglichkeit das Zwielichtig-Unbestimmte beschwören, sowie die rund 30-minütigen Variationen »Der verdoppelte Vitalin« (2003).

Der Flöte hat Henze eine Sonatine (1. Moderato, 2. Allegro molto vivace, 3. Andantino, 4. Presto; 1947) zugedacht, dem Cello »Englische Balladen und Sonette« (sechs Stücke, 2003).   STÜ

Sonata für Viola und Klavier

Entstehung 1978/79
UA 20. April 1980 Witten
Verlag Schott
Spieldauer ca. 20 Minuten

Entstehung Die »Sonata per viola e pianoforte« entstand im Winter 1978/79. Das Werk ist für den Bratscher Garth Knox und den Pianisten und Dirigenten Jan Latham König geschrieben – »als ein Zeichen der Anerkennung für ihre Bemühungen um das Musikleben in Montepulciano« (Henze).

Musik Nachdem der Komponist in seinem zweiten Streichquartett von 1952 die klassische Sonatensatzform überwunden hat, greift er in der einsätzigen Bratschensonate bewusst wieder auf dieses dialektische Prinzip zurück. Er unterbricht die – über mehrere Abschnitte verteilte – dramatische Entwicklung freilich ständig, um refrainhaft und fragmentarisch Elemente eines langsamen Satzes und auch solche des Scherzos einzufügen. »Aber der Hauptgegenstand ist die Gegenüberstellung zweier kontrastierender Elemente und ihre graduelle dramatische Entwicklung, in der sie mehr und mehr verwandelt werden, ineinander verflochten, bis sie das andere geworden sind, bis eines die Gestalt des anderen angenommen hat«, schreibt Henze. Damit meint er Folgendes: Was in der Exposition der Bratsche und was dem Klavier anvertraut ist, wird in der Durchführung dergestalt verändert, dass schließlich der Bratschencharakter ins Klavier und der Klaviercharakter in die Bratsche übergeht.

Henze hat das Werk im Gespräch einmal ein »Kammermusikstück mit einem theatralischen Aspekt« und ein »Zwei-Personen-Drama« genannt; es habe mit »Auseinandersetzungen, Spannungen und Streit« zu tun. Dies ist programmatisch gedeutet worden: eine »klassische Liebesbeziehung« à la Romeo und Julia, Tristan und Isolde oder gar Lulu und Doktor Schön sei hiermit gemeint. Doch: »Imaginäres Theater ist keine Programmmusik, so wenig, wie die Form der Sonate hier in einem klassizistischen Sinne als ›tönend bewegte Form‹ missverstanden werden will«, so Fritz Lichtenhahn. Das »Drama« vollzieht sich innerhalb der Musik.

Wirkung Anlässlich der Uraufführung bei den Wittener Tagen für neue Kammermusik schrieb Heinz Josef Herbort in der Wochenzeitung »Die Zeit«, hier dürfe »ein Geiger (Bratscher) wieder tun, was er gelernt hat: eine Linie, eine Melodie, ein Thema spielen, die in ihrem ganzen Umriss und in ihrem Volumen mehr Intensität haben als alle zwischenzeitlichen Versuche, durch Klopfen und Kratzen angeblich die klanglichen Möglichkeiten zu erweitern«. PE

Streichquartette

Streichquartett Nr. 1

Sätze 1. Allegro molto, 2. Andantino, 3. Lento, ma non troppo, 4. Presto
Entstehung 1947
UA 1947 Heidelberg
Verlag Schott
Spieldauer ca. 20 Minuten

Entstehung Das erste Streichquartett komponierte Henze 1947 als 21-Jähriger noch unter dem Einfluss seines damaligen Lehrers Wolfgang Fortner.

Musik Das Werk weist die »klassische« viersätzige Form auf; es ist in erweiterter Tonalität geschrieben und lehnt sich in dieser Hinsicht an die »klassische Moderne« eines Bartók, Hindemith und Strawinsky an. Henze schreitet, so Peter Petersen, »mit den Zentraltönen der vier Sätze C–G–G–C einen geschlossenen Zyklus aus, der auch in seiner Tempofolge (mit einem motorisch vitalen Presto-Finale in der Art einer Gigue) an klassische Muster angelegt ist«.

Wirkung Die Uraufführung fand 1947 durch das Freund-Quartett in Heidelberg statt. Der Komponist beurteilte sein Streichquartett rückblickend so: »Die Sprachgestik ist noch unbewusst, unklar, tastend, auch konventionell, man spürt das Suchen und Versuchen – dabei hatte ich vorher schon mehrere Quartette entworfen, sie aber alle als missglückt beiseitegelegt.« PE

Streichquartett Nr. 2

Sätze 1. Viertel = 70, 2. Achtel = 69, 3. Achtel = 152
Entstehung 1952
UA 16. Dezember 1952 Baden-Baden
Verlag Schott
Spieldauer ca. 15 Minuten

Entstehung Das zweite Quartett entstand 1952, als sich Henze auf Anregung von René Leibowitz in den Kompositionen Schönbergs, Bergs und Weberns mit der Zwölftontechnik auseinandergesetzt hatte.

Musik Das Werk ist entsprechend streng zwölftönig gehalten. Der zugrunde gelegten Zwölftonreihe gewinnt Henze jedoch ständig neue Perspektiven ab, indem er ihre Intervalle vielfältig kombiniert und sie so in immer wieder anderer Beleuchtung erscheinen lässt.

Die drei Sätze des Werks sind formal frei angelegt: »Sinnentlehrte Bewahrung traditioneller Formen«, etwa des klassischen Sonatensatzes, den er als konstruktives Element für nicht mehr relevant hält, ist Henzes Sache nicht. Dennoch möchte er »stehen gebliebene« traditionelle Gestaltungselemente nicht einfach über Bord werfen, sondern »neue Polaritäten« daraus gewinnen. So kann die Sonatenform im ersten Satz noch in Umrissen erkannt werden, im zweiten »ein Lied mit einem Scherzofragment als Coda, und im dritten ein Rondo mit einigen (diskreten, fast unmerklichen) Anspielungen auf so etwas Frivoles wie einen Tango« (Henze). Diese Innenspannungen charakterisieren das Streichquartett.

Wirkung Das Parrenin-Quartett spielte am 16. Dezember 1952 beim Südwestfunk in Baden-Baden die Uraufführung des Streichquartetts. Mit diesem Werk hat der Komponist nach eigener Aussage gehofft, »auf dem Weg über die satztechnische Strenge zu Mozart gelangen zu können, zu einer Schwerelosigkeit, Spiritualität, Melodiosität, zu einer Musik ohne Narben... Um solch ein hohes Ziel zu erreichen, muss man, was nicht überraschen sollte, immerzu und das ganze Leben lang üben, besonders, wenn man nicht Mozart ist« (Henze). PE

Streichquartett Nr. 3

Entstehung 1975
UA 12. September 1976 Berlin
Verlag Schott
Spieldauer ca. 19 Minuten

Entstehung Seine nächsten beiden Streichquartette komponierte Hans Werner Henze erst nach einer Pause von über 20 Jahren. »Die Arbeit an diesen neuen Quartetten... hat sich über ein Jahr hin erstreckt. Allen gemeinsam sind die Auseinandersetzungen zwischen alten und ganz neuen Erscheinungsformen der Instrumentalmusik. Ich lasse sie ineinander übergehen, sich ablösen und sich überschneiden«, so Henze.

Die Niederschrift des dritten Streichquartetts begann im Oktober 1975: »Eine Oktobermusik soll es werden, und die Gefühle von Altern, von den Leiden, den selbst zugefügten, von der Liebe und vom Sterben, die sollen allesamt darin zur Sprache kommen, aber still und duldsam, resignatorisch. Ein goldrotes Stück mit einem eiskühlen Himmel dahinter, unter dem fallendes Laub«, schreibt Henze. Dann starb Anfang 1976 Margarete Adele Geldmacher, die Mutter des Komponisten; das Quartett wurde ihr gewidmet.

Musik In diesem einsätzigen Werk (dem ersten einer, wie Henze feststellt, »neuen Gruppe«) setzt der Komponist eine Anzahl frei erfundener Gestalten als Exposition an. Diese Kurzzellen, aus wenigen Takten, wenigen Noten und unterschiedlich langen Phrasen bestehend, machen im Verlauf des Werks vielerlei Metamorphosen durch, »werden zu immer anderen Gestalten, kommen zu anderen Ausdrucksformen« (Henze).

Wirkung Die Reaktionen auf die Uraufführung des Werks durch das Concord String Quartet am 12. September 1976 bei den Berliner Festwochen war höchst unterschiedlich: Georg Quander (der spätere Intendant der Deutschen Staatsoper Berlin) mäkelte im »Spandauer Volksblatt«, das Werk sei »von einem seltsamen Anachronismus beseelt: weitgehend tonal, maniriert in der Variierung der (blassen) Grundmotive und traditionell in Satz und Spielweise«. Ferner sprach er von einer »bedauerlich nostalgischen Haltung« des Stücks. Wilfried W. Bruchhäuser (»Berliner Morgenpost«) formulierte, Henze ginge es immer darum, die Ansätze zu musikalischen Charakteren »in eine – allerdings merkwürdige – Wesenlosigkeit aufzulösen, die im Ergebnis nur noch larmoyant vor sich hinträ<t«. Hingegen stellte der Rezensent des Berliner »Abend« fest, Henze habe mit dieser neuen Arbeit bewiesen, dass er »nach wie vor zu den stärksten Potenzen der zeitgenössischen deutschen Musik gehört«.   PE

Streichquartett Nr. 4

Sätze 1. Molto agitato, 2. Adagio, William Byrd Pavana, 3. Allegretto moderato, 4. Rondo improvvisato
Entstehung 1976
UA 25. Mai 1977 Schwetzingen
Verlag Schott
Spieldauer ca. 37 Minuten

Entstehung »Musikalische und unmusikalische Erfahrungen der frühen 1970er-Jahre (darunter solche, die das dritte Quartett verursacht

haben)« spielten, wie Henze schreibt, in sein viertes Quartett hinein, das eine für seine Verhältnisse »recht weitgehende experimentelle Komponente« habe. Es entstand im Jahr 1976. Man könne es, so Henze, als Reflexionen über Stil und Inhalt des Musiktheaterwerks »We come to the River« betrachten: »Ich arbeitete im Frühjahr '76 in London jeden Abend an diesem Stück, nachdem ich tagsüber die Oper für Covent Garden inszenierte.«

Musik Henzes viertes Streichquartett weist wie sein erstes Quartett die klassische Viersätzigkeit auf. Jeder Satz hat, wie der Komponist es ausdrückt, »einen anderen Protagonisten«: der erste das Cello, das einen »eigentümlich gereizten und clownhaften Monolog oder Tanz aufführt«, an dem die drei anderen Instrumente eher als Zuhörer beteiligt sind. »Alles ist gestisch, gestikulierend.«

Die zweite Abteilung ist der Bratsche gewidmet, die ein ausgedehntes »Selbstgespräch« führt; ihre »Musik trifft im Herabsinken immer wieder auf die Noten einer elisabethanischen Pavane und verstrickt sich mit ihr, die in träumerischen Verlangsamungen und wie von Ferne

Henze versteht sein viertes Streichquartett als Reflexion über seine Oper »We come to the River«, die er zeitgleich komponierte. Das Bühnenwerk ist ein radikales Credo gegen den Krieg. Es wurde im September 2001 an der Hamburgischen Staatsoper im Gedenken an den Terroranschlag auf das World Trade Center in New York aufgeführt (Bild).

auf den Griffbrettern der übrigen Instrumente erinnert wird« (Henze). An anderer Stelle beschrieb der Komponist dieses Adagio als »eine moderne Ruinenlandschaft, versetzt mit Schlingenkraut, Akanthus und tristem Immergrün«.

Der dritte Satz mit der konzertierenden zweiten Violine, skizziert »an einem sonnigen Wochenende in Dorset«, lässt den Hörer, so Henze, in einer »idyllischen, in sich ruhenden Welt« landen. Dass dies ein wenig von einem »Theatereffekt« haben könnte, gibt der Komponist zu – es sei aber vor allem das Bedürfnis nach Abwechslung und Veränderung, und vielleicht auch »ein Gedanke an die traditionelle Rolle des Scherzosatzes als tanzartiges, ländliches Divertissement«.

Neu für Henze ist die aleatorische Anlage des vierten Satzes, den er mit »Rondo improvvisato« überschrieben hat. Der Spieler der ersten Geige bestimmt den formalen Ablauf: Er legt die Reihenfolge der 27 größeren und kleineren Zeilen fest (Anfang, Mitte und Schluss sind allerdings vom Komponisten fixiert). Für die übrigen Instrumente erfand Henze »kleine und größere Sektionen, die der Hauptstimme untergeordnet sind, Entsprechungen und Varianten zu ihr enthalten und die ihr von den drei sekundierenden Spielern während der Aufführung spontan zugespielt werden«. Die Hauptstimme kommt rondohaft auf bestimmte Sektionen mehrfach zurück. »Alles andere an Fom und Zusammenwirkung entsteht im Spiel« (Henze); so stellt jede Aufführung eine neue Fassung des Werks dar. Der Finalsatz steht in Beziehung zur ebenfalls aleatorisch angelegten Schlachtszene des ersten Akts der Oper »We come to the River«, die Henze während der Komposition des Quartetts gerade inszenierte.

Wirkung Eigentlich sollten das dritte und vierte Quartett gemeinsam bei den Berliner Festwochen 1976 uraufgeführt werden; Henze hat das vierte dann jedoch zunächst zurückgezogen, sodass es vom Concord String Quartet am 25. Mai 1977 in Schwetzingen erstmals gespielt wurde. Danach konstatierte Dietmar Polaczek in der »Frankfurter Allgemeinen Zeitung« eine »hochexpressive, dramatisch dichte, in ›unreiner‹ Harmonik noch tonale Zentren markierende Musik«, die im Gestus der Wiener Schule erstaunlich nahestünde, während die quasiim-

provisatorischen Abschnitte eher wirkten »wie ein missverstandener Lutosławski«. Die »paar grafisch notierten Einsprengsel« machten einen »sonderbar naiven, simplen Eindruck, als habe Henze sich auf ein Terrain vorgewagt, das ihm unbekannt ist«. Kurt Jöckle hingegen schwärmte in der »Frankfurter Neuen Presse«, die Quartette (im gleichen Konzert wurde auch Henzes fünftes Streichquartett uraufgeführt) verfügten »über einen außerordentlichen Reichtum an Formen, die offenbar sehr überlegt und konsequent durchgebildet werden. Gerade darin demonstriert sich aber die eminente Kunst Henzes, ein wesentlicher Aspekt dessen, was man sein ›Genie‹ nennen möchte: Die Konstruktion erweist sich nicht nur als kunstvolles Gerüst, sondern sie wird von Henze mit blutvollem, aufregendem Leben erfüllt.« PE

Streichquartett Nr. 5

Sätze 1. Viertel = 72, 2. Atemlos, wild, 3. Viertel = Herzschlag, 4. Still, entlegen, 5. Echos, Erinnerungen, ganz von fern, 6. Morgenlied
Entstehung 1976/77
UA 25. Mai 1977 Schwetzingen
Verlag Schott
Spieldauer ca. 25 Minuten

Entstehung Die ersten Skizzen zu diesem Werk sind nach Henzes Angaben im März 1976 »auf den verschiedenen Stationen eines Fluges von Rom nach Sydney« entstanden. Sie wurden, kaum verändert, zum Grundmaterial der Komposition. In Sydney habe dann der Tänzer Mark Wraith dem Komponisten einen seiner choreografischen Träume aufgeschrieben, und dieser versuchte daraufhin, »in Musik wiederzugeben, was ihm an Bewegung in Raum und Psyche vorgeschwebt« habe. Vom Alleinsein sei die Rede, von Kampf und Nachtmahren, von Stille, vom Heraufkommen des Morgens, von Genesung. Im Sommer 1976 hat Henze die Musik dann weiterentwickelt, aber erst zur Jahreswende 1976/77 in ihre endgültige Form gegossen. Der Komponist widmete das Werk dem am 4. Dezember 1976 verstorbenen Benjamin Britten.

Musik Henzes fünftes Streichquartett hat sechs Sätze. Der Erste, in der Form einer Invention, ist ein klagendes Arioso, in dessen »Lyrik die Thematik der ganzen Arbeit sich schon vorbildet«. Den Skizzen nach sollte er den Titel »Sommersturm« bekommen; Henze hat ihn während eines dreitägigen Scirocco in den Albaner Bergen komponiert. »Überall ist der tagebuchartige Charakter dieses Quartetts zu verfolgen«, notiert Henze.

Der zweite Satz, wild vorangehend, ist der Schwerpunkt des gesamten Werks und in der Form eines vierstimmigen Kontrapunkts in zwei Versen angelegt. Die ersten 58 Takte lang hat die Bratsche die Hauptstimme, und das Cello hält mit einer Nebenstimme dagegen. »Gleichzeitig wird von der ersten Geige das Tonmaterial der Bratschenmusik krebsförmig in verminderter Quintlage gespielt und das des Cellos auf die gleiche Weise, aber in Quartlage, von der zweiten Geige«, so Henze. Die beiden letzteren Partien gehen über den Doppelstrich, der das Ende der Bratschenmusik bedeutet, um 13 Takte hinaus und werden, wie der Komponist es beschreibt, von diesem Augenblick an schon hauptstimmig. Im nach diesem »Zwischenspiel« ansetzenden zweiten Vers übernimmt die erste Geige die Bratschenstimme aus dem ersten Vers, die zweite Geige jene des Cellos. Die Bratsche hingegen beginnt bereits im Zwischenspiel mit der »krebsgängigen Umkehrung der Partie der zweiten Violine aus dem ersten Vers«, das Cello hingegen, das im Zwischenspiel »frei kontrapunktierte, setzt erst zu Beginn des zweiten Verses an zum krebsförmigen Gang der Umkehrung der vorigen Partie der ersten Violine« (Henze). Dieser zweite Vers verwandelt die Welt des ersten. Das Tonmaterial ist identisch, doch »rhythmisch und im Affekt entsteht wesentlich anderes. Während im ersten Vers harte Akzente und immer neue Impulse die Musik vorangetrieben hatten, kraftvoll und rastlos, scheinen die Werte im zweiten Teil sich voneinander lösen zu wollen in einem Verlust von Schwerkraft« (Henze).

Die folgenden drei Abteilungen sorgen nach dem aufregend-stürmischen zweiten Satz für Beruhigung. Der dritte ist »voller Schweigen« (Henze), kommt beinahe zum Stillstand. Der vierte Satz bildet eine Variante des Madrigals des Kranken aus dem zweiten Akt von »We come to the River« aus – dort eine A-cappella-Stelle,

doch »in der Übertragung auf Streichquartett sind Gegenstimmen und Verästelungen dazugekommen« (Henze). Im fünften Satz kehren Elemente des ersten wieder, doch dessen Musik wird hier ins Negative gewendet.

Der Schlusssatz ist als Aubade (»morgendliches Ständchen«) in vier Strophen gestaltet. Die erste bringt in der Bratsche einen weitausgesponnenen Gesang, »noch unsicher, noch halb im Traum« (Henze). In der zweiten Strophe führt die zweite Geige, vorerst verhalten agierend; der Komponist spricht vom »Zerbrechen des Traums«. Die Nebenstimmen aus der ersten Strophe werden jedoch nicht wieder aufgenommen, »dieses Material ist zerstoben, verflogen wie Nachtvögel und Fledermäuse bei Frühlicht« (Henze). Die dritte Strophe verkündet »fast quälend« die zunehmende Helle des Tages in immer heftigerer Gestik, wobei die nun von der ersten Violine geführte Melodie »Zerreißproben ausgesetzt« wird. In der letzten Strophe ist dann das Cello tonangebend: »Die Traumwelt erhält neue Realität im Licht der Sonne…, die flüchtigen Nebenstimmen sind nun nicht mehr zu hören, es gibt nur festere, solidere Stimmen, in ihrer Verbreiterung färbt die Hauptstimme auf sie ab, sie werden von ihr in zunehmendem Maße durchtränkt, bis sie vertikal gehört werden können und zu Harmonie werden«, so Henze.

Wirkung »Es entstand immer wieder der Eindruck, dass Henze – wenn es nur irgend ginge – am liebsten ›Tschaikowski-Ballette‹ und ›Schubert-Quartette‹ schrieb«, vermerkte Gabor Halasz in der »Badischen Zeitung« anlässlich der Uraufführung des fünften Streichquartetts, die am 25. Mai 1977 in Schwetzingen mit dem Concord String Quartet stattfand. Denn der »gesamte musikalische Habitus« der bislang letzten Streichquartette Henzes verrate die »schöpferische Auseinandersetzung mit dem ästhetischen Ideal von Klassik und Romantik«. Selbstverständlich wirke Henzes Tonsprache keineswegs überholt, es handle sich »im Gegenteil um Neue Musik, deren Faktur sich ohne Einschränkung der avanciertesten kompositorischen Techniken« bediene, doch die Werke zeigten »jenen konzilianten Zug, der seine Art von jener radikaler Avantgardisten unterscheide«.

Dietmar Polaczek konstatierte in der »Frankfurter Allgemeinen Zeitung« eine »frappante Verwandtschaft« des fünften Streichquartetts »mit der Musik Alban Bergs, besonders mit der ›Lyrischen Suite‹ und natürlich dem Streichquartett op. 3«. Hans-Klaus Jungheinrich stellte in der »Frankfurter Rundschau« fest, die Musikgeschichte der letzten Jahre habe mit Henzes viertem und fünftem Streichquartett »ein paar kräftige Kerben bekommen… wie kaum andere Werke gleich welcher Gattung sie jüngst hinterlassen haben«.

Das Arditti String Quartet erarbeitete die fünf Henze-Quartette zusammen mit dem Komponisten und spielte sie auf CD ein. Es kehrte dabei, so die Zeitschrift »FonoForum«, »die avantgardistischen Momente der Musik hervor, ein anderes Ensemble könnte mit dem gleichen Recht auch aus klassischem Blickwinkel heraus operieren«. PE

Einspielungen (Auswahl)
- Gesamtaufnahme: Arditti String Quartet, 1988/89; Wergo

Hindemith | Paul

* 16. 11. 1895
Hanau
† 28. 12. 1963
Frankfurt am
Main

50558

Paul Hindemith lässt sich rückblickend als der deutsche Klassiker der modernen Musik würdigen. Sein Komponieren war vom Spiel inspiriert. Er selbst war Geiger, Bratschist, aber auch Pianist und experimentierfreudiger Bläser. Seine Musik kam nicht aus, sondern vor einem System. Sie entsprang und diente der Praxis, richtete sich an die Menschen in ihrer Zeit und kannte weder eine Kunst ohne Handwerk noch eine Ästhetik ohne Ethik.

Auf seinem Weg vom kompositorisch rücksichtslosen Draufgänger zum eigenstilistisch vertieften Gestalter fand Hindemith den Nährboden seines Schöpfertums im Wurzelgrund vorklassischer Musik. Dabei hielt die Individualität des Genies seinem Werk jedweden platten Traditionalismus fern.

Hindemiths Vater, der selbst gern Musiker geworden wäre, drillte seine drei Kinder von früh auf und schickte sie als »Frankfurter Kindertrio« herum. So kam der junge Paul bald mit allen Bereichen der Musik in Berührung und blieb ihnen zeitlebens verbunden: der klassischen ebenso wie der Unterhaltungsmusik, der Gebrauchsmusik wie der »erhabenen« Kunst, den musizierenden Laien wie den Berufsmusikern. Am Konservatorium in Frankfurt von Arnold Mendelssohn und Bernhard Sekles mit den Grundlagen der Satztechnik vertraut gemacht, ließ Hindemith in seinem Schaffensdrang keine Gattung aus.

Ein Ausgangs- und Schwerpunkt seines Werkes war jedoch die Kammermusik, die ihm, dem Geiger und Bratscher von Rang (solistisch wie in Trio und Quartett), besonders nahestand und die zu Beginn der 1920er-Jahre seinen Weltruhm begründete. 1921 erwarb er sich beim Donaueschinger Musikfest, dessen Herz und Kopf er alsbald wurde, den Ruf eines Rebellen der neuen Musik; 15 Jahre später duldete das nationalsozialistische Deutschland keine Aufführungen seiner Werke mehr. Die Oper »Mathis der Maler«, Inbild seiner musikalisch-künstlerischen Reife, musste 1938 im schweizerischen Exil uraufgeführt werden, dann trieb der Krieg Hindemith (und seine Frau) weiter in die USA, wo er an der Yale University als Lehrer fortwirkte wie zuvor in Berlin und später in Zürich. Acht Jahre nach dem Zweiten Weltkrieg übersiedelte der amerikanische Staatsbürger (ab 1946) an den Genfer See, doch den Tod fand er in der hessischen Heimat. Die Vollendung seines Musiklebens gipfelte in späten Meisterwerken und in den nicht unangefochtenen Versuchen theoretischer Zusammenfassung.　　　　　　HO

Solosonaten

Da Hindemith von Kindheit an als Streicher ausgebildet worden war und er auf Geige und Bratsche eine überreiche Musizierpraxis hatte, lag für ihn auch beim Komponieren die Beschäftigung mit den Streichinstrumenten nahe: Von seinen acht erhaltenen Sonaten für ein Instrument – die Kompositionen für Klavier, Orgel und Harfe sowie die »Acht Stücke für Flöte allein« nicht eingerechnet – sind drei für Violine geschrieben, vier für Bratsche und eine für Violoncello. Mit Ausnahme der letzten Bratschensonaten entstanden all diese Kompositionen in Hindemiths früher Schaffensphase vor seinem 30. Geburtstag.　　　　　　HO

Sonate für Violine allein op. 11 Nr. 6

Die als op. 11 Nr. 1 geplante und später als Nr. 6 gezählte »Sonate g-Moll für Violine allein« von 1916 liegt nur fragmentarisch vor. Vollständig erhalten ist lediglich der dritte Satz (Finale: Lebhaft) mit in Sechzehntelfiguren durchlaufenden Eckteilen und einem ruhigeren, aber rhythmisch abwechslungsreichen Mittelteil. Das emphatisch endende Stück verrät die geigerischen Erfahrungen des Komponisten und seine Kenntnis gattungsgeschichtlicher Vorbilder, etwa der Solosonaten Bachs und Regers.

Hans Lange, Hindemiths Kollege am Konzertmeisterpult des Opernhausorchesters in Frankfurt, führte die Sonate 1917 erstmals in Limburg und Tübingen auf.　　　　　　HO

Einspielungen (Auswahl)
- Christian Tetzlaff, 2001 (+ Kammermusik von Prokofjew, Poulenc und Berg); EMI

Sonate für Violine allein op. 31 Nr. 1

Sätze 1. Sehr lebhafte Achtel, 2. Sehr langsame Viertel, 3. Sehr lebhafte Viertel, 4. Intermezzo, Lied, 5. Prestissimo
Entstehung März/April 1924
UA 21. Mai 1924 Freiburg im Breisgau
Verlag Schott
Spieldauer ca. 10 Minuten

Sonate für Violine allein op. 31 Nr. 2 »Es ist so schönes Wetter draußen«

Sätze 1. Leicht bewegte Viertel, 2. Ruhig bewegte Viertel, 3. Gemächliche Viertel (pizzicato), 4. Fünf Variationen über das Lied »Komm lieber Mai« von Mozart
Entstehung März/April 1924
UA Januar 1927 Köln
Verlag Schott
Spieldauer ca. 7 Minuten

Entstehung 1922 war Hindemith als Bratschist Mitbegründer des Amar-Quartetts. Für den namengebenden Primarius, den türkischen Geiger Licco Amar, komponierte er 1924 in den beiden Monaten vor seiner Hochzeit mit Gertrud Rottenberg die erste Sonate, für den zweiten Geiger Walter Caspar die zweite. Gemeinsam mit den bereits ein Jahr zuvor entstandenen Kompositionen »Sonate für Bratsche solo« und »Kanonische Sonatine für zwei Flöten« wurden sie dem Opus 31 zugeordnet.

Musik Die beiden Stücke stehen am Schluss von Hindemiths erster, mehrjähriger Beschäftigung mit der Sonate (danach folgte eine Pause von elf Jahren). Insofern wirkt sich in beiden Werken die mittlerweile große Erfahrung des Komponisten aus. Die formale Disposition ist klarer gesteuert, das Material bewusster und ausgereifter gestaltet. Gemeinsam ist den beiden Sonaten – neben der jeweils sehr abwechslungsreich gestalteten Satzfolge – die ausdrückliche Anlehnung ans Lied, das im ersten Fall »ganz leise und zart zu spielen« ist und im zweiten den gemütvollen Abschluss der Sonate bildet, der auch für den programmatischen »Untertitel« verantwortlich ist.

Wirkung Die Uraufführung der ersten Sonate besorgte der Widmungsträger Amar. Da sich das verloren gegangene Autograf der zweiten Sonate im Besitz Walter Caspars befand, ist auch hier die Uraufführung durch den Widmungsträger wahrscheinlich. HO

Sonate für Bratsche allein op. 11 Nr. 5

Sätze 1. Lebhaft, aber nicht geeilt, 2. Mäßig schnell, mit viel Wärme vorgetragen,
3. Scherzo: schnell, 4. In Form und Zeitmaß einer Passacaglia
Entstehung Juli 1919
UA 14. November 1920 Friedberg
Verlag Schott
Spieldauer ca. 20 Minuten

Entstehung Hindemith, der bereits einige Jahre im Quartett seines Violinlehrers Adolf Rebner die zweite Geige gespielt hatte, konnte 1919 in diesem Ensemble die Bratsche übernehmen, die zu seinem bevorzugten Instrument wurde. Nach der Sonate für Bratsche und Klavier (aus demselben Jahr und Opus) setzte er die Viola nun erstmals unbegleitet ein; er widmete das Werk »Herrn Professor Dr. Karl Schmidt«, einem in Friedberg ansässigen Altphilologen.

Musik Erstmals innerhalb seiner Sonaten op. 11 verzichtet der Komponist hier auf die Angabe eines tonalen Zentrums bzw. auf die Fixierung durchgängiger Vorzeichen. Zudem vollzieht Hindemith eine Weichenstellung in eine neobarocke Richtung, die besonders durch den vierten Satz bestätigt wird. Die Passacaglia – von Hindemith hier erstmalig, später wiederholt in seinen Werken verwendet – zeigt deutliche Parallelen zur berühmten Chaconne aus der d-Moll-Partita BWV 1004 von Bach. In das Thema seiner Passacaglia gliedert Hindemith den wesentlichen Bestandteil seines Hauptthemas aus dem ersten Satz ein und schweißt somit die Ecksätze stärker aneinander.

Der Kopfsatz ist der Sonatensatzform verpflichtet, wobei Haupt- und Seitenthema nicht die sonst übliche Gegensatzschärfung erhalten. Der zweite Satz greift zunächst in zwei Oktavsprüngen mächtig aus, um später in eine von Sechzehnteln geführte Linienbewegung zu kommen. Das folgende Scherzo ist eher akkordisch gedacht.

Die abschließende Passacaglia steht im Duktus einer Sarabande und variiert ihr Thema 22-mal, bestimmt es aber durch seine Wiedereinsetzung in Anfang, Mitte und Schluss zu einer deutlich erkennbaren Konstante. Neben den vorklassischen Einflüssen wirkt in die Gestaltung der Sonate auch Hindemiths Kenntnis der Sonate für Violine allein op. 91/7 von Max Reger hinein.

Wirkung Hindemith selbst spielte die Uraufführung der Sonate, deren erster Satz 1922 als Beilage der Zeitschrift »Melos« veröffentlicht wurde. Offensichtlich hielt der Komponist sein Werk für ungenügend, da er drei Jahre später eine weitere Sonate für Bratsche allein (op. 25/1) »als Ersatz für die erste Solobratschensonate« schrieb. HO

Sonate für Bratsche allein op. 25 Nr. 1

Sätze 1. Breite Viertel, 2. Sehr frisch und straff,
3. Sehr langsam, 4. Rasendes Zeitmaß, wild, Tonschönheit ist Nebensache, 5. Langsam, mit viel Ausdruck
Entstehung März 1922
UA 18. März 1922 Köln-Mülheim
Verlag Schott
Spieldauer ca. 13 Minuten

Entstehung Wie viele seiner Instrumentalkompositionen hat Hindemith auch diese Sonate mit erstaunlich leichter Hand bewältigt: »Die zwei Sätze I und V habe ich im Speisewagen zwischen Köln und Frankfurt komponiert und bin gleich aufs Podium und habe die Sonate gespielt.« Sie ist dem Prager Geiger Ladislav Černy gewidmet.

Musik Seit dem Erfolg seines Streichquartetts op. 16 sah sich Hindemith mit einem neuen kompositorischen Selbstverständnis, das ihn 1922 den Großteil seines bisherigen Schaffens geringschätzen ließ: »Als Komponist habe ich meist Stücke geschrieben, die mir nicht mehr gefallen: Kammermusik in den verschiedensten Besetzungen, Lieder und Klaviersachen.« Unbeschadet der Schnelligkeit, mit der er komponierte, gelangte er mehr und mehr zur Souveränität in technischer und stilistischer Hinsicht.

Zur gewonnenen Sicherheit gesellte sich ein Hang zum Experimentellen, wie er im vierten Satz dieser Sonate zutage tritt. Mit der Anweisung »Tonschönheit ist Nebensache« bricht eine haltlose Folge von Tonwiederholungen, Akkordtürmungen und Tonkaskaden aus, deren Motorik von einem einzigen Notenwert, dem der Viertelnote, getrieben ist.

Der erste Satz löst sich aus der untermauerten Statik seiner eröffnenden Klangfolge immer mehr ins Spielerische; dies lässt ihn übergangslos in einen forschen zweiten Satz münden, dessen aus demselben thematischen Bestand erarbeitete Eckteile eine triolisch dahingleitende Mitte einrahmen. Der langsame dritte Satz verbleibt weitgehend in seiner intimen Einstimmigkeit, der fünfte findet aus expressiver Chromatik zu einem sich beruhigenden Schluss.

Wirkung Paul Hindemith hob sein Werk eigenhändig aus der Taufe; zudem machte er es zu einem erfolgreichen Programmschwerpunkt seiner ersten USA-Reise (1937) und hielt es in einer Aufnahme fest. Vom Widmungsträger, dem Tschechen Ladislav Černy, existiert ebenfalls eine Einspielung. HO

Sonate für Bratsche solo op. 31 Nr. 4

Sätze 1. Äußerst lebhaft, 2. Lied: Ruhig, 3. Thema mit Variationen: Schnelle Viertel, ma maestoso
Entstehung August 1923
UA 18. Mai 1924 Donaueschingen
Verlag Schott
Spieldauer ca. 17 Minuten

Entstehung Die Sonate entstand in Donaueschingen, wo Hindemith ab Sommer 1923 dem für Programm und Organisation zuständigen Arbeitsausschuss des in kürzester Zeit bedeutend gewordenen Donaueschinger Musikfestes angehörte. Dem ortsansässigen Kapellmeister und Musikdirektor Heinrich Burkard, der gleichfalls Mitglied des Komitees war, ist das Werk gewidmet.

Musik In einem Brief vom März 1928 an seine Frau Gertrud schrieb Hindemith: »Die Bratschensonate ist nicht so gut wie die andere und viel zu schwer, man kann sie nur gut spielen, wenn man abnorm viel Lust hat, und das kann man auf dem Podium nicht immer haben. Ich werde sie nicht mehr spielen, sondern nur bei Gelegenheit mal eine neue anfertigen.«

Im schwer zu spielenden ersten Satz, dessen Sechzehntelfigurationen immer wieder aus einem engen Tonrahmen ausbrechen, hat selbst der auf der Bratsche so versierte Hindemith bei Konzerten Striche vorgenommen. Der dreiteilige zweite Satz fängt einstimmig mit einer von Zweiunddreißigstelseptolen und Vierundsechzigstelquintolen durchsetzten Motivik an und wechselt im Mittelteil zu einer diatonisch absteigenden Linie, die zweistimmig geführt ist. Das elftaktige Thema des Variationssatzes erklingt in Oktavweite und wird dadurch in seiner Markanz noch verstärkt.

Wirkung Zu Lebzeiten Hindemiths blieb die Sonate unveröffentlicht. In der Gesamtausgabe wurde sie dem Opus 31 deshalb nach der später entstandenen »Kanonischen Sonatine für zwei Flöten« als Nr. 4 hinzugefügt. So hatte es Hindemiths handschriftliche Aufstellung »Ungedruckte Stücke für eine etwaige Gesamtausgabe« vorgesehen. Drei Tage nach seiner Heirat mit Gertrud Rottenberg (15. Mai 1924) stellte Hindemith die Sonate als Solist erstmals der Öffentlichkeit vor. HO

Sonate für Bratsche solo o. op.

Sätze 1. Lebhafte Halbe, 2. Langsame Viertel, lebhaft, 3. Mäßig schnelle Viertel
Entstehung 18.–21. April 1937
UA 21. April 1937 Chicago
Verlag Schott
Spieldauer ca. 13 Minuten

Entstehung Seine vierte und letzte Solosonate für Bratsche schrieb Hindemith während einer Konzertreise durch die USA. Er begann sie am 18. April 1937 in New York und beendete sie drei Tage später in Chicago.

Musik Der Anfang beider Themen des ersten Satzes wiederholt ein rhythmisch gleichermaßen festgelegtes Modell: Im ersten Fall folgt jedem der drei punktierten Viertel ein Achtel, im zweiten sind drei halbe Noten bestimmend. Aus diesem gemessenen Beginn lösen sich jeweils Achtelfiguren, die bei der Reprise samt der Triolen des Hauptthemas allerdings in den Hintergrund treten, um dem Satz einen sich mehr und mehr verlangsamenden Schluss zu geben.

Der Mittelsatz gebärdet sich zu Beginn rhythmisch ein wenig wechselvoller und bäumt sich zu einem ausdrucksstarken zweistimmigen Gesang auf, dessen um eine Quint erhöhter Wiedereintritt von einem lebhaften Pizzicatoteil mit vierstimmigen Akkorden unterbrochen wird.

Im melodischen Duktus des dritten Satzes könnten Parallelen zu dem des ersten gesehen werden, doch verfällt er nicht dessen Motorik. Der musikalische Wanderschritt des geradtaktig eröffneten dritten Satzes findet im späteren 3/4-Ausklang eine Entsprechung. Diesem Schluss geht eine tänzerische Weise im 9/8-Takt voraus.

Wirkung Noch am Abend der Uraufführung im Fine Arts Club von Chicago schrieb Hindemith seiner Frau, dass sein jüngstes Werk »keinerlei sichtbaren Eindruck hinterließ«. Die Sonate von 1937 war in erster Linie wiederum für die eigene Konzerttätigkeit des Komponisten vorgesehen. So wurde sie als ebenfalls unveröffentlichtes Werk in die Liste der für eine Gesamtausgabe infrage kommenden ungedruckten Stücke aufgenommen. HO

Einspielungen (Auswahl)
• Paul Cortese (Viola), 1995; ASV

Sonate für Violoncello allein op. 25 Nr. 3

Sätze 1. Lebhaft, sehr markiert, 2. Mäßig schnell, gemächlich, 3. Langsam, 4. Lebhafte Viertel, 5. Mäßig schnell
Entstehung Juli 1922
UA 1923 Freiburg im Breisgau
Verlag Schott
Spieldauer ca. 11 Minuten

Entstehung Hindemith komponierte die Cellosonate beim Kammermusikfest in Donaueschingen zwischen den dortigen Uraufführungen seiner Trakl-Vertonungen »Die junge Magd« und seiner konzertanten »Kammermusik Nr. 1«. Zur Entstehung hielt der Komponist in seinem Werkverzeichnis anekdotisch fest: »Da haben wir in Donaueschingen mal ein Wettkomponieren von Cellosonaten gemacht, 4 Sätze habe ich an dem Abend geschrieben.«

Musik Die Satzfolge wechselt zwar zwischen längeren und kürzeren Sätzen, nicht aber zwischen langsamen und schnellen. Die äußeren Satzpaare entsprechen sich im Zeitmaß und heben durch diese Parallelität den dritten Satz als Mittelpunkt hervor. Hindemith wagt sich ungewöhnlich weit über die tonalen Bezüge hinaus.

Bereits der Eingangssatz bietet im ersten Klang die stärksten Reibungspunkte zwischen c und cis auf. Die thematische Ausgangsbasis wird neben weiteren Akkorden im Notenwert der Viertel um triolisch und punktiert gefasste Melodik erweitert. Am Schluss des Tage später entstandenen fünften Satzes (»Mäßig schnell«. Sehr scharf markierte Viertel«) wird die tonale Ambivalenz überdeutlich in Cis-Dur aufgelöst.

Dem »durchweg sehr leise« zu spielenden zweiten Satz schließt sich ein dreiteiliges Andante (»Langsam«) an. Die Faktur dieser beiden Sätze ist vorwiegend einstimmig. Der vierte Satz schnurrt scherzohaft »ohne jeden Ausdruck und stets pianissimo« triolische Achtel ab.

Wirkung Der Niederländer Maurits Frank, Nachfolger von Hindemiths Bruder Rudolf als Cellist im Amar-Quartett, führte die ihm gewidmete Sonate 1923 erstmals in Freiburg auf. HO

Einspielungen (Auswahl)
• Pieter Wispelwey (Violoncello), 1993 (+ Werke von Ligeti, Meijering, Sculthorpe, Sessions); Channel Classics

Violinsonaten

Sonate in Es für Klavier und Violine op. 11 Nr. 1

Sätze 1. Frisch, 2. Im Zeitmaß eines langsamen, feierlichen Tanzes
Entstehung 3.–18. Mai 1918
UA 2. Juni 1919 Frankfurt am Main
Verlag Schott
Spieldauer ca. 10 Minuten

Entstehung Im August 1917 war Hindemith zum Kriegsdienst eingezogen worden, zu Beginn des darauffolgenden Jahres kam seine Einheit ins Elsass. In Fleurbaix stellte der junge Regimentsmusiker zwischen dem 3. und 18. Mai 1918 zwei Sätze seiner Sonate fertig; ein begonnener dritter Satz wurde nie ausgeführt. Die Komposition ist »Dr. Lübbecke's« gewidmet, der Pianistin Emma Lübbecke-Job und ihrem Mann, deren Haus in Frankfurt einen wichtigen Treffpunkt für den künstlerischen Austausch bot.

Musik Da eine viersätzige »Sonate in d-Moll« für Klavier und Geige (1912/13) als verschollen gilt, ist die »Sonate in Es« Hindemiths erster erhaltener Gattungsbeitrag für diese Besetzung. Die beiden jeweils als »Teil« überschriebenen Sätze zeigen den jungen Hindemith als noch suchenden Komponisten, der seinen musikalischen Ausdruckswillen von den formalen Anforderungen des Sonatenbaus zwar eingebunden, nicht aber gefesselt sehen will. Die äußeren, widrigen Umstände des Krieges scheinen ihn indes weniger gestört zu haben: »Das ist mein Krieg! Ich führe ein wunderbar ruhiges Leben, ich kann Musik machen, lernen u. arbeiten.«

Der erste Teil der Sonate wird aus einem in punktierten Intervallsprüngen emporzielenden Hauptthema und einem durch Tonschritte melodisch beruhigten Seitenthema (in gis-Moll) gestaltet; die fünfteilige Anlage spiegelt sich von ihrer Mitte aus, sodass der Schluss als Reprise den Bogen zum Anfang schlägt.

Der zweite Teil – eine Art Sarabande – wird mit Oktavklängen eröffnet, die für den Klavierpart das bestimmende Merkmal des Satzes bleiben. Darüber hinaus aber imitiert das Klavier die anfängliche Melodik. Die zweimal notengetreue Wiederholung dieser polyfonen Behandlung gliedert den Satz, der auch andere melodische Vorgaben der Violine ins Klavier überträgt. Überhaupt erhalten in dieser Sonate lineare Belange, die weitgehend tonal verankert sind, den Vorzug vor einer thematischen Verarbeitung im üblichen Sinn oder vor der Berücksichtigung streng formaler Kriterien.

Wirkung Emma Lübbecke-Job am Klavier und Adolf Rebner, Hindemiths vormaliger Violinprofessor am Hochschen Konservatorium, stellten das Werk am 2. Juni 1919 der Öffentlichkeit vor. Die Uraufführung der Sonate im Kleinen Saal des Frankfurter Saalbaus fand im Rahmen eines Konzertprogramms statt, das erstmals ausschließlich Werke Paul Hindemiths umfasste – neben einer weiteren Sonate aus op. 11 für Klavier und Bratsche das Streichquartett op. 10 und das Klavierquintett op. 7. Der große Erfolg des Abends hatte den Beginn einer dauerhaften Zusammenarbeit des Komponisten mit dem Schott-Verlag zur Folge. HO

Sonate in D für Klavier und Violine op. 11 Nr. 2

Sätze 1. Lebhaft, 2. Ruhig und gemessen, 3. Im Zeitmaß und Charakter eines geschwinden Tanzes
Entstehung September–November 1918
UA 10. April 1920 Frankfurt am Main
Verlag Schott
Spieldauer ca. 20 Minuten

Entstehung Nach der Sonate in Es schwebte Hindemith eine »ganze Reihe solcher Sonatinen« für Klavier und Geige vor. Tatsächlich verwirklichte er in dieser Besetzung jedoch nur die Sonate in D, die gleichfalls im Feld entstand und gegen Kriegsende fertig war. Auch sie ist einem kunstsinnigen Frankfurter Ehepaar (Albert

100562

Die 1983 geborene Geigerin Julia Fischer gilt als Künstlerin mit besonderem stilistischem Gespür und mit natürlicher Ausstrahlung – auch in den Sonaten Hindemiths.

und Olga Linder) zugeeignet, die freundschaftliche Widmung lautet: »Für Abdul Linder und seine Frau Olly«.

Musik Die Sonate in D, deren Sätze wiederum »Teile« genannt sind, ist quantitativ und thematisch weiter ausgespannt als die Sonate in Es, erscheint durch ihre deutlich stärkere Anlehnung an die Sonatenhauptsatzform im ersten Satz und durch ihre traditionellere Gesamtkonzeption allerdings konventioneller als jene. Trotz der weniger ausgeprägten Eigensprachlichkeit macht sich aber auch hier Hindemiths lineare Entwicklung musikalischer Gedanken bemerkbar. Dabei trägt im Widerstreit um die tonale Zentrierung erst am Schluss das D-Dur den Sieg davon.

Dem »mit starrem Trotz« zu eröffnenden Kopfsatz folgt ein langsamer Mittelsatz. Den beiden eher mollbestimmten Sätzen, die mehrfach die Taktart wechseln, schließt sich ein rondoartiger

Schlusssatz in Dur an, dessen 3/4-Takt ausnahmslos beibehalten wird.

Wirkung Die Uraufführung besorgten der Geiger Max Strub und Eduard Zuckmayer, der Bruder des Schriftstellers Carl Zuckmayer. Die Sonate erklang erstmals am 10. April 1920 in Frankfurt und wurde noch im selben Jahr von Schott gedruckt. HO

Sonate in E für Geige und Klavier

Sätze 1. Ruhig bewegt, 2. Langsam
Entstehung Juni und August 1935
UA 18. Februar 1936 Genf
Verlag Schott
Spieldauer ca. 10 Minuten

Entstehung Als Zielscheibe nationalsozialistischer Diffamierung zunehmend von den kulturpolitischen Sprachrohren unter Beschuss genommen, hatte sich Hindemith zu Beginn des Jahres 1935 von der Berliner Musikhochschule beurlauben lassen. Nach seiner Rückkunft aus der Türkei, deren Regierung ihn mit der Reform des dortigen Musiklebens betraut hatte, wandte er sich seit über einem Jahrzehnt erstmals wieder der Sonatenkomposition zu. Der erste Satz der Violinsonate entstand im Juni, der zweite wurde am 17. August fertiggestellt.

Musik Der Reifungsprozess Hindemiths und dessen künstlerische wie theoretische Wegmarken – die Oper »Mathis der Maler« und die bevorstehende schriftliche Niederlegung der »Unterweisung im Tonsatz« – wird im späteren »Sonatenwerk« durch den großen zeitlichen Abstand zu den früheren Gattungsbeiträgen besonders gut fassbar. Was sich in Hindemiths Schaffen zuvor als »Musikantentum« Bahn brach und kompositorisch seinen Lauf nahm, wird nun domestiziert und ohne substanzielle Einbußen »klassisch« verarbeitet.

Bei der Sonate in E hat sich Hindemith für die bei ihm später wiederholt auftretende Zweisätzigkeit entschieden. Der erste Satz legt im 9/8-Takt über dem unterstützend zurücktretenden Klavier eine wiegende Melodik in die Violinstimme, der zweite gerät nach einer langsamen

Einleitung »sehr lebhaft« in ein springtanzartiges Allegro.

Wirkung Mit diesem Werk wurde erstmals eine Sonate von Hindemith außerhalb Deutschlands uraufgeführt – in Genf. Es spielten der polnische Geiger Stefan Frenkel und die Pianistin Orloff. Trotz der gegen den Komponisten gerichteten Stimmung führte der Geiger Georg Kulenkampff die erfolgreiche Sonate 1936 in Berlin auf. Das hatte ein offizielles Verbot der Werke Hindemiths zur Folge. HO

Sonate in C für Geige und Klavier

Sätze 1. Lebhaft, 2. Langsam – Lebhaft – Langsam, wie zuerst, 3. Fuge
Entstehung 3.–9. September 1939
UA 5. Mai 1944 Lissabon
Verlag Schott
Spieldauer ca. 14 Minuten

Entstehung Im November 1938 war Hindemith aus Deutschland emigriert. Im schweizerischen Bluche ging er wie immer unermüdlich an die schöpferische Arbeit. Nachdem er im Juli 1939 sein Violinkonzert beendet hatte, schrieb er vom 3. bis 9. September die Sonate in C.

Musik Im Vergleich zur vier Jahre älteren Sonate in E weist das Schwesterwerk in C zupackendere Züge auf und stellt höhere spieltechnische Anforderungen an beide Instrumentalisten.

Das Thema des ersten Satzes überwindet in markanten Halben und Vierteln die Oktavweite des Ausgangs- und Zieltons C. Diesem kraftvollen Element begegnen weicher fließende Zwischenspiele.

Das Klavier gibt im langsamen zweiten Satz mit vier Takten der Geige die Melodie vor; wenn das Klavier nach dem Mittelteil – einer schlichten Scherzoweise im 5/8-Takt mit wechselnden Betonungen – dieses Modell wiederholt, holt die Violine zu virtuosen Läufen aus.

Mit dem dritten Satz – er ist so lang wie die beiden ersten zusammen – wird der Höhepunkt der Sonate erreicht, die sich hier zum kompositorischen und interpretatorischen Kunststück der Tripelfuge ballt. Die polyfone Meisterarbeit bekundet Hindemiths gewandeltes Bild von der Sonate, das ab Mitte der 1930er-Jahre den strengeren tonsetzerischen Anspruch

Die Sonaten für Melodieinstrument und Klavier von Paul Hindemith

Entstehung	Titel	Besetzung
1918	2 Sonaten für Violine und Klavier op. 11 Nr. 1, Nr. 2	Violine, Klavier
1919	Sonate für Bratsche und Klavier op. 11 Nr. 4	Bratsche, Klavier
1919	Sonate für Violoncello und Klavier op. 11 Nr. 3	Violoncello, Klavier
1922	Sonate für Bratsche und Klavier op. 25 Nr. 4	Bratsche, Klavier
1935	Sonate in E für Geige und Klavier	Violine, Klavier
1936	Sonate für Flöte und Klavier	Flöte, Klavier
1938	Sonate für Oboe und Klavier	Oboe, Klavier
1938	Sonate für Fagott und Klavier	Fagott, Klavier
1938/39	Sonate für Bratsche und Klavier	Bratsche, Klavier
1939	Sonate in C für Geige und Klavier	Violine, Klavier
1939	Sonate in B für Klarinette und Klavier	Klarinette, Klavier
1939	Sonate für Horn und Klavier	Horn, Klavier
1939	Sonate für Trompete und Klavier	Trompete, Klavier
1941	Sonata for English Horn and Piano	Englischhorn, Klavier
1941	Sonata for Trombone and Piano	Posaune, Klavier
1943	Sonate für Althorn in Es und Klavier	Althorn, Klavier
1948	Sonata for Violoncello and Piano	Violoncello, Klavier
1955	Sonate für Basstuba und Klavier	Basstuba und Klavier

über die instrumental-musikantische Spiellaune stellt.

Wirkung Bei der Uraufführung im Rahmen der Konzertreihe »Musica Moderna« spielten Silva Pereira (Violine) und Santiago Kastner (Klavier). HO

Einspielungen (Auswahl)
• Gesamtaufnahme: Ulf Wallin (Violine), Roland Pöntinen (Klavier), 1995; BIS

Bratschensonaten

Sonate für Bratsche und Klavier op. 11 Nr. 4

Sätze 1. Fantasie, 2. Thema mit Variationen, 3. Finale (mit Variationen)
Entstehung Februar/März 1919
UA 2. Juni 1919 Frankfurt am Main
Verlag Schott
Spieldauer ca. 16 Minuten

Die Bratsche als Soloinstrument

Die Viola, umgangssprachlich Bratsche genannt, ist die etwas größere Schwester der Violine – und klingt deshalb auch etwas tiefer. Hector Berlioz meinte in seiner Instrumentationslehre, ihr Ton sei in hoher Lage traurig-leidenschaftlich, sie könne vor allem Schwermut ausdrücken und dämonische Wirkungen hervorbringen. Dennoch stand die Viola in ihrer Wertschätzung zu allen Zeiten hinter der Violine zurück und diente bei mehrstimmigem Spiel nur dazu, den musikalischen Satz klanglich und harmonisch aufzufüllen. Die ersten Solokonzerte für die Bratsche schrieb Georg Philipp Telemann. Im 20. Jahrhundert komponierten u. a. die Bratschisten Paul Hindemith und Sally Beamish für das Streichinstrument. Soloaufgaben in der Kammermusik kommen der Viola auch zu bei Luciano Berio (»Sequenza VI«, 1967), Benjamin Britten (»Lachrymae« op. 48, 1950), Hans Werner Henze (Sonate, 1978/79), György Ligeti (Sonate für Viola solo, 1994), Dmitri Schostakowitsch (Sonate C-Dur op. 147, 1975), Igor Strawinsky (Elegie, 1944) und Bernd Alois Zimmermann (Sonate, 1955).

Entstehung Die Sonate entstand als erstes Werk Hindemiths nach seiner Rückkehr aus dem beendeten Ersten Weltkrieg; die kompositorische Arbeit daran währte vom 27. Februar bis zum 9. März 1919.

Musik Hindemith stellte der Sonate folgende »Bemerkung« voran: »Die Sonate wird ohne Pause zwischen den Sätzen gespielt, besonders sollen der zweite und dritte Satz so gut verbunden sein, dass der Zuhörer nicht die Empfindung hat, ein Finale zu hören, sondern den letzten Satz lediglich als Fortsetzung der Variationen auffassen muss.« Somit verschmilzt die Satzfolge zu einem übergeordneten Ganzen. Dabei dient die in F-Dur beginnende Fantasie (»Ruhig«) mit ihren nur vorübergehend aufgehobenen punktierten Vierteln im Klavier und der melodisch eindringlich anführenden Bratsche als Einleitung für die beiden Variationssätze.

Das »Thema mit Variationen« wird »ruhig und einfach, wie ein Volkslied« als Zwiefacher (Volkstanz mit wechselnden Zweier- und Dreierrhythmen) von der Bratsche vorgestellt und dann (zunächst im 6/8-Takt) wechselnd von Klavier und Bratsche bis zur Unkenntlichkeit abgewandelt; die zweite Variation frischt das Thema »ein wenig kapriziös« in belebterer Rhythmik und Melodik auf, während die dritte »lebhafter und sehr fließend« eine kantable Linienführung im Streichinstrument durch das quasi arpeggierende Klavier unterstreicht. Die vierte Variation (mit der unüblichen Vorzeichenkombination fis und gis) leitet »noch lebhafter« im dreifachen Fortissimo in den dritten Satz (»Sehr lebhaft«) über.

Das Finale, von Elementen der Sonatensatzform strukturiert und mit eigenem Haupt- und Seitenthema ausgestattet, hält die Verbindung zum Vorausgegangenen durch drei weitere Variationen des Themas aus dem zweiten Satz; in der siebten und letzten Variation tritt dieses Thema in der Bratsche über zwölf Takte hin nur unwesentlich abgewandelt (eine Oktave tiefer, im 2/4-Takt) wieder auf. Zuvor war es bereits »ruhig fließend« (Variation V) und als »Fugato, mit bizarrer Plumpheit vorzutragen« (Variation VI) in den zunehmend erregter werdenden Verlauf des Schlusssatzes eingeschaltet worden. Harmonisch und melodisch drückt die Sonate vielfach die Vertiefung ihres Komponisten in das Werk Debussys aus. Den Impressionismus

Hindemith zählte in den 1920er-Jahren zu den bedeutendsten deutschen Bratschisten (von links: Paul Hindemith, Alice Ehlers und Rudolf Hindemith bei einem Konzert in der Hochschule für Musik, Berlin 1927).

lenkte Hindemith dabei durchaus ins Freitonale. Zusammen mit der eigenwilligen Form hebt dies die Sonate aus dem Opus 11 besonders heraus.

Wirkung Beim »Kompositionsabend« in Frankfurt am 2. Juni 1919, dem ersten reinen Hindemith-Programm, spielte der Komponist persönlich die Uraufführung mit der Pianistin Emma Lübbecke-Job. Das Werk förderte seinen Ruf als Bratschist und Komponist in hohem Maß.   HO

Sonate für Bratsche und Klavier op. 25 Nr. 4

Sätze 1. Sehr lebhaft. Markiert und kraftvoll, 2. Sehr langsame Viertel, 3. Finale: Lebhafte Viertel
Entstehung November 1922
UA 10. Januar 1923 Barmen-Elberfeld
Verlag Schott
Spieldauer ca. 15 Minuten

Entstehung Im November 1922 schloss Hindemith sein bis dahin fruchtbarstes kompositorisches Jahr mit der Sonate für Bratsche und Klavier ab, die erst nach seinem Tod als Bestandteil des Opus 25 veröffentlicht wurde. Der Komponist hat sie »Steinbergs in Düsseldorf« gewidmet, die dort ein Modehaus führten.

Musik Im Gegensatz zu den zwei anderen Sonaten für Bratsche und Klavier beginnt der erste Satz (»Markiert und kraftvoll«) hier mit einem 35-taktigen Vorspiel des Klaviers, dessen Melodik die Viola in der zweiten Satzhälfte zweistimmig wiederholt und in ihre eigene anfängliche Spielfigur überführt. Die zweimal dreiteilige Gesamtanlage wird um eine weitschwingende Bratschenkantilene ergänzt. Der leise Schluss bleibt tonal unentschieden, da die Bratsche über das ausgehaltene d-Moll des Klaviers zwei D-Dur-Pizzicati setzt.

Im zweiten Satz fassen die gleichen rezitativischen Eckteile eine expressiv ihren Höhen zusteuernde Bratschenpassage ein. Das groß angelegte Finale stürzt die Instrumente erst in eine rhythmisch gegenläufige Motorik (zwei Achtel gegen drei), dann in eine parallele; den Wechsel im Gestus gibt jeweils die Bratsche mit einem Fermatenton an, aus dem heraus sie oder das Klavier in eine neue rhythmische Standardisierung führt. Der Schluss mit dem Höhenextrem des dreigestrichenen e in der Bratsche wird vom Klavier mit einem E-Dur-Klang unterlegt. Der tonalen Auflösung stehen im Verlauf der Sonate vielfach mehrtonale Bildungen gegenüber.

Wirkung Wie bei allen Bratschensonaten übernahm auch hier Hindemith die Uraufführung persönlich. Am Klavier saß wie bei op. 11 Nr. 4 Emma Lübbecke-Job. HO

Sonate für Bratsche und Klavier

Sätze 1. Breit. Mit Kraft, 2. Sehr lebhaft, 3. Fantasie, 4. Finale (mit zwei Variationen)
Entstehung Juli 1938 bis April 1939
UA 19. April 1939 Cambridge/Massachusetts
Verlag Schott
Spieldauer ca. 25 Minuten

Entstehung Die zwischen den Uraufführungen der Oper »Mathis der Maler« und des Balletts »Nobilissima Visione« begonnene »große« Bratschensonate beendete Hindemith während seiner dritten USA-Reise, als bereits die Termine für die Uraufführung und eine Plattenaufnahme festgesetzt waren.

Musik Hindemith, der seine längste Sonate wiederholt als »Wurm« bezeichnete, schickte seiner Frau eine Beschreibung der Komposition und der Proben mit dem Pianisten der Uraufführung: »Es ist ein kräftiges, wohlgenährtes Stück mit dauerhaftem Unterfutter für kalte Witterung. Zweiter Satz mit einem vertrackten Rhythmus, den man erst vorsichtig anschleichen musste, um ihn zu bewältigen. Im letzten Satz, der aus zwei Variationen über einen an sich schon ausgewachsenen Rondosatz besteht, kam Sanromá am ehesten hinter Sinn und Technik der ersten Variation, nachdem sie sich als die musikalische Illustration einer Versammlung von Flöhen, Mücken und sonstigem kitzelnden Geflügel vorgestellt hatte.«

Das Gegengewicht zum Schlusssatz stellt ein ausgedehnter Kopfsatz dar, der aus drei thematischen Komplexen besteht. Der erste tritt später in einer »lebhaft« zu spielenden, ausführlichen Augmentation erneut auf. Die Wiederaufnahme ist um eine Quart erhöht, dieses Intervall nimmt im ersten Satz eine wichtige Rolle ein, so auch bei der Formulierung des dritten Themas.

In der von Hindemith brieflich nicht erwähnten Fantasie (»Sehr langsam, frei«) wird die rhapsodisch gestaltete Melodie unterschiedlich zwischen Klavier und Bratsche kombiniert und permanent in Tonfolge und Rhythmus abgewandelt.

Wirkung Hindemith spielte die Uraufführung mit dem Pianisten Jesús Maria Sanromá, einem Amerikaner katalanischer Herkunft, mit dem er schon in den beiden Jahren zuvor sehr erfolgreich konzertiert hatte. Nach dem Anhören der Aufnahme war er von seinem eigenen Spiel so enttäuscht, dass er sich als Bratschist fast völlig aus dem Konzertleben zurückzog. HO

Einspielungen (Auswahl)
• Kim Kashkashian (Viola), Robert Levin (Klavier), 1987 (+ Sonaten für Bratsche allein); ECM

Cellosonaten

Sonate für Violoncello und Klavier op. 11 Nr. 3

Sätze 1. Lebhaftes Zeitmaß, munter und einfach vorzutragen, 2. »Im Schilf«. Trauerzug und Bacchanale, 3. Schnelle Viertel, stets kraft- und schwungvoll; 2. Fassung: 1. Mäßig schnelle Viertel – Lebhaft, sehr markiert, 2. Langsam – sehr lebhaft (entspricht dem 2. Satz der Erstfassung)
Entstehung Juli/August 1919; Oktober 1921
UA 27. Oktober 1919 Frankfurt am Main (1. Fassung); 5. Januar 1922 München (2. Fassung)
Verlag Schott
Spieldauer ca. 22 Minuten

Entstehung Nach dem Erfolg seines ersten Kompositionsabends in Frankfurt (2. Juni 1919)

empfand Hindemith sich ganz als schöpferischer Musiker. »Immer Neues ans Licht bringen« wurde sein erklärter Lebensinhalt. Am 23. Juli war der dritte Satz der Cellosonate abgeschlossen, am 27. Juli der erste (beide im niederländischen Nordwijk). Der zweite Satz, im August des Jahres (in Frankfurt) fertiggestellt, bildet den Schluss der zweiten Fassung, die im Herbst 1921 in Spanien entstand.

Musik Die zwei Fassungen der Sonate zeigen Hindemiths sich wandelnde Kompositionsweise um das Jahr 1920. Angelpunkt beider Versionen ist der zunächst mit der programmatischen Überschrift »Im Schilf. Trauerzug und Bacchanale« versehene Satz, der sich nur in der Bezeichnung, nicht aber im Notentext verändert hat. Durch den Entzug des Titels, der sich auf ein Gedicht Walt Whitmans bezog, büßt die kompositorisch eigenwillige Handhabung der Sonatensatzform unter »abstrakten« Voraussetzungen an Sinnfälligkeit ein.

Völlig gestrichen hat Hindemith bei seiner Revision der Sonate die Ecksätze der ersten Fassung. Dem nun zum Schlusssatz gewordenen vormaligen Mittelstück stellte er einen zweiteiligen Satz voran, der ohne auf Abwechslung zielende Durchgestaltung des gewählten musikalischen Materials doch eine eruptive Kraft vermittelt. Die selbstständig geführten Stimmen verursachen polytonale Bildungen und begründeten eine stilistische Einordnung des Komponisten in neobarocker Richtung.

Wirkung Die von Maurits Frank und der Pianistin Emma Lübbecke-Job uraufgeführte Erstfassung wurde erst in der posthumen Gesamtausgabe veröffentlicht. Die Premiere der Zweitfassung spielten Rudolf Hindemith, der Bruder des Komponisten, und der Pianist Kurt Dorfmüller in München. HO

Einspielungen (Auswahl)
• Julius Berger (Violoncello), Siegfried Mauser (Klavier), 1989 (+ Cellostücke op. 8); Wergo

Sonata for Violoncello and Piano

Sätze 1. Pastorale, 2. Moderately fast, 3. Passacaglia
Entstehung 1948
UA August 1948 New York
Verlag Schott
Spieldauer ca. 20 Minuten

Entstehung Der Großteil von Hindemiths erster Sonate seit 1943 war bereits im März 1948 fertig, doch konnte die für diesen Monat vorgesehene Uraufführung wegen des fehlenden Schlusses nicht stattfinden. Dieser lag erst im Sommer desselben Jahres vor.

Musik Die »Pastorale« setzt mit einer sich reich verströmenden Cellomelodik über dem Orgelpunkt des Klavierbasses ein. Eine stärkere Belebung des Satzes ergibt sich sowohl durch die leise pochende Untermalung der Themenreprise als auch durch die vom Klavier angestimmte Fuge.

Dem etwas spröden Einstieg in den dreiteiligen zweiten Satz folgt ein durch Stöße emotionalisierter Mittelteil, die obere Klavierstimme variiert die Wiederholung des Anfangs mit Sechzehntelketten.

Das siebentaktige Thema der Passacaglia wird vom Violoncello allein vorgetragen, das bis zum Wiedereintritt drei Nachmodellierungen des Klaviers abzuwarten hat. Der Schluss des Stückes entwickelt sich aus einem Fugato.

Wirkung Sobald Hindemith die Komposition beendet hatte, spielte sein Freund Gregor Piatigorsky, der 1941 bereits Hindemiths Cellokonzert aus der Taufe gehoben hatte, die Uraufführung. HO

Bläsersonaten

Innerhalb zweier Jahrzehnte schrieb Paul Hindemith Sonaten, die er nicht als einzelne Kompositionen oder gar Werke verstand, sondern die erst in ihrer Gesamtheit ein »Sonatenwerk« ergeben sollten. Dahinter sah er den praktischen Nutzen, für eine Vielzahl von Instrumenten das zeitgenössische Repertoire zu erweitern. Die erste der zehn Bläsersonaten entstand im Jahr 1936 für Flöte, die letzte 1955 für Basstuba. All diese Kompositionen sind Duosonaten mit Klavier.

Neben der stilistischen Entwicklung des satztechnisch gefestigten Hindemith offenbaren sie seine genaue Kenntnis der Möglichkeiten und Grenzen jedes einzelnen Instruments sowie dessen musikalisch-klanglicher Charaktereigenschaften.   HO

Sonate für Flöte und Klavier

Sätze 1. Heiter bewegt, 2. Sehr langsam, 3. Sehr lebhaft, 4. Marsch
Entstehung Dezember 1936
UA 10. April 1937 Washington, D.C.
Verlag Schott
Spieldauer ca. 15 Minuten

Entstehung Während der Arbeit an der »Unterweisung im Tonsatz« begann Hindemith sein »Sonatenwerk«. Nach den drei Klaviersonaten des Jahres 1936 schrieb er in Berlin nun erstmals eine Sonate für ein Blasinstrument (zuvor hatte er 1923 nur eine »Kanonische Sonatine für zwei Flöten« komponiert). Für Flöte und Klavier arrangierte Hindemith im Herbst 1942 zudem das kurze »Echo« nach seiner gleichnamigen Liedkomposition aus den »Nine English Songs«.

Musik Der entsprechend der Sonatenform strukturierte erste Satz überträgt sein viertaktiges Hauptthema zunächst dem Klavier, eine ebenfalls viertaktige absteigende b-Moll-Skala im Klavierbass wird Anknüpfungspunkt für einen Bogenschlag zum Ende des vierten Satzes, dessen letzte vier Takte eine aufsteigende Skala in der parallelen Tonart Des-Dur beinhalten.

Im zweiten Satz, der sich tonartlich überraschenderweise an den Leitton a des in den Ecksätzen bestimmenden b-Moll hält, kommt eine sanft verschleierte Flötenmelodik zum Tragen; den dritten Satz prägt ein Tanzrondo, das dem Klavier raffinierte Klangwirkungen erlaubt.

Die Sonate endet mit einem ironisch gebrochenen Marsch, der zunächst allein vom Klavier gespielt wird und sein Thema dann zwischen den beiden Instrumenten aufteilt.

Wirkung Während Hindemiths erster Reise durch die USA fand die Uraufführung statt, die der französische Flötist Georges Barrère und der von Hindemith hoch geschätzte Jesús Maria Sanromá spielten.   HO

Sonate für Oboe und Klavier

Sätze 1. Munter, 2. Sehr langsam – Lebhaft – Sehr langsam, wie zuerst – Wieder lebhaft
Entstehung Juni 1938
UA 20. Juli 1938 London
Verlag Schott
Spieldauer ca. 12 Minuten

Entstehung Die Sonate entstand im für Hindemith sehr bewegten Jahr 1938, das die zweite Amerikareise und die Emigration in die Schweiz mit sich brachte. Noch vor der eigentlichen Übersiedlung nach Bluche komponierte er dort – zeitgleich mit der Sonate für Fagott und Klavier – die Oboensonate.

Musik Im ersten Satz stimmt die Oboe ein munteres Thema an, das dem auf Begleitaufgaben reduzierten Klavier zu keinem Zeitpunkt anvertraut wird. Die im Klavierbass angelegte absteigende Linienführung gewinnt jedoch über das Satzende hinaus Bedeutung. Ein weiteres, in Quarten punktiert nach unten zielendes Thema wird von beiden Instrumenten imitatorisch behandelt.

Der zweite Satz beginnt ebenfalls mit einer präzisen Gegenführung von Oboe und Klavierbass. Die schnellen Notenwerte der Mittelstimme werden beim späteren Wiedereintritt des ersten Teils auch von der Oboe stärker zu irrlichternden Einwürfen genutzt. Die lebhaften Teile des Satzes verarbeiten ihr Thema im fugierten Dialog, bis die Sonate aus einer allein von der Oboe vorgetragenen Melodie unter dynamisch gesteigerter Einbeziehung des Klaviers ihren Schluss im anfänglichen G findet.

Wirkung Hindemith erlebte im Juli an zwei Tagen hintereinander Uraufführungen seiner Werke in London. Die Sonate wurde am Vorabend der Premiere der Tanzlegende »Nobilissima Visione« vom Oboisten Léon Goossens und der Pianistin Harriet Cohen der Öffentlichkeit vorgestellt.   HO

Sonata for English Horn and Piano

Sätze Slow – Allegro pesante – Moderate –
Scherzo, fast – Moderate – Allegro pesante
Entstehung August 1941
UA 23. November 1941 New York
Verlag Schott
Spieldauer ca. 12 Minuten

Entstehung Ab September 1940 wohnte
Hindemith in New Haven und lehrte an der dortigen Yale University. Nach den in der Schweiz
komponierten Sonaten für Horn bzw. Trompete
und Klavier von 1939 fuhr er nun mit der Komposition der Bläsersonaten fort. Die Sonate für
Englischhorn und Klavier entstand im August in
Richmond (Massachusetts) und war am 27. des
Monats fertig.

Musik Die sechs Abschnitte der in ein Ganzes zusammengefassten Sonate basieren auf
zwei Grundmustern. Die ungeraden Satzteile gehen von einem Thema aus, dessen zweite Hälfte
die Umkehrung der Intervalle aus der ersten
Hälfte vornimmt. Diese wehmütig klagende Motivik wird in den geradzahligen Satzteilen von einer rustikalen Weise beantwortet, die Hindemith
seinem fünf Jahre zuvor entstandenen Lied »Das
Köhlerweib ist trunken« (für Gesang und Klavier,
auf einen Text Gottfried Kellers) entlehnte. Der
dreimalige Wechsel der beiden Grundmuster
und deren Umgestaltung machen den Reiz des
Stückes aus, das Hindemith selbst als »sehr anständig« bewertete.

Wirkung Mit der Uraufführung wurden
Louis Speyer vom Boston Symphony Orchestra
und Jesús Maria Sanromá, der auch Hindemith
vielfach begleitet hatte, betraut.   HO

Sonate in B für Klarinette und Klavier

Sätze 1. Mäßig bewegt, 2. Lebhaft, 3. Sehr
langsam, 4. Kleines Rondo, gemächlich
Entstehung 21.–28. September 1939
Verlag Schott
Spieldauer ca. 17 Minuten

Entstehung Die erste von Hindemiths drei
Bläsersonaten des Jahres 1939 entstand binnen
einer Woche, vom 21. bis 28. September im
schweizerischen Exil. Seit Ausbruch des Zweiten
Weltkriegs zu Anfang des Monats hatte Hindemith bereits eine Violinsonate und seine »Six
Chansons« für gemischten Chor nach Gedichten
von Rainer Maria Rilke komponiert. Diese Produktivität ging nach der Klarinettensonate unvermindert weiter.

Musik Übersichtlich in der Anlage, klar in
der tonartlichen Disposition und einfallsreich in
der melodischen Erfindung ist die Klarinettensonate, die im Verlauf ihrer Viersätzigkeit der später entstandenen Sonate für Althorn ähnelt. Die
ungekünstelten, volkstümlichen Töne des Blasinstruments kommen hier trotz der bei Hindemith stets versierten Schreibweise gut zur Geltung. Trotz mancher klarinettenspezifischer
Wendungen kann die Sonate auch von einer
Viola gespielt werden.   HO

Sonate für Fagott und Klavier

Sätze 1. Leicht bewegt, 2. Langsam – Marsch –
Pastorale
Entstehung 1938
UA 6. November 1938 Zürich
Verlag Schott
Spieldauer ca. 9 Minuten

Entstehung Hindemith hat die Sonate im
Januar 1938 in Berlin – vor seiner zweiten
USA-Tournee – begonnen; am 19. Juni, während seines Urlaubs in Chandolin im Wallis,
brachte er die Komposition zu Ende, etwa zeitgleich mit der Oboensonate und dem dreisätzigen »Quartett für Klarinette, Geige, Cello und
Klavier«.

Musik Wie die gleichfalls im Juni 1938 entstandene Sonate für Oboe beschränkt sich die
für Fagott auf nur zwei Sätze, wobei der zweite in
mehrere Teile gegliedert ist. Das Stück beginnt
mit einem relativ kurzen, in pastoralem Ton gehaltenen Kopfsatz; seine Atmosphäre lebt mit
anderen musikalischen Mitteln zu Ende des
zweites Satzes wieder auf. Dessen langsame
Einleitung sowie ein Marsch mit Trio und die in
gefälliger Coda endende Pastorale berücksichti-

Mit seinen Bläsersonaten schuf Hindemith ein Gesamtwerk, in dem er nahezu allen gebräuchlichen Blasinstrumenten eine eigene Komposition widmete (Bläsergruppe des Gewandhausorchesters Leipzig mit Horn und Fagott).

gen vielfältig das Weinerliche und Scherzhafte des Fagotts.

Wirkung Im Rahmen einer Matinee im Stadttheater Zürich wurde die Sonate von Gustav Steidl (Fagott) und Walter Frey (Klavier) zur Uraufführung gebracht, ebenso die zwei Monate später entstandene »Sonate für Klavier vierhändig«, die Hindemith selbst zusammen mit Frey spielte. HO

Sonate für Horn und Klavier

Sätze 1. Mäßig bewegt, 2. Ruhig bewegt, 3. Lebhaft
Entstehung Oktober/November 1939
Verlag Schott
Spieldauer ca. 20 Minuten

Entstehung Im letzten Drittel des Jahres 1939 komponierte Hindemith drei Bläsersonaten. Auch an der längsten der drei, der Sonate für Horn und Klavier, schrieb er nur vom 30. Oktober bis zum 6. November.

Musik Das viertaktige Hauptthema ist von nobler Einfachheit und trägt dem Klangcharakter des Soloinstruments (Horn in F) ebenso Rechnung wie die Quartrufe und die muntere Jagdhornweise, die auch im Klavier eingearbeitet sind. Von gleicher kompositorischer Klarheit und schlichter Schönheit ist auch der zweite Satz getragen, dessen Melodik dem Intervall der Quarte – wie auch im Folgenden – eine vorzügliche Behandlung einräumt. Der schlagartig eröffnete dritte Satz gestaltet sein musikalisches Material zwischen Burleske und Choral in immer neuen Ausformungen und Verbindungen und rundet so eine der gelungensten Sonaten Hindemiths ab. HO

Sonate für Althorn in Es und Klavier

Sätze 1. Ruhig bewegt, 2. Lebhaft, 3. Sehr langsam, 4. Das Posthorn, Zwiegespräch
Entstehung 5.–25. September 1943
Verlag Schott
Spieldauer ca. 11 Minuten

Entstehung Hindemith schrieb die Althornsonate in South Egremont (Massachusetts) zwischen dem 5. und 25. September, also fast zwei Jahre nach der für Posaune. Die nächste Sonatenkomposition folgte erst fünf Jahre später (Sonata for Violoncello and Piano, 1948), die nächste Bläsersonate ganze zwölf Jahre später (Sonate für Basstuba und Klavier, 1955).
Musik Die Sonate, die auch von Waldhorn oder Altsaxofon gespielt werden kann, weist eine Besonderheit auf, die Hindemiths literarisches Interesse zum Ausdruck bringt: Dem vierten Satz ist ein Zwiegespräch vorangestellt, das den beiden ausführenden Musikern eine gereimte Bewertung von Tradition und Fortschritt – gespiegelt an den Errungenschaften der Nachrichtentechnik – zuweist. Dem Hornisten fällt in Rede und nachfolgendem musikalischem Spiel die Rolle desjenigen zu, der mit einschlägigen Motiven an die »gute alte Zeit« erinnert, während der Pianist eine ausgleichende Stellung bezieht, die ihn nach einem großen »Solo« mit der Posthornweise des Blasinstruments einvernehmlich dialogisieren lässt. Die Sonate umfasst des Weiteren einen ruhigen, relativ kurzen ersten Satz, einen ausgedehnten zweiten mit charakteristischer Hornrufmotivik und einen zerklüfteten dritten. HO

Sonate für Trompete und Klavier

Sätze 1. Mit Kraft, 2. Mäßig bewegt, 3. Trauermusik
Entstehung 19.–25. November 1939
Verlag Schott
Spieldauer ca. 16 Minuten

Entstehung Eine Woche lang arbeitete Hindemith an der Sonate, dem dritten Bläserstück seit September 1939. Während der Komposition schrieb er am 20. November an Ludwig Strecker vom Schott-Verlag: »Du wirst Dich wundern, dass ich das ganze Blaszeug besonate. Ich hatte schon immer vor, eine ganze Serie dieser Stücke zu machen… nachdem ich mich schon mal so ausgiebig für die Bläserei interessiere…«.
Musik Das souverän fließende erste Thema strahlt die Selbstsicherheit der Trompete aus, die von akkordischen Achteln des Klaviers gestützt ist. Mit dem gemessenen ersten Teil des Mittelsatzes und dem einen geschwinden Schreittanz anzettelnden zweiten kommen ganz andersartige Ausdrucksmöglichkeiten ins Spiel.

Im Schlusssatz, der »Trauermusik«, formuliert Hindemith musikalisch sein Leiden am seit September geführten Zweiten Weltkrieg: Nach einem Marsch mit einem ruhig bewegten Trio bläst die Trompete in der Coda eindringlich den Choral »Alle Menschen müssen sterben« und gibt der Sonate somit einen bewegenden, kantatenartigen Schluss. HO

Sonata for Trombone and Piano

Sätze 1. Allegro moderato maestoso, 2. Allegretto grazioso, 3. Swashbuckler's song: Allegro pesante, 4. Allegro moderato maestoso
Entstehung Herbst 1941
Verlag Schott
Spieldauer ca. 10 Minuten

Entstehung Hindemith komponierte die Sonate bis zum 6. Oktober 1941 in New Haven. In den Skizzen notierte er die Titel von Sammlungen mit amerikanischen Liedern, für die er sich wohl interessierte.
Musik Die gleichen Satzbezeichnungen der Ecksätze suggerieren bereits die Ähnlichkeit der Anlage. Auch die gewichtigen Themen halten verschiedentlich Bezüge zueinander, die durch die Imposanz der Posaune zu nachdrücklichen Augmentationen führen. Die nicht ganz ernst genommene Bedeutungsschwere ist vor allem den Mittelsätzen zu entnehmen. Im »Allegretto grazioso« bleibt das wirklich Leichtfüßige allerdings im Klavier, am großmäuligen »Lied des Rauf-

bolds« hat die Posaune den ihr zukommenden scherzhaften Anteil.   HO

Sonate für Basstuba und Klavier

Sätze 1. Allegro pesante, 2. Allegro assai,
3. Variationen
Entstehung Januar 1955
Verlag Schott
Spieldauer ca. 11 Minuten

Entstehung Über elf Jahre nach seiner letzten Bläsersonate (für Althorn, 1943) komponierte Hindemith im schweizerischen Blonay, wo er seit September 1953 wohnte, mit dem Stück für Basstuba und Klavier seine überhaupt letzte Sonate.
Musik Die Sonate für Basstuba und Klavier verrät Hindemiths distanzierte Haltung zur zwölftönigen Schreibweise in ironischer Brechung. So eröffnet die Tuba den zweiten Satz, ein bewegtes Scherzo, mit einer zwölftönigen Melodik, die vom Klavier aufgegriffen wird. Diesbezügliche Anspielungen finden sich auch im Schlusssatz; in dessen Variationen sind ein »Scherzando« für Klavier (mit einem Einsprengsel des Blasinstruments) und eine Kadenz für Tuba (ihrerseits vom Klavier wiederum zwölftönig unterlegt) eingefasst. In der um eine kleine Terz nach unten transponierten Reprise werden – ähnlich jener im Schlusssatz der Cellosonate von 1948 – der rechten Klavierhand auszierende Passagen hinzugefügt.   HO

Streichtrios

Trio Nr. 1 für Violine, Bratsche und Cello op. 34

Sätze 1. Toccata, 2. Langsam und mit großer Ruhe, 3. Mäßig schnelle Viertel, 4. Fuge
Entstehung April/Mai 1924
UA 6. August 1924 Salzburg
Verlag Schott
Spieldauer ca. 17 Minuten

Entstehung »Komponiert in der Bahn und in Frankfurt, April und Mai 1924«, notierte Hindemith selbst zu diesem Streichtrio, dessen Instrumente ihm seit Kindertagen besonders vertraut waren. Er selbst spielte hervorragend Geige und Bratsche, sein Bruder Rudolf Cello. Gemeinsam mit ihrer Schwester Toni waren sie als »Frankfurter Kindertrio« vom Vater in dessen oberschlesischer Heimat herumgeschickt worden. Das Trio ist dem Komponisten Alois Hába gewidmet.
Musik Die drei Stimmen eröffnen die Toccata unisono jeweils im Oktavabstand, die Violine entwickelt (vom nächsthöheren Halbton es[1] aus) das motivische Material und die drei rhythmischen Komponenten des kräftigen Beginns nahezu im Alleingang weiter, bis die Viola und anschließend das Cello jeweils die Führung abschnittweise übernehmen. Der Satz endet, wie er angefangen hat, und löst sich in D-Dur auf.

Das imitatorische Gespinst einer einfühlsam ausgeschwungenen Kantilene im langsamen Satz wird zur Reprise durch den Rollentausch von Bratsche und Cello kunstvoll verfeinert; dazwischen erhebt sich »sehr zart« die Bratsche über die Violine, die daraufhin »immer fließend« höher und höher strebt.

Der einen Monat nach seiner Entstehung vom Komponisten revidierte dritte Satz, der mit Dämpfer zu spielen ist, beginnt und endet mit charakteristischen Quartsprüngen; er ist für die Violine und Viola ganz, für das allein einsteigende Cello bis auf die letzten Takte pizzicato zu spielen. Der dreiteilige Schlusssatz entwirft zunächst eine Fuge über ein sorglos aufgeräumtes Thema, danach eine zweite über ein kummervoll verinnerlichtes (»Sehr ruhige Achtel«). Metrisch angeglichen, werden beide in der abschließenden Doppelfuge kunstvoll ineinander verwoben. Als Konsequenz der polyfonen Entwicklungen ergibt sich ein freitonales Ganzes.
Wirkung Das Trio wurde beim zweiten Kammermusikfest der Internationalen Gesellschaft für Neue Musik (IGNM) in Salzburg uraufgeführt. Hindemith musizierte zusammen mit den Kollegen Licco Amar (Violine) und Maurits Frank (Cello) vom Amar-Quartett. Er ist auch auf einer Aufnahme der Ecksätze zu hören, die mit Walter Caspar (zweiter Geiger des Amar-Quartetts) und Hindemiths Bruder Rudolf entstand. Das

Streichtrio gehört seit seiner Entstehung zu den meistgespielten Kammermusikwerken Hindemiths.

HO

Trio Nr. 2 für Geige, Bratsche und Cello

Sätze 1. Mäßig schnell, 2. Lebhaft, 3. Langsam – schnell
Entstehung Februar/März 1933
UA 17. März 1933 Antwerpen
Verlag Schott
Spieldauer ca. 23 Minuten

Entstehung Ab Juli 1929, nach seinem Austritt aus dem Amar-Quartett, bildete Hindemith mit dem Geiger Josef Wolfsthal – auf dessen Tod im Jahr 1931 folgte Szymon Goldberg – und dem Cellisten Emanuel Feuermann ein Trio, das Anfang der 1930er-Jahre rege konzertierte. Hindemiths zweite Streichtriokomposition entwuchs also ganz dieser speziellen Musizierpraxis, was sich auch auf die spielerfreundliche Einrichtung der Stimmen auswirkte.

Musik Die Violine beginnt das Trio mit einem unsicheren, aus nur drei Tönen bestehenden Motiv (»Zögernd«), das sich nach einer Fermate um eine Quinte höher wiederholt und in einer weiteren Pause endet. Währenddessen fasst das von Beginn an pizzicato spielende Cello in einem gezupften Achtelgang Tritt und sichert für wenige Takte die melodischen Entwürfe von Bratsche und Violine, um mit Letzterer die Rolle zu tauschen und den zaghaften Beginn zu wiederholen. Erst dann breitet dieser Kopfsatz sein reiches thematisches Material aus, das schon an Hindemiths Entwicklung zur Musik von »Mathis der Maler« teilhat.

Dem trotz des strengen Dreiertakts vielfach abgestuften Mittelsatz mit seinen dynamisch variierten ostinaten Formeln und den imitatorischen Finessen verleihen gelegentlich auftretende Duolen einen besonderen Reiz.

Den beiden langsamen 6/8-Teilen des Schlusssatzes folgen jeweils schnelle (2/2), deren Führung hauptsächlich bei der Violine liegt. Sie führt auch den aufschließenden Schlussteil (»Äußerst lebhaft«) an, der unisono in einem Piz-zicato-as endet. Die ästhetisch-künstlerische Neubestimmung, die Hindemith in der Beschäftigung mit dem Mathis-Stoff vollzog, wirkte sich auch auf die kammermusikalischen Arbeiten dieser Zeit aus. So erscheint das zweite Streichtrio kompositorisch reifer und musikalisch reicher als das neun Jahre jüngere erste.

Wirkung Die Uraufführung des »2. Trio für Geige, Bratsche und Cello« wurde kurz nach Beendigung der Komposition spontan in das Antwerpener Konzert vom 17. März 1933 gelegt. Wegen der beiden jüdischen Partner Szymon Goldberg und Emanuel Feuermann musste Hindemith mit seinem Trio vorwiegend im Ausland auftreten. Das neue Streichtrio nahmen die drei Musiker im Januar 1934 für die Columbia auf.

HO

Einspielungen (Auswahl)
• Deutsches Streichtrio, 1994; CPO

Streichquartette

Paul Hindemiths Streichquartette entsprangen seiner intensiven Musizierpraxis auf der von Kindheit an vertrauten Geige und der später bevorzugten Bratsche. Da sein Bruder Rudolf ebenfalls schon als Kind das Cellospiel erlernt hatte, standen dem Komponisten die drei verschiedenen Instrumente des Streichquartetts sehr nahe. Seine Kompositionen, die ausnahmslos der klassischen Besetzung mit zwei Violinen entsprechen, haben die Kammermusik in der ersten Hälfte des 20. Jahrhunderts entscheidend beeinflusst und spiegeln Hindemiths künstlerischen Weg über 30 Jahre wider.

Hindemith hat insgesamt sieben Streichquartette komponiert. Das erste (in C-Dur) entstand 1915 während seines Kompositionsstudiums am Hochschen Konservatorium in Frankfurt. Das frühe Werk wurde mit der Opuszahl 2 versehen, aber nicht gedruckt. Somit erhielt das nächstfolgende Quartett in f-Moll op. 10 bei seiner Veröffentlichung die Ordnungszahl 1, und folgerichtig wurden die weiteren Kompositionen als zweites bis sechstes Streichquartett verbreitet. Seit der Wiedererschließung des Jugendwerks als des eigentlichen ersten Quartetts gehen die

Zählungen der Werke auseinander. Verwechslungen sind im Zweifelsfall durch Blick auf die Opuszahlen und/oder das jeweilige Entstehungsjahr zu vermeiden.   HO

Streichquartett Nr. 1 C-Dur op. 2

Sätze 1. Sehr lebhaft, 2. Adagio, 3. Scherzo, 4. Ziemlich lebhaft
Entstehung Herbst 1914–Frühjahr 1915
UA 26. April 1915 Frankfurt am Main
Verlag Schott
Spieldauer ca. 38 Minuten

Entstehung Seit 1912 studierte Hindemith am Hochschen Konservatorium in Frankfurt Kontrapunkt und Komposition, zunächst bei Arnold Mendelssohn, vom Herbst 1913 an dann bei dem Komponisten Bernhard Sekles. Hindemith, dessen Vater zu Beginn des Ersten Weltkriegs gefallen war, musste als Geiger und Bratschist die Familie ernähren; so blieben für die Arbeit am Streichquartett nur die Nachtstunden übrig.

Musik Das Streichquartett stellt eine sauber ausgeführte Komposition dar, die an den formalen Vorbildern geschult ist und den dort geschaffenen Bedingungen vollauf gerecht wird. Es handelt sich also um eine ausführlichere »Fingerübung«.

Der erste Satz erfüllt mit Exposition, Durchführung, Reprise und Coda die klassischen Anforderungen der Sonatenhauptsatzform, die Mittelsätze nehmen jeweils ihren ersten Teil wieder auf, der Schlusssatz ist als siebenteiliges symmetrisches Rondo mit zwei Couplets gearbeitet.

Hindemith schrieb später in sein Werkverzeichnis: »Den ersten Satz habe ich bald verachtet, weil er so altmodisch war – aber stolz war ich besonders auf die beiden letzten.« Ansätze für die spätere kompositorische Entwicklung Hindemiths lassen sich anhand des op. 2 immerhin erahnen.

Wirkung Hindemith erhielt für das Streichquartett, das knapp zwei Wochen nach der Uraufführung im Konservatorium gespielt wurde,

einen Geldpreis der Felix-Mendelssohn-Bartholdy-Stiftung. Das Frühwerk wurde noch verschiedentlich gespielt, aber erst nach dem Tod des Komponisten veröffentlicht. Die Publikation mit den daraus folgenden Wiederaufführungen hat zu Verwechslungen dieses ersten Streichquartetts mit dem 1921 bei Schott als »1. Streichquartett f-Moll« gedruckten Opus 10 geführt.   HO

Streichquartett Nr. 2 f-Moll op. 10

Sätze 1. Sehr lebhaft, straff im Rhythmus, 2. Thema mit Variationen, 3. Finale
Entstehung Februar–Mai 1918
UA 2. Juni 1919 Frankfurt am Main
Verlag Schott
Spieldauer ca. 30 Minuten

Entstehung Hindemith komponierte das Streichquartett im letzten Jahr des Ersten Weltkriegs als Soldat an der Front. Die beiden ersten Sätze schrieb er in Tagolsheim, am dort noch begonnenen dritten arbeitete er in Mülhausen und Sainghin en Wappes weiter. Die Widmung (»Für Herrn und Frau Ronnefeldt zu ihrer Silberhochzeit«) bezieht sich auf ein Frankfurter Ehepaar, dem Hindemith und sein Bruder Rudolf seit Kriegsausbruch sehr verbunden waren.

Musik »…ich war hocherfreut, als ich das Stück so gut klingend fand, da ich es bis jetzt nur im Hirn hören konnte; es ist doch ganz im Felde geschrieben ohne Klavier, ohne jedes klingende Hilfsmittel.« – Hindemith verrät mit diesem Hinweis etwas über seine frühe tonsetzerische Sicherheit, die im Opus 10 allenthalben spürbar ist. Von der Mustergültigkeit seiner ersten Quartettkomposition emanzipiert er sich schon durch den Verzicht auf die übliche Viersätzigkeit.

Als eine besondere Eigenart stellen sich die Taktwechsel in den ersten beiden Themen des Kopfsatzes dar, dem die Sonatenform zugrunde liegt. Die fugierte Durchführung (»Geheimnisvoll, im gleichen Tempo, jedoch gänzlich apathisch, empfindungslos«) und die Reprise (»Wie

Hindemith erlebte mit der Aufführung des Streichquartetts Nr. 3 op. 16 beim ersten Kammermusikfest in Donaueschingen 1921 seinen Durchbruch. Heute zählen die Donaueschinger Musiktage zu den bedeutendsten Festivals für Neue Musik weltweit (Schloss der Fürsten zu Fürstenberg).

am Anfang. Mit aller Kraft, jedoch nicht roh«) transportieren den ausdrucksstarken Satzbeginn weiter.

Im zweiten Satz schließt das (zum Schluss wieder aufgenommene) chromatisch aufsteigende Thema fünf Variationen ein (»Ein wenig lebhafter«, »Capriccioso«, »Breit«, »Im Zeitmaß eines langsamen Marsches. Wie eine Musik aus weiter Ferne«, »Langsam und sehr ausdrucksvoll«).

Die drei Oberstimmen formulieren das motivisch dreimal herabschnellende Thema des ausgedehnten Finales (»Sehr lebhaft«); die Sonatensatzform dieses Schlusses nähert sich in Exposition und Durchführung einer Art Kettenrondo an. Wie in der ein Jahr später entstandenen »Sonate für Bratsche allein« sind Einflüsse Regers unverkennbar, doch atmet das Streichquartett op. 10 durchaus die freie Luft des Neuen.

Wirkung Bei der Uraufführung durch das Rebner-Quartett (im Rahmen eines »Kompositionsabends Paul Hindemith« in Frankfurt) spielte Hindemith die Bratsche. Der Erfolg besonders des Streichquartetts sicherte dem Komponisten die Zusammenarbeit mit dem Mainzer Schott-Verlag. HO

Streichquartett Nr. 3 op. 16

Sätze 1. Lebhaft und sehr energisch, 2. Sehr langsam, 3. Finale: Äußerst lebhaft
Entstehung Januar/Februar 1920
UA 1. August 1921 Donaueschingen
Verlag Schott
Spieldauer ca. 25 Minuten

Entstehung Hindemith komponierte zunächst den Schlusssatz (23. und 24. Januar 1920) und schrieb im Februar den ersten und zweiten Satz. Das Quartett ist dem Cellisten Rudolf Hindemith gewidmet, dem Bruder des Komponisten.

Musik In der äußerlichen Gemeinsamkeit der dreisätzigen Anlage ist das Streichquartett op. 16 (in C-Dur) zwar noch mit dem zwei Jahre älteren »Streichquartett in f-Moll« verbunden, doch das Werk weist mit seiner Polytonalität, dem Reihenprinzip bei der thematischen Gestaltung und der urkräftig kühnen Musiksprache weit darüber hinaus.

Der Kopfsatz wird von seinen beiden ersten Themen vorwärtsgedrängt, die sich – trotz ihrer Unterschiedlichkeit – in der Chromatik und im

Tonkunst in Donaueschingen

Wer unter Musikern »Donaueschingen« sagt, meint in der Regel die in der baden-württembergischen Stadt seit 1950 veranstalteten »Musiktage für Zeitgenössische Tonkunst«, das weltweit älteste Festival der Gegenwartsmusik. Vorläufer dieses alljährlichen Treffens der musikalischen Avantgarde waren die 1921 vom Fürstlich Fürstenbergischen Musikdirektor Heinrich Burkard mit Unterstützung von Fürst Max Egon II. ins Leben gerufenen und vom Donaueschinger Fürstenhaus finanziell unterstützten »Kammermusikaufführungen zur Förderung zeitgenössischer Tonkunst«. Den Ehrenvorsitz hatte Richard Strauss inne. 1927 wurden die Konzerte nach Baden-Baden verlegt, ab 1930 fanden sie in Berlin statt.

Hindemith war gleich in dreifacher Weise mit den Donaueschinger 1920er-Jahren verbunden: Er beteiligte sich als einer der Aktivsten (Bratschensolist und im Amar-Quartett) an den musikalischen Darbietungen, war der am meisten aufgeführte Komponist und gehörte seit 1923 dem dreiköpfigen Arbeitsausschuss an, der für das Programm verantwortlich war.

(1921) ein. Da sich das für die Aufführung des angenommenen Werkes vorgesehene Ensemble um den Geiger Gustav Havemann nicht zum erforderlichen Probenaufwand imstande sah, spielten Hindemith und sein Bruder Rudolf die Uraufführung mit den Geigern Licco Amar und Walter Caspar. Ein Jahr später gründeten diese vier Musiker dann dauerhaft das Amar-Quartett.

Das Streichquartett op. 16 wurde der überwältigende Erfolg des ersten Donaueschinger Kammermusikfestes und rückte Paul Hindemith als ausübenden Instrumentalisten und als Komponisten mit einem Schlag in den Mittelpunkt der jungen Garde des internationalen Musiklebens. HO

Streichquartett Nr. 4 op. 22

Sätze 1. Fugato, sehr langsam, 2. Schnelle Achtel, 3. Ruhige Viertel, 4. Mäßig schnelle Viertel, 5. Rondo
Entstehung November/Dezember 1921
UA 4. November 1922 Donaueschingen
Verlag Schott
Spieldauer ca. 25 Minuten

Wechsel der Taktart berühren, Eigenschaften, die auch bei der weiteren Themenbildung relevant bleiben. Im Wesentlichen waren es die jugendliche Unbändigkeit in meisterlich beherrschter Tonsprache und die musikalische Spontaneität in neuartig entschlackter Satztechnik, die gerade diesem ersten Satz bei der Uraufführung zu spektakulärer Wirkung und dem jungen Komponisten Hindemith zu bahnbrechendem Erfolg verhalfen.

Dem im einmütig leeren C ausgeklungenen ersten Satz schließt sich der langsame zweite an, dessen ebenfalls chromatisch durchtränkte Melodik sich lyrisch und expressiv durch alle vier Stimmen zieht. Der vitale Schlusssatz beginnt mit oktavierten Violinen über Quintengängen zwischen Cello und Bratsche; er lädt sich in mehreren motorischen Steigerungen auf, bis er im Pizzicato des unisono gespielten C gelöst wird.

Wirkung Auf Drängen der Pianistin Emma Lübbecke-Job reichte Hindemith sein Streichquartett zum ersten Kammermusikfest für zeitgenössische Tonkunst in Donaueschingen

Entstehung Das bewegte Jahr 1921 hatte vor der Sensation in Donaueschingen die skandalumwitterte Uraufführung zweier kurzer Opern Hindemiths (»Mörder, Hoffnung der Frauen« und »Das Nusch-Nuschi«) gebracht. Sie sollten sich mit dem Einakter »Sancta Susanna« (UA 1922) zu einem musikdramatischen Triptychon fügen. Seit Fertigstellung dieses Bühnenwerks im Februar 1921 hatte der viel umworbene Hindemith nichts mehr geschrieben, als er sich vom 25. November bis 25. Dezember dieses Jahres an sein insgesamt viertes Streichquartett begab.

Musik Hindemith macht im ersten Satz schon mit der Fugierung des Anfangsthemas sein verstärktes Interesse am polyfonen Diskurs der Stimmen deutlich, der die Auseinandersetzung des Komponisten mit barocken Vorbildern bezeugt und für deren zunehmende Verinnerlichung wegweisend ist. Die Ausdrucksintensität kommt darüber keineswegs zu kurz, wie der aufgepeitscht exklamierende Mittelteil (»Viel lebhafter«) des Satzes zeigt.

Im zweiten Satz wechseln ein hämmernd-wühlendes Thema (»Sehr energisch«) im Unisono und ein zartfigürliches (»grazioso«) einander mehrfach ab. Anrührend verwebt sich die biegsame Linie des polytonal geordneten Mittelsatzes in den drei Oberstimmen, gegen Ende des Satzes ersteht sie allein in der Violine über den anderen drei, jeweils vierstimmig »weich und voll« pizzicato spielenden Instrumenten.

Das eben noch vorwiegend auf Untermalung reduzierte Cello wirft sich als Erstes in die Ausbrüche des vierten Satzes, aus dem heraus die Bratsche ins abschließende Rondo führt. Dessen imitatorisch genutztes Thema (»Gemächlich und mit Grazie«) stimmt den in leichter Melancholie schwingenden Satz ein.

Wirkung »Es fasst alles Bisherige mit überraschender Klarheit zusammen und schlägt die Brücke zum neuen Stil, der aus der polyfonen Gesinnung entsteht und in kurzer Zeit zur endgültigen Ausformung gelangt«, charakterisierte Heinrich Strobel das Werk. Das im Mai 1922 gegründete Amar-Quartett, das schon im Sommer desselben Jahres bei den Musikfesten in Donaueschingen und Salzburg reüssieren konnte, spielte die Uraufführung und hat auch eine Aufnahme des Stücks hinterlassen. Die Komposition zählt seither zu Hindemiths meistgespielten und beliebtesten Werken. HO

Streichquartett Nr. 5 op. 32

Sätze 1. Lebhafte Halbe, 2. Sehr langsam, aber immer fließend, 3. Kleiner Marsch, 4. Passacaglia
Entstehung Herbst 1923
UA 5. November 1923 Wien
Verlag Schott
Spieldauer ca. 25 Minuten

Entstehung Nachdem der Schott-Verlag ihm einen monatlichen Pauschalbetrag zugesichert hatte, konnte Paul Hindemith 1923 das Frankfurter Opernorchester verlassen, dessen Konzertmeister er seit 1915 war. Für die rege Konzerttätigkeit des Amar-Quartetts schrieb er das Opus 32 (»komponiert in der Bahn und in Frankfurt, Herbst 1923«); Hindemith widmete es der Sopranistin Beatrice Sutter-Kottlar, die mit

dem (im Juni 1922 begonnenen) Liederzyklus »Das Marienleben« sein wohl wichtigstes Werk dieses Jahres uraufgeführt hatte.

Musik Hindemiths Rückgriff über die Romantik und Klassik hinweg zu den formalen Grundpfeilern des Barock nahm in den 1920er-Jahren zu. Das Streichquartett op. 32 gibt diese Entwicklung in den großen Rahmensätzen zu erkennen: Am Anfang steht eine Fuge, den Schluss bildet eine Passacaglia. Des Weiteren wandelt sich die Melodik: Die noch dreieinhalb Jahre zuvor (im Streichquartett op. 16) scheinbar so unverzichtbaren chromatischen Tonschritte weichen nun diatonischen Bildungen. Die vier davon geprägten Stimmen entziehen in ihrer beharrlich weitergetriebenen Polyfonie der Tonalität rücksichtslos den Boden. So entsteht ein äußerst dissonanzreiches Gefüge, das jedoch zum Schluss eines Abschnitts oder Satzes den Ein- oder Zusammenklang sucht.

Die Fugenthemen der beiden Hauptkomplexe des Kopfsatzes, ein rhythmisch profiliertes und ein gesanglich »sehr zart« ausgeschwungenes, werden nicht nur für sich, sondern im doppelfugierten Schlussteil auch miteinander verflochten. Der erste Teil des zweiten Satzes spannt die Mittelstimmen in wechselndem Intervallabstand (zwischen übermäßiger Oktav und kleiner Sept) in einen Kanon, der dritte Teil vereint sie im Unisono, während die Violine jeweils die Motivik fortspinnt. Der kleine Marsch des dritten Satzes (Vivace, sempre crescendo) zieht sich nach seinem stetigen Anschwellen dynamisch schlagartig zurück und läuft nebst gezupften Außenstimmen in der Bratsche aus. Der gewaltige Schlusssatz, dessen Länge etwa derjenigen der drei vorausgegangenen Sätze zusammen entspricht, breitet eine Passacaglia mit 27 Variationen aus und gipfelt in einem dreistimmigen Fugato, dem die Bratsche einen Orgelpunkt im oktavierten C oder im kleinen Des setzt. In Des-Dur endet denn auch dieses kontrapunktisch meisterhaft ausgefeilte Streichquartett.

Wirkung Die Uraufführung des Streichquartetts op. 32 am 5. November 1923 durch das Amar-Quartett bestätigte Hindemiths Ruf als herausragender Kammermusiker seiner Zeit. HO

Streichquartett No. 6 (1943)

Sätze 1. Very quiet and expressive, 2. Lively and very energetic, 3. Quiet, Variations, 4. Broad and energetic
Entstehung Frühjahr 1943
UA 7. November 1943 Washington, D. C.
Verlag Schott
Spieldauer ca. 25 Minuten

Entstehung Mehr als 20 Jahre waren vergangen, seit Hindemith 1922 ein Streichquartett (op. 32) geschrieben hatte, und 14 Jahre, seit er als Bratschist aus dem Amar-Quartett ausgeschieden war. Durch die Konzerte des Budapester Streichquartetts in New Haven erhielt Hindemith neuen Auftrieb, für diese Besetzung zu komponieren. Er begann das Werk im April 1943 und schloss es am 16. Mai des Jahres ab.

Musik Hindemith komponierte die vier Sätze gemäß ihrer Abfolge, was bei ihm keinesfalls die Regel war. Dies erklärt sich aus dem Hintergrund, dass er ein motivisch-thematisches Netzwerk nicht nur innerhalb eines Satzes knüpfen, sondern über das gesamte Streichquartett spannen wollte. Kulminationsfeld dieser Bestrebungen ist der abschließende vierte Satz: Er verdichtet seinen eigenen thematischen Bestand mit dem der Fuge des Kopfsatzes, mit dem Seitenthema des zweiten Satzes und dem Variationsthema des dritten. Dabei erhält jede Stimme in der souveränen Behandlung der motivischen Detailarbeit ihr eigenes persönliches Gepräge.

Die Bratsche stimmt »sehr ruhig und ausdrucksvoll« das allmählich niedersinkende Fugenthema des Kopfsatzes an, der nach der ersten Durchführung nur noch eine weitere vorsieht und sich unter Verbreiterung des zweiten Themenmotivs im allein gelassenen Cello verliert.

Den Kontrast dazu bietet das einstimmig vorgetragene Hauptthema des folgenden Sonatensatzes, das sich in Punktierungen und einer Triole »lebhaft und sehr energisch« darstellt und seinerseits von einem quartendurchzogenen Melisma beantwortet wird.

Zum ruhig ausgreifenden Variationsthema setzt die zweite Violine, die als Einzige nie die Originalgestalt übernehmen wird, von Anfang eine ebenfalls ruhig gehende Gegenlinie. Mit der Sammlung und Vertiefung des bisherigen Materials sowie einer nie versiegenden Spiellaune schafft der vierte Satz den überragenden Abschluss des Quartetts.

Wirkung Hindemiths durchgereiftestes Streichquartett wurde vom Budapest String Quartet am 7. November 1943 in Washington uraufgeführt. HO

Streichquartett No. 7 (1945)

Sätze 1. Fast, 2. Quiet, scherzando, 3. Slow, Fast, 4. Canon, moderately fast, gay
Entstehung 1944/45
UA 21. März 1946 Washington, D. C.
Verlag Schott
Spieldauer ca. 15 Minuten

Entstehung Hindemiths letztes Streichquartett entwuchs wie seine anderen Kompositionen für diese Besetzung dem eigenen Musizierbedürfnis. Allerdings war der Antrieb in diesem Fall kein professioneller mehr: Der Komponist steuerte bis zum 30. Dezember 1945 ein Stück für die häusliche Spielpraxis mit seiner Frau Gertrud am Violoncello und zwei geigenden jungen Damen bei.

Musik Dem laienhaften Anlass entsprechend ist das Streichquartett deutlich kürzer als seine Vorgänger und spieltechnisch wesentlich leichter. Dennoch wäre es trügerisch, von der Einfachheit der Faktur auf eine mangelnde Qualität der Komposition zu schließen. Als Hindemith sein Streichquartett schrieb, war er 50 Jahre alt und im vollen Besitz seiner schöpferischen Kräfte. Zudem war ihm auch bei den Gebrauchs- und Spielmusiken ein willentliches Hintanstellen seines Niveaus völlig fremd.

Im ersten Satz werden zwei Themen ins kontrapunktische Fadenkreuz genommen, wobei das fließende zweite in den Unterstimmen das größere Gewicht vor dem punktiert in Quarten abfallenden ersten hat.

Mit fallenden Quarten springt die Violine auch in den ruhigen Scherzandosatz, den sie kolorierend überzieht.

Der überlegen durchgearbeitete dritte Satz steigert sich zusehends; nach einem tiefsinnenden langsamen Eröffnungsteil tritt in der Violine ein sorgloseres schnelles Thema auf, dem die Mittelstimmen in Oktavweite eine Art chromatischen Choral entgegenhalten. Die Stimmverquickungen haben ihren Höhepunkt im Schlussteil, wo die beiden Violinen das schnelle Thema über dem metrisch eingepassten langsamen von Bratsche und Cello imitieren.

Die von Hindemith späterhin vielfach geübte Kleinkunst des Kanons macht in einem quirlig heiteren Beispiel den Beschluss. Wenn zweite Geige und Cello das erste schelmische Thema aufnehmen, zieht die Bratsche die erste Violine bereits in ein hingeworfenes zweites. Die Imitationen verflüchtigen sich humoristisch im pianissimo des Es-Dur-Ausklangs.

Wirkung Das für den Hausgebrauch komponierte Streichquartett hat seit seiner Uraufführung durch das Budapest String Quartet immer wieder auch professionelle Interpreten gefunden. HO

Weitere Werke

Sonate für vier Hörner

Sätze 1. Fugato: sehr langsam, 2. Lebhaft, 3. Variationen über »Ich schell mein Horn«
Entstehung Oktober 1952
UA Juni 1953 Wien
Verlag Schott
Spieldauer ca. 8 Minuten

Entstehung Hindemith wurde 1952 bei einer Fahrt mit der Eisenbahn – eine von ihm früher häufig als Kompositionsstätte genutzte Einrichtung – von den Hornisten der Wiener Symphoniker überrascht, die als »Salzburger Hornbläser« vor seinem Schlafwagen ein Ständchen spielten. Zurück in Amerika, schrieb er die Sonate für vier Hörner, die am 29. Oktober 1952 fertig war und neben der Neufassung der Oper

»Cardillac« die einzige tonsetzerische Arbeit dieses Jahres darstellt.

Musik »Ich hab mich wieder etwas ans Schreiben begeben und eine Sonate für vier Hörner fertig gemacht. Es ist ein ausgewachsenes und ernstes Stück geworden«, schrieb Hindemith eine Woche nach Abschluss der Komposition in einem Brief. Damit dürfte sich der in dieser Zeit schöpferisch wenig tätige Meister allerdings mehr auf die seriöse Machart als auf den Tonfall und Charakter der Sonate bezogen haben, die keineswegs beladen und schwermütig ist.

Das Werk besteht aus einem langsamen, kurzen Fugato, einem ebenfalls fugierten Mittelsatz in Sonatensatzform und einem Variationssatz über das spätmittelalterliche Lied »Ich schell mein Horn in Jammers Ton«. Der Komponist wies ausdrücklich darauf hin, dass die drei Sätze auch »einzeln aufgeführt« werden dürfen.

Wirkung Das Stück wurde im Sommer 1953 von vier Hornisten der Wiener Symphoniker, die den Anstoß zur Komposition gegeben hatten, uraufgeführt. HO

Einspielungen (Auswahl)
• Leipziger Hornquartett, 2000 (+ Jan Koetsier: Cinq Nouvelles, Eugène Bozza: Suite F-Dur, Frigyes Hidas: Kammermusik, Michael Tippett: Sonate für vier Hörner); Capriccio/Delta

Kleine Kammermusik für fünf Bläser op. 24 Nr. 2

Besetzung Flöte (auch Piccolo), Oboe, Klarinette (in B), Horn (in F) und Fagott
Sätze 1. Lustig, mäßig schnell, 2. Walzer, 3. Ruhig und einfach, 4. Schnelle Viertel, 5. Sehr lebhaft
Entstehung Mai 1922
UA 12. Juli 1922 Köln
Verlag Schott
Spieldauer ca. 13 Minuten

Entstehung Die »Kleine Kammermusik«, für die Frankfurter Bläservereinigung geschrieben, fiel zwischen die Komposition der im gleichen Monat entstandenen Violasonaten (eine für Bratsche solo, die andere für Viola d'Amore und Klavier). Das Stück zählt zum Opus 24, zusammen mit der konzertanten »Kammermusik Nr. 1«, die Hindemith im Sommer des gleichen Jahres den Ruf eines musikalischen Revolutionärs eintragen sollte.

Musik Von Anfang an wird die Aufgabenteilung unter den Instrumenten festgelegt, die über alle fünf Sätze weitgehend bestehen bleibt. Im dorfmusikantischen Kopfsatz ist der Klarinette und Flöte die spielmännisch lustige Melodie zugewiesen, während Horn und Fagott parallel mit einer rhythmisch trommelnden Abwärtschromatik die Stütze bilden. Zwischen diesen beiden musikalischen Komponenten hält sich die Oboe ausgleichend in der Mitte.

Auch die drehende Achtelmelodik des Walzers (»Durchweg sehr leise«) übernehmen Klarinette und (Piccolo-)Flöte; aus den homofonen Begleitstrukturen der übrigen Instrumente darf sich nur das Fagott (»Ein wenig ruhiger«) kurz vor dem bündigen Schluss lösen.

Den (»nicht scherzando« aufzufassenden) Mittelteil des dritten Satzes überzieht die Oboe mit einer melodisch abgewandelten und metrisch vergrößerten Paraphrase der anfänglichen Motivik, die in der Reprise imitatorisch neu wieder an (große) Flöte und Klarinette geht.

Die beiden durchsetzen die schnelle Motorik des kurzen vierten Satzes mit Koloraturen und verbünden sich im sofort anschließenden Finalsatz mit der Oboe zu einem »leeren« Thema, das sich in doppelter Hinsicht auf den Bordun stützt, indem es über der Quint von Fagott und Horn dieses Intervall zu einem melodischen Hauptbestandteil macht, um erst dann zu einer auf- und absteigenden Linie (allerdings wiederum innerhalb der Quinte) zu gelangen. Mit ihrer musikantischen Urwüchsigkeit zeigt die »Kleine Kammermusik für fünf Bläser« den Komponisten Paul Hindemith ganz als den »Spielmann«.

Wirkung Die »Bläser-Kammermusikvereinigung Frankfurt/Main« besorgte am 12. Juli 1922 in Köln die Uraufführung des beliebten Stücks. Als einzige weitere größer besetzte Bläserkomposition schuf Hindemith ein »Blasseptett«, das am 30. Dezember 1948 in Mailand erstmals gespielt wurde. HO

Einspielungen (Auswahl)
• Royal Concertgebouw Orchest unter Leitung von Riccardo Chailly, 1991; Decca

Oktett

Besetzung Klarinette (in B), Fagott, Horn (in F), Violine, 2 Bratschen, Violoncello und Kontrabass
Sätze 1. Breit, mäßig schnell, 2. Varianten, 3. Langsam, 4. Sehr lebhaft, 5. Fuge und drei altmodische Tänze
Entstehung Dezember 1957 bis Februar 1958
UA 23. September 1958 Berlin
Verlag Schott
Spieldauer ca. 25 Minuten

Tonsprache im Wandel

Paul Hindemiths Tonsprache hat eine enorme Entwicklung zurückgelegt. Immer ausgesprochen leicht und handwerklich perfekt schaffend, gefiel sich der Komponist nach spätromantischen Anfängen in den 1920er-Jahren in der Rolle als musikalischer »Bürgerschreck«: mit experimenteller Harmonik, Jazz- und Geräuschelementen sowie kompromissloser Kontrapunktik. Über eine Zwischenphase, in der er – von der Laienmusikbewegung inspiriert – neoklassizistische Gebrauchsmusik komponierte, gelangte er dann seit den Dreißigerjahren zu einem konservativeren, bewusst tonalen Stil. Damit verbunden sind seine späteren Werke häufig von weltanschaulichen und religiösen Inhalten getragen.

Entstehung Hindemith schrieb sein letztes kammermusikalisches Werk, das als künstlerischer Höhepunkt seiner Kompositionen in diesem Bereich angesehen werden kann, im schweizerischen Blonay, wo er ab September 1953 wohnte. Alle Sätze bis auf den vierten wurden im Februar 1958 fertiggestellt. Das Oktett ist der »Kammermusikvereinigung der Berliner Philharmoniker« gewidmet. Es stellt eine musikalische Reminiszenz an Berlin dar, wo Hindemith zehn Jahre lang gelebt, gelehrt und komponiert hatte.

Musik Die Besetzung ähnelt derjenigen des Oktetts von Franz Schubert; statt der zweiten Geige entschied sich Hindemith allerdings für eine zweite Bratsche. Vieles von dem, was in den Sonaten und Streichquartetten aus Hindemiths mittlerer und später Phase vereinzelt

Sein letztes kammermusikalisches Werk, das Oktett, komponierte Hindemith 1957/58 in der Schweiz, wo er seit 1953 lebte (eigenhändige Notenschrift des Beginns der Fuge, 5. Satz, von Paul Hindemith).

auftrat, kulminiert in den fünf Sätzen des Oktetts.

Der diffizile Kopfsatz holt nach einer Einleitung zu vier Themen aus und verknüpft den Sonatensatz mit einer Fuge. Die »Varianten« des zweiten Satzes bezeichnen die sehr behutsamen Wandlungen des thematischen Originals, das mit seinem gleichsam ostinaten Gang durch die Instrumente immer wieder umgefärbt wird und an die von Hindemith mehrfach verwendete Form der Passacaglia erinnert.

Das Horn intoniert (gefolgt von der Klarinette) die Melodik des langsamen Mittelsatzes, der dreiteilig liedhaft gebaut ist. Rasche Septsprünge eröffnen den vierten Satz; als dessen zweiter wesentlicher Bestandteil wird ein Berli-

ner Gassenhauer (bekannt unter dem Namen »Stettiner Kreuzpolka«) verarbeitet, der sich in unterschiedlicher Gestalt durch das gesamte Oktett zieht.

Die motivisch-thematischen Verknüpfungen zeigen sich auch zwischen den Ecksätzen. Der ebenfalls mit einer Fuge ausgestattete Schlusssatz variiert sein Thema in den »altmodischen Tänzen« Walzer, Polka und Galopp.

Wirkung Bei der Uraufführung durch die Widmungsträger im Rahmen der Berliner Festwochen 1958 griff Paul Hindemith öffentlich noch einmal zu seinem Lieblingsinstrument und spielte den Part der ersten Bratsche.   HO

Holliger | Heinz

* 21. 5. 1939
Langenthal
(Schweiz)

Neben seiner erfolgreichen Laufbahn als Oboist trat Heinz Holliger als Komponist und Dirigent hervor. Sein kompositorisches Werk umfasst alle musikalischen Gattungen vom Solo bis zu großen Bühnenwerken wie der Oper »Schneewittchen«, die 1998 Premiere feierte.

Holliger studierte am Konservatorium in Bern bei Sándor Veress (Komposition), Émile Cassagnaud (Oboe) und Sava Savoff (Klavier). Später bildete er sich in Paris bei Yvonne Lefèbvre (Klavier) und Pierre Pierlot (Oboe), schließlich in Basel bei Pierre Boulez (Komposition) weiter. Seine Instrumentalistenlaufbahn begann er als Solooboist des Sinfonieorchesters Basel. Als Oboist gewann er auch 1959 beim Internationalen Musikwettbewerb in Genf und zwei Jahre später beim Internationalen Musikwettbewerb der ARD in München. Zahlreiche weitere Auszeichnungen folgten. Holligers Repertoire als Solist umfasst beinahe die komplette Oboenliteratur vom Barock bis zur zeitgenössischen Musik. Und, so Josef Häusler, »die Oboe wurde ihm zur Forschungsaufgabe: Mit seinen akrobatischen Spezialitäten der Flageoletts und Doppelflageoletts, der Mehrklänge, Flatterzungeneffekte, Doppeltriller und manchem anderen mehr hat Heinz Holliger Geschichte des Instrumentalspiels gemacht«. Die

Ergebnisse finden sich auch in seinen eigenen Kompositionen: in den »hoch differenzierten Ansatz- und Atemvorschriften mit ihren unterschiedlichen Klangfolgerungen für Ton- und Geräuschanteile«, in der »Gleichzeitigkeit« von Spielen, Singen, Summen und Flüstern innerhalb der gesamten Bläsergroßfamilie (etwa in »Pneuma« für Bläser, Schlagzeug, Orgel und Radios, 1970) oder im äußerst konsequent vorangetriebenen »Ausnützen der Möglichkeiten von Streichen und Schlagen, von Bogenführung, Bogenstellung, Bogenort« (Häusler), wie etwa im »Streichquartett« (1973).

Schon beim jungen Holliger hat sich die Imagination besonders intensiv am Übergangsbereich zwischen Leben und Tod entzündet. Dies lässt sich bereits an den dichterischen Vorlagen, die er sich wählte, erkennen: Holligers erstes publiziertes Opus, »Drei Liebeslieder für Alt und Orchester« (1960), geht auf Gedichte Georg Trakls zurück, und auch die »Elis«-Nachtstücke für Klavier bzw. Orchester (1963, 1973) sind von diesem Dichter inspiriert.

Das Werk von Nelly Sachs war eine weitere Inspirationsquelle: Mit dem Sachs-Zyklus »Glühende Rätsel« für Alt und zehn Instrumente (1964) wurde Holliger als Komponist international bekannt. Auch sein erstes Bühnenwerk, »Der magische Tänzer« – Szenen für zwei Sänger, zwei Tänzer und zwei Schauspieler, gemischten Chor, Orchester und Tonband (1963–65) –, ist auf einen Nelly-Sachs-Text komponiert. Andere Dichter und Schriftsteller, mit denen Holliger sich beschäftigte, sind Paul Celan (»Psalm« für Chor a cappella, 1971) oder Samuel Beckett (»Come and Go«, Kammeroper für neun Frauenstimmen und neun Instrumentalisten, 1976/77; »Not I«, Monodrama für Sopran und Tonband, 1978–80, »What Where«, Kammeroper für vier Sänger, vier Posaunen, zwei Schlagzeuger und Tonband, 1988).

Holligers besonderes Interesse gilt dem Spätwerk von Friedrich Hölderlin. Die »Hölderlin-Landschaft« ist im »Scardanelli«-Zyklus (1975–85, 1991) zusammengefasst (der alternde Hölderlin pflegte Gedichte, die er in Tübingen für seine Besucher »auf Verlangen gegen eine Pfeife Tabak« anfertigte, u. a. mit »Scardanelli« zu unterzeichnen). Das dreiteilige Großwerk von nahezu drei Stunden Dauer, uraufgeführt 1985, revidiert 1991, setzt sich aus verschiedenen Segmenten zusammen: 1. »Die Jahreszeiten«, dreimal vier Lieder für Chor a cappella (1975/1978/1979), 2. »Übungen zu Scardanelli« für kleines Orchester (1978–85) – Kommentare, Spiegel, Entgegnungen. Marginalien zu »Die Jahreszeiten«; 3. »(t)air(e)« für Flöte solo (1980–83) sowie 4. Teile aus TURM-MUSIK Flöte solo, kleines Orchester und Tonband, 1980/83. Im Jahr 1991 ersetzte Holliger Nr. 4 durch »Ostinato Funebre« für kleines Orchester.

Eine wichtige Anregung für das Kammermusikschaffen gab Holliger die eigene Solistentätigkeit und die seiner Frau, der Harfenistin Ursula Holliger. So entstanden u. a. »Sequenzen über Johannes I, 32« (1962) und »Prelude, Arioso und Passacaglia« (1987) für Harfe oder die »Studie II« (1981) für Oboe solo. Herausragende Werke unter Beteiligung von Oboe und/ oder Harfe sind »Mobile« für Oboe und Harfe von 1962 und »h« für Bläserquintett (1968), eine zweiteilige Komposition, deren erster Abschnitt auf einem einzigen Ton (h^1) beruht, der seine Klangfarbe ständig verändert, der zweite auf einem fünfstimmigen Akkord, aus dem durch Überblasen mehrstimmige Mischklänge gewonnen werden, die sich zu Klangbändern verbinden. PE

Musik für den Oboisten Holliger

Die Liste der Komponisten, die für den Oboisten Heinz Holliger Stücke geschrieben haben, gleicht einem Who's who der Neuen Musik. Dazu zählen auch viele kammermusikalische Werke. Zu nennen sind u. a. Werke von Luciano Berio (»Sequenza VIIa«, 1969), Elliott Carter (»Inner Song« für Oboe solo, 1992), Brian Ferneyhough (»Coloratura« für Oboe und Klavier, 1966), Klaus Huber (»Noctes intelligibilis lucis« für Oboe und Cembalo, 1961), Ernst Krenek (Vier Stücke op. 193 für Oboe und Klavier, 1966), Henri Pousseur (»Caractères madrigalesques« für Oboe solo, 1966) und Isang Yun (Sonate für Oboe, Harfe und Viola, 1979; »Rufe« für Oboe und Harfe, 1989).

Der mit Holliger befreundete Dirigent und Komponist Antal Dorati schrieb für ihn fünf Stücke für Oboe solo (1980). Auf »Die Grille und die Ameise« nach dem Fabeldichter Jean de La Fontaine folgten ein musikalischer »Liebesbrief«, eine dreistimmige Fuge, ein Wiegenlied und ein leichtes, perlendes Finale.

»(t)air(e)« für Flöte solo

Bezeichnung Dal niente
Entstehung 1980–83
UA 1. Oktober 1983 Straßburg
Verlag Schott
Spieldauer ca. 14 Minuten

Entstehung Das Stück »(t)air(e)« für Flöte solo komponierte Holliger 1980 bis 1983 für den mit ihm befreundeten Flötisten Aurèle Nicolet. Es bildet den dritten Teil des »Scardanelli«-Zyklus nach späten Gedichten von Friedrich Hölderlin.

Musik Holliger notierte zu seinem Stück: »›Taire‹: verschweigen, nicht sagen; ›air‹: Luft, Lied, Arie, Atem; ›te‹: dich; ›Flöte‹: Hölderlins Instrument. Quasi Verbindung zu meiner Beckett-Oper ›Come and Go‹, zu ›Atembogen‹, zu ›Psalm‹.« Thema von »(t)air(e)« ist die Grundgegebenheit des Atems. »Der Atem ist mein Lebenselement. Ich spreche mit Atem; ich blase mit Atem; ich strukturiere Phrasen mit Atem«, so Holliger.

Das Stück lässt sich als Atemstudie ansprechen: Es kommt aus dem Nichts (»dal niente«) und führt ins Nichts (»al niente«), dazwischen finden sich Spielanweisungen wie »so lange wie möglich Atem anhalten« oder »mit letztem Atem«. Anflüge zarter melodischer Phrasen stehen neben leisen Hauch- und schrillen Pfeifgeräuschen. Holliger spricht von einer Musik, »bei der die Geste abwesend ist«: »Vorher war meine Musik direkter Ausdruck. Jetzt ist alles abgehoben, dass auch das Subjekt zurücktritt, wie auch Hölderlin aus diesen Gedichten zurücktritt.«

Wirkung Der ganze »Scardanelli«-Zyklus wurde 1995 mit dem »Premio Abbiati« der Biennale di Venezia ausgezeichnet. »(t)air(e)« aber avancierte zum Meilenstein der Sololiteratur für Flöte. Als heiter-ironische und zugleich hochvirtuose Hommage an Aurèle Nicolet ließ Holliger 1995/96 noch das 16-minütige »(in)solit(air)e« für Flöte solo folgen, ein Kompendium zeitgenössischer Spieltechniken in Form einer zwölfteiligen Suite. STÜ

Einspielungen (Auswahl)
• Beatrix Wagner, 2000 (+ Nicolaus A. Huber: First play Mozart, Gerald Eckert: Dem schweigenden Antlitz, Bunita Marcus: Solo); Ambitus

Honegger | Arthur

* 10. 3. 1892
Le Havre
† 27. 11. 1955
Paris

Nach dem Bekenntnis von Honegger muss man, »um vorwärtsschreiten zu können, fest in der Vergangenheit verwurzelt sein«. Die Hochschätzung des musikalischen Handwerks, die Affinität zu Choral und Kontrapunkt, die Sorgfalt bei der Ausarbeitung der polyfonen Struktur und der rhythmischen Differenzierung sowie bei der Formgebung dürfen als charakteristisch für sein weit gefächertes Œuvre gelten.

Geboren als Sohn einer aus der deutschsprachigen Schweiz stammenden Kaufmannsfamilie, die in Le Havre eine Kaffeeimportfirma leitete, eignete sich Arthur Honegger die musikalischen Grundbegriffe zunächst selbst an, bevor er bei Robert-Charles Martin Harmonieunterricht erhielt. In Zürich, wo er als Nachfolger seines Vaters im elterlichen Geschäft ausgebildet werden sollte, erreichte er durch Friedrich Hegar, den Direktor des Zürcher Konservatoriums, die Einwilligung der Familie zum unsicheren Beruf des Komponisten. Ab 1911 setzte er

sein Studium am Pariser Conservatoire bei Lucien Capet (Violine), André Gédalge (Kontrapunkt und Fuge), Charles-Marie Widor (Komposition) und Vincent d'Indy (Dirigieren) fort.

In den frühen Kompositionen ist die Wirkung der damals aktuellen französischen Musik von César Franck und dessen Schülern bis zu Debussy und Ravel spürbar. 1913 siedelte Honegger nach Paris um, entschied sich damit endgültig für Frankreich als Heimatland, ohne die Bindungen zur Schweiz gänzlich abzubrechen. Obwohl er zu der berühmten, von einem Musikkritiker geschaffenen »Groupe des Six« gehörte und eng mit Darius Milhaud und dem theoretischen Wortführer der musikalischen Avantgarde, Jean Cocteau, befreundet war, wahrte Honegger in Ästhetik und Stil seine Eigenständigkeit.

Ein verbindendes Element stellte der Wille zu einer klaren, vom Ornamentalen befreiten und durch Rückbezüge auf die Barockzeit neu belebten Musik dar; jedoch blieb ihm die propagierte neue Simplizität in Form, Struktur und Harmonik fremd. Offen für alle Neuerungen und zeitgenössische Anregungen der Kunst- wie der Unterhaltungsmusik und des Jazz, verleugnete er nie die prägenden Einflüsse der deutschen Musiktradition, namentlich von Bach, Beethoven und Wagner.

Biblische Themen und Stoffe (dramatischer Psalm »Le roi David«, 1921/23, Oper »Judith«, 1925; Oratorium »Der Totentanz«, 1938; »Eine Weihnachtskantate« 1953) nehmen in seinem Œuvre breiten Raum ein. Des Weiteren umfasst sein Schaffen sowohl Werke in den traditionellen Gattungsbereichen der Klavier- und Kammermusik sowie der Sinfonik (fünf Sinfonien, 1929–50) und der Chor- und Bühnenmusik (u.a. »Antigone«, 1924–27; »Jeanne d'Arc au bûcher«/»Johanna auf dem Scheiterhaufen«, 1935) als auch zahlreiche Kompositionen für die neuen Medien Film und Rundfunk. Honeggers Interesse für Technik und Sport schlug sich in zwei »Mouvements symphoniques« nieder, in denen die Lokomotive »Pacific 231« sowie das im 19. Jahrhundert neu entstandene Ballspiel »Rugby« die titelgebenden Inspirationsquellen waren. JO

Sonate für Violoncello und Klavier d-Moll

Sätze 1. Allegro non troppo, 2. Andante sostenuto, 3. Presto
Entstehung Sommer 1920
UA 23. April 1921 Paris
Verlag Durand
Spieldauer ca. 14 Minuten

Entstehung Nicht nur als Komponist in der festen Überzeugung einer notwendigen Traditionsbindung, sondern auch als Musiker, das heißt vor allem als Geiger, gelegentlich auch als Bratschist, war die Kammermusik ein für Honegger sehr naheliegendes Feld. So entstanden zwischen 1916 und 1921 neben dem ersten Streichquartett zwei Sonaten für Violine und Klavier, je eine für Viola und Cello sowie zwei Sonatinen, eine für zwei Violinen und eine für Klarinette und Klavier. Die Cellosonate wurde zwischen Juni und September 1920 in Paris und Zürich niedergeschrieben.

Musik Obwohl Honegger intensiv chromatische Linien benutzte, wirkte er entschieden der Auflösung des Tonalitätsgefühls entgegen. Die Satzfolge nach klassischem Modell und die kontrapunktischen Strukturen zeigen einen charakteristischen Honegger.

Erster Satz Wie schon in früheren Werken in Sonatenform folgte der Komponist im ersten Satz einem rückläufigen Reprisemodell: Die Reihenfolge der beiden motivisch miteinander verwandten Themen ist vertauscht, zudem ist in diese Reprise nach der Wiederkehr des zweiten Themas eine zweite Durchführung eingeschoben, die beide Themen miteinander kombiniert. Die beiden Durchführungsteile nehmen breiten Raum ein (mit zusammen 65 Takten mehr als die Hälfte des Satzes) und unterstreichen damit die – für französische Verhältnisse – ungewöhnlich große Bedeutung dieser Formteile.

Zweiter und dritter Satz Auch der expressive dreiteilige langsame Satz ist teilweise kanonisch angelegt. Die klare Diatonik des Mittelteils steht in denkbar größtem Kontrast zur durch Chromatik getrübten Tonalität der Eckteile. Der im Andante anklingende resignative Ton weicht im abschließenden Sonatenrondo (in D-Dur) heiterer Ausgelassenheit. Obwohl seine Dauer nicht ganz an die vorangegangenen Sätze heranreicht, ist der Aufbau des Prestos ungleich komplexer, in dem drei Themenzyklen mit insgesamt vier Themen rondoartig miteinander alternieren. Überspannt wird der Aufbau von einer rhythmisch geprägten Einleitung, die in der Coda wieder aufgenommen wird.

Wirkung Seit ihrer Uraufführung gehört die Cellosonate, die als krönender Abschluss der in dieser Zeit entstandenen Streichersonaten gelten darf, zum festen Repertoire der Cellisten. JO

Streichquartette

Entstehung Da Honegger während seines Pariser Studiums und auch noch später Quartettspieler und nach eigener Aussage besonders von den zeitgenössischen Quartetten etwa Béla Bartóks begeistert war, ergab sich die Affinität zu dieser Gattung nachgerade von selbst. Das erste Streichquartett (c-Moll), das in seiner definitiven Fassung zwischen April 1916 und Oktober 1917 komponiert wurde, markiert den Beginn einer ersten intensiven Kammermusikphase. Zur zweiten Phase der 1930er-Jahre gehören die beiden nachfolgenden Streichquartette, die unmittelbar aufeinanderfolgend entstanden (Nr. 2 in D-Dur, 1934–36; Nr. 3 in E-Dur, 1936/37), aber auch gleichzeitig schon das Ende der Auseinandersetzung mit der Gattung bedeuteten, da Honegger nach der Sonate für Solovioline (1940) keine Kammermusik mehr schrieb.

Musik Alle Streichquartette weisen die von Honegger bevorzugte Dreisätzigkeit – mit einem langsamen Satz in mittlerer Position – auf; das als selbstständiger Satz fehlende Scherzo ist charakterlich jeweils im Finale integriert.

Erstes Quartett Im Rückblick bekannte sich Honegger nachdrücklich zu seinem ersten Streichquartett, das trotz seiner Längen und Schwächen unverfälscht seine damalige Persönlichkeit und seinen Entwicklungsstand von 1916/17 spiegele. Die Ecksätze geben das Ungestüme, aber auch das Trotzig-Wilde des jungen, noch weitgehend unbekannten Komponisten wieder. Das dichte polyfone Gewebe führt zu harten Akkordreibungen und verweist auf den Vorrang der Linie vor dem Zusammenklang, der sich von nun an in allen bedeutenden Werken Honeggers durchsetzen sollte. Das ausgedehnte E-Dur-Adagio ist ebenfalls in Sonatenform geschrieben und erinnert durch seine chromatische Harmonik am deutlichsten an Honeggers Bekenntnis zu Wagner und seinen Nachfolgern.

Zweites Quartett   Rund 20 Jahre trennen das zweite vom ersten Streichquartett. Auch wenn die dichte kontrapunktische Schreibweise gewahrt wurde, hatte Honegger stilistisch inzwischen einen weiten Weg zurückgelegt. Das Ungestüm-Wilde macht einem gemäßigten, abgeklärten Ausdruck Platz, ohne an Vitalität und Expressivität zu verlieren; insbesondere in harmonischer Hinsicht haben sich die Spannungen sogar enorm verschärft. Im Gegensatz zum früheren Werk weist nun der unmittelbar vom Kopfsatz durch eine Più-lento-Überleitung vorbereitete Adagiosatz die einfache dreiteilige Liedform auf.

Drittes Quartett   Das letzte Streichquartett folgt in Stil und Form genau dem zweiten, hebt sich aber durch größere Geschlossenheit und zwingendere Logik der linearen Struktur hervor, nach Aussage des Komponisten, der es in seiner bescheidenen Art als ein »Beispiel besserer Arbeit« verstanden wissen wollte, zeigt es »einen Fortschritt in der Straffung und in der Ausarbeitung«.

Wirkung   Schon Honegger selbst bedauerte die Nichtbeachtung seines ersten Streichquartetts. Auch die beiden späteren Werke sind, zumindest außerhalb des französischen Sprachraums, obwohl sie dort mit großem Erfolg uraufgeführt wurden, nur sehr selten zu hören.   JO

Einspielungen (Auswahl)
• Quartette Nr. 1–3: Ludwig Quartett, 1992; Timpani

Honegger gründete 1918 zusammen mit fünf Kollegen in Paris die »Groupe des Six«, der sich der Dichter Jean Cocteau (am Flügel) literarisch verbunden fühlte (stehend von links: Darius Milhaud, Georges Auric, Arthur Honegger, Germaine Tailleferre, Francis Poulenc und Louis Durey).

Hummel | Johann Nepomuk

* 14. 11. 1778
Pressburg
† 17. 10. 1837
Weimar

100880

Als pianistisches Wunderkind und später von einem ehrgeizigen Schaffensfieber getrieben, wurde Hummel genau im richtigen Augenblick in jenes Virtuosenzeitalter hineingeboren, das auf seine vorrangig zur artistischen Schaustellung geeignete Musik förmlich wartete.

So umfasst sein Werkverzeichnis nicht nur eine schier unübersichtliche Fülle von gezählten (mit Opusnummern) und ungezählten (ohne Opusnummern) Beiträgen, sondern die Konkurrenz im damals noch ungeordneten Vorfeld eines fehlenden Verlags- und Urheberrechtes sorgte auch für entsprechende Mehrfachveröffentlichungen an unterschiedlichen Orten. Solche Erfolge stärkten das Selbstbewusstsein.

Natürlich erkannte der Vater, Theaterkapellmeister in Hummels Geburtsstadt Pressburg (heute Bratislava), danach an Schikaneders »Zauberflöten«-Theater an der Wien, als Erster die Begabung seines Sohnes. Er erreichte die Aufnahme des Knaben als Schüler im Hause Mozarts und startete mit dem zehnjährigen Johann Nepomuk 1788 bis 1793 eine erste große Konzertreise nach Dänemark und England. Nach der Rückkehr wurde der Unterricht bei Albrechtsberger und Salieri, vorübergehend auch als Orgel-

schüler Haydns, fortgesetzt. 1799 – im Alter von 21 Jahren – galt Johann Nepomuk Hummel als einer der vorzüglichsten Klavierspieler Wiens. Seine eigenen Werkbeiträge voller pianistischer Kapriolen dokumentieren diesen Ruf. Eine erste Anstellung an der Hofkapelle des Fürstenhauses Esterházy in Eisenstadt (1804–11) verlief wegen eines allzu legeren Pflichtenverständnisses weniger erfolgreich. Auch der 1816 erfolgte Wechsel als Opernchef nach Stuttgart endete 1819 mit einer fristlosen, von Hummel selbst herbeigewünschten Entlassung. Einen Idealplatz der Selbstverwirklichung fand der Künstler dagegen als Großherzoglicher Kapellmeister in Weimar, wo er sich vertraglich einen alljährlichen dreimonatigen Sonderurlaub für Konzertreisen sicherte, und dies auf Lebenszeit.

Beliebtestes Werk aus Hummels Orchesterschaffen ist sein Trompetenkonzert E-Dur, das auch in zahlreichen CD-Produktionen vorliegt. Wesentlich umfangreicher an Werktiteln in Einzelaufnahmen ist jedoch die Liste seiner Kammermusiken, angeführt vom Klavierseptett op. 74 und dem (wegen einer Trompetenpartie

---

Mozart-Konzerte für Klavierquartett

Der Pianist Johann Nepomuk Hummel hat, so formulierte es Carl Czerny, »die mozartsche Manier mit der für das Instrument so weise berechneten clementischen Schule« vereinigt. Darüber hinaus hat er aber auch einige Werke seines Lehrers Mozart für Kammermusikbesetzung bearbeitet, um sie bei seinen Konzertreisen ohne großen Aufwand aufführen zu können. So entstanden etwa für einen englischen Verleger Transkriptionen von sieben Klavierkonzerten – darunter das berühmte »Krönungskonzert« D-Dur KV 537. Mozarts Klavierkonzerte mit nur vier Instrumenten, geht das? Hummel ist durchaus stilsicher zu Werke gegangen, vermag den musikalischen Esprit der Werke zu erhalten. Die klangliche Überraschung allerdings: Obwohl der Orchesterpart auf Flöte, Violine und Violoncello »geschrumpft« ist, was die Transparenz des musikalischen Satzes erhöht, kann das Klavier bisweilen direkt ins Hintertreffen geraten. Wären da nicht die rein solistischen Abschnitte oder die großen Kadenzen, man könnte zum Teil als Originale eher Flötenkonzerte vermuten.

mit signalartigen Motiven) sogenannten Militärseptett op. 111. Charakteristisch für diese Beiträge sind ihre rhythmisch recht griffigen, von eingängig-schlichter Melodik und stereotypen Wiederholungen geprägten Themen, angereichert mit pianistisch virtuosen Füllseln. Zu den bekannteren Stücken gehören auch die »Schöne-Minka-Variationen« (über ein beliebtes russisches Volkslied) für Flöte, Cello und Klavier op. 78. Ein Quartett für Klarinette und Streichtrio von 1808 verdient Beachtung wegen vieler origineller Züge in der Rhythmik, Harmonik und Werkarchitektur. PÄ

Trio in G, Op. 65

Klaviertrios

Entstehung Die Klaviertrios von Johann Nepomuk Hummel bilden künstlerisch und musikalisch ein wichtiges Bindeglied von der Wiener Klassik mit seinem Dreigestirn Haydn/Mozart/Beethoven zum Virtuosenzeitalter des frühen 19. Jahrhunderts. Es handelt sich – wenn man von einem frühen, schülerhaften Titel in gleicher Besetzung (op. 2/1) absieht – um sieben bemerkenswerte Beiträge in der traditionsreichen Triosonatenbesetzung für die modernen Instrumente Klavier, Violine und Violoncello.

Hummels Klaviertrios sind in vier Etappen entstanden, davon zwei als Jugendwerke vor 1799 (op. 12, op. 22), zwei während seiner Konzertmeistertätigkeit in Eisenstadt (op. 35, op. 65), zwei weitere in Stuttgart (op. 83, op. 93) und das letzte in Weimar (op. 96). Den Anlass gab zunächst das eigene Konzertieren, später verstärkt der Erfolgsdruck, den die ersten Werke bei den Verlegern auslösten.

Musik Es liegt nahe, dass ein so ausgeprägtes Klaviertalent, wie Hummel es war, die für den Eigenbedarf geschriebenen Solopartien in den Vordergrund stellte. Folgerichtig kann man alle sieben Klaviertrios als verkappte Klavierkonzerte bezeichnen, was den Kammermusiken allerdings ihren ganz besonderen Reiz verleiht. Ein regelrechtes Klavierkonzert ist der Kopfsatz von op. 83, dem Werk, das mit einer Aufführungsdauer von ca. 27 Minuten die Länge der anderen Trios (13–20 Minuten) weit überragt.

Formal bewegen sich alle Klaviertrios im Fahrwasser der klassischen Instrumentalkonzerte, halten sich strikt an die schulmäßig vorgegebene Satzfolge: 1. Sonatenhauptsatz, 2. langsamer Satz, 3. Schlussrondo. Diese gleichbleibende Werkarchitektur wird jedoch von einem bunten Farbenspiel der Wechselmotive, Harmonik, Rhythmik und virtuosen Figurenfülle geprägt, das dem Zuhörer ständig zu schmeicheln versteht.

Das eigentliche Geheimnis der angenehmen Unterhaltung auf gehobenem Niveau liegt jedoch in der Struktur der Themen: Stets scheinen die melodischen Einfälle recht eingängigen, oft gar simpel anmutenden Lied- und Tanzvorlagen abgelauscht worden zu sein. Dank einer schier unerschöpflichen Fabulierkunst und Einbindung in ein artistisches Tastenspiel entfachen sie ein Feuerwerk an Eleganz und bleiben dennoch kraft ihrer markanten Motivgestaltung immer erkennbar. Das musikästhetische Prinzip vom »Schein des Bekannten« und das klassische Ideal der »stillen Einfalt und edlen Größe« haben sich harmonisch miteinander verbunden: Haupt- und Seitenthemen werden aus jeweils einheitlichen Keimzellen entwickelt.

Wirkung Nach dem Tod Hummels sind die Klaviertrios schnell aus den Konzertsälen verschwunden. Eine Wiederbelebung setzte 1987 mit einer Gesamteinspielung auf CD durch das Trio Parnassus ein. PÄ

Einspielungen (Auswahl)
• Gesamtaufnahme: Trio Parnassus, 1987/88; MDG

Bläserserenaden

Serenade für Bläseroktett Es-Dur

Oktett-Parthia für Bläser Es-Dur

Sextett für Bläser F-Dur

Concertino für Oboe & Bläser F-Dur

Entstehung Hummels erste Anstellung als Konzertmeister der Fürstlich Esterházyschen Hofkapelle in Eisenstadt ab 1804 machte den jungen Komponisten mit der vorzüglichen Qualität des dortigen Bläserensembles vertraut. »Harmoniemusiken« – wie man die typischen Bläserbesetzungen mit je zwei Oboen, Klarinetten, Hörnern und Fagotten jener Zeit nannte – waren mit der Erfindung und Modernisierung der Holzblasinstrumente nach 1750 zur großen Mode an allen Residenzen geworden.

So war das Komponieren solcher Musiken nun auch für Hummel eine Selbstverständlichkeit. Als »Gebrauchsmusiken« kursierten sie meist nur handschriftlich. Aus solchen, bisher unveröffentlichten Archivschätzen ragen eine Serenade, eine »Parthia« und ein Sextett hervor, dazu ein seit Längerem bekanntes Oboenconcertino für Harmoniemusik.

Musik Erstaunlich an diesen frühen Bläserwerken Hummels ist die Vertrautheit des Komponisten mit den spieltechnischen und klanglichen Möglichkeiten dieses Genres. Da man den Widmungsträger von Hummels Fagottkonzert kennt, den Eisenstädter Fagottisten und Klarinettisten »Sigr. Griesbacher«, darf man dessen Beratung bei spieltechnischen Fragen unterstellen. In thematischer und formaler Hinsicht ergeben sich dagegen kaum zu überhörende Anklänge an modische Routinefloskeln der Zeit, zugleich mögen mehr oder weniger bewusste Einflüsse bekannter Vorbilder in die Werkkonzepte eingeflossen sein.

So glaubt man im langsamen Satz der Serenade den »Heiligen-Hallen«-Geist Sarastros aus Mozarts »Zauberflöte« zu erkennen, und im Kopfsatz der »Parthia« (ein Mischbegriff aus »Partie« und »Partita«) verblüfft ein rhythmisches Klischee, das den Hörer an Beethovens Marsch für die böhmische Landwehr (»York'scher Marsch«, WoO 18) erinnert. Das zweite Thema desselben Satzes scheint dagegen den charakteristischen Rhythmus einer populären »Böhmischen Polka« (Rosamunde) jüngeren Datums entlehnt zu haben. Auf diese Weise kommt es bereits bei der ersten Begegnung mit diesen Werken zu einer sympathischen Vertrautheit. Wer Mozarts Bläserserenaden im Ohr hat, wird auch einige Kunstgriffe aus dessen »Gran Partita« B-Dur KV 361 (370a) entdecken können.

Originell ist nicht zuletzt das kompositorische Konzept des Oboenconcertinos, dessen heiterer Variationensatz sich aus einem einleitenden Trauermarsch (!) herausschält. Unversehens wird der Hörer mit mozartscher Papageno-Fröhlichkeit konfrontiert, um zusätzlich mit Zwischenspielen in der Art klangvoller Intermezzi und endlich – nach einer kurzen Solokadenz – mit einem schwungvollen Walzer überrascht zu werden.

Wirkung Mit Ausnahme des Oboenconcertinos wurden erst 1992 die bis dahin vergessenen Raritäten von Dieter Klöcker, dem Leiter des Consortium Classicum, wiederentdeckt und (mit dem Oboisten Gernot Schmalfuss) als CD-Produktion veröffentlicht. Bläserensembles wissen diese Entdeckungen zu schätzen und finden damit den ungeteilten Beifall des Publikums. **PÄ**

Ibert | Jacques

* 15. 8. 1890
Paris
† 5. 2. 1962
Paris

Der Weg des Komponisten Jacques Ibert führte vom Vorbild Debussys über Strawinsky zu einer ausgeprägten Eigenpersönlichkeit,

die sich keinerlei ästhetischen Zwängen, Klangkonzepten und Stilforderungen unterwarf. Seine Devise lautete: »Fähig sein zur Auswahl und zur gewissenhaften Arbeit. Nur das schreiben, was ich verstehe und was meiner Fantasie zusagt. Meine Musik ist der direkte Ausdruck meiner Gedanken. Mit gleicher Offenheit wünsche ich mir meine Zuhörer.«

Erst im Alter von 20 Jahren begann Ibert sein Kompositionsstudium am Pariser Conservatoire Nationale de Musique, nachdem ihn seine Mutter – eine hervorragende Musikerin – vom frühen Kindesalter an in die Welt der Tonkunst eingeführt hatte. Sein prominentester Lehrer war Gabriel Fauré, zu seinen engsten Studienfreunden gehörte Darius Milhaud. Durch diesen stand Ibert der gleichaltrigen »Groupe des Six« nahe, zu der sich 1918 die jungen Komponisten Georges Auric, Francis Poulenc, Darius Milhaud, Germaine Tailleferre, Louis Durey und Arthur Honegger zusammengeschlossen hatten.

Auf Anregung von Nadia Boulanger beteiligte sich Ibert am Rom-Preis-Wettbewerb und errang auf Anhieb den Premier Grand Prix mit Aufenthalt in der Villa Medici von 1920 bis 1923. Anschließend lebte er als freischaffender Komponist in Paris. 1937 wurde Ibert zum Direktor der französischen Akademie in Rom ernannt, 1955 zum Direktor der Pariser Oper. Ein Jahr später ließ sich der stets nach Unabhängigkeit strebende Künstler von allen Verpflichtungen zugunsten seiner schöpferischen Arbeit entbinden. Entsprechend umfangreich ist sein Gesamtschaffen, das mit Ausnahme von Sinfonien alle Werkgattungen umfasst. Zu einem Unikat in der Musikgeschichte der Moderne ist das Ballett »L'éventail de Jeanne« geworden, das 1929 als Gemeinschaftsarbeit von Ibert, Florent Schmitt, Roussel, Ravel, Roland-Manuel, Milhaud, Delannoy, Poulenc, Auric und Ferroud entstanden ist.

Von den vielen Kammermusiken ist die 1924 veröffentlichte Flötensonatine »Jeux« zum Inbegriff für Iberts Klangwelt und Schreibweise geworden. Sehr zu Unrecht wurde sie jedoch – gemessen an der Zahl der Aufführungen – im Konzertsaal und in den Medien von anderen Beiträgen für kleine Besetzungen überrundet. So

begegnet man Iberts Werken für das Saxofon, für die Gitarre, für Trompete, Fagott, Bläserquartett und Bläserquintett wesentlich häufiger. Grund für diese Popularität ist nicht zuletzt der tänzerische Impetus der Kompositionen, obgleich schon »Jeux« alle spielerischen Elemente (der Werktitel sagt es) in beeindruckend konzentrierter Form in sich vereinigt. PÄ

»Jeux«, Sonatine für Flöte und Klavier

Sätze 1. Animé, 2. Tendre
Entstehung 1923
Verlag Leduc, Paris
Spieldauer ca. 6 Minuten

Entstehung Als Rom-Preisträger hatte der Stipendiat Ibert während seines Aufenthaltes in der Villa Medici 1920 bis 1923 »envois« (Pflichtstücke) an das heimatliche Conservatoire in Paris zu schicken, zu denen neben der Oper »Persée et Andromède« die sinfonischen Fresken »Escales«, dann das zunächst umstrittene Chorwerk »Chant de folie« und die klavierbegleitete Flötensonatine »Jeux« gehörten. Stil und Klänge dieser Frühwerke sind für den erfolgreichen Komponisten zu einem unverwechselbaren Charakteristikum geworden.

Musik Der Werktitel »Spiele« ist allumfassend zu verstehen. Er bezieht sich nicht nur auf die technischen Spielmöglichkeiten der Instrumente, sondern auch auf den spielerischen Umgang mit Motiven, mit der Rhythmik, Harmonik, Dynamik, Klangfarben und Ausdrucksformen, kurz, auf alle »Parameter« der Musik. Selbst die Fantasie des Zuhörers wird aktiviert, der sich hier bildhaft in einen sommerlichen Garten mit Springbrunnen und rauschenden Wasserkaskaden versetzt fühlen darf.

Erster Satz Ein einleitender Klavierakkord mag den Knopfdruck symbolisieren, der die Szenerie in Bewegung bringt. Tänzerische Rhythmen mit koboldhaften Punktierungen und Intervallsprüngen lassen die Flötentöne ähnlich einer Fontäne aus tiefer Lage allmählich in die Höhe steigen. Sie formen sich zu einer Thematik, die mit wachsender Lautstärke übermütige Dissonanzen versprüht. Eine Pausenzäsur scheint weitere »kalte Duschen« vermeiden zu wollen. Nun zeigt das Klavier in behutsamem Piano, dass es auch anders geht: Mit impressionistischen Farbklängen wird eine idyllische Stimmung gezaubert, aus der sich der flötende »Kobold« mit Erinnerungsspritzern schelmisch zurückzieht.

Zweiter Satz Die (Garten-)Szene hat sich verwandelt. Vor der Kulisse farbig bewegter Ganztonleitern und Figurationen in freier Tonalität erhebt sich aus dem pianistisch vollgriffigen Wogen ein weitausschwingender Flöten-»Gesang«. Rollentausch: Aus dem Animé-Kobold des ersten Satzes ist eine liebliche Tendre-Elfe geworden. Doch das Spiel (Jeux) geht weiter. Im heiteren Wechsel verwenden Klavier und Flöte dialogisierend und einander imitierend die gleichen Motive. Schließlich schweben sie mit impressionistisch flimmernden Dreiklangakkorden und weich hinzugefügtem Sextintervall (»sixte ajoutée«) auf und davon. PÄ

Einspielungen (Auswahl)
• Collegium Musicum Soloists, 1994 (+ »Entr'acte« und weitere Kammermusik); Kontrapunkt

»Entr'acte« für Flöte (Violine) und Gitarre (Harfe)

Entstehung vor 1953
Verlag Leduc, Paris
Spieldauer ca. 3 1/2 Minuten

Musik Als Charakterminiatur ist dieser animierende, gehaltvoll-verspielte »Zwischenakt«-Spuk im besten Sinne des Wortes ein Reißer (ohne sich selbst reißerisch zu gebärden). Den relativ frühen, großformatigen »Jeux« steht damit ein kleinteiliges Konzentrat kompositorischer Spätlese gegenüber – musikantisch, melodiös, kapriziös.

Die schlichte Reihungsform erweist sich als ein Vademekum der wichtigsten Spiel- und Vortragstechniken: Dem bewegten Einleitungsostinato folgt ein ausdrucksvoller Moll-»Gesang« mit harmonisch aparten Akkordrückungen, denen sich nach einem virtuosen Staccatokurzintermezzo – alles in diesem Stückchen ist kurz! – ein melodisches Solo der Begleitstimme anschließt. Ein ka-

priziöser Überleitungsdialog mit kadenzartiger Zäsur mündet in einen virtuos fugierten Schlussabschnitt – genug für nur dreieinhalb Minuten Spieldauer. Dass dieses kontrastreiche Stenogramm dennoch als musikalisch plausible Einheit empfunden wird, die bei aller Modernität gar ohne Dissonanzen auskommt, dies ist das eigentliche Wunder dieses ibertschen Gedankenblitzes.

Wirkung Virtuosen jeglicher Instrumentalfarbe, etwa auch Interpreten mit Block- und Panflöte oder Trompete, sichern sich gern den Beifall ihrer Zuhörer mit diesem Kabinettstückchen. PÄ

Noch mehr französische Bläserprofis

Nicht nur Jacques Ibert hat im 20. Jahrhundert in Frankreich die Kammermusik für Bläser bereichert. Auch Eugène Bozza, zunächst Chef d'Orchestre an der Opéra-Comique in Paris, dann Direktor der École Nationale de Musique von Valenciennes, machte sich vor allem durch Bläserkammermusik einen Namen. Eindringliche Stücke gelangen ihm mit »Aria« für Altsaxofon und Klavier (1936; später auch für Klarinette und Trompete eingerichtet) und »Image« op. 38 für Flöte solo (1940). »Agrestide« (Das Lied vom ländlichen Leben) op. 44 für Flöte und Klavier (1942) ist ein Stück von Klangzauber und äußerster Virtuosität.

Der gleichaltrige André Jolivet, Musikdirektor der Comédie Française und Professor für Komposition, gab der Flöte den Vorrang. Seine bekanntesten Werke sind die frei atonalen »Cinq incantations« (fünf Beschwörungen) für Soloflöte (1936) sowie seine von Schreien und Tänzen durchsetzte antikische Totenklage »Chant de Linos« für Flöte und Klavier (1944).

Durstig nach Freiheit

Ibert gilt heute noch als Komponist, der eigene Wege verfolgte. Gérard Michel urteilte 1957: »Ibert ist ein freiheitsdurstiger, feinsinniger Mensch, ein geschickter, vitaler Musiker und ein sehr offener Geist; er hat sich immer bemüht, sich von jeder Regel oder jedem ästhetischen Konzept frei zu halten. Er hat sich nie den Forderungen eines Systems gebeugt, ohne das eine oder andere ignorieren zu wollen.«

Ives | Charles

* 20. 10. 1874
Danbury, Connecticut (USA)
† 19. 5. 1954
West Redding, Connecticut

Grafische Notation, Zufallskomposition, Polyrhythmik – etwa durch die Überlagerung verschiedener rhythmischer Ebenen –, Atonalität, Multilinearität, serielle Verfahrensweisen: Auf all diesen Gebieten war der amerikanische Komponist Charles Ives Vorreiter der Avantgarde.

Ives wurde 1874 in Danbury im Nordosten der USA geboren. Sein Vater George war Kapellmeister des ortsansässigen Blasorchesters und experimentierte bereits 1870 mit Vierteltönen und Klangfarben im Raum. Charles Ives studierte an der renommierten Yale University in New Haven; seine erste Sinfonie war gleichzeitig die Abschlussprüfungsarbeit. Sein kompositorisches Œuvre ist groß: Neben vier (abgeschlossenen) Sinfonien und zahlreichen weiteren Orchesterwerken schrieb er Hunderte von Liedern mit Klavierbegleitung oder mit Kammerensemble, A-cappella-Chöre, Werke für Klavier und Violine, Streichquartette, Klavierquintette etc. Seinen Kompositionen stehen Schriften zu musikalischen, philosophischen und politischen Themen zur Seite. Diese ungeheure Kreativität erstaunt umso mehr, als sich Ives nicht auf die Komponistenlaufbahn einlassen wollte, sondern quasi als Broterwerb den Beruf eines Versicherungskaufmanns wählte und darin äußerst erfolgreich war. In der Anwendung statistischer Verfahrensweisen bei seinen Kompositionen verbanden sich beide Bereiche.

Die Collagetechnik wandte er zur gleichen Zeit wie Gustav Mahler an, mit ähnlicher Absicht: Musik war auch bei ihm Ausdruck einer Gesellschaft ohne Schranken und Repressionen. Ives folgte dabei dem Gedankengut der Transzendentalisten seiner neuenglischen Heimat – Ralph Waldo Emerson, Nathaniel Hawthorne, Henry David Thoreau.

Die Tatsache, dass Charles Ives' Kammermusik bislang einen verhältnismäßig viel kleineren Publikumskreis erreichte als etwa seine Werke für Orchester, führt der Musikwissenschaftler und Ives-Spezialist David Nicholls vor allem auf zwei Ursachen zurück: Einmal waren es oft die Werke mit kleineren Besetzungen, in denen der Komponist jene neuen Ideen ausprobierte, die er dann in seinen Orchesterkompositionen anwandte; seine Kammermusik war also a priori kühner, progressiver, radikaler, experimenteller und zum Teil auch »unfertiger« als die Orchesterwerke. Zweitens aber, und dies scheint der wesentliche Punkt, schrieb Ives zahlreiche seiner Kammermusikwerke für ungewöhnliche Instrumentenkombinationen, was die Verbreitung nicht unbedingt förderte. Erst heute, da Ives' sinfonisches Werk quasi aus den Nischen des Konzertrepertoires hervorgeholt und auch von einem breiteren Publikum »entdeckt« worden ist, beginnt man, seiner Kammermusik größere Aufmerksamkeit zu widmen. PE

Violinsonaten

Charles Ives zählt in seinen »Memos« fünf Sonaten für Violine und Klavier auf, doch hat sich heute allgemein die von Henry Cowell eingeführte Zählweise durchgesetzt, nach der die vom Komponisten als »Erste« bezeichnete Sonate (noch während der Studienzeit begonnen und nach Ives' Angaben »etwa 1901« in New York beendet) »Pre-First (Vor-Erste) Violin Sonata« genannt wird. Für dieses Werk schrieb Charles Ives zwei zweite Sätze; den ersten Entwurf wandelte er später zum »Largo« für Violine, Klarinette und Klavier um, während der zweite – auf das Lied

»The Old Oaken Bucket« – in die »eigentliche« erste Violinsonate eingearbeitet wurde. Auch bei der zweiten Violinsonate griff Ives auf Material aus der »Vor-Ersten« zurück. Später übernahm Ives Cowells Zählweise.

Die vier späteren Violinsonaten bilden eine geschlossene Gruppe, sind laut H. W. Hitchcock »einheitlicher in Stil und Expression als jede andere ähnliche Werkgruppe« im Œuvre des Amerikaners. Dies rührt sowohl von ihrer Struktur – alle sind dreisätzig – als auch von ihrem Inhalt her: Jede nutzt das Potenzial von (Kirchen-)Hymnen (im Finale und zumindest einem weiteren Satz) und von »Country fiddling«, also folkloristisch geprägtem Geigenspiel.

»Obwohl die Position Charles Ives' als eine der wichtigsten Gestalten in der Musik des 20. Jahrhunderts heute unbestritten ist, beruht sein Name selbst unter Liebhabern auf einer verhältnismäßig kleinen Zahl von Werken«, schreibt David Nicholls. Nach Ansicht Nicholls' haben viele Geiger die Violinsonaten bislang gemieden, »vielleicht, weil diese ein höheres Maß an rhythmischer Präzision und Kontrolle verlangen, als manchem lieb ist (vielleicht auch, weil dies seine Fähigkeiten übersteigt). Außerdem sind die Stücke eindeutig als Duette konzipiert – nicht als Soli mit Begleitung – und stellen ungewöhnliche Forderungen an Zusammenspiel und Koordination«. Entsprechend gibt es auch nur wenige Schallplatteneinspielungen der Werke; als vermutlich Erste haben 1975 János Negyesy (Violine) und Cornelius Cardew (Klavier) alle vier Sonaten aufgenommen. Ihnen folgten u. a. Gregory Fulkerson (Violine) und Robert Shannon (Klavier). PE

Einspielungen (Auswahl)
- Gregory Fulkerson (Violine), Robert Shannon (Klavier), 1991; Bridge

Ives komponierte bereits als Student an der Yale University in New Haven erste kammermusikalische Werke (links, 1893 als Mitglied der Baseballmannschaft der Hopkins Grammar School in New Haven).

Sonate Nr. 1

Sätze 1. Andante – Allegro vivace, 2. Largo cantabile, 3. Allegro
Entstehung ca. 1903; 1908, ca. 1914–17 überarbeitet
UA 27. November 1928 San Francisco
Verlag Peer International, New York
Spieldauer ca. 23 Minuten

Entstehung Die erste Violinsonate, in den Jahren 1903 und 1908 komponiert, bezeichnete Ives in seinen »Memos« als »Gemisch aus alter und neuer Schreibweise«: An manchen Stellen gebe es eine »Art von Rückentwicklung«, an anderen »Dinge – rhythmisch, harmonisch und strukturell«, die, wie Charles Ives von einem befreundeten Musikologen gesagt wurde, »noch Anfang der 1930er-Jahre bei keinem anderen Komponisten zu sehen gewesen« seien.

Musik Ives verfasste zu seinem Werk die folgende Programmnotiz: »Diese Sonate ist zum Teil… eine Art Reflex auf ›Holiday-Celebrations‹ und ›Camp-Meetings‹ in den 80er- und 90er-Jahren des vorigen Jahrhunderts bzw. Erinnerung an jene Versammlungen, an denen Männer aufstanden und ungeachtet der Konsequenzen sagten, was sie meinten. Sie beschwören Melodien,

Songs und Hymnen zusammen mit Lauten der Natur von den Bergen...«.

Der erste Satz könne in gewisser Weise »etwas suggerieren, was Natur und Menschennatur einander ›vorsingen‹ würden – manchmal«.

Der zweite Satz versuche, die Stimmung wiederzugeben, »wenn ›The Old Oaken Bucket‹ und ›Tramp, Tramp, Tramp, the Boys are Marching‹ von den Hügeln her zu hören war, um die Traurigkeit der alten Bürgerkriegstage zu lindern...«.

Der dritte Satz schließlich spiegele Tätigkeiten und Hymnengesang anlässlich eines Lagertreffens von Farmern«, wobei der Gesang die Männer angesichts der hereinbrechenden Nacht zur Arbeit auffordern solle (»to work for the night is coming« lautet der Vers einer der Hymnen). Der Violinstimme hat Charles Ives im Mittelteil des Satzes den Text der Hymne »Watchman, tell us of the Night« unterlegt. Die Komposition ist formal an keinerlei Schema gebunden.

Wirkung Bei der von der New Music Society of California ermöglichten öffentlichen Uraufführung 1928 in San Francisco spielten Dorothy Mint (Violine) und Marjorie Gear (Klavier). Joan Field (Violine) und Leopold Mittman (Klavier) nahmen das Werk 1951 erstmals für die Schallplatte auf. PE

mern von Lokomotiven aufschreibt) hat David Nicholls die zweite Violinsonate genannt: Sie ist voll von Hymnen und Liedern. Auch dieses Werk ist formal frei gestaltet.

Erster Satz »Autumn« (Herbst): Drei Hymnen werden abwechselnd behandelt und variiert. Der Satz geht auf das Finale der »Vor-Ersten«–Violinsonate zurück.

Zweiter Satz »In the Barn« (In der Scheune): Das Kernstück der Sonate greift ebenfalls Material aus der »Vor-Ersten«–Sonate auf. Hier ist viel von dem alten »Ragtimezeug« zu hören. Der Satz gibt den Freunden musikalischer Vexierspiele reichlich Gelegenheit zur Suche nach den Originalmelodien: »The White Cockade«, »The Battle Cry of Freedom« und – gleich zu Beginn – »Sailor's Hornpipe« sind nur einige davon.

Dritter Satz »The Revival« (Die Erweckung): Hier kommen zwei Liedmelodien zum Zug, darunter vor allem die Hymne »Nettleton«.

Wirkung Die öffentliche Uraufführung der Sonate 1924 in der New Yorker Aeolian Hall spielten Jerome Goldstein (Violine) und Rex Tillson (Klavier) vermutlich aus heute verlorenen Stimmen. Erstmals auf Schallplatte erschien das Werk 1950; die Interpreten dabei waren Patricia Travers (Violine) und Otto Herz (Klavier). PE

Sonate Nr. 2

Sätze 1. Autumn: Adagio maestoso – Allegro moderato, 2. In the Barn: Presto – Allegro moderato, 3. The Revival: Largo – Allegretto
Entstehung 1902–1904 und 1910, revidiert 1919
UA 18. März 1924 New York
Verlag Associated Music Publishers, New York
Spieldauer ca. 15 Minuten

Entstehung Die zweite Violinsonate verweist vor allem durch ihren zweiten Satz, der zu einem großen Teil auf »dem alten Ragtimezeug« (Ives) basiert, auf ihre Entstehungszeit: Der Komponist beschäftigte sich mit diesem Stil um die Jahre 1902 bis 1904. Beendet wurde das Werk jedoch erst 1910.

Musik »A tune spotter's paradise« (ein kaum übersetzbares Wortspiel; ein »train spotter« ist jemand, der als Hobby die Betriebsnum-

Sonate Nr. 3

Sätze 1. Adagio – Andante – Allegretto – Adagio, 2. Allegro, 3. Adagio cantabile
Entstehung 1901–04, revidiert 1914
UA 22. April 1917 New York
Verlag Merion Music, New York
Spieldauer ca. 25 Minuten

Entstehung Auch die dritte Violinsonate wurde bald nach der Jahrhundertwende begonnen (1901), beendet freilich erst im Herbst 1914. Das Werk war ursprünglich auf vier Sätze angelegt, doch hat Ives die Idee dann fallen gelassen und die nicht benutzten Skizzen stattdessen für ein Lied verwendet.

Musik Diese Sonate ist wiederum ein Versuch, die Atmosphäre von »Camp-Meetings« im Neuengland der 1870er- und 1880er-Jahre wiederzugeben, ihr »Gefühl und die Leidenschaft – eine Leidenschaft, die häufig eher marktschreierisch als religiös war« (Ives). Verwendete Hymnen sind nach Angaben des Komponisten u.a. »Beulah Land«, »There'll Be No More Sorrow« und »Every Hour I Need Thee«.

Der erste Satz ist eine »Art von großartiger Hymne« (Ives), in vier Strophen gegliedert, die alle mit dem gleichen Refrain enden.

Der zweite Satz »stellt ein Camp-Meeting dar, bei dem Füße und Körper, wie die Stimme, zur Begeisterung beitragen« (Ives). Auch hier spielt der Ragtime wieder eine große Rolle, vor allem in rhythmischer Hinsicht.

Der letzte Satz ist ein Experiment, Ives schrieb: »Zuerst kommt die freie Fantasie. Die Ausarbeitung entwickelt sich in die Themen hinein, anstatt von ihnen herzukommen. Die Coda bringt die Themen erstmals vollständig und in Verbindung miteinander. Da die Tonalität durchweg ›sich selbst überlassen‹ ist, gibt es auch keine Leittonarten.«

Wirkung Ives selbst notierte auf der Titelseite zum ersten Satz: »Diese dritte Sonate ist nicht viel wert. Sie wurde beendet kurz nachdem ein berühmter deutscher Geigenvirtuose mit Namen Milcke hier in Redding war, um im Oktober 1914 die erste Sonate zu spielen.« Die Uraufführung der dritten Violinsonate fand am 22. April 1917 in der Carnegie Chamber Music Hall in New York mit David Talmadge (Violine) und Stuart Ross (Klavier) statt. PE

Sonate Nr. 4 »Children's Day at the Camp Meeting«

Sätze 1. Allegro (in eher schnellem Marschtempo), 2. Largo – Allegro – Andante con spirito – Adagio cantabile – Largo cantabile, 3. Allegro
Entstehung ca. 1914–16
UA 14. Januar 1940 New York
Verlag Associated Music Publishers, New York
Spieldauer ca. 10 Minuten

Entstehung Die vierte Violinsonate war der »Versuch, eine Sonate zu schreiben, die Moss White (zu diesem Zeitpunkt vielleicht zwölf Jahre

alt) spielen konnte« (Moss White war ein Neffe des Komponisten mit Violinvirtuosenambition). »Der erste Satz hielt sich ganz gut an diese Idee, doch der zweite ließ sie hinter sich, und der dritte lag irgendwie dazwischen. Moss White konnte sie nicht spielen, sein Lehrer auch nicht... Alles wurde im Herbst 1916 rasch innerhalb von zwei oder drei Wochen komponiert« (Ives).

Musik Die Sonate trägt den Untertitel »Children's Day at the Camp Meeting«, wodurch eine Verbindung zum Finale der zweiten Violinsonate hergestellt wird: »Beide spielen auf sehr spezifische religiöse Praktiken des 19. Jahrhunderts an«, so David Nicholls. Der Partitur ist ein umfangreiches, genaues Programm beigegeben, das Ives vermutlich zur Zeit der Publikation dieses Werks (1942) hinzugefügt hat. In ihm beschreibt er die Sonate als Erinnerung an die Kindergottesdienste im Freien bei den Sommer-Camp-Meetings in und um Danbury und in vielen anderen Farmtowns in Connecticut.

Erster Satz »Es gab üblicherweise nur einen einzigen Kindertag bei diesen Sommer-Meetings, und die Kinder machten das Beste daraus«, schrieb der Komponist. Die Kinder – insbesondere die Knaben – marschierten und »schrien die Hymnen mehr als sie zu singen – vor allem ›Work While the Day is...‹, ›Bringing in the Sheaves‹ (nicht in diese Sonate aufgenommen), ›Gather at the River‹« (Ives). Das Allegro trägt die ergänzende Spielanweisung: »In a rather fast march time – most of the time.«

Zweiter Satz Der langsame Satz bringt mit »Yes, Jesus Loves Me« eine ernsthafte Note ins Spiel, während der Mittelteil mit seiner ungewöhnlichen Tempobezeichnung »Allegro (conslugarocko)« Bezug nimmt auf den Brauch einiger Knaben, aus dem Gottesdienst wegzulaufen, um Steine in den Fluss zu werfen.

Dritter Satz Das Finale ist die Vorwegnahme eines bekannten Liedes von Charles Ives, »At the River« (auf einen Text von Richard Lowry), dessen Melodie man am Schluss deutlich hören kann.

Wirkung Joseph Szigeti (Violine) und Andor Foldes (Klavier) führten die Sonate am 25. Februar 1942 in der New Yorker Carnegie Hall auf. Die beiden Virtuosen spielten sie wenig später auch für die Schallplatte ein. PE

Klaviertrios

Trio für Violine, Violoncello und Klavier

Sätze 1. Moderato, 2. TSIAJ: Presto, 3. Moderato con moto
Entstehung 1904/05; 1911 (Revision)
Verlag Peer International, New York
Spieldauer ca. 21 Minuten

Entstehung Eine erste Version des Klaviertrios wurde vermutlich im Jahr 1905 fertiggestellt (Ives war in seinen Datierungen nicht immer sehr genau). Die Revisionen von 1911 bezogen sich vor allem auf den dritten Satz.

Musik Das Trio gilt als das erste Beispiel für Ives' Technik der Übereinanderschichtung verschiedener musikalischer und rhythmischer Lagen. Der Eröffnungssatz ist in dieser Hinsicht richtungweisend: Jedes der Streichinstrumente spielt nacheinander ein Duett mit einer der beiden Hände des Pianisten (Cello mit der rechten Hand, Violine mit der linken); die beiden Duette werden in der Folge übereinandergeschichtet, um ein Quartett zu bilden (oder doch eher ein Trio, denn die beiden Hände des Pianisten sind nun koordiniert). Jedes Duett – und somit jeder der drei Abschnitte des Satzes – entwickelt sich von relativer Dissonanz zu relativer Konsonanz.

Der Titel des zweiten Satzes, TSIAJ, ist die Abkürzung für »This Scherzo Is A Joke« (wobei der Zusammenhang von Form und ironischem Inhalt in der deutschen Übersetzung noch deutlicher wird: »Dieses Scherzo ist ein Scherz«). Ives hat diesen Satz auch »Medley on the Campus Fence« untertitelt; er stellt wahrscheinlich den Versuch einer kompositorischen Übersetzung der Ereignisse beim Treffen der 1898er-Klasse der Yale University im Jahr 1904 dar. Der Spaß liegt einerseits in der Aufeinanderfolge populärer und kirchlicher Melodien, andererseits im Zusammenhang, in den diese Melodien gebracht werden. David Nicholls gibt in seiner Analyse u. a. folgende Lieder und Hymnen an: »Marching through Georgia«, »My Old Kentucky Home«, »In the Sweet Bye and Bye«, »The Sailor's Hornpipe« und »Ta-ra-ra-boom-de-ay«. Ives hat diesen Satz auch folgendermaßen charakterisiert: »Yankee jaws at Mr. Yale's School for nice and bad boys!« (»Yankeegequatsche an Mr. Yales Schule für brave und schlimme Knaben.«)

Der Schlusssatz gibt sich ernsthafter. Er beginnt moderato con moto, wechselt in seinem Verlauf auch zum Maestoso, Andante con moto und beinhaltet Allegro-moderato-Abschnitte. Die Streicher sind weithin kanonisch geführt. Der Duktus des Satzes ist eher spätromantisch, doch die Coda, die auf der Hymne »Rock of Ages« basiert, bringt auch einige »Bluesterzen«.

Wirkung Das Trio wurde u. a. vom Trio Fontenay auf Schallplatte eingespielt. **PE**

Einspielungen (Auswahl)
• Glenn Dicterow (Violine), Alan Stepansky (Violoncello), Stanley Drucker (Klarinette), Israela Margalit (Klavier), 1995; EMI

Largo für Violine, Klarinette und Klavier

Entstehung Das »Largo« stellt das Ergebnis der Wiederverwertung von musikalischem Material, wie sie Charles Ives so gern betrieb, dar: Es geht auf einen langsamen Satz der »Pre-First Sonata for Violin and Piano« zurück, entstand (vermutlich) im Jahr 1902 und sollte Teil eines mehrsätzigen Trios für Violine, Klarinette und Klavier werden. In seinem späteren Werkverzeichnis (1939–50) führte Ives dieses ausgewachsene Trio auch auf; es scheint nach Angaben von John Kirkpatrick jedoch verloren zu sein.

Musik Das Largo für Violine, Klarinette und Klavier ist in drei Abschnitte gegliedert. In den beiden Außenteilen wird die meist chromatisch geführte Violine vom Klavier in Figuren begleitet, die vom Ragtime abgeleitet, aber verlangsamt sind. In der Überleitung zum Mittelabschnitt kommt die Klarinette erstmals zu Wort, vor allem dieser zentrale Teil ist ein weiteres Beispiel für Ives' individuelle Adaption von Ragtimemodellen: Violine und Klarinette spielen häufig in Terzen und Sexten gegen rollende Wellen des Klaviers an. Spieldauer: ca. 5 Minuten.

Wirkung Nimmt man die Anzahl der Schallplatteneinspielungen zum Maßstab, dann ist dieser Triosatz das beliebteste Kammermusikstück von Charles Ives. PE

Streichquartette

Streichquartett Nr. 1: »A Revival Service«

Sätze 1. Chorale: Andante con moto, 2. Prelude: Allegro, 3. Offertory: Adagio cantabile, 4. Postlude: Allegro marziale
Entstehung ca. 1896
UA 24. April 1957 New York
Verlag Peer International, New York
Spieldauer ca. 22 Minuten

Entstehung »A Revival Service« (Ein Erneuerungsgottesdienst) oder auch »From the Salvation Army« (Von der Heilsarmee) nennt Charles Ives sein erstes Streichquartett. Er begann es 1896, etwa zur gleichen Zeit wie seine erste Sinfonie. Den ersten Satz (Chorale) bearbeitete er 1909 für Orchester und brachte ihn in die vierte Sinfonie ein. In seinem Werkverzeichnis gibt Ives das Werk deshalb nur mit den drei übrigen Sätzen an.

Musik In dem Streichquartett schlagen sich die Erfahrungen nieder, die Ives seit 1894 als Kompositionsstudent bei Horatio Parker und als Organist der Centre Church in New Haven gemacht hat. Der Untertitel »A Revival Service« weist den Weg zum Verständnis des Werks: Es entspricht in Aufbau und Duktus einem protestantischen Gottesdienst. Die Sätze zwei bis vier wurden auch zur praktischen Anwendung im Gottesdienst geschrieben, während der erste Satz auf den Kompositionsunterricht zurückgeht.

Dieser erste Satz ist eine Fuge über die »Missionary Hymn« (»From Greenland's Icy Mountains«), wobei die erste Liedzeile zum Thema wird. Die Durchführung bringt ein weiteres Thema ins Spiel, das Ives der »Coronation«-Hymne (»All Hail the Pow'r of Jesus' Name«) abgewann. Später übernahm er den

Das New Yorker Emerson String Quartet, das sich neben dem klassischen Repertoire vor allem der Moderne widmet, spielte 1993 die Streichquartette von Ives ein und wurde von der Kritik für seine virtuose Interpretation der Werke hochgelobt.

Satz in seine vierte Sinfonie, wo durch die Orchestration die assoziative Nähe seines Hauptthemas zu Humperdincks Oper »Hänsel und Gretel« noch deutlicher wurde (freilich geht das Lied »Abends, wenn ich schlafen geh'«, dem das Hauptthema dieses Satzes deutlich ähnlich ist, ebenfalls auf einen Choral aus dem 15. Jahrhundert zurück). Immerhin passt diese vielleicht unbewusste Assoziation gut zur Aussage Ives', der Satz solle die »Reaktion menschlichen Lebens auf Formalismus und Rituale« ausdrücken.

Alle weiteren Sätze nähern sich der dreiteiligen Bogenform an. Der fröhliche zweite Satz bezieht sein musikalisches Material für den A-Teil aus der Hymne »Beulah Land«, für den B-Teil aus »Shining Shore«; der besinnliche dritte verwendet vor allem die Hymne »Nettleton« (»Come, Thou Fount of Ev'ry Blessing«), wobei der Mittelteil auch auf die Hymnen des zweiten Satzes zurückgreift.

Im Finale taucht »Coronation« wieder auf, verbunden mit »Morning Light« (»Stand Up, Stand Up for Jesus!«). Der B-Teil rekurriert auf den äquivalenten Abschnitt des zweiten Satzes. In der Coda spielt das Cello die vollständige Melodie von »Morning Light«, während die erste Violine die Themen des Mittelteils einbringt. Die Rückgriffe auf Themen früherer Sätze schaffen eine einheitliche Klammer für das gesamte Werk.

Wirkung Die Uraufführung des Quartetts fand erst 1957 durch das Kohon String Quartet der New York University statt. Die Drucklegung ließ noch weitere vier Jahre auf sich warten. PE

»Pre-Second String Quartet«

Zwischen dem ersten und dem endgültigen zweiten Streichquartett gibt es ein weiteres Werk dieser Gattung, das als »Pre-Second«, als »Vor-Zweites«, in das Ives-Werkverzeichnis einging. Es entstand ca. 1904 bis 1906 und »besteht aus einer Reihe von kurzen Sätzen, jeder davon mit einem eigenen Thema; sie sollten zueinander nur kontrastierend in Beziehung stehen; ihre Beziehung bestand also aus Nicht-Beziehung« (Ives). Der Komponist hatte dabei das Streichquartett durch »Hilfsinstrumente« (Klavier, Kontrabass, Flöte) »erweitern« wollen. Nachdem er es jedoch in einem Konzert gehört hatte, fand er, dass er in diesem Werk »seine Ohren auf ein parfümiertes Sofapolster« gelegt hatte, und verlor das Interesse daran – nicht ohne das musikalische Material in anderen Werken wiederzuverwerten. PE

Streichquartett Nr. 2

Sätze 1. Discussions: Andante moderato, 2. Arguments: Allegro con spirito, 3. The Call of the Mountains: Adagio
Entstehung 1907–13
UA 15. September 1946 Saratoga (New York)
Verlag Peer International, New York
Spieldauer ca. 25 Minuten

Entstehung Das »bessere zweite Streichquartett« (Ives) entstand mit Unterbrechungen zwischen 1907 und 1913. Nach Meinung des Komponisten zählt es zum Besten, was er je geschrieben habe, »wenn auch die alten Damen (weiblich und männlich) das Stück überhaupt nicht mochten« (Ives in seinen »Memos«). Er komponierte es quasi aus Protest gegen die Tendenz einer »zunehmenden Verweib- und Verweichlichung sowie Banalisierung der Streichquartettmusik«. Seine Motivation kleidete er in folgende Worte: »Ich begann die Partitur halb wütend, halb im Scherz und halb, um etwas Neues auszuprobieren...«.

Musik Das Werk beschreibt Aktionen zwischen vier Männern, die, so der Komponist, »sich unterhalten, diskutieren, streiten (über Politik), heftig aneinandergeraten, einander die Hände schütteln – und dann einen Berghang hinaufsteigen, um den Himmel zu betrachten«.

Der erste Satz ist auf den Höhepunkt einer politischen Auseinandersetzung von drei Vertretern unterschiedlicher (amerikanischer) Lager hin angelegt: In einer chromatischen Passage werden Bruchstücke einer Reihe patriotischer Lieder angespielt: »Columbia, the Gem of the Ocean« (als Symbol für den »Unionisten«), »Dixie« (für den »Südstaatler«) sowie »Marching through Georgia« (für den »Nordstaatler«). Mit dem Lied »Hail, Columbia« verstummen die Gegensätze jedoch, man einigt sich. »Enough discussion for us!«, notierte Ives über den letzten Takt.

Der zweite Satz, »Arguments« (als »Argumente«, aber auch als »Streit« zu übersetzen), hat mannigfache und teilweise scherzhafte Tempobezeichnungen: Allegro con spirito – Andante emasculata – Allegro con fisto – Presto – Largo sweetota – Allegro con fisto – Largo – Allegro – Largo soblato – Allegro con fuoco – Andante con scratchy – Allegro con fistiswatto (as a K.O.). In ihm ist die Auseinandersetzung noch deutlicher zur Form geworden: Atonale Kanons vertreten den Streit um die Art von Musik, die gespielt werden soll. Die zweite Violine versucht eine romantisch-»verweiblichte« Kadenz, wird von den anderen Instrumenten jedoch wütend »zurückgepfiffen«. Ähnliche Versuche der anderen Spieler enden auf die gleiche Art. Später folgt ein Quodlibet mit Fragmenten aus Sinfonien von Brahms (Nr. 2), Beethoven (»Ode an die Freude« aus der neunten Sinfonie) und Tschaikowski (»Pathétique«), vermischt mit amerikanischen Liedern. Man trifft sich schließlich unisono auf der leeren D-Saite, stimmt nochmals die Instrumente – und bricht dann barsch ab.

Der Titel des letzten Satzes, »The Call of the Mountains« (Der Ruf der Berge), lässt Romantisches vermuten, was sich auch als (für ivessche Verhältnisse) nicht ganz falsch erweist: Die Bratsche bringt nach dissonantem Beginn deutliche Anspielungen auf die Hymne »Bethany« (»Nearer, My God, to Thee«). Das Material wird mit jenem von »Westminster Chimes« verarbeitet; gegen Ende des Satzes spielt die erste Violine beide Melodien D-Dur in hoher Lage über einer absteigenden Ganztonleiter. Friedvoll kontemplierend klingt das Werk aus.

Wirkung Das zweite Streichquartett wurde 1946 vom Walden Quartet beim Yaddo Music Festival in Saratoga, New York, uraufgeführt und 1954 erstmals veröffentlicht. Noch heute gehören beide Quartette bei Weitem nicht zum gängigen Konzertrepertoire; doch vor allem das in seiner kompositorischen Struktur seiner Zeit weit vorauseilende zweite Quartett lohnt die Begegnung. PE

Einspielungen (Auswahl)
• Quartette Nr. 1 & 2: Emerson String Quartet, 1991 (+ Barber: Streichquartett); Deutsche Grammophon

Janáček | Leoš

* 3. 7. 1854
Hukvaldy
(Mähren)
† 12. 8. 1928
Moravska
Ostrava (Mährisch-Ostrau)

Wie Bartók studierte Janáček die musikalische Folklore seiner Heimat, aus der er für seine Kunst Anregungen schöpfte, ohne jemals originale Volksmelodien in seinen Werken zu zitieren. Der Tonfall der tschechischen Sprache wurde zum Stimulans seiner Melodik und seiner motivischen Arbeit. Dabei löste er sich bewusst von der übermächtigen Tradition der großen westlichen Kunstmusik. Dies gilt vor allem für seine Orchester- und Kammermusik, die das klassisch-romantische Sonatenschema umging.

Leoš Janáček musste 60 Jahre alt werden, ehe die Musikwelt von ihm als Komponisten Kenntnis nahm. Der internationale Durchbruch erfolgte nach der jahrelang hinausgezögerten Prager Aufführung seiner Oper »Jenufa«, 1916, zwölf Jahre nach der Brünner Uraufführung, die ein Lokalereignis geblieben war. Bis dahin hatte sich der Sohn eines Dorfschullehrers als Sängerknabe in Brünn, Gründer und Leiter einer Orgelschule, als Musiklehrer, Dirigent lokaler Musikvereinigungen, Redakteur einer tschechischen Musikzeitschrift mehr schlecht als recht durchgeschlagen. Der Prager »Jenufa«-Erfolg machte ihn über Nacht zu einem gefeierten Meister, der nun in seinen letzten zwölf Lebensjahren mit seinen späten Opern, seinen Instrumental- und Kammermusikwerken zum Rang eines der Großen der europäischen Musikszene aufstieg, mit äußeren Ehren überhäuft.

Als Mensch war Janáček eine der rätselhaftesten, widersprüchlichsten Gestalten der neueren Musikgeschichte. Sein von seinem Vater geerbter Jähzorn, sein notorischer Deutschenhass, den er an seiner Frau und seinem ihn selbstlos unterstützenden Schwiegervater ausließ, seine späte Liebe zu einer 38 Jahre jüngeren Frau, die nicht das Mindeste von seiner Musik verstand, deren erotische Anziehungskraft jedoch sein gesamtes Spätwerk inspirierte, alles das bleibt in vielen Facetten ungeklärt, zumal noch nicht alle Dokumente seines Lebens veröffentlicht sind. Dazu kontrastiert aufs Schärfste seine leidenschaftliche Liebe zu seiner Heimat, sein Humanismus, der ihn »in jeder Kreatur einen Funken Gottes« sehen ließ und dem er in seiner letzten Oper »Aus einem Totenhaus« (UA 1930) nach Dostojewski ein erschütterndes Denkmal setzte, das zugleich von seiner 1917 so bitter enttäuschten Russophilie zeugte.

Aus der konsequent verfolgten Eigenständigkeit des Komponisten erklärt sich seine Ablehnung mancher bedeutenden komponierenden Zeitgenossen. So geht Janáček denn auch mit der Harmonik eigene Wege, indem er die traditionelle Funktionsharmonik durch freiere Verbindungen, wie sie schon Debussy praktizierte, ersetzte. Seine pantheistische Religiosität findet ihren Niederschlag in seinem letzten Großwerk, der »Glagolitischen Messe«, die sich nicht nur in ihrer altslawischen Sprache, sondern auch in ihrer Faktur und Architektur grundlegend von der westlichen Messkomposition zwischen Palestrina und Bruckner unterscheidet.   BEAU

Duos

Violinsonate

Sätze 1. Con moto, 2. Ballada: Con moto, 3. Allegretto, 4. Adagio
Entstehung 1914 und 1921
UA 16. Dezember 1922 Brünn
Verlag Universal Edition
Spieldauer ca. 18 Minuten

Entstehung Janáček schrieb seine Violinsonate nach eigenen Angaben »zu Kriegsbeginn 1914, als wir schon der Ankunft der Russen in Mähren entgegensahen«. Damals entstanden allerdings nur die »Ballada« und das Adagiofinale. Die beiden übrigen Sätze wurden erst sieben Jahre später vollendet, also zur Zeit der Oper »Katja Kabanowa«, deren Kolorit und Themen zum Teil in die Sonate eingingen. Das Werk wird auch als »Sonàta III« bezeichnet, weil Janáček bereits 1880 in Leipzig und Wien zwei Violinsonaten komponiert hatte, die allerdings nicht überliefert sind.

Musik Erster Satz Trotz des sich in einem melodischen Doppelbogen rhapsodisch aufschwingenden, leidenschaftlichen Hauptthemas wahrt der Satz das traditionelle Sonatenschema mit doppelter Exposition. Ein melodisches Seitenthema führt im Klavier die Entwicklung weiter. Aus dem Hauptthema spaltet sich ein charakteristisches Fünftonmotiv ab, das in den verschiedensten Varianten den Durchführungsteil prägt und auch weiterhin eine wichtige Rolle spielt. Janáčeks Variantentechnik zeigt sich in diesem Satz beispielhaft ausgeprägt. Die Reprise verläuft regelhaft, der Satz klingt ruhig aus. Der leidenschaftlich-expressive »Ton« der »Katja-Kabanowa«-Musik schlägt immer wieder durch.

Zweiter Satz Der Balladenton des Satzes äußert sich in einer langausgesponnenen Gesangsmelodie der Violine, einer Seltenheit in Janáčeks Themenbildung. Ein zweites Thema, gekennzeichnet durch seine drei Repetitionstöne zu Beginn, wechselt in mannigfachen Varianten mit der Gesangsmelodie ab. Vor Satzschluss kommt es zu einer bewegten Steigerung, ehe die Anfangsmelodie die »Ballada« beschließt.

Dritter Satz Das Klavier hämmert eine rustikale zweitaktige, folkloristisch getönte Tanzmelodie. Ihr wird im Mittelteil, einer Art Trio, eine ruhig fließende lyrische Passage gegenübergestellt. Die Tanzmelodie erscheint wieder, zunächst als verhaltener Übergang, dann in ihrer ursprünglichen Derbheit mit anschließenden Klavier- und Violinglissandi. Drei kräftige Schläge beenden den Satz abrupt.

Vierter Satz Das Finale entwickelt sich wiederum in Sonatenhauptsatzform, wenngleich verschleiert durch den Adagiocharakter. Zwei Themen werden gegenübergestellt, das im Klavier erklingende, elegische Hauptthema und das zuerst in der Violine auftretende, kantable Seitenthema. Auch hier gibt es, wie im ersten Satz, eine doppelte Exposition. Der Durchführungsteil steigert sich zu leidenschaftlicher Intensität und mündet in der Wiederkehr des Hauptthemas, diesmal jedoch pathetisch gesteigert. Dann sinkt die Spannung ab. Der Ausklang mit dem elegisch zerfließenden Hauptthema ist düster-resignativ.

Wirkung Die Uraufführung der Sonate am 16. Dezember 1922 in Brünn durch den Konzertmeister der Tschechischen Philharmonie, Stanislav Novák, und den Pianisten Václav Štěpán begründete den Erfolg des in seinem rhapsodisch-leidenschaftlichen Gestus und seiner prägnant-knappen Formulierung singulären Duowerkes. Es gehört heute zum festen Repertoire vieler Violinvirtuosen. BEAU

Einspielungen (Auswahl)
* Dmitri Sitkovetsky (Violine), Pavel Gililov (Klavier), 1988 (+ Violinsonaten von Debussy und Richard Strauss); Virgin Classics
* Gidon Kremer (Violine), Martha Argerich (Klavier), 1990 (+ Bartók: Violinsonate, Messiaen: Thème et variations); Deutsche Grammophon

»Märchen« für Violoncello und Klavier

Bezeichnungen 1. Con moto, 2. Con moto, 3. Allegro
Entstehung 1910 (1. Fassung), 1923 (2. Fassung)
UA 15. März 1910 Brünn (1. Fassung); 21. Februar 1923 Prag (2. Fassung)
Verlag Bärenreiter
Spieldauer ca. 12 Minuten

Entstehung Janáčeks früheste reife Kammermusik entsprang der Liebe des Komponisten zu Russland. Anreger war eine Märchenerzählung von Wassili Schukowski, die die Abenteuer des Zarensohns Iwan, der um die Prinzessin Marja wirbt, in fantasievollen Details ausbreitet. Janáček schrieb jedoch keine illustrierende Programmmusik, sondern beschränkte sich auf eine musikalische Charakterisierung der beiden Hauptpersonen durch das Cello (Iwan) und das Klavier (Marja). Das Stück hatte in der Erstfassung von 1910 vier Sätze. Vor der Veröffentlichung, 1923, eliminierte Janáček den vierten Satz und überarbeitete die übrigen leicht. Die Form ist rhapsodisch-frei.

Musik Erster Satz Ein kurzes gesangliches Thema des Klaviers, umspielt von wogenden Figurationen, wird vom Cello mit kurzen Pizzicatoeinwürfen beantwortet. Erst im zweiten Satzteil kommt es in Gestalt einer kanonisch geführten absteigenden Melodie, die sich expressiv steigert, zum »Zwiegespräch«. Der fis-Moll-Schluss wirkt fast abrupt.

Zweiter Satz Ein kapriziöses Motiv im Klavier scheint ein Scherzo anzukündigen. Aber alsbald entfaltet das Klavier wiederum sein von Sechzehntel- und Zweiunddreißigstelfigurationen umrauschtes Cantabile, dem das Cello mit Einwürfen antwortet. Das Anfangsmotiv wird zu einer leidenschaftlichen Kantilene umgeformt, die nun auch vom Violoncello aufgegriffen wird und sich, wie im ersten Satz, steigert. Das kapriziöse Anfangsmotiv kehrt wieder und zerfällt schließlich, ständig langsamer werdend.

Dritter Satz Im kurzen Finale ergreift das Violoncello die Initiative: Das von ihm angestimmte Tanzthema beherrscht den gesamten Satz. Im Mittelteil werden die drei letzten, absteigenden Töne des Themas einer Art Durchführung unterzogen. Der Klaviersatz ist auch hier volltönend-wohlklingend. BEAU

Einspielungen (Auswahl)
* Anne Gastinel (Cello), Pierre-Laurent Aimard (Klavier), 1995 (+ Werke von Kodály, Liszt); PMS

Streichquartette

Streichquartett Nr. 1 »Die Kreutzersonate«

Sätze 1. Adagio – Con moto, 2. Con moto, 3. Con moto – Vivace – Andante, 4. Con moto – Adagio – Piu mosso
Entstehung Oktober/November 1923
UA 17. Oktober 1924 Prag
Verlag Universal Edition
Spieldauer ca. 18 Minuten

Entstehung Janáček schrieb sein erstes Streichquartett auf Anregung des Böhmischen Streichquartetts und unter dem Eindruck der Erzählung »Die Kreutzersonate« (1890) von Leo Tolstoi. Trotz seiner Verehrung des russischen Dichters und seiner Russophilie bog der Komponist das ideologische Leitmotiv der literarischen Vorlage um: Nicht der Moralist, der den Ehebruch verurteilt, sondern das Mitleiden mit der gequälten Frau wurde zum Auslöser der Komposition. Dabei mag es offenbleiben, ob die vier Sätze des Quartetts (so die tschechische Janáček-Forschung) vier Stationen des Dramas programmatisch beleuchten oder ob es sich vielmehr um »absolute« Musik handelt, die lediglich auf die Gefühlslage des Buches Bezug nimmt. Janáček hat sich nicht dazu geäußert.

Musik Satztechnisch löst sich Janáček von der traditionellen thematischen »Arbeit« des klassischen Streichquartetts und damit auch vom Sonatenschema zugunsten eines Ausbreitens und Gegenüberstellens kleiner, expressiv aufgeladener Motive.

Erster Satz Das gleich zu Beginn in Violine und Bratsche ertönende, mit einem charakteristischen Quartensprung anhebende hochexpressive Motiv bestimmt als Motto alle Sätze mit Ausnahme des dritten. Ihm folgt con moto sofort ein scharf kontrastierendes, hüpfendes Motiv des Cellos, sodass von einem in sich bereits dialektischen Doppelthema gesprochen werden kann. Als drittes Element tritt eine wogende Triolenfigur auf, die in sich leidenschaftlich steigernde Sechzehntelfigurationen übergeht. Die hermeneutische Deutung will in dem Satz das Porträt der gequälten Frau sehen.

Zweiter Satz Einem kecken, scherzoartigen Motiv, das durch alle Stimmen läuft, folgt eine unheimliche Tremoloepisode sul ponticello (am Steg), die das den Satz beherrschende, immer leidenschaftlicher werdende »Liebesmotiv« auslöst. Diese drei Elemente wechseln in steigender Intensität miteinander ab. In der programmatischen Deutung steht dieser Satz für die Verführung.

Dritter Satz Ein kanonisch geführtes, klagendes Thema wird sofort von dissonanten, erregten Ponticelloausbrüchen beantwortet. Die Erregung steigert sich zu dramatischen Espressivoklagen, die die »Krise« signalisieren. Das Quartett findet hier seinen emotionalen Kulminationspunkt.

Vierter Satz Das Finale wird ausschließlich vom Quartenmotiv des Quartettbeginns beherrscht. Es erscheint in allen möglichen Varianten, zunächst als Monolog der Violine, darauf beschleunigt und dramatisch zugespitzt, dann in abstürzenden Triolen zerfallend, schließlich in homofonem Satz als Klagegesang, vor Schluss gehetzt im Fortissimo, ehe das Werk ermattet verklingt.

Wirkung Nach der Uraufführung durch das Böhmische Streichquartett hatte das Werk im Herbst 1925 großen Erfolg beim Internationalen Musikfest in Venedig, wo es in Anwesenheit des Komponisten vom Zika-Quartett gespielt wurde. Auch bei Konzerten am 6. Mai 1926 in London (Woodhouse String Quartet) und am 8. Dezember 1926 in Berlin (Waghalter-Quartett) stand das Werk auf dem Programm. Janáčeks Streichquartett wurde sofort als eigenständiger Beitrag zur Quartettliteratur des Jahrhunderts erkannt. Die Leidenschaftlichkeit der Sprache stellt das Werk neben die großen Opernfrauenporträts des Komponisten, eine Jenufa und Katja Kabanowa.
BEAU

Streichquartett Nr. 2 »Intime Briefe«

Sätze 1. Andante – Con moto – Allegro, 2. Adagio – Vivace, 3. Moderato – Adagio – Allegro, 4. Allegro – Andante – Adagio
Entstehung 29. Januar – 19. Februar 1928
UA 11. September 1928 Brünn
Verlag Universal Edition
Spieldauer ca. 26 Minuten

Entstehung Janáček schrieb sein zweites Streichquartett, sein bedeutendstes kammermusikalisches Werk, zu Beginn des Jahres 1928 innerhalb von drei Wochen. Das Quartett ist eine musikalische Liebeserklärung an Kamilla Stösslová, Janáčeks 38 Jahre jüngere Geliebte, die Muse seines letzten Lebensjahrzehnts. Der Titel sollte ursprünglich »Liebesbriefe« lauten. Nachträglich entschied sich der Komponist für den neutraleren Titel »Intime Briefe«. Die leidenschaftliche Unmittelbarkeit der Aussage, das Pathos des Deklamatorisch-Motivischen, die plötzlichen Umschwünge des Ausdrucks, die glutvolle Intensität der Kantilenen, all das lässt keinen Zweifel an dem offenen Bekenntnis, zu dem sich Janáčeks Musik hier sublimiert.

Musik Erster Satz Zwei Gedanken bestimmen in verschiedensten Umbildungen und unterschiedlichster Koloristik den Satz: das pathetisch-leidenschaftliche Sextenthema der Violinen über Fortissimotrillern im Bass sowie dessen sofortige geheimnisvolle Violabeantwortung im dreifachen Pianissimo »sul ponticello«. Dieses Grundmaterial wird, verändert, durch die Ausdrucks- und Tempoumbrüche des Satzes geführt. So erscheint auf dem Höhepunkt das Violathema als glutvolle Kantilene. Mit einer Gravebekräftigung des Sextenthemas klingt der Satz in ätherischem Des-Dur aus.

Zweiter Satz Ein von der Viola angestimmtes, wiegendes, aber dennoch intensiv-gespanntes Thema trägt in freien Varianten den gesamten Satz, sodass hier von Monothematik gesprochen werden kann. Das Thema wird zunehmend intensiviert durch hinzutretende Zweiunddreißigstelfigurationen. Ein tanzartiger Prestoteil unterbricht kurz die Variantenfolge. Vor Satzschluss bricht das Sextenthema des ersten Satzes in das Geschehen ein.

Dritter Satz Zwei Themen sind Grundlage für diesen emotionalen Höhepunkt des Werks: das liedhaft in Punktierungen sich wiegende Thema des Beginns, das in den verschiedensten Umbildungen den ersten Satzteil bestimmt, und eine Liebesmelodie, die sich an glutvoller Intensität ständig steigert und damit den Kulminationspunkt des Quartetts herbeiführt. Heftige Akzente fahren dazwischen, die Intensität des Emotionalen noch anheizend. Gegen Schluss greift das sich wiegende Thema des Satzbeginns wieder in den melodischen Fluss ein.

Vierter Satz Eine Tanzmelodie, deren Ganztoncharakter aus der Folklore stammt, eröffnet das Finale. Zu diesem Hüpfthema tritt bald ein zweites, von weiten Intervallsprüngen gekennzeichnetes, das zu einer furiosen Steigerung führt. Dann tritt, zunächst in Pizzicatiakkordik angedeutet, eine schwärmerisch-innige Melodie ein, die sich immer deutlicher entfaltet, um schließlich in der ersten Geige ihre höchste In-

»Intime Briefe« an Kamilla Stösslová

1915 begegneten sich Leoš Janáček und Kamilla Stösslová das erste Mal, er 61, sie 23 Jahre alt. Was den Komponisten an der dunkelhaarigen, ungebildeten und auch unmusikalischen jungen Frau reizte, hat Kurt Honolka so zu umreißen versucht: »sinnenhaft verkörperte Jugend, Heiterkeit, Natürlichkeit, das ewig Weibliche«. Etwa 1000 Briefe haben Janáček und Kamilla Stösslová gewechselt, erst im Frühjahr 1927 begann er die Freundin dabei zu duzen. So richtig »intim« aber wurde Janáček in seinen musikalischen Werken, letztmalig im zweiten Streichquartett.
Postalisch hat Janáček auch Angaben zu seinem Werk gemacht. Vor Beginn der Komposition ließ er die Geliebte wissen: »Da wird unser Leben darin sein.« Und hinterher fasste er seine Leidenschaft in diese Worte: »Jubel, heißes Bekenntnis der Liebe, wehklagend; unbezähmbare Sehnsucht. Unerbittlicher Entschluss, mich mit der Welt um Dich zu schlagen... Ach, das ist ein Werk, als ob man es aus lebendigem Fleisch herausschnitte.«

tensität zu erreichen. Die Tanzweise kehrt wieder, um sich mit dieser »Liebesmelodie« zu verbinden und das Werk zum kraftvollen Schluss zu führen.

Wirkung Vor der offiziellen Uraufführung wurde das Quartett mehrmals vom Mährischen Streichquartett für Janáček gespielt, nach Angaben des Komponisten erstmalig am 18. Mai 1928. Öffentlich war das Stück dann aber erst nach dem Tod des Komponisten zu hören, am 11. September 1928 in Brünn. Das Werk gehört zu den großen Streichquartettkompositionen des 20. Jahrhunderts. BEAU

Einspielungen (Auswahl)
- Hagen Quartett, 1989; Deutsche Grammophon
- Streichquartette Nr. 1 & 2: Alban Berg Quartett, 1993/94; EMI
- Streichquartette Nr. 1 & 2: Juilliard String Quartet, 1995 (+ Berg, Lyrische Suite); Sony Classical

Leoš Janáček fühlte sich seiner mährischen Heimat eng verbunden und beschäftigte sich ähnlich wie Bartók mit ihren musikalischen Traditionen. In Brünn (Bild) entstanden die meisten seiner Werke.

Werke für größere Besetzungen

»Mládi«. Suite für Bläsersextett

Besetzung Flöte (auch Piccolo), Oboe, Klarinette, Bassklarinette, Horn und Fagott
Sätze 1. Andante, 2. Moderato, 3. Allegro, 4. Con moto
Entstehung Juli 1924
UA 21. Oktober 1924 Brünn
Verlag Bärenreiter
Spieldauer ca. 18 Minuten

Entstehung Das Jahr 1924 überhäufte den 70-jährigen Janáček mit Ehrungen. Sein Bläsersextett trägt den Charakter eines verklärenden, behaglichen Rückblicks auf die Zeit der Jugend (»Mládi«). Direkter Anreger der Komposition war das Pariser Ensemble Société moderne des instruments à vents, das Janáček bewunderte.

Musik Erster Satz Die klassische Vierteiligkeit der Suite wird durch übergreifende Motivverwandtschaften noch gefestigt. Die Oboe stimmt gleich das Motto des Werkes an, ein Thema, das den Ausruf »Mládi, zlatè mládi« (»Jugend, goldne Jugend«) zu skandieren scheint. Weitere Instrumente greifen es auf, sodass es den ersten Teil des Kopfsatzes beherrscht. Ein lyrisches Thema schließt sich an. Eine Solokadenz des Horns leitet den Mittelteil ein, der ein lustiges Tanzmotiv zu ostinatem Bass ertönen lässt. Bald greifen energische Quartrufe in das muntere Geschehen ein. Dann setzt reprisenartig erneut das »Mládi«-Motiv ein. Das Horn greift es in einer etwas wehmütigen Vergrößerung als Solo auf, ehe der Satz zu seiner tänzerischen Munterkeit zurückkehrt.

Zweiter Satz Ein marschartiges, vom Fagott angestimmtes Thema, mit drei repetierenden Tönen beginnend, trägt monothematisch den Satz. Es soll eine Erinnerung an Janáčeks Jugendtage im düsteren Königinkloster zu Brünn wachrufen. Im Mittelteil nimmt es bewegteren Charakter an, erscheint auch als verkürztes Motto und in weiteren Varianten.

Dritter Satz Das Piccolotanzmotiv, mit dem das Scherzo beginnt, entnahm der Komponist einem zuvor komponierten »Marsch der Blaukehlchen«, benannt nach den blauen Uniformen der Klosterschüler. Das zweimal erscheinende Trio mit seiner hübschen Sechstonmelodie wartet gar mit einem »romantischen« Doppelschlag auf. Der kapriziöse Tanzsatz ist fünfteilig.

Vierter Satz Das Finale gibt sich als formal ungebundene Paraphrase des ersten Satzes. Alle Einfälle, die sich hier geradezu überstürzen, sind Varianten des »Mládí«-Mottos. Die ständigen Tempowechsel unterstreichen den rhapsodischen »Ton« des Satzes. Ein hymnenartiger akkordischer Gesang, der mit parallelen Sexten endet, bezeichnet den emotionalen Höhepunkt des Satzes. Vor Schluss scheint ein Unisonothema mit Doppelschlag, wiederum eine Variante des Mottos, wehmütig zurückzublicken, ehe eine Temposteigerung zum fröhlichen Prestissimoausklang überleitet.

Wirkung Besser als die Uraufführung geriet die Darbietung am 23. November 1924 in Prag durch Bläser der Tschechischen Philharmonie. Danach arbeitete Janáček das Sextett im Detail um. BEAU

Einspielungen (Auswahl)
• Melos Ensemble, 1966 (+ Concertino, Im Nebel; Nielsen: Bläserquintett op. 43); EMI

Klughardt | August

* 30. 11. 1847
Köthen
† 3. 8. 1902
Rosslau bei
Dresden

100563

Nach dem frühen Tod Felix Mendelssohn Bartholdys entstand eine spürbare Komponisten-

lücke im deutschen Musikleben. Eine Zwischengeneration, zu deren bedeutendsten Vertretern neben August Klughardt Franz Lachner, Carl Reinecke, Josef Rheinberger und Heinrich von Herzogenberg gehörten, konnte mit ihren Werken nur zeitweilige Erfolge in den Konzertsälen erringen. Erst Brahms, Bruckner und Wagner konnten die Lücke schließen.

Wenig hat davon durch moderne Schallplattenproduktionen eine gewisse Wiederbelebung erfahren. Dazu gehören aus dem sehr umfangreichen Werkkatalog August Klughardts (vier Opern, fünf Sinfonien, Instrumentalkonzerte, Bühnenmusiken und Orchesterstücke, Oratorien, Chorwerke, Lieder und Kammermusiken) als einsame Beispiele von zeitüberdauernder Wirkung die (nach den entsprechenden Dichtungen von Nikolaus Lenau) als »Schilflieder« betitelten Stücke für Klavier, Oboe und Viola op. 28 (1872) sowie das Bläserquintett C-Dur op. 79 (1900).

Nach kurzen Kapellmeistertätigkeiten in Posen (1867/68), Neustrelitz (1868/ 69) und Lübeck (Sommer 1869) wirkte Klughardt auch am Hoftheater in Weimar, kehrte 1873 als alleiniger Dirigent (ab 1880 auch als Direktor) nach Neustrelitz zurück und übernahm ab 1882 die Leitung der Dessauer Hofkapelle. 1898 wurde er zum ordentlichen Mitglied der Akademie der Künste in Berlin ernannt und Anfang 1900 mit der Ehrendoktorwürde der Universität Erlangen ausgezeichnet. Ein Angebot aus Berlin, die Leitung der Singakademie zu übernehmen, lehnte er zugunsten seiner Dessauer Verpflichtungen ab. PÄ

Bläserquintett C-Dur op. 79

Sätze 1. Allegro non troppo, 2. Allegro vivace, 3. Andante grazioso, 4. Adagio – Allegro molto vivace
Entstehung um 1900
Verlag Zimmermann
Spieldauer ca. 24 Minuten

Musik Erster Satz Choralartige Bläserakkorde werden von kurzen Solorezitativen des Fagotts unterbrochen und verraten kaum, dass mit dieser beschaulichen »Einleitung« ein wichtiges Satzelement vorgestellt wird, dem man noch öfter begegnen wird. Nahtlos beginnt ein quirliges Figurieren aller Instrumente, das sich als Kontrapunkt zu einem aufblühenden, melodiösen ersten Hauptthema erweist. Ein kurzes Unisono markiert die Überleitungsgruppe, aus der ein koboldhaft herumspringendes Seitenthema herausschlüpft. Die Schlussgruppe mit ihrer purzelnden Vielstimmigkeit unterstreicht den heiteren Grundton des Satzes. Ein neues Unisonosignal, von der Klarinette solistisch wiederholt, eröffnet die Durchführung mit ihren plastisch hervortretenden Zitaten des gesamten, in der Exposition vorgestellten Motivmaterials. Originell ist die Reprise mit ihrer (transparent komponierten) Mischung aus den teils simultan, teils sukzessiv erklingenden Themenwiederholungen des Satzes.

Zweiter Satz Galopprhythmen im schnellen Dreiertakt untermalen das tänzerische Scherzothema und ziehen sich wie ein roter Faden durch den ganzen Hauptteil des Satzes. Der Mittelteil, eine Art Trio, sorgt mit dem Schönklang einer liedhaften Melodie für einen auffallenden Stimmungskontrast.

Dritter Satz Formal liegt die dreiteilige Liedform A–B–A[1] vor, die zu einem durchführenden (besser: weiterführenden) Teil C entwickelt wird. Die Klangfarben der Bläser werden voll ausgekostet: einem Oboen-Fagott-Duo (A-Vordersatz) folgt die Flöte mit der Klarinette (A-Nachsatz); der Mittelteil B erklingt als polyfoner Tuttisatz. Die A[1]-Reprise wird dagegen von der Flöte mit Tuttibegleitung ausgeführt. Nach der Wiederholung dieses Abschnittes überrascht die Weiterführung (C) teils als Klarinettensolo im Wechsel mit dem Ensembleklang in hoher Lage (ohne Bass), teils als Hornsolo in tiefer Lage (mit Fagottbass). Dieses farbenreiche Wechselspiel der Instrumente wird konsequent bis zur Klarinettencoda fortgesetzt.

Vierter Satz In raffinierter Adagioverästelung entwickelt sich zunächst aus der Klarinettenstimme, dann aus der Flöte und schließlich aus der Oboe ein Tuttiunisono, bis urplötzlich ein rasantes Vivace mit stakkatierenden und repetierenden Spielfiguren ausbricht. Ein hinzutretender, weitausschwingender Melodiebogen

krönt das Ganze. Rondoartig wird durchbrochene Satzarbeit aneinandergereiht, vollgespickt mit virtuosen Soloeinwürfen, bis eine Prestocoda das temperamentvolle Musizieren beendet.

Wirkung Hermann Kretzschmar charakterisierte die Musik in seinem »Konzertführer« (3. Auflage, 1898) als »munter, flott, anmuthig und kräftig, liebt Tonspiel und Concertiren, steht den Instrumenten gut, ... giebt Proben eines eigensinnigen Humors«. Er bemängelte nur die »verwickelte und in Beiwerk verhüllte Natur des Hauptthemas«. Richard Strauss sollte im hohen Alter solche kompakten Satztechniken in seiner bläsersinfonischen »Fröhlichen Werkstatt« (1945) noch einmal zu einem spätromantischen Höhepunkt und Abschluss führen. PÄ

Einspielungen (Auswahl)
• Bläserquintett Bergen, 1992; Simax

Kodály | Zoltán

* 16. 12. 1882
Kecskemét
† 6. 3. 1967
Budapest

Der Komponist Zoltán Kodály gilt als Klassiker der Moderne und zusammen mit Béla Bartók als »Vater der ungarischen Musik«. Seine Kompositionen erwuchsen aus der Beschäftigung mit der Volksmusik seines Heimatlandes. Bei der Kammermusik handelt es sich fast ausschließlich um Frühwerke Kodálys.

Bereits im Alter von zehn Jahren beschäftigte sich der Gymnasiast mit ersten Kompositionsversuchen und belegte später als Doppelstudent die Fächer Komposition (bei Hans Koessler) an der Musikhochschule in Budapest sowie ungarische Literaturwissenschaft und Germanistik an der Universität. 1906 wurde Kodály mit einer Dissertation über den Strophenbau im ungarischen Volkslied zum Dr. phil. promoviert und beendete gleichzeitig erfolgreich sein Kompositionsstudium mit einer Orchesterfantasie als Prüfungsarbeit. Diese Doppelbegabung sollte zum Grundstein für sein Lebenswerk als Komponist und Volksliedforscher werden: Gemeinsam mit Béla Bartók unternahm er eine Reihe von Forschungsreisen, um mit dem seinerzeit modernen Edison-Phonographen die mündlich überlieferte Folklore auf Wachswalzen aufzuzeichnen. Als Pioniere der sogenannten Feldforschung veröffentlichten die beiden Komponisten in Fachzeitschriften die Ergebnisse ihrer Schallaufzeichnungen in Form von sorgfältigen Notenübertragungen und revolutionierten die bis dahin unzulänglichen Methoden und Ergebnisse der Volksmusikforschung. Zugleich ließen sich beide von den Melodien und Rhythmen künstlerisch inspirieren, deren Stilelemente sie auf die Kunstmusik ihres Heimatlandes übertrugen. Damit wurden sie intuitiv zu den viel gerühmten Begründern einer ungarischen Moderne.

Im Frühjahr 1910 stellte Kodály bei einem Autorenabend sein erstes Streichquartett, die Klaviermusik op. 3 und die klavierbegleitete Cellosonate op. 4 vor, doch der Erste Weltkrieg unterbrach zunächst alle weiteren Vorhaben. Zuvor war allerdings der idealistische Versuch gescheitert, einen Verein für Neue Ungarische Musik zu gründen. Ein zweiter Autorenabend im Jahr 1918 fand bereits erhöhte Aufmerksamkeit. Vor allem waren es aber die musikliterarischen Schriften über Debussy, über Bartók und die Forschungsarbeiten über die Volkslieder »als Offenbarung des Geistes der Nation«, mit deren Veröffentlichung Kodály Aufmerksamkeit erregte.

Der entscheidende Durchbruch glückte ihm 1923 mit der Uraufführung des »Psalmus Hungaricus«, der eine neue Ära im Schaffen des Komponisten markierte: Kodály stellte fortan die Vokalmusik in den Mittelpunkt seiner kompositorischen Tätigkeit und erhob das Singen im Kinderchor, in der Schule und in den Chorvereinigungen zu einer pädagogischen Mission, mit der er das gesamte ungarische Musikleben zu aktivieren hoffte. Zahlreiche Aufsätze dokumentieren dieses Vorhaben, das nicht zuletzt zu seinem Ruf als »Vater der ungarischen Musik« beigetragen hat. So bekannte der Komponist: »Niemals versuchte ich, aus dem Volkslied sinfonische Formen oder Kammermusik zu machen, weil das zwei ganz verschiedene Welten sind. Ich wollte immer nur den Geist des Volksliedes in meinen Werken wiedergeben, was zugleich bedeutete, dass ich in sinfonischen und kammermusikalischen Werken die Volkslieder niemals in ihrer ursprünglichen Form verwendete.«

Das kammermusikalische Schaffen Kodálys zeichnet sich zwar durch eine hohe Qualität, jedoch durch eine verhältnismäßig geringe Quantität aus. Zu dem stilistisch und inhaltlich entscheidende Impulse verarbeitenden Duo für Violine und Violoncello op. 7 (1914) gesellen sich u. a. ein Intermezzo für Streichtrio von 1905, aus dem gleichen Jahr ein Geigenadagio mit Klavier (das auch in zahlreichen Bearbeitungen vorliegt), neben dem Celloopus 4 von 1909 eine unbegleitete Cellosonate op. 8 und ein Capriccio für Cello solo (1915), zwei Streichquartette (op. 2 von 1909 und op. 10 von 1916), eine Serenade für zwei Violinen und Viola op. 12 (1920), schließlich das Spätwerk einer klavierbegleiteten Cellosonatine von 1966. PÄ

Sonate für Violoncello solo op. 8

Sätze 1. Allegro maestoso, ma appassionato, 2. Adagio (con grand' espressione), 3. Allegro molto vivace
Entstehung 1915
UA 1918 Budapest
Verlag Universal Edition
Spieldauer ca. 30 Minuten

Entstehung Der Ausbruch des Ersten Weltkriegs zwang Kodály zum Abbruch seiner Forschungsreisen zur Erkundung der Volksmusik. Seine Kompositionen erfuhren zu dieser Zeit einen Stilwandel: Er löste sich von den Einflüssen der Musik Debussys und begeisterte sich für die fortschrittliche Klangsprache Bartóks. Jedoch vermied er deren oft kompromisslose Härte.

Kodálys Opus 8, das beispielhaft für seinen gereiften Instrumentalstil steht, ist dem Cellisten Jenő (Eugen) Kerpely gewidmet. Dieser hervorragende Musiker war Mitglied des namhaften Waldbauer-Kerpely-Streichquartetts, das seit 1910 mit seinen Konzerten entscheidend zur Verbreitung der ungarischen Moderne im In- und Ausland beigetragen hat. Wegen des Krieges kam die Solosonate jedoch erst 1918 bei einem Autorenabend in Budapest zur Uraufführung.

Musik Erster Satz Die Einleitung lässt an eine »Ungarische Rhapsodie« denken. Die rhapsodische Form wird konsequent beibehalten. Wechselnde Stimmungsbilder werden in Anlehnung an die Sonatensatzform lose aneinandergereiht. Der Einleitung schließt sich die Exposition an. Ein Pizzicatomotiv lenkt die Aufmerksamkeit auf ein traurig-nachdenkliches Selbstgespräch des Cellos, symbolisiert durch die »Antworten« eines imaginären Partners (erster Themenblock). Beherzte Floskeln (Zwischengruppe) lösen einen Umschwung der Gefühle aus: Es folgt ein zweiter Themenblock mit pentatonischen Tonkaskaden und hohen Trillerfigurationen. Eine weitschweifende Melodielinie steigert sich (als »Durchführung«) zu extrem hohen Tonlagen, wechselt von innerer Bewegtheit zu äußerer Ruhe und versinkt schließlich (als »Reprise«) in eine grübelnde, baritonale Tiefe – ein Seelenpanorama.

Zweiter Satz Das langsame Grundtempo wird zum Anlass genommen, um das Gefühlskaleidoskop rhapsodischer Elemente bis hin zu einigen wild aufbegehrenden Klangballungen zu dynamisieren. Selbst die vielen abrupten Pausen lösen mit ihren kurzen Unterbrechungen immer wieder neue Seelenbewegungen aus. Eine virtuose Kadenz gibt das Zeichen zur Rückkehr der Hauptgedanken des Satzes. »Reprise« und Coda verkünden Traurigkeit und Resignation.

Dritter Satz Das Finale sorgt für den erforderlichen Kontrast. Es entwickelt ein farbenreiches Genrebild rustikaler Temperamente und tänzerischer Vehemenz. Der rhapsodische Aufbau verbindet nahezu alle denkbaren Podiumskünste virtuoser Streichertechniken mit folklo-

ristischen Stilelementen: Zigeunerisch-Improvisatorisches, figurenreiche Csardasmentalität, rhythmische Finessen, Pizzicatotricks, Tremolozauber, Doppelgriffartistik und rasante Tonrepetitionen mit dem Springbogen.

Wirkung Die außergewöhnliche Länge des Solostückes fordert von Musikern und Zuhörern eine ungewöhnlich hohe Konzentrationsbereitschaft. Wer sich jedoch in das Werkgeschehen vertieft, dem erschließen sich gleichzeitig mehrere Dimensionen dieser Komposition: Kodálys Vision von einer Moderne, die sich folkloristisch orientiert, jedoch auf Direktzitate oder deren Bearbeitungsformen konsequent verzichtet, die Vielfalt spieltechnischer Möglichkeiten und Klangfarben eines Instrumentes, schließlich der Formenreichtum einer unprogrammatischen, »absoluten« Musik in Verbindung mit magyarischen Gefühlswelten.

In den 1990er-Jahren haben gleich mehrere Cellisten die Sonate für die Schallplatte eingespielt: neben Altmeister János Starker eine Riege von Nachwuchskünstlern – Roel Dieltiens, Matt Haimovitz, Pieter Wispelwey sowie der katalanische Casals-Schüler Lluis Claret. Letzterer kombiniert das Werk bei seiner Aufnahme, begleitet von der Pianistin Rose-Marie Cabestany, mit der Cellosonate op. 4.　　　　PÄ

Einspielungen (Auswahl)
- Yo-Yo Ma, 1999 (+ Werke von O'Connor, Sheng, Wilde, Tscherepnin); Sony Classical

Duo für Violine und Violoncello op. 7

Sätze 1. Allegro serioso, non troppo, 2. Adagio, 3. Maestoso e largamente, ma non troppo lento – Presto
Entstehung 1914
UA 1918 Budapest
Verlag Universal Edition
Spieldauer ca. 25 Minuten

Entstehung Auffallendes Stilmittel als Ergebnis von Kodálys Feldforschungen in den Friedensjahren vor 1914 sind in seiner Musik die fünfstufigen Motiv- und Melodiebildungen (Pentatonik). Sie stellen gewissermaßen eine prakti-

Kodály erforschte die Volksmusik seines Landes und zeichnete Lieder und Melodien mithilfe eines Phonographen (Bild) auf. In sein Duo op. 7 flossen die Forschungsergebnisse stilistisch ein.

sche und hörbare (!) Vorarbeit zu seiner grundlegenden Studie »Pentatonik in der ungarischen Volksmusik« dar, die 1917 erschien.

Musik **Erster** **Satz** Der folkloristische Brauch, sich vor Beginn der Darbietungen auf den Instrumenten erst einmal improvisierend einzuspielen, während sich die Tänzerinnen und Sänger um die Musikanten herumgruppieren, wird mit einer kadenzartigen Introduktion stilisierend angedeutet. Sodann intoniert die Violine das Hauptthema des Satzes, von zarten Pizzicatorhythmen des Cellos begleitet. Ein Rollentausch der beiden Instrumente eskaliert zu einem lebhaften Dialogisieren, das sich durch ein variierendes Paraphrasieren vom Grundgedanken immer weiter weg zu entfernen scheint. Deutliche Motiv- und Klangzäsuren mahnen gebieterisch zur Umkehr und führen nach einer Scheinwiederholung der »Exposition« zu einer ekstatischen Steigerung des Geschehens (im Charakter einer »Durchführung«). Neues Motivmaterial, Tonartrückungen und wechselvolles Klangfarbenspiel bereichern das Geschehen. Eine Cellozäsur gibt das Zeichen zum Einsatz der (sehr frei zu verstehenden) »Reprise« mit einer ideenreich an- und abschließenden Coda: zunächst im Wechsel der Soli, dann mit zartem Flageolettduettieren.

Zweiter Satz Ein schwärmerisches Fantasieren des jeweils melodieführenden Instruments wird vom Partner zu einer überraschenden Fülle dynamisch abgestufter Begleitfarben und -figuren genutzt. Für Spannung sorgt ein grollender Mittelteil mit bewegtem Cellotremolo und rezitativischen Geigenepisoden. Der Satz lichtet sich mit lyrisch verhauchenden Geigenseufzern auf und verklingt mit einem ätherisch-harmonischen Schlussakkord.

Dritter **Satz** Zigeunergeigerisch fordert eine ausgedehnte Solokadenz der Violine zum Tanz auf. Zwei virtuose, von packenden Tonrepetitionen angeheizte Melodiefolgen (mit emphatischen Variationen der ersten Tanzmelodie) entfalten ein schwungvoll bewegtes Spiel. Im letzten Satzteil scheint ein drittes Motiv die Verbunkosatmosphäre (getanztes Liebeswerben) aus den 24 Jahre später entstandenen »Kontrasten« von Bartók vorwegzunehmen. Mit wilder Prestoturbulenz endet das Kehrausfinale.

Wirkung Kodálys Duo op. 7 ist unter den Streicherkammermusiken in Kleinstbesetzungen zu einer Spezialität für Intimkenner geworden. Nur wenige CD-Produktionen liegen vor, u. a. mit den namhaften Interpreten Josef Suk, Raphael Oleg (Violine) sowie János Starker und André Navarra (Cello).   PÄ

Einspielungen (Auswahl)
• Eleonora Turovsky (Violine), Yuli Turovsky (Violoncello), 1987 (+ Cellosonate op. 4); Chandos
• Renaud Capuçon (Violine), Gautier Capuçon (Cello), 2002 (+ Duos von Johan Halvorsen, Eric Tanguy, Erwin Schulhoff, Joseph Ghys / Adrien Servais); Virgin Classics / EMI

Cellosonate op. 4

Sätze 1. Fantasia: Adagio di molto, 2. Allegro con spirito
Entstehung 1909
UA Frühjahr 1910 Budapest
Verlag Universal Edition
Spieldauer ca. 20 Minuten

Entstehung Obwohl Kodály bereits eine beachtliche Reihe Erfolg versprechender Kompositionsstudien und Frühwerke vorweisen konnte, würdigte er erst einen Zyklus von 16 Liedern zu

Volksliedtexten als wirklich eigenschöpferisches Opus 1: »Énekszó« (Liederklang, 1907). Ein Paris-Aufenthalt im gleichen Jahr führte zu intensiver Beschäftigung mit den Werken Debussys, dessen Einfluss in Kodálys frühen Opusnummern deutliche Spuren hinterlassen hat (Streichquartett op. 2, Klaviermusik op. 3 und die Cellosonate op. 4). Im Frühjahr 1910 veranstaltete er gemeinsam mit seinem Freund Bartók einen Budapester Autorenabend, bei dem diese Werke zur Diskussion gestellt wurden. Anschlusskonzerte in Paris, Brüssel und Berlin waren die Folge.

Musik Trotz der Bezeichnung »Sonate« besteht die Hälfte dieser ohnehin nur zweisätzigen Komposition aus einer ausufernden »Fantasia«. Solcher freien Formung kommt die gern mit rhapsodischen Themenschüben arbeitende Kompositionstechnik Kodálys entgegen. Üppig fällt während der impressionistischen Schaffensphase auch das Spiel mit Klangfarben aus. So wird dem Violoncello großzügig eine unbegleitete Solomeditation als Einleitung gewährt, bis sich das Klavier mit typischen »Debussy«-Akkorden zaghaft in das ausdrucksvolle Geschehen einmischen darf.

Erster Satz Das zunächst sehr zurückhaltend geführte Zwiegespräch steigert sich zu einem kräftigen Tastensolo, bis auch das Cello zu seinem gleichberechtigten Fortespiel findet. Aus den Motiv- und Klangvarianten kristallisiert sich mit zunehmender Deutlichkeit das Quartintervall als leitmotivische Floskel heraus, die das weitere Satzgeschehen bestimmt. Harmonisch und melodisch dominiert jetzt die von Kodály aus der heimatlichen Volksmusik übernommene Fünftonskala (Pentatonik). Häufige Zäsuren und Generalpausen, für die der Komponist ebenfalls eine Vorliebe zeigt, erweisen sich als spannungsfördernde Ausdrucksträger.

Zweiter Satz Einen radikalen Gefühlsumschwung bewirkt das Allegro mit seiner tänzerischen Vitalität. Der Vergleich mit einem Csardas drängt sich auf: Auch dieser ungarische Nationaltanz lebt von dem zweiteiligen Gegensatz zwischen Lassú (langsam) und Friska (schnell). Leicht zu unterscheidende Tanzmotive und Rhythmen im folkloristischen Stil erweisen sich als formende Kräfte für den Aufbau eines Sona-

tensatzes (daher der berechtigte Titel für das Gesamtwerk). Sie reihen sich zu einer Exposition und entfesseln in der Durchführung ein reges motivisches Puzzlespiel. Statt des Repriseneintritts werden jedoch vertraute Passagen aus der Fantasia des ersten Satzes zitiert. Der Ring schließt sich: Die leitmotivische Quarte, umhüllt von melancholischen Klängen, setzt dem fröhlichen Treiben ein Ende.

Wirkung Trotz der stilistischen und biografischen Bedeutung, die Kodálys reizvollem Opus 4 zukommt, hat sich die internationale Cellistenprominenz des Werkes auf ihren Tonträgern bisher erstaunlicherweise nicht angenommen. PÄ

Kreisler | Fritz

* 2. 2. 1875
Wien
† 29. 1. 1962
New York

100563

»Der Klang seiner Violine, der köstlichste aller Zeiten, wird in der ganzen Welt von Millionen geschätzt und bewundert; dieser Klang vermittelt Kreislers Wesen.« So schwärmte Yehudi Menuhin von Fritz Kreisler, der nicht nur in einigen Tondokumenten fortlebt, sondern auch in vielen geigerischen Salonstücken von außergewöhnlichem Charme mit einer eigentümlichen musikantischen Seelenwärme.

Hochbegabt und von klein auf durch das Elternhaus gefördert, hatte Kreisler am Wiener Konservatorium als Kind Unterricht bei Joseph Hellmesberger jun. im Geigenspiel und bei Anton Bruckner in Theorie, bevor er sich als Jugendlicher in Paris bei Joseph Massart auf dem Instrument vervollkommnete und bei Leo Delibes Kompositionsunterricht nahm. Er durfte noch Johannes Brahms vorspielen und besaß von dessen Violinkonzert die autografe Partitur. Am 10. November 1910 übernahm er in London den Solopart bei der Uraufführung des Violinkonzerts von Edward Elgar.

Als Violinist auf Tourneen durch die Welt geführt, als Wiener infolge zweier Weltkriege zwischen Amerika, Berlin, Paris und wieder Amerika (1940 US-Staatsbürgerschaft) hin- und hergerissen, bewahrte sich Kreisler gerade als Komponist den authentischen Ton seiner Heimatstadt. Dabei gewährleistete sein Künstlertum, dass er auf der heiklen Gratwanderung zwischen Leichtem und Seichtem eine geradezu schlafwandlerische Sicherheit behielt. Wie im Geigenspiel bezaubert auch hier vor allem seine musikalische Aufrichtigkeit, die unmittelbar zum Hörer spricht.   HO

Werke für Violine und Klavier

Entstehung Die zahlreichen kleinen Kompositionen für Violine und Klavier schrieb sich Fritz Kreisler für sein eigenes Konzertrepertoire. Die Bearbeitungen dienten ihm dabei als Zugabenstückchen (»musikalisches Konfekt«) für seine Solorecitals.

Die Originalkompositionen erweisen sich als musikantisch ursprüngliche Petitessen, die den beseelten Kreisler-Ton zum Ausdruck bringen. Darunter finden sich u. a. die melodramatisch eingeleitete, aufs Wiener Gemüt zielende »Caprice viennois« op. 2 und das exotisch wirkende »Tambourin chinois« op. 3 für Violine und Klavier mit seinem tangoartigen Mittelteil. Zu nennen sind hier ferner die gefälligen Miniaturen »Berceuse romantique«, die Serenade »Polichinelle«

oder auch »Recitativo und Scherzo-Caprice« op. 6 für Violine solo.

Musik Die Stücke im Stil anderer Komponisten sind elegante Zeugnisse einer schöpferischen Anverwandlung. Wie gekonnt Kreisler hier vorging, zeigt sich etwa daran, dass sich Musikforscher aufgrund der als »klassische Manuskripte« getarnten Stücke tatsächlich auf die Suche nach den vermeintlichen Originalen machten. Im künstlerisch überhöhten Genre der sentimentalen Liedweise unübertroffen, in der tönenden Empfindung süßer Wehmut zeitlos sind die 1905 als »Alt-Wiener Tanzweisen« von Josef Lanner herausgegebenen Paradezugaben »Liebesfreud«, »Liebesleid« und »Schön Rosmarin«. Weitere seiner »klassischen Manuskripte« sind: »Chanson Louis XIII et Pavane« und »Aubade provençale« im Stil von Louis Couperin, Präludium und Allegro im Stil von Gaetano Pugnani sowie Sicilienne und Rigaudon im Stil von François Francoeur.

Für Violine bearbeitet schließlich hat Kreisler u. a. das Andante aus dem ersten Streichquartett von Tschaikowski, den zweiten »Slawischen Tanz« von Dvořák, das »Arabische Lied« aus »Scheherazade« und das »Hindu-Lied« aus »Sadko« von Rimski-Korsakow sowie »Dansa espagnole« von Enrique Granados.

Wirkung Wie sehr es Kreisler gelang, in unterschiedlichen Stilen zu komponieren, beweist u. a. eine Berliner Musikkritik von 1910, in der es heißt: »Ein leises Missbehagen erzeugte die etwas kühne Nebeneinanderstellung von Kreislers (wenn auch gewiss recht nettem) Musikstück ›Caprice viennois‹ mit den Tänzen Lanners (›Liebesleid und Liebesfreud‹), diesen entzückenden von schubertschem Melos erfüllten Genreschöpfungen, die Spiegelbilder der guten alten Wiener Zeit sind und stürmische Rufe nach Zugabe weckten.« Noch heute erfreuen sich die genannten und einige weitere Kreisler-Stücke bei Geigern wie Zuhörern großer Beliebtheit. Sie sind u. a. beim Schott-Verlag erschienen.   HO/STÜ

Einspielungen (Auswahl)
• Henryk Szeryng (Violine), Charles Reiner (Klavier), 1963 (+ Werke von Leclair, Gluck und Locatelli); Mercury/Philips

- Itzhak Perlman (Violine), Samuel Sanders (Klavier), 1972–78 (+ Werke anderer Komponisten); EMI
- Joshua Bell (Violine), Paul Coker (Klavier), 1995; Decca

Kreutzer | Conradin

* 22. 11. 1780
Meßkirch, Baden
† 14. 12. 1849
Riga

Conradin Kreutzer machte sich vor allem mit Vokalmusik einen Namen. Dass sich jedoch von seinen 39 Opern nur eine einzige – »Das Nachtlager von Granada« – in den Spielplänen halten konnte, mag ein Indiz für die geschmacks- und zeitbegrenzte Bedeutung dieses biedermeierlichen Romantikers sein.

Als Sohn eines Mühlenbesitzers widmete sich Conradin Kreutzer zunächst einer vom Vater verordneten Juristenausbildung, die er jedoch nach dessen Tod (1800) zugunsten eines Musikstudiums aufgab. Seine Bühnenwerke, publikumswirksam orientiert an den Klängen Mozarts, Beethovens, Schuberts, Webers und der französischen Opernmode, ließen den jungen Komponisten schnell zu einem reisenden Kapellmeister werden, der überall und nirgends richtig zu Hause war. Immerhin nahm er vorübergehend den Posten eines Hofkapellmeisters in Stuttgart (als Nachfolger von Franz Danzi) und in Donaueschingen beim Fürsten Fürstenberg ein, dann als Musikdirektor in Köln und wiederholt an verschiedenen Theatern in Wien. 1845 zog er sich in den Ruhestand zurück und betreute seine Tochter Marie, eine Opernsängerin, bei ihren Engagements. In Riga erlitt Conradin Kreutzer nach einem missratenen Auftritt seiner Tochter 1849 einen Gehirnschlag mit unmittelbarer Todesfolge.

Zahlreiche »Sprechstücke mit Musik«, etliche Chorwerke und eine weniger umfangreiche Folge von Instrumentalkompositionen aus der Feder von Kreutzer sind heute vergessen. Doch gibt es Ausnahmen: Von den Chorsätzen gehören »Schäfers Sonntagslied« (»Das ist der Tag des Herrn«) und »Die Abendglocken« seit eh und je zum festen Bestand der Laienchöre, und unvergessen ist das »Hobellied« aus der musikalischen Posse »Der Verschwender« (»Da streiten sich die Leut' herum«). Manche schöne Liedvertonung, vor allem von Uhland-Texten, und einige Kammermusiken, so das Septett op. 62, haben dagegen erst in jüngerer Vergangenheit eine Renaissance erlebt.   PÄ

Septett Es-Dur op. 62

Besetzung Violine, Viola, Violoncello, Klarinette, Horn, Fagott und Kontrabass
Sätze 1. Adagio – Allegro, 2. Adagio, 3. Menuetto – Trio: Moderato, 4. Andante. Maestoso, 5. Scherzo: Prestissimo – Trio: Scherzando, 6. Finale. Allegro vivace
Entstehung Jahr und Anlass unbekannt
Verlag Doblinger
Spieldauer ca. 36 Minuten

Entstehung Im Jahr 1800, als sich Conradin Kreutzer nach dem Tod seines Vaters ausschließlich mit der Musik und dem Komponieren zu beschäftigen begann, erschien Beethovens berühmtes Septett für Streicher und Bläser Es-Dur op. 20. Da sich dieses Werk sehr schnell zu einem epochalen Kammermusikerfolg entwickelte, liegt die Vermutung nahe, dass sich Kreutzer unmittelbar zu einem ähnlichen Beitrag animieren ließ und auch ein ähnliches Ergebnis erhoffte.

Musik Die These von der spontanen Reaktion auf das Beethoven-Septett wird durch die verblüffende Ähnlichkeit von Werkarchitektur, Instrumentierung (Klangfarben), Tempowahl und Rhythmisierung melodietragender Abschnitte und Begleitfloskeln gestützt. Eine eigenständige Thematik und individuelle Züge in der Anwendung der Harmonien bewahren Kreutzer jedoch vor dem Vorwurf des Plagiats und vor der Kritik, es handele sich um ein »in seiner kompositorischen Anlage recht primitives Septett« (Wolfgang Rehm).

Erster Satz Schon in der langsamen Einleitung fällt eine originale Ganztonrückung von Es-Dur nach Des-Dur mit entsprechend harmonischer Rückführung zur Grundtonart auf, die gar nicht »abgeguckt« sein kann. Auch die (unübliche) Verwendung ein und desselben Motivs für die Zwischen- und Schlussgruppe im Aufbau der klassischen Exposition ist ein individueller Kunstgriff. Der erforderliche Kontrast zwischen Haupt- und Seitenthema wird trotz der Ableitung beider Satzelemente aus einfachen, aufwärtsgerichteten Intervallsprüngen mit gegenläufigen Tonleiterschritten gewahrt.

Zweiter Satz Das romantische Klarinettenthema im 9/8-Takt ist Beethoven besonders eng verbunden. Auch die durchführungsartige Satzmitte verrät detaillierte Kenntnis der Satzstrukturen des Vorgängers.

Dritter Satz Trotz vollkommen eigenständiger Menuettthematik bewirkt auch hier die Instrumentierung den »Schein des Bekannten«, wie ihn die klassizistische Musikästhetik nahegelegt hatte.

Vierter Satz Kreutzer ersetzt den beethovenschen Variationensatz durch ein Andante, der Beethovens Marciaeinleitung (in der Molltonart) aus dessen Septettfinale nachempfunden zu sein scheint. Das Hauptthema des Satzes greift eigenschöpferisch auf das Hauptthema des Kopfsatzes zurück.

Fünfter Satz Auch hier hat Beethovens Septettscherzo in spieltechnischer Hinsicht unüberhörbare Spuren hinterlassen. Ein reizvoller Gedanke Kreutzers ist im Trioteil das brummigtiefe Bratschenecho auf das hohe Geigenmotiv mit seinen nur vier Tönen eines aufwärtssteigenden Quartintervalls.

Sechster Satz Ähnlich Beethoven beschließt Kreutzer sein Opus mit einem klassischen Sonatenhauptsatz (statt des üblichen Schlussrondos). Unverwechselbare Überraschungsmomente sind in der Durchführung die imitatorisch miteinander verzahnten Fragmente des Haupt- und Seitenthemas sowie der Tonartenwechsel in der Coda mit Adagiozitat des Hauptthemas.

Wirkung Nachdem auch dieses Werk Kreutzers viele Jahre lang in den Archiven schlummerte, haben sich der Doblinger-Verlag (Neuveröffentlichung in der Serie »Diletto Musicale«) und der Klarinettist Dieter Klöcker mit seinem Consortium Classicum um die Wiederbelebung verdient gemacht. PÄ

Einspielungen (Auswahl)
• Charis Ensemble, 1986 (+ Witt: Oktett); MDG

Krommer | Franz

* 27. 11. 1759
Kamenice
(Mähren)
† 8. 1. 1831
Wien

100880

»Krommer ... wird nicht nur unter die vorzüglich guten Violinspieler gezählt, sondern auch zu unsern beliebtesten Komponisten für dieses Instrument«, befand 1790 Ernst Ludwig Gerbers »Historisch-biografisches Lexicon der Tonkünstler«. Werk und Name verschwanden jedoch sehr bald nach seinem Tod, ein Umstand, der bei seiner Wiederentdeckung Mitte der 1980er-Jahre völlig unverständlich erschien. Immerhin deuten die große Anzahl seiner Kompositionen – sein Œuvre umfasst über 300 Werke –, die hohe Druckauflagenzahl und die Auszeichnungen, die ihm zuteil wurden, auf eine zentrale Persönlichkeit der Wiener Klassik.

František Vincenc Kramár, wie er ursprünglich hieß, wurde 1759 im mährischen Kamenitz geboren. Sein Onkel, Anton Matthias Kramár, bildete ihn zum Organisten aus und erteilte ihm Geigenunterricht. Kramár war einige Jahre in seinem Beruf tätig, eignete sich autodidaktisch Kompositionslehre an, um sich dann 1785 mit 26 Jahren in der musikalischen Metropole Wien um eine Anstellung zu bemühen. Er wurde jedoch zunächst erster Violinist der Hofmusikanten des Grafen Styrum in Simonthurn (Ungarn) und stieg bald zum Musikdirektor auf. 1790 trat er eine Chorregentenstelle am Dom in Fünfkirchen an, 1793 wurde er Kapellmeister des Regiments des Grafen Karólyi. Nach dessen Tod nahm ihn Fürst Anton Grassalkowitsch de Gycrak als Musikdirektor in seinen Dienst in Wien. Hier änderte Kramár auch die Schreibweise seines Namens.

1810 wurde Krommer »Musicdirector der Ballette beim k. k. Hoftheater« mit festem Jahresgehalt. 1815 ernannte ihn Kaiser Franz I. zu seinem persönlichen Reisebegleiter mit dem Titel »Kaiserlicher Kammertürhüter«. Diese »Verpflichtung« ermöglichte Krommer, frei als Komponist zu arbeiten. Am 13. September 1818 wurde er beamteter Hofkomponist und Kammerkapellmeister in der kaiserlichen Residenz, eine für bürgerliche Musiker damals normalerweise kaum erreichbare Tätigkeit. Dort blieb er bis zu seinem Tode, der Zeitzeugen zufolge durch falsche Behandlung seines Arztes eintrat. Dass Krommer nicht nur innerhalb der Habsburger Doppelmonarchie Achtung erwiesen wurde, belegen die Ehrungen und Mitgliedschaften bei bedeutenden Musikgesellschaften.

Abgesehen von Oper und Oratorium ist im Schaffen Krommers jede musikalische Gattung zahlreich vertreten. Bekannt sind vier Messen, fünf Motetten, neun Sinfonien, neun Violinkonzerte, 14 Solokonzerte bzw. konzertante Sinfonien für Oboe, Flöte, Klarinette, 16 Harmoniemusiken sowie Bläsersextette und -oktette. Besonders sein Quartettschaffen ist immens: Neben ca. 100 Streichquartetten schuf er auch

Quartette für ein Blasinstrument (Flöte, Oboe, Klarinette) und Streichtrio, die auch heute noch aufgeführt werden. Seine Beliebtheit schöpfte er aus seinem Ideenreichtum und aus dem »Musikantischen«, einem Zug seiner Musik, den seine Kritiker bemängelten. Offensichtlich traf er jedoch genau den Geschmack der Zeit. HI

Streichquartette

Entstehung Krommer war ein ausgebildeter Violinvirtuose. Dieser Umstand begründet sicherlich den außergewöhnlich großen Umfang seines Schaffens im Bereich der Kammermusik für Streicher. Grundlage seiner Popularität waren denn auch seine Quartette mit ca. 100 Werken dieser Besetzung. Neben Haydn galt Krommer als der führende Streichquartettkomponist seiner Zeit.

Musik Krommer stand in seinen Kompositionen fest auf dem Boden der Wiener klassischen Tradition. Fast alle seine Streichquartette sind viersätzig mit der Folge schneller Satz, langsamer Satz, Menuett mit Trio und Rondofinale angelegt. Die Einbeziehung mährischer Folklore fand besonderen Anklang. Seine Quartette stehen denjenigen von Haydn und dem frühen Mozart nahe, die Krommer eingehend studiert hat, weisen aber auch schon in ihren individuellen harmonischen Erweiterungen in frühromantische Sphären. Insofern kann man trotz der äußeren formalen Geschlossenheit nicht von einem einheitlichen Stil in Krommers Kompositionen sprechen.

Wirkung Die meisten Streichquartette Krommers erschienen bei bedeutenden Verlagen im Druck, gemäß dem Wunsch der Auftraggeber meist je drei Werke unter einer Opuszahl zusammengefasst. So fanden sie internationale Verbreitung. Die große Nachfrage erklärt sich insbesondere aus dem Wunsch der Musikliebhaber in bürgerlichen Kreisen, diese relativ leicht lernbare Musik selbst zu spielen. Dies bestätigt Ernst Ludwig Gerber in seinem Tonkünstlerlexikon: »Uebrigens hat Herrn Krommers Arbeit an Reichthum ungeborgter Ideen, Witz, Feuer, neuen harmonischen Wendungen und frappanten Modulationen innern Gehalt genug, um die Aufmerksamkeit der Quartetten-Liebhaber auf sich zu ziehen und um sich daran mit halten zu können… Und zweifelt man daran, so hat man Krommers Arbeit entweder schlecht ausführen gehört, oder man ist während dem Hören bey übler Laune gewesen.« Die Quartette boten darüber hinaus durch die regelmäßige, »schulmäßige« Struktur eine ideale didaktische Vorlage für den Musikunterricht.

Nachgerade Enthusiasmus lösten die gezielten Durchbrechungen dieser Schemata aus. Die Besonderheiten der Erfindungen Krommers regten die Diskussion über die Musik an und bereiteten vor allem Vergnügen. Die überraschenden Modulationen, die »fugenartige Schreibart« und die rhythmischen Effekte faszinierten Zuhörer wie Ausführende. Umso unverständlicher, dass die Quartette bereits unmittelbar nach dem Tod Krommers in Vergessenheit gerieten: Sie wurden als nicht mehr zeitgemäß angesehen. HI

Krommer war zu Lebzeiten ein berühmter Komponist und stieg am Wiener Hof zum persönlichen Begleiter von Kaiser Franz I. auf (»Die kaiserliche Familie auf der Schönbrunner Schlossterrasse«, Gemälde von Martin van Meytens, um 1750; Wien, Kunsthistorisches Museum).

Quartette mit einem Blasinstrument

Entstehung Quartette für drei Streicher mit einem Blasinstrument zählten zu den beliebtesten Besetzungen der Wiener Klassik. Eng verbunden mit der Konzeption des Streichquartetts, erreichten sie jedoch nicht den Rang einer eigenständigen Gattung, da es sich dabei meist um Gelegenheits- und Gebrauchsmusik handelte. Es war außerdem üblich, Streichquartette in der Weise zu bearbeiten, dass die erste Violine einfach durch ein Blasinstrument ersetzt wurde, sodass diese Musik mit gerade verfügbaren Instrumenten gespielt werden konnte. Der Streichquartettkomponist Krommer konnte so mühelos den Zeitgeschmack bedienen.

Die meisten Quartette mit einem Blasinstrument schrieb Krommer dem Bedarf entsprechend für Flöte. Damit berücksichtigte er die Bevorzugung dieses Instruments unter den Musikliebhabern. Bereits zu seinen Lebzeiten erschienen neun Flötenquartette im Druck. Es entstanden aber auch fünf Quartette für Klarinette und Streichtrio sowie zwei für Fagott und Streichtrio.

Musik Krommers Bläserquartette orientierten sich konzeptionell an den französischen »Quatuors brillants«. Den drei Streichern wird dabei lediglich Begleitfunktion zugedacht. So war es Solisten möglich, auch auf Reisen ihr Repertoire aufzuführen, denn die übrigen Stimmen konnten von Instrumentalisten vor Ort vom Blatt gespielt werden. Die Bläserstimme dagegen zeichnet sich dadurch aus, dass das Blasinstrument in virtuoser Art und Weise dominiert: Gelegenheit für Krommer, sein Geschick und seine Routine in der Erfindung brillanter Passagen und überraschender Wendungen unter Beweis zu stellen. HI

Einspielungen (Auswahl)
- Flötenquartette op. 17, 92 & 93: Peter Lukas Graf (Flöte), Carmina-Trio, 1986; Claves

Bläsersextette

Entstehung Werke für die Besetzung mit zwei Klarinetten, zwei Hörnern und zwei Fagotten (mit Kontrabass ad libitum) waren zu Zeiten Krommers überaus gefragt. Sie gehörten in der Regel zu den Divertissements, dienten also der leichten Unterhaltung.

Musik Aufgrund seiner ungewöhnlichen Tonart fällt das Bläsersextett in c-Moll (1. Largo – Allegro, 2. Adagio, 3. Rondo: Allegro) aus dem Rahmen eines Divertissements. Während Krommers Werke für diese Besetzung meist viersätzig sind, fehlt hier das Menuett. Schon in der Largoeinleitung wie auch im nachfolgenden Allegro sind folkloristische Einflüsse aus Krommers mährischer Heimat eingeflochten. Das Schlussrondo impliziert ein Jagdthema als Ritornell.

In der Serenade Es-Dur (1. Allegro, 2. Romance, 3. Menuetto, 4. Presto) fällt die virtuose Behandlung der beiden Hörner, aber auch für die Klarinetten im letzten Satz auf. Sind die ersten drei Sätze noch im Stil Haydns komponiert, so zeigt Krommer im Finale, dass er mit dem gezielten Einsatz neuer Spieltechniken wie Vibrato und Glissando seiner Zeit weit voraus ist.

Die B-Dur-Parthia (1. Allegro moderato, 2. Menuetto: Allegro, 3. Romance, 4. Rondo) ist formal klassisch gearbeitet. Einige Themen sind der mährischen Folklore entlehnt.

Das »Sestetto pastorale« Es-Dur (1. Adagio non molto – Allegretto, 2. Romance: Adagio, 3. Menuetto: Allegretto, 4. Rondo: Allegro) knüpft an Haydn an, deutlich in der Romance und im Rondo.

Wirkung Auch die Bläsersextette sind ein Beleg für die geistvolle Vielfalt, die Krommer in Musik umzusetzen wusste. Mitte der 1980er-Jahre wurden sie zur Grundlage einer Wiederentdeckung des Komponisten. HI

Einspielungen (Auswahl)
• Consortium Classicum, 1989; Claves

Kurtág | György

* 19. 2. 1926
Lugos (Lugoj,
Rumänien)

100562

Kammermusik bildet den größten Teil des Œuvres von György Kurtág. Bis zu seinem Orchesterwerk »Stele« op. 33, das 1993 bis 1995 während seines Aufenthalts als Composer-in-Residence des Berliner Philharmonischen Orchesters entstand, schuf er neben A-cappella-Chorkompositionen ausschließlich Werke des »intimen« Genres.

Kurtág stammt aus dem Banat – einem Gebiet, das politisch zwar zu Rumänien gehört, in dem jedoch vor allem Ungarn (und Banatdeutsche) leben. In Temesvár (rumänisch: Timisoara) erhielt er seinen ersten Klavierunterricht bei Magda Kardos; in Musiktheorie und Komposition wurde er von Max Eisikovits unterwiesen. Von 1946 an studierte er an der Franz-Liszt-Musikakademie in Budapest bei Pál Kadosa (Klavier), Leo Weiner (Kammermusik) und Sándor Veress (Komposition). Sein Mitstudent bei Letzterem war György Ligeti. Nachdem Veress in die Schweiz emigrierte (wo er in Bern u. a. Heinz Holliger unterrichtete), wechselte Kurtág zu Ferenc Farkas. 1948 wurde er ungarischer Staatsbürger.

In den Jahren 1957/58 belegte Kurtág in Paris Kurse bei Darius Milhaud und besuchte die Analyseklasse von Olivier Messiaen. Doch der entscheidende Einfluss auf seinen Kompositionsstil kam von der ungarischen Psychologin Marianne Stein, die er ebenfalls in der Seine-Stadt traf. »Sie führte ihn zu sich selbst: Sie wies ihn beispielsweise an, ganz einfach nur zwei Töne zu verbinden ... Auf diese Weise half Marianne Stein dem Komponisten, ... zu der ihm gemäßen musikalischen Form zu finden.« (Jürg Stenzl)

Nach dem Jahr in Paris kehrte Kurtág nach Budapest zurück, jedoch auf einem – nur geografischen – »Umweg« über Köln. Dort lernte er Werke wie Stockhausens »Gruppen« für drei Orchester und Ligetis elektronische Komposition »Artikulation« kennen; sie wirkten auf ihn nach eigener Aussage wie ein Schock: »Es schien, als hätte sich alles, was ich in Paris erfahren habe über gespannte Konzentratformen, in Köln musikalisch realisiert ...«. Zurück in der ungarischen Heimat, begann mit dem Streichquartett op. 1 sein, wie er es beschrieb, »neues Leben«. 1960 bis 1968 arbeitete Kurtág als Solorepetitor an der National-Philharmonie in Budapest. 1977 wurde er Professor für Klavier, danach auch für Kammermusik am Franz-Liszt-Konservatorium; Positionen, die er bis 1986 bekleidete. Seit 1987 ist der Komponist Mitglied der Bayerischen Akademie der Schönen Künste in München und der Akademie der Künste in Berlin. 1994 erhielt er den Österreichischen Staatspreis für europäische Komponisten.

International bekannt wurde Kurtág vor allem durch »Botschaften des verstorbenen Fräuleins R. V. Troussova« op. 17 für Sopran und Kammerensemble (UA 14. Januar 1981 in Paris). Mit »... quasi una fantasia ...« op. 27 / 1 für Klavier und Instrumentengruppen, komponiert für die Berliner Festwochen 1988, verwirklichte der Komponist erstmals seine lange gehegten Vorstellungen von einer den Hörer räumlich umgreifenden Musik. PE

Kammermusik im strengsten Sinne – da fällt fast unfehlbar der Name Anton Weberns, der Hinweis auf dessen ›kurze Stücke‹«, schreibt Jürg Stenzl in einer Analyse der kammermusikalischen Kompositionen György Kurtágs. Doch während Weberns Musik auf Entwicklungsprozessen beruhe (sukzessive Gestalttransformationen etwa, die sowohl Tonhöhe wie -dauer umfassen), sei für Kurtágs Musik die Grundidee eines Gleichen in immer wieder anderen Erscheinungsformen zweitrangig. Bei Webern dienen Klang und Klangfarbe »der Einkleidung der dargestellten Ideen« (Stenzl); Kurtág hingegen ist eher mit Janáček zu vergleichen: Ein wesentlicher Teil des Ausdrucks entspringt dem Klang selbst.

Was Kurtág zudem von der Wiener Schule unterscheidet, ist – so Stenzl – sein »musikalischer Weitblick«. Dies äußert sich auch darin, dass eine ungeheure Vielfalt von musikalischem Material Eingang in seine Kompositionen findet, »geradezu jede Musik. Sie wird allerdings zunächst ausgelotet, in die Tiefe gehend erkundet, auf diese Weise durch Kurtágs Subjektivität wie durch ein Läuterungsfeuer getrieben« (Stenzl).

So führt die extreme Bandbreite in der Wahl seiner musikalischen Mittel – vom Durdreiklang bis zum Geräusch – nicht zu stilistischer, »postmoderner« Beliebigkeit, sondern findet sich zusammengezwungen zum eindeutig erkennbaren Personalstil. Kurtágs Musik vereine »in ihrer von Webern hergeleiteten Dispositionsstrenge eine innere Freiheit zu spielerischem Assoziationenreichtum wie zu dramatischem Affekt, zu verhaltener Stille wie zu blühender Vielfarbigkeit, die auf verblüffende Art jene alte Komponierweisheit von der Vergrößerung des Ausdrucksradius durch absichtliche Reduktion der Mittel von Neuem erkennen lehrt«, fasst es Ulrich Dibelius zusammen. PE

Einspielungen (Auswahl)
• Keller Quartett, 1995; ECM

Werke für Streichquartett

»Ganz wenige Töne, auch wenige Werke, fast alle sehr kurz, meist für kleine Besetzungen,

Streichquartett op. 1

Sätze 1. Poco agitato, 2. Con moto, 3. Vivacissimo – Lento, 4. Con spirito, 5. Molto ostinato, 6. Adagio
Entstehung 1959
UA 1961 Budapest
Verlag Editio Musica Budapest
Spieldauer ca. 16 Minuten

Entstehung Dieses erste offizielle Werk des zur Zeit der Entstehung (1959) bereits 33-Jährigen stellt den Beginn seines, wie Kurtág es nannte, »neuen Lebens« als Komponist dar. Er verband darin die ungarische Musiksprache Béla Bartóks mit Anton Weberns konzentrierter Schaffensweise. Sein Opus 1 »führte zu einem neuen Idiom, ohne dass – wie in den Werken der jüngsten Komponisten (Boulez, Stockhausen, Xenakis) – eine herkömmliche Sprachähnlichkeit von Musik aufgegeben werden musste« (Stenzl).

Musik Das Streichquartett ist der Psychologin Marianne Stein gewidmet, die Kurtág in Paris getroffen und die ihm den Weg zu sich und zur ihm gemäßen musikalischen Form gewiesen hatte. Der erste Satz des Werks beschreibe diese Suche. Kurtág: »Ein Insekt sucht den Weg zum Licht. Den Lichtschein versinnbildlicht der Flageolettakkord (am Schluss) und dazwischen all dieser Schmutz.«

Die sieben Takte Exposition zu Beginn, »ein Fleckerlteppich, aus verschiedenen Farben und Mustern zusammengesetzt« (Kurtág), ist nach Auskunft des Komponisten nicht nur der Ausgangspunkt für diesen Satz, sondern für das ganze Quartett und darüber hinaus für sein ganzes Lebenswerk.

Bei allen sechs Sätzen handelt es sich um Momentaufnahmen – der längste umfasst gerade einmal 52 Takte. Peter Bitterli resümierte: »Teils sind die Stücke schneidend dissonant und zerklüftet, teils aber haben sie eine Affinität zur Tonalität. Es wird ganz bewusst auch mit dem Instrumentalklang, mit dem Parameter Klangfarbe gearbeitet... Die Musik spricht den Hörer unmittelbar an. Sie ist Stimme und Zeichen... Vor allem aber ist im Werk des Neubeginns ein kurtágsches Charakteristikum bereits voll ausgeprägt: die letztlich unerklärliche Tatsache, dass noch die schärfsten dissonanten Reibungen den Eindruck des Wohlklangs erwecken.«

Wirkung Die Uraufführung von 1961 kam einer Sensation gleich, offenbarte sie doch, was die offizielle Kulturpolitik Ungarns seit dem Zweiten Weltkrieg unter Zensur gestellt hatte: die Techniken der westlichen Avantgarde.

PE/STÜ

»Hommage à Mihály András« op. 13

(»Zwölf Mikroludien für Streichquartett«)

Entstehung 1977
UA 1978 Witten
Verlag Editio Musica Budapest
Spieldauer ca. 11 Minuten

Entstehung Noch mehr zum »Miniaturenmaler« wurde György Kurtág in diesem seinem zweiten Streichquartett. Er hat es 1977 anlässlich des 60. Geburtstags des Komponisten, Cellisten und Dirigenten András Mihály, der sich in Ungarn sehr für Kurtágs Musik einsetzte, geschaffen. Uraufgeführt wurde das Werk jedoch 1978 in Witten; dieser Stadt ist es auch zugeeignet.

Musik Die »Hommage à Mihály András« setzt sich aus zwölf aphoristisch kurzen, voneinander aber deutlich abgesetzten Minisätzen, »Mikroludien«, zusammen. »In zwölf Stadien durchschreitet der Komponist gleichsam sein ganzes Ausdrucksspektrum, von äußerster Ruhe zum ›molto agitato‹, von dramatischen Ausbrüchen zu serener, ganz leiser Klarheit«, schreibt Jürg Stenzl. Man denkt assoziativ an Bachs »Wohltemperiertes Klavier«, von dem sich Kurtág zu seinen verschiedenen »Mikroludien«-Zyklen (zunächst für Klavier geschrieben, dann für Streichquartett) inspirieren ließ, oder auch an Bartóks »Mikrokosmos«. Die Sätze 1, 6 und 11 sind zudem als Hommage an Girolamo Frescobaldi gedacht, »den Komponisten einer rätselhaften und dissonanzreichen ›Toccata di durezze e ligature‹« (Stenzl).

PE

»Officium breve in memoriam Andreae Szervánszky op. 28«

Sätze 1. Largo, 2. Più andante, 3. Sostenuto, quasi giusto, 4. Grave, molto sostenuto, 5. Fantasie über die Harmonien des Webern-Kanons: Presto, 6. Canon a 4: Molto agitato, 7. Canon a 2 (frei, nach op. 31/VI von Webern): Sehr fließend, 8. Lento, 9. Largo, 10. [Webern: Kanon a 4 (op. 31/VI)]: Sehr fließend – L'istesso tempo – Sehr fließend, 11. Sostenuto, 12. Sostenuto, quasi giusto, 13. Sostenuto, con slancio, 14. Disperato, vivo, 15. Arioso interrotto (di Endre Szervánsky): Larghetto
Entstehung 1988/89
Verlag Editio Musica Budapest
Spieldauer ca. 13 Minuten

Entstehung Hinter diesem Titel verbirgt sich György Kurtágs drittes Streichquartett. Es entstand 1988/89 im Gedenken an den ungarischen Komponisten Endre Szervánszky. Der Komponist nannte es »Minirequiem«.

Musik In der Partitur findet sich folgender Hinweis: »Dieses Officium bewahrt außerdem (in den Sätzen I, II, VIII und XI) das Andenken von Tibor Turcsanyi, Zsolt Baranyai, Gabriella Garzó und György Szoltsányi.« »Übervater« des Werks ist jedoch Anton Webern. Der fünfte Satz ist mit »Fantasien über die Harmonien des Webern-Kanons« überschrieben; der sechste, die Momentaufnahme eines Umkehrungskanons, fünf Takte lang (!), ist als Hommage an Webern gedacht; der siebente trägt wiederum Webern im Titel; der zehnte Satz des Werks stellt eine Quartetttranskription des Schlusssatzes aus Weberns zweiter Kantate dar, um einen Ganzton nach oben transponiert (Kurtág hatte sie, so Jürg Stenzl, während seines Studiums in Budapest für den Kammermusikunterricht erstellt).

Bruchstücke aus dem Werk des im Titel des Streichquartetts genannten Endre Szervánsky werden im letzten Satz zitiert: die ersten zwölf Takte in C-Dur aus dem dritten Satz von dessen Serenade für Streichorchester aus den Jahren 1947/48. »Der 3. und der 12. Satz sind Transkriptionen von Kurtágs zwei Fassungen seiner ›Hommage à Szervánsky‹ aus dem 3. Band der ›Spiele‹ für Klavier« (Stenzl). Weberns Musik und jene Szervánskys werden in dieser Komposition als konträre Pole verstanden; Kurtágs Absicht ist, wie er sagt, »ihre Geschichte rückläufig zu verfolgen«; er sucht nach »apokryphen Vorstadien, bei denen sich materiale Verwandtschaften, sogar Identitäten ergeben«.   PE

Kurtágs klingende Gedenksteine

»Hommage«, »In memoriam«, »Officium«, »Requiem«, »Grabstein« – viele Kompositionen von György Kurtág sind schon im Titel als Gedenkmusiken zu erkennen. »Es beglückt mich,« bekannte der Ungar einmal, »wenn ich jemandem aus Zuneigung eine klingende Botschaft senden kann.« So kommunizierte er in den 1980er-Jahren mit seinem italienischen Komponistenkollegen Luigi Nono, indem sie sich musikalische »Hommagen« zusandten. Eine solche komponierte Reverenz stellt auch das Streichquartett »Hommage à Mihály András« dar. Und nach dem Tod des Mentors und Freundes im September 1993 widmete er ihm das Klavierstück »Mihály András in memoriam«. Eine klingende »Stele« aus statischen Terzschichtungen und klagenden Sekundschritten. In der Antike waren Stelen mit einem Relief geschmückte und mit einer Inschrift versehene Steine, die ein Ziel, eine Grenze, ein Ereignis markierten: Am häufigsten wurde damit der Toten gedacht.

»Aus der Ferne III«

Entstehung August 1991
Verlag Universal Edition
Spieldauer ca. 2 Minuten

Musik Kurtág hat »Aus der Ferne III« im August 1991 zum 90. Geburtstag des Verlegers Alfred Schlee komponiert. Das Stück mit seinen geisterhaften, dolce espressivo zu spielenden Flageolettpassagen sowie den Liegetönen, die die beiden Violinen und die Viola auf den vom Cello mit hart gezupften, »wie eine Pauke« klingenden Pizzicati des tiefen C gelegten Untergrund auftragen, lässt den Erinnerungsvorgang an sich zu Musik werden.

Wirkung Das Budapester Keller Quartett hat alle bis dato erschienenen Werke György Kurtágs für Streichinstrumente 1995 auf CD eingespielt. Die Aufnahme wurde mit dem Preis der Deutschen Schallplattenkritik ausgezeichnet.

Auch neuere Streichquartette Kurtágs wie »Hommage à Jacob Obrecht«, »Aus der Ferne V« und »Six moments musicaux« op. 44 (alle 2005) befinden sich im Repertoire des Keller Quartetts. PE

Lachenmann | Helmut

102961

* 27. 11. 1935
Stuttgart

»Ligatura – Message to Frances-Marie (The answered unanswered question)« op. 31/b

Entstehung 1989
Verlag Editio Musica Budapest
Spieldauer ca. 4 Minuten

Entstehung Kurtág schrieb dieses Stück 1989 für die amerikanische Cellistin Frances-Marie Uitti. Es verlangt ein Cello, das gleichzeitig mit zwei Bogen gestrichen wird (oder zwei Celli), zwei entfernt davon zu postierende Violinen sowie (in den letzten beiden Takten) eine Celesta. »Ligatura« liegt in zwei Fassungen vor, die sich kaum unterscheiden.

Musik Der Untertitel setzt das Werk in Beziehung zu dem Orchesterstück »The unanswered Question« (1906/08) von Charles Ives. Während dort in das ruhige Fließen der Streicher siebenmal die Trompete mit einer harmonisch unpassenden »Frage« einbricht, zunehmend heftige Reaktionen der Holzbläser auslöst, die Streicher aber unbeeindruckt lässt, gibt es bei Kurtág quasi nur noch die Klangfolie der Streicher.

Diese ist in zwei »Register« aufgefächert – den tiefen, volltönenden, an ein Gambenconsort erinnernden Klang der Celli und den hellen, fast gespenstischen Klang der mit Dämpfer gespielten Geigen. Beide Instrumentenpaare sind vielfältig miteinander verbunden – und bestätigen so den Werktitel »Ligatura« (lat. Verbindung): Sie operieren mit dem gleichen melodisch-harmonischen Material und beziehen sich im Nacheinander (»Monologe« von Celli und Geigen im ersten Teil der Komposition) bzw. in der Gleichzeitigkeit (»Dialoge« im zweiten Teil) aufeinander. Bekräftigt durch drei Töne der Celesta verklingt das Stück. PE

»Was ich will, ist immer dasselbe: eine Musik, die mitzuvollziehen nicht eine Frage privilegierter intellektueller Vorbildung ist, sondern einzig eine Frage kompositionstechnischer Klarheit und Konsequenz; eine Musik zugleich als Ausdruck und ästhetisches Objekt einer Neugier, die bereit ist, alles zu reflektieren, aber auch in der Lage, jeden progressiven Schein zu entlarven: Kunst als vorweggenommene Freiheit in einer Zeit der Unfreiheit.« So beschrieb der Komponist Helmut Lachenmann 1971 seine Intentionen.

Seine kompositorischen Absichten implizieren die »Verweigerung von blinden ästhetischen Gewohnheiten« als Angebot einer veränderten, befreiten Wahrnehmung. Befreit vor allem von einem inflationär gewordenen falschen Schönheitsbegriff, vom aus historischen und gesellschaftlichen Faktoren sich zusammensetzenden »ästhetischen Apparat« von präformierter Hörerwartung. Diese Befreiung erhielt etwa Gestalt in Lachenmanns im Januar 1997 an der Hamburgischen Staatsoper uraufgeführten ersten Musiktheaterwerk, »Das Mädchen mit den Schwefelhölzern. Musik in Bildern«, in dem der Komponist u. a. durch die Trennung von Sängern und Darstellern eine »Neudefinition des Begriffs ›Musiktheater‹« versuchte. Auch seine Orchesterwerke stehen quer zu Hörtraditionen: In »Klang-schatten – mein Saitenspiel« für 48 Streicher und drei Konzertflügel (1972) und in »Fassade« für großes Orchester und Tonband (1973, revidiert 1987), um nur zwei Beispiele zu nennen, scheint der Mechanismus der Tonerzeugung häufig wichtiger als das musikalische Resultat – das Geschehen wird zeitweise ins Tonlose zurückgenommen.

Helmut Lachenmann studierte 1955 bis 1958 an der Musikhochschule in Stuttgart bei Jürgen Uhde (Klavier) und bei Johann Nepomuk David (Theorie und Kontrapunkt). 1958 setzte er sein Kompositionsstudium in Venedig bei Luigi Nono fort, 1963/64 nahm er an den Kölner »Kursen für Neue Musik« von Karlheinz Stockhausen teil. 1976 wurde Lachenmann an die Musikhochschule Hannover berufen. In den Jahren 1978 bis 1992 trat er mehrfach als Dozent bei den Darmstädter Ferienkursen für Neue Musik in Erscheinung. Seit 1981 ist er Professor für Komposition an der Musikhochschule Stuttgart.

Dass seine Musik weit entfernt ist von einer nihilistischen Geste der Verweigerung, die man ihm häufig unterstellt, macht auch sein kammermusikalisches Œuvre (darunter drei Streichquartette und ein Streichtrio, eine Studie für Violine solo sowie mehrere Stücke für unterschiedliche Besetzungen) deutlich. Wenn etwa das zweite Streichquartett, »Reigen seliger Geister«, sich zeitweise an der Hörbarkeitsschwelle oder darunter bewegt, so bedeutet dies keineswegs ein Ans-Ende-Gelangen, sondern vielmehr Ausblick: »Das Pianissimo als Raum für ein vielfaches Fortissimo possibile der unterdrückten Zwischenwerte«, sagt Lachenmann; das Werk sei »ein Plädoyer für des Kaisers neue Kleider«. PE

Streichquartette

»Gran Torso« Musik für Streichquartett

Entstehung 1971/72, 1976, 1988
UA 6. Mai 1972 Bremen
Verlag Breitkopf & Härtel
Spieldauer ca. 23 Minuten

Entstehung Lachenmann komponierte sein erstes Streichquartett »Gran Torso« 1971/72, also im zeitlichen Umfeld der Orchesterstücke »Kontrakadenz« (1970/71), »Klangschatten – mein Saitenspiel« (1972) und »Fassade« (1973).

Musik Wie in den Orchesterwerken scheinen auch in dem Streichquartett die »mechanischen und energetischen Bedingungen bei der Klang-Erzeugung« (Lachenmann) wichtiger als das musikalische Resultat. Wobei die Gattung Streichquartett der Absicht des Komponisten, sich dem ästhetischen Apparat mit »streng auskonstruierten« Mitteln zu verweigern, noch deutlicher entgegenkommt als größere Instrumentalapparate. Klaus Hinrich Stahmer bringt im Zusammenhang mit dem Quartett den Vergleich vom »›schönen‹ Negativbild, bei dem alle Farbwerte fehlen, die üblicherweise den Quartettklang und die Quartettkultur auszeichnen«. Ein Negativ mit allen positiven Entwicklungsmöglichkeiten.

Lachenmann schreibt: »In ›Gran Torso‹ gibt es das große Ritardando, wo eine Tremolobewegung, in Etappen – über das mechanische Sägen, das nervöse Hin- und Herfahren, das weit gedehnte Quasi-Aus- und Einatmen – gespreizt und so zelebriert wird bis zum Stillstand. Als Resultat einer quasi ›vernünftigen‹ Abstufung, sozusagen als ›Augmentation‹ rational integriert, bewirkt dieser Vorgang mitsamt den qualitativen Sprüngen am Ende als ›ostinato rubato‹ einen magischen Zustand, der zugleich zur Versenkung und zum hellwachen Beobachten einlädt und der als magischer dennoch zugleich völlig offen ist zur nackten Realität der Zeit, in dem er zufällig gerade stattfindet. Dementsprechend ist er verwundbar.

Aber ein solcher Zustand der Schutzlosigkeit scheint mir auch einen Teil der expressiven Kraft des leichtsinnigerweise ›vernünftig‹, das heißt radikal Gearbeiteten, auszumachen. Hier in der Bratschenstelle von ›Gran Torso‹ wird er von der ›kaum noch atmenden‹ Stille magisch bewacht. Mir liegt an dieser Stelle vor allem an der Deutlichkeit der Abstufung von ›Stille‹ und ›Leere‹. Der Stillstand ist kein ›morendo‹, sondern bedeutet einen weiteren qualitativen Sprung. Er ist mehr als die gefärbte Stille zuvor: Er ist Leere. Hier sind wir endlich im Zentrum einer unberührten Wüste…«.

Sein zweites Streichquartett komponierte Lachenmann 1989 für das Pariser »Festival d'Automne«, das im Zeichen der Zweihundertjahrfeier der Französischen Revolution stand (Blick auf das Feuerwerk hinter dem Arc de Triomphe in Paris am 14. Juli 1989).

Nachdem er quasi wie mit einem Regler in der Hand die Musik »auf null« gebracht habe, gehe das Stück – wenn schon nicht die Musik – weiter, »endlich Nichtmusik« geworden. »Fast möchte ich denken, bis dahin war die Komposition nur ein einziger Exorzismus, um endlich befreite Musik schreiben zu können, und erst jetzt konnte ich – subjektiv gesehen, ›machen, was ich wollte‹.« Den ersten Collegno-battuto-Tupfer habe er in diesem frei gemachten Raum als »Tropfen auf den kalten Stein« empfunden, als »empfindliche ›Knalle‹«.

Eine weitere »Befreiung« erreicht Lachenmann am Schluss des Werks, nachdem sich der zunächst »senkrecht fallende, tupfende, danach springende, später allmählich waagrecht schleifende, so ins Streichen, Pressen, schließlich in scharfen Rhythmen viereckig bewegte, festgequetschte Bogen endgültig festgefressen hat,

nicht mehr vor und nicht mehr zurück kann: nicht Leere, aber Starre, und erst dort, wo Musik sich aufhebt, tut sich wieder ein Freiraum von Nichtmusik auf, der mir als Komponist ein Gefühl von so nie gekannter Freiheit gibt.«   PE

Streichquartett Nr. 2 »Reigen seliger Geister«

Entstehung 1989
UA 28. September 1989 Genf
Verlag Breitkopf & Härtel
Spieldauer ca. 28 Minuten

Entstehung »Reigen seliger Geister« für Streichquartett entstand 1989 im Auftrag des Pariser »Festival d'Automne« im Hinblick auf die Zweihundertjahrfeier der Französischen Revolution. Das Werk ist dem Arditti String Quartet gewidmet.

Musik Der Titel »Reigen seliger Geister« erinnert an das Flötensolo aus der Oper »Orpheus und Eurydike« von Christoph Willibald Gluck, doch wird man musikalische Anspielungen daran nicht finden. Es geht Lachenmann vielmehr um den Gestus eines Wahrnehmungsspiels: »›Töne‹ aus der Luft gegriffen – ›Luft‹ aus den Tönen gegriffen.«

Auch das zweite Streichquartett bewegt sich zeitweise an der Hörbarkeitsschwelle; es solle daher »nur in akustisch geeigneten Kammermusiksälen gespielt werden«, ist in den Spielanleitungen der Partitur zu lesen. Der Komponist plädiert wiederum für einen neuen, aus dem Freiheitsgefühl heraus geschaffenen Schönheitsbegriff: die Schönheit des Ungewohnten, Unbekannten, erst zu Entdeckenden. Dieser Absicht entsprechen etwa die geforderten Skordaturen: Schon am Anfang sind die beiden Violinen und das Cello unterschiedlich ge(ver-)stimmt. Nach etwa zwei Dritteln des Werks werden die Spieler angehalten, ihre Instrumente durch beliebige Drehung der Wirbel in »wilder Skordatur« auf unbestimmte Tonhöhe abzusenken, wobei die Griffe genau vorgeschrieben bleiben; damit soll »sphärisches« Spiel erreicht werden.

Nach dem »Abenteuer« des ersten Streichquartetts, »Gran Torso«, mit seinen »exterritorialen Spielformen am Instrument – heute längst von anderen touristisch erschlossen« (Lachenmann), habe er hier auf Intervallkonstellationen (»Text«) als »Fassade«, als »Vorwand (prétexte)« zurückgegriffen, um bei deren Realisierung die »natürlichen akustischen Ränder des hervorgebrachten Tons, seiner timbrischen Artikulation, seiner Dämpfung, beim Verklingen, beim Stoppen der schwingenden Saiten (zum Beispiel auch die Veränderung des Geräuschanteils beim Wandern des Bogens zwischen Ponticello und Tasto) durch die ›tote‹ Tonstruktur hindurch zum lebendig gemachten Gegenstand der Erfahrung zu machen«.

So hat Lachenmann in seiner Komposition »Reigen seliger Geister« für Streichquartett verschiedene spieltechnische Aktionsfelder inszeniert, verwandelt, verlagert, verlassen, verbunden. Das Leise (das Negativbild) trägt dabei erneut alle (positiven) Möglichkeiten in sich.

PE

Streichquartett Nr. 3 »Grido«

Entstehung 2000/01, revidiert 2002
UA 2. November 2001 Melbourne
Verlag Breitkopf & Härtel
Spieldauer ca. 28 Minuten

Entstehung Helmut Lachenmann komponierte »Grido« 2000/01 und widmete es »den Musikern/Freunden des Arditti-Quartetts«.

Musik Der Komponist notierte zu seinem Werk: »Komponieren bedeutet für mich jedes Mal, wenn schon nicht ›ein Problem lösen‹, so doch mich mit einem Trauma, angstvoll/lustvoll, auseinandersetzen und anhand solcher – empfundener und angenommener – kompositionstechnischer Herausforderungen eine klingende Situation verursachen, die mir selbst wenn nicht neu, so doch fremd ist, und in der ich mich verliere und so erst recht mich wiederfinde. Das klingt gewiss sehr privat, aber jenes ›Problem‹, jenes ›Trauma‹ verkörpert immer wieder auf andere Weise die kategorische Frage nach der Möglichkeit einer authentischen Musik in einer Situation, wo dieser Begriff kollektiv verwaltet scheint und durch seine Ubiquität und totale Verfügbarkeit in einer von ›Mu-

sik‹ (= auditiv inszenierter Magie für den Hausgebrauch) überschwemmten, saturierten und durch standardisierte Dienstleistung stumpf gewordenen Zivilisation fragwürdig geworden ist. Jene Problematik und jene Fragwürdigkeit ist eine – unbewusst erkannte und verdrängte – Realität, sie ist die Außenseite unserer, nicht weniger realen – verdrängbaren, aber auch erkennbaren – inneren Sehnsucht nach befreiten Räumen für den wahrnehmenden Geist: nach ›neuer‹ Musik.

Mein drittes Streichquartett reagiert auf diese Aspekte sozusagen unter erschwerten Bedingungen, denn in zwei vorangegangenen Arbeiten für dieselbe gute, alte, ehrwürdige und traditionsbeladene Besetzung habe ich, gewiss unter anderen inneren Voraussetzungen und jedes Mal mit einem anderen Erfahrungshintergrund, mich diesem Bewältigungsspiel ausgesetzt... Mit diesen beiden Werken meinte ich das ›Trauma Streichquartett‹ bewältigt zu haben... Und jetzt? Was macht Robinson Crusoe, wenn er seine (seine?) Insel erschlossen glaubt? Wird er erneut sesshaft, kehrt im selbst eingerichteten Ambiente zur bürgerlich-behaglichen Lebensweise zurück? Sollte er das Errichtete heroisch wieder niederreißen, sollte er sein Nest verlassen? Was macht der Wegsuchende, wenn er bereits sich Wege durchs Unwegsame gebahnt hat?? Er stellt sich bloß und schreibt sein ›Drittes Streichquartett‹... Denn der selbstgefällige Schein trügt: Nichts ist erschlossen... ›Wege‹ in der Kunst führen nirgendwohin und schon gar nicht zum ›Ziel‹. Denn dieses ist nirgends anderswo als hier – wo das Vertraute nochmals fremd wird, wenn der kreative Wille sich daran reibt – und wir sind blind und taub.«

Wirkung Mit seinem dritten Streichquartett gewann Lachenmann den Royal Philharmonic Society Award 2004 in der Kategorie »Kammermusik«. Als Mitschnitt der Wittener Tage für Neue Kammermusik 2002 ist »Grido«, gespielt vom Arditti String Quartet, auch auf CD dokumentiert. Der Komponist richtete sein Werk nachträglich noch unter dem Titel »Double (Grido II)« für 48 Streicher ein (UA 9. 9. 2005 Luzern).

STÜ

Ligeti | György

* 28.5.1923
Dicsöszent-
márton / Sie-
benbürgen
(heute: Tirná-
veni / Rumä-
nien)
† 12.6.2006
Wien

Die Gestaltung des Klangs hatte in den Werken von György Ligeti oberste Priorität. Selbst wenn er auf rational-deterministische Kompositionstechniken zurückgriff, bildeten diese doch nie den Ausgangspunkt für sein Schaffen. In einer solchen assoziativen Vorgehensweise liegt wohl der Grund für die vergleichsweise große Popularität des zeitgenössischen Komponisten.

Als Kind ungarisch-jüdischer Eltern blieb Ligeti das angestrebte Studium der Physik verwehrt. Er wandte sich deshalb 1941 musiktheoretischen Studien am Konservatorium in Kolozsvár zu. 1944 folgte die Einberufung zum Arbeitsdienst in der ungarischen Armee, er flüchtete von dort. Ligetis Vater und Bruder kamen im Konzentrationslager um, seine Mutter überlebte Auschwitz. 1945 begann Ligeti sein Kompositionsstudium bei Sándor Veress und Ferenc Farkas an der Musikhochschule in Budapest, deren Lehre ganz im Zeichen der Tradition Bartóks stand. 1949/50 machte er sich mit rumänischer Folklore vertraut: Er unternahm eine längere Reise durch Rumänien, nach der er eine Sammlung von mehreren Hundert transsylvanischen Volksliedern zusammenstellen konnte. Ligeti wurde 1950 in Budapest Lehrer für Musiktheorie.

Nach dem Ungarnaufstand von 1956 emigrierte er nach Wien. Im Westen konnte er sich über den aktuellen Stand der zeitgenössischen Musik informieren, insbesondere beschäftigte er sich mit serieller Musik. 1957/58 arbeitete er mit Karlheinz Stockhausen im Studio für Elektronische Musik des Westdeutschen Rundfunks in Köln; 1959 bis 1972 war er Dozent bei den Darmstädter Ferienkursen für Neue Musik. Ab 1973 lebte, lehrte und komponierte Ligeti in Hamburg und Wien.

Große Bekanntheit als Komponist erreichte Ligeti Ende der 1950er-, Anfang der 1960er-Jahre mit der elektronischen Komposition »Artikulation« und den Orchesterwerken »Apparition« und »Atmosphères«. Klangfarbe und -dichte stehen im Mittelpunkt seiner Werke, in denen herkömmliche Rhythmik, Intervallprägnanz und Melodik nicht mehr vorkommen. Seine Technik der Mikropolyfonie, bei der sich eine große Anzahl von selbstständigen Stimmen im Gesamtklang auflösen, ist dafür beispielhaft.

Ab den 1970er-Jahren bezog Ligeti deutlich traditionelle Elemente in seine Kompositionen ein, was aber nicht als grundsätzliche Wende in seinem Schaffen anzusehen ist: »Die musikalische Vergangenheit hat stets eine wichtige Rolle gespielt, nicht als zitathafte Dimension, auch nicht als handwerkliche Disziplin, sondern eher als Aura und Allusion«, so Ligeti. Über die Erkenntnis, dass die europäischen Tonsysteme in einer Sackgasse angelangt sind, hat Ligeti seine Studien zur Folklore auf Ethnien Afrikas und Südostasiens ausgedehnt, deren Musik ihm neuartige Aspekte von Rhythmus und Intonation eröffnete. HI

Horntrio

Sätze 1. Andantino con tenerezza, 2. Vivacissimo molto ritmico, 3. Alla Marcia, 4. Lamento: Adagio
Entstehung 1982
UA 7. August 1982 Hamburg-Bergedorf
Verlag Schott
Spieldauer ca. 21 Minuten

Entstehung Ligetis Trio für Violine, Horn und Klavier ist das Ergebnis der Überlegung, dem Trio op. 40 von Brahms ein zeitgenössisches Werk in gleicher Besetzung hinzuzufügen. Die Anregung dazu gab der Pianist Eckart Besch. Seit Langem hatte sich Ligeti bereits mit der Komposition eines Hornkonzerts für Barry Tuckwell auseinandergesetzt – eine gute Voraussetzung für ein kammermusikalisches Werk, das dieses Instrument derart exponiert. Anlässlich des Brahms-Jahres 1982 (150. Geburtstag) konnte es als Auftragswerk mehrerer Sponsoren realisiert werden.

Musik Das Horntrio trägt im Titel den Hinweis »Hommage à Brahms«. Eine Übernahme von Themen, Motiven oder strukturellen Bildungen brahmsscher Prägung gibt es allerdings nicht. Einzig die Besetzung ist mit derjenigen seines Horntrios identisch.

Erster Satz Hornquinten stellen zitathaft das zentrale Motiv des gesamten Werks dar. Sie werden gleich zu Beginn von der Violine eingeführt, nicht in ihrer originären Form als Naturtonfolge, sondern modifiziert durch Vergrößerung und Verminderung der Intervalle. Ligeti strebte darin eine neue Art der Melodiebildung an, die er als »nichtdiatonische Diatonik« bezeichnete. Zudem greift er auf die dreiteilige Liedform zurück, die bis dahin in der Neuen Musik als indiskutabel gegolten hatte.

Zweiter Satz »Keck, spritzig, leicht, tänzerisch-schwebend« besitzt der zweite Satz einen durchführungsartigen Teil, der an das Sonatenprinzip erinnert. Die Hornquinten erscheinen erneut am Ende des Satzes. In rhythmischer Hinsicht bildet ein Mixtum verschiedener folkloristischer Einflüsse die Grundlage, während im Klavier virtuos freie Jazzrhythmen zum Tragen kommen.

Dritter Satz In eigensinniger Marschrhythmik und wie der erste dreiteilig, basiert der dritte Satz auf einer Zwölftonreihe. Das Horn nimmt erst ab dem Trio am Geschehen teil.

Vierter Satz Er weist Retrospektiven auf. Das Lamento (Klagegesang) findet seinen musikalischen Ausdruck in extensiv eingesetzter Chromatik, die hier ihre ehemals geltende Symbolik für Trauer, Klage und Leiden aufnimmt. Das aus einer Erweiterung der Hornquintenfolge gebildete Thema dieser Passacaglia erfährt mit jeder Wiederholung eine Steigerung bis zu einem Fortissimo. Das Klavier fungiert an dieser Stelle

als Schlagwerk. Es folgt ein langer Abgesang in hoher Lage der Violine, vom Klavier vereinzelt kommentiert.

Das Horntrio von György Ligeti wurde 1982 in Hamburg von einem der besten Hornvirtuosen der Welt, Hermann Baumann (hier bei einem Auftritt in Köln, 2004), zusammen mit Saschko Gawriloff (Violine) und Eckart Besch (Klavier) uraufgeführt.

Wirkung Das Horntrio wurde 1982 in Hamburg durch Saschko Gawrilow (Violine), Hermann Baumann (Horn) und Eckart Besch (Klavier) uraufgeführt, die auch die Interpreten einer CD-Einspielung sind. In Avantgardekreisen wurde befürchtet, dass Ligeti sich mit dem Horntrio zu einem Neokonservatismus bekannt habe, da es sich um das Produkt einer Reflexion des eigenen Standorts zwischen traditioneller Prägung und Zugehörigkeit zur experimentellen Richtung handle. Ligeti erwiderte dazu, sein Trio sei »im späten 20. Jahrhundert entstanden und ist – in Konstruktion und Ausdruck – Musik unserer Zeit«.   HI

Einspielungen (Auswahl)
- André Cazalet (Horn), Guy Comentale (Violine), Cyril Huvé (Klavier), 1992 (+ Brahms: Horntrio); Auvidis Montaigne
- Saschko Gawrilow (Violine), Marie-Luise Neunecker (Horn), Pierre-Laurent Aimard (Klavier), 1996 (+ Bratschensonate, Bläserkammermusik); Sony BMG

Streichquartette

Streichquartett Nr. 1

Entstehung 1953/54
UA 8. Mai 1958 Wien
Verlag Schott
Spieldauer ca. 21 Minuten

Musik Ligetis erstes Streichquartett trug ursprünglich die Bezeichnung »Métamorphoses nocturnes« (nächtliche Metamorphosen). Eine Viertongruppe fungiert als motivische Keimzelle des einsätzigen Quartetts. Sie setzt sich aus zwei um einen Halbton verschobene aufsteigende Sekunden zusammen: g-a gis-ais. In seiner ursprünglichen Gestalt taucht das Motiv noch dreimal auf, ansonsten wird es durch Permutation kontinuierlich erneuert und einem ständigen Wandel unterzogen.

Der Werktitel »Métamorphoses« weist auf diesen Prozes der Veränderung hin. Es handelt sich also nicht um Variationen über ein Thema, das als vereinheitlichende Konstante fungiert, sondern um die Umbildung eines Kerns in verschiedenen Abschnitten, der sich am Ende als wesenhaft neue Gestalt präsentiert. Charakteristisch für dieses Quartett ist die stets präsente Chromatik. Schon der Beginn wird aus einer aufsteigenden chromatischen Skala gebildet, was klanglich eine verschleiernde Wirkung ausübt. Dieser Effekt könnte das »nocturnes« im Titel erklären.

Die schnellen Tempi dominieren. Nur vier Teile mit langsamer Tempobezeichnung stellen inmitten permanent anwachsender motorischer Dichte Konzentrationspunkte dar. Folkloristische Allusionen im Stil Bartóks bestimmen in einigen Passagen das Bild. Ein Abschnitt im Tempo di Valse geriert sich in seiner grotesk-ironischen Darbietung als Reverenz an Strawinsky.

Wirkung Zur Entstehungszeit des Quartetts schien eine Aufführung unter den damaligen kulturpolitischen Gegebenheiten in Ungarn nicht möglich. Die Uraufführung konnte deshalb erst nach Ligetis Emigration in Wien stattfinden. Größere Aufmerksamkeit schenkte man dem Werk aber erst mit Veröffentlichung des zweiten Quartetts. Besonderes Interesse fand dabei der Vergleich der Entwicklung des kompositorischen Schaffens von Ligeti vor und nach seiner Emigration aus Ungarn. HI

Einspielungen (Auswahl)
- Arditti String Quartet (+ Streichquartett Nr. 2), 1990; Wergo

Streichquartett Nr. 2

Sätze 1. Allegro nervoso, 2. Sostenuto, molto calmo, 3. Come un meccanismo di precisione, 4. Presto furioso, brutale, tumultoso, 5. Allegro con delicatezza – stets sehr mild
Entstehung 1968
UA 14. Dezember 1969 Baden-Baden
Verlag Schott
Spieldauer ca. 21 Minuten

Entstehung Das zweite Streichquartett entstand im Auftrag eines anonym gebliebenen Mäzens und des Südwestfunks Baden-Baden für das LaSalle Quartet, dem es auch gewidmet ist. Beinahe zeitgleich mit den »Zehn Stücken für Bläserquintett« setzte sich Ligeti mit zwei traditionell prototypischen kammermusikalischen Gattungen auseinander.

Musik Ligeti hat in diesem Quartett auf Themen im klassischen Sinn verzichtet. Vielmehr komponiert er Ornamente, Gesten und Klänge. Das Werk besteht aus fünf Sätzen, die »unterirdisch miteinander verbunden (sind), es gibt geheime Korrespondenzen, fast Reime zwischen Details innerhalb der Sätze, alle fünf Sätze sind sozusagen gleichzeitig anwesend« (Ligeti). Lediglich der Blickwinkel auf diese Gedanken ändert sich jeweils. Damit entspricht dieses Werk in seiner Grundstruktur dem ersten Quartett, »Métamorphoses nocturnes«.

Sätze und Satzfolgen nutzt Ligeti als eine Möglichkeit der Gliederung einer Komposition, Assoziationen an traditionelle Sinngehalte dieser Einteilung kommen dabei nicht zum Tragen. Einen einzigen Gedanken einem Gestaltungsprozess zu unterziehen, war schon die zugrunde liegende Idee im 15 Jahre früher noch in Ungarn entstandenen Werk. Wie in den »Métamorphoses« bildet auch hier der Mittelteil das Reflexionszentrum. Die klangliche Gestaltung des zweiten Quartetts ist jedoch wesentlich facettenreicher entwickelt. Im ersten, zweiten und fünften Satz sind die für Ligeti in den 1950er- und 1960er-Jahren typischen polymetrischen Netzgebilde eingeflochten.

Erster Satz Mit einer Generalpause von acht bis zehn Sekunden setzt dieser Satz ein, bis ausgehend von einem Initialakkord im sfff ein Flageoletttremolo in der zweiten Violine beginnt. Aufgeregte Tremoli, extrem hohe Lagen und spannungsgeladene Läufe, denen langangehaltene Töne entgegengesetzt werden, bestimmen das Bild dieses Allegro nervoso. Es wird am Schluss morendo al niente wieder in die Stille zurückgeleitet.

Zweiter Satz Er beginnt mit der Anweisung, »unmerklich einzusetzen« und mit Dämpfer zu spielen. Vom Ton gis ausgehend, der eingangs unisono erklingt, trennen sich die Stimmen allmählich. Ligeti ergänzt die Tonskala um Mikrotöne, indem er Ganztonintervalle in drei Schritte anstelle von zwei Halbtonabschnitten unterteilt. Auch dieser Satz endet ersterbend.

Dritter Satz Polyrhythmisch ist der dritte Satz konzipiert. Im Pizzicato »mit freier Hand« zu spielen, erhält jede Stimme eine eigene Taktunterteilung, die ein Höchstmaß an Präzision erfordert. Damit knüpft dieser Satz an die Illusionsrhythmik seiner Werke »Continuum« und »Poème symphonique« an. Wie im gesamten Quartett sind Taktstriche als Orientierungspunkte notiert; eine metrische Funktion haben sie nicht mehr.

Vierter Satz »In übertriebener Hast, wie verrückt zu spielen«, erscheint er als kaum zu bändigendes Gegeneinander. »Richtig wurde gespielt, wenn zum Schluss viele Haare des Bogens lose geworden sind« (Ligeti). Der Schluss ist dieses Mal nicht als ein Abgleiten in die Stille gebildet, vielmehr endet er »wie abgerissen«.

Fünfter Satz Der letzte Satz steht im Zeichen des »teuflischen« (Ligeti) ersten, jedoch in abgemilderter Form. Er beginnt polymetrisch »wie aus der Ferne«. Wie im Allegro nervoso bilden klangliche Kontrastsetzungen zwischen Clustern und melodischen Fragmenten die Basis der Unruhe bis zum Schluss: »Alle vier Instrumente: plötzlich verschwinden, gleichsam im Nichts.«

Wirkung Im zweiten Streichquartett Ligetis, einem der bedeutendsten Werke dieser Gattung der zeitgenössischen Musik und Kulminationspunkt seiner Werke der 1960er-Jahre, wirken verschiedene eigene Stile und Einflüsse seiner kompositorischen Haltung zusammen. Trotz des großen räumlichen wie zeitlichen Abstands zu den »Métamorphoses nocturnes« lässt sich deutlich die gleiche Autorschaft erkennen. Die Erweiterung der kompositionstechnischen Möglichkeiten haben eine Entfaltung der ideellen Vorstellungen Ligetis zur Folge gehabt, nicht aber seiner Konzeption zur Musik. Das LaSalle Quartet bestritt die Uraufführung und hat das Werk auch auf CD eingespielt.   HI

Einspielungen (Auswahl)
- LaSalle Quartet, 1969 (+ Streichquartett Nr. 1, Ramifications für Solostreicher, Sonate für Cello solo, Melodien für Orchester); Deutsche Grammophon
- Arditti String Quartet, 1990 (+ Streichquartett Nr. 1); Wergo

Kompositionen für Bläserquintett

Sechs Bagatellen

Bezeichnungen 1. Allegro con spirito, 2. Rubato. Lamentoso, 3. Allegro grazioso, 4. Presto ruvido, 5. Adagio. Mesto, 6. Molto vivace. Capriccioso
Entstehung 1953
UA September 1956 Budapest (Nr. 1–5); 6. Oktober 1969 Södertälje (Schweden; vollständig)
Verlag Schott
Spieldauer ca. 13 Minuten

Entstehung Die »Sechs Bagatellen« sind eine Übertragung von sechs Sätzen der »Musica Ricercata« für Klavier, die zwischen 1951 und 1953 in Ungarn entstand und eine Auseinandersetzung mit ungarischer Volksmusik darstellt. Darin setzte sich Ligeti in insgesamt elf Stücken mit der Frage nach den Kompositionsmöglichkeiten auseinander, die ihm ein beschränkter Tonvorrat (1–11 Töne) bieten würde. Das Quintett gehört zu den wenigen Kompositionen, die György Ligeti 1956 bei seiner Flucht aus Budapest mitnehmen konnte.

Musik Die sechs Bagatellen für Flöte (auch Piccolo), Oboe, Klarinette, Horn und Fagott sind symmetrisch angelegt. Dabei stehen je zwei in Kongruenz zueinander. Das erste und das sechste Stück fungieren gewissermaßen als schnelle Ecksätze mit prägnanten rhythmischen Akzentuierungen, die an Strawinsky erinnern.

Die zweite und fünfte Bagatelle stehen in langsamem Tempo. In beiden sind folkloristische Elemente von Bedeutung. Das zweite Stück im Klageton impliziert extreme dynamische Kontraste. Das fünfte Stück trägt die Widmung »Béla Bartók in memoriam« und weckt besonders im Mittelteil Allegro grazioso deutliche Assoziationen an die Musik dieses Komponisten.

Die dritte und vierte Bagatelle bilden das Zentrum der Folge. Im Allegro grazioso wird eine Septolenbewegung als Begleitung zu einer gleichsam improvisierten Melodie verwendet. Innerhalb dieses Zyklus stellt es für Ligeti selbst das Stück mit dem persönlichsten Charakter dar. Als klangliche Besonderheit erweist sich, dass entgegen der üblichen Instrumentierung die Oboe in höherer Lage notiert ist als die Flöte. Zu den Septolen der dritten Bagatelle korrespondiert der 7/8-Takt des Prestos, ein derber Tanz in folkloristischem Ton.

Wirkung Nach dem Ungarnaufstand konnten im September 1956 die ersten fünf Stücke während eines Musikfests gespielt werden. Das sechste Stück wurde damals verboten, da es als zu dissonanzenreich galt. Im Westen wurde der neoklassizistische Stil und der Einfluss von Strawinsky und Bartók in diesen Miniaturen nach Ligetis Emigration mit seiner kulturellen Isolation in Ungarn in Verbindung gebracht. HI

Einspielungen (Auswahl)
• Ensemble Wien–Berlin, 1991 (+ Werke von Barber, Berio, Eder, Françaix); Sony Classical

Zehn Stücke

Bezeichnungen 1. Molto sostenuto e calmo, 2. Prestissimo minaccioso e burlesco (Klarinette solo), 3. Lento, 4. Prestissimo leggiero e virtuoso (Flöte solo), 5. Presto staccatissimo e leggiero, 6. Presto staccatissimo e leggiero (Oboe solo), 7. Vivo, energico, 8. Allegro con delicatezza (Horn solo), 9. Sostenuto, stridente, 10. Presto bizzarro e rubato, so schnell wie möglich (Fagott solo)
Entstehung 1968
UA 20. Januar 1969 Malmö
Verlag Schott
Spieldauer ca. 13 Minuten

Entstehung Das Bläserquintett der Stockholmer Philharmonie gab das Werk in Auftrag und bestritt auch die Uraufführung. Fünf der zehn Stücke tragen persönliche Widmungen an Mitglieder dieses Ensembles.

Musik Ligeti wandte in diesem Bläserquintett eine neuartige Konzeption für Musik dieser Besetzung an. Während traditionell die klanglich hohe Amalgamierungsfähigkeit dieses Klangkörpers betont wird, steht bei ihm in jeder Hinsicht das Prinzip der Kontrastierung und klanglichen Individualisierung im Vordergrund. Formal stehen sich jeweils ein Ensemblestück und ein »Solokonzert en miniature« gegenüber.

Erstes und zweites Stück Dem Molto-sostenuto-Satz liegt ein Klanggewebe zugrunde. Jedem Instrument wird seine eigene Metrik zugewiesen, sodass trotz klanglicher Einheit Eigenständigkeit gewahrt bleibt. Das ständige dynamische Auf- und Abschwellen erscheint als Atmen, in einem zweiten Teil bleibt das Geschehen statisch im Fortissimo und Forte fortissimo. Das sich anschließende »Klarinettenkonzert« setzt dieser Geschlossenheit schnelle Läufe in kurzen Sequenzen, von Pausen unterbrochen, entgegen.

Drittes und viertes Stück Das Lento, wieder polymetrisch, bald nicht mehr in ruhigem

Atmen, sondern in Aufruhr, ist zu einem großen Teil durch schnelle Sekundwechsel und Triller bestimmt. Im vierten Stück dominiert die der Flöte eigentümliche Brillanz und Variabilität.

Fünftes und sechstes Stück Tonrepetitionen in hoher Geschwindigkeit prägen das Klangbild des Prestosatzes, ein Verfahren, das vom »Oboenkonzert« fortgeführt wird. Die Oboe löst sich allmählich und erhält in einem zweiten Teil eine eigenständige Stimme. Das Stück endet mit dem »Flüstern«, dem tonlosen Spielen der Instrumente, bei dem nur noch die Anblasgeräusche übrig bleiben.

Siebtes und achtes Stück Das zweiteilige siebte Stück, eine Art Variation des zweiten, besteht aus einem von Akkordschlägen mit langen Generalpausen dominierten Teil und einem kontrapunktischen Abschnitt mit großen Intervallen molto espressivo. Dem wird das »Hornkonzert« entgegengesetzt, wieder polymetrisch gestaltet, zunächst ohne Soloinstrument, in schnellem Tempo. Das Horn setzt im pppp fast unmerklich ein.

Neuntes und zehntes Stück Den dunklen Farben und der Kantabilität grenzt sich der Sostenutosatz durch schrille, hohe Register ab. Gegen diese aufrüttelnde Attacke wirkt das »Fagottkonzert« durch abrupten Wechsel in die tiefe Lage und bruchstückhafte Ansätze holprig und unbeholfen. Einen Halteton am Schluss durch die Piccoloflöte bricht das Fagott unwirsch in einem trockenen Staccato ab. Ligeti assoziierte dazu in einer Fußnote einen kurzen Dialog aus »Through the Looking-Glass«, der Fortsetzung von »Alice's Adventures in Wonderland« von Lewis Carroll: »›... but –‹ There was a long pause. ›Is that all?‹ Alice timidly asked. ›That's all,‹ said Humpty Dumpty. ›Good-bye.‹«   HI

Einspielungen (Auswahl)
• Philharmonisches Bläserquintett Berlin, 1994 (+ Sechs Bagatellen); BIS

Lutosławski | Witold

* 25. 1. 1913
Warschau
† 7. 2. 1994
Warschau

100977

In den Stilpluralismus der Neuen Musik brachte Lutosławski eine ganz eigene Handschrift mit ein, die sich von seriellen Techniken (»Vorrang des Systems über die Hörkontrolle«) ebenso fernhält wie von pseudomoderner Neoromantik (»tonale Relikte mit falschen Tönen« – Lutosławski). Da er beide Wege als Sackgassen empfand, gelangte er zu einem Avantgardismus persönlicher Art, der aus der völligen Freiheit heraus nach neuen Ordnungen sucht und dabei besonders auf spezifische Klanglichkeit und formale Geschlossenheit zielt.

In Polen hatte zeitgenössische Musik nie einen so abgegrenzten Minderheitenstatus wie etwa in Deutschland. Wenig behindert durch staatliche Bevormundung, war die avancierte Musik ein Stück Freiheit in einer totalitären Gesellschaft und wurde von einem recht großen Publikum aufgenommen. Von der stattlichen Anzahl wichtiger Komponisten, die das Land im 20. Jahrhundert hervorgebracht hat, ist Witold Lutosławski der maßgebliche Vertreter der mittleren Generation. Er stammte aus einer hochgebildeten, musikalisch interessierten Familie und erhielt schon früh bei hervorragenden Musikern Klavier-, Violin- und Kompositionsunterricht. Von 1929 bis 1931 studierte er aber auch Mathematik an der Universität Warschau. Ebenso Pianist und Dirigent, stand die Kompositionsarbeit für ihn jedoch im Mittelpunkt. Einen musikalischen Nachruf auf Lutosławski schuf der japanische Komponist Toru Takemitsu mit »paths« für Trompete solo.

In den Frühwerken noch neoklassizistisch und folkloristisch geprägt, war es vor allem die Musik von John Cage, die Lutosławski anregte, aleatorische Elemente in die Partituren seiner Werke aufzunehmen, dem Interpreten gewisse Freiheiten der Gestaltung zu lassen: Es ging ihm dabei aber eben nicht um eine Veränderung des Kunstwerkcharakters in Richtung auf eine offene Form, sondern er beabsichtigte vielmehr eine vielschichtige Faktur, in der verschiedene Ebenen, nicht fest gekoppelt, gleichzeitig ablaufen. Solche changierenden, irisierenden, gleichwohl präzis vorgeplanten und rhythmisch komplexen Klangfelder bzw. Klanggewebe sind zum Erkennungsmerkmal seiner Musik ab 1960 geworden.

Ihre Partikel sind zwar oft zwölftönig geprägt, haben aber mit der seriellen Dodekafonie nichts gemein: Lutosławski geht es um Klangwerte und harmonische (nicht tonale!) Entwicklungen. Sie bilden den Ausgangspunkt für formale Abläufe, die sich als energetische Qualitäten äußern: Wachsen, Zögern, Kulmination, Zusammenbruch, Verlöschen. Dem sehr bewusst und kontrolliert arbeitenden Komponisten, der sein Anliegen und die Probleme der Komposition im 20. Jahrhundert in lesenswerten Interviews eloquent erläutert hat, gelang dabei durch die Aufrichtigkeit und Notwendigkeit seines Schaffensprozesses (»In der Musik darf es keine gleichgültigen Klänge geben« – Lutosławski) eine Synthese von aktuellem kompositionstechnischem Vokabular und entschiedenem Willen zur geistigen Aussage, zum emotionalen Ausdruck.

Zu seinen nicht eben zahlreichen Kammermusikwerken zählen einige frühe, auf polnischen Volksweisen basierende Stücke: die fünf »Bukoliki« für Viola und Cello (ursprünglich für Klavier solo, 1952) und die »Dance Preludes« (1954) für Klarinette und Klavier, fünf Miniaturen in der Nachfolge Béla Bartóks. Weitere kurze Stücke folgten mit den »Sacher-Variationen« über die Tonfolge Es-A-C-H-E-D (D = Tonsilbe Re) für Cello solo (1975), »Epitaph« für Oboe und Klavier

(1979) und »Subito« für Violine und Klavier (1992). Gewichtiger gibt sich neben dem Streichquartett von 1964 nur die fünfsätzige »Partita« für Violine und Klavier, die Lutosławski 1984 für den Geiger Pinchas Zukerman geschaffen hat. Alle diese Werke sind beim Verlag Chester Music erschienen.   WA

Streichquartett

Sätze 1. Introductory Movement, 2. Main Movement
Entstehung November/Dezember 1964
UA 12. März 1965 Stockholm
Verlag Chester/PWM
Spieldauer ca. 23 Minuten

Entstehung Lutosławski komponierte sein Streichquartett 1964 als Auftragswerk für den Schwedischen Rundfunk. Es liegt damit chronologisch zwischen »Jeux vénitiens« für Kammerorchester und der zweiten Sinfonie – mit ersterem Werk ist es durch die Satztechnik verbunden, in der formalen Gestaltung bereitet es die Lösung der Sinfonie vor.

Musik Im Streichquartett hat der Komponist sein spezifisches Verfahren, das er »Ad-libitum-Ensemble-Spiel« oder auch »begrenzte Aleatorik (bzw. Zufallswirkung)« genannt hat,

Die Violinistin Anne-Sophie Mutter zählt zu den herausragenden Interpretinnen klassisch-romantischer wie zeitgenössischer Werke. Zahlreiche Komponisten, unter ihnen Witold Lutosławski, schrieben für sie eigens ihr gewidmete Stücke.

weitgehend verwirklicht: Die vier Interpreten sind aufgefordert, ihren jeweiligen Part mit höchster Intensität (und quasi ohne Rücksichtnahme auf die Aktionen der jeweils anderen) auszuführen. Ursprünglich hat Lutosławski deshalb auch nur die Einzelstimmen notiert; später fertigte er eine Partitur an, die aber sorgfältig vermeidet, die einzelnen Schichten optisch zu koordinieren. Durch den so gespaltenen zeitlichen Ablauf entsteht eine hohe Dichte an Ausdruck und vor allem an rhythmischen Komplikationen, die Lutosławski noch verstärkt, indem er in den einzelnen Stimmen unterschiedliche rhythmische Varianten verwendet, die eine unfreiwillige Gleichzeitigkeit ausschließen. Nur punktuell treffen sich die Linien der Spieler in koordinierten Einzeltönen oder Figuren.

Lutosławskis Aleatorik bedeutet aber keinesfalls die Aufgabe einer geschlossenen Werkgestalt oder der prinzipiellen Autorschaft des Komponisten, wie er mehrfach nachdrücklich betont hat: Nicht nur die Großform, sondern auch der »begrenzt zufällige« Kontrapunkt der Einzelabschnitte ist durch die motivische und rhythmische Vorgabe des Komponisten sehr präzise kalkuliert. Daraus resultiert sogar eine gewisse harmonische Statik, die Lutosławski als eine notwendige Schwäche des Verfahrens betrachtete.

Besonders wichtig ist im Streichquartett neben der dargestellten Technik auch die formale Anlage: Sie stellt eine Konzeption vor, die auf große Proportionen zielt, ohne sich der von Lutosławski als Überladung von Schwerpunkten empfundenen Mehrsätzigkeit traditioneller Großformen zu bedienen.

Der erste Satz hat einleitenden Charakter, er setzt sich aus kurzen Episoden zusammen, die durch ein Oktavmotiv syntaktisch unterbrochen werden – der Hörer soll hineinwachsen in die Klangwelt, dabei aber unbefriedigt bleiben, eine Erwartungshaltung aufbauen.

Der zweite Satz, bestehend aus einem schnellen Presto- und einem langsamen Funebreabschnitt, ist dann die Erfüllung. Er baut sich in größeren Zusammenhängen auf und durchschreitet extremere Ausdruckshaltungen und Tonfälle. Diese Anlage hat Lutosławski in ähnlicher Art in einigen späteren Werken wieder aufgegriffen.

Wirkung Das LaSalle Quartet war Interpret der Uraufführung in Stockholm. Lutosławski berichtete in einem Gespräch von der Hauptprobe: »Ich saß fast bewegungslos unter der Wirkung dieses Erlebnisses. Niemals hatte ich geglaubt, dass mein Quartett mit solcher artistischer Perfektion dargeboten werden könne, so voller Empfindung … ich konnte nur sagen: Lassen Sie es, wie es ist! Lassen Sie alles so! Verändern Sie nichts!« WA

Einspielungen (Auswahl)
• Hagen Quartett, 1990 (+ Ligeti: Streichquartett Nr. 1; Schnittke: Kanon in memoriam Igor Strawinsky); Deutsche Grammophon

Matthus | Siegfried

* 13. 4. 1934 Mallenuppen, Kreis Darkehnen (Ostpreußen)

Der Komponist Siegfried Matthus kann mit mehr als 400 Werken auf ein stattliches Œuvre verweisen. Seit den 1960er-Jahren gehörte er unbestritten zu den profiliertesten Komponisten der DDR.

Das schützte ihn aber nicht vor massiven ideologischen Attacken. So durften seine 1964 für die Berliner Staatsoper geschriebenen »Inventionen für Orchester« dort nicht aufgeführt werden. Erst der Dirigent Ude Nissen hatte im Februar 1967 den Mut, das Werk in Erfurt herauszubringen. Auch »Tua res agitur«, 13 Variationen für 15 Instrumente und Schlagzeug zu dem Schauspiel »Die Ermittlung« von Peter Weiss, verfiel einem Bann – Matthus sah sich vernichtender Kritik wegen der Verwendung »bürgerlicher Mittel« ausgesetzt.

Matthus war 1952 bis 1958 Kompositionsschüler von Rudolf Wagner-Régeny an der Deutschen Hochschule für Musik in Ostberlin und anschließend zwei Jahre lang Meisterschüler von Hanns Eisler an der dortigen Deutschen Akademie der Künste. Der Dramaturg Horst Seeger holte ihn 1964 an die Komische Oper Berlin, wo er mit dem wegweisenden Musiktheater des Regisseurs Walter Felsenstein vertraut wurde. Dies prägte auch seine eigenen Arbeiten für die Opernbühne, von denen »Die Weise von Liebe und Tod des Cornets Christoph Rilke« und »Judith« (beide 1985) sowie »Graf Mirabeau« (1989) die bekanntesten sind.

Das erste größere Stück für Kammerensemble stammt aus dem Jahr 1965: Hinter dem Titel »Kammermusik 65 – Alles, was wahr ist, kann leise sein« verbergen sich Vertonungen von Texten Heinz Kahlaus für Alt, Frauenchor und acht Instrumente. Ebenfalls in die Reihe der Frühwerke gehört »Galilei« für Singstimme, fünf Instrumente und elektronische Klänge nach Texten von Bertolt Brecht. Das 15-minütige Werk entstand 1966 für eine ungewöhnliche Instrumentenkombination (Flöte, Posaune, Marimbafon, Klavier, Cello) und ist zugleich die einzige elektronische Komposition von Matthus. Er behandelt darin »die Verantwortung des Wissenschaftlers vor der Gesellschaft«.

In seinen Kammermusikwerken greift Matthus – wie auch in seinen anderen Kompositionen – immer wieder einmal auf Material aus früheren Werken zurück, um es in einem neuen Kontext zu präsentieren. Das Kammerkonzert für Flöte, Cembalo und Streicher von 1980 ist eine Adaptation von drei Sätzen aus dem zwei Jahre zuvor komponierten Konzert für Flöte und Orchester. Motive aus seinem Orchesterwerk »Responso« (1977) verarbeitete Matthus in »Adagio und Passacaglia« (1982) für Violoncello und Kontrabass. Auch das Andante für Oboe und Harfe von 1986 hat seine Wurzeln in einem anderen Stück: dem Andante animato aus dem ein Jahr zuvor für die BBC Cardiff geschriebenen Oboenkonzert. Mit »Hoch willkomm das Horn« (der Ti-

tel bezieht sich auf eine Textzeile aus seiner Oper »Die Weise von Liebe und Tod des Cornets Christoph Rilke«) lieferte der Komponist nach eigenen Worten »so etwas wie eine ›Kurzfassung‹ der ›Cornet‹-Oper für Solohorn«. ZA

Streichquartett 1971

Entstehung 1971/72
UA 14. Oktober 1973 Ostberlin
Verlag Breitkopf & Härtel
Spieldauer ca. 12 Minuten

Entstehung Das Streichquartett (op. 310) ist ein Auftragswerk der Deutschen Staatsoper Berlin – für das Berliner Streichquartett.

Musik Matthus ging es »um die vielfältigen Möglichkeiten der Kontrastierung – im Dynamischen, im Rhythmischen, im Melodischen, im Harmonischen, im Formalen, im Spieltechnischen, um Spannung und Lösung musikalischer Strukturen«. Die Komposition ist nicht in Sätze gegliedert, doch durch Generalpausen strukturiert.

Der Beginn ist zögernd und tastend. Eine längere Pizzicatopassage ist das Zentrum des ersten Teils. Im zweiten herrscht gespannte Ruhe durch einen sehr engen Satz und aufwärtsstrebende, dann aber wieder im Glissando nach unten fallende Figuren. Kraftvoll und energisch ist der dritte Teil, der zu hoher Dramatik führt – schwirrende hohe Streicher gegen tiefe Pizzicatogrundierung.

Col legno beginnt der nächste Teil, gefolgt von scharfen harmonischen Reibungen. Eine unwirklich süß anmutende Kantilene der ersten Violine bricht unvermittelt ab. Es folgt ein Teil voller Unruhe. Das Cello intoniert eine ruhige Melodie, die von den anderen Instrumenten nicht aufgenommen wird. Extrem hohe Lagen verdeutlichen eine existenzielle Grenzsituation vor einem fast arhythmischen Pizzicato und kraftvollen Clusterglissandi. Drei tiefe Schlussakkorde lösen die Spannung nur teilweise.

Wirkung Seit der Uraufführung im Apollo-Saal der Deutschen Staatsoper wurde das Werk sehr oft im In- und Ausland gespielt. In jüngerer Zeit hat sich vor allem das Petersen Quartett für die Komposition eingesetzt. ZA

Streichquartett »Das Mädchen und der Tod«

Sätze 1. Giocoso con grazia – Rigoroso – Furioso, 2. Soave con tenerezza, 3. Alla marcia funebre
Entstehung April/Mai 1996
UA 18. Februar 1997 Berlin
Verlag Breitkopf & Härtel
Spieldauer ca. 33 Minuten

Musik Der Komponist bezieht sich, wie unschwer aus dem (nur umgedrehten) Titel zu entnehmen, auf das Schubert-Quartett d-Moll D 810 und das diesem zugrunde liegende Gedicht von Matthias Claudius. Das alte Thema vom personifizierten Tod, der sich eines jungen Mädchens bemächtigen will, wird auf die Situation am Ende des 20. Jahrhunderts übertragen. Jetzt sind es tödliche Drogen, die zur Weltflucht auffordern.

Die Komposition selbst ist, so Matthus, nach streng musikalischen Gesetzen gearbeitet: »Drei Abschnitte gehen ineinander über, die man – analog des inhaltlichen Anliegens – mit verbalen Erklärungen wie ›Das Mädchen. Die Scheinwelt. Der Tod‹ deuten könnte. Am Schluss weht, wie aus einer anderen Welt, das Thema des schubertschen Liedes in meine Komposition hinein.«

Wirkung »Werke zeitgenössischer Musik werden oft zu besonderen Erfolgen, wenn sie von Vergangenem zehren. So verhält es sich auch mit dem Streichquartett ›Das Mädchen und der Tod‹ von Siegfried Matthus«, urteilte Markus Bruderreck nach einer Aufführung des Werks 2004 in Essen. Die CD-Einspielung des Petersen Quartetts in Gegenüberstellung mit Schuberts Quartett »Der Tod und das Mädchen« war zuvor (1999) schon mit einem »Echo Klassik« in der Kategorie »Beste Kammermusikeinspielung des 20. Jahrhunderts« ausgezeichnet worden. ZA

Einspielungen (Auswahl)
• Petersen Quartett, 1997 (+ Schubert, Streichquartett »Der Tod und das Mädchen«); Capriccio/EMI

Mendelssohn Bartholdy | Felix

* 3. 2. 1809
Hamburg
† 4. 11. 1847
Leipzig

Im Alter von 17 Jahren gelang Mendelssohn mit der Ouvertüre zu Shakespeares »Ein Sommernachtstraum« ein wahrer Geniestreich. Spätestens da hatte er zu einer Tonsprache von unverwechselbarer Eigenart gefunden.

Der Sohn eines Bankiers und Enkel des großen jüdischen Philosophen Moses Mendelssohn, des Vorbilds für die Titelfigur in »Nathan der Weise« von Lessing, wuchs in Berlin auf. Bei den »Sonntagsmusiken« im Elternhaus in der Leipziger Straße durfte Felix schon früh seine Kompositionen einem illustren Kreis vorstellen, zu dem zeitweilig auch Heinrich Heine und Bettina von Arnim, Henriette Herz und Alexander von Humboldt gehörten. Und auch Goethe wurde auf das Wunderkind aufmerksam, als Carl Friedrich Zelter mit seinem damals zwölfjährigen Schüler nach Weimar kam.

1829 vollbrachte Mendelssohn in der Berliner Singakademie mit der ersten Aufführung der Matthäuspassion nach Bachs Tod eine für die Bach-Renaissance entscheidende Tat. In den folgenden zwei Jahren führten ihn Bildungsreisen nach England und Schottland, Italien, die Schweiz und Frankreich. Vermutlich waren antisemitische Ressentiments mit im Spiel, als 1833 seine Kandidatur für die Nachfolge von Zelter als Leiter der Berliner Singakademie fehlschlug. Dafür unterzeichnete Mendelssohn noch im selben

Jahr einen Vertrag, der ihn als Städtischen Musikdirektor an Düsseldorf band. 1835 schließlich ging er als Leiter der Gewandhauskonzerte nach Leipzig, das dank seiner mannigfachen Aktivitäten wie der Gründung des Konservatoriums (1843) zu einem musikalischen Zentrum von internationaler Bedeutung wurde. Trotz vorübergehenden Wirkens in Berlin blieb Leipzig seine musikalische Heimat. Nur wenige Monate nach dem plötzlichen Tod seiner (ebenfalls komponierenden) Schwester Fanny Hensel erlag er hier einem Schlaganfall.

Fast schon kultische Züge nahm die Mendelssohn-Verehrung im 19. Jahrhundert vor allem in den angelsächsischen Ländern an. In den USA erschien sein Name auf Konzertprogrammen noch häufiger als der Beethovens. Ganz anders stellte sich die Situation in Deutschland dar: Lange bevor der »Fall Mendelssohn« im Dritten Reich für zwölf Jahre mit pauschaler Verfemung auf eigene Weise beigelegt wurde, betrieben nach einem Wort des Kritikerpapstes Eduard Hanslick Wagnerianer und Antisemiten in »Hass und Überhebung« ihr »trauriges Geschäft«. Auch die lange grassierende Vorstellung vom mühelos produzierenden, in seinen Werken problemlos glatten Komponisten wurde von publizistischen Widersachern kräftig genährt. Gründliche Untersuchungen speziell auch zur Kammermusik haben diese Ansichten inzwischen widerlegt.   WO

Seine Violinsonate f-Moll op. 4 komponierte Mendelssohn Bartholdy im Alter von 14 Jahren (hier 1821 als 12-Jähriger während eines Besuchs bei Johann Wolfgang von Goethe in Weimar).

Violinsonaten

Sonate f-Moll op. 4

Sätze 1. Adagio – Allegro moderato, 2. Poco adagio, 3. Allegro agitato
Entstehung 1823
Verlag Peters
Spieldauer ca. 22 Minuten

Sonate F-Dur o. op.

Sätze 1. Allegro vivace, 2. Adagio, 3. Assai vivace
Entstehung 1838
Verlag Peters
Spieldauer ca. 20 Minuten

Entstehung Mendelssohn war 14 Jahre alt, als er vermutlich im Mai und Juni 1823 seine zwei Jahre später als op. 4 veröffentlichte und dem Freund und Geigenlehrer Eduard Rietz gewidmete f-Moll-Violinsonate komponierte. Erst 15 Jahre später entstand in zeitlicher Nachbarschaft mit dem D-Dur-Streichquartett op. 44 / 1 die ungleich reifere, damals jedoch keiner Veröffentlichung für wert gehaltene F-Dur-Sonate.

Musik Ähnlich wie in der frühen Klarinettensonate (1823 oder 1824) beginnt der Kopfsatz der f-Moll-Violinsonate mit einem Rezitativ des Melodieinstruments, auf das im Schlusssatz eine unbegleitete Adagiokadenz der Violine zurückweist. Von dem im Klavier intonierten Hauptthema des ersten Satzes setzt sich in der Paralleltonart As-Dur über einem Orgelpunkt das Seitenthema mit seinen auf- und absteigenden Sextakkorden ab. Im Klavierpart verzichtet Mendelssohn auf konventionelle Begleitfloskeln; beide Instrumente finden in dem melancholisch überschatteten, Beethoven verpflichteten Werk zu schönem Ausgleich.

Im Kopfsatz der F-Dur-Sonate sind Mendelssohn einige Wendungen in die Feder gekommen, die unüberhörbar an sein e-Moll-Violinkonzert (zweites Thema des ersten Satzes) erinnern. In der Tat hatte er gerade damals die Arbeit an seinem Konzert in Angriff genommen.

Virtuose Ansprüche stellt Mendelssohn dann im Schlussrondo, das nach dem wunderbar in sich ruhenden, nur sporadisch von harten rezitativischen Einwürfen unterbrochenen Adagio gleichsam die Funktion von Scherzo und Finale übernimmt.

Wirkung »Wir werden sie manchmal zusammen spielen im Winter«, heißt es im Juni 1838 in einem Brief Mendelssohns an den Geigerfreund Ferdinand David. Doch schon ein halbes Jahr später wurde das F-Dur-Werk im Neujahrsbrief an den Freund Karl Klingemann als »schlechte Sonate« abgetan. Grund zur Unzufriedenheit bot offensichtlich der Kopfsatz, der in einer zweiten, revidierten Fassung unvollendet abbricht. Seit dieser Zeit blieb die Sonate unbeachtet, die Yehudi Menuhin 1952 im Berliner Nachlass entdeckte. In dem von ihm herausgegebenen Erstdruck hat Menuhin allerdings freizügig Elemente beider Fassungen kombiniert. 1966 legten Franco Gulli (Violine) und Enrica Cavallo (Klavier) die erste Aufnahme der F-Dur-Sonate auf Schallplatte vor. WO

Einspielungen (Auswahl)
• Shlomo Mintz (Violine), Paul Ostrovsky (Klavier), 1986; Deutsche Grammophon
• Jean-Jacques Kantorow (Violine), Jacques Rouvier (Klavier), 1989; Denon

Cellosonaten

Sonate B-Dur op. 45

Sätze 1. Allegro vivace, 2. Andante, 3. Allegro assai
Entstehung Mai–Oktober 1838
Verlag Peters
Spieldauer ca. 28 Minuten

Entstehung Im April 1838 reiste Mendelssohn von Leipzig nach Berlin, wo er während der Sommerwochen im Elternhaus auffallend viel komponierte. Damals mochte er sich auch an sein schon im Oktober 1837 gegebenes Versprechen erinnert haben, seinem Cello spielenden jüngeren Bruder Paul nach den »Variations concertantes« op. 17 auch eine Sonate zu schreiben.

Musik Erster Satz Kantabilität und Agilität finden zu schönem Ausgleich. Auf ein zweites Thema im strengen Sinn hat Mendelssohn verzichtet, sodass die Konzeption des Satzes eher monothematisch ist. In der eigentlich dem zweiten Thema vorbehaltenen Dominante F-Dur wird schließlich in der Reprise das Hauptthema intoniert.

Zweiter Satz Aus einem kurzen, rhythmisch prägnanten Thema erwächst der g-Moll-Mittelsatz. In seiner einfachen A-B-A-Struktur vertritt er die Funktion von Scherzo und langsamem Satz zugleich.

Dritter Satz Das Finale ist als Sonatenrondo zu klassifizieren. Das gar nicht rondotypische Hauptthema erinnert auffallend an das analoge Thema des ersten Satzes.

Wirkung Eine »Sonate für feinste Familienzirkel, am besten etwa nach einigen Goetheschen oder Lord Byronschen Gedichten zu genießen«, urteilte Robert Schumann über die B-Dur-Cellosonate: »Man findet in ihr Zartes und Kühnes, Einfaches und Kunstreiches, die Kontraste auch mit geübter Hand zu schöner Form verschmolzen.« WO

Sonate D-Dur op. 58

Sätze 1. Allegro assai vivace, 2. Allegretto scherzando, 3. Adagio, 4. Molto allegro e vivace
Entstehung 1841–43
UA 18. November 1843 Leipzig
Verlag Peters
Spieldauer ca. 26 Minuten

Entstehung Von der Arbeit an einer neuen Cellosonate berichtete Mendelssohn Ende April 1841. Doch noch im November des folgenden Jahres war, wie in einem Brief an die Mutter zu lesen ist, die Komposition nicht abgeschlossen. Widmungsträger der Sonate ist der Graf Mathieu Wielhorsky. Der pensionierte russische Oberst, ein bedeutender Kunstmäzen, hatte als Cellist bei Bernhard Romberg studiert.

Musik Erster Satz Noch ausgewogener als in der B-Dur-Sonate op. 45 ist in der reiferen zweiten Cellosonate das Verhältnis zwischen Violoncello und Klavier. Indiz hierfür ist gleich der erste Satz, an dessen Beginn der drängende

Rhythmus im Klavier den leidenschaftlichen Impetus noch unterstreicht, von dem das Hauptthema getragen wird.

Zweiter Satz Ein fein gestricheltes graziöses Thema kontrastiert mit einem vom Cello intonierten kantablen musikalischen Gedanken. Allein wie Mendelssohn im Fis-Dur-Teil eine kurze Cellokantilene organisch aus dem Klanggeschehen herauswachsen lässt oder bei der ersten Wiederaufnahme des scherzohaften Teils das Thema einer Metamorphose ins Dramatische unterzieht, verrät die Handschrift eines Meisters.

Dritter Satz In diesem Herzstück der Sonate kombiniert Mendelssohn Choral und Rezitativ: Er lässt das Cello mit einem weitausgesponnenen Rezitativ auf die choralartigen Arpeggiopassagen des Klaviers antworten. Gegen Ende greift das Klavier über einem Orgelpunkt des Streichinstruments seinerseits den deklamatorischen Stil auf.

Ein väterlicher Freund

Nachdem Ignaz Moscheles 1824 erstmals im Haus der Mendelssohns zu Gast gewesen war, schrieb er in sein Tagebuch: »Das ist eine Familie, wie ich keine gekannt habe; der 15-jährige Felix, eine Erscheinung, wie es keine mehr gibt. Was sind alle Wunderkinder neben ihm? Sie sind eben Wunderkinder, und sonst nichts; dieser Felix Mendelssohn ist schon ein reifer Künstler.« Moscheles wurde ihm zum väterlichen Freund.

Der bei Johann Georg Albrechtsberger und Antonio Salieri ausgebildete und vor allem Ludwig van Beethoven nacheifernde Ignaz Moscheles machte sich als einer der großen Klaviervirtuosen des 19. Jahrhunderts sowie als renommierter Klavierpädagoge einen Namen. Nachdem er zunächst in Wien, dann ab 1825 an der Royal Academy of Music in London unterrichtet hatte, holte ihn Mendelssohn 1846 ans neu gegründete Leipziger Konservatorium.

Unter der Kammermusik von Moscheles finden sich neben der konzertanten Flötensonate A-Dur op. 44 mehrere Werke für Violoncello (u. a. Grand duo concertant B-Dur op. 34, Cellosonate E-Dur op. 121), ferner ein Sextett (Es-Dur op. 35) und ein Septett (D-Dur op. 88).

Vierter Satz Unvermittelt bricht nach einem verminderten Septakkord die leicht-flüssige Brillanz des Finales in die fast sakrale Welt des dritten Satzes ein. Am Schluss des spielfreudigen Satzes greift die ausgedehnte Coda auf den Beginn des Finales zurück.

Wirkung Nach einer privaten Aufführung bei der Schwester Fanny folgte drei Wochen später am 18. November 1843 die Uraufführung im Leipziger Gewandhaus. Beethovens Klaviertrio op. 70/1 und Mendelssohns Oktett op. 20 (mit dem Komponisten als Bratschisten) standen bei dieser »Kammermusikunterhaltung« neben der D-Dur-Cellosonate auf dem Programm. Mendelssohns Partner bei der Uraufführung der Sonate war der Cellist Carl Wittmann.   WO

Einspielungen (Auswahl)
- Steven Isserlis (Violoncello), Melvyn Tan (Klavier), 1994 (+ Variations concertantes op. 17, Lied ohne Worte op. 109); BMG/RCA
- Jan Vogler (Cello), Louis Lortie (Klavier), 2002 (+ Cellosonate Nr. 1, Variations concertantes op. 17, Lied ohne Worte D-Dur); Berlin Classics/Edel

»Variations concertantes« für Violoncello und Klavier op. 17

Entstehung Januar 1829
Verlag Peters
Spieldauer ca. 10 Minuten

Entstehung Mendelssohns jüngerer, 1813 in Berlin geborener Bruder Paul, nach dem Tod des Vaters Abraham Chef des Bankhauses Mendelssohn, war ein vorzüglicher Amateurcellist. Für ihn schrieb Felix Mendelssohn Anfang 1829, also noch neun Jahre vor der ersten Cellosonate, die 1830 in Wien veröffentlichten »Variations concertantes« op. 17.

Musik Einzelne Variationen des op. 17 beschränken sich auf motivische Elemente des liedhaften Themas. Bei aller stilistischen Gegensätzlichkeit rücken sie damit in die Nähe Robert Schumanns, der sich etwa in einzelnen Variationen der »Sinfonischen Etüden« mit kurzen Motivzitaten aus dem Thema begnügte. Dem klar periodisierten, auf beide Instrumente verteilten Thema schließen sich acht Variationen an.

Behutsam wird zunächst das Thema abgewandelt, wobei sich das Cello in der dritten Variation erstmals kurzfristig virtuos ausleben darf. Im erregten Klaviermonolog der vierten Variation mischt das Cello eher zaghaft mit. Die fünfte Variation skandiert einen Marschrhythmus; die sechste lässt die friedliche Stimmung des Themas wieder aufklingen. Einen erzählenden Gestus hat die zerklüftete obligate Mollvariation (Nr. 7). Das Thema wird gleichsam zerlegt, bevor über einem leisen Orgelpunkt des Cellos das Klavier das Thema aufgreift und in einer Art erweiterter Coda das Werk abrundet.

Wirkung Wie Mendelssohn am 25. April 1829 in einem Brief aus London berichtete, wurden die »Variations concertantes« am Abend zuvor im Haus seines in England lebenden Musikerfreundes Ignaz Moscheles musiziert.

WO

Sonaten für andere Besetzungen

Sonate für Klarinette und Klavier Es-Dur

Sätze 1. Adagio – Allegro moderato, 2. Andante, 3. Allegro moderato
Entstehung 1823 oder 1824
Verlag Bärenreiter
Spieldauer ca. 18 Minuten

Entstehung Für den ausgezeichneten Klarinettisten Heinrich Joseph Bärmann und dessen Sohn Carl hat Mendelssohn 1833 seine beiden Konzertstücke für Klarinette, Bassetthorn und Klavier op. 113 geschrieben. Ob darüber hinaus die 1823 oder 1824 komponierte Klarinettensonate für Mendelssohns Freund Heinrich Joseph Bärmann bestimmt war, erscheint fraglich.

Musik Im Kopfsatz der Klarinettensonate hält sich der junge Mendelssohn nicht frei von modischem Allerweltsstil. Einige Klavierpassagen der Exposition lassen an das 1823 entstandene Konzert für Klavier, Violine und Streichorchester denken. Das quirlige Finale wiederum wirkt durch die Kontrapunktik der Durchführung

unangemessen »beschwert«. Aufmerksamkeit verdient demgegenüber der langsame Satz, der unüberhörbar den Tonfall romantischer deutscher Volkslieder und (auf deren Spuren) den Gestus des 1820 komponierten Mittelsatzes (»Des Schäfers Klage«) aus Carl Maria von Webers g-Moll-Flötentrio aufgreift. Zu Beginn des Satzes wird die elegische Liedmelodie allein von der Klarinette intoniert. Der »Naturton« wird durch den Verzicht auf die Klavierbegleitung nur noch unterstrichen.

Wirkung Die Ersteinspielung der Klarinettensonate war 1973 Dieter Klöcker und Werner Genuit zu danken.

WO

Klaviertrios

Klaviertrio d-Moll op. 49

Sätze 1. Molto allegro ed agitato, 2. Andante con moto tranquillo, 3. Scherzo: Leggiero e vivace, 4. Finale: Allegro assai appassionato
Entstehung 1839
UA 1. Februar 1840 Leipzig
Verlag Henle
Spieldauer ca. 28 Minuten

Entstehung Von seinem Plan, »nächstens ein paar Trios zu schreiben«, hatte Felix Mendelssohn im August 1838 dem befreundeten Komponisten Ferdinand Hiller geschrieben. Doch wie ein Vermerk im Autograf des Opus 49 verrät, lag das d-Moll-Trio erst ein gutes Jahr später (es ist auf den 23. September 1839 datiert) in Reinschrift vor. Und auch diese Erstfassung weicht nicht unerheblich von der schließlich in den Druck gelangten Endfassung ab.

Musik Anders als Beethoven, der in seinen späten Klaviertrios die drei Instrumente durch enge thematische Beziehungen zu einem weitgehend homogenen Ganzen band, stellt Mendelssohn das Klavier den Streichinstrumenten als selbstständigen Klangfaktor gegenüber. Die kompositorische Arbeit zielt nicht primär auf vollkommene Integration der Instrumente.

Erster Satz Liedhaft ist das sich über 39 Takte spannende, zunächst vom Cello intonierte, dann von der Geige überhöhend aufgegriffene

Mendelssohn Bartholdy lebte seit 1835 in Leipzig. Hier entstand neben vielen anderen Werken auch sein Klaviertrio d–Moll op. 49, an dessen Uraufführung 1840 in Leipzig er selbst teilnahm (Arbeitszimmer von Felix Mendelssohn Bartholdy in seinem Haus in Leipzig).

Hauptthema; für eine thematisch-motivische Arbeit scheint dieses Thema wenig disponiert. Dennoch versteht es Mendelssohn in der Durchführung, neben dem kantablen A-Dur-Seitenthema auch jenes Hauptthema immer wieder neu zu belichten.

Zweiter Satz Nach der gezügelten Leidenschaft des Kopfsatzes wirkt das Andante wie ein Idyll, ein in sich ruhendes »Lied ohne Worte«. Bis zur Neige ist die »Wonne der Wehmut« in diesem Andante con moto tranquillo ausgekostet, das nach einer kurzen Kadenz von Geige und Cello wie ins Traumhafte versinkt.

Dritter Satz Das leichtfüßig dahinhuschende Scherzo greift einen Scherzotyp auf, wie ihn Mendelssohn schon vor der »Sommernachtstraum«-Ouvertüre im fis-Moll-Capriccio op. 5 oder dem Oktett op. 20 ausgebildet hatte. Wie im Scherzo des Oktetts verflüchtigt sich dabei auch hier der Geisterspuk in luftigem Pianissimo.

Vierter Satz Mit Beethovens »Appassionato« hat die mit dieser Bezeichnung umgrenzte Ausdrucksssphäre des Finales wenig gemein.

Vielmehr durchpulst ein neues romantisches Pathos den Schlusssatz des Trios. Zweimal sinkt die feurige Bewegung ins Pianissimo zurück, zweimal scheint sie zu stocken; dann krönt die überschäumende D-Dur-Coda das »Meistertrio der Gegenwart« (Robert Schumann).

Wirkung Mendelssohn selbst saß am Klavier, als das Klaviertrio am 1. Februar 1840 in Leipzig mit dem Geiger Ferdinand David und dem Cellisten Franz Carl Wittmann aus der Taufe gehoben wurde. Und auch in London setzte sich der anglophile Komponist auf den Konzertpodien persönlich für sein Werk ein.   WO

Klaviertrio c–Moll op. 66

Sätze 1. Allegro energico e fuoco, 2. Andante espressivo, 3. Scherzo: Molto allegro quasi presto, 4. Finale: Allegro appassionato
Entstehung Februar–April 1845
Verlag Henle
Spieldauer ca. 30 Minuten

Entstehung 1845 erreichte Mendelssohn in Frankfurt am Main eine schmeichelhafte Einladung nach New York – der 36-jährige Komponist schlug das Angebot aus. Nicht einmal zur Uraufführung seines Violinkonzerts reiste er im März nach Leipzig. Von seinem Bedürfnis nach äußerer Ruhe, von seinem Wunsch, sich »sans Reise, sans Musikfest, sans everything« ganz dem kompositorischen Schaffen zu widmen, schrieb er der Schwester Rebekka. Neben Orgelsonaten, dem B-Dur-Streichquintett oder der Musik zu Sophokles' »Oedipus auf Kolonos« gehörte auch das Louis Spohr gewidmete c-Moll-Trio zur kompositorischen Ernte jener Wochen.

Musik Erster Satz Gegensätze zwischen dem sorgsam gearbeiteten, nach einer Äußerung Mendelssohns »ein bisschen eklig« zu spielenden c-Moll-Klaviertrio und dessen eher extrovertiertem Geschwisterwerk in d-Moll decken gleich die ersten Sätze auf: Im Gegensatz zum eher liedhaften Hauptthema des ersten Trios ist das zuerst vom Klavier intonierte analoge Thema des neuen Werks von instrumentalem Duktus. Schärfer ausgeprägt ist der Kontrast zum liedhafteren Seitenthema, dialektischer die Auseinandersetzung in der Durchführung.

Zweiter Satz Mit seiner nazarenerhaft weichen Stimmung hält das Andante nicht ganz das Niveau der anderen Sätze. Die Leidenschaften, die den Kopfsatz aufgewühlt hatten, sind völlig abgeklungen in diesem konfliktfreien biedermeierlichen Idyll.

Dritter Satz Das Scherzo überrascht durch unkonventionelle Formgebung. Nach dem behände vorüberrieselnden g-Moll-Hauptteil und dem G-Dur-Trio fasst die stark verkürzte »Reprise« noch einmal die Themen der deutlich kontrastierenden Teile zusammen.

Vierter Satz Nur leicht modifiziert greift Mendelssohn in diesem Finale den Choral »Vor Deinen Thron tret ich hiermit« (Melodie aus dem Genfer Psalter von 1551) auf. Wie im langsamen Satz der D-Dur-Cellosonate op. 58 oder der Klavierfuge op. 35 / 1 begegnet auch hier die für die Romantik so typische Vermischung des Säkularen mit dem Religiösen, die Beschwörung des Chorals als des lebendigen Ausdrucks einer vergangenen »heilen« Welt. Zunächst noch pianis-

simo intoniert das Klavier das Kirchenlied in der Durchführung im streng akkordischen Satz. Erst in der Coda erstrahlt es in geradezu hymnischem Glanz. WO

Einspielungen (Auswahl)
- David Golub (Klavier), Mark Kaplan (Violine), Colin Carr (Violoncello), 1988 (+ Klaviertrio op. 49); Arabesque
- Guarneri-Trio Prag, 2000 (+ Klaviertrio Nr. 1); Praga / Helikon Harmonia Mundi

Streichquartette

Mendelssohn hatte bereits die Mehrzahl seiner zwölf Streichersinfonien komponiert, als er im März 1822, 13-jährig, an einem Es-Dur-Streichquartett (ohne Opuszahl) arbeitete. 1878 war das viersätzige Werk, dessen abschließende Fuge ein Indiz für die strengen kontrapunktischen Studien des Zelter-Schülers ist, erstmals im Druck zugänglich. Gleichwohl fand das frühe Quartett genauso wenig Resonanz wie die vier aus verschiedenen Schaffensperioden stammenden Streichquartettsätze (Andante, Scherzo, Capriccio und Fuge), die drei Jahre nach Mendelssohns Tod unter der vereinheitlichenden Opuszahl 81 zusammengefasst bei Breitkopf & Härtel veröffentlicht wurden.

Im Musikleben zählen allein die sechs Streichquartette aus den Jahren 1827 bis 1847, wobei nach dem frühen Meisterwerk des a-Moll-Quartetts op. 13 und der Trias des op. 44 das aus dem Todesjahr 1847 stammende f-Moll-Quartett op. 80 als »Requiem« für die Schwester Fanny die inneren Erschütterungen jener Wochen widerspiegelt. Eine »enzyklopädische« Aufnahme aller Streichquartette liegt u. a. durch das Melos Quartett und das Cherubini-Quartett vor. WO

Einspielungen (Auswahl)
- Melos Quartett, 1981; Deutsche Grammophon
- Cherubini-Quartett, 1989; EMI
- Emerson String Quartet, 2003; Deutsche Grammophon

Ab 1835 war Mendelssohn Bartholdy als Gewandhauskapellmeister in Leipzig tätig (hier eine Innenansicht des Gewandhauses, 1845). Unter seiner Leitung avancierte Leipzig zu einem der europäischen Zentren der Musik.

Streichquartett Nr. 1 Es-Dur op. 12

Sätze 1. Adagio non troppo – Allegro non tardante, 2. Canzonetta: Allegretto, 3. Andante espressivo, 4. Molto allegro e vivace
Entstehung Sommer 1829
Verlag Henle
Spieldauer ca. 23 Minuten

Entstehung Schaffenschronologie und Nummerierung im Werkverzeichnis stimmen bei Mendelssohn keineswegs immer überein. Auf der Englandreise 1829, also zwei Jahre nach Vollendung des a-Moll-Streichquartetts op. 13, arbeitete Mendelssohn an seinem Es-Dur-Quartett op. 12. Nach einer Eintragung im Autograf setzte er am 14. September 1829 in London den Schlussstrich unter das neue Werk. Doch noch einige Tage später heißt es in einem Brief an die Mutter, dass im op. 12 »noch einiges zu hobeln

und zu glätten« sei. Mendelssohn widmete das Quartett Betty Pistor, in deren Haus er damals ein und aus ging.

Musik Im Vergleich zu dem früher entstandenen a-Moll-Quartett weist das auf Ausgleich bedachte Es-Dur-Quartett eine konventionellere Attitüde auf. Doch wie im Geschwisterwerk hat auch in diesem frühen Streichquartett die Auseinandersetzung mit Beethoven (vornehmlich mit dessen Spätwerk) unüberhörbar ihre Spuren hinterlassen.

Erster Satz Liedhafte Kantabilität prägt nach der langsamen Einleitung das Allegro non tardante. Der lyrischen Grundhaltung entsprechen die substanziell einander angeglichenen Themen, von denen ein drittes erst in der Durchführung auftritt.

Zweiter Satz Ein »Lied ohne Worte« schreibt Mendelssohn in der formal klar disponierten Canzonetta. Im Hauptteil wie im Mittelteil (Orgelpunkte in verschiedenen Lagen) treten sich die vier Stimmen paarweise gegenüber.

Dritter Satz Anders als in der Canzonetta treten in dem nur 65 Takte umfassenden Andante die drei unteren Stimmen der auffallend exponierten ersten Violine blockhaft gegenüber.

Vierter Satz Attacca schließt sich an das Andante der Schlusssatz an, der im Widerspruch zu gängigen Konventionen nicht in der Haupttonart Es-Dur, sondern in deren Paralleltonart c-Moll steht. Durch Rückgriffe auf thematisches Material des Kopfsatzes hat Mendelssohn die beiden Ecksätze eng miteinander verknüpft.

Wirkung Die Canzonetta hat das Es-Dur-Quartett schon früh zu besonderer Popularität gebracht. Das kantable Stück kam im 19. Jahrhundert in zahlreichen Arrangements auf den Musikalienmarkt. WO

Einspielungen (Auswahl)
• Cherubini-Quartett, 1990; EMI

Streichquartett Nr. 2 a-Moll op. 13

Sätze 1. Adagio – Allegro vivace, 2. Adagio non lento, 3. Intermezzo: Allegretto con moto – Allegro di molto, 4. Presto – Adagio non lento
Entstehung 1827
Verlag Henle
Spieldauer ca. 27 Minuten

Entstehung Auf Gut Sakrow bei Potsdam hat Mendelssohn offenbar im Juli 1827 die Komposition des a-Moll-Quartetts in Angriff genommen. Ende September oder Anfang Oktober soll er dann nach einem Bericht Ferdinand Hillers »sein kurz vorher entstandenes Quartett« in Frankfurt am Main am Klavier vorgetragen haben. Das Titelblatt nennt den 27. Oktober 1827 als Datum der endgültigen Fertigstellung.

Musik Innerhalb vergleichsweise kurzer Zeit waren 1826 und 1827 Beethovens späte Streichquartette im Druck erschienen. Dass der 18-jährige Mendelssohn in Beethovens Todesjahr 1827 unter dem unmittelbaren Eindruck

dieser damals hochaktuellen Musik stand, ist Briefen an einen ehemaligen Mitschüler bei Carl Friedrich Zelter, den schwedischen Komponisten Adolf Fredrik Lindblad, zu entnehmen. In seinem eigenen Œuvre ist besonders das a-Moll-Streichquartett Indiz für eine schöpferische Auseinandersetzung mit Beethoven.

Erster Satz Dem spannungsgeladenen Allegro stellte Mendelssohn eine Adagioeinleitung voran, in der er auf Fragmente eines Pfingsten 1827 komponierten Klavierliedes (»Ist es wahr?«) zurückgriff.

Zweiter Satz Im Mittelpunkt des dreiteiligen Adagios steht eine mit Umkehrung, Engführung und Verkleinerung operierende Fuge, die in ein Rezitativ der ersten Violine mündet und am Schluss des Satzes noch einmal reminiszenzartig aufgegriffen wird.

Dritter Satz Genrehaften Charakter hat das Intermezzo mit einem Fugato als stark kontrastierendem Mittelteil. Bevor sich in der Coda motivische Substanz verflüchtigt, taucht auch das Fugatothema noch einmal spukhaft auf.

Vierter Satz Die zyklische Formstruktur des a-Moll-Quartetts wird im Finalsatz deutlich: Das Fugatothema des zweiten Satzes erscheint rhythmisch modifiziert in Halben, bevor im abschließenden A-Dur-Teil die langsame Einleitung zum ersten Satz aufgegriffen wird.

Wirkung In einer frühen Besprechung des Quartetts in der angesehenen Leipziger »Allgemeinen Musikalischen Zeitung« ist, was heute fast grotesk anmutet, vom »Unterhaltungsreiz« des Kopfsatzes und den »unterhaltsamen« Fortschreitungen des Finales die Rede. Auch nach anderen Zeugnissen zu urteilen, scheint sich der hohe Rang des Quartetts den Zeitgenossen nur schwer erschlossen zu haben. WO

Einspielungen (Auswahl)
• Juilliard String Quartet, 1998 (+ Streichquartett Nr. 1); Sony BMG

Streichquartett Nr. 3 D-Dur op. 44 Nr. 1

Sätze 1. Molto allegro vivace, 2. Menuetto: Un poco allegretto, 3. Andante espressivo, ma con moto, 4. Presto con brio
Entstehung 1838
UA 16. Februar 1839 Leipzig
Verlag Henle
Spieldauer ca. 26 Minuten

Entstehung In einem Brief an den Komponistenfreund Ferdinand Hiller vom 14. April 1838 erzählt Mendelssohn vom Beginn der Arbeit an dem im Juli desselben Jahres vollendeten D-Dur-Quartett. Wie die beiden anderen Quartette des op. 44 widmete er es dem schwedischen Kronprinzen.

Musik Der erste Satz, der Mendelssohn übrigens »über die Maßen« gefiel, liegt in drei verschiedenen Versionen, zwei Autografen und der Druckausgabe, vor. Einen faszinierenden Einblick in die Werkstatt eines überaus selbstkritischen Komponisten kann uns gerade der von Friedhelm Krummacher bis ins Detail aufgezeigte Arbeitsprozess an diesem Werk vermitteln.

Als »verkapptes« Violinkonzert tendiert das D-Dur-Streichquartett zum Genre der »Quatuor brillants«, wie sie etwa von Louis Spohr, Giovanni Battista Viotti und Rodolphe Kreutzer kultiviert wurden. Im ersten Satz und im Trio des Menuetts dominiert ganz eindeutig die erste Violine. Im elegisch umschatteten Andante espressivo ist demgegenüber die zweite Violine stärker ins musikalische Geschehen einbezogen.

Wirkung Anfang September 1838 hat Mendelssohn seinem Geigerfreund Ferdinand David die Stimmen des D-Dur-Streichquartetts zugesandt. Er selbst bot sich an, den »Violennothnagel« zu »machen«, falls kein Bratschist zur Verfügung stünde. Bei der Leipziger Uraufführung am 16. Februar 1839 spielte David das neue Werk dann jedoch mit drei weiteren Mitgliedern des Gewandhausorchesters. Zur lebendigen Rezeption des von Mendelssohn selbst als »dankbar« apostrophierten Werks mochte neben dem Kopfsatz vor allem der als Menuetto bezeichnete zweite Satz mit seiner von Terzen und Sex-ten begleiteten einschmeichelnden Melodie beigetragen haben.   WO

Streichquartett Nr. 4 e-Moll op. 44 Nr. 2

Sätze 1. Allegro assai appassionato, 2. Scherzo: Allegro di molto, 3. Andante, 4. Presto agitato
Entstehung 1837
UA 28. Oktober 1837 Leipzig
Verlag Henle
Spieldauer ca. 23 Minuten

Entstehung Nach einem Vermerk im Autograf schloss Mendelssohn die Arbeit an seinem schon während der Hochzeitsreise skizzierten e-Moll-Streichquartett am 18. Juni 1837 ab. Vor der Drucklegung wurde das Werk jedoch noch einer gründlichen Überarbeitung unterzogen; sie bezog sich besonders auf den Schlusssatz.

Musik Erster Satz Die partielle Übereinstimmung des Hauptthemas mit dem Beginn des Finales aus Mozarts g-Moll-Sinfonie KV 550 sollte nicht (wie häufig in der Mendelssohn-Literatur) überbewertet werden. Die beiden jeweils auftaktig rhythmisierten, in Vierteln fließenden Themen – von Kontrastspannung kann nicht die Rede sein – sind weitgehend aneinander angeglichen.

Zweiter Satz Das E-Dur-Scherzo greift in seiner Diktion den typisch mendelssohnschen Scherzotyp auf. Formal allerdings folgt der Satz keineswegs einem festliegenden Formgerüst. Am ehesten kann von einer Kreuzung von Sonatenrondo und Scherzo mit Trio gesprochen werden.

Dritter Satz Über den Haltetönen im Cello, den Achteln in der Bratsche und den Sechzehnteln in der zweiten Violine stimmt die erste Violine ihre Kantilene an. Erstmals hat Mendelssohn in diesem Satz, den er »durchaus nicht schleppend« vorgetragen wissen wollte, das Prinzip »Lied ohne Worte« auf einen Streichquartettsatz übertragen.

Vierter Satz Wie bei den Schlusssätzen der beiden Klaviertrios handelt es sich auch bei den analogen Sätzen der Streichquartette op. 44 um

Sonatenrondos. Auch der intensive Arbeitsprozess hat dem Finale des e-Moll-Quartetts nichts von seiner Ungezwungenheit genommen.

Wirkung Bei der Leipziger Uraufführung am 28. Oktober 1837 machte das Quartett, wie Mendelssohn seinem Bruder Paul schrieb, »großes Glück«. Das Scherzo musste wiederholt werden. Später bekannte der Komponist, dass er das bald darauf komponierte Es-Dur-Quartett op. 44/3 für »viel besser« halte. WO

Einspielungen (Auswahl)
• Eroica Quartet, 2001 (+ Streichquartett Nr. 3); HMU/Harmonia Mundi

Streichquartett Nr. 5 Es-Dur op. 44 Nr. 3

Sätze 1. Allegro vivace, 2. Scherzo: Assai leggiero vivace, 3. Adagio non troppo, 4. Molto allegro con fuoco
Entstehung 1837/38
Verlag Henle
Spieldauer ca. 29 Minuten

Entstehung Im Juli 1837 teilte Mendelssohn seinem Komponistenfreund Ferdinand Hiller mit, dass er ein »neues Violinquartett« – das Es-Dur-Streichquartett op. 44 Nr. 3 – »im Kopf fast ganz fertig« habe. Abgeschlossen war die kompositorische Arbeit dann im Januar 1838. Auch an seinem neuen Quartett hat er ausgiebig gefeilt. Eine »böse Gewohnheit«, die er »gern ablegen möchte und nicht kann«, nannte der selbstkritische Meister in einem Brief an Breitkopf & Härtel vom Februar 1839 seine ständigen Nachbesserungen.

Musik Erster Satz Die vier Motive des komplexen Hauptthemas werden in dem an Beethoven geschulten Quartettsatz separat verarbeitet. Als Variante eines dieser Motive entpuppt sich auch das Seitenthema, das in der Durchführung besondere Bedeutung gewinnt.

Zweiter Satz Im c-Moll-Scherzo operiert Mendelssohn mit kontrapunktischen Finessen. Doch auch strenge Arbeit (Kanon, Engführung, Doppelfugato) nimmt dem Satz nichts von seinem spukhaften Wirbel. Erst in der Coda, in der sich die Thematik in geisternden Unisonofor-

meln auflöst, kommt die rastlose Bewegung zur Ruhe.

Dritter Satz Der im Autograf noch »Andante sostenuto« bezeichnete Satz erscheint in der Druckausgabe mit gutem Grund als »Adagio non troppo«. Mit Passagen von fast seraphischer Entrücktheit gehört er einer anderen Ausdruckssphäre als Mendelssohns Andantesätze an.

Vierter Satz Leichter gegenüber den anderen Sätzen wiegt das spielfreudige Finale, in dem der Komponist ein Motiv aus dem Adagio aufgreift und damit auch in diesem Quartett einer zyklischen Form huldigt.

Wirkung Drei Jahrzehnte nach Mendelssohns Tod registrierte ein zuverlässiger Gewährsmann, Mendelssohns Kammermusik verlöre »von Jahr zu Jahr mehr in der Theilnahme des Publicums«. Wiederholt wurden die mit dem Verdikt der »Formglätte« belegten Streichquartette Mendelssohns gegen Schumanns Werke dieses Genres ausgespielt. Erst in jüngerer Zeit mehren sich Stimmen (Ludwig Finscher, Friedhelm Krummacher), die auf den hohen Rang auch der Streichquartette op. 44 aufmerksam machen. WO

Streichquartett Nr. 6 f-Moll op. 80

Sätze 1. Allegro vivace assai, 2. Allegro assai, 3. Adagio, 4. Finale: Allegro molto
Entstehung Sommer 1847
Verlag Peters
Spieldauer ca. 24 Minuten

Entstehung »Sehr erschöpft« war Mendelssohn im Mai 1847 von seiner zehnten und letzten Englandreise zurückgekehrt. Als er am 17. Mai die Nachricht vom plötzlichen Tod seiner Schwester Fanny erhielt, soll er mit einem Aufschrei zu Boden gestürzt sein. Bei seinem ohnehin labilen Gesundheitszustand traf ihn ihr Tod als ein Schlag, den er nicht mehr überwinden sollte. Bei einer Reise in die Schweiz flammte jedoch noch einmal sein Schaffensdrang auf. In Interlaken beendete er im September 1847 die Arbeit an seinem f-Moll-Streichquartett – einer Art instrumentalem Requiem für seine Schwester.

Musik Das orchestral konzipierte Quartett widerspricht gängigen Vorstellungen von Mendelssohns Musik. In seinem Ausnahmecharakter ist es nur vor dem Hintergrund der Biografie zu verstehen.

Erster Satz Im geisternd schwirrenden Beginn, den Tremoloflächen dieses Kopfsatzes, bebt (ähnlich wie im Finale) kaum unterdrückte Erregung. In einer bei Mendelssohn ungewohnten Direktheit der Aussage wird der ganze Klangraum mobilisiert.

Zweiter Satz Mit dem Sichfestrammen auf den Tritonus, kahlen Unisoni und dem müden Umspielen des Grundtons in der Coda ist dieses Allegro assai Ausdruck von hoffnungslosem Aufbegehren und trostlosem Fatalismus zugleich. Gerade dieser selbstquälerische, sich in einzelne Floskeln manisch festbeißende Satz reflektiert schmerzliches Erleben.

Dritter Satz Sehr ökonomisch ist das As-Dur-Adagio gearbeitet. Im Vergleich zu den Ecksätzen artikuliert sich die gleich zu Beginn von der ersten Violine angestimmte Klage still gefasst.

Vierter Satz Das f-Moll-Finale schlägt die Brücke zurück zur motorischen Unrast des Kopfsatzes. Der bisher gültige Themenbegriff ist, wie in der Mendelssohn-Literatur resümiert wurde, in ungekanntem Maß aufgelöst; beinahe floskelhaft wirkt das thematische Material.

Wirkung Das Ausnahmewerk ist sehr unterschiedlich bewertet worden. Nicht verstummen wollten vor allem Einwände gegen den orchestralen Satz. Noch Eric Werner schrieb 1963, dass das Werk »erst im sinfonischen Gewand« (also vom Orchester gespielt) die »beabsichtigte Wirkung« hervorrufen würde.   WO

Klavierquartette

Entstehung Nach einem unveröffentlichten d-Moll-Klavierquartett hatte der 13-jährige Mendelssohn im Sommer 1822 sein c-Moll-Klavierquartett op. 1 komponiert, das Ferdinand Hiller am 30. September mit dem jungen Meister am Klavier in Frankfurt am Main hörte. Ein Jahr später entstand das f-Moll-Klavierquartett op. 2. Und von Oktober 1824 bis Januar 1825 arbeitete Mendelssohn an seinem h-Moll-Klavierquartett op. 3.

Widmungsträger des ersten Klavierquartetts ist der Prinz Antoni Henryk Radziwill, dessen einst viel beachtete Bühnenmusik zu Goethes »Faust« auch im Haus von Mendelssohns Eltern in der Leipziger Straße in Berlin zu hören war. Das zweite Quartett ist Carl Friedrich Zelter, dem Lehrer des jungen Komponisten, gewidmet, das h-Moll-Quartett keinem Geringeren als Goethe.

Musik Instruktiv erhellen die vier Klavierquartette den Entwicklungsprozess im Schaffen Mendelssohns. Gegenüber dem frühen c-Moll-Quartett findet der Komponist im f-Moll-Quartett zaghaft zu seiner künstlerischen Identität. Liedhafte Physiognomie zeigt hier das Hauptthema des Kopfsatzes, dem sich vor dem f-Moll-Intermezzo und dem geschäftigen Finale ein in entlegene Tonarten modulierender Des-Dur-Satz anschließt.

Höher als diese Klavierquartette ist das h-Moll-Quartett op. 3 einzuschätzen. Das Schema Scherzo–Trio–Scherzo schimmert beim dritten Satz durch, der im Autograf noch als »Intermezzo« bezeichnet war, während Mendelssohn 1832 in einem Brief aus Paris von eben jenem Satz als einem »Scherzo« schrieb. Das Finale überrascht – Zeugnis einer thematischen Integration – gegen Ende des Satzes mit einem deutlichen Anklang an das Hauptthema des Kopfsatzes.

Wirkung Mendelssohn scheint sein h-Moll-Klavierquartett hoch eingeschätzt zu haben. Im Frühjahr 1825 spielte er das noch taufrische Werk mit Pariser Musikern in der französischen Metropole vor Luigi Cherubini. Und auch noch Jahre später setzte er sich bei Aufführungen des Quartetts an den Flügel. Zwar war ihm damals der langsame Satz als Ausdruck des »juste milieu« »viel zu süß« geraten. In der Vorliebe für das Scherzo aber stimmte er bei aller Gegensätzlichkeit der Kunstästhetik mit Goethe überein, der nach einer Aufführung gerade diesem Satz Geschmack abgewann: »Dieses ewige Wirbeln und Drehen führte mir die Hexentänze des Blocksbergs vor Augen, und ich fand also doch eine Anschauung, die ich der wunderlichen Musik supponieren konnte.«   WO

Einspielungen (Auswahl)
• Quartette Nr. 1–3: Domus, 1989; Virgin Classics

Streichquintette

Streichquintett A-Dur op. 18

Sätze 1. Allegro con moto, 2. Intermezzo: Andante sostenuto, 3. Scherzo: Allegro di molto, 4. Allegro vivace
Entstehung Frühjahr 1826; 1832 (Intermezzo)
Verlag Peters
Spieldauer ca. 27 Minuten

Entstehung Wenige Monate nach dem Streichoktett schrieb der 17-jährige Mendelssohn im Frühjahr 1826 sein Streichquintett op. 18. Vor der Drucklegung (1833) ersetzte er das ursprünglich für dieses Werk komponierte Menuett durch ein dem Andenken seines im Januar 1832 gestorbenen Freundes Eduard Rietz gewidmetes, im Februar 1832 in Paris komponiertes »Intermezzo«.
Musik Mit dem Einsatz von zwei Bratschen und nur einem Violoncello folgte Mendelssohn, anders als Schubert in seinem C-Dur-Streichquintett, der durch Mozart, Michael Haydn und Beethoven begründeten Tradition.
Erster Satz Mit 443 Takten gehört der Kopfsatz zu den ausgedehntesten Sonatensätzen Mendelssohns. Gegenüber dem exzessiv genutzten Hauptthema kommt dem Seitenthema nur eine bescheidene Rolle zu.
Zweiter Satz Das zunächst wie ein »Lied ohne Worte« beginnende, nachkomponierte Intermezzo folgt keineswegs der Struktur späterer mendelssohnscher Liedsätze. Tragische Akzente, vergleichsweise kühne Modulationen sprechen vom Ausnahmecharakter dieses »Nachrufs«.
Dritter Satz Elfenhaftes Scherzo und Fuge finden zu glücklicher Symbiose. Schon Carl Friedrich Zelter hatte seinen jungen Zögling bei aller streng kontrapunktischen Schulung auch von »Kobolden und Drachen« träumen lassen.
Vierter Satz Um ein allerdings nicht ganz regulär gebautes Sonatenrondo handelt es sich bei dem Schlusssatz. Zu seiner künstlerischen Identität hat Mendelssohn hier noch nicht in gleichem Maß gefunden wie in den anderen Sätzen.
Wirkung Offenbar hat Johannes Brahms das A-Dur-Streichquintett von Mendelssohn

hoch geschätzt. In seinem 1. Streichquintett op. 88 scheint er jedenfalls unmittelbar an das über 50 Jahre zuvor komponierte Werk anzuknüpfen. **WO**

Einspielungen (Auswahl)
• Hausmusik, 1989 (+ Oktett); Virgin Classics

Streichquintett B-Dur op. 87

Sätze 1. Allegro vivace, 2. Andante scherzando, 3. Adagio e lento, 4. Allegro molto vivace
Entstehung 1845
Verlag Peters
Spieldauer ca. 31 Minuten

Entstehung Mendelssohn hat sein zweites Streichquintett am 8. Juli 1845 in Bad Soden am Fuß des Taunus vollendet.
Musik Zwischen einem Werk von singulärem Rang wie Franz Schuberts C-Dur-Streichquintett und der »verschleierten Sinfonie« von Bruckners F-Dur-Quintett darf Mendelssohns op. 87 als wohl gewichtigster Beitrag jener Gattung angesehen werden.
Erster Satz Obwohl fast 20 Jahre zwischen der Komposition von Mendelssohns Streichoktett und dem B-Dur-Streichquintett liegen, greift doch gleich der sich jubelnd emporschwingende Beginn des Kopfsatzes den Tonfall des genialen Jugendwerks auf. Drängende Triolenfolgen erinnern wiederum an das erst ein Jahr zuvor ebenfalls in Bad Soden vollendete e-Moll-Violinkonzert. Ein neuralgischer Punkt ist die sporadische Flächigkeit des Streichersatzes.
Zweiter Satz Im genrehaften Andante scherzando bricht sich die gleichmäßige, fein gestrichelte Bewegung gegen Ende des g-Moll-Satzes in einem Stau des musikalischen Flusses. Fugati beleben den Streichersatz mit seinen kurzgliedrigen Motiven.
Dritter Satz Leidenschaftliche Erregung bricht im d-Moll-Adagio durch. Von dem auch in der Kammermusik häufig kultivierten Typ des »Liedes ohne Worte« hat sich Mendelssohn in diesem Satz entschieden gelöst. Mit stellenweise orchestralen Klangwirkungen überrascht der zwischen Dur und Moll changierende Satz.

Vierter Satz Nach dem glaubwürdigen Zeugnis seines Freundes Ignaz Moscheles soll sich Mendelssohn kritisch über das Finale des B-Dur-Streichquintetts ausgelassen haben. Meisterlich ist ihm gleichwohl die Verbindung von konzertanten und kontrapunktischen Elementen gelungen.

Wirkung Schon im 19. Jahrhundert genossen Mendelssohns Quartette und das Oktett höhere Wertschätzung als die beiden Quintette; erst 1850 kam das B-Dur-Quintett bei Breitkopf & Härtel zum Druck. WO

Werke für größere Besetzungen

Sextett D-Dur op. 110

Besetzung Violine, zwei Violen, Violoncello, Kontrabass, Klavier
Sätze 1. Allegro vivace, 2. Adagio, 3. Menuetto: Agitato, 4. Allegro vivace
Entstehung April/Mai 1824
Verlag Peters
Spieldauer ca. 24 Minuten

Entstehung Etwa zeitgleich mit seiner komischen Oper »Die Hochzeit des Camacho« (nach Cervantes) schrieb der 15-jährige Mendelssohn sein posthum veröffentlichtes D-Dur-Klaviersextett. Ein nur halbwegs repertoirebeständiges Werk dieser Besetzung war vorher nicht geschrieben worden.

Musik Dem dominierenden Klavier – stellenweise hat man den Eindruck eines Klavierkonzerts en miniature – stellt Mendelssohn die fünf Streichinstrumente gegenüber, wobei der Part der ersten der beiden Bratschen oft extrem hoch geführt ist.

In konventionellen Gleisen hält sich der weiträumige Kopfsatz; der Musik von Louis Spohr steht das Fis-Dur-Adagio mit seinem elegischen, weichen Tonfall nahe. Eigenes Profil zeigt dann vor allem der noch als »Menuetto« bezeichnete dritte Satz im lebhaften 6/8-Takt. Seinen jetzt sogar noch weiter ausgearbeiteten Hauptteil greift Mendelssohn gegen Ende des Polonaisen-

finales wieder auf, dessen Klavierpart an Weber oder Hummel denken lässt.

Wirkung Das von Mendelssohn unveröffentlicht gelassene Sextett erschien erstmals 1868 im Druck. Eine erste Schallplattenaufnahme legten der Pianist Werner Haas und Mitglieder des Philharmonischen Oktetts Berlin vor. WO

Einspielungen (Auswahl)
• Andra Darzins (Viola), Wolfgang Wagner (Kontrabass), Bartholdy-Klavierquartett, 1992 (+ Klavierquartett Nr. 1); Naxos

Oktett Es-Dur op. 20

Besetzung Vier Violinen, zwei Violen, zwei Violoncelli
Sätze 1. Allegro moderato, ma con fuoco, 2. Andante, 3. Scherzo: Allegro leggierissimo, 4. Presto
Entstehung Sommer/Herbst 1825
Verlag Peters
Spieldauer ca. 30 Minuten

Mendelssohns »Elfenscherzo«

Zu den musikalischen »Erfindungen« von Felix Mendelssohn Bartholdy zählt neben dem »Lied ohne Worte« (für Klavier solo) der dann geradezu zu seinem Markenzeichen gewordene Satztypus des »Elfenscherzos«. Inspiration zu Letzterem boten dem jungen Komponisten die Zauberwelten der Feen und Elfen in Shakespeares »Sommernachtstraum« und in Goethes »Walpurgisnacht«-Szene aus dem ersten Teil des »Faust«. Als programmatische Idee zum Oktett op. 20 etwa lassen sich die Schlusszeilen der »Walpurgisnacht«-Szene benennen: »Wolkenzug und Nebelflor / Erhellen sich von oben. / Luft im Laub und Wind im Rohr, / Und alles ist zerstoben.« In der Musik wird das ausgedrückt durch eine luftig-geheimnisvolle Grundstimmung und einen leichtfüßig dahinhuschenden, spukhaften Wirbel, der sich schließlich in luftigem Pianissimo verflüchtigt. Elfenscherzi finden sich bei Mendelssohn u. a. im Klaviertrio d-Moll op. 49, in den beiden Streichquartetten e-Moll op. 44 Nr. 2 und Es-Dur op. 44 Nr. 3 sowie auch schon im frühen Klavierquartett h-Moll op. 3.

Die geheimnisvoll-mystische Stimmung der Walpurgisnachtszene aus Goethes Drama »Faust I«
inspirierte Mendelssohn Bartholdy 1825 in seinem Oktett Es-Dur op. 20 erstmals zur Komposition eines
»Elfenscherzos« (»Walpurgisnacht«, Kupferstich nach Zeichnung von Michael Herz, 17. Jahrhundert).

Entstehung Am 6. November 1825 berichtete Carl Friedrich Zelter dem Duzfreund Goethe, sein Schüler Felix habe ein Oktett »vollendet, das Hand und Fuß hat«. Nach einer Eintragung im Autograf, das übrigens nicht unerheblich von der Druckausgabe abweicht, war die Arbeit am 15. Oktober des Jahres abgeschlossen. Gewidmet hat Mendelssohn das Opus 20 seinem Freund und Geigenlehrer Eduard Rietz.

Musik Mehr noch als im mitreißenden h-Moll-Klavierquartett hat der 16-jährige Mendelssohn im Oktett zu seinem künstlerischen Selbst gefunden. Im Gegensatz zu Louis Spohrs Doppelquartetten, die »nach Art von Doppelchören« zwei Quartette konzertierend gegenüberstellen und (seltener) zusammenführen, zeichnet sich Mendelssohns Werk durch kompaktere Achtstimmigkeit aus. »Dieses Oktett muss von allen Instrumenten im Style eines symphonischen Orchesters gespielt werden«, heißt es in einer Anweisung im Autograf.

Erster Satz Von dem in der ersten Violine in gebrochenen Dreiklängen exponierten Hauptthema ist der sich in weichen Sekundgängen wiegende Seitensatz kontrastreich abgesetzt.

Im überquellenden Melodienstrom ist eine Fülle meisterlich verwobener Einfälle ausgebreitet.

Zweiter Satz Noch mehr als die Druckfassung verrät die Erstfassung die Bindung des Andante an das Modell eines Sonatensatzes. Beachtung verdient gleich der Beginn: Erst nach dem Schweifen durch mehrere Dur- und Molltonarten wird die Grundtonart c-Moll angesteuert.

Dritter Satz Bei dem im Piano zerstäubenden Scherzo soll Mendelssohn die Schlusszeilen der »Walpurgisnacht«-Szene aus dem ersten Teil von Goethes »Faust« vorgeschwebt haben. »Alles ist neu, fremd und doch so ansprechend, so befreundet«, vermerkte Schwester Fanny. »Man fühlt sich so nahe der Geisterwelt, so leicht in die Lüfte gehoben, ja man möchte selbst einen Besenstiel zur Hand nehmen, der luftigen Schar besser zu folgen.«

Vierter Satz Wie ein erst 1983 veröffentlichtes »Übungsbuch« detailliert belegt, hatte Zelter seinen Schüler Mendelssohn zu gründlichen kontrapunktischen Studien angehalten. Indiz hierfür ist auch das formal freizügige Presto mit seinem Fugato. Im späteren Verlauf des Satzes taucht noch einmal das Scherzothema auf, bevor eine Coda das Meisterwerk effektvoll abschließt.

Wirkung Nach Robert Schumanns Zeugnis war Mendelssohn das Oktett »sein Liebstes aus seiner Jugendzeit«. Bei der Londoner Erstaufführung seiner 1. Sinfonie op. 11 (1829) ersetzte er deren Menuett durch das für Orchester instrumentierte Scherzo des Oktetts. Später wirkte er in Leipzig bei mehreren Aufführungen des op. 20 selbst am Bratschenpult mit. Gleichsam als Hommage à Mendelssohn schrieb Niels Wilhelm Gade 1848 offensichtlich unter dem Eindruck des Werkes sein F-Dur-Oktett für Streicher. WO

Einspielungen (Auswahl)
- Academy of St. Martin-in-the-Fields, 1967 (+ Boccherini: Streichquintett op. 37, 7); Decca
- Cleveland Quartet und Meliora Quartet, 1986 (+ Streichquartett a-Moll op. 13); Telarc/In-Akustik
- Auryn Quartet und Minguet Quartett, 2000 (+ Streichquartett D-Dur op. 44 Nr. 1); Tacet

Messiaen | Olivier

* 10. 12. 1908
Avignon
† 27. 4. 1992
Paris

100562

Wichtigster Faktor im kompositorischen Œuvre von Messiaen ist die Verbundenheit mit dem katholischen Glauben und die Artiku-lation »theologischer Inhalte« in seiner Musik. Nur die Frühwerke lassen Vorbilder erkennen, darunter vor allem Claude Debussy. Danach ging Messiaen in zunehmendem Maß neue Wege, die zu folgenreichen Neuerungen in harmonischer und rhythmischer Hinsicht führten. Die Inspirationsquellen sind bewusst außerhalb der abendländischen Musik gewählt: antike Metrik, indische und fernöstliche Rhythmen, gregorianische Melodik und der Vogelgesang der Natur.

Durch seine Eltern, den Englischlehrer und Shakespeare-Übersetzer Pierre Messiaen und die symbolistische Dichterin Cécile Sauvage, wurde Messiaens Entwicklung zum Künstlerischen früh gefördert. Nach dem Umzug nach Paris studierte Messiaen von 1919 bis 1930 am dortigen Conservatoire; Lehrer waren u. a. Marcel Dupré (Orgel) und Paul Dukas (Komposition und Instrumentation). Von 1931 an wirkte Messiaen 55 Jahre lang als Organist an der Pariser Dreifaltigkeitskirche. Zusammen mit Yves Baudrier, André Jolivet und Jean-Yves Daniel-Lesur gründete er 1936 die Gruppe »Jeune France«, die sich gegen den herrschenden Neoklassizismus richtete. 1939 zum Militärdienst eingezogen, geriet Messiaen 1940 in deutsche Kriegsgefangenschaft, aus der er 1941 entlassen wurde. Zurückgekehrt nach Paris, übernahm er eine Harmonielehreklasse am Conservatoire und unterrichtete zunächst privat Komposition. Seine harmonischen und rhythmischen Innovationen legte er in seinem einflussreichen theoretischen Hauptwerk »Technique de mon langage musical« (1944) nieder. Ab 1947 gab er am Conservatoire, wo er 1966 bis 1978 auch eine Kompositionsklasse leitete, Analysekurse. Zu seinen Schülern gehörten u. a. Pierre Boulez, Karlheinz Stockhausen und Iannis Xenakis. Unbeabsichtigt gab seine Klavieretüde »Mode de valeurs et d'intensités« (1949) den Anstoß für den Serialismus der 1950er-Jahre, dem Messiaen allerdings später selbst eine eindeutige Absage erteilte.

Trotz des rationalen Aufbaus seiner Musik, harmonisch-melodisch durch sogenannte Modi, Tonleiterausschnitte, die in begrenzer Zahl transponiert werden können, rhythmisch durch Ostinati, Vergrößerungen und Verkleinerungen etc. charakterisiert, steht die bis zur Ekstase reichende Emotion im Vordergrund.

Bedeutende, auch abendfüllende Werke entstanden vor allem für Tasteninstrumente (»La Nativité du Seigneur« für Orgel, 1935; »Vingt Regards sur l'Enfant-Jésus« für Klavier, 1944) und Orchester (»Turangalîla-Sinfonie«, 1946–48; »Chronochromie«, 1959/60; »Des canyons aux étoiles…«, 1971–74). Wie eine Zusammenfassung der kompositorischen Prinzipien mutet die späte Oper um den heiligen Franz von Assisi an (»Saint François d'Assise«, 1975/83). Die Kammermusik mit »Thème et variations« für Violine und Klavier (1932), »Le merle noir« für Flöte und Klavier (1951) und dem Hauptwerk »Quatuor pour la fin du temps« (1940/41) spielte dagegen im Gesamtschaffen von Messiaen nur eine untergeordnete Rolle.   JO

Die Gruppe »Jeune France«

1936 gründeten die Nachwuchskomponisten Yves Baudrier, André Jolivet, Jean-Yves Daniel-Lesur und Olivier Messiaen die Gruppe »Jeune France«. In Abwendung von den neoklassizistischen und »mechanistischen« Tendenzen ihrer Zeit setzten sie auf eine neue Subjektivität und Sensualität der Musik. Zu ihren Forderungen zählten »Aufrichtigkeit, Großzügigkeit, Verantwortungsbewusstsein, Menschlichkeit sowie ein unmittelbares Verhältnis zum Hörer«. Es gelte, so brachte es Jolivet auf den Punkt, »der Musik ihr altes und ursprüngliches Wesen als magischen und beschwörenden Ausdruck der Religiosität menschlicher Gemeinschaften zurückzugeben«. Zwischen 1936 und 1939 stellte die Gruppe in mehreren Konzerten eigene Werke vor, die an ihrer neuen Ästhetik orientiert waren.

»Quatuor pour la fin du temps«

Besetzung Klarinette, Violine, Cello, Klavier
Sätze 1. Liturgie de cristal, 2. Vocalise pour l'ange qui annonce la fin du temps, 3. Abîme des oiseaux, 4. Intermède, 5. Louange à l'éternité de Jésus, 6. Danse de la fureur, pour les sept trompettes, 7. Fouillis d'arcs-en-ciel, pour l'ange qui annonce la fin du temps, 8. Louange à l'immortalité de Jésus
Entstehung 1940/41
UA 15. Januar 1941 Görlitz
Verlag Durand
Spieldauer ca. 49 Minuten

Entstehung Das Quartett wurde entworfen, niedergeschrieben und uraufgeführt im Winter 1940/41, als Messiaen im schlesischen Kriegsgefangenenlager Görlitz inhaftiert war. Die ungewöhnliche Besetzung erklärt sich aus der Anwesenheit der Musiker Henri Akoka (Klarinette), Jean le Boulaire (Violine) und Étienne Pasquier (Cello), für die der Komponist zunächst das Zwischenspiel (Satz 4) schrieb. Nach und nach traten die anderen Sätze unter Einbeziehung eines Klaviers, das Messiaen bei der ersten Aufführung selbst spielte, hinzu.

Musik Die Komposition wurde unmittelbar von den ersten Versen des zehnten Kapitels der Offenbarung des Johannes angeregt, in der der Engel verkündet, dass beim Ertönen der siebten Posaune die Zeit aufgehoben wird. Messiaen ging es jedoch nicht darum, apokalyptische Schrecken musikalisch wiederzugeben – auch wenn diese in Satz 6 ihre Spuren hinterlassen haben –, sondern er wollte dem Vertrauen des gläubigen Katholiken auf die kommende Herrlichkeit Gottes Ausdruck verleihen.

Musikalisch spiegelt sich die Aufhebung der Zeit im Aufbrechen der herkömmlichen rhythmisch-metrischen Ordnung durch die auch in seinen anderen Kompositionen der Zeit anzutreffenden Verfahren: rhythmische Vergrößerungen und Verkleinerungen, Überlagerung mehrerer Ostinati, Technik des »hinzugefügten Wertes«, wodurch eine schwebende Asymmetrie entsteht. Nicht nur die Satzzahl (die heilige Zahl 7 wird zur 8 des verheißenen ewigen Friedens weitergeführt), sondern auch die Sätze selbst sind theologisch eingebunden. Nicht alle Instrumente sind überall beteiligt, so bestreitet die Klarinette den dritten Satz allein, in Satz 4 pausiert das Klavier, in Satz 5 musizieren nur Klavier und Cello, im letzten Satz nur Klavier und Geige. Nach den Angaben des Komponisten, die er der Partitur voranstellte, spiegeln die Sätze folgende Vorstellungen wider:

Erster Satz »Kristallene Liturgie« – harmonisch »tönendes« Schweigen des Himmels im Symbol der Vogelstimmen am frühen Morgen (hier wie auch in Satz 3 tauchen erstmals die später bei Messiaen so oft wiederkehrenden Vogelstimmenimitate auf).

Zweiter Satz »Vokalise für den Engel, der das Ende der Zeit ankündigt« – die Eckteile symbolisieren die Macht des Engels, der Mittelteil die unfassbaren Harmonien des Himmels.

Dritter Satz »Abgrund der Vögel« – der »Abgrund« ist die Zeit mit ihren düsteren Momenten, die Vogelrufe der Klarinette stehen dagegen für die Sehnsucht nach Licht, Sternen, Regenbogen und jubelnden Vokalisen.

Vierter Satz »Zwischenspiel« – eine Art Scherzo, mit den anderen Sätzen durch melodische Reminiszenzen verbunden.

Fünfter Satz »Lobgesang auf die Ewigkeit Jesu« – Huldigung an das göttliche Wort mit einer weitgespannten Cellomelodie.

Sechster Satz »Tanz der Wut für die sieben Trompeten« – alle vier Instrumente spielen unisono und spiegeln in einem wilden Tanz die Schrecken der ersten sechs sowie die Verkündung der Herrlichkeit Gottes durch die siebte Trompete wider; mit Abstand der rhythmisch komplexeste Satz des Quartetts.

Siebter Satz »Gewirr von Regenbogen für den Engel, der das Ende der Zeit ankündigt« – Reprise von Teilen aus Satz 2, der mächtige Engel erscheint und vor allem der Regenbogen, den er auf dem Haupt trägt und der Frieden, Weisheit und die Schwingung von Licht und Klang symbolisiert.

Achter Satz »Lobgesang auf die Unsterblichkeit Jesu« – Parallele zu Satz 5, er ist jetzt dem Mensch gewordenen Jesus gewidmet; der langsame Aufstieg der Geige ins höchste Register symbolisiert die Himmelfahrt Jesu, die Auffahrt des Menschen zu Gott, der geheiligten Geschöpfe ins Paradies.

Wirkung Trotz der widrigen Umstände hinterließ die Uraufführung einen tiefen Eindruck; Messiaen berichtete später: »Niemals wurde mir mit so viel Aufmerksamkeit und Verständnis zugehört.« Das Quartett gilt als ein Hauptwerk des 20. Jahrhunderts. JO

Einspielungen (Auswahl)
• Saschko Gawriloff (Violine), Hans Deinzer (Klarinette), Siegfried Palm (Cello), Aloys Kontarsky (Klavier), 1987; EMI

Milhaud | Darius

* 4.9. 1892
Aix-en-Provence
† 22.6. 1974
Genf

80703

Milhaud gehört zu den fruchtbarsten Komponisten des 20. Jahrhunderts, sein Œuvre umfasst mehr als 440 Werke aller Gattungen. Leichtigkeit des Komponierens ist gepaart mit einer Offenheit für Anregungen, zumal aus der außereuropäischen Folklore und der Unterhaltungsmusik, aber auch für sakral-jüdische Traditionen.

Die musikalische Begabung von Darius Milhaud, dem Sohn einer alteingesessenen wohlhabenden jüdischen Familie im Süden Frankreichs, wurde früh erkannt und gefördert. Er nahm zunächst Violinunterricht, den er ab 1909 am Pariser Conservatoire fortsetzte, bald aber zugunsten des Komponierens aufgab. Sein wichtigster Lehrer dort wurde André Gédalge (Komposition und Kontrapunkt), daneben besuchte er auch die Kurse von Charles-Marie Widor (Fuge) sowie Vincent d'Indy (Dirigieren) und freundete sich mit Jacques Ibert und Arthur Honegger an. Die Affinität zur zeitgenössischen Dichtung führte zunächst zur Freundschaft mit

Francis Jammes (u. a. Oper »La brebis égarée«, 1910–15), danach mit Paul Claudel, den er 1916 als Botschaftssekretär nach Rio de Janeiro begleitete. In Brasilien übte die südamerikanische Folklore einen maßgeblichen Einfluss auf sein Schaffen aus.

Nach der Rückkehr nach Paris führte der Kontakt mit Jean Cocteau und Erik Satie dazu, dass auch er zur legendären »Groupe des Six« hinzugezählt wurde. Obwohl er die Abneigung Cocteaus und Saties gegen die deutsch-österreichische Musiktradition teilte, war er – grundsätzlich jeder theoretisch entworfenen Ästhetik abgeneigt – nicht mit dieser Etikettierung einverstanden. Mit seinem auf brasilianischen Themen basierenden Ballett »Le bœuf sur le toit« (»Der Ochse auf dem Dach«) nach Cocteau hatte er 1920 einen ersten großen Erfolg, dem allerdings auch viele skandalträchtige Aufführungen folgten. Nach der Besetzung Frankreichs im Jahr 1940 flüchtete er mit seiner Familie in die USA. Dort erhielt er im kalifornischen Oakland eine Stelle als Kompositionslehrer, die er auch nach seiner Rückkehr nach Paris 1947, wo er eine Professur am Conservatoire annahm, bis 1971 beibehielt.

Im Werkkatalog von Milhaud stehen oberflächliche Gelegenheitswerke und Kompositionen größerer Dimensionen und Ansprüche unvermittelt nebeneinander. Der Komponist gilt als Hauptvertreter der polytonalen Musik, wobei er selbst die aus der Diatonik entwickelte Polytonalität gegen die aus der Chromatik abgeleitete Atonalität des Schönberg-Kreises scharf abgrenzte.

Neben der Orchestermusik mit zwölf großen Sinfonien (1940–62) und zahlreichen Konzerten stellt die Kammermusik mit insgesamt etwa 50 Werken ein bedeutendes Schaffensfeld dar. Neben den für die Entwicklung seines Stils bedeutsamen sechs Kammersinfonien (1917–23) ragen die insgesamt 18 Streichquartette aus dem überreichen Œuvre heraus. Unter den Sonaten mit Klavierbegleitung seien zwei für Violine, zwei für Bratsche und eine für Cello sowie je eine Sonatine für Flöte, für Klarinette und für Oboe und Klavier erwähnt. JO

Streichquartette

Entstehung Die Kammermusik von Milhaud weist Werke aller denkbaren Besetzungen auf, die auf ihre Weise die Neigung des Komponisten zu neuen klanglichen Kombinationen unterstreichen. Demgegenüber stellen die Streichquartette eine Konstante dar, auf die er, der als Geiger selbst jahrelang mit Studienkollegen in dieser Formation musiziert hatte, immer wieder zurückgriff. Mit Blick auf Beethoven (16 Quartette plus »Große Fuge«) kündigte Milhaud schon früh an, er wolle dessen Zahl übertreffen und 18 Streichquartette schreiben. Am Ende der Partitur des letzten dieser Werke schrieb er denn auch ausdrücklich: »Ende der 18 Streichquartette, 1912–1951.«

Musik An den Quartetten lässt sich die Entfaltung von Milhauds Stil und Technik anschaulich verfolgen. Ohne Scheu vor der großen Tradition der Gattung empfand auch der Südfranzose die Besetzung mit vier eng verwandten und doch so individuellen Streichinstrumenten als geeignet für Konversation und Meditation, die man bei ihm sonst kaum anzutreffen vermag. Wie in den Sinfoniesätzen konzentriert sich Milhaud auch in den Einzelsätzen seiner Kammermusik meist auf einen Ausdruckstyp und eine Stimmung – durchaus eine bewusste Abkehr vom Kontrastprinzip der traditionellen Sonatenform. Dies zeigt sich auch in den Dispositionen: Zwar herrschen Vier- und Dreisätzigkeit vor, jedoch umklammern oft langsamere Außensätze schnellere Binnensätze.

Die ersten drei Kompositionen (op. 5, 1912; op. 16, 1914/15; op. 32, 1916) sind noch tonal geschrieben und spiegeln Milhauds Fortschritte in der Kontrapunkttechnik. Das zweisätzige dritte Quartett ist dem im Weltkrieg gefallenen Dichterfreund Léo Latil gewidmet und führt – wie in Schönbergs zweitem Quartett – eine Singstimme (Vertonung einer Tagebuchnotiz Latils) ein.

Im vierten Quartett op. 46 (1918), das vom Brasilienaufenthalt geprägt scheint, begegnet erstmals eine polytonale Schichtung (das F-Dur-Thema des Eingangssatzes wird in A-Dur begleitet), die in den folgenden Quartetten (Nr. 5 op. 64, 1920, Schönberg gewidmet; Nr. 6 op. 77,

1922, Francis Poulenc gewidmet; Nr. 7 op. 87, 1925) ausgebaut wird. Die Quartette dieser Periode, namentlich das rhythmisch prägnante vierte und das in der Faktur sehr durchsichtige siebte, gehören zu Milhauds meistgespielten.

Nach einer Pause von sieben Jahren artikulieren die nächsten Quartette (Nr. 8 op. 121, 1932; Nr. 9 op. 140, 1935) einen raueren Tonansatz und überraschen mit ihrer asymmetrischen Metrik – zweifellos Werke, die nicht so eingängig wie die vorhergegangenen sind.

Die folgenden sechs Quartette fallen bereits in Milhauds Exilzeit: Nr. 10 op. 218, auf der Überfahrt über den Atlantik 1940 begonnen und in New York beendet, Nr. 11 op. 232 (1942) und Nr. 12 op. 252 (1945), beide in Oakland/Kalifornien niedergeschrieben, was auch für die Nummern 14 und 15 op. 291 (1948/49) gilt; Quartett Nr. 13 op. 268 wurde dagegen 1946 während Milhauds Aufenthalt in Mexiko (auf Einladung des Komponisten Carlos Chavez) konzipiert und am Mills College fertiggestellt. Der Aspekt der Polytonalität spielt in dieser Periode keine so große Rolle mehr, stattdessen ist eher der Rückgriff auf modale Melodik charakteristisch. Der Vorrang des Melodischen tritt besonders im zwölften, dem Andenken Gabriel Faurés gewidmeten Werk hervor, den Milhaud zeitlebens bewunderte. Eine Besonderheit zeichnet die beiden, im Ausdruck durchaus verschieden gestalteten Quartette Nr. 14 und 15 aus: Sie können sowohl für sich als auch simultan als Oktett gespielt werden. Die Vorliebe für die Kombination von zuvor sukzessiv Exponiertem, das ausdrucksmäßig einen Kontrast darstellt, findet sich auch in den anderen Quartetten.

Die drei letzten Streichquartette folgten 1950/51 relativ schnell aufeinander (Nr. 16 op. 303; Nr. 17 op. 307; Nr. 18 op. 308) und sind überdies durch ihre »familiären« Dedikationen (für seine Frau Madeleine, Sohn Daniel sowie zum Andenken seiner während des Krieges verstorbenen Eltern) miteinander verbunden. Vor allem die beiden letzten Kompositionen sind verhältnismäßig komplex angelegt und nutzen die kontrapunktischen Möglichkeiten durch kanonische Versetzung, Vergrößerungen etc. Harmonisch bietet sich ein weites Spektrum: Verbindung weit entfernter Tonarten einerseits (Nr. 17), andererseits Changieren zwischen Dur und Moll sowie Integration altjüdischer Melodik (Nr. 18). Mit dem Zitat des Eingangsthemas aus dem ersten Quartett im Schlusssatz des letzten schließt sich ganz bewusst der Kreis für diese Gattung. JO

Einspielungen (Auswahl)
• Quartette Nr. 1–4: Fanny Mendelssohn Quartett, 1994; Troubadisc

Mozart | Wolfgang Amadeus

* 27. 1. 1756
Salzburg
† 5. 12. 1791
Wien

Das Leben Mozarts war das eines unermüdlich reisenden ausführenden Musikers (Klaviervirtuose in den Musikzentren Europas, Leiter eigener Opern in München, Wien und Prag) und eines äußerst produktiven Komponisten, der alle musikalischen Gattungen bediente. Beides trug mit dazu bei, dass er bereits 35-jährig starb – an lebenslanger Überarbeitung.

Der »Ernst des Lebens« begann in den Jahren 1761/62, als sich die außerordentliche musikalische Begabung des Knaben im Cembalo-, Orgel- und Geigenspiel sowie in ersten Kompositionen zeigte. Der ehrgeizige Vater Leopold Mozart, selbst Geigenvirtuose und Komponist, fühlte sich daraufhin veranlasst, seinen Sohn der musikalischen Welt (zusammen mit der fünf Jahre älteren Schwester Maria Anna, genannt Nannerl) als Wunderkind zu präsentieren. Einen ersten Höhepunkt markierte am 13. Oktober 1762 eine Audienz bei Kaiserin Maria Theresia in Wien. Eineinhalb Jahre später veröffentlichte Mozart bei seinem Aufenthalt in Paris sein Opus 1: zwei »Klaviersonaten mit Violine ad libitum« (KV 6 und KV 7). Die vielen Reisen des Heranwachsenden dienten auch wesentlich der musikalischen Weiterbildung, denn er lernte dabei die wichtigsten Komponisten und Stile seiner Zeit kennen. So traf er 1764 in London mit Johann Christian Bach, 1770 in Italien mit Giovanni Battista Sammartini und 1777/78 in Mannheim mit den fortschrittlichen Musikern der »Mannheimer Schule« zusammen.

Mozarts Anstellungen beim Salzburger Erzbischof (1769–77 und 1779–81) bedingten zwar vermehrt geistliche Kompositionen, vor allem Messen (darunter als berühmtestes Werk die »Krönungsmesse« C-Dur KV 317 von 1779), doch ging die Produktion in den Gattungen Oper, Sinfonik und Kammermusik deshalb keineswegs zurück. Und auch nicht die Reisetätigkeit, die jetzt vor allem dem (vergeblichen) Bemühen um eine bessere Anstellung am Wiener Kaiserhof sowie in München, Mannheim und zuletzt Paris dienten. Nachdem sich das Verhältnis zum Salzburger Fürsterzbischof Hieronymus Graf von Colloredo zunehmend schwierig gestaltete, brach Mozart 1781 aus dem Dienstverhältnis aus und wagte den risikoreichen Schritt in die Unabhängigkeit – als freischaffender Musiker in der Musikmetropole Wien.

Das letzte Lebensjahrzehnt gestaltete sich unstet: Phasen großer musikalischer Erfolge als Komponist und Klaviervirtuose wechselten mit Zeiten großer Geldknappheit. Mozart komponierte seine bedeutendsten Werke für die Opernbühne (»Die Entführung aus dem Serail«, »Le nozze di Figaro«, »Don Giovanni«, »Così fan tutte« und »Die Zauberflöte«), seine berühmtesten Sinfonien und Klavierkonzerte sowie zuletzt sein Requiem. In Wien befreundete er sich zudem mit Joseph Haydn, was unter anderem einen wechselseitig befruchtenden kompositorischen Dialog zur Folge hatte, der insbesondere im Streichquartettschaffen der beiden Musiker zum Ausdruck kommt. HAR

Violinsonaten

Als Opus 1 des sechsjährigen Mozart erschienen im Jahr 1764 in Paris zwei Klaviersonaten »avec l'Accompagnement de Violin« im Druck. Während seiner ersten großen Europatournee betrat das heranwachsende Musikgenie also nicht nur als virtuoses Wunderkind die Künstlerbühne, sondern präsentierte sich auch als Komponist. Wenige Wochen später schon folgte das zweite Werkpaar derselben Spezies als Opus 2 – allerdings scheinen die Opuszahlen für Mozart später keine Bedeutung mehr gehabt zu haben.

Diese Sonaten für Klavier mit Begleitung einer Violine (KV 6–9) bilden den Ausgangspunkt einer weiten Entwicklungsgeschichte der Violinsonate in Mozarts Œuvre. Mit der Veröffentlichung ähnlicher violinbegleiteter Klaviersonaten (KV 26–31), zusammengefasst zu einer damals üblichen Gruppe von sechs Einzelwerken, setzte Mozart auch zwei Jahre später noch den eingeschlagenen Weg fort. (Die sechs bereits von

---

»Kaiserlich Königliche Harmonie«

Der große Renner Ende des 18. Jahrhunderts in Wien waren sogenannte Harmoniemusiken, also für reine Bläserensembles eingerichtete Musikstücke. Vor allem nachdem Joseph II. am 1. April 1782 die »Kaiserlich Königliche Harmonie« eingerichtet hatte. Jenes Profiensemble war mit je zwei Oboen, Klarinetten, Hörnern und Fagotten besetzt. Originalwerke gab es wenig (bis zur Auflösung 1837 gerade einmal 22 Stück!). Gespielt wurden vor allem Opernbearbeitungen. Und nur in den seltensten Fällen kamen diese von den Komponisten selbst. Als Arrangeure fungierten etwa Johann Nepomuk Wendt, Josef Triebensee und Wenzel Sedlak. Mozart dagegen zog es vor, sein Singspiel »Die Entführung aus dem Serail« selbst zu bearbeiten. Vier Tage nach der Uraufführung schrieb er an seinen Vater: »Bis Sonntag über acht Tage muss meine Oper auf die Harmonie gesetzt sein, sonst kömmt mir ein Anderer zuvor und hat anstatt meiner den Profit davon, ... Sie glauben nicht, wie schwer es ist, so was auf die Harmonie zu setzen, daß es den Blas-Instrumenten eigen ist und doch dabei nichts von der Wirkung verloren geht.«

Violine und Klavier werden Partner

Am Anfang mussten sich die Instrumente erst langsam aneinander gewöhnen. Als die Violine in Sonaten erstmals zum Klavierinstrument hinzutrat, diente sie lediglich dazu, die vom Pianisten mit der rechten Hand gespielte Melodie zu verstärken, weil die Cembali oder Hammerflügel über keine so gute Resonanz verfügten. So war die Violinstimme zwar durchaus nützlich, aber doch entbehrlich. Der sechsjährige Mozart allerdings brach in seinen frühen »Violinsonaten« das begleitende Nebenherlaufen der Violine punktuell auf und es deutete sich bereits das neuartige redende Prinzip der späteren Duosonate an. Im langsamen Satz der D-Dur-Sonate KV 7 sind es vorerst nur in die Phrasen des thematisch weiterhin führenden Klaviers eingeworfene Seufzerfiguren. Aber eine gewisse Selbstständigkeit ist erlangt. Und die wird zunehmend ausgebaut, bis 14 Jahre später in Violine und Klavier tatsächlich zwei gleichrangige musikalische Partner gegenüberstehen.

Konstanze Mozart in ihrer Authentizität angezweifelten Sonaten KV 10–15 sind in die Neue Mozart-Ausgabe nicht mehr eingegangen.)

Angeregt durch die »Duetti à Clavicembalo e Violino« des Dresdner Hofkapellmeisters Joseph Schuster komponierte Mozart zehn Jahre später weitere sechs Klavier-Violin-Sonaten: Vier entstanden 1778 in Mannheim, zwei wenig später in Paris, wo sie auch gemeinsam gedruckt wurden. Während die Beiträge aus den 1760er-Jahren dem Klavier die in jeder Hinsicht dominierende Rolle zuwiesen und die Violine lediglich klanglicher Anreicherung diente, zeigen die Sonaten von 1778 (KV 301–306) eine deutliche Weiterentwicklung: Klavier und Violine führen gleichberechtigt einen musikalischen Dialog. Bereits in dem »Divertimento à 3« KV 254 für Klavier, Violine und Violoncello von 1776 ist dieses dialogisierende Prinzip wirksam.

Auch in den 1781 veröffentlichten Sonaten KV 296 und KV 376–380 bewegt sich Mozart auf dem neu eingeschlagenen Pfad, indem er Klavier und Violine in profilierte, kammermusikalische Zwiegespräche »verwickelt«. Satztechnisches Raffinement ist gepaart mit ausladender Kantabilität. Variative Arbeit durchdringt die im Charakter stets divergierenden Themen. Kaum mehr ist die suitenähnliche Aneinanderreihung von verschiedenen (Tanz-)Sätzen wie bei dem Vorbild Schuster oder noch in Mozarts eigenem Divertimento KV 254 zu spüren.

Mit den drei Sonaten in B-Dur KV 454 (1784), Es-Dur KV 481 (1785) und A-Dur KV 526 (1787) komponierte der mittlerweile zu größter Meisterschaft gereifte Mozart nicht nur herausragende Werke, sondern führte die in den beiden Sechserserien begründete Gattung der klassischen Violinsonate zu einem ersten Höhepunkt, an dem sich noch Komponisten wie Johannes Brahms orientieren sollten. So spiegelt gerade das mozartsche Œuvre die Geschichte der Violinsonate in exemplarischer Weise wider. HAR

Einspielungen (Auswahl)
- KV 301, 304, 376, 378, 454, 526: Arthur Grumiaux (Violine), Clara Haskil (Klavier), 1958 (+ Beethoven: Violinsonaten); Philips
- KV 296, 301–306, 376–380, 454, 481, 526, 547: Szymon Goldberg (Violine), Radu Lupu (Klavier), 1974; Decca
- KV 296, 301–306, 376–381, 454, 526, 547: Chiara Banchini (Violine), Temenuschka Vesselinova (Hammerklavier), 1993 (+ Variationen KV 359 & KV 360); Harmonia Mundi

Sonaten KV 301–306

Entstehung Am 6. Oktober 1777 schrieb Mozart aus München an seinen Vater: »Ich schicke meiner Schwester hier 6 Duetti à Clavicembalo e Violino von Schuster ... sie sind nicht übel. Wenn ich hier bleibe, so werde ich auch 6 machen, auf diesen gusto, denn sie gefallen hier sehr.« Zwar blieb Mozart nicht in München, doch machte er sein Vorhaben wahr und komponierte innerhalb eines Jahres »6 Duetti« (die Sonaten KV 301–303 in Mannheim, KV 304 begann er dort und vollendete sie in Paris, die übrigen, KV 305 und KV 306, schrieb er im Sommer 1778 in Paris).

Obgleich auch das Autograf der C-Dur-Sonate KV 296 das Datum vom 11. März 1778 trägt und sie damit als Mannheimer Werk ausweist, ließ Mozart sie erst mit der zweiten Serie von Klavier-Violin-Sonaten im Sommer 1781 erscheinen – vermutlich, um innerhalb des ersten »Paketes« eine Tonartenvielfalt zu gewährleisten: G-Dur–Es-Dur–C-Dur–e-Moll–A-Dur–D-Dur.

Musik Die Anregung zu seinen Sonaten ging, wie Mozart betonte, von den »Duetti« des Dresdner Hofkapellmeisters Joseph Schuster aus. Vor allem die weitgehende Gleichberechtigung von Klavier und Violine, Grund genug für Schuster, seine Sonaten »Duetti« zu nennen, schien Mozart an diesen Werken besonders interessiert zu haben. Doch der gebürtige Salzburger ging einen Schritt weiter: Er räumte nicht nur der Violine eine gegenüber dem Klavier ebenbürtige Position ein, indem er das Streichinstrument die melodische Faktur des Satzes gewichtig mitzeichnen ließ, sondern unterwarf darüber hinaus die kompositorische Struktur mithilfe motivischer Arbeit einer konsequenten architektonischen Logik. Gegenüber den früheren Sonaten war dies eine entscheidende Weiterentwicklung, sodass die begleitete Klaviersonate zu einer Klavier-Violin- oder Violin-Klavier-Sonate reifte.

Die mit Ausnahme der dreisätzigen D-Dur-Sonate KV 306 aus schnellem Kopfsatz in Sonatenhauptsatzform und ruhigerem zweiten Satz konzipierten Werke bestechen durch ihren melodischen Einfallsreichtum. Anders als vielleicht zu erwarten wäre, erinnert einzig die G-Dur-Sonate KV 301 mit einigen Klangeffekten an ihren Entstehungsort und die berühmte »Mannheimer Schule«. Im Mittelpunkt stand für Mozart der Blick auf satztechnische und formale Vielfalt innerhalb der Sechsergruppe, sodass er über das zweckmäßige Zusammenfassen von sechs verschiedenen Werken in einem Druck hinausging und denselben Weg einschlug wie in der kammermusikalisch anspruchsvollsten Gattung, dem Streichquartett (etwa in den »Haydn-Quartetten« von 1782/83). Das Neuartige der Sonaten ist vielleicht am konsequentesten in der e-Moll-Sonate KV 304 gebündelt.

Wirkung Die sechs Sonaten wurden noch 1778 in Paris als sein Opus 1 veröffentlicht. Aufgrund ihrer in Mozarts Violinsonaten einzigartigen Tonart und dem daraus resultierenden besonderen Charakter gehört die e-Moll-Sonate zu den meistgespielten Werken dieses Zyklus. HAR

Sonaten KV 296 und KV 376–380

(»Auernhammer-Sonaten«)

Entstehung Während die C-Dur-Sonate KV 296 noch in Mannheim (1778) und die B-Dur-Sonate KV 378 vermutlich in Salzburg (zwischen 1779 und 1781) komponiert wurden, gehören die vier übrigen Werke bereits der Wiener Zeit Mozarts an: Am 7. April 1781 spricht Mozart in einem Brief an seinen Vater von einer Violinsonate, die er für einen am nächsten Tag stattfindenden musikalischen Besuch des Salzburger Erzbischofs am Wiener Hof geschrieben habe. Höchstwahrscheinlich handelt es sich hierbei um die G-Dur-Sonate KV 379. Die Sonaten in F-Dur (KV 376 und KV 377) sowie diejenige in Es-Dur (KV 380) fertigte er im Sommer desselben Jahres an.

Musik Bei der Drucklegung seiner zweiten Serie von sechs Sonaten für Klavier und Violine im November 1781 als Opus 2 legte Mozart eine Reihenfolge fest, die nicht mit der zeitlichen Genese übereinstimmte. In der Wissenschaft gibt es hierüber unterschiedliche Auffassungen: Stellte Mozart hier lediglich sechs bereits in der Schublade auf Veröffentlichung wartende Sonaten in beliebiger, ja unsortierter Abfolge zusammen? Oder hatte er bereits die Veröffentlichung als Sechsergruppe im Kopf, als er im Sommer 1781 die drei Sonaten KV 376, 377 und 380 schuf? Für die letzte Annahme liefert Mozart selbst durchaus bedenkenswerte Hinweise: etwa die Zusammenstellung im Hinblick auf die Vielfalt der Ausdruckscharaktere zwischen den einzelnen Sätzen oder die Tonartenkonstellation von KV 377–380.

Die G-Dur-Sonate KV 379 nimmt eine gewisse Sonderposition ein, da sie in ihrer großformalen Konzeption im mozartschen Kammermusikœuvre einzigartig ist: Sie beginnt scheinbar einleitend mit einem langsamen Satz, einem von expressiver Gespanntheit durchzogenen Adagio in Sonatenform. In dem Moment jedoch, in dem klar ist, dass die Dimensionen einer langsamen Einleitung fraglos überschritten sind und ein eigenständiger langsamer Satz am Beginn der Sonate zu stehen scheint, verweigert Mozart die Reprise und leitet attacca in

Violinsonaten von Wolfgang Amadeus Mozart

Entstehung	Titel
1764/66	Violinsonaten KV 6–9
1764/66	Violinsonaten KV 26–31
1778	Violinsonaten KV 301–306 (293a–c, 300c, 293d, 300l)
1778–81	Violinsonate KV 296
1778–81	Violinsonate KV 376 (374d)
1778–81	Violinsonate KV 377 (374e)
1778–81	Violinsonate KV 378 (317d)
1778–81	Violinsonate KV 379 (373a)
1778–81	Violinsonate KV 380 (374f)
1784	Violinsonate KV 454
1785	Violinsonate KV 481
1787	Violinsonate KV 526
1784–87	Violinsonate KV 547

den nachfolgenden Allegrosatz über. Dieser steht nun – wiederum entgegen den Hörgewohnheiten seiner Zeitgenossen – in g-Moll. Außerdem fehlt jetzt eine vollwertige Durchführung. In dem abschließenden Variationensatz (Andantino cantabile) wird die Skala unterschiedlicher »Affekte« innerhalb der Sonate betont angereichert.

Der Entstehungsreihenfolge gemäß müsste sich nun die F-Dur-Sonate KV 376 anschließen, doch Mozart setzte stattdessen – oder besser: komponierte extra – die Sonate in Es-Dur KV 380, die mit ihren temperamentvollen Ecksätzen nicht nur einen wirkungsvollen Schluss des gesamten Zyklus bildet, sondern in ihrem Mittelsatz, einem Andante in g-Moll, die ungewöhnliche Entscheidung für die Tonart des zweiten Satzes von KV 378 (ebenfalls g-Moll) noch einmal untermauert.

Wirkung »Diese Sonaten sind die einzigen in ihrer Art. Reich an neuen Gedanken und Spuren des grossen musicalischen Genies des Verfassers. Dabey ist das Accompagnement der Violine mit der Clavierpartie so künstlich verbunden, dass beide Instrumente in beständiger Aufmerksamkeit unterhalten werden; sodass diese Sonaten einen ebenso fertigen Violin- als Clavier-Spieler erfordern.« Mit diesen bewundernden Worten machte ein Rezensent auf die 1781 bei Artaria erschienene Ausgabe aufmerksam, die Mozart seiner Klavierschülerin Josepha von Auernhammer gewidmet hat.   HAR

Sonate B-Dur KV 454

Sätze 1. Largo – Allegro, 2. Andante, 3. Allegretto
Entstehung April 1784
UA 29. April 1784 Wien
Verlag Bärenreiter
Spieldauer ca. 22 Minuten

Entstehung Ende April 1784 schrieb Mozart aus Wien an seinen Vater Leopold in Salzburg: »Hier haben wir nun die berühmte Mantuanerin Strinasacchi, eine sehr gute Violinspielerin; sie hat sehr viel Geschmack und Empfindung in ihrem Spiele. – Ich schreibe eben an einer Sonate, welche wir Donnerstag im Theater bey der Akademie zusammen spielen werden.« Dieses Akademiekonzert fand am 29. April 1784 im Wiener Kärntnertor-Theater statt. Mozart schaffte es nicht mehr, die gesamte Sonate in »Reinschrift« zu bringen, sodass nur die Violinstimme für Regina Strinasacchi vollständig auf dem Notenständer lag. Seinen eigenen Part spielte Mozart aus Skizzen – also weitgehend aus dem Kopf. Erst zur Drucklegung, die für den 7. Juli 1784 angekündigt war, komplettierte er die Sonate.

Musik Anders als bei den beiden vorangegangenen Sechsergruppen von Violinsonaten (KV 301–306 und KV 296, 376–380), die in erster Linie für das private Musizieren in Adels- oder reichen Bürgerfamilien bestimmt waren, komponierte Mozart mit der Sonate KV 454 ein Werk, in dem er auf das individuelle Vermögen einer außergewöhnlichen Geigenvirtuosin reagierte – etwa auf ihr gefühlvolles Spiel in langsamen Sätzen: »Ihr Adagio kann kein Mensch mit mehr Empfindung… spielen…; ihr ganzes Herz und Seele ist bey der Melodie, die sie vorträgt; und eben so schön ist ihr Ton…«. So äußerte sich Leopold Mozart, selbst Violinspezialist, nachdem er sie gehört hatte. Nicht vorrangig stupender Virtuosität wird in der Sonate Raum verschafft, sondern ebenso empfindsamer oder beredter Spielweise.

Erster Satz Mit der kontrastreichen langsamen Einleitung öffnet sich gleichsam der Vorhang zu einem vielfarbigen Allegro, in dem Violine und Klavier einen abwechslungsreichen, klangschönen Diskurs führen.

Zweiter Satz Dieses elegische Andante ist einer der harmonisch facettenreichsten langsamen Sätze für Klavier und Violine im Werk Mozarts. Nach dem expressiven, melodisch weitschweifenden Beginn gerät die Durchführung nicht bloß zur modulatorisch zielgerichteten Durchgangsstation für den neuerlichen Themenbeginn in der Grundtonart B-Dur, sondern hier wird das melodische Geschehen durch harmonische Kühnheit (h-Moll und c-Moll) sowie Chromatik dramatisiert.

Dritter Satz In dem abschließenden, herrlich galanten Allegretto verbindet Mozart die Kehrreimfaktur eines Rondos mit den satztechnischen Prinzipien des Sonatensatzes: An die Stelle eines episodenhaften zweiten Zwischenspiels tritt ein durchführungsartiger Mittelteil, in dem einzelne Motive des Rondothemas verarbeitet werden.

Wirkung Dass die späten Violinsonaten Mozarts »reinste Wunderwerke an Inspiration und kammermusikalischer Beredsamkeit« seien (so Joachim Kaiser), wüssten zwar die meisten Geiger, doch sind sie in Violinrecitals selbst großer Künstler leider meist nur als »Einspielstücke« zu hören. HAR

Sonate Es-Dur KV 481

Sätze 1. Molto allegro, 2. Adagio, 3. [Thema] Allegretto [+ 6 Variationen]
Entstehung beendet 12. Dezember 1785
Verlag Bärenreiter
Spieldauer ca. 23 Minuten

Entstehung Ein konkreter Anlass für die Komposition dieser Violinsonate oder – wie Mozart in seinem Werkverzeichnis notiert – »Klavier Sonate mit begleitung [!] einer Violine« ist nicht bekannt. Sie ist datiert auf den 12. Dezember 1785 und wurde im darauffolgenden Jahr bei Hoffmeister in Wien erstmals gedruckt.

Musik Wie schon in der B-Dur-Sonate KV 454 verbindet Mozart auch in diesem Werk kammermusikalisches Duettieren mit dem großrahmigen, kantabel-virtuosen Gestus eines Solokonzerts, wo der Geigenpart weit über die im Titel benannte »Begleitung« hinauswächst.

Erster Satz Schon der in Sonatenhauptsatzform gestaltete Kopfsatz lebt von improvisatorischer Gedankenfülle und vielgestaltigem Kontrastreichtum. Statt den Themenvorrat des fantasieartigen Hauptsatzes oder das lyrisch verspielte Seitenthema in der Durchführung aufzunehmen, integriert Mozart hier ein Viertonmotiv, das er bereits als »Credo«-Motto in seiner Missa brevis KV 192 (von 1774) verwendet hatte und später noch einmal im Finale seiner 1788 komponierten »Jupiter-Symphonie« KV 551 aufgreifen sollte.

Zweiter Satz Das Zentrum der Sonate bildet ein tief empfundenes Adagio in As-Dur, dessen formales Gerüst aus einem eigenwillig gestalteten Rondo besteht. Zunächst erklingt das Thema im Klavier – hier begleitet die Violine nur akkordisch. Nach der ersten, kantabel weitschweifenden Episode (f-Moll), in der – wie auch in der zweiten (Des-Dur) – die Violine die melodische Dominanz innehat, kehrt das Rondothema variiert wieder. Der zweiten Episode folgt schließlich ein ausgreifender Schlussabschnitt, der noch einmal Rondothema (nun in A-Dur!) und Zwischenspielmotivik hintereinander ausführt. In seinen harmonischen Dimensionen weist dieser langsame Satz weit über seine Zeit hinaus.

Dritter Satz Dem Finale liegt ein tänzerisches und dabei differenziert artikuliertes Allegrettothema zugrunde, aus dem Mozart sechs fantasievolle Variationen geformt hat. Neben der chromatisch durchsetzten zweiten Variation fällt insbesondere die sehr selbstständig geführte vierte heraus. Die letzte Variation ist im Sinne einer wirkungsvollen Schlusssteigerung im Tempo gesteigert. HAR

Einspielungen (Auswahl)
- Rachel Podger (Violine), Gary Cooper (Hammerklavier), 2004 (+ Sonaten KV 7, 301, 303 und 376); Channel Classics

Sonate A–Dur KV 526

Sätze 1. Molto allegro, 2. Andante, 3. Presto
Entstehung 24. August 1787
Verlag Bärenreiter
Spieldauer ca. 22 Minuten

Entstehung Auch die letzte große Violinsonate Mozarts in A-Dur KV 526 – die noch ein Jahr später entstandene Sonate in F-Dur KV 547 bezeichnete der Komponist selbst als »kleine Klavier Sonate für Anfänger mit einer Violine« – wurde schon bald nach ihrer Entstehung bei Hoffmeister in Wien gedruckt.

Musik Bereits die B-Dur- und die Es-Dur-Sonate (KV 454 bzw. KV 481) übertrafen in ihrem Anspruch den Rahmen des privaten Musizierens und waren damit nicht mehr primär marktorientiert für den Geige spielenden Laien konzipiert. Die A-Dur-Sonate nun verlangt sowohl dem Geiger als auch dem Pianisten höchste Fertigkeiten ab, ist sie passagenweise doch äußerst virtuos. Doch nicht nur hierin bildet sie eine Steigerung gegenüber den Schwesterwerken: Auch im musikalischen Ausdruck und in metrischer Raffinesse erreicht sie tiefere Gefilde.

Erster Satz Schon in den Anfangstakten spielt Mozart mit den Hörgewohnheiten seiner Zeitgenossen, indem er den 6/8-Takt durch Hemiolen verwischt. So zeichnet sich der Hauptthemenkomplex auch weniger durch melodische Gefälligkeit als vielmehr durch metrisch und dynamisch gespannte Vielfalt aus. Erst mit dem chromatisch eingeleiteten Seitensatz im Piano

erfährt der Satz eine kurze Beruhigung, um dann in der Schlussgruppe der Exposition wieder umso virtuoser voranzustürmen. Formal komponierte Mozart hier einen seiner strengsten Sonatensätze überhaupt.

Zweiter Satz Jegliche Virtuosität ist von dem fahl beginnenden Andante (D-Dur) ferngehalten, es »taucht dafür in seelische Tiefen hinab wie keines seinesgleichen vor ihm« (Hermann Abert). In den zahlreichen Umschwüngen von Dur und Moll, der Ausdrucksvielfalt zwischen Schwermütigkeit und beinahe wütendem Aufbegehren sowie dem intensiven Dialog zwischen Violine und Klavier weist dieser Satz weit über seine Zeit hinaus in die musikalische Zukunft.

Dritter Satz Wie wichtig Mozart die Ausgewogenheit der Sätze untereinander war, belegt das höchst virtuose, rasante Finalrondo in A-Dur. Nach der emotionalen Gespanntheit des Andante entlädt sich ein groß dimensioniertes Perpetuum mobile. An den Kopfsatz anknüpfend, ist auch hier das Hauptthema von metrischer Unklarheit durchdrungen, das zudem durch seine wie an einer Perlenschnur aufgezogene Achtelbegleitung kein Innehalten zulassen möchte. Das scheinbar nimmermüde Vorwärtsdrängen des Refrains erfährt eine »atemholende« Beruhigung in den Zwischenspielen, den Couplets, die mitunter den Tonfall des Andante heraufbeschwören. Die Virtuosität drängt sich nirgendwo vordergründig auf, ist zielgerichtet und bleibt stets dem strengen Formprinzip des Satzes verpflichtet.

Wirkung Mit ihrer texttreuen, dabei vollkommen unakademischen, höchst musikalischen Interpretation sämtlicher Violinsonaten Mozarts beweisen Frank Peter Zimmermann (Violine) und Alexander Lonquich (Klavier) gerade in dieser Sonate KV 526 einmal mehr, dass ihre technische Perfektion nie zum Selbstzweck gerät, sondern immer im Dienst des Ausdrucks steht. HAR

Einspielungen (Auswahl)
- Arthur Grumiaux (Violine), Clara Haskil (Klavier), 1956; Philips

Duos für unterschiedliche Besetzungen

Entstehung Unter dem Sammelbegriff »Duo« seien im Folgenden einige in Anspruch und Besetzung recht verschiedene Werke vorgestellt. Da ist zunächst die Sonate B-Dur für zwei Fagotte/Fagott und Violoncello KV 292 (196c) zu nennen, die Mozart Anfang 1775, als er zur Uraufführung seiner Oper »La finta giardiniera« in München weilte, für Thaddäus Freiherr von Dürniz komponiert haben soll, jenen Musikenthusiasten, für den er die Klaviersonate D-Dur KV 284 und angeblich auch drei Fagottkonzerte schuf, von denen allerdings jede Spur fehlt.

In der Zeit seines letzten Aufenthaltes in Salzburg, der von Ende Juli bis Ende Oktober 1783 dauerte, schrieb Mozart die beiden Duos für Violine und Viola in G-Dur KV 423 und in B-Dur KV 424, die er, wie berichtet wird, als Freundschaftsdienst für Johann Michael Haydn, seinen Nachfolger in der Position des Salzburger Hoforganisten, verfertigte. Haydn hatte von Erzbischof Colloredo den Auftrag für sechs solcher Duos erhalten. Vier davon lagen bereits vor, als er durch Krankheit an einer Fortsetzung seiner Arbeit gehindert wurde und, da man für den Fall einer Verspätung sein Gehalt zu sperren drohte, in eine äußerst missliche Lage geriet. In dieser Situation bewährte sich Mozart als Retter in der Not, indem er in nur zwei Tagen die beiden fehlenden Duos vollendete und Michael Haydn erlaubte, sie unter seinem Namen einzureichen. Sieht man einmal von den zwei Sonaten für Violine und Bass in C-Dur KV 46d und in F-Dur KV 46e aus dem Jahr 1768 ab, so handelt es sich hierbei um Mozarts einzige Duokompositionen für zwei Streichinstrumente. Am 27. Juli 1786 – und zwar bei einer Kegelpartie in Wien! – brachte Mozart drei Duos für Hörner zu Papier, die er später zu einer Zwölferserie (KV 487/496a) erweiterte.

Musik Sonate B-Dur für zwei Fagotte/Fagott und Violoncello: Die seit dem frühesten bekannten Druck etablierte Besetzung mit einem Cello als zweiter Stimme widerspricht wohl Mozarts Original, das wahrscheinlich für zwei Fagotte gedacht war. Das Autograf aber ist nicht erhalten geblieben.

Von den zwölf Hornduos KV 487 (Einzelsätze: drei Allegros, vier Menuette, zwei Andantesätze, je eine Polonaise, Larghetto, Adagio) sind lediglich drei in Mozarts Handschrift überliefert – ohne Angabe der Instrumente! Deshalb glaubte man irrtümlich, die Stücke zwei Violinen zuordnen zu sollen; später favorisierte man zwei Bassetthörner. Heute weiß man, dass Mozart diese musikalisch unkomplizierten, spieltechnisch jedoch extrem schwierigen Duos (ungewöhnlicher Tonumfang bis zum g^2, chromatische Töne) für Naturhörner geschrieben hat (auf dem modernen Ventilhorn können sie zum Teil gar nicht ausgeführt werden). Die beiden Duos für Violine und Viola G-Dur KV 423 (1. Allegro, 2. Adagio, 3. Rondeau: Allegro) und B-Dur KV 424 (1. Adagio – Allegro, 2. Andante cantabile, 3. Thema mit Variationen: Andante grazioso) lassen als einzige Werke dieser Gruppe den Status der Gelegenheitskomposition vergessen. »In ihrer Mischung von Virtuosität, einem didaktischen, etüdenhaften Anhauch und gelegentlichen strengen, ›gelehrten‹ Anwandlungen« seien sie repräsentative Beispiele einer »kuriosen Gattung«, meint der Musikhistoriker Alfred Einstein: Aber dennoch habe Mozart »Kunstwerke höchster Art geschaffen, von einer Frische, Laune, Geigenmäßigkeit, die sie zu Unika ihrer Art machen«. Laut Alec Hyatt King bringt Mozart in ihnen unverkennbar die Erfahrungen aus dem Streichquartett G-Dur KV 387 (1782) ein: »Gewagte Harmonik, kontrapunktische Komplexität und rhythmische Vielfalt, angereichert mit Doppelgriffen, die manchmal die Illusion erwecken, als spielten mehr als zwei Streicher«.

Wirkung Die Hornduos KV 487 werden, den Erkenntnissen der Forschung zum Trotz, nach wie vor auch von Bassetthornisten musiziert. Eine stolze Aufführungstradition können die Duos für Violine und Viola vorweisen: Arthur Grumiaux und Arrigo Pelliccia, Vater und Sohn Oistrach, Gidon Kremer und Kim Kashkashian gehören zu den prominenten Interpreten dieser Stücke. STÄ

Einspielungen (Auswahl)
- Arthur Grumiaux (Violine), Arrigo Pelliccia (Viola), 1968 (+ Streichtrio, KV 563); Philips

Streichtrios

Divertimento für Streichtrio Es-Dur KV 563

Besetzung Violine, Viola, Violoncello
Sätze 1. Allegro, 2. Adagio, 3. Menuetto: Allegretto – Trio, 4. Andante, 5. Menuetto: Allegretto – Trio I – Trio II – Coda, 6. Allegro
Entstehung 1788
Verlag Bärenreiter
Spieldauer ca. 42 Minuten

Entstehung Die Eintragung, die Mozart am 27. September 1788 in seinem Werkverzeichnis vornahm, lässt auf den ersten Blick kaum erahnen, dass hier eine überragende Kammermusik für Streicher entstanden war, würdig, in einem Atemzug mit seinen Streichquartetten und -quintetten genannt zu werden. Denn der Ver-

Isaac Stern zählte seit den 1940er-Jahren zu den führenden amerikanischen Violinisten. Er spielte neben den Violinsonaten von Mozart und weiterer Kammermusik auch das Divertimento KV 563 ein.

merk »Ein Divertimento à 1 violino, 1 viola, e violoncello: di sei Pezzi« bezieht sich nicht etwa auf ein Gelegenheitsstück aus dem Bereich unterhaltsamer Gesellschaftskunst, sondern auf das Es-Dur-Trio KV 563, »das vollendetste, feinste, das je in dieser Welt hörbar geworden ist«, wie Alfred Einstein befand. Mozarts Divertimento blieb sein einziger Beitrag zur Tradition des Wiener Streichtrios, der er zum einen mit der Besetzung, zum andern mit der sechssätzigen Anlage folgte.

Musik Nicht die äußere Vielzahl der Sätze allein, vor allem die Vielfalt der Satztypen prägt das Es-Dur-Trio. Den beiden Menuetten, die noch an die hinter dem Namen Divertimento als historische Reminiszenz aufscheinende Tanzsuite erinnern, steht mit der Sonatenhauptsatzform des eröffnenden Allegro und dem thematisch nicht weniger profilierten Adagio die Gegenwart des klassischen Stils gegenüber.

Eine solche Begegnung der Epochen wiederholt sich auf andere Weise im Andante (4. Satz): Dem Ideal liedhafter Eingängigkeit und dem Prinzip der Oberstimmenmelodik, wie sie die Musik nach 1750 dominierten, entsprechen das Thema und einzelne seiner Variationen; andererseits bezeugt der Satz – insbesondere in der Minorevariation – Mozarts fruchtbare Auseinandersetzung mit der goldenen Ära der Kontrapunktik, zu der ihn Anfang der 1780er-Jahre sein Förderer, der Bach- und Händel-Verehrer Gottfried van Swieten, angeregt hatte.

Wirkung Das erst nach Mozarts Tod publizierte Divertimento nimmt innerhalb der Kammermusik für Streicher einen Ausnahmerang ein. Die bedeutendsten Instrumentalisten – erwähnt seien nur Arthur Grumiaux, Isaac Stern, Gidon Kremer, Pinchas Zukerman oder Yo-Yo Ma – haben sich dieser einzigartigen geistigen und künstlerischen Herausforderung gestellt. STÄ

Einspielungen (Auswahl)
- Grumiaux Trio, 1967 (+ Duos); Philips
- Gidon Kremer (Violine), Kim Kashkashian (Viola), Yo-Yo Ma (Cello), 1985 (+ Adagio und Fuge KV 546); Sony BMG

Tendenzen des Streichtrios

Im Streichtrio laufen die Entwicklungen verschiedener Instrumentalformen zusammen. Es entstand aus kammermusikalischen Triokonfigurationen wie dem Trio brillant, dem Trio concertant und der barocken Triosonate. Auch orchestrale Formen sind darin vereint, als Gattung des Übergangs sind etwa die Orchestertrios op. 1 von Johann Stamitz aus dem Jahr 1755 zu nennen. Die feststehende, »klassische« Besetzung mit Violine, Viola und Violoncello brachten die 1760er-Jahre im deutschsprachigen Raum. Das neue Streichtrio stand der süddeutsch-österreichischen Divertimentotradition nahe. Über diesen Aspekt des allgemeingültig Musikantischen hinaus erhielten die Werke jedoch eine zunehmend subjektive Note. Streichtrios wurden gewichtiger – und statt in Gruppen zu sechs oder drei Werken erschienen sie seit Mozarts Es-Dur-Trio KV 563 auch als Einzelwerke. Den unterhaltenden Charakter gleichwohl betonte noch Beethoven, wenn er das zweite seiner insgesamt fünf Streichtrios als »Serenade« betitelte. Nach Beethoven haben Werke für Streichtrio Seltenheitswert.

Klaviertrios

Entstehung Mozarts Klaviertrios bilden nur eine unzusammenhängende Werkgruppe, deren Entstehung sich über nahezu ein Vierteljahrhundert erstreckt. Der Bogen spannt sich von den sechs Sonaten für Klavier (Cembalo), Violine oder Flöte und Violoncello KV 10–15, die der achtjährige Mozart 1764 in London schrieb und der englischen Königin Charlotte Sophie widmete, über das im August 1776 in Salzburg komponierte Divertimento à 3 B-Dur KV 254 für die Standardbesetzung mit Klavier, Violine und Cello bis zu den fünf Trios aus Mozarts Wiener Zeit, die er unter den Daten 8. Juli 1786 (G-Dur KV 496), 18. November 1786 (B-Dur KV 502), 22. Juni 1788 (E-Dur KV 542), 14. Juli 1788 (C-Dur KV 548) und 27. Oktober 1788 (G-Dur KV 564) in sein »Verzeichnüß aller meiner Werke« eintrug.

Musik Die frühesten Trios KV 10–15 wurden 1765 in London als Klaviersonaten publiziert, »die mit Begleitung der Violine oder Querflöte und eines Violoncellos gespielt werden können«. Gleichzeitig erschien eine Originalausgabe, die eine Mitwirkung des Cellos überhaupt nicht vorsieht. So oder so handelt es sich um Beispiele für den Typus der ad libitum begleiteten Klaviersonate, bei der das Cello lediglich den Bass verstärkt und die Violine die Oberstimme des Tasteninstruments verdoppelt, eine Mittelstimme spielt oder ebenfalls an den Klavierbass gekoppelt ist. Ansätze zur selbstständigen Behandlung der Geige, wie sie sich in diesen frühen Sonaten aber durchaus schon erkennen lassen, sind zwölf Jahre später im Divertimento B-Dur KV 254 zu reicher Entfaltung gelangt, während der Cellopart nach wie vor in seiner Abhängigkeit vom Klavier verharrt.

1786 und 1788 schließlich, als Mozart seine fünf »klassischen« Trios schuf, sah die instrumentale Konstellation deutlich anders aus. Zwar nimmt das Klavier als führendes Melodieinstrument auch in diesen Werken noch eine beherrschende Stellung ein, doch ließe sich auf Violine und Violoncello keineswegs mehr verzichten. Im vierstimmigen Satz und im konzertierenden Wechselspiel zwischen Klavier und Streichern oder Ober- und Unterstimmenpaaren (Klavier rechte Hand/Violine – Klavier linke Hand/Cello) kommen alle musikalischen Partner zu gleichem Recht. Überdies beschränkt sich das Klavier immer wieder auch auf Begleitung und überlässt der Violine oder beiden Streichern den melodischen Vorrang.

Der Reiz der instrumentalen Brillanz, die Freude am Spiel um seiner selbst willen prägen den Charakter der fünf Wiener Trios. Namentlich zwei von ihnen (B-Dur, KV 502, und E-Dur, KV 542) stehen, nicht nur in dieser Hinsicht, den mozartschen Klavierkonzerten nahe. Unauffälliger und schlichter erscheint dagegen das G-Dur-Trio KV 564, das letzte der Serie. Aber sind dessen Reinheit und Abgeklärtheit, dessen vergeistigte Naivität nicht gerade ein Ausdruck höchster Kunst?

Wirkung Mozarts Klaviertrios verlangen vom Pianisten feinstes Fingerspitzengefühl, wenn die heikle Balance der Instrumente nicht gefährdet werden soll. Aufführungen und Aufnahmen mit Hammerflügeln aus dem 18. Jahrhundert haben sich deshalb für diesen Beset-

Das 1980 in Hamburg gegründete Trio Fontenay zählt zu den international renommiertesten Ensembles, dessen Repertoire von Mozart bis Messiaen reicht. 2006 spielte das Trio die Klaviertrios von Mozart neu ein.

zungstypus der Kammermusik als besonders klangschöne und überzeugende Lösung erwiesen. STÄ

Einspielungen (Auswahl)
• Beaux Arts Trio, 1987; Philips

Trio Es-Dur KV 498

(»Kegelstatt-Trio«)

Besetzung Klavier, Klarinette, Viola
Sätze 1. Andante, 2. Menuetto – Trio – Coda, 3. Rondeaux: Allegretto
Entstehung 1786
Verlag Bärenreiter
Spieldauer ca. 20 Minuten

Entstehung In seinen Wiener Jahren war Mozart ein gern gesehener Gast im Hause des bedeutenden Botanikers Nikolaus von Jacquin. Mit dessen Sohn Gottfried verband ihn eine herzliche Freundschaft, und der Tochter Franziska erteilte er Unterricht im Klavierspiel: Ihren Fleiß und ihren Eifer konnte Mozart gar nicht genug rühmen. Für eine musikalische Soiree bei den Jacquins soll er das am 5. August 1786 vollendete Trio Es-Dur KV 498 komponiert haben. Die ausgefallene Besetzung des Werkes legt jedenfalls die Vorstellung einer privaten Uraufführung in geselligem Kreise nah: mit Franziska von Jacquin am Klavier, dem Klarinettisten Anton Stadler (für den Mozart später das Quintett KV 581 und das Konzert KV 622 schuf) und Mozart selbst als Bratschist.

Will man einer anekdotischen Überlieferung trauen, so hat er an diesem Trio beim Kegeln gearbeitet. Denkbar wäre es, denn immerhin hat Mozart die wenige Tage zuvor begonnenen Hornduos KV 487 mit dem Vermerk »Wien den

27ten Jullius 1786 untern Kegelscheiben« versehen. Und sein Biograf Georg Nikolaus Nissen erzählt, Mozart habe auch Teile des »Don Giovanni« an der Kegelbahn geschrieben: »Wenn die Reihe des Spiels ihn traf, stand er auf; allein kaum war diess vorüber, so arbeitete er sogleich wieder fort, ohne durch Sprechen und Lachen derer, die ihn umgaben, gestört zu werden.«

Musik Obgleich es sich zeitlich in die Serie der 1786/88 entstandenen Wiener Klaviertrios einreihen ließe, fällt das »Kegelstatt-Trio« nicht nur durch die unorthodoxe Wahl der Instrumente – Klarinette und Viola statt Violine und Cello – aus dem Rahmen. Auch die Satzfolge mit einem einleitenden Andante und einem Menuett in der Mitte sticht von den anderen Klaviertrios ab, deren Sätze ausnahmslos in den Temporelationen schnell–langsam–schnell angeordnet sind. Aber vor allem ragt das Es-Dur-Trio KV 498 deshalb unter seinen Schwesterwerken heraus, weil Mozart bei dieser Komposition die Idee der gleichberechtigten und -gewichtigen Mitwirkung der musikalischen Partner am konsequentesten verfolgt hat. Alle drei dürfen ihre Virtuosität, ihre Ausdrucksfähigkeit und Klangschönheit unter Beweis stellen; und im Trio des Menuetts behandelt Mozart die Instrumente so individuell und charakteristisch, dass sie wie Figuren in einer imaginären Szene erscheinen.

Wirkung Der Wiener Verlag Artaria veröffentlichte das Trio 1788 in einer Ausgabe mit Klavier, Violine und Viola (Klarinette lediglich als Alternative) angeboten. Durchgesetzt aber hat sich nur die einzig angemessene, die originale Besetzung, in der Mozarts »Kegelstatt-Trio« zu einem seiner beliebtesten Kammermusikwerke avancierte.   STÄ

Einspielungen (Auswahl)
- Karl Leister (Klarinette), Georg Faust (Violoncello), James Levine (Klavier), 1991; Deutsche Grammophon
- Richard Stoltzman (Klarinette), Yo-Yo Ma (Violoncello), Emanuel Ax (Klavier), 1993 (+ Klarinettentrios von Beethoven und Brahms); Sony Classical

Trio B-Dur KV 502

Sätze 1. Allegro, 2. Larghetto, 3. Allegretto
Entstehung 1786
UA 1788 Wien (Erstausgabe)
Verlag Henle
Spieldauer ca. 23 Minuten

Entstehung Dieses Klaviertrio entstand 1786 in Wien als Geschwisterwerk des berühmteren »Kegelstatt-Trios« KV 498, möglicherweise auch für die gleiche Interpretin: Mozarts Klavierschülerin Franziska von Jacquin. Im »Verzeichnüß aller meiner Werke« des Wiener Klassikers

Klaviertrios von Wolfgang Amadeus Mozart

Entstehung	Titel	Besetzung
1764	Sonate B-Dur KV 10	Klavier (Cembalo), Violine (Flöte), Violoncello
1764	Sonate G-Dur KV 11	Klavier (Cembalo), Violine (Flöte), Violoncello
1764	Sonate A-Dur KV 12	Klavier (Cembalo), Violine (Flöte), Violoncello
1764	Sonate F-Dur KV 13	Klavier (Cembalo), Violine (Flöte), Violoncello
1764	Sonate C-Dur KV 14	Klavier (Cembalo), Violine (Flöte), Violoncello
1764	Sonate B-Dur KV 15	Klavier (Cembalo), Violine (Flöte), Violoncello
1776	Divertimento à 3 B-Dur KV 254	Klavier, Violine, Violoncello
1786	Trio G-Dur KV 496	Klavier, Violine, Violoncello
1786	Trio B-Dur KV 502	Klavier, Violine, Violoncello
1786	Trio Es-Dur KV 498 »Kegelstatt-Trio«	Klavier, Klarinette, Viola
1788	Trio E-Dur KV 542	Klavier, Violine, Violoncello
1788	Trio C-Dur KV 548	Klavier, Violine, Violoncello
1788	Trio G-Dur KV 564	Klavier, Violine, Violoncello

Der deutsche Violinist Christian Tetzlaff (Mitte, hier bei einem Auftritt mit Kurt Masur in Luzern, 2005) gehört zu den brillantesten Künstlern der jüngeren Generation. Seit 2001 führte er verschiedene Kammermusikwerke von Mozart auf.

ist dieses »Terzett für Klavier, Violin und Violoncello« unter dem Datum 18. November 1786 eingetragen.

Musik Die musikalische Gattung des Klaviertrios entstand Mitte des 18. Jahrhunderts – als klangfarblich angereicherte Klaviersonate. Die entsprechenden Trios von Joseph Haydn, in denen der Diskantbereich des Klaviers durch die Violine, der Bassbereich aber durch das Cello verstärkt wird, zeigen das noch ganz deutlich. Mozart geht vor allem in seinen Werken der 1780er-Jahre einen Schritt weiter, räumt den beiden Streichern größere Freiheiten ein.

Walter Wiese urteilte über die B-Dur-Sonate: »Dieses beliebte Meisterwerk überträgt den Charme und die technische Brillanz der Klavierkonzerte dieser Tonart in die Kammermusik.«

Erster Satz Die große Dichte und Geschlossenheit des Allegros resultiert im Wesentlichen aus der gleichsamen Monothematik des Satzes: Das fragile, durch zweimalige absteigende Linien in Halbtonschritten geprägte B-Dur-Hauptthema ist fast identisch mit dem in F-Dur vorgestellten zweiten Thema des Sonatensatzes. Erst

zu Beginn der Durchführung tritt ein gänzlich neues Thema hinzu, das jedoch bald wieder den Motiven des Anfangs Platz macht. Auffällig ist gleich zu Beginn die fortgeschrittene Emanzipation des Celloparts: Das tiefe Streichinstrument fällt u. a. durch die Formulierung eindringlicher Gegenmelodien auf.

Zweiter Satz Herzstück des Klaviertrios ist das versonnene Larghetto in Es-Dur, das von einem weiten Atembogen überspannt wird. Fünfteilig gebaut mit zwei Zwischenspielen in As-Dur, gleicht es einem intimen Gespräch zwischen drei guten Freunden: Das Klavier als das Hauptinstrument führt allein in die »Diskussionsthemen« ein, die Violine meldet sich als zweites zu Wort und das Cello unterstützt meist die Sichtweise eines der anderen Instrumente.

Dritter Satz Das Finale erinnert von Ferne an den Satz eines mozartschen Klavierkonzerts, allerdings in kammermusikalischem Gewand. Seine vielfältigen Motive sind analog zum ersten Satz aus dem Anfangsgedanken entwickelt.

Wirkung Der Druck der drei Trios op. 15 (außer dem B-Dur-Trio noch die Werke KV 542 und KV 548) wurde am 12. November 1788 in der Wiener Zeitung angezeigt und erfolgte kurz darauf im Verlag Artaria. STÜ

Trio C-Dur KV 548

Sätze 1. Allegro, 2. Andante cantabile, 3. Allegro
Entstehung Juli 1788
UA 1788 Wien (Erstausgabe)
Verlag Henle
Spieldauer ca. 22 Minuten

Entstehung Mozart komponierte sein C-Dur-Trio parallel zur Arbeit an seinen drei letzten Sinfonien – der Es-Dur-Sinfonie KV 543, der g-Moll-Sinfonie KV 550 und der »Jupiter-Symphonie« C-Dur KV 551. In Mozarts »Verzeichnüß aller meiner Werke« ist das Kammermusikwerk unter dem Datum 14. Juli 1788 eingetragen.

Musik Zur prinzipiellen Problematik der Gattung »Klaviertrio« mit der heiklen Balance der Instrumente und auch Mozarts Schwierigkeiten damit führte Hermann Swietly aus: »Im Gegensatz zu anderen Gattungen musste sich Mozart die Musik für Klavier, Violine und Violoncello offenbar erst mit einiger Mühe erarbeiten. Die Art seiner Notation sowie die oftmalige Verwendung verschiedenfarbiger Tinten zur Kennzeichnung der thematischen Linienführung sprechen dafür eine sehr deutliche Sprache. Bei dieser Instrumentalkombination stieß er, vielleicht zum ersten Mal in seinem Leben, auf gewisse kompositorische Schwierigkeiten: Wollte man die beiden Streicher aus der Abhängigkeit von Bass und Diskant des Klaviers befreien und sie gleichberechtigt dem Tasteninstrument gegenüberstellen, war das bei nur zwei – noch dazu im ausgehenden 18. Jahrhundert nicht sehr kräftigen – Streichinstrumenten nur mit sehr überlegter Stimmführung möglich, bei welcher das Klavier oft genug Widerpart der beiden anderen und fast gleichzeitig auch deren Begleiter zu sein hatte.«

Erster Satz Das Allegro beginnt mit einer energischen Unisonofanfare von Violine, Violoncello und Klavier, um dann sogleich einen introvertierteren Charakter anzunehmen. Seine rei-

che Durchführung wird über weite Strecken von einem seufzerartigen Halbtonmotiv geprägt.

Zweiter Satz Das Andante cantabile gleicht einer etwas wehmütigen Gesangsszene für die drei gleichberechtigt beteiligten Instrumente mit lang gezogenen Kantilenen und feinem Passagenwerk.

Dritter Satz Das heitere Rondofinale in schnellem 6/8-Takt verfügt über einen besinnlichen c-Moll-Mittelteil und beschließt das Trio mit der Coda fast, wie es begonnen hat: im Gleichklang von Klavier, Violine und Violoncello.

Wirkung Das Trio wurde noch im Jahr der Komposition vom Wiener Verlag Artaria (zusammen mit den Klaviertrios KV 502 und KV 542) als op. 15 Nr. 3 veröffentlicht. STÜ

Trios für andere Besetzungen

Divertimenti für drei Bassetthörner KV 439b

Entstehung Wien war zu Zeiten Mozarts ein Zentrum der kurzen Erfolgsgeschichte des Bassetthorns, einer damals neuen Altklarinette. Die mit Mozart befreundeten Klarinettistenbrüder Anton und Johann Stadler beherrschten dieses Instrument, und überdies hielten sich von Mitte 1783 bis Ende 1785 zwei Bassetthornspezialisten in Wien auf, mit denen Mozart regen Kontakt pflegte: Anton David aus dem badischen Offenburg und sein Schüler Vincent Springer aus Böhmen. Vielleicht wurde Mozart durch ihre Anwesenheit zur Komposition seiner Trios für Bassetthörner inspiriert, eine Besetzung, die sich seinerzeit aber ohnehin größter Beliebtheit erfreute.

Musik In ihrer Mehrzahl dürften diese 25 klangschönen und reizvollen Triosätze in eine Sphäre privater, musizierfreudiger Geselligkeit gehören. Für solche musikalischen Soireen im Elternhaus seines Wiener Freundes Gottfried von Jacquin schuf Mozart ja auch die sechs Notturni KV 436–439, KV 346 und KV 549, Terzette für zwei Soprane und Bass mit Begleitung von drei Bassetthörnern bzw. zwei Klarinetten und einem Bassetthorn.

Wirkung Die Originalfassung der Bassetthorntrios ist nicht erhalten geblieben. Um 1813 jedoch veröffentlichte Nikolaus Simrock in Bonn eine Reihe von 25 Einzelstücken Mozarts für zwei Klarinetten und Fagott, zu fünf »Serenaden« geordnet: Die Satzfolgen sehen in der Regel zwei schnelle Rahmensätze sowie zwei Menuette und einen langsamen Satz vor. Drei Sätze aus dieser Ausgabe waren aber wenige Jahre zuvor schon einmal an die Öffentlichkeit gelangt, in einem 1803 bei Breitkopf & Härtel in Leipzig erschienenen Band mit »kleinen Stücken für zwei Bassetthörner und Fagott«. In »Breitkopf-Härtel's Altem handschriftlichem Catalog von W. A. Mozarts Original-Compositionen« findet sich obendrein noch ein Hinweis auf »XXV pieces p: 3 Corni di Bassetto o 2 Clarinetti, Fag. e Violoncello«. Verfolgt man diese Spur zurück, so drängt sich die Vermutung auf, dass es sich bei jenen »Serenaden« ursprünglich um Mozarts Bassetthorntrios gehandelt habe, die Simrock aber aus verkaufsstrategischen Gründen in einer Bearbeitung für zwei Klarinetten und Fagott publizierte.

In dieser Besetzung wurden die 25 Stücke auch noch zu Anfang unseres Jahrhunderts in die alte Mozart-Ausgabe übernommen, allerdings jetzt nicht mehr unter dem Titel »Serenaden«, sondern als »Divertimenti« I–V. Die Neue Mozart-Ausgabe dagegen bringt die fünf »Divertimenti« KV 439b in einer Rekonstruktion der mutmaßlichen Originalversion mit drei Bassetthörnern. STÄ

Einspielungen (Auswahl)
• Netherlands Wind Ensemble, 1978; Philips

gann er mit der Komposition eines Zyklus von sechs Streichquartetten, den er seinem Freund Joseph Haydn widmete – dem Gründervater der Gattung, ohne dessen maßstabsetzendes Wirken auch Mozarts Quartette nicht denkbar wären.

Betrachtet man die 23 – oder, wenn man die Divertimenti KV 136–138 mitzählt, 26 – Streichquartette, so erschließt sich eine kompositions- und gattungsgeschichtliche Entwicklung, die mit dem Jugendwerk des noch im Zeichen der barocken Triosonate gestalteten G-Dur-Quartetts KV 80 ihren Ausgang nimmt, um schließlich zu jenem reifen und »klassischen« Quartettstil zu gelangen, der durch Gleichberechtigung und Individualität der vier am musikalischen Geschehen beteiligten Instrumente gekennzeichnet ist. Für dieses Ziel musste Mozart einen steinigen und oftmals gefährdeten Weg zurücklegen. Seine sechs »Haydn-Quartette« hat er selbst als »Frucht einer langen und mühevollen Arbeit« charakterisiert; und auch die Komposition der »Preußischen Quartette« nannte er eine »mühsame Arbeit«. Der Mythos vom Komponisten Mozart, der mit leichter Hand die genialsten Werke gleichsam aufs Papier geworfen habe, lässt sich nach einem Blick auf die Entstehungsgeschichte dieser Streichquartette also nicht länger aufrechterhalten. In der Musik selbst allerdings findet sich von den Mühen keine Spur. Und darin besteht das eigentliche Wunder des mozartschen Genies. STÄ

Einspielungen (Auswahl)
• Amadeus Quartet, 1964–66; Deutsche Grammophon
• Streichquartette Nr. 1–23: Quartetto Italiano, 1966–73; Philips

Streichquartette

Mozarts Streichquartettschaffen erstreckt sich über gut zwei Jahrzehnte, verläuft in diesem Zeitraum jedoch alles andere als kontinuierlich. Die frühen, auf Reisen in Italien und Wien entstandenen Quartette sind durch eine deutliche Zäsur von jenen zehn Haupt- und Meisterwerken getrennt, die Mozart ab 1782 schuf. Damals be-

Streichquartett G–Dur KV 80 (73f)

(»Lodi-Quartett«)

Sätze 1. Adagio, 2. Allegro, 3. Minuetto – Trio, 4. Rondeau: Allegro
Entstehung 15. März 1770
Verlag Bärenreiter
Spieldauer ca. 15 Minuten

Streichquartette von Wolfgang Amadeus Mozart

Entstehung	Titel	Besetzung
1770	Streichquartett G-Dur KV 80 (73f) (»Lodi-Quartett«)	2 Violinen, Viola, Violoncello
1771/72	3 Quartett-Divertimenti KV 136–138 (125a–c)	2 Violinen, Viola, Violoncello
1772/73	6 Streichquartette KV 155–160 (»Italienische Quartette«)	2 Violinen, Viola, Violoncello
1773	6 Streichquartette KV 168–173 (»Wiener Quartette«)	2 Violinen, Viola, Violoncello
1786	Streichquartett D-Dur KV 499 (»Hoffmeister-Quartett«)	2 Violinen, Viola, Violoncello
»Haydn-Quartette«		
1782	Streichquartett G-Dur KV 387	2 Violinen, Viola, Violoncello
1783	Streichquartett d-Moll KV 421 (417b)	2 Violinen, Viola, Violoncello
1783	Streichquartett Es-Dur KV 428 (421b)	2 Violinen, Viola, Violoncello
1783/84	Streichquartett B-Dur KV 458 (»Jagdquartett«)	2 Violinen, Viola, Violoncello
1784/85	Streichquartett A-Dur KV 464	2 Violinen, Viola, Violoncello
1785	Streichquartett C-Dur KV 465 (»Dissonanzenquartett«)	2 Violinen, Viola, Violoncello
»Preußische Quartette«		
1789/90	Streichquartett D-Dur KV 575	2 Violinen, Viola, Violoncello
1789/90	Streichquartett B-Dur KV 589	2 Violinen, Viola, Violoncello
1789/90	Streichquartett F-Dur KV 590	2 Violinen, Viola, Violoncello

Entstehung In den 15 Monaten von Dezember 1769 bis März 1771 unternahmen Vater und Sohn Mozart ihre erste italienische Reise. Leopold war klug genug gewesen, das Salzburger Wunderkind nicht zu früh ins »Gelobte Land« der Musik zu führen, denn hier, in Italien, Erfolg zu haben, zählte mehr als alle Reputation in England oder Frankreich. Am Abend des 15. März 1770 kamen die Mozarts – auf der Fahrt von Mailand nach Parma – in die Bischofsstadt Lodi. Sie suchten einen Gasthof auf, und in dieser jeder Muße und Inspiration (wie man meinen sollte) abträglichen Atmosphäre schrieb der 14-jährige Mozart sein Streichquartett G-Dur KV 80 (73f) – seinen ersten Beitrag zu einer Gattung, die damals in etwa noch so jung war wie er selbst.

Musik Ursprünglich umfasste das nach seinem Entstehungsort benannte Quartett nur die ersten drei Sätze: einen langsamen Einleitungssatz, der – so urteilte Alfred Einstein – »mit Leichtigkeit in eine Triosonate alten Stils, mit zwei duettierenden Violinen und Basso continuo

umgewandelt werden« könnte, ein Allegro und ein abschließendes Menuett mit Trio. Alle drei Sätze stehen in derselben Tonart. Sowohl die Satzfolge nach dem Muster langsam–schnell–Menuett als auch die Tonartengleichheit der Sätze verweisen abermals auf die »Triosonate alten Stils«, denn im zeitgenössischen italienischen Quartettschaffen, wie Mozart es auf seinen Reisen kennenlernte, dominierte das Schema der neapolitanischen Opernsinfonia (schnell–langsam–schnell).

Wirkung Man könnte annehmen, Mozart habe an seinem unterwegs zwischen Mailand und Parma niedergeschriebenen Quartett recht bald das Interesse verloren. Aber das Gegenteil trifft zu. Als Mozart über drei Jahre danach in Wien an einem sechsteiligen Zyklus von Streichquartetten (KV 168–173) arbeitete, holte er auch das »Lodi-Quartett« wieder hervor und passte es den aktuellen, durchweg viersätzigen Kompositionen an, indem er das Menuett in einen Binnensatz umwidmete und stattdessen ein Rondeau als neues, definitives Finale nachkomponierte. Und mehr noch: Das G-Dur-Quartett gehörte auch zu jenen Schaffensproben, die Mozart 1777 auf seine Reise nach Paris mitnahm. STÄ

Quartett-Divertimenti KV 136–138 (125a–c)

Entstehung Die drei Divertimenti D-Dur KV 136 (125a), B-Dur KV 137 (125b) und F-Dur KV 138 (125c) schuf Mozart im Winter 1771/72: Er begann mit der Niederschrift der Kompositionen in Mailand und beendete sie nach der Rückkehr von seiner zweiten italienischen Reise in Salzburg.

Musik Die Zuordnung dieser Werke zur Kammermusik ist alles andere als unumstritten, da sowohl die von Mozart selbst stammende Bezeichnung »Divertimento« als auch die autografe Besetzungsangabe (»Violini, Viole, Basso«) interpretationsbedürftig sind. Für den englischen Musikkritiker Paul Griffiths scheint die Frage nach der Gattung ein klarer Fall zu sein. In seinem Buch zur Geschichte des Streichquartetts schreibt er über diese drei Kompositionen: »Die Tatsache, dass sie als ›Divertimento‹ bekannt geworden sind, ist ohne Bedeutung, denn dies war in Österreich immer noch der gewöhnliche Name für Kammermusikwerke – und der Titel, den Haydn bis einschließlich Opus 20 für seine Quartette wählte.«

Eine ganz andere Auffassung vertrat Alfred Einstein: »Es sind einfach Sinfonien für Streicher allein, ohne Oboen und Hörner; oder besser gesagt: Sie neigen sich im gleichen Maß auf die sinfonische Seite, wie das erste Quartett Mozarts sich mehr auf die kammermusikalische geneigt hatte. Ich glaube, dass Mozart sie als Vorrat für die letzte italienische Reise geschrieben hat, um während der Komposition des ›Lucio Silla‹ nicht gestört zu werden, wenn von ihm Sinfonien verlangt werden sollten, und dass er dann in Mailand, an Ort und Stelle, den Ecksätzen je nach Bedarf und Möglichkeit Blasinstrumente hinzugefügt hätte.«

Wirkung Solistisch besetzte Kammermusik oder Stücke für Orchester? In der Neuen Mozart-Ausgabe sollten die drei Divertimenti zunächst in die Reihe der Streichquartette eingeordnet werden; dann aber entschied man sich doch, sie den »Kassationen, Serenaden und Divertimenti für Orchester« zuzuweisen, ein Entschluss, der ausdrücklich als »Kompromiss« charakterisiert wird. Aber möglicherweise geht eine Fragestellung des Entweder-oder ohnehin an der musikalisch-handwerklichen Lebenswirklichkeit eines pragmatisch gesinnten Komponisten des 18. Jahrhunderts vorbei.

Höchst aufschlussreich für den Problemfall der Quartettdivertimenti erscheint ein Inserat aus der »Wiener Zeitung« vom 15. Januar 1783, in dem Mozart seine drei Klavierkonzerte KV 413–415 anpreist – mit dem Hinweis, dass man sie »sowohl bey großem Orchestre mit blasenden Instrumenten, als auch nur a quattro, nämlich mit 2 Violinen, 1 Viole, und Violoncello aufführen« könne. Warum sollte eine solche Besetzungsalternative nicht auch für die Divertimenti KV 136–138 möglich, vielleicht sogar beabsichtigt gewesen sein? Die Wiedergabe durch ein (Kammer-)Orchester wäre demnach ebenso zulässig und authentisch wie eine Aufführung »a quattro« – und die widerstreitenden Ansichten von Paul Griffiths und Alfred Einstein nur die zwei Seiten derselben Medaille. STÄ

Streichquartette KV 155–160
(»Italienische Quartette«)

Entstehung »Der Wolfg: befindet sich auch wohl; er schreibt eben für die lange Weile ein quatro«, meldete Leopold Mozart am 28. Oktober 1772 aus Bozen. Vater und Sohn waren auf dem Weg nach Mailand, wo am 26. Dezember Mozarts Opera seria »Lucio Silla« KV 135 zur Uraufführung gelangte. Und einem Brief Leopolds aus der lombardischen Hauptstadt vom 6. Februar 1773 lässt sich dieser Hinweis erneut entnehmen. Beide Briefstellen dürften sich auf Quartette aus dem schließlich sechsteiligen Zyklus KV 155–160 beziehen, der allem Anschein nach während Mozarts dritter Italienreise im Winter 1772/73 entstanden ist: Zunächst ohne Kompositionsauftrag begonnen, konnte die Quartettserie am Ende doch an einen italienischen Musikliebhaber verkauft werden.

Das Repertoire des österreichischen Hagen Quartetts reicht von Werken Bachs, der Wiener Klassik und des 19. Jahrhunderts bis zu Ligeti und Lutosławski. Im »Mozart-Jahr« 2006 spielte das Ensemble Streichquartette des Wiener Klassikers ein.

Musik Die sechs »Italienischen Quartette«, die nach ihren Tonarten zu einem aufsteigenden Quartenzirkel (D-G-C-F-B-Es) geordnet sind, folgen, von einer Ausnahme abgesehen, in ihrer Dreisätzigkeit und in den Temporelationen (schnell–langsam–schnell) dem Vorbild der neapolitanischen Opernsinfonia: mit einem Rondo (KV 155, 157, 159), einem Tempo di Minuetto (KV 156, 158) oder einem schnellen Sonatensatz (KV 160) als Finale. Drei der langsamen Binnensätze (KV 156–158) stehen in Molltonarten, und nach dem Verständnis des Mozart-Biografen Hermann Abert offenbart sich in ihrer Musik ein bestimmender Wesenszug des Komponisten: »die dunkle, oft bis zum Pessimismus gesteigerte Leidenschaftlichkeit«.

Aus dem Rahmen fällt das fünfte Quartett des Zyklus in B-Dur KV 159, das mit einem Andante einsetzt und an zweiter Position ein spannungs- und ereignisreiches Allegro anschließt – in g-Moll, derselben Tonart, in der Mozart wenige Monate später seine erste Mollsinfonie (KV 183) schreiben sollte.

Wirkung »Vorahnungen der großen Streichquartette finden sich überall in diesen Quartetten des 17-Jährigen, und es sind nicht bloß Vorahnungen, wie ja der Frühling nicht bloß eine Vorahnung des Sommers, sondern eine sehr bezaubernde Jahreszeit für sich ist«, urteilte Alfred Einstein. Bis heute sind die »Italienischen Quartette« ein Geheimtipp geblieben – nur selten erscheinen sie auf den Konzertprogrammen. Zum Kennenlernen empfiehlt sich die exemplarische Einspielung sämtlicher früher Streichquartette Mozarts (einschließlich der Quartettdivertimenti KV 136–138) durch das Hagen Quartett. STÄ

Streichquartette KV 168–173
(»Wiener Quartette«)

Entstehung Dem »Lodi-Quartett« KV 80 und den sechs ebenfalls in Italien komponierten Quartetten KV 155–160 schlossen sich die im August/September 1773 während eines Aufenthaltes in Wien entstandenen Quartette KV 168–173 an. Das bedeutet zunächst, dass offenbar nur die Abwesenheit von Salzburg Mozarts Quartettproduktion günstig war, und dies nicht von ungefähr, denn in seiner Heimatstadt unterhielten sich Hof und Bürger mit Serenaden, Divertimenti und Konzerten, und auch die Kirchenmusik wurde gepflegt. Für das ebenso elitäre wie intime Streichquartett aber fehlte es an privater und öffentlicher Anteilnahme. Noch 1785 klagte Leopold Mozart in einem Brief über die Schwierigkeiten, in Salzburg Partner zum Quartettspiel zu finden.

Musik Mozarts »Wiener Quartette« KV 168–173 unterscheiden sich von ihren »italienischen« Vorgängern durch die konsequent beibehaltene Viersätzigkeit – mit einem österreichisch-süddeutschen Menuett mit Trio an dritter oder ausnahmsweise an zweiter Stelle (KV 170 und KV 171) der Satzfolge. Drei der langsamen Sätze (KV 169 und insbesondere KV 170 und 172) zeigen mehr oder weniger ausgeprägt die Kennzeichen des Serenadentypus: Eine Stimme – in der Regel natürlich die erste Violine – übernimmt die Führung; die anderen beschränken sich auf begleitende Aufgaben, sodass die Situation des Ständchens in idealisierter Form heraufbeschworen wird.

Unter den Kopfsätzen des Zyklus ziehen namentlich jene aus dem C-Dur-Quartett KV 170 – ein Variationensatz – und aus dem Es-Dur-Quartett KV 171 – ein Allegro assai, das nach Art einer französischen Ouvertüre von einem Adagio gerahmt wird – die Aufmerksamkeit auf sich.

Und noch etwas fällt auf: Das erste und das letzte Quartett der Serie schließen beide mit einer Fuge – offenkundig eine Reaktion auf die Fugenfinale in Joseph Haydns Streichquartetten op. 20 (Hob. III: 32, 35, 36). Ohnehin erweist sich Mozarts »Wiener« Quartettzyklus als eine selbstbewusste Auseinandersetzung mit dem Pionier und Gründervater der Gattung, dessen bahnbrechende Quartettreihen op. 9, op. 17 und op. 20 den jungen Salzburger Komponisten – teils äußerlich, teils substanziell – beeindruckten und beeinflussten.

Wirkung Was mag der Auslöser für die Komposition der »Wiener Quartette« gewesen sein? Ein »Kommando des Vaters«, wie Alfred Einstein glaubt, ein Auftrag, der Versuch, mit den Wiener Verlegern in Kontakt zu treten? Oder wurden jene sechs Werke in handschriftlichen Kopien zur Subskription angeboten? Für eine sichere Beantwortung dieser Fragen fehlen die dokumentarischen Spuren. Im Druck jedenfalls erschien zu Mozarts Lebzeiten kein einziges seiner frühen Streichquartette. STÄ

Streichquartette KV 387, 421, 428, 458, 464 und 465

(»Haydn-Quartette«)

Entstehung Neun Jahre trennen Joseph Haydns »Russische Quartette« op. 33 (1781) von seinem zuletzt vollendeten Quartettzyklus, den »Sonnenquartetten« op. 20. Ebenfalls neun Jahre mussten verstreichen, ehe Mozart, der seit 1773, seit den »Wiener Quartetten« KV 168–173, diese Gattung gemieden hatte, sich 1782 wieder dem Streichquartett zuwandte. Sowohl seine langjährige Abstinenz auf diesem Gebiet als auch der Entschluss, nach der Publikation des Opus 33 von Haydn selbst wieder eine Quartettreihe in Angriff zu nehmen, verdeutlichen, wie stark sich Mozart an dem wegweisenden und maßstabsetzenden Schaffen des älteren Komponisten orientierte. Anders als 1773 jedoch, als die »Wiener Quartette« entstanden, war die Beziehung zwischen dem Vorbild Haydn und seinem Nachfolger Mozart jetzt von Ebenbürtigkeit und Selbstständigkeit geprägt: »Diesmal lernt er [Mozart] als Meister vom Meister; er ahmt nicht nach; er gibt nichts auf von seiner eigenen Persönlichkeit«, betont Alfred Einstein in seiner Mozart-Biografie.

Bis zum 31. Dezember 1782 konnte Mozart das erste Werk des von Anfang an sechsteilig konzipierten Zyklus der »Haydn-Quartette« (G-Dur KV 387) fertigstellen – vorläufig jedenfalls, denn offenbar hat er einige Monate später das Finale teilweise noch einmal überarbeitet. Das sechste und letzte Quartett dieser Sammlung (C-Dur KV 465) aber lag erst über zwei Jahre danach, Mitte Januar 1785, vor. Wenn Mozart im Geleitwort zur Erstausgabe der sechs Quartette erklärt, diese Kompositionen seien »die Frucht einer langen und mühevollen Arbeit«, so erscheint dies keineswegs übertrieben, zumal die erhaltenen Entwürfe, die Frühfassungen, die abgebrochenen Satzanfänge und die zahlreichen Korrekturen, Retuschen und Rasuren in den autografen Partituren gleichfalls von den Schwierigkeiten zeugen, die Mozart zu überwinden hatte. Oder besser gesagt: von dem hohen Anspruch, den er an seine Quartette richtete.

Während der Arbeit an diesem Zyklus kam Mozart der Gedanke, die sechs Werke Joseph Haydn zu widmen, dem er – nicht nur als Quartettkomponist – viel verdankte und mit dem ihn eine herzliche, von wechselseitiger Hochschätzung getragene Freundschaft verband. »Berühmter Mann und mein teuerster Freund, nimm hier meine Kinder«, schreibt Mozart in der bereits zitierten Vorrede zum Erstdruck (die im Original in italienischer Sprache verfasst ist). Haydn selbst, so ruft ihm Mozart in Erinnerung, habe bei seinem letzten Besuch in Wien seine Zufriedenheit mit den Quartetten zum Ausdruck gebracht: »Dieser Beifall vor allem hat mich mit Mut erfüllt, und so lege ich sie dir ans Herz in der Hoffnung, sie werden deiner Gunst nicht ganz unwürdig sein.«

Nur einen Tag nach Vollendung des letzten Quartetts, am 15. Januar 1785, hatte Mozart in Wien eine private Aufführung organisiert, um Haydn, dem künftigen Widmungsträger, die komplette Serie vorzustellen. Einen knappen Monat später, am 12. Februar, spielte er für Haydn dann noch einmal die drei jüngeren Quartette (KV 458, 464, 465). Mozart selbst musizierte an jenem Abend gemeinsam mit seinem Vater, der zu einem Besuch nach Wien gekommen war, und den Freiherren Anton und Bartholomäus Tinti, die Haydns Freimaurerloge »Zur wahren Eintracht« angehörten. STÄ

Streichquartett G-Dur KV 387

Sätze 1. Allegro vivace assai, 2. Menuetto: Allegro [Erstausgabe: Allegretto] – Trio, 3. Andante cantabile, 4. Molto Allegro
Entstehung 1782/83
Verlag Bärenreiter
Spieldauer ca. 27 Minuten

Musik Das G-Dur-Quartett KV 387, ein überwältigendes Meisterwerk, originell und experimentierfreudig auf allen Ebenen, eröffnet den Zyklus der sechs »Haydn-Quartette«. Schon

---

Quartettwettbewerb mit Joseph Haydn

Im März 1784 saßen sie tatsächlich einmal beim Quartettspiel zusammen: Joseph Haydn spielte die erste Geige, Mozart die Bratsche, komplettierend kamen Karl Ditters von Dittersdorf (zweite Violine) und Johann Baptist Vanhal (Violoncello) hinzu. Ihren Quartettwettbewerb trugen sie gleichwohl nicht als ausführende Musiker, sondern als Komponisten aus. Dieser begann 1771/72 mit Haydns Quartetten op. 17 und op. 20 (Hob. III: 25–36), worauf Mozart im August/September 1773 mit seinen formal sehr ähnlich gestalteten »Wiener Quartetten« KV 168–173 reagierte. Auch die nächste Runde der Auseinandersetzung begann Haydn: 1781 mit seinen Quartetten op. 33 (Hob. III: 37–42). Mozart, inzwischen mit Haydn befreundet, antwortete mit seinen »Haydn-Quartetten« KV 387, 421, 428, 458, 464 und 465. Als Joseph Haydn am 12. Februar 1785 die letzten drei dieser Quartette hörte, soll er zu Vater Leopold Mozart gesagt haben: »ihr Sohn ist der größte Componist, den ich von Person und den Nahmen nach kenne: er hat geschmack, und über das die größte Compositionswissenschaft.«

---

der Beginn des Kopfsatzes lässt durch seinen expressiven Reichtum und die Dichte seiner motivisch-thematischen Bezüge aufhorchen. Charakteristisch für diese außerordentlich konzentriert gearbeitete Musik erscheint der rasche und ständige Wechsel zwischen forte und piano: ein Spannungsmoment, das Mozart im Menuettthema des zweiten Satzes noch auf die Spitze treibt, wenn er dort die Dynamik sogar mit jeder Zählzeit ändert und durch dieses »widerborstige« Betonungsschema den offiziellen 3/4-Takt aus den Angeln hebt. Jeder der vier Sätze des Quartetts folgt der Sonatenform, die Mozart im Finale durch Elemente der Fuge kontrapunktisch vertieft. Diese grandiose formale Lösung lenkt einerseits den Blick zurück auf die Fugenfinale aus Haydns Quartetten op. 20; andererseits aber weist sie schon voraus auf den Schlusssatz der »Jupiter-Symphonie« KV 551 von 1788. STÄ

Eisnpielungen (Auswahl)
• Talich-Quartett, 1983–85; Caliope

Streichquartett d-Moll KV 421 (417b)

Sätze 1. Allegro moderato, 2. Andante, 3. Menuetto: Allegretto – Trio, 4. Allegretto, ma non troppo – Più allegro
Entstehung 1783
Verlag Bärenreiter
Spieldauer ca. 26 Minuten

Entstehung Will man Konstanze Mozart Glauben schenken, so komponierte ihr Mann das Streichquartett d-Moll KV 421 (417b) um die Zeit der Geburt ihres ersten Kindes, des Sohnes Raimund Leopold, der am 17. Juni 1783 zur Welt kam. Der dänische Diplomat Georg Nikolaus Nissen, Konstanzes zweiter Ehemann, erzählt in seiner Mozart-Biografie: »Diese Umstände waren gewiss nicht zum Notendenken geeignet, da er nie am Claviere componirte, sondern die Noten zuvor schrieb und vollendete, und sie dann erst probirte; und dennoch belästigte ihn nichts, wenn er in dem Zimmer arbeitete, wo seine Frau lag. So oft sie Leiden

Am 4. August 1782 heiratete Mozart Konstanze Weber, die er in Mannheim kennengelernt hatte. Knapp ein Jahr darauf wurde ihr erster Sohn Raimund Leopold geboren.

äusserte, lief er auf sie zu, um sie zu trösten und aufzuheitern; und wenn sie etwas beruhigt war, ging er wieder zu seinem Papier. Nach ihrer eigenen Erzählung wurden der Menuett und das Trio gerade bey ihrer Entbindung componirt.« Als Konstanze 1829 von dem englischen Verleger Vincent Novello und dessen Frau Mary in Salzburg aufgesucht wurde, bestätigte sie diesen Bericht. Die Aufregung, die Mozart um sie gelitten habe, ja sogar ihre Schreie seien auf vielen Seiten des d-Moll-Quartetts zu entdecken: »Gewisse Stellen, namentlich das Menuett (wovon sie uns etwas vorsang), deuteten ihre Schmerzen an«, vermerkte Novello in seinem Reisetagebuch.

Musik Was immer man von diesen Mitteilungen halten mag, sie hätten niemals eine vergleichbare Aufmerksamkeit gefunden, stimmte der Vorstellungskreis von Qualen und Ängsten nicht so genau mit dem vorherrschenden Charakter des d-Moll-Quartetts überein: mit seiner gespannten Expressivität, den schroffen dynamischen Kontrasten auf engstem Raum, der nervösen, in flüchtigen Figuren spürbaren Unruhe. Selbst das heiter-elegante D-Dur-Trio wirkt innerhalb des Menuetts nur wie ein trügerischer Lichtblick – »als wolle Mozart, inmitten von Sätzen, deren rechte Einschätzung er seinen Zeitgenossen nicht zutraue, als Parodist des Gefälligen auftreten«, so Wolfgang Hildesheimer.

Mit ausdrucksstarker Motivik – einem Oktavfall (d^2–d^1) in der ersten Violine über einem absteigenden Lamentobass des Cellos – hebt der Kopfsatz (Allegro moderato) an. Und wenn in den letzten beiden Takten des Finales das Werk wiederum von dem Oktavsprung der Primgeige (d^3–d^2) und der melodischen Lamentofigur (diesmal in der zweiten Violine) beendet wird, schließt sich der Kreis. Die zyklische Idee, die in dieser deutlichen Bezugnahme auf den Anfang Gestalt gewinnt, äußert sich auch in einem Repetitionsmotiv, das, verschieden rhythmisiert, alle vier Sätze durchzieht. In der Stretta des Finales wird es geradezu ostentativ von Stimme zu Stimme weitergereicht. Das Thema im Sicilianorhythmus, das diesem Variationensatz zugrunde liegt, erweist sich übrigens als ein Quasizitat aus Haydns Streichquartett op. 33 Nr. 5, das ebenfalls mit Variationen schließt: eine musikalische

Reverenz Mozarts an den Freund und verehrten Komponisten. STÄ

Einspielungen (Auswahl)
• Klenke Quartett, 2005 (+ Streichquartett KV 387); Profil Hänssler/Naxos

Streichquartett Es-Dur KV 428 (421b)

Sätze 1. Allegro non troppo, 2. Andante con moto, 3. Menuetto: Allegro – Trio, 4. Allegro vivace
Entstehung 1783
Verlag Bärenreiter
Spieldauer ca. 27 Minuten

Entstehung Das Es-Dur-Quartett KV 428 (421b) entstand in zeitlicher Nachbarschaft zu, wenn nicht gar in Überschneidung mit dem Streichquartett d-Moll KV 421 (417b) im Sommer 1783. In der endgültigen Reihenfolge der sechs »Haydn-Quartette« ordnete Mozart dieses Werk als »Quartetto IV« ein, obgleich es lange vor dem als Nr. III gezählten B-Dur-Quartett KV 458 vollendet war.

Musik »Mozarts Themen haben es bereits ›in sich‹; aus denen Haydns wird sich etwas entwickeln«, stellte Alfred Einstein fest und präsentierte als eindrucksvollen Beweis für seine Aussage den geheimnisvollen, chromatisch changierenden Unisonobeginn des Es-Dur-Quartetts KV 428: ein Thema, das es wahrlich »in sich« hat.

Das dem Kopfsatz folgende Andante con moto zählt mit seinem harmonischen Reichtum, seiner Expressivität und seiner berückenden Klangschönheit zu den Höhepunkten des Quartettzyklus, ja der Streichquartettliteratur überhaupt. Die Nachwelt hat aus diesem Satz »Vorahnungen« des wagnerschen »Tristan« herausgehört; die meisten Zeitgenossen des Komponisten empfanden dagegen eine solche Musik als »zu stark gewürzt«. STÄ

Streichquartett B-Dur KV 458
(»Jagdquartett«)

Sätze 1. Allegro vivace assai, 2. Menuetto: Moderato – Trio, 3. Adagio, 4. Allegro assai
Entstehung 1783/84
Verlag Bärenreiter
Spieldauer ca. 26 Minuten

Entstehung Mozart nannte seine sechs »Haydn-Quartette« die »Frucht einer langen und mühevollen Arbeit«, und bei diesen Worten mag er nicht zuletzt an das Streichquartett B-Dur KV 458 gedacht haben. Denn nachdem er im Frühsommer 1783 das Menuett und knapp die Hälfte des Kopfsatzes geschrieben hatte, geriet die Arbeit ins Stocken. Erst nach über einem Jahr konnte Mozart, der damals durch Unterrichtstätigkeit, zahllose Auftritte als Pianist und die Komposition vor allem von Klavierkonzerten bis an die Grenze seiner Möglichkeiten beansprucht war, das Quartett beenden. Unter dem Datum des 9. November 1784 trug er es in das »Verzeichnüß aller meiner Werke« ein.

Musik Die frühe Geschichte des Streichquartetts steht im Zeichen einer zunehmenden Individualisierung und Gleichberechtigung aller vier beteiligten Instrumente. Insbesondere das Cello vermochte erst allmählich seine traditionell untergeordnete Rolle aus vergangenen Triosonaten- und Generalbasstagen zu überwinden. Vor diesem Hintergrund erweist sich der langwierige Entstehungsprozess des B-Dur-Quartetts KV 458 durchaus als ein Vorteil für das Violoncello, das im später komponierten Adagio zu einem Zwiegesang mit der ersten Violine anhebt und damit zu einer melodischen Profilierung gelangt, die ihm so in den älteren Sätzen (und Quartetten) noch nicht vergönnt war.

Leopold Mozart hat die letzten drei der »Haydn-Quartette« (KV 458, 464, 465) summarisch als »zwar ein bischen leichter, aber vortrefflich componiert« beschrieben, doch trifft diese Einschätzung – was die »leichtere« Schreibart anbelangt – im Grunde nur auf das B-Dur-Quartett zu. Der Einleitungssatz nähert sich, mit vielfältigen Anklängen an Landleben und Volksmusik, dem pastoralen Genre. Die Anfangstakte rufen die Assoziation von Jagdfanfaren und Hörnerschall herauf, ein Umstand, dem das Werk seinen Beinamen »Jagdquartett« verdankt. STÄ

Streichquartett A-Dur KV 464

Sätze 1. Allegro, 2. Menuetto – Trio,
3. Andante, 4. Allegro non troppo
Entstehung 1784/85
Verlag Bärenreiter
Spieldauer ca. 30 Minuten

Entstehung Um die Jahreswende 1784/85 schuf Mozart das fünfte jener sechs Quartette, die er seinem väterlichen Freund Joseph Haydn widmete: das Streichquartett A-Dur KV 464. In seinem eigenhändigen Werkverzeichnis datierte er den Kompositionsschluss auf den 10. Januar 1785.

Musik Eine faszinierende Verbindung mozartscher Themengestaltung mit haydnscher Prozesslogik prägt die Exposition des einleitenden Allegro, in der die Überleitung, das Seitenthema und die Schlussgruppe aus dem Hauptthema abgeleitet werden – auf das sich überdies noch die chromatisch absteigende Melodielinie zurückführen lässt, die das Finale dominiert. Erinnert dieser monothematische Zug an haydnsche Kompositionskunst, so erscheint die Art, wie jenes Hauptthema des Kopfsatzes in sich ausbalanciert ist – auf ein fragiles Solo der ersten Violine im Piano antwortet ein robustes Unisono aller vier Streicher im Forte –, überaus charakteristisch für die unverwechselbar mozartsche Themenerfindung.

Das Menuett folgt demselben Gestaltungsprinzip, allerdings in umgekehrter Anordnung: erst das Forteunisono, dann das kontrastierende Solo der ersten Violine. Mit dem Andante weist das A-Dur-Quartett den – abgesehen vom Finale aus KV 421 – einzigen Variationensatz dieses Quartettzyklus auf. Die kontrapunktische Vertiefung der Sonatensatzform, eine künstlerische Herausforderung, die sich wie ein roter Faden durch die »Haydn-Quartette« zieht, erreicht in den Ecksätzen des A-Dur-Quartetts den Grad der Vollkommenheit. Kein Wunder, dass der junge Beethoven gerade dieses Werk so eingehend studierte und 1799 selbst ein A-Dur-Quartett komponierte (op. 18/5), das in der Satzfolge und in vielen kompositorisch-stilistischen Details dem mozartschen Modell verpflichtet ist. STÄ

Einspielungen (Auswahl)
• Alban Berg Quartett, 1990 (+ Streichquartett KV 465); EMI

Streichquartett C-Dur KV 465
(»Dissonanzenquartett«)

Sätze 1. Adagio – Allegro, 2. Andante cantabile, 3. Menuetto: Allegro – Trio, 4. Allegro molto
Entstehung 1785
Verlag Bärenreiter
Spieldauer ca. 27 Minuten

Entstehung Das Streichquartett C-Dur KV 465, das Mozart am 14. Januar 1785 in seinem »Verzeichnüß aller meiner Werke« notierte, beschließt den Ende 1782 begonnenen Zyklus der »Haydn-Quartette«.

Musik Und diese sechs Quartette, sie waren nach Mozarts Bekenntnis »il frutto di una lunga, e laboriosa fatica«. Als »Frucht einer langen und mühevollen Arbeit« ließe sich aber auch jener vollendete, ausgereifte, »klassische« Quartettstil bezeichnen, der im C-Dur-Streichquartett KV 465 geradezu mustergültig ausgeprägt erscheint: Die gleichgewichtige und gleichberechtigte Beteiligung aller vier Instrumente am musikalischen Geschehen zeichnet diese hohe Quartettkunst aus. Durch imitatorische Stimmenführung, Dialog und durchbrochene Arbeit, durch Unisoni, abwechslungsreiche Kombinationen der Instrumente und konzertante Partien erzielt Mozart das Ideal einer Komposition, in der alle Stimmen wesentlich und musikalisch substanziell sind.

Wirkung Berühmtheit – und den Beinamen »Dissonanzenquartett« – erlangte dieses Werk durch die langsame Einleitung zum Kopfsatz. »Kann wohl der gesunde Menschenverstand die erste Violin so distonirend eintreten lassen«, fragte vorwurfsvoll der italienische Opernkomponist Giuseppe Sarti: »Hat es der Verfasser vielleicht gethan, um den Spieler mit Schande zu bedecken, oder dass die Zuhörer schreyen

Mozart zog 1781 nach Wien, wo er eine Existenz als freier Künstler aufbauen wollte. Dort lernte er auch Joseph Haydn kennen und trat mit ihm in einen fruchtbaren Komponistenwettstreit, aus dem seine berühmten »Haydn-Quartette« hervorgingen (Panoramaansicht Wiens mit Stephansdom).

möchten, er distonirt? Kann man so die Musik zum Besten haben? Und wird sich Jemand finden, der solche Musik drucken wird?« In der Tat fand sich »Jemand«, der das »Dissonanzenquartett« und die anderen fünf Werke des Zyklus druckte: Im September 1785 erschienen sie als »Opera X« im Wiener Verlagshaus Artaria, mit einer Widmung an Joseph Haydn versehen, die Mozart in einem Geleitwort zu dieser Erstausgabe ausführlich begründete – ein bewegendes Dokument der Freundschaft zwischen diesen beiden Klassikern.

Unmut und Befremden, wie sie uns aus Sartis Polemik entgegenschlagen, kennzeichneten allgemein die frühe Rezeptionsgeschichte der »Haydn-Quartette«, deren harmonische Kühnheiten (nicht nur in der heiß diskutierten Adagiointrodukion zum C-Dur-Quartett) auf das Unverständnis der Zeitgenossen stießen. »Diese Quartetten hatten hie und da ein sonderbares Schicksal«, weiß Georg Nikolaus Nissen in seiner Mozart-Biografie zu berichten: »Als Artaria

sie nach Italien schickte, erhielt er sie zurück, ›weil der Stich so fehlerhaft wäre‹. Man hielt nämlich dort die vielen fremden Accorde und Dissonanzen für Stichfehler. Als der Fürst Grassalkowitsch in Ungarn dieselben Quartetten von einigen Spielern aus seiner Kapelle aufführen liess, rief er ein Mal über das andere: Sie spielen nicht recht! Und als man ihn vom Gegentheile überzeugte, zerriss er die Noten auf der Stelle.«

In Carl Friedrich Cramers Hamburger »Magazin der Musik« bedauerte 1787 ein Wiener Korrespondent, dass sich Mozart »in seinem künstlichen und wirklich schönen Satz, um ein neuer Schöpfer zu werden, zu hoch versteigt, wobey freilich Empfindung und Herz wenig gewinnen, seine neuen Quartetten für 2 Violin, Viole und Bass, die er Haydn dedicirt hat, sind doch wohl zu stark gewürzt – und welcher Gaum kann das lange aushalten«. Dieselbe Zeitschrift musste 1789 feststellen, dass »Mozarts Werke durchgehends nicht so ganz gefallen. Wahr ist es auch, und seine Haydn dedizirten sechs Quartetten für Violinen, Bratsche und Bass, bestätigen es aufs neue, dass er einen entschiedenen Hang für das Schwere und Ungewöhnliche hat«.

Heute gelten die sechs Quartette – gemeinsam mit Haydns Opus 33 – als Inbegriff der klassischen Streichquartettkunst. Unter Mozarts Beiträgen zu dieser Gattung ragen diese Meisterwerke als die mit Abstand am häufigsten interpretierten, aufgeführten und aufgenommenen heraus. Joseph Haydn aber kommt die musikhistorische Ehre zu, den Ausnahmerang des ihm gewidmeten Zyklus von Anfang an erkannt zu haben. STÄ

Einspielungen (Auswahl)
• Alban Berg Quartett, 1990 (+ Streichquartett KV 464); EMI

Streichquartett D-Dur KV 499

(»Hoffmeister-Quartett«)

Sätze 1. Allegretto, 2. Menuetto: Allegretto – Trio, 3. Adagio, 4. Molto Allegro
Entstehung 1786
Verlag Bärenreiter
Spieldauer ca. 25 Minuten

Entstehung Nachdem Mozart im Januar 1785 die Arbeit am Zyklus der sechs Joseph Haydn gewidmeten Quartette abgeschlossen hatte, mussten 19 Monate ins Land gehen, bevor er sich wieder dieser Gattung widmete – eine Zeit, in der Mozart seine berühmtesten Klavierkonzerte schuf und aufführte, in der er seine beiden Klavierquartette, zwei Klaviertrios und natürlich nicht zuletzt seine Opera buffa »Le nozze di Figaro« komponierte. Am 19. August 1786 vollendete Mozart das Streichquartett D-Dur KV 499, das – noch im selben Jahr – als Einzelstück veröffentlicht wurde: ein erstaunlicher Umstand, da im 18. Jahrhundert Sammelausgaben von sechs oder wenigstens drei Werken noch die Regel waren. Vielleicht hatte der Verleger des Quartetts, der Wahlwiener Franz Anton Hoffmeister, auch den Auftrag für diese Komposition ausgesprochen. Denn immerhin könnte zwischen ihm und Mozart – nach dem geschäftlichen Fehlschlag mit den

vertraglich vereinbarten Klavierquartetten (KV 478 und KV 493) – der beiderseitige Wunsch nach Aussöhnung und Entschädigung bestanden haben.

Musik Das D-Dur-Quartett gilt als ein doppelgesichtiges Werk, in dem anmutige Schönheit und abgründige Tiefe, melodische Schlichtheit und kontrapunktische Verdichtung, lichte Transparenz und klangliche Schroffheit eine faszinierende Verbindung eingehen. Das einleitende Allegretto folgt dem Prinzip der »Einheit in der Vielfalt«: Mozart gelingt es, das höchst abwechslungsreiche musikalische Geschehen im Wesentlichen mit zwei grundlegenden Elementen zu gestalten: dem ruhig schwingenden Dreiklangmotiv und dem punktierten Rhythmus. Neue, unerhörte Ausdruckswelten erschließt das Adagio, der dritte Satz des D-Dur-Quartetts KV 499.

Wirkung Das nach dem Verleger der Erstausgabe benannte »Hoffmeister-Quartett« gehört, gemeinsam mit den vorangegangenen sechs »Haydn-Quartetten« und der nachfolgenden Trias der »Preußischen Quartette«, zum Standardrepertoire der Quartettvereinigungen. STÄ

Einspielungen (Auswahl)
• Alban Berg Quartett, 1989 (+ Streichquartett KV 575); EMI

Streichquartette KV 575, 589 und 590

(»Preußische Quartette«)

Streichquartett D-Dur KV 575

Sätze 1. Allegretto, 2. Andante, 3. Menuetto: Allegretto – Trio, 4. Allegretto
Entstehung 1789
Verlag Bärenreiter
Spieldauer ca. 24 Minuten

Entstehung Mozart hatte seit fast drei Jahren kein Streichquartett mehr komponiert, als er im Juni 1789 in seinem Werkverzeichnis die folgende Eintragung vornahm: »Ein Quartett für 2 Violin, Viola et Violoncello. für Seine Mayestätt dem König in Preußen.« Diese Komposition, das

Streichquartett D-Dur KV 575, sollte nach Mozarts ursprünglicher Absicht das erste in einer Reihe von schließlich sechs Quartetten werden, die er auf eigene Kosten stechen lassen und dem preußischen König Friedrich Wilhelm II.– in der Hoffnung auf ein Gnadengeschenk des Monarchen – zueignen wollte. Aber das Projekt kam nicht über drei Quartette (KV 575, 589, 590) hinaus: Mozart gab den Plan einer Widmung an den König auf und verkaufte die drei Werke im Sommer 1790 – »um ein Spottgeld«, wie er klagte. Sein zweites Vorhaben, sechs leichte Klaviersonaten für die Prinzessin Friederike, die älteste Tochter des Preußenkönigs, zu schreiben, hat er offenbar nicht einmal in Angriff genommen.

Im April/Mai 1789 war Mozart nach Potsdam und Berlin gereist, und bereits während der Rückfahrt (Ende Mai/Anfang Juni) hatte er – unter dem lebhaften Eindruck seiner gnädigen Aufnahme durch König Friedrich Wilhelm II.– mit der Komposition des D-Dur-Quartetts begonnen. Noch bevor er am 4. Juni in Wien eintraf, war das Werk weitestgehend fertiggestellt.

Musik Der preußische König war ein Musikenthusiast und insbesondere ein Liebhaber des Violoncellos, das er auch selbst spielte. Mit Luigi Boccherini, seinem Hofkomponisten, mit seinem Lehrer Jean-Pierre Duport, dem Oberintendanten der königlichen Kammermusik, und dessen Bruder Jean-Louis hatte Friedrich Wilhelm II. den geballten Sachverstand in allen Fragen des Cellos an sich gebunden. Es kann daher kaum überraschen, dass Mozart in seinem D-Dur-Quartett dem Violoncello eine prominente und melodisch exponierte Rolle zugedacht hat. Allerdings darf die virtuose und solistische Behandlung der Streichinstrumente ohnehin als Kennzeichen und Eigenart dieses Quartetts gelten, und die beschränkt sich nicht auf das Instrument des Königs. STÄ

Einspielungen (Auswahl)
• Alban Berg Quartett, 1989 (+ Streichquartett KV 499); EMI

Streichquartett B-Dur KV 589

Sätze 1. Allegro, 2. Larghetto, 3. Menuetto: Moderato – Trio, 4. Allegro assai

Entstehung 1789/90
Verlag Bärenreiter
Spieldauer ca. 22 Minuten

Entstehung Den ersten und nahezu den gesamten zweiten Satz des Streichquartetts B-Dur KV 589 schrieb Mozart, als er Ende Mai/Anfang Juni 1789 von Berlin über Prag zurück nach Wien reiste. Die Begegnung mit dem musikbegeisterten, Cello spielenden König Friedrich Wilhelm II. am preußischen Hof trug er noch in bester Erinnerung, und so war er von der Idee beseelt, einen Zyklus mit insgesamt sechs Quartetten zu komponieren und diese Werkreihe dem Monarchen zuzueignen. In Wien jedoch, wo Mozart am 4. Juni eintraf, erlahmte der anfängliche kreative Elan recht bald, und die, nach seinen eigenen Worten, »mühsame Arbeit« an dem geplanten Quartettzyklus kam schließlich zu einem Stillstand. Der folgende Herbst und Winter war mit der Komposition der Oper »Così fan tutte« ausgefüllt: Monate verstrichen, ehe Mozart im Mai 1790 endlich das Quartett vollenden konnte. Von einer sechsteiligen Quartettserie und von der Widmung an den Preußenkönig war keine Rede mehr.

Musik Es hat den Anschein, als sei der gewissermaßen zweigeteilte Entstehungsprozess nicht ohne Wirkung auf das B-Dur-Quartett geblieben. Die ersten beiden, noch auf der Reise entstandenen Sätze tragen unüberhörbar der Vorliebe des Preußenkönigs für das Violoncello Rechnung. Namentlich im Larghetto kann sich das Instrument – im Wechselspiel mit der ersten Violine – höchst vorteilhaft von seiner melodisch-gesanglichen Seite zeigen. In den übrigen Sätzen jedoch, die Mozart in Wien komponierte, bewegt sich der Cellopart im Rahmen des für Streichquartette jener Zeit Normalen. Einen besonderen Hinweis verdient das Menuett, ein höchst virtuoser, außergewöhnlich origineller, um nicht zu sagen kühner Satz, und dies nicht nur, weil das Trio mit seiner überproportionalen Länge jedes Maß zu ignorieren scheint. STÄ

Einspielungen (Auswahl)
• Éder-Quartett, 1991 (+ Quartette Nr. 7–9); Naxos

Streichquartett F-Dur KV 590

Sätze 1. Allegro moderato, 2. Andante [Allegretto], 3. Menuetto: Allegretto – Trio, 4. Allegro
Entstehung 1789/90
Verlag Bärenreiter
Spieldauer ca. 23 Minuten

Entstehung Mozarts Streichquartett F-Dur KV 590 – sein letzter Beitrag zu dieser Gattung – sollte das dritte Werk einer sechsteiligen Reihe werden, die er dem preußischen König Friedrich Wilhelm II. zu widmen gedachte. Obwohl Mozart bereits im Sommer 1789, nachdem er von einem Aufenthalt in Potsdam und Berlin nach Wien zurückgekehrt war, mit der Komposition des F-Dur-Quartetts begann, konnte er die Arbeit erst im Juni des darauffolgenden Jahres zu einem Abschluss bringen. Den Versuch, noch ein viertes Quartett in e-Moll zu schreiben, brach Mozart frühzeitig ab und beließ es bei nur drei Quartetten. Ebenso verzichtete er schließlich auch auf die Widmung an den preußischen Monarchen.

Musik Das einleitende Allegro moderato kommt mit seinem äußerst dankbaren Cellopart einer Hommage an Friedrich Wilhelm II. gleich, der ein begeisterter Amateurcellist war. Den zweiten Satz hat Mozart im Autograf mit »Andante« überschrieben; im Erstdruck dagegen lautet die Tempobezeichnung »Allegretto«. Alfred Einstein empfindet diese Musik wie einen »selig-wehmütigen Abschied vom Leben. Wie schön war es! Wie enttäuschend! Wie kurz!« Rasant und virtuos, kontrapunktisch kunstvoll und reich an Überraschungen beschließt das Allegro, der letzte Satz, das F-Dur-Quartett und damit zugleich Mozarts gesamtes Streichquartettschaffen. Ein wahrhaft spektakuläres Finale!

Wirkung Die Veröffentlichung der drei »Preußischen Quartette« (KV 575, 589 und 590) hat Mozart nicht mehr erlebt. Das Wiener Verlagshaus Artaria annoncierte sie am 28. Dezember 1791 als »drey ganz neue konzertante Quarteten, für zwey Violinen, Viole und Violoncello vom Hrn. Kapellmeister Mozart. Op. 18« und fuhr fort: »Diese Quarteten sind eines der schätzbarsten Werke der Welt zu früh entrissenen Tonkünstlers Mozart, welche aus der Feder dieses so grossen musikalischen Genies nicht lange vor seinem Tode geflossen sind, und all jenes musikalisches Interesse von Seiten der Kunst, der Schönheit und des Geschmackes an sich haben, um nicht nur in dem Liebhaber, sondern auch in dem tiefen Kenner Vergnügen und Bewunderung zu erwecken.« STÄ

Einspielungen (Auswahl)
• Festetics Quartet, 1993 (+ Streichquartette KV 499, 575 und 589); Arcana/Note 1

Klavierquartette

Klavierquartett g-Moll KV 478

Besetzung Klavier, Violine, Viola, Violoncello
Sätze 1. Allegro, 2. Andante, 3. Rondo: Allegro moderato
Entstehung 1785
Verlag Bärenreiter
Spieldauer ca. 26 Minuten

Entstehung Als Prototyp einer Gattung ohne nennenswerte Vorbilder und ohne Tradition muss das Klavierquartett g-Moll KV 478 gelten, das Mozart unter dem Datum des 16. Oktober 1785 in sein Werkverzeichnis eintrug. »Das Publikum, in Wien und anderwärts, war auf ein solches Werk wenig vorbereitet«, erklärt Alfred Einstein.

Musik Beinahe überfallartig hebt das einleitende Allegro mit einem Unisonomotiv an, das, vielfach reflektiert und in wechselnder Beleuchtung, den Satz direkt prägt oder untergründig lenkt. Die weiträumige Entfaltung des Seitenthemas in der Durchführung überwältigt es ebenso wie den zaghaften Versuch eines beschaulichen Ausklangs in der Coda. Eine tiefere Beruhigung, wie sie nach diesem Kopfsatz vielleicht zu erwarten wäre, stellt sich auch im nachfolgenden Andante nicht ein. Die zuerst vom Klavier exponierte Thematik erscheint, als wolle sich Gefühl hinter verschlungener, zeremonieller Geste verstecken. Zudem wird der Satz fast durchgehend von irritierenden Zweiunddreißigstelskalen durchkreuzt. Das abschließende Rondo versagt mit seinem rastlosen Charakter den heiterversöhnlichen Schluss. Die Vielzahl der Themen in einer obendrein noch verschachtelten Form war wohl endgültig geeignet, das zeitgenössische Publikum nach Anhören dieser Komposition verwirrt zurückzulassen.

Wirkung »Später wurden immer Mehre von dieser Musik eingenommen«, bemerkt Georg Nikolaus Nissen, der zweite Ehemann Konstanze Mozarts, in seiner Biografie des Komponisten. Zuvor jedoch berichtet er von Schwierigkeiten, die Mozart durch seinen Wiener Verleger Franz Anton Hoffmeister zu erdulden hatte, der, nachdem das g-Moll-Quartett nur geringen Anklang fand, so nachdrücklich aus dem Vertrag über insgesamt drei solcher Klavierquartette auszusteigen wünschte, dass er Mozart sogar das vorausbezahlte Honorar überließ, wenn er nur von weiteren Kompositionen dieser Art Abstand nähme. Tatsächlich erschien das spätere Es-Dur-Quartett KV 493 bei Artaria, das ursprünglich geplante dritte Werk dieser Serie hat Mozart nie geschrieben. STÄ

Einspielungen (Auswahl)
• Christian Zacharias (Klavier), Frank Peter Zimmermann (Violine), Tabea Zimmermann (Viola), Tilmann Wick (Cello), 1988 (+ Klavierquartett KV 493); EMI

Klavierquartett Es-Dur KV 493

Besetzung Klavier, Violine, Viola, Violoncello
Sätze 1. Allegro, 2. Larghetto, 3. Allegretto
Entstehung 1786
Verlag Bärenreiter
Spieldauer ca. 30 Minuten

Entstehung Nur wenige Wochen nach der Uraufführung seiner Opera buffa »Le nozze di Figaro« in Wien vollendete Mozart sein Klavierquartett Es-Dur KV 493, das er am 3. Juni 1786 in seinem »Verzeichnüß aller meiner Werke« notierte. Neben dem im Oktober des Vorjahres geschriebenen g-Moll-Quartett KV 478 handelt es sich um Mozarts zweite – und leider auch schon seine letzte – Komposition für diese Besetzung.

Musik Bestimmend für die Eigenart des Es-Dur-Quartetts wirkt der introvertierte und intime Tonfall. Bereits der erste Satz rückt das zweite, zurückhaltender formulierte Thema mit seinem charakteristischen Vorschlag und verzierenden Doppelschlag ins Zentrum der Durchführung, eine Vorentscheidung für die expressiven Proportionen des ganzen Quartetts. Die – wenngleich auch nur ansatzweise – festlichen und brillanten Momente der Eröffnungstakte, der punktierte Rhythmus und die ornamentalen Sechzehntelfiguren in der Klavierstimme, werden zugunsten einer außerordentlich nuancierten und transparenten Ensemblemusik zurückgenommen. Das As-Dur-Larghetto verfeinert und vertieft die empfindliche Balance des ersten Satzes, es überwindet das Zeitbewusstsein des Hörers, und folgerichtig setzt die Coda auch keinen markanten Schluss, sondern beschreibt vielmehr ein allmähliches Sichverlieren der Stimmen. Kompromisslos unterläuft Mozart die konventionellen Hörerwartungen im Finalrondo, das auf den handfesten und ostentativ frohsinnigen Kontrast verzichtet.

Wirkung 1788 beklagte ein anonymer Autor im Weimarer »Journal des Luxus und der Moden« die »Unbesonnenheit«, Mozarts Es-Dur-Quartett in »großen, lärmenden Concerten zu produciren... Welch ein Unterschied, wenn dieses vielbemeldete Kunstwerk von vier geschickten Musikern, die es wohl studirt haben, in einem stillen Zimmer, wo auch die Suspension jeder Note dem lauschenden Ohr nicht entgeht, nur in Gegenwart von zwey oder drey aufmerksamen Personen, höchst präcis vorgetragen wird!« Ganz ähnlich äußerte sich 1800 Johann Friedrich Rochlitz, der Chefredakteur der Leipziger »Allgemeinen Musikalischen Zeitung«, als er über Mozarts Klavierquartette schrieb: »In diesen Kompositionen, durchaus nur für erwählte kleinere Zirkel, geht der Geist des Künstlers in seltener, fremdartiger Weise, groß und erhaben einher wie eine Erscheinung aus einer anderen Welt.« Für die Interpretation des Es-Dur-Quartetts empfahl er Instrumentalisten, »die außer der erforderlichen beträchtlichen Geschicklichkeit ein Herz und einen für Musik sehr reif gebildeten Verstand haben«. STÄ

Einspielungen (Gesamtaufnahmen in Auswahl)
• Sir Clifford Curzon (Klavier), Amadeus Quartett, 1952; Decca

- Michael Schwalbé (Violine), Giusto Cappone (Viola), Ottomar Borwitzky (Violoncello), Ingrid Haebler (Klavier), 1971 (+ Klavierquintett); Philips
- Bruno Giuranna (Viola), Beaux Arts Trio, 1983; Philips

Quartette mit einem Blasinstrument

Flötenquartette KV 285 und KV 285a

Entstehung In Mannheim, wo Mozart sich auf der Reise nach Paris für mehrere Monate aufhielt (vom 30. Oktober 1777 bis zum 14. März 1778), empfing er von dem wohlhabenden deutschen Arzt und Liebhaberflötisten Ferdinand Dejean den Auftrag, drei Flötenkonzerte und sechs Flötenquartette zu komponieren. Ob-

gleich ein äußerst großzügiges Honorar für diese Arbeit in Aussicht stand, ging Mozart nur halbherzig ans Werk und konnte schließlich nach zwei Monaten, wie er in einem Brief an den erzürnten Vater eingestehen musste, »nicht mehr als 2 Concerti und 3 quartetti« abliefern, wofür ihm Dejean weniger als die Hälfte des vereinbarten Honorars ausbezahlte.

Von Mozarts vier erhaltenen Quartetten für Flöte, Violine, Viola und Violoncello kommt zweifelsfrei nur das mit der Ortsangabe Mannheim und dem Datum des 25. Dezember 1777 versehene Quartett D-Dur KV 285 als eines der für Ferdinand Dejean geschriebenen »quartetti« in Betracht. Denn die beiden Sätze des G-Dur-Quartetts KV 285a (Andante und Tempo di Menuetto) sind ausschließlich in älteren Druckausgaben überliefert, in denen sie eigenartigerweise immer zusammen mit dem ersten Satz des Quartetts KV 285 publiziert wurden. Da für sie jede autografe Quelle fehlt, kann im Grunde nicht einmal ihre Echtheit bewiesen werden, ge-

Sein Oboenquartett komponierte Mozart für Friedrich Ramm, der als Oboist in der Mannheimer Hofkapelle spielte. Mozart lernte das herausragende Orchester während seines Aufenthalts in der Kurpfalz 1777/78 kennen und ließ sich von ihm inspirieren (Ansicht von Mannheim, um 1740).

schweige denn ein Zusammenhang mit Mannheim und Dejean. Das ebenfalls zweisätzige C-Dur-Quartett KV Anh. 171 (285b) schuf Mozart vermutlich 1781 in Wien, wo – wahrscheinlich in der zweiten Hälfte des Jahres 1786 – auch das A-Dur-Quartett KV 298 entstand.

Musik Die nachlässige Bearbeitung des doch höchst lukrativen Auftrags von Dejean versuchte Mozart gegenüber seinem Vater mit der Begründung zu rechtfertigen: »dann bin ich auch, wie sie wissen, gleich stuff [= widerwillig] wenn ich immer für ein instrument |das ich nicht leiden kan:| schreiben soll.« Flötisten dürfte dieses Zitat nicht gerade erfreuen; Mozarts Werke selbst sprechen allerdings eine andere Sprache.

Zumindest im Fall des D-Dur-Quartetts KV 285 ist unbestritten, dass man darin Spuren liebloser Routine vergeblich suchen wird. Im Gegenteil: Alfred Einstein etwa schwärmte über das Adagio dieses Quartetts, es sei »vielleicht das schönste begleitete Solo, das je für Flöte geschrieben worden ist; es müsste denn das Vorspiel zur elysischen Szene in Glucks ›Orfeo‹ sein«.

Der zweite und zugleich letzte Satz des C-Dur-Quartetts KV Anh. 171 (Thema mit Variationen) erweist sich als weitestgehend identisch mit dem sechsten Satz der Bläserserenade B-Dur KV 361. Es ist nicht klar, welcher der beiden Sätze der ältere ist.

Das A-Dur-Quartett KV 298 folgt der damaligen Mode der »Quatuors d'airs variés«, in denen populäre Melodien verarbeitet wurden. Der Einleitungssatz variiert ein Lied des zeitgenössischen Komponisten und Verlegers Franz Anton Hoffmeister; das Trio des Menuetts basiert auf einem altfranzösischen Rondeau; und das Thema des Finales ist Giovanni Paisiellos 1786 uraufgeführter Oper »Le gare generose« entliehen. Diesen Schlusssatz hat Mozart mit einer humorvollen Tempo- und Vortragsbezeichnung überschrieben: »Rondieaoux: Allegretto grazioso, mà non troppo presto, però non troppo adagio. Così – così – con molto garbo, ed Espressione.«

Wirkung Im Konzertsaal begegnet man am ehesten dem D-Dur-Quartett KV 285, doch ermöglicht eine beachtliche Reihe vorzüglicher Aufnahmen, alle vier mozartschen Flötenquartette kennenzulernen. STÄ

Einspielungen (Auswahl)
- Gesamtaufnahme: James Galway (Flöte), Tokyo String Quartet, 1991 (+ Oboenquartett KV 370); BMG/RCA

Oboenquartett F-Dur KV 370 (368b)

Sätze 1. Allegro, 2. Adagio, 3. Rondeau: Allegro
Entstehung 1781
Verlag Bärenreiter
Spieldauer ca. 15 Minuten

Entstehung Während jener ebenso ausgedehnten wie erfolglosen Reise, die Mozart im September 1777 antrat, um – nach den Worten seines Vaters – »einen dienst zu bekommen oder geld zu erwerben«, und die ihn schließlich nach Paris führte, schloss er im Winter 1777/78 in Mannheim Freundschaft mit einigen ausgezeichneten Musikern der Hofkapelle des pfälzischen Kurfürsten Carl Theodor. Dieses legendäre Orchester vereinte in seinen Reihen eine beeindruckende Zahl hochbedeutender Virtuosen. Zu ihnen gehörte der Oboist Friedrich Ramm, der überdies, wie Mozart fand, »ein recht braver lustiger ehrlicher Man« war. Ramm begeisterte sich rasch für das Oboenkonzert KV 314 des Salzburger Gastes. Am 14. Februar 1778 berichtete Mozart seinem Vater: »dan hat der H: Ramm, |zur abwechslung| fürs 5:te mahl mein oboe Concert… gespiellt, welches hier einen grossen lärm macht. es ist auch izt des H: Ramm sein Cheval de Bataille.« Als Mozart im November 1780 nach München zur Einstudierung seiner Oper »Idomeneo« reiste, gab es dort ein Wiedersehen mit Friedrich Ramm, denn Carl Theodor war in der Zwischenzeit mit seinem Hof an die Isar umgezogen. In München, zu Beginn des Jahres 1781, komponierte Mozart für Ramm das Quartett F-Dur für Oboe, Violine, Viola und Violoncello KV 370 (368b).

Musik Liest man zeitgenössische Quellen, in denen der runde und schöne Ton des Oboisten Friedrich Ramm gerühmt, sein leichtes und gewandtes Spiel, sein sicheres Gespür für den Effekt, aber auch seine Ausdruckskraft gelobt werden, so muss man zu dem Ergebnis gelangen, dass Mozart das F-Dur-Quartett dem Freund und Virtuosen geradezu auf den Leib geschrieben hat. Die Bläserpartie des Quartetts dokumentiert zudem, dass Ramm mit einer exzellenten Höhe zu brillieren wusste und offenbar über eine phänomenale Intonationssicherheit verfügte, die sich bei gewaltigen Intervallsprüngen bewähren konnte.

Wirkung Das F-Dur-Quartett ist, was man ein »dankbares« Werk nennt. Es erlaubt dem Oboisten, sich glanzvoll in Szene zu setzen, und zählt ohne Zweifel zu den erstrangigen Lieblingsstücken dieser Holzbläser – und des Publikums. STÄ

Einspielungen (Auswahl)
• Heinz Holliger (Oboe), Thomas Zehetmair (Violine), Tabea Zimmermann (Viola), Thomas Demenga (Violoncello), 1992 (+ Britten: Phantasy op. 2, Insect Pieces, Six Metamorphoses after Ovid, Temporal Variations); Philips
• Lothar Koch (Oboe), Brandis-Quartett, 1995; Nimbus

Streichquintette

Wie in der allgemeinen Gattungsgeschichte, so schließt sich auch in Mozarts Schaffenschronik das Streichquintett den jeweils früheren, vorangehenden und wegweisenden Streichquartetten an. Auf die »Wiener Quartette« KV 168–173 aus dem Spätsommer 1773 folgt noch im selben Jahr Mozarts erstes Quintett B-Dur KV 174; die sechs »Haydn-Quartette« und das einzelne »Hoffmeister-Quartett« KV 499 erscheinen als Vorläufer der Quintette in C-Dur KV 515 und g-Moll KV 516; und die beiden letzten Werke dieser kammermusikalischen Reihe, die Quintette in D-Dur KV 593 und Es-Dur KV 614, gehören nicht nur zeitlich in die Nachbarschaft der 1789/90 entstandenen »Preußischen Quartette« (KV 575, 589, 590).

Schon bei seinem ersten Streichquintett entschied sich Mozart für die Besetzung mit zwei Violinen, zwei Bratschen und einem Violoncello, die er dann auch bei seinen sehr viel späteren Gattungsbeiträgen aufrechterhielt. Anders als beim Streichquartett hatte der Komponist eines Quintetts die Qual der Wahl, da auch Kombinationen mit zwei Celli (wie bei Boccherini oder Schubert) möglich waren – oder mit drei Violinen; mit zwei Bratschen und zwei Celli; mit Cello und Kontrabass. Mozart favorisierte das Bratschenpaar, denn die Viola, so der Pianist und Musikhistoriker Charles Rosen, »war ihm von allen Streichinstrumenten das liebste«: »Seine Vorliebe ging wohl nicht nur auf die Klangfarbe des Instruments, sondern auf ein starkes Interesse an vollen, reichen Innenstimmen zurück. Seine Musik weist in den Innenstimmen eine Klangfülle und Vielfalt auf, wie sie seit dem Tode Bachs aus der Musik verschwunden war.« STÄ

Einspielungen (Auswahl)
• Grumiaux Ensemble, 1973; Philips

Streichquintett B-Dur KV 174

Sätze 1. Allegro moderato, 2. Adagio – Coda, 3. Menuetto ma allegro – Trio, 4. Allegro – Coda
Entstehung 1773
Verlag Bärenreiter
Spieldauer ca. 30 Minuten

Entstehung Den äußeren Impuls zur Komposition des B-Dur-Quintetts gaben möglicherweise aktuelle Werke des in Salzburg wirkenden Michael Haydn, der zu Beginn und gegen Ende des Jahres 1773 zwei als »Notturni« bezeichnete Streichquintette schuf. Das Autograf von KV 174 zeigt auf der ersten Seite – in Leopold Mozarts Handschrift – die Angabe: »del Sgr: Cavaliere Amadeo Wolfgango/ Mozart à Salisbg:/ nel Decembre/ 1773.« Da Mozart vom Trio des Menuetts und vom Finale Zweitfassungen komponierte, ist spekuliert worden, ob er die Urfassung seines ersten Streichquintetts unter dem Eindruck des C-Dur-Quintetts von Michael Haydn (datiert: 17. Februar 1773) erstellte, um mit der späteren Umarbeitung dann auf dessen G-Dur-Quintett (datiert: 1. Dezember 1773) zu reagieren: eine verlockende Hypothese, die sich letztlich aber nicht beweisen lässt.

Musik Das B-Dur-Quintett KV 174 bildet einen würdigen, gleichrangigen (wenn nicht gar überlegenen) Abschluss der Quartettserie KV 168–173 aus dem Wiener Sommer 1773. »Das

Über Mozarts erstes Streichquintett ist viel spekuliert worden. Möglicherweise gaben zwei Kompositionen von Michael Haydn den Anstoß für dieses Werk (eigenhändige Handschrift des Streichquintetts B-Dur KV 174, Beginn des ersten Satzes, 1773).

Erstaunlichste an diesem Frühwerk ist«, schreibt Charles Rosen, »wie groß es angelegt ist; es geht darin weit über Mozarts soeben geschriebene Streichquartette hinaus. Das klassische Gefühl für Ausgewogenheit verlangte angesichts der volleren, reicheren Klangfarbe des Quintetts einen größeren Rahmen, als etwa dem Quartett entsprochen hätte – alles natürlich auf Mozarts damaligem stilistischem Stand. Das konzertante Element mag diese breitere Anlage mit ausgelöst haben, aber die neuartige Erhabenheit der Dimension ist in KV 174 gerade dort am auffälligsten, wo der konzertante Stil fehlt.«

Wirkung Das B-Dur-Quintett steht im Schatten jener vier Meisterwerke, die Mozart in seinen letzten Lebensjahren für diese Besetzung schuf. Doch mit der zunehmenden Entdeckung und Erforschung der frühen Schaffensphasen Wolfgang Amadeus Mozarts gewinnt auch eine

Komposition wie dieses Quintett an Aufmerksamkeit – und nicht nur als Station auf dem Weg zum Gipfel, sondern durchaus als ein Werk von eigenem Gewicht. STÄ

Streichquintett C-Dur KV 515

Sätze 1. Allegro, 2. Andante, 3. Menuetto: Allegretto – Trio, 4. Allegro
Entstehung 1787
Verlag Bärenreiter
Spieldauer ca. 34 Minuten

Entstehung Nach den triumphalen Wochen in Prag, Anfang 1787, in deren Zentrum der – im Unterschied zu Wien – dort heftig bejubelte »Figaro« stand, kehrte Mozart im Februar in die österreichische Metropole zurück, um wenige Wochen später die Komposition an einer Oper aufzunehmen, die ihn erneut mit Prag und seinem enthusiastischen Publikum in Berührung bringen sollte: »Don Giovanni«, der – nach mehrfacher Verzögerung – am 29. Oktober 1787 uraufgeführt wurde. In den Wiener Monaten zwischen den beiden Prager Erfolgen beschränkte sich Mozart jedoch keineswegs auf die Arbeit an jenem »Dramma giocoso«, wieder und wieder unterbrach er seine Hauptbeschäftigung zugunsten anderer Ideen, anderer Formen, und was er in diesen Pausen schrieb, verdiente nichts weniger als die Bezeichnung »Nebenwerk«. In die Zeit des »Don Giovanni« fällt die Entstehung des a-Moll-Rondos für Klavier KV 511, der »Kleinen Nachtmusik« KV 525, der Violinsonate A-Dur KV 526, und Mozart erdachte während dieser Wochen auch einige seiner bedeutendsten, in die Zukunft weisenden Lieder, etwa »Das Lied der Trennung« KV 519 und die bewegende »Abendempfindung« KV 523.

Zwei biografische Ereignisse, ein äußerlichzweckmäßiges und ein einschneidendes, treffen mit der so überaus produktiven Phase zusammen: Die Familie Mozart zieht Ende April innerhalb Wiens um – einen Monat später, am 28. Mai, stirbt Leopold Mozart im 68. Lebensjahr in Salzburg. Die Streichquintette KV 515 und KV 516 gehören ebenfalls in diese kurz skizzierten Monate: Am 19. April 1787 vermerkte Mozart in seinem »Verzeichnüß« den Kompositionsschluss des C-Dur-Quintetts.

Musik Mit einem Dialog der Eckstimmen, der ersten Geige und des den C-Dur-Akkord markierenden Cellos, beginnt der Eröffnungssatz des Streichquintetts KV 515. Cello und Violine tauschen ihre Rollen, um in c-Moll die markante Eingangsthematik zu wiederholen. Die Exposition des ersten Themas endet mit jener kompositorischen Praxis der »durchbrochenen Arbeit«, die wie eine Leitidee dieses Streichquintett prägt: Das auffallende Doppelschlagmotiv wird von unten nach oben, von Stimme zu Stimme weitergereicht und bekräftigt. Zugleich gibt dieses Kompositionsprinzip des wandernden Motivs einen unmittelbar und sinnlich fassbaren Eindruck der Weite des Klangraumes, in dem sich die Streicherstimmen entfalten.

Eine Zwiesprache der ersten Geige und der ersten Bratsche bestimmt das folgende Andante, für Momente zeichnen sich die Umrisse eines Doppelkonzertes ab. Ob das Menuett an dritter oder nicht doch an zweiter Stelle der Satzfolge (wie bei KV 516) stehen sollte, ist in der Forschung umstritten (in der Erstausgabe von 1789 folgte das Menuett direkt auf den Kopfsatz). Unzweifelhaft ist immerhin die Position des Schlusssatzes, eines anspruchsvollen Sonatenrondos, das kontrapunktische und virtuose Elemente, grazile und energische Charaktere scheinbar mühelos verschränkt. STÄ

Streichquintett g-Moll KV 516

Sätze 1. Allegro, 2. Menuetto: Allegretto – Trio, 3. Adagio, ma non troppo, 4. Adagio – Allegro
Entstehung 1787
Verlag Bärenreiter
Spieldauer ca. 32 Minuten

Entstehung Nachdem sich Mozart fast 14 Jahre lang nicht mehr mit der Besetzung für zwei Violinen, zwei Bratschen und Cello befasst hatte, entstanden 1787 in kurzem Abstand gleich zwei Streichquintette: Auf das am 19. April vollendete C-Dur-Quintett KV 515 folgte in den Wochen darauf das g-Moll-Quintett KV 516, das Mozart bis zum 16. Mai abschließen konnte.

Über den Anlass, der seinen jähen Wiedereinstieg in die von ihm lange vernachlässigte Gattung motivierte, ist viel gerätselt worden. Die Thronbesteigung des Cello spielenden Friedrich Wilhelm II. in Berlin gilt als denkbarer Anstoß, da der preußische König als Widmungsträger eines Quintettzyklus in Betracht kam. Vielleicht gab auch die 1787 bei André in Offenbach erschienene Ausgabe dreier Streichquintette von Ignaz Pleyel für Mozart den Ausschlag, eine ähnliche Veröffentlichung anzustreben.

Musik Die melodische Figur der absteigenden diatonischen oder chromatischen Tonfolge durchzieht, offenkundig oder untergründig, das Streichquintett in g-Moll, das sich in der Exposition des Allegros zunächst in zwei Trios teilt: die beiden Violinen mit der ersten Bratsche, danach die Bratschen mit dem Cello. Ein zweites Thema, das in der – nach den Regeln der Sonatenkunst – »falschen« Tonart g-Moll verharrt, beherrscht in dieser aufregenden und außergewöhnlichen Komposition die Durchführung, es verdrängt das »richtige« Seitenthema in B-Dur, das als dessen erweiterte Variante dem »falschen« nachfolgt.

Als zweiter Satz schließt sich ein Menuett an, dessen schroffe dynamische Kontraste und metrische Brüche aber auch gar nichts mit dem historischen Tanz gemein haben. »Con sordino« (mit Dämpfer) spielen die Streicher das Adagio, ma non troppo, zwei Abschnitte ergreifendster Musik, in einem Verhältnis wie Exposition und Reprise, die von nur einem einzigen Takt der Überleitung verknüpft werden. Und als sei die Schwerkraft dieses Satzes kaum zu überwinden, fährt das Finale mit einer Adagiointroduktion fort, deren dialogischer Aufbau, erste Geige und Dreiklangmotivik des Cellos, an den Anfang des C-Dur-Quintetts KV 515 gemahnt. Ein verschachteltes und formal mehrdeutiges Rondo beschließt das Werk, und jeder Hörer mag für sich entscheiden ob er das G-Dur dieses Satzes als Ausdruck des »lieto fine«, des glücklichen Endes, erlebt.

Wirkung Ein Subskriptionsangebot der beiden Streichquintette KV 515 und KV 516, ergänzt um die Quintettfassung KV 406 (516b) der c-Moll-Bläserserenade KV 388 (384a), das Mozart 1788 wiederholt annoncierte und wegen geringer Nachfrage verlängern musste, fand offenbar kein Echo – ein für Mozarts letzte Wiener Lebensjahre symptomatischer Vorgang: »Das größte Musikgenie dieser Zeit wurde nicht mehr verstanden, sogar abgelehnt und geriet zwangsläufig immer mehr in Schulden«, schreibt der amerikanische Musikhistoriker H.C. Robbins Landon.   STÄ

Streichquintett D-Dur KV 593

Sätze 1. Larghetto – Allegro – Larghetto – Primo Tempo, 2. Adagio, 3. Menuetto: Allegretto – Trio, 4. Allegro
Entstehung 1790
Verlag Bärenreiter
Spieldauer ca. 31 Minuten

Entstehung Mehr als drei Jahre trennen die Quintette KV 515 und KV 516 von jenen beiden Kompositionen, mit denen Mozart, wenige Mo-

nate vor seinem Tod, die kurze, aber unvergleichlich kostbare Reihe seiner Beiträge zu dieser Gattung abschloss: mit den Streichquintetten D-Dur KV 593, fertiggestellt im Dezember 1790, und Es-Dur KV 614, das er am 12. April 1791 in seinem »Verzeichnüß« notierte.

Musik Mozart stellt dem einleitenden Allegro seines D-Dur-Quintetts ein Larghetto voran, das am Schluss, gewissermaßen als Coda, erneut erklingt. Das nachfolgende, bewegend schöne Adagio bezeugt die stilistische Nähe der Komposition zu Mozarts späten Sinfonien: Namentlich das zweite Thema fordert fast unweigerlich zum Vergleich mit dem langsamen Satz aus der »Jupiter-Symphonie« KV 551 heraus. Im Finale schließlich verstand es Mozart, Sonatensatzform und Rondo, Fugati und die spielerische Umtriebigkeit eines Perpetuum mobile, »Compositionswissenschaft« und »lieto fine« in glücklichen Einklang zu bringen – ein Geniestreich sondergleichen!

Wirkung Bevor Joseph Haydn Ende 1790 nach London aufbrach, wo er in den kommenden Jahren bei den Subskriptionskonzerten des deutschen Geigers und Impresarios Johann Peter Salomon Triumphe feiern sollte, traf er noch wiederholt mit Mozart zusammen. Und gemeinsam musizierte man bei einem dieser Treffen die Streichquintette des jüngeren Komponisten – auch das allerneueste in D-Dur! Der Eindruck, den diese Musik bei Haydn hinterließ, muss außerordentlich gewesen sein, und er blieb nicht ohne erkennbare Folgen: Als Haydn 1795 seine Es-Dur-Sinfonie Hob. I: 103, die Sinfonie »Mit dem Paukenwirbel«, schuf, griff er Mozarts ungewöhnliche Idee auf, die langsame Introduktion des Kopfsatzes nach der Reprise überraschend wiederkehren zu lassen.   STÄ

Streichquintett Es-Dur KV 614

Sätze 1. Allegro di molto, 2. Andante, 3. Menuetto: Allegretto – Trio, 4. Allegro
Entstehung 1791
Verlag Bärenreiter
Spieldauer ca. 27 Minuten

Entstehung In seinem Buch über »Mozarts letztes Jahr« bewertet H.C. Robbins Landon das am 12. April 1791 vollendete Es-Dur-Quintett KV 614 – ebenso wie das D-Dur-Quintett KV 593 – als Beleg für Mozarts ausgeprägten Pragmatismus. Die glanzvolle Zeit der viel besuchten Subskriptionskonzerte (wie sie sich in der Serie der großen, für diese Anlässe komponierten Wiener Klavierkonzerte widerspiegelt) war zu Ende gegangen, und Mozart habe in dieser Umbruchsituation in den wohlhabenden bürgerlichen Familien Wiens neue und zukunftsträchtige Auftraggeber für seine Kammermusik erkannt. Tatsächlich findet sich auf der 1793 von Artaria verlegten Erstausgabe des D-Dur-Quintetts der Hinweis »composto per un amatore ongarese« (komponiert für einen ungarischen Amateur). Und auch die Ankündigung der beiden letzten Quintette in der »Wiener Zeitung« vom 18. Mai 1793 hält noch einmal fest, dass diese Werke »auf eine sehr thätige Aneiferung eines Musikfreundes« zurückgingen.

Man hat hinter diesem Musikfreund den in Ungarisch Hradisch (Mähren) geborenen Geschäftsmann Johann Tost vermutet, der früher als Geiger (Stimmführer der zweiten Violinen) der fürstlichen Kapelle des Nikolaus von Esterházy angehört hatte, ehe er durch Heirat, durch eine »gute Partie«, zu Kapital kam und sich einer kommerziellen Karriere als Tuchfabrikant verschrieb. Haydn, der ihn gut aus den gemeinsamen Tagen in Diensten der Esterházy kannte, widmete ihm seine Streichquartette op. 54/55 und op. 64. Später hatte Tost – mit allen Attributen einer schillernden Figur ausgestattet – im Leben von Louis Spohr noch einmal einen großen Auftritt als eigenwilliger Mäzen. Ob es wirklich Johann Tost war, für den Mozart seine Quintette schuf, muss Spekulation bleiben, auch wenn die auffallende Ähnlichkeit des Themas aus dem Finale von KV 614 mit jenem aus dem Prestoschlusssatz des Tost gewidmeten Haydn-Quartetts op. 64 Nr. 6 wie ein versteckter und beziehungsvoller Gruß an den mutmaßlichen Empfänger erscheint.

Musik Wie für die drei früheren, so gilt auch für die beiden späten Quintette KV 593 und KV 614, dass sie einer vorangegangenen Gruppe von Streichquartetten – nicht bloß in chronologischer Hinsicht – nachfolgen. Das D-Dur- und Es-Dur-Quintett setzen die Tendenz der »Preußischen Quartette« zu einer konzertanten, solistisch exponierten und brillanten Behandlung der beteiligten Streichinstrumente ebenso fort wie deren das gesamte Satzgeschehen durchdringende thematische Arbeit. Letztere überwindet in KV 614 obendrein die Satzgrenzen, da Mozart den Kopfsatz, das Menuett und das Finale mit einer zyklischen Themengestaltung verbindet.

Wirkung Lenkt man den Blick zurück – auf Mozarts Anfänge mit seinem ersten Streichquartett, dem »Lodi-Quartett« KV 80, auf die »Wiener Quartette« KV 168–173, in denen Mozart erstmals auf Haydns Gattungsexperimente reagiert hatte, das Salzburger Streichquintett KV 174, schließlich auf den reichen Ertrag der Wiener Jahre ab 1781 –, so überschaut man eine atemberaubende Entwicklung der mozartschen Kammermusik, ja der Instrumentalmusik schlechthin. Am Ende dieser 21 Jahre umfassenden Geschichte stehen mit den Streichquintetten in D-Dur und Es-Dur zwei Werke, die das Ideal einer Ensemblemusik gleichberechtigter und gleichgewichtiger Stimmen vollkommen verwirklichen: mit allen virtuosen, kontrapunktischen, thematischen und kombinatorischen Mitteln, die Mozart zur Verfügung standen. Wohin hätte ihn der nächste Schritt, das nächste Quartett, das nächste Quintett, geführt? Die Vorstellungskraft versagt vor dieser Frage nach der ungelebten Zukunft, den ungeschriebenen Werken eines »unfassbar großen Geistes«, von dem Wolfgang Hildesheimer sagte, er sei »ein unverdientes Geschenk an die Menschheit« gewesen.　　　STÄ

Einspielungen (Auswahl)
• János Fehérvári (Viola), Éder-Quartett, 1996
(+ Streichquintett KV 593); Naxos

Quintette in anderen Besetzungen

Oboenquintett Es-Dur KV 452

Sätze 1. Largo – Allegro moderato, 2. Larghetto, 3. Allegretto
Entstehung 1784
UA 1. April 1784 Wien
Verlag Bärenreiter
Spieldauer ca. 25 Minuten

Entstehung In Zeiten gedrängtester Aktivität schrieb Mozart das am 30. März 1784 vollendete Es-Dur-Quintett KV 452. In den Wochen davor waren drei Klavierkonzerte entstanden (KV 449, 450 und 451); nur wenig später folgte dem Quintett ein weiteres Klavierkonzert (KV 453) und eine Sonate für Klavier und Violine (KV 454). Im März 1784 trat Mozart fast täglich als Pianist auf (»der ganze vormittag ist den scolaren gewidmet. – und abends hab ich fast alle tage zu spiellen«), dreimal veranstaltete er überdies eigene Konzerte, zuletzt am 31. März. Und am 1. April kündigte das »Wienerblättchen« für denselben Tag eine große musikalische Akademie im Burgtheater an, in deren Rahmen Mozart außer Sinfonien und einem der neuen Klavierkonzerte auch erstmals das Quintett für Klavier und Bläser KV 452 zur Aufführung brachte.

Musik Obgleich es entstehungsgeschichtlich von Klavierkonzerten umgeben ist, erweist sich das Quintett keineswegs als ein verkapptes Konzert für Klavier mit Begleitung der Bläser. Es verwirklicht vielmehr eine kammermusikalische Balance, in der zwar das Klavier dominieren kann, aber ebensogut ein umgekehrtes Verhältnis möglich ist: Kantilenen der Bläser, vom Klavier zurückhaltend grundiert, etwa in der Largoeinleitung oder im Larghetto, dem mittleren Satz. Die Gleichwertigkeit der fünf Partien, die Mozart genial in ihrer klanglichen Eigenart erfasst, erlaubt nicht nur eine Verschränkung der Stimmen, ein bruchloses Weiterreichen der Motive von einem Instrument zum anderen, sie eröffnet auch einen unerschöpflichen Reichtum farblicher Mischungen und Kombinationen. Daher erscheint es auch konsequent, dass Mozart die Cadenza in tempo im Schlusssatz von allen fünf Instrumentalisten ausführen lässt.

Wirkung Am 10. April 1784 teilte Mozart seinem Vater mit, dass sein Es-Dur-Quintett bei der Akademie am Monatsersten »ausserordentlichen beyfall erhalten« habe. Und er setzt seinen Brief mit dem Bekenntnis fort: »ich selbst halte es für das beste was ich noch in meinem leben geschrieben habe.« Es liegt auf der Hand, dass sich Beethoven diese Komposition zum Vorbild nahm, als er 1796 sein Quintett op. 16 schuf: Besetzung, Tonart und Satzfolge stimmen mit dem mozartschen Modell überein. STÄ

Einspielungen (Auswahl)
• Neil Black (Oboe), Thea King (Klarinette), Anthony Halstead (Horn), Graham Sheen (Fagott), Murray Perahia (Klavier), 1985 (+ Beethoven: Quintett op. 16); Sony

Klarinettenquintett A-Dur KV 581

Sätze 1. Allegro, 2. Larghetto, 3. Menuetto – Trio I – Trio II, 4. Allegretto con variazioni
Entstehung 1789
UA 22. Dezember 1789 Wien
Verlag Bärenreiter
Spieldauer ca. 30 Minuten

Entstehung Mozarts einziges Klarinettenquintett ist auf den 29. September 1789 datiert. Er komponierte es wie wenig später auch das Klarinettenkonzert KV 622 für seinen Freund Anton Stadler. Der österreichische Klarinettist und Bassetthornspieler gehörte sicherlich zu den

Die renommierte Solistin Sabine Meyer (hier als Preisträgerin des »Echo Klassik 2004« zusammen mit dem Pianisten Lars Vogt) spielte 1988 mit Mitgliedern des Wiener Streichsextetts das Klarinettenquintett von Mozart ein.

Anton Stadler, Mozarts Klarinettist

»Sollst meinen Dank haben, braver Virtuos! Was du mit deinem Instrument beginnst, das hört' ich noch nie. Hätt's nicht gedacht, dass ein Klarinet menschliche Stimme so täuschend nachahmen könnte, als du sie nachahmst. Hat doch dein Instrument einen Ton so weich, so lieblich, dass ihm niemand widerstehn kann, der ein Herz hat.« So rühmte ein zeitgenössischer Berichterstatter 1785 das Spiel des Wiener Klarinettisten Anton Stadler in einer Komposition von Mozart. Anton Stadler und sein ebenfalls Klarinette spielender Bruder Johann Nepomuk Franz Stadler waren in Wien seit 1782 Mitglieder der »Kaiserlich Königlichen Harmonie« und standen ab 1787 zusätzlich in Diensten der Hofkapelle. Mozart komponierte mehrere Kammermusikwerke mit Klarinette für den mit ihm befreundeten Anton Stadler. Dabei wird nicht selten die Frage nach dem originalen Instrument gestellt, hatte Stadler doch eine im Umfang nach unten erweiterte Bassettklarinette entwickelt. Auch für das Klarinettenquintett A-Dur KV 581 wird vermutet, dass es in der (nicht erhaltenen) Originalfassung für jenes Instrument bestimmt war.

musikalischen Jahrhundertbegabungen; seine außerordentlichen Fähigkeiten sind in Äußerungen von Zeitgenossen dokumentiert. Das A-Dur-Quintett wurde 1789 unter seiner Mitwirkung in einem Weihnachtskonzert der Wiener »Tonkünstler-Societät« im Burgtheater uraufgeführt.

Musik Während bereits im ausgehenden 18. Jahrhundert Komponisten wie Mozarts Schüler Johann Nepomuk Hummel großen Erfolg mit sehr virtuosen Werken beim Publikum hatten, verfolgte der gebürtige Salzburger dennoch nicht das Ziel, dem Klarinettisten eine vordergründig auf Wirkung und technische Brillanz ausgerichtete Stimme zu schreiben. In allen vier Sätzen herrscht eine überwältigende klangliche Balance zwischen den fünf Instrumenten, sodass die Streicher weit über eine bloß begleitende Funktion hinauskommen.

Erster Satz Das Streichquartett beginnt das in Sonatenform gebildete Allegro mit einem sechstaktigen, zunächst in breiter Homofonie strömenden Thema, aus dem sich die Klarinette solistisch floskelhaft herausschält. Der gesamte Hauptthemenkomplex bleibt noch ohne echte thematische Annäherung zwischen Blasinstrument und Streichern. Erst mit dem Seitenthema setzt eine in der Durchführung vorangetriebene Verschmelzung ein, die in der Reprise ihren Höhepunkt findet: Das homofone Hauptthema erklingt nun in allen fünf Stimmen, und auch die Floskeln oder Skalen bleiben nicht nur der Klarinette überlassen. Der prozessuale Verlauf des Satzes, der die Reprise nicht nur als Abbild der Exposition erscheinen lässt, sondern mit ihr einen deutlichen Reflex auf die Durchführung bereithält, zeichnet die »gereifte« Sonatenform des späten Mozart aus.

Zweiter Satz Sowohl im langsamen Satz seines Klarinettenkonzerts als auch in diesem Larghetto verwöhnt Mozart den Hörer mit einer hinreißenden, in idealer Weise für die Klarinette erfundenen Kantabilität. Der Klangschmelz dieses der menschlichen Stimme am nächsten gelegenen Holzblasinstruments kann ebenso im solistisch dominanten Beginn wie auch im Dialog mit der Violine ausdrucksvoll zur Geltung kommen.

Dritter Satz Als Reflex auf die melodische Dominanz der Klarinette im vorigen Satz tritt die Gleichberechtigung aller Stimmen im Menuett wieder deutlicher zutage. Das durchaus tänzerisch anmutende Thema wird einem ständigen Wechselspiel mit auftaktigen und volltaktigen Wendungen unterworfen. So kontrastiert vor allem dessen erstes Trio (ohne Klarinette) durch seine changierende metrische Struktur mit dem zweiten Trio, das sich in regelmäßig 3/4-taktiger, tänzerischer Melodik ergeht.

Vierter Satz Der aus einem spritzigen Allegrothema geformte Variationensatz im Allabreve-Takt zeigt Mozarts gekonnten Verzicht auf virtuose Vordergründigkeit am »effektvollsten«: Alle Instrumente sind gleichermaßen am klanglichen und motivischen Abwechslungsreichtum der insgesamt sechs Variationen beteiligt. Die Mollvariation, ein Lamento für die Bratsche, steht an dritter Stelle. In der vorletzten Variation ist das Tempo zum Adagio verlangsamt, ein Allegro bildet den Schluss.

Wirkung Nicht nur beim Publikum, sondern auch bei den Interpreten erfreut sich dieses Kleinod der Kammermusik großer Beliebtheit. Mit etlichen erhältlichen Einspielungen, etwa mit den Solisten Sabine Meyer, Dieter Klöcker, Jack Brymer oder Eduard Brunner, hält es unangefochten die Spitzenposition bei Aufnahmen von mozartscher Kammermusik. HAR

Einspielungen (Auswahl)
- Jack Brymer (Klarinette), Allegri Quartet, 1969 (+ Klarinettenkonzert); Philips
- Charles Neidich (Klarinette), L'Archibudelli, 1992 (+ Trio Es-Dur KV 498); Sony BMG
- Dirk Schultheis (Klarinette), Telos Music Ensemble, 1999 (+ Weber, Klarinettenquintett); Telos/ Liebermann

Hornquintett Es-Dur KV 407 (386c)

Sätze 1. Allegro, 2. Andante, 3. Rondo: Allegro
Entstehung 1782
Verlag Bärenreiter
Spieldauer ca. 16 Minuten

Entstehung Mozart komponierte das Hornquintett vermutlich Ende 1782 in Wien, nachdem er mit den Skizzen zu seinem ersten Hornkonzert KV 417 begonnen hatte. Das Konzert und wahrscheinlich auch das Quintett entstanden für seinen Freund Joseph Leutgeb, den Mozart schon seit seiner Kindheit in Salzburg kannte. Damals war der Hornist Mitglied der fürsterzbischöflichen Kapelle. In Wien galt er bald als einer der herausragenden Musiker der Hofkapelle.

Musik Wolfgang Amadeus Mozart wählte zwar ein Streichquartett als »Partner« für das Horn, jedoch nur eine Violine und dafür zwei Bratschen neben dem Violoncello. Er entschied sich also für eine Annäherung in der Balance der Streicher an die mitteltiefe Klangfarbe des Horns. Das Quintett besticht durch seinen intimen Charakter, den es aus der vielfachen thematischen Verschmelzung zwischen den beiden Instrumentalsphären gewinnt. Nicht die Virtuosität des vermeintlichen Solisten steht hier im Vordergrund, sondern es geht um motivische Dialoge zwischen den Instrumenten. So führen im ersten Satz erste Violine und Horn ein Zwiegespräch, in das zu Beginn der Durchführung alle Streicher einbezogen werden, und auch im zweiten Satz sind nach Vorstellung des sehnsuchtsvollen Liedthemas durch die Violine alle Instru-

mente am musikalischen Geschehen beteiligt. Hier zeigt sich zudem Mozarts geistvolles Variationsvermögen im Umgang mit dem thematischen Material. Vielleicht in Anlehnung an die Prinzipien einer Suite sind der zweite und dritte Satz motivisch miteinander verquickt: Beide Hauptgedanken beginnen mit einem Terzsprung, der von einem kleinen, abwärtsgerichteten Lauf gefolgt wird. Gegenüber dem melodiösen Liedthema im Andante gestaltet Mozart aus dem verwandten Material im Rondo ein fröhliches Es-Dur-Refrainthema, das im Verlauf den Hornisten mit vielen spieltechnisch anspruchsvollen Ausschmückungen und Ableitungen fordert.

Wirkung Unter den kammermusikalischen Solowerken für Horn erfreut sich das Quintett großer Beliebtheit, obgleich es in einem Konzert schwierig einzusetzen ist: Ein abendfüllendes Programm mit dieser Instrumentenkombination lässt sich nur schwer zusammenstellen. HAR

Einspielungen (Auswahl)
- Berliner Solisten, 1990 (+ Beethoven: Septett op. 20); Teldec

Nielsen | Carl

* 9. 6. 1865
Noerre Lyndelse bei Odense
† 3. 10. 1931
Kopenhagen

Nielsen schuf zahlreiche Lieder, einfache strophische Melodien, die heute dem dänischen Volksliedgut angehören, und begründete damit eine neue, nicht romantische volkstümliche Liedkultur in Dänemark. Zum Zweiten führte er die dänische Musik ins 20. Jahrhundert.

Carl August Nielsen, das siebte von zwölf Kindern einer armen Landarbeiter-, Maler- und Anstreicher- sowie Musikantenfamilie, war mit 14 Jahren Mitglied einer Militärkapelle in Odense (als Kornettist und Posaunist), ehe er dank eines Stipendiums ab 1884 am Konservatorium zu Kopenhagen studieren konnte. 1886 wurde er Geiger im Königlichen Orchester, 1908 Kapellmeister im Königlichen Theater. Schon 1890 war er nach Deutschland und Frankreich gereist, hatte dabei die Werke von Wagner und Brahms – und in Paris seine Frau, eine dänische Bildhauerin – kennengelernt. 1915 bis 1919 lehrte er am Konservatorium zu Kopenhagen, 1915 bis 1927 war er Dirigent bei der Kopenhagener Musikvereinigung. Er starb an einer Herzerkrankung, zu der vielleicht auch die Verbitterung darüber beigetragen hatte, dass zu Lebzeiten von seinem Werk in Europa (zu) wenig Notiz genommen worden war.

»Wir müssen sehen, dass wir von den Tonarten wegkommen und dennoch diatonisch überzeugend wirken. Darum geht es, und da spüre ich in mir ein Streben nach Freiheit.« Dies schrieb Carl Nielsen im Jahr 1913, kurz nach Vollendung seiner dritten Sinfonie. Die »Doppelspur« dieser Äußerung ist charakteristisch für das Bestreben des Komponisten, die spätromantische Dur-Moll-Haltung aufzugeben, dabei jedoch nicht »in tonales Niemandsland« zu gelangen, »sondern hin zum verstärkten Erlebnis der Melodie als der eigentlichen musikalischen Energiequelle« (Joergen I. Jensen).

Nielsens Œuvre umfasst sechs Sinfonien, die einen wesentlichen Beitrag zur Sinfonik des 20. Jahrhunderts darstellen, zwei Opern (»Saul og David«, 1902; »Maskarade«, 1905), Schauspielmusiken, Instrumentalkonzerte für Violine (1911), Flöte (1926) und Klarinette (1928), Kammermusik, Lieder und Klavierwerke. Nielsens letzte Komposition, unmittelbar vor seinem Tod geschaffen, war »Commotio«, ein großes Werk für Orgel. »In einigen Werken aus den 1920er-Jahren mag er sich der Bitonalität oder der Atonalität nähern, aber gleichzeitig schrieb er weiterhin volkstümliche Lieder. Nichts deutet darauf hin, dass er jemals der Meinung gewesen wäre, es bestünde zwischen der einfachen Liedstrophe und den scharfen Ausdrucksmitteln der neuen Musik ein Widerspruch«, so Jensen. PE

Streichquartette

Streichquartett f-Moll op. 5

Sätze 1. Allegro non troppo, ma energico, 2. Un poco adagio, 3. Allegretto scherzando, 4. Finale: Allegro appassionato
Entstehung 1890
UA April 1892
Verlag Wilhelm Hansen
Spieldauer ca. 33 Minuten

Entstehung Der dänische Musikwissenschaftler Poul Hamburger bezeichnete das f-Moll-Quartett aus dem Jahr 1890 als »Meilenstein in Carl Nielsens Laufbahn als Komponist«. Es war eigentlich bereits sein zweites Werk dieser Gattung, denn das g-Moll-Quartett, später als op. 13 publiziert, war etwa zwei Jahre zuvor entstanden.

Musik Hamburger zufolge ist das Streichquartett op. 5 zwar noch deutlich von Nielsens dänischen kompositorischen Vorgängern beeinflusst, besonders von Johan Svendsen (dem damaligen Dirigenten des Königlichen Orchesters, dem Carl Nielsen als Geiger angehörte und das er ab 1908 in Svendsens Nachfolge leitete); und auch der Einfluss von Johannes Brahms ist nicht von der Hand zu weisen. Doch haben die Themen gegenüber dem g-Moll-Quartett »größere Prägnanz«, und dessen irgendwie »zu lockere Textur« – dort besonders im ersten und letzten Satz festzustellen – »hat nun einer organischeren, spannungshaltigeren Entwicklung des Materials Platz gemacht« (Hamburger). Trotz seiner niedrigeren Werkzahl führt das Quartett op. 5 in Wirklichkeit die Errungenschaften des Quartetts op. 13 weiter.

Erster Satz Hier gibt ein impulsives Hauptthema sofort den Charakter an: Energisches

Vorwärtsdrängen ist angesagt, auch beim etwas lyricheren Seitensatz, in dem die synkopierte Begleitung ein »Ausruhen« verhindert. Nur die Schlussgruppe nimmt den stürmischen Grundgestus zurück. Die Durchführung beginnt mysteriös im Pianissimo und widmet sich vor allem dem Thema des Seitensatzes. Auch die Reprise hat durchführungshafte Züge; auf der Schwelle zur Coda scheint der Vorwärtsdrang zu erlahmen, doch die letzten Takte kehren wieder zum energischen Grundgestus zurück.

Zweiter Satz Er entwickelt eine schlichte, volksliedhafte Melodie. Fortschrittlich ist die Verwendung von verminderten Septimen vor allem gegen Ende des Satzes. Auch die »Vorliebe des Komponisten für die hartnäckige Wiederholung der kleinen Terz« (Hamburger) ist hier schon deutlich ausgeprägt.

Dritter Satz Dieser lebt wohl vom brahmsschen Erbe: Es ist eines jener Intermezzi, wie sie der deutsche Komponist anstelle der Scherzi bevorzugte. Dennoch ist es eine genuin nielsensche Komposition, zeigt beispielsweise im Wechselspiel der Instrumente den für ihn typischen Humor – »mal leicht und witzig, mal burlesk« (Hamburger). Nielsen notierte dazu, er habe hier seinen »eigenen Klang gefunden«.

Vierter Satz Im Schlusssatz, einem Sonatenrondo, fällt vor allem auf, dass das Seitenthema entgegen allen Erwartungen in F-Dur erscheint. Bemerkenswert sind außerdem die zwei e-Moll-Ausbrüche mit ihren mannigfach changierenden Halbtonbrechungen, einer davon kurz vor der Coda, in der das Tempo sich urplötzlich zum Presto steigert, wodurch das Werk beinahe gehetzt schließt.

Wirkung Das Quartett wurde bei seiner Uraufführung im April 1892 von Publikum und Kritik enthusiastisch gefeiert. Während der darauffolgenden Jahre wurde es in ganz Europa und auch in den USA aufgeführt; so begründete es Nielsens Ruhm als Komponist. Eine Anekdote berichtet, dass der berühmte belgische Geiger Eugène Ysaye, dem Nielsen 1894 in Berlin vorgestellt wurde, seine Kenntnis von dessen Œuvre bei diesem Anlass dadurch bewies, dass er die Einleitungstakte des f-Moll-Quartetts pfiff. PE

Streichquartett g-Moll op. 13

Sätze 1. Allegro energico, 2. Andante amoroso, 3. Scherzo: Allegro molto, 4. Finale: Allegro
Entstehung 1887/88
Verlag Wilhelm Hansen
Spieldauer ca. 26 Minuten

Entstehung Das g-Moll-Quartett op. 13 entstand 1887/88 – also vor dem früher publizierten f-Moll-Quartett.

Musik Obwohl von Poul Hamburger als etwas weitschweifig und lose in der Textur bezeichnet, beeindruckt das Werk dennoch durch die Fülle der Ideen in rhythmischer, melodischer und auch harmonischer Hinsicht, und durch die Art, wie der 21-jährige Komponist sich mit der europäischen Tradition des Streichquartettgenres auseinandersetzt. Dabei wird ihm häufig ein gewisser Hang zu brahmsscher Ausdrucksweise nachgesagt, doch braucht dies nicht überbewertet zu werden.

Erster Satz Dieser beginnt wohl mit einem Thema in brahmsscher Gestik, doch entwickelt sich daraus sehr schnell ein durchaus eigenständiges Idiom, wie sich schon im Seitenthema erweist. Der Grundgestus ist jenem des f-Moll-Quartetts vergleichbar: ungeduldig vorwärtsdrängend. Der Satz zeigt sich durchaus als harmonisch kühn angelegt, vor allem die Durchführung, die es bis nach es-Moll, H-Dur und e-Moll bringt.

Zweiter Satz Der folgende Satz ist in Bogenform gehalten. Das zentrale Agitato besticht durch die kontrastierende Figuration der Instrumente.

Dritter Satz Der Beginn des dritten Satzes erinnert an Mendelssohn, ein Moment, das sich vielleicht via Nielsens Lehrer Niels W. Gade »eingeschlichen« hat. Das Trio freilich stellt in seinem folkloristisch-tänzerischen Kolorit deutliche Querverbindungen zu Nielsens (Volks-)Liedkompositionen her. Als »prophetische Vorwegnahme« könnte die Allusion zur Einleitung von Dvořáks Cellokonzert in den letzten Takten dieses Satzes gelten, denn Letzteres entstand etwa sieben Jahre später.

Vierter Satz Dieses »Dvořák-Element« wird in den Schlusssatz übernommen und taucht an Nahtstellen immer wieder auf. Assoziationen zu tschechischer Musik sind auch weiterhin auf seltsame Weise vorhanden (das zweite Thema erinnert etwas an Smetanas »Verkaufte Braut«, was besonders in der Durchführung deutlich wird), wenn auch ohne Frage unbeabsichtigt. Beabsichtigt hingegen sind die Rückgriffe des Komponisten auf das thematische Material des ersten Satzes sowie auf das Hauptthema des Scherzos.   PE

Streichquartett Es-Dur op. 14

Sätze 1. Allegro con brio, 2. Andante sostenuto, 3. Allegretto pastorale – Presto – Allegretto pastorale, 4. Finale: Allegro coraggioso
Entstehung 1897/98
Verlag Wilhelm Hansen
Spieldauer ca. 35 Minuten

Musik Das Es-Dur-Quartett entstand in den Jahren 1897/98. In den acht Jahren seit der Komposition des f-Moll-Quartetts hatte sich Nielsens Kompositionstechnik deutlich zu einer ganz persönlichen Sprache hin entwickelt, was schon nach wenigen Takten des ersten Satzes offensichtlich ist. So werden zum Beispiel die Erwartungen, die das ansonsten genau konstruierte Formschema hinsichtlich der tonalen Architektur hervorruft, immer wieder durchkreuzt. Wohl kann man noch nicht von progressiver Tonalität sprechen, aber es ist klar, dass Nielsens Interesse an tonalen Spannungen weit über das hinausreicht, was vom Sonatenprinzip erwartet werden kann. Die Einfälle sind harmonisch unstabil, wollen es auch sein, und außerordentlich modulierfreudig: etwa in der zweiten Themengruppe, wo die musikalische Textur praktisch nach jedem zweiten Takt in einer neuen Tonart eingefärbt wird.

Der zweite Satz kommt ungewöhnlicherweise in der Haupttonart Es-Dur daher, obwohl deren Identität in den ersten acht Takten durchaus unklar bleibt. Das Hauptthema strömt breit und mit großem Ausdruck – eine Vorwegnahme des dritten Satzes von Nielsens zweiter Sinfonie, »Die vier Temperamente«. Der Satz ist dreiteilig, in A-B-A-Bogenform, wobei die A-Teile in sich wiederum dreiteilig gehalten sind.

Der dritte Satz steht nach außen hin in C-Dur, will jedoch ständig daraus ausbrechen und wird nur von der orgelpunktartigen Bassstimme quasi »gehalten«. Der Ausbruch passiert dann im wütenden 6/8-Presto, in dem kaum tonale Schwerpunkte auszumachen sind.

Damit hat der Komponist, so Poul Hamburger, sein Pulver jedoch im Großen und Ganzen verschossen, denn der letzte Satz scheint gegenüber den vorausgehenden ein wenig »konventionell«. Vor allem gilt dies für das erste, etwas weitschweifige Thema in Es-Dur mit seiner einfachen Dreiklangmelodie und den entschiedenen Quartschritten (Dominante-Tonika), das dem Finale von Nielsens erster Sinfonie verwandt ist. Das zweite Thema entwickelt sich aus der rhythmischen Struktur des ersten; die Durchführung erreicht ihren Höhepunkt nach tonal etwas »androgynen« Phasen und einer delikaten Pizzicatoepisode mit einer plötzlichen Wendung des Hauptthemas nach C-Dur. Nach weiteren Modulationen erscheint die Reprise wieder in der Haupttonart Es-Dur; sie führt weiter zur Coda mit einem etwas brüsken Kehraus.   PE

Streichquartett F-Dur op. 44

Sätze 1. Allegro non tanto e comodo, 2. Adagio con sentimento religioso, 3. Allegretto moderato ed innocente, 4. Finale: Molto adagio – Allegro non tanto, ma molto scherzoso
Entstehung 1906
Verlag Wilhelm Hansen
Spieldauer ca. 25 Minuten

Entstehung Am 2. Juli 1906 – vier Wochen vor der Oper »Maskerade« – hatte Carl Nielsen ein Streichquartett vollendet, dem er den Titel »Piacevolezza« (Liebenswürdigkeit, Charme) gab. Obwohl es die Opuszahl 19 trug (sie wurde später eliminiert), blieb es jahrelang unveröffentlicht, bis es 1923 als Streichquartett op. 44 erschien.

Musik Der ursprüngliche Titel gibt dem gesamten Werk sein Flair. Die Nähe zu »Maskerade« ist spürbar. »Wenn es vielleicht auch nicht so profund ist wie das Es-Dur-Quartett… übertrifft es seinen Vorgänger dennoch durch seine

Von 1908 bis 1914 leitete Nielsen das Orchester der Königlichen Oper in Kopenhagen. In diesen Jahren komponierte er viele seiner kammermusikalischen Werke, etwa die Violinsonate Nr. 2 op. 35.

puren technischen Qualitäten als Kammermusik. Die Textur ist überall von Klarheit und Durchsichtigkeit bestimmt, und den vier Instrumenten wird gleiche Behandlung im haydnschen Sinne zuteil, ›wie voneinander unabhängigen Persönlichkeiten in brillanter Konversation‹«, so Hamburger.

Erster Satz Vom Material her bietet dieser Satz gegenüber dem gleichen Abschnitt im vorhergehenden Streichquartett op. 14 kaum Neues: die gleiche harmonische Mehrdeutigkeit innerhalb der ansonsten recht streng eingehaltenen Sonatenform; auch die Terzverwandtschaften innerhalb der Tonarten, die schon im Streichquartett op. 13 festzustellen waren. Doch wirkt alles viel abgeklärter. Nichts von der vorwärtsdrängenden Vehemenz der früheren Streichquartette, ihren dichten Strukturen und den gespannten Rhythmen. Alles ist relaxed, leicht, beschwingt. Interessant das erste Thema, ein Musterbeispiel für Nielsens Ambition, die Haupttonart eines Werks möglichst schnell zu verlassen. Hier beginnt es in F-Dur und endet einen Halbton höher in Ges-Dur, eine durchaus ungewöhnliche, ja zur Entstehungszeit radikale Entscheidung. »Nun ist es ein Leichtes, in einer Tonart zu beginnen und in einer anderen zu en-

den – jeder Organist weiß das aus seiner Modulierpraxis. Nielsens Besonderheit ist, dass er dies nicht harmonisch, sondern rein melodisch durchführt, sodass die Harmonik der anderen Stimmen dadurch direkt determiniert wird. Zweifellos hat Nielsens unfehlbarer Instinkt... für das melodisch bestimmte Intervall... sich selten auf klarere Weise manifestiert als hier«, so Hamburger.

Zweiter Satz Die modal gefärbte hymnische Eröffnung des zweiten Satzes erinnert an das Finale aus Nielsens Bläserquintett op. 43, doch führt sie hier nicht zu einem Variationensatz, sondern zu intensiverer (harmonischer) Metamorphose: Dieser gesamte Abschnitt ist tonartlich schillernd und changierend – mit dem (möglichen) Kern einer um den Ton a zentrierten Tonalität.

Dritter Satz In a-Moll steht dann auch der dritte Satz, zumindest hat es den Anschein. Doch energisch artikulierte repetitive Figuren drängen die Tonalitäten im Mittelteil dieses kleinen, aber gar nicht so »unschuldigen« Rondos hin bis zur hier sehr fernen Tonart Es-Dur.

Vierter Satz Der letzte Satz atmet oberflächlich gesehen haydnschen Geist; doch findet man auch hier reichlich Beispiele für Nielsens

Tonartenverwandlungsspiele: Die Durchführung endet völlig offen in H-Dur, lässt die Frage weiterer tonaler Entwicklungen offen. Die Reprise beginnt auch irgendwo zwischen C- und E-Dur, »und die Jagd nach der offensichtlich schwer greifbaren ›Heimtonart‹ geht bis zum Schluss weiter« (Geoffrey Thomason). So bereitet das Quartett die tonalen Konflikte künftiger Werke Nielsens – wenn auch nicht auf dem Gebiet des Streichquartetts – vor.

Wirkung Die Musik Carl Nielsens war merkwürdigerweise in Mitteleuropa nie in dem Maß populär wie etwa in den angelsächsischen Ländern. Erst heute beginnt das Publikum auch hier zu verstehen, dass beispielsweise die Sinfonien des dänischen Komponisten wesentliche Beiträge zu dieser Gattung im 20. Jahrhundert darstellen. Für Nielsens Streichquartette mag dies nicht im gleichen Maß gelten, haben sie – seiner ersten und zweiten Schaffensperiode zugehörend – doch eher vorbereitenden als vollendenden Charakter. Dennoch müssten sie von ihrer Qualität her zum festen Bestandteil des Repertoires gehören. PE

Einspielungen (Auswahl)
• Quartette Nr. 1–5: Kontra-Quartett, 1991 (+ Streichquintett); BIS

Weitere Werke

Bläserquintett op. 43

Sätze 1. Allegro ben moderato, 2. Menuett, 3. Präludium – Tema con variazioni
Entstehung 1922
UA 9. Oktober 1922 Kopenhagen
Verlag Wilhelm Hansen
Spieldauer ca. 25 Minuten

Entstehung Das Bläserquintett war nicht der erste Versuch Carl Nielsens mit von Holzbläsern dominierter Kammermusik; bereits in Werken wie etwa den »Fantasiestücken« op. 2 für Oboe und Klavier (1889) oder »Serenata in vano« für Klarinette, Fagott, Horn, Cello und Kontrabass (1914) hatte er die speziellen Farben der Holzbläser, die er für das »natürlichste

Instrumentarium« hielt, ausgelotet. Das Quintett op. 43, komponiert für das Kopenhagener Bläserquintett, schloss er im April 1922 ab.

Musik Erster Satz Nielsens Bläserquintett beschwört ein wenig die Atmosphäre des Kopenhagener Tivoli, zumindest im ersten Satz (Allegro ben moderato): Wenn der Fagottist mit dem ersten Thema einsetzt und kontrapunktisches Figurenwerk dieses Kopfthema gleich umspielt, mag, wer will, in seiner Fantasie den Pfauenvorhang des Pantomimentheaters gleich beim Haupteingang sich öffnen und den weiß geschminkten Pierrot mit brennrotem Mund und schiefem Hut seine Lazzi machen sehen. In den wenigen Takten vom Beginn bis zum Einsatz des Horns mit dem ersten Thema wird der gesamte musikalische Fundus des Satzes in komprimierter Form ausgebreitet: In der kontrapunktischen Umspielung des Hauptthemas etwa ist das Material für die gackernde Überleitungsmotivik und das deutlich mit dem Hauptthema verwandte Seitenthema bereits enthalten. An Pierrots Treiben erinnern auch die merkwürdig obszön klingenden, überraschenden Trillerattacken in der Durchführung. In der Coda vereinen sich die beiden Themen, der Satz klingt ruhig aus, die »Akteure verlassen die Bühne nach virulentem Spiel«, so Norbert Bolin.

Zweiter Satz Der zweite Satz ist ein graziöses Menuett in zart durchbrochenem Satz: Mit Ausnahme kurzer Horneinwürfe sind zu Beginn nie mehr als zwei Instrumente am Geschehen beteiligt, Klarinette und Fagott, Flöte und Oboe – kapriziöse Pas de deux der Instrumente. Das »Trio« nimmt seine Bezeichnung zunächst wörtlich, indem es Flöte, Klarinette und Oboe beschäftigt, erst am Schluss des Triothemas tritt das Fagott und bei Wiederholung dieses Themas dann auch das Horn hinzu.

Dritter Satz Der Finalsatz beginnt mit einem etwa zweieinhalbminütigen ernsten Präludium, ehe das Ensemble das Thema (nach der von Nielsen selbst komponierten Choralmelodie »Mein Jesus, lass mich Dich von Herzen lieben«) formuliert. In elf Variationen sieht sich dieses in der Folge abgehandelt, wobei es nicht nur harmonisch, melodisch und rhythmisch ausgetestet wird, sondern auch jedes Instrument sich mit seinen speziellen Farben und Ausdrucksmöglichkeiten vorstellt.

Wirkung Das Quintett kam (nach einer Privataufführung in Göteborg) am 9. Oktober 1922 in Kopenhagen durch das Kopenhagener Bläserquintett zur Uraufführung. Ort der Veranstaltung war der Verein Ny Musik (Neue Musik), der im Vorjahr von Svend Christian Felumb, dem Oboisten des Kopenhagener Bläserquintetts, gegründet worden war. Felumb war eine der führenden Persönlichkeiten im Musikleben der dänischen Hauptstadt und trug später als einer der Dirigenten und Musikdirektoren dazu bei, »das erstaunlich hohe musikalische Niveau im berühmten Kopenhagener Tivoli zu halten« (Svend Ravnkilde).

Partitur und Stimmen des Werks wurden im Dezember 1922 in Arbeit gegeben; im Druck erschien es dann in Deutschland. Svend Ravnkilde vermutet, dass Nielsens Bläserquintett Arnold Schönberg zur Komposition seines Opus 26 angeregt habe. Gemessen an der Zahl der Einspielungen gehört das Quintett zu Nielsens zumindest bei den Interpreten beliebtesten Werken. PE

Einspielungen (Auswahl)
- Bläserquintett Bergen, 1988 (+ Allegretto, Canto serioso, Fantasiestücke op. 2, Fantasiestück, Moderen, Serenata in Vano); BIS

Nono | Luigi

* 29. 1. 1924
Venedig
† 8. 5. 1990
Venedig

2480

Luigi Nono zählt aufgrund seines politischen Engagements und seiner Kompromisslosig-keit in Bezug auf die Anwendung zeitgemäßer kompositorischer Mittel zu den zentralen Gestalten in der Musik des 20. Jahrhunderts. Kammermusik im traditionellen Sinn hat er kaum geschaffen; Ausnahmen bilden das Streichquartett »Fragmente – Stille, An Diotima« (1979/80) und das Duo »Hay que caminar sognando« für zwei Violinen (1989).

Der aus einer venezianischen Patrizierfamilie stammende Luigi Nono studierte ab 1941 Jura, nahm aber parallel dazu von 1943 bis 1945 Kompositionsunterricht bei Gian Francesco Malipiero. 1946 wechselte er zu Bruno Maderna, bei dem er hoffte, auch seinen eigenen ästhetischen Anspruch und seine politische Einstellung einbringen zu können. Maderna, der in Italien die Schönberg-Schule repräsentierte, stand ihm in dieser Hinsicht sehr viel näher. Der Dirigent Hermann Scherchen stellte 1950 Nonos erstes Orchesterwerk während der Darmstädter Ferienkurse für Neue Musik vor. Nono wurde durch ihn darüber hinaus in seinem Streben bekräftigt, seine engagiert-politische Auffassung in seinen Kompositionen zum Ausdruck zu bringen. 1952 trat Nono der Kommunistischen Partei Italiens bei, zeitweilig war er Mitglied des Vorstandes.

Von 1954 bis 1960 unterrichtete Nono bei den Darmstädter Ferienkursen für Neue Musik. Unter den Komponisten, die sich zeitgenössischer Techniken der Komposition bedienten, nahm Nono einen zentralen Rang ein. Dabei grenzte er sich sowohl von John Cage, der den Zufall konstitutiv in sein Werk einbezog, als auch von ausschließlich seriell determinierten Techniken der Musik ab. Seiner Auffassung nach wichen diese Vorgehensweisen der Verantwortung der Entscheidung aus. Nono dagegen duldete keine Flucht vor der Gegenwart und vor der politischen Relevanz der künstlerischen Aussage.

In seinem Schaffen spielte Sprache eine große Rolle, wobei er nicht Texte durch Musik kommentierte, sondern Sprache von ihrer Bedeutung löste. Er isolierte die Einzelteile der Worte, spaltete sie in Laute und Silben auf und verwendete sie neu. Dazu wandte sich Nono dem Komponieren mithilfe synthetischer Tonerzeugung zu und begann Ende der 1950er-Jahre seine Arbeit im Studio für elektronische

Musik bei der staatlichen italienischen Rundfunkgesellschaft RAI. Ausgehend vom Widerstand gegen den Faschismus kreisen Nonos Themen um die Solidarität mit den Arbeitern, um Folter und Unterdrückung. Anhand exemplarischer Einzelschicksale wollte er die Hörer zu einem Diskurs über die individuelle und kollektive Verantwortung führen, so in »Il canto sospeso« (1956), einer Komposition über Texte aus Abschiedsbriefen zum Tode verurteilter Widerstandskämpfer.

Als wesentliches Medium bei der Vermittlung seiner Konzeptionen diente Nono das Musiktheater. »Intolleranza 1960« und »Al gran sole carico d'amore« (1975) sind die bedeutendsten Ergebnisse dieser künstlerischen Auseinandersetzung. Nach einer durch Fehldeutungen seiner Musik bedingten Zeit des Rückzugs trat Nono 1980 mit seinem Streichquartett »Fragmente – Stille, An Diotima« wieder als Komponist an die Öffentlichkeit. Auch hier – wie in seinem gesamten Schaffen – bleiben für Nono geschichtliches

---

Das LaSalle Quartet

Die äußerste Differenzierung der Streicherklangfarben in »Fragmente – Stille, An Diotima« hat Luigi Nono mit dem amerikanischen LaSalle Quartet erarbeitet. »Manchmal schrieb er einfach etwas auf einen Zettel und legte ihn in unseren Briefkasten«, erinnert sich der Primarius des Quartetts, Walter Levin. Und: »Das Quartett von Nono hat sich durch unsere Aufführungen immer wieder verändert.«
Von seiner Gründung 1946 in New York bis zur Auflösung im Jahr 1988 zählte das LaSalle Quartet mit seinem schnörkellosen und ausdrucksintensiven Spiel zu den bedeutendsten Kammermusikensembles der Welt. Die klassisch-romantische Quartettliteratur spielte eine große Rolle in seinem Repertoire. Einen Namen machte sich das Ensemble gleichwohl mit der Einspielung sämtlicher Quartette der Wiener Schule (Schönberg, Berg und Webern) sowie mit der Wiederentdeckung der Streichquartette von Alexander Zemlinsky. Uraufgeführt hat das LaSalle Quartet u. a. die jeweils ersten Quartette von Krzysztof Penderecki (1962) und Witold Lutosławski (1965) sowie das zweite Streichquartett von György Ligeti (1969).

Bewusstsein und gesellschaftliche Veränderung sowie ästhetische und politische Anliegen untrennbar miteinander verknüpft. **HI**

»Fragmente – Stille, An Diotima« für Streichquartett

Sätze 1. Anfang, 2. Fortsetzung
Entstehung Juli 1979 bis Januar 1980
UA 2. Juni 1980 Bonn-Bad Godesberg
Verlag Ricordi
Spieldauer ca. 38 Minuten

Entstehung Nonos Quartett war ein Auftragswerk der Stadt Bonn für das 30. Beethovenfest (1980). Die Musiker des LaSalle Quartet, die das Werk dort aufführten, hatten den Komponisten bereits Mitte der 1950er-Jahre in Darmstadt um ein Streichquartett gebeten. Nono wandte sich indes erst zu diesem konkreten Anlass einer Gattung der Kammermusik zu.

Musik Der Titel des Streichquartetts signalisiert durch die Verwendung des hölderlinschen Gedichtes »An Diotima« zunächst die Absicht einer Vertonung oder eines programmatischen Gebrauchs dieser Dichtung. Jedoch setzt sich der dem Quartett zugrunde liegende Text aus Versen und Versfragmenten zusammen, von denen einige auch anderen Gedichten Hölderlins entnommen wurden. Sie sind an 52 Stellen in der Partitur notiert, werden während der Aufführung aber nicht vorgetragen. Vielmehr sind die Interpreten aufgefordert, sie während des Spielens mitzudenken. Es ist ein verschwiegenes, in der Stille enthaltenes Programm. Die rudimentären Ausschnitte korrespondieren dabei jeweils mit musikalischen Fragmenten. Es reihen sich Bruchstücke wie Gesten aneinander, die die Pausen zu gliedern scheinen: Auch die Stille erhält somit eine Aussage.

Von den Spielern wird das gesamte Spektrum moderner Strichtechniken verlangt: Flageolett, Spiel auf Griffbrett und Steg, mit dem Holz des Bogens gestrichene oder geschlagene Töne… Meist sind hohe und mittlere Lagen gefordert, Mikrointervalle lassen Assoziationen an elektronische Musik aufkommen; nur in wenigen Takten ist der traditionelle Streicherklang komponiert.

Das 1946 in New York gegründete, 1988 aufgelöste LaSalle Quartet wurde in den 1960er-Jahren in Europa mit seinen ausdrucksstarken Interpretationen berühmt. Nonos »Fragmente – Stille, An Diotima« wurde 1980 in Bonn von diesem Ensemble uraufgeführt.

In verschiedenen Passagen verwendet Nono die von Beethoven eingeführte Vortragsanweisung »Mit innigster Empfindung« (Klaviersonate op. 109, Streichquartett op. 132). Darüber hinaus hat er als Rückgriff auf die Musikgeschichte Verdis »Scala enigmata« (als Rätsel aufgegebene Tonfolge) aus dem »Ave Maria« der »Quattro pezzi sacri« zur Materialbasis seines Quartetts gemacht. Kurz vor Ende der Komposition setzt zudem in der Bratsche ein Zitat aus dem Chanson »Malheur me bat« (Leid schlägt mich) von Johannes Ockeghem (15. Jahrhundert) ein – Nono hatte das Stück während seines Musikstudiums bei Maderna analysiert.

Wirkung Dass man Nonos Streichquartett allgemein als Höhepunkt des Bonner Beethovenfests von 1980 bezeichnete, lag vor allem in der von keiner Seite bestrittenen Qualität des Werkes begründet. »Fragmente – Stille, An Diotima« wurde zugleich als Wende im Schaffen des Komponisten verstanden. Das politische Engagement aufgegeben zu haben, war Vorwurf der Linken, von Konservativen wurde dagegen der Duktus des Quartetts als »neue Innerlichkeit«

begrüßt. Nono selbst wies beide Einschätzungen von sich: »Ich habe mich keineswegs verändert... Ich will die große, aufrührerische Aussage mit kleinsten Mitteln.« Auf diesem Weg ist er u. a. noch mit den Stücken »La lontananza nostalgica utopica futura« (1988/89) für Solovioline, acht Tonbänder und acht bis zehn Notenständer sowie »Hay que caminar sognando« (1989) für zwei Violinen weitergegangen.　　HI

Einspielungen (Auswahl)
• LaSalle Quartet, 1983; Deutsche Grammophon

Anreize und Bekenntnisse

Luigi Nono gilt als Komponist, der nicht vor politischem Engagement zurückschreckte und dies auch in seinen Werken deutlich zu machen suchte. Er selbst urteilte 1959 darüber: »Alle meine Werke gehen immer von einem menschlichen Anreiz aus. Ein Ereignis, ein Erlebnis, ein Text unseres Lebens rührt an meinen Instinkt und an mein Gewissen und will von mir als Musiker wie als Mensch Zeugnis ablegen.«

Onslow | Georges

* 27. 7. 1784
Clermont-Ferrand
† 3. 10. 1853
Clermont-Ferrand

100563

Er zählt ohne Zweifel zu den wichtigen »Brückenfiguren« der Musikgeschichte im 19. Jahrhundert, war aber lange fast vergessen und wird erst seit wenigen Jahren zunehmend wiederentdeckt: André Georges Louis Onslow.

Dem Sohn eines englischen Lords und einer französischen Adeligen wurde standesgemäß eine umfassende Erziehung zuteil. In den postrevolutionären Wirren folgte Onslow seinem Vater nach London und erhielt dort u. a. bei dem berühmten böhmischen Pianisten und Komponisten Johann Ladislaus Dussek Unterricht. Doch erst mit der Rückkehr in die Auvergne (wahrscheinlich 1798) erwachte der Hang zum eigenen Komponieren. Als ausübender Cellist erschloss er sich im musizierenden Freundeskreis »vorbildliche« Werke von Boccherini, Haydn, Mozart und später auch von Beethoven. Aus diesem autodidaktisch geschulten Kenntnisstand heraus komponierte er seine drei ersten Streichquintette op. 1 – Initialschöpfungen eines umfangreichen kammermusikalischen Œuvres.

Als er sich 1808 in Paris niederließ, wurde Anton Reicha sein Kompositionslehrer. Schnell avancierte Onslow nun zu einem international geschätzten Komponisten. Sein Schaffen umfasst diverse Klavierwerke, zehn Klaviertrios, 36 Streichquartette, 34 Streichquintette, ein Holzbläserquintett, zwei Klavierquintette, zwei Kla-

viersextette, ein Klavierseptett, ein Nonett und vier Sinfonien. Das zu Lebzeiten wohl bekannteste Opus, die zweite große Sonate für Klavier zu vier Händen op. 22, nannte die Leipziger »Allgemeine Musikalische Zeitung« 1825 eine der besten vierhändigen Werke seit Mozart. Zu ähnlicher Popularität gelangte das 1829 entstandene 15. Streichquintett, in dem Onslow programmatisch auf einen erlittenen schweren Jagdunfall Bezug nahm. Schon im Jahr darauf kündigte der Pariser Verleger Pleyel eine Partiturgesamtedition aller Quintette und Quartette an. Auch die wenigen Vokalkompositionen Onslows, so zum Beispiel seine zweite Oper »Le Colporteur« (Paris 1827), machten ihn weiter bekannt. 1830 ernannte ihn die Philharmonic Society of London neben Mendelssohn zum zweiten Ehrenmitglied. Die gleiche Würde verlieh ihm 1836 die Wiener Gesellschaft der Musikfreunde. Im Jahr 1842 wurde Onslow schließlich »Thronfolger« Cherubinis an der Pariser Académie des Beaux-Arts.

Die schon in den letzten Lebensjahren vor allem in Frankreich sinkende Popularität Onslows sollte nicht darüber hinwegtäuschen, wie bekannt und verehrt der Komponist zeitlebens gewesen ist. Anlässlich seines Todes am 3. Oktober 1853 erschienen in Deutschland, Paris und London zahlreiche Nekrologe. Gerade in den 30er-Jahren des 19. Jahrhunderts füllte Onslows Kammermusik neben den Werken von Louis Spohr, Luigi Cherubini sowie vereinzelten Frühwerken Mendelssohns ein scheinbares »Vakuum« der Musikgeschichte, das angeblich in der Spanne nach dem Tod der letzten großen Wiener Klassiker, Beethoven und Schubert, und vor dem erst ab 1842 einsetzenden Kammermusikschaffen Schumanns entstanden war. STR

Streichquartette

Entstehung Das umfangreiche Quartettschaffen von Georges Onslow durchzieht beinahe seine gesamte Lebenszeit: Die ersten drei, noch etwas unsicheren Beiträge (op. 4) stammen vermutlich aus den Jahren vor 1810, und sein letztes, 36. Quartett (op. 69) entstand wohl erst nach 1845. Unterbrochen von schöpferischen Pausen und im steten Wechsel mit den Streichquintettkompositionen galt sein stetiges Interesse der ästhetisch besonders anspruchsvollen »Königsgattung«. Nur in den letzten Lebensjahren wichen die »strengen« Quartette endgültig den größeren Besetzungstypen.

Musik Als Cellist, im Seitenblick auf die hohen Quartettkünste der Wiener Klassiker und erst recht nach dem Unterricht bei Anton Reicha, musste sich ein aufstrebender Instrumentalmusikschöpfer des voranschreitenden 19. Jahrhunderts einfach mit der Gattung des Streichquartetts auseinandersetzen. Onslow hat bewiesen, wie geschickt er handwerklich mit den Normen des vierstimmigen Satzes, mit jenem Anspruch an intellektuell »gearbeitete« Musik umzugehen vermochte.

Besonders in seinen Streichquartetten wird deutlich, warum ihn die Zeitgenossen gern den »französischen Beethoven« nannten: Die Themen sind konzentriert und kleinteilig gestaltet und werden mit ernster Intensität den verarbeitenden Prozessen übergeben. Gleichwohl ist – vielleicht stärker und hinderlicher als in den freieren Quintetten – stets das vorsichtige Bemühen spürbar, Klarheit und Formbewusstsein zu demonstrieren.

Leicht lässt sich aber auch in den Quartetten ein reiches Repertoire von Eigenheiten entdecken: Man kann an einer gewissen Melancholie der Themenbildung Gefallen finden, wird reizvoll-ausgreifenden harmonischen Wendungen begegnen oder möge in den spielerischen Finale und auch Scherzi, die zunehmend das Menuett ablösen, raffiniert-virtuose Effekte bewundern. In den betont schlank gehaltenen langsamen Sätzen mit ihrem graziösen oder volksliedhaften Charakter unterscheiden sich die Quartette vielleicht am deutlichsten von den freischweifend-kantableren Quintettsätzen.

Wirkung Onslows »auszeichnenswerthe Quartette«, so schon 1818 die Leipziger »Allgemeine Musikalische Zeitung«, fanden bei seinen Zeitgenossen reichen Anklang. Man lobte vor allem das an der »deutschen Schule« orientierte Können und tadelte nur vereinzelt Onslows Pathos und die harmonischen Ausschweifungen.

Selbst Robert Schumann sah in Onslow einen würdigen Erben der Wiener Klassiker, und noch Dvořák bekannte, er habe Onslows Quartette »begierig studiert«.

Gleichwohl gerieten die Werke als Dokumente eines im Kern doch konservativen Quartettstils immer mehr in Vergessenheit. Erst in den letzten Jahrzehnten wurden sie gerechterweise (vorbildlich: das Engagement des Mandelring Quartetts) wieder ins Bewusstsein gerückt.   STR

Einspielungen (Auswahl)
- Quartette op. 9/1, 3 & op. 47: Mandelring Quartett, 1992; CPO

Streichquintette

Entstehung Zusammen mit den um 1806 als erste Früchte seiner autodidaktischen Studien entstandenen drei Quintetten op. 1 hat Onslow im Laufe seines Lebens 34 Streichquintette geschaffen und auf diese Weise einen gewichtigen Beitrag zur Quintettliteratur des 19. Jahrhunderts geleistet.

Zu besonderer Popularität gelangte das programmatische Streichquintett Nr. 15 c-Moll op. 38 (»Kugel-Quintett«), dessen Sätze 2–4 Onslow nach einem schweren Jagdunfall (1829) vollendete, bei dem er irrtümlich von einer Kugel am Kopf getroffen wurde und einseitig ertaubte.

Musik In seinen Quintetten findet Onslow vielleicht noch unbeschwerter als in den Quartetten zu eigenständiger Meisterschaft. Die erweiterten satztechnischen Möglichkeiten des Quintetts handhabt der Franzose mit zunehmender Souveränität. Klanggruppenwechsel, dialogisierende und paarweise geführte Instrumente, Rollentausch in wiederaufgenommenen Passagen, Orgelpunkt-, Bordun- oder Tremoloeffekte stehen im Dienste eines von melancholischem Ernst geprägten Ausdrucks.

Für den eigenwilligen Quintettklang ist neben der Kantabilität der Themen, der reichen Harmonik und satztechnischen Dichte vor allem wohl die Besetzungswahl verantwortlich: Der Cellist Onslow entschied sich zumeist für ein Ensemble mit zwei Violoncelli, dessen tieferes sogar durch einen Kontrabass ersetzt werden kann. Das hohe, erste Cello prägt – sozusagen in Tenorlage – für die Melodiebildung eine besondere »sängerische« Kraft und Klangqualität aus. Ähnliche Dispositionen finden sich schon bei Luigi Boccherini und natürlich im berühmten C-Dur-Quintett D 956 von Franz Schubert. Erst in seinen drei letzten Quintetten greift Onslow wieder auf den von den Komponisten häufiger angewendeten Typus mit zwei Bratschen zurück, der sich etwa bei Mozart, Michael Haydn oder Beethoven findet.

Beim Streichquintett Nr. 15 c-Moll op. 38 (»Kugel-Quintett«) hat Onslow besondere Expressivität entwickelt. Das mit »Dolore, febbre e delirio« überschriebene, immer wieder im Fortissimo aufschreiende Menuett (Schmerz) und sein irritierend rhythmisiertes Trio (Fieber und Wahn) »sprechen« mit musikalischen Mitteln ebenso eindrucksvoll von den Folgen der übel ausgegangenen Eberjagd wie das dumpf-sordinierte Wiedererwachen im Andante (Convalescenza) oder der C-Dur-Überschwang des endlich Genesenen im Guarigionefinale.

Wirkung Bis Mitte des 19. Jahrhunderts wurden die Quintette von Onslow in den Konzertsälen gleichberechtigt neben den Kompositionen der Wiener Klassiker sowie neben der Kammermusik von Louis Spohr oder Luigi Cherubini aufgeführt. Dies lässt sich nachvollziehen, wenn man die wunderbare Einspielung der Quintette op. 38, 39 und 40 durch Mitglieder der Ensembles L'Archibudelli und Smithsonian Chamber Players aus dem Jahr 1994 hört. STR

Einspielungen (Auswahl)
• Streichquintette op. 38–40: Vera Beths, Lisa Rautenberg (Violinen), Steven Dann (Viola), Anner Bylsma, Kenneth Slowik (Violoncelli), 1994; Sony Classical

Paganini | Niccolò

* 27. 10. 1782
Genua
† 27. 5. 1840
Nizza

Für den Komponisten Paganini gilt: Was er sich am Anfang seiner Karriere angeeignet hatte, erfuhr nach 1810 kaum noch eine stilistische Entwicklung. Vielmehr scheint er sich zunehmend den Tagesmoden zugewendet zu haben. Dennoch ist er auch als Komponist einflussreich gewesen – zu den Bewunderern seiner Werke zählten u. a. Robert Schumann und Franz Liszt.

Abgesehen von der grundlegenden Unterweisung im Violinspiel und in der Komposition, die er bis zu seinem 15. Lebensjahr erhielt, ist Paganini – wie er mehrmals selbst versichert hat – in jeder Hinsicht Autodidakt gewesen. Vielleicht gab ihm gerade dieser Freiraum die Möglichkeiten, seine Spieltechnik durch akrobatische Überdehnungen der linken Hand so zu vervollkommnen, dass sie die Grundlage seiner späteren Virtuosität bildete. Bevor er 1813 durch seine Erfolge nationale Beachtung fand, war er bis 1809 in fürstlichen Diensten und schlug sich anschließend (mehr oder weniger glücklich) als reisender Geiger durch. 1828 verließ er erstmals Italien, um in Wien zu konzertieren. Die folgenden Reisen durch Österreich, Deutschland, Frankreich, Belgien und England wurden ebenso von Triumphen wie sensationellen Gerüchten über sein Privatleben begleitet. Dagegen hat Paganini kaum etwas unternommen, sondern das Gerede vielmehr werbewirksam für sich selbst genutzt. Louis Spohr, der selbst ein glänzender Violinvirtuose war, berichtet in seiner Selbstbiografie von einem vielsagenden Treffen mit Paganini im Oktober 1816 in Mailand: »Nachher, als wir allein waren und ich nochmals in ihn drang, sagte er mir, seine Spielart sei für das große Publikum berechnet und verfehle bei diesem nie seine Wirkung; wenn er mir aber etwas spielen solle, so müsse er auf eine andere Art spielen und dazu sei er jetzt viel zu wenig im Zuge.«

Bei der Kammermusik Paganinis handelt es sich um Frühwerke aus den ersten Jahren des 19. Jahrhunderts. Neben den Werken für Violine solo (24 »Capricci« op. 1; 20 Variationen »Il carnevale di Venezia« op. 10) sind hier vor allem die zweimal sechs Sonaten für Geige und Gitarre op. 2 und op. 3, die zweimal drei Quartette für Violine, Viola, Gitarre und Violoncello op. 4 und op. 5 sowie mehrere Streichquartette zu nennen. Später sorgte die glänzende Selbstdarstellung des Komponisten auf dem großen Konzertpodium dafür, dass für ihn die feinsinnige Kunst des kammermusikalischen Komponierens und Musizierens vollständig in den Hintergrund rückte.   KU

24 Capricci op. 1 für Violine solo

Bezeichnungen 1. Andante (E-Dur), 2. Moderato (h-Moll), 3. Sostenuto (e-Moll), 4. Maestoso (c-Moll), 5. Agitato (a-Moll), 6. Lento (g-Moll), 7. Posato (a-Moll), 8. Maestoso (Es-Dur), 9. Allegretto (E-Dur), 10. Vivace (g-Moll), 11. Andante (C-Dur), 12. Allegro (As-Dur), 13. Allegro (B-Dur), 14. Moderato (Marcia, Es-Dur), 15. Posato (e-Moll), 16. Presto (g-Moll), 17. Sostenuto (Es-Dur), 18. Corrente (C-Dur), 19. Lento (Es-Dur), 20. Allegretto (D-Dur), 21. Amoroso (A-Dur), 22. Marcato (F-Dur), 23. Posato (Es-Dur), 24. Tema: Quasi presto – 11 Variationen – Finale (a-Moll)
Entstehung um 1805
Verlag Ricordi, Henle
Spieldauer ca. 73 Minuten

Itzhak Perlman ist einer der bedeutendsten Interpreten der technisch höchst anspruchsvollen Capricen von Paganini. Seine 1987 vorgelegte Gesamteinspielung der 24 Stücke gilt bis heute als meisterhaft.

Der Autodidakt Paganini verblüffte sein Publikum durch sein virtuoses Geigenspiel, fand aber auch als Komponist große Anerkennung (»Der Geiger Niccolò Paganini«, nach einem Gemälde von Georg Friedrich Kersting, nach 1830).

Entstehung Wann genau Paganini seine 24 »Capricci« für Solovioline komponiert hat, ist nicht bekannt. Das Autograf, das in drei, jeweils mit eigener Titelseite versehene Teile à sechs, sechs und zwölf Stücke gegliedert ist, wurde von fremder Hand (irreführend) auf den 24. September 1817 datiert. Die Erstausgabe kam 1820 in Mailand bei Ricordi heraus. Der Komponist hat sein Opus 1 »den Künstlern« (alli artisti) gewidmet.

Musik Die Capricen von Paganini sind nicht nur ein technisches Kompendium, eine »Hohe Schule des virtuosen Violinspiels«, sondern auch musikalisch wertvolle Stücke. Obwohl es sich um 24 Einzeltitel handelt, verzichtet Paganini auf einen kompletten Durchgang durch die 24 Dur- und Molltonarten, wie ihn etwa Bach in seinem »Wohltemperierten Klavier« unternommen hat. Meist zwei- oder dreiteilig angelegt und gelegentlich mit einer knappen langsamen Einleitung versehen, sind die einzelnen Stücke formal sehr übersichtlich gestaltet.

Mit den verschiedenen technischen Schwierigkeiten verbindet sich oftmals ein bestimmter musikalischer Ausdruck, wie etwa gleich in der äußerst komplizierten Springbogenetüde (Nr. 1). Weit größer ist die Caprice Nr. 4 dimensioniert, die das Ausmaß eines Sonatensatzes erreicht. Nr. 5 ist mit ihrem Perpetuum-mobile-Charakter ein berühmtes Zugabestück. Eine wilde Jagdszene mit Hörnern und springendem Wild ist in Nr. 9 dargestellt. Wegen ihrer latenten Mehrstimmigkeit gemahnt Nr. 11 im Tonfall an die Solosonaten Bachs; der Mittelteil ist jedoch ureigenster Paganini. Fast opernhafte Züge weist Nr. 17 auf. Große Gefahr, in Schwülstigkeiten abzurutschen, droht von der Sextenseligkeit in Nr. 21. Das Anfang des 19. Jahrhunderts neuartige Oktavenglissando wird in Nr. 23 eingeführt. Die Sammlung schließt mit einer fulminanten Folge von elf Variationen über ein originales Thema.

Wirkung Die Rezeptionsgeschichte begann 1820 mit dem Erstdruck der »Capricen« durch Ricordi. Besonders das Thema der letzten Caprice erlangte weite Verbreitung, indem es von zahlreichen Komponisten eigenen Variationswerken zugrunde gelegt wurde. Robert Schumann ver-

---

Virtuosentum im 19. Jahrhundert

Das 19. Jahrhundert war die große Zeit der reisenden Virtuosen. Nacherleben lässt sich das u. a. in der Kammermusik so manches komponierenden Solisten von damals, etwa in der Scherzotarantella op. 16 des polnischen Geigers Henri Wieniawski oder in den höchst virtuosen »Zigeunerweisen« op. 20 von Pablo de Sarasate. Mit einem ungewöhnlichen Instrument zog der Italiener Giovanni Bottesini durch die Konzertsäle: Er machte sich als »Paganini des Kontrabasses« einen Namen. Der belgische Musikforscher François-Joseph Fétis bewunderte die »Schönheit seines Spiels, seine wunderbare Geschicklichkeit in den schwierigsten Passagen sanglich zu spielen, das Zartgefühl und die Gefälligkeit seiner Ornamente, die das vollständigste Talent darstellen, das man sich denken kann«. Sein Paradestück wurden Variationen über ein Thema, über das sich auch Niccolò Paganini ausgelassen hat: »Il carnevale di Venezia«. Die zugrunde liegende Melodie ist in Deutschland als »Mein Hut, der hat drei Ecken« bekannt.

wendete das Thema 1838 in seinen »Sechs Konzertetüden« op. 10 für Klavier, Franz Liszt griff es im gleichen Jahr in den »Bravourstudien nach Paganinis Capricen« auf. Die Virtuosität des Violinstücks findet sich umgedeutet als technische Etüde in den Klaviervariationen von Brahms wieder, die unter dem Titel »Studien für das Pianoforte« als op. 35 veröffentlicht wurden.

Im 20. Jahrhundert setzte sich das Interesse an Paganinis Thema etwa in der »Rhapsodie über ein Thema von Paganini« op. 43 für Klavier und Orchester von Sergei Rachmaninow und den »Variationen für zwei Klaviere« (1941) von Witold Lutosławski fort; 1947 schrieb Boris Blacher seine »Orchestervariationen über ein Thema von N. Paganini« op. 26. Auch in den modernen Jazz- und Popsound ist Paganini überführt worden: Benny Goodman spielte mit seiner Big Band ein Arrangement von Skip Martin, Andrew Lloyd Webber veröffentlichte 1978 eine 23 Variationen umfassende Popversion auf Schallplatte.   KU

Einspielungen (Auswahl)
• Michael Rabin, 1958; EMI
• Itzhak Perlman, 1987; EMI

Werke für Violine und Gitarre

Entstehung Es ist weitgehend unbekannt, dass Paganini nicht nur ein Virtuose auf der Geige, sondern auch ein exzellenter Gitarrenspieler gewesen ist. Zudem hat er in den Jahren nach 1800 eine große Anzahl von Werken für Violine und Gitarre sowie auch solche nur für Gitarre komponiert. So vermerkte er selbst über die Jahre 1802 bis 1804, dass er sich da für längere Zeit von Parma nach Genua zurückgezogen habe, wo er »mehr den Dilettanten als den Virtuosen« gespielt habe: »Dafür aber beschäftigte ich mich ziemlich fleißig mit Kompositionen und schrieb so manches Stück für Gitarre.«

Musik Bei Paganinis Musik für Violine und Gitarre handelt es sich um kleine, intime Stückchen, auch wenn sie zum Teil den anspruchsvollen Titel »Sonate« tragen. Einschmeichelnde, gefällige, geschmackvoll verzierte und variierte

Melodien in der Geige werden darin meist akkordisch von der Gitarre begleitet (so in den Sonaten op. 2 Nr. 2 und 5). Manchmal spielt die Violine dabei im ersten Teil ausschließlich in Doppelgriffen, dann schließt sich ein schneller tänzerischer, effektvoll-virtuoser Abschnitt an (Sonate op. 2 Nr. 4 und op. 3 Nr. 5). Dialogischer Wechsel der beiden Instrumente wie in der dreisätzigen Sonata concertata A-Dur MS2 oder im Schlussteil der Sonate op. 3 Nr. 5, wo die Geige der Gitarre durch Pizzicatospiel auch schon mal den Vortritt lässt, ist eher die Ausnahme. Das Verhältnis der Instrumente zueinander verkehrt hat Paganini dagegen in seiner sechsminütigen Romance a-Moll: Dort ist die Gitarre solistisch behandelt, während die Geige nur Liege- bzw. Pizzicatotöne zur klanglichen Bereicherung beiträgt.

Wirkung Hector Berlioz hat in einer biografischen Notiz über Paganini geschrieben: »Ein anderes Mal, wenn ihn die Violine zu sehr ermüdete, zog er aus seiner Mappe eine Sammlung von eigenen Kompositionen für Violine und Gitarre (eine Sammlung, welche niemand kennt). Mit Herrn Sina, einem würdigen deutschen Violinisten, welcher noch in Paris seinen Beruf ausübt, als Partner, spielte er dann die Stimme der Gitarre und zog aus diesem Instrument unerhörte Wirkungen. So musizierten die beiden, Sina, der bescheidene Violinist, und Paganini, der unvergleichliche Gitarrenspieler, unter vier Augen lange Abende hindurch, ohne dass je ein Dritter, und wäre er der würdigste gewesen, hätte zu ihnen Einlass finden können.«

Zu Lebzeiten Paganinis sind von den Werken für Violine und Gitarre nur die je sechs Sonaten op. 2 (»Sei sonate per violino e chitarra, dedicati al signora delle Piane, op. 2«) und op. 3 (»Sei sonate per violino e chitarra, dedicati alla Ragazza Eleonora, op. 3«) im Druck erschienen – 1820 in Mailand bei Ricordi. Durch das Zurückhalten des Großteils seiner Werke wollte der Komponist verhindern, dass andere Künstler seine Musik nachspielten. Erst über den Nachlass Paganinis, in dem sich u. a. 140 kleine Stücke für Gitarre allein, 28 Duos mit Violine sowie 4 Trios und 9 Quartette für Gitarre mit Streichinstrumenten befanden, gelangte einiges in den Druck. Ein großer Teil des Gitarrenrepertoires wurde durch den Verlag Wilhelm Zimmermann in Frankfurt am Main veröffentlicht.   STÜ

Pärt | Arvo

* 11. 9. 1935
Paide (Est-
land)

100880

**Dass die Musik des Esten Arvo Pärt eine Brei-
tenwirkung erzielt, wie sie wenige zeitgenössische Komponisten erreichen, macht sie für
manche suspekt – getreu der Formel, dass,
was ankomme, anbiedernd und wohlgefällig
sein müsse. Seine »kleinen und einfachen«
Regeln, sein »neuer alter Stil« lässt sich von
der Musik des Mittelalters – und von deren
Religiosität – inspirieren.**

Pärt studierte – neben seiner Tätigkeit als Ton-
meister am Estnischen Rundfunk – von 1958
bis 1963 Komposition bei Heino Ellert am Konservatorium von Tallinn. Von 1967 an arbeitete
er als freischaffender Komponist in Estland;
1980 kam er – nachdem er in der UdSSR zunehmend Behinderungen ausgesetzt war – über Israel nach Wien. Ein Stipendium des Deutschen
Akademischen Austauschdienstes bewog ihn,
sich 1981 in Westberlin niederzulassen.

Die frühesten Kompositionen von Pärt sind im
neoklassizistischen Stil gehalten; bis etwa Mitte
der 1960er-Jahre war er dann jedoch einem
mehr oder weniger strikten seriellen Idiom verpflichtet. »Nekrolog« für Orchester auf die Opfer
des Faschismus aus dem Jahr 1960 erregte Aufsehen, weil es sich um die erste serielle Komposition aus Estland handelte. In seinen beiden
ersten Sinfonien (1964 bzw. 1966) schichtete
der Komponist über dem Grund neoklassizisti-
scher rhythmischer Muster eine Mixtur aus me-

lodisch geführter Dodekafonie, Clustern und
Aleatorik. In einer Art »Zwischenphase« eignete
Pärt sich die Collagetechnik an und schuf Werke
wie »Collage über B-A-C-H« für Streicher, Oboe,
Cembalo und Klavier (1964) oder »Credo«
(1968), das beinahe »reiner Bach« ist. Das Gefühl, es hätte »keinen Sinn mehr, Musik zu
schreiben, wenn man fast nur mehr zitiert«, ließ
ihn von 1968 bis 1976 als kreativer Komponist
fast vollständig verstummen. Er nutzte die Zeit
zum Studium der frühen europäischen Polyfonie. Unterbrochen wurde diese Phase durch einige Kompositionen im Geiste dieser Studien,
etwa durch die dritte Sinfonie (1971).

Was Pärt dann in der dritten Phase seines
Schaffensweges veröffentlichte, beschreibt er
selbst als »Tintinnabuli-Stil« (lat. tintinnabulum =
Glöckchen), womit er sich darauf bezieht, dass in
den Werken dieser Periode ein einziger Dreiklang den glockenhaft tönenden »Goldgrund« für
einfachste Melodieführungen gibt. Ein Schlüsselwerk dieser bislang letzten kompositorischen
Periode Pärts ist »Tabula rasa«, ein Concerto
grosso für zwei Violinen, Streichorchester und
präpariertes Klavier (1977).   PE

»Fratres«

Entstehung 1974–77
UA 1978 Tallinn (Fassung für alte oder neue In-
strumente und Schlagzeug); 17. August 1980
Salzburg (Variationen für Violine und Klavier);
12. Juni 1986 London (Streichquartettfassung);
18. September 1982 Berlin (Fassung für zwölf
Violoncelli); 30. Juli 1989 Hitzacker (Fassung
für Cello und Klavier)
Verlag Universal Edition
Spieldauer ca. 10–12 Minuten

Entstehung Die Komposition »Fratres«
stammt eigentlich aus der Zeit von Arvo Pärts
»kreativem Schweigen«, ist im Jahr 1977 notiert
und im gleichen Jahr vom estnischen Ensemble
für Alte Musik, Hortus Musicus, uraufgeführt
worden: eine dreistimmige Musik über einen Orgelpunkt für sieben alte Instrumente und
Schlagzeug. Eine wichtige Inspirationsquelle war
die Spiritualität der Hildegard von Bingen. Pärt
hat »Fratres« dem seiner Meinung nach wichtigs-

ten estnischen Komponisten dieses Jahrhunderts, Eduard Turbin (1944 aus seiner Heimat nach Schweden geflohen und dort 1982 gestorben), gewidmet.

Musik In der Originalversion von 1977, auf der die meisten der weiteren Fassungen basieren, ist die das ganze Werk hindurch beibehaltene liegende leere Bordunquinte a–e der »Goldgrund« – der Vergleich mit Gemälden des Mittelalters scheint hier durchaus passend. Auf ihm wird ein sechstaktiges Thema aufgebaut, wobei sich das aufs Strengste reduzierte Material nahezu ausschließlich aus dem a-Moll-Akkord und der harmonischen d-Moll-Skala speist. Perioden von jeweils sechs Takten in variierten Metren werden durch zwei 6/4-Schlagzeug-Takte voneinander getrennt. In der Fassung für Celli ersetzt das Schlagen gegen den Resonanzkörper das Schlagzeug, in der Version für Violine und Klavier ein zweitaktiges Klavierostinato.

Die stets gleich langen Phrasen entwickelt Pärt aus dem ersten Takt, den er in den beiden folgenden Takten jeweils um zwei Töne in der Taktmitte erweitert, bis die d-Moll-Skala vollständig ist. Dies äußert sich als Folge von 7/4-, 9/4- und 11/4-Takten; dann folgt die Umkehrung der ersten drei Takte, ehe die ganze Phrase durch die erwähnten Schlagzeugtakte beendet wird. Neunmal (in der Version für Violoncelli achtmal) wird sie repetiert; dabei sinkt der Zentralton von Abschnitt zu Abschnitt um eine kleine oder große Terz tiefer, was die Reihenfolge e-c-a-f-d-b-g-e-cis ergibt. »So bewegt sich das ganze Stück im Tonraum gleichsam in Form einer Spirale nach unten«, schreibt Martin Demmler.

»Fratres« ist dynamisch als Bogenform (crescendo/decrescendo) ausgeführt, was wie ein großes Ein- und Ausatmen wirkt. »Das Schematische der Komposition, die Zahlenkombinatorik, die leicht durchschaubare Satzweise wirken wie eine semipermeable Schutzwand: Man dringt leicht ein, aber das Werk gibt auf diesem Weg nichts von sich preis«, so Wolfgang Sandner.

Wirkung Pärt hat »Fratres« mehrfach bearbeitet bzw. adaptiert: Die Fassung für Violine und Klavier, die das Originalthema variiert, wurde von Gidon und Elena Kremer im Jahr 1980 bei den Salzburger Festspielen gespielt. Die Version für die zwölf Cellisten des Berliner Philharmonischen Orchesters schließt sich wieder an

die Originalfassung an (in Pärts Werkverzeichnis angegeben als »Fratres für vier, acht, zwölf Violoncelli«, 1977/1983).

An weiteren Fassungen liegen vor: Bearbeitungen für Streichorchester und Schlagzeug (1977/1991), für Solovioline, Streichorchester und Schlagzeug (1977/1992), für Posaune, Streichorchester und Schlagzeug (1977/1993), für Bläseroktett und Schlagzeug (Bearbeitung von Beat Briner, 1977/1990) sowie für Violoncello und Klavier (Bearbeitung von Dietmar Schwalke, 1977/1989).

Außerdem haben Schüler Pärts aus der Fassung für zwölf Celli eine Version für Streichquartett hergestellt, die 1986 in London beim Almeida-Festival uraufgeführt und vom Kronos Quartet sogleich ins Repertoire übernommen wurde. Der Komponist hat dieser Variante erst nachträglich zugestimmt. **PE**

Einspielungen (Auswahl)

- Kronos Quartet, 1987 (+ Werke für Streichquartett von Sallinen, Riley, Webern, Zorn, Lurie, Piazzolla, Schnittke, Barber und einem unbekannten Komponisten); East West Records
- Maria Bachmann (Violine), Jon Klibonoff (Klavier), 1993 (+ Werke von Corigliano, Glinsky, Messiaen, Moravec); BMG/RCA

Penderecki | Krzysztof

* 23. 11. 1933
Dębica (Polen)

Im Großen und Ganzen spiegeln die Schaffensperioden Pendereckis die Entwicklung

der Avantgardemusik und deren ästhetische Stellungswechsel seit Anfang der 1960er-Jahre vom Postserialismus bis zu einer (stilistisch unabhängigen) Postmoderne wider: »Das ist das Faszinierende von heute: Wir können auswählen, Mittel finden, die nicht mehr neue, nie vorhandene Effekte darstellen, da in diesem Sinne Neues nicht mehr vorstellbar ist. Wir können aber beginnen, anstelle neuer Entdeckungen von Klanggags wieder Musik zu machen«, meint Penderecki.

Penderecki studierte in den Jahren 1955 bis 1958 am Krakauer Konservatorium bei Artur Malawski und Stanislaw Wiechowicz (Komposition). Gleich im Anschluss an seine Studien unterrichtete er selbst Komposition an diesem Institut, seit 1972 ist er dessen Direktor. Er war zwar an Webern und Strawinsky geschult, aber zunächst als »Cluster- und Klangfarbenkomponist« aufgefallen: mit massiven Viertel- und Halbtonballungen, mit dem »befreiten Klang« in Werken wie »Anaklasis« (1960, die Uraufführung in Donaueschingen machte den Komponisten mit einem Schlag berühmt), »Polymorphia« (1961), »Fluorescences« (1962). Bald formte er diesen um zu individueller Expressivität, etwa in »Threnos« (1961), in der »Lukas-Passion« (1963–65) oder in »Dies irae« (1967) sowie in seiner Oper »Die Teufel von Loudun« (1969). Später ließ Penderecki diese Kompositionsmittel der 1960er-Jahre zurück, wurde in seinen Verfahren linearer, suchte das Melodische, ersetzte den Clustereffekt durch kargere Unisonolinien, wie zum Beispiel in der »Weihnachtssinfonie« (1979/80), in der er die Melodie von »Stille Nacht« zitiert – oder im stark von seinem Katholizismus bestimmten »Polnischen Requiem« (1980–84). Schließlich durchbrach er den verinnerlichten Ton dieser Periode wieder mit Lust am (postmodernen) Zitieren, aber auch mit Rückbesinnung auf die Kühnheiten seiner provokativen Werke, etwa in seinen Opern »Die schwarze Maske« (1985/86) und »Ubu Rex« (1991).

Die Kammermusik nimmt im Œuvre von Penderecki zahlenmäßig eher eine Randstellung ein. Außer den beiden Streichquartetten und dem

2004 wurde Krzysztof Penderecki in Tokio mit dem hoch dotierten »Praemium Imperiale« geehrt. Die von der Japan Art Association verliehene Auszeichnung geht jährlich an je einen herausragenden Künstler.

Quartettsatz »Der unterbrochene Gedanke« (1988) finden sich neben einer Sonate für Violine und Klavier aus der Studienzeit (1953) unter anderem zwei Capriccios, eines für Violoncello (1968, Siegfried Palm gewidmet), eines für Tuba solo (1980); ferner »Cadenza« für Viola solo (1984); »Prelude« für B-Klarinette solo (1987); Miniaturen für Klarinette und Klavier (1956) bzw. für Violine und Klavier (1959), ein Streichtrio (1990/91) sowie ein Quartett für Klarinette und Streichtrio (1993). PE

Streichquartette

Die beiden Streichquartette sind die herausragenden Kammermusikwerke im Œuvre von Penderecki. Das erste setzt die Materialexperimente von Stücken wie »Emanationen«, »Anaklasis« und »Threnos« fort, lässt diese, indem sie vom Streichertutti auf vier Soloinstrumente übertragen werden, quasi wie unter dem Vergrößerungsglas erscheinen. Das zweite Streichquartett nimmt den »Dualismus« zwischen Klang und Geräusch, der das erste charakterisiert, quasi zurück in die Differenzierung von Klangflächen, in ein unendlich changierendes, irisierendes Farbenspiel. Den beiden Werken ließ Penderecki 1988 das nur 36-taktige Quartettstück »Der unterbrochene Gedanke« folgen, laut Wolfram Schwinger »klingendes Abbild und Sublimierung des kompositorischen Reifeprozesses der 1970er- und 1980er-Jahre, komprimiert auf engstem Raum«. PE

Streichquartett Nr. 1

Entstehung 1960
UA 11. Mai 1962 Cincinnati, Ohio (USA)
Verlag Schott
Spieldauer ca. 8 Minuten

Entstehung Schon zu seinen Studienzeiten (1956/57) hat Krzysztof Penderecki sich an der Form des Streichquartetts ausprobiert. Die Komposition seines ersten publizierten Werks dieser Gattung geht auf das Jahr 1960 zurück – auf die Zeit des Orchesterstücks

»Anaklasis«, in dem der Komponist ungewöhnliche neue instrumentale Spielformen entwickelte.

Musik Das erste Streichquartett »gehört ganz in die Welt der soeben eroberten Geräuschklänge«, in der der Komponist »die Kunst der Verfremdung von traditionellen Instrumentalklängen vorführte und die neuen Spieltechniken auf alten Steichinstrumenten durchsetzte«, schreibt Penderecki-Biograf Wolfram Schwinger. Was in den Orchesterwerken »Anaklasis« oder auch »Threnos« einem ganzen Streicherensemble an neuen Spieltechniken abverlangt wurde, wird hier von vier Solisten ausgeführt: unorthodoxe Tonerzeugung – etwa durch das Schlagen, Zupfen oder Streichen einer Saite oder auch mehrerer gleichzeitig zwischen Steg und Saitenhalter – sowie verschiedene Möglichkeiten des Tremolo oder Vibrato. Die dem Werk zugrunde liegende Idee ist dabei, den überkommenen Sonatendualismus (Kontrastierung zweier Themen) durch die Gegensatzpaarung Geräusch-Schönklang zu ersetzen.

Das Werk beginnt mit »Schlagzeugeffekten«, Strukturen, die vor allem durch das Schlagen auf die Saiten bestimmt sind: zunächst mit der offenen Hand oder mit den Fingern in unbestimmter Tonhöhe, dann etwa auch mit den Fingerspitzen auf das Holz des Instruments. In der Folge werden bestimmte Töne oder Akkorde mit dem Bogenholz aus den Klangflächen quasi »herausgeschlagen« oder als Pizzicati in unbestimmter Tonhöhe gespielt.

Nach etwa zwei Minuten (das Tempo ist in Sekunden angegeben – pro Sekunde ist ein durch einen »Taktstrich« markierter Abschnitt zu spielen, wobei der Komponist dem Interpreten einen »Ermessensspielraum« zwischen 0,8 und 1,4 Sekunden gewährt) finden sich durch Glissandi nach oben gezogene Akkordrepetitionen. Die Abfolge der immer dichter werdenden Klangstrukturen ist nach arithmetischen Reihen streng geregelt (wobei diese Reihen nicht mit der seriellen Technik zu verwechseln sind). Die Tonhöhen werden nun determiniert, doch gegen Mitte des Werks kehren die Spieler zum Feld unbestimmter Tonhöhen zurück, wobei der stete Wechsel zwischen Forte und Pianissimo in raschen Crescendi und Decrescendi den Verlauf bestimmt.

Eine Generalpause – in der Partitur nach 3,13 Minuten – unterbricht den Ablauf, der danach ganz neu ansetzt: Die Bratsche spielt beinahe lautlos, pppp, einen lang gezogenen Ton (e¹); auch die anderen Instrumente setzen mit Liegetönen ein; wieder gibt es starke dynamische Wechsel vom Fortissimo ins Pianissimo, und auch die Geräuschstrukturen aus dem ersten Teil werden nochmals zitiert. Das Streichquartett endet ruhig, mit vereinzelten leisen Tönen.

Wirkung Eine von Pendereckis Spielanweisungen konnte selbst das bei zeitgenössischer Musik so versierte LaSalle Quartet, das das Werk am 11. Mai 1962 in Cincinnati aus der Taufe hob, nicht bewältigen: die Saite ohne Gebrauch des Bogens nur »durch kräftige Längeverkürzung mit dem Finger unter gleichzeitigen Trillern in Schwingung zu setzen«. Diese Spieltechnik war für den Beginn vorgesehen; das Werk begann bei der Uraufführung daher etwa 20 Sekunden nach dem Partituranfang – und so verhält es sich auch auf der Schallplatteneinspielung dieses Ensembles. PE

Streichquartett Nr. 2

Bezeichnung Lento molto – Vivace – Lento
Entstehung 1968, überarbeitet 1970
UA 30. September 1970 Berlin
Verlag Schott
Spieldauer ca. 8 Minuten

Musik Das zweite Streichquartett ist ein stilles, beinahe »versonnenes« Stück, das der Bezeichnung »Lento molto« des Beginns vom Gestus her durchweg, mit Ausnahme des rasanten Mittelteils (Vivace), gerecht wird und seine Spannung »sozusagen aus unruhiger Ruhe« (Wolfram Schwinger) erzeugt.

Zwar beginnt es mit einem heftigen Akkord (sfff), daran schließen sich sofort chromatisch eng gesetzte Liegetöne (h-c-cis-d) im pppp an, die nach einiger Zeit durch Glissandi in wabernde Bewegung gesetzt werden. Changierende Flageolettflächen sind von leisem Pfeifen der Spieler (fischio) zu begleiten. Pendereckis Stärke, die Klangfarbenkomposition, kommt hier voll zur Geltung, wozu auch die gegenüber früheren Werken weiter verfeinerte Vierteltontechnik beiträgt. Das ziemlich gleichmäßige Fließen wird nur selten durch dynamische Akzente unterbrochen; an einer Stelle soll die Saite so stark mit dem Bogen gedrückt werden, dass ein Knirschen entsteht.

Im Vivacemittelteil werden seriell konstruierte Sechzehntelstrukturen in schnellster Abfolge repetiert – zuerst normal, dann Pizzicato gespielt, auf zwei Saiten bzw. mit Arpeggio über alle vier Saiten, zwischen Steg und Saitenhalter sowie mit Pizzicato auf vier Saiten in nicht determinierter Tonhöhe (was die Instrumente wie Gitarren klingen lässt); alles im Pianissimo, mit wenigen Fortissimoakzenten. Kurz von einem Lento unterbrochen, setzt das Vivace danach umso heftiger mit der Repetition kleiner Sekunden ein; aus Letzteren ergeben sich Doppelgriffglissandi auf den beiden tiefen Saiten, die in unbestimmte Höhen getrieben werden.

Der dritte Teil ist ein Epilog (Lento); darin finden sich die raffiniertesten Klangfarbschattierungen in vierteltönigen Doppelgriff- und Flageolettglissandi. Am Schluss dreht der Cellist während des Glissandos den Wirbel der tiefsten Saite langsam herunter: Das gewünschte Ersterben der Musik zum Schluss wird dadurch verdeutlicht.

Wirkung Das zweite Streichquartett wurde anlässlich der Berliner Festwochen 1970 vom Parrenin-Quartett uraufgeführt. Wolfram Schwinger sprach von »elf Minuten geheimnisvoll vibrierender Musik«; dass das Werk jedoch auch »rasanter und bravouröser« gespielt werden könne, habe das Wilanow-Quartett mit seiner Wiedergabe beim Warschauer Herbst 1977 gezeigt. PE

Einspielungen (Auswahl)
- Quartette Nr. 1 & 2: Tale Quartet (+ Streichtrio, Klarinettenquartett, »Der unterbrochene Gedanke« für Streichquartett), 1994; BIS

Poulenc | Francis

* 7. 1. 1899
Paris
† 30. 1. 1963
Paris

Poulenc gelingt es immer wieder, mit einem schier unerschöpflichen Variantenreichtum an melodischen Einfällen geistreich zu unterhalten. Seine Harmonien und Rhythmen versteht er in eine klangvolle, oft spritzige, gar freche Moderne einzuschmelzen und dennoch eine zugleich sensible, sympathisch-spannungsvolle »Zuhörermusik« mit philosophierender Hintergründigkeit zu schaffen.

Schluss mit den Wolken, den Wellen und den nächtlichen Düften. Wir brauchen eine Musik, die auf der Erde steht… vollendet, rein, ohne überflüssiges Ornament«, so lautete die Musikästhetik, die Jean Cocteau nach dem Ende des Ersten Weltkriegs (1918) für die junge französische Komponistengeneration einforderte. Als führende Neuerer hatten sich Darius Milhaud, Arthur Honegger, Francis Poulenc, Germaine Tailleferre, Georges Auric und Louis Durey in Paris profiliert, die als »Nouveaux Jeunes« Uraufführungen eigener Werke organisierten. Hier wurde auch Poulencs erste Komposition vorgestellt, die bereits die für ihn typischen Klangvisionen erkennen lässt: die »Rhapsodie nègre« für Singstimme, Streichquartett, Klavier, Flöte und Klarinette.

Der Musikkritiker und Journalist Henri Collet verglich die sechs jugendlichen Stürmer und Vorwärtsdränger mit der historischen Fünfer-

gruppe des »Mächtigen Häufleins« aus Russland (Balakirew, Borodin, Cui, Mussorgski und Rimski-Korsakow als Schöpfer einer russischen Nationalmusik des 19. Jahrhunderts). In absichtsvoller Parallele dazu bezeichnete er seine eigenen, französischen Zeitgenossen als »Groupe des Six«. Schnell machte diese Bezeichnung die Runde und wurde zum Aushängeschild für den Aufbruch der Musik Frankreichs in eine eigene, freie, unabhängige Moderne. Jeder der sechs Individualisten ging dabei seine eigenschöpferischen, mehr oder weniger radikalen Wege. Francis Poulenc beeindruckte von vornherein mit seiner Bevorzugung der Gesangskunst und der Bläserfarben, durch eine allgemein verständliche, wirkungsvolle Wahl der Ausdrucksmittel, vor allem aber durch das häufig überraschende Nebeneinander von anspruchsvoller und trivial erscheinender Melodik. »Mönch und Lausbub« wurde er einmal von Fachkollegen treffend charakterisiert. Sein Idol der 1920er-Jahre war Igor Strawinsky.

Schon in frühester Jugend von den Eltern musikalisch gefördert, war Poulenc bereits mit 15 Jahren zum bevorzugten Meisterschüler des spanischen Pianisten Ricardo Viñes geworden. Aus dieser Studienzeit datieren die ersten persönlichen Kontakte zu Erik Satie und Georges Auric. Auch Charles Koechlin gehörte zu den Fürsprechern des jung begabten Poulenc, und eine enge Freundschaft mit Milhaud, die wenig später bei gemeinsamen Reisen zu Alban Berg, Anton Webern und Arnold Schönberg den Höhepunkt an kreativen Eindrücken und Erfahrungen einbringen sollte, führte 1924 zur entscheidenden Begegnung mit Diaghilew und seinen Ballets Russes. Mit dessen Auftragswerk »Les biches« (abstrakte Tanzszenen ohne Handlung) errang Poulenc einen überwältigenden Erfolg. Damit war seine weitere Karriere vorgezeichnet.

Trotz der imponierenden, schnell anwachsenden Liste aller Werkgattungen (u. a. Opern, Ballettmusiken, Orchesterwerke) haben sich als Schwerpunkte seine zahlreichen Chorkompositionen und Sololieder herauskristallisiert, im Konzertsaal vor allem aber die Kammermusiken.

An die Stelle der unterschwellig spürbaren Sonatensatzform treten in der Kammermusik von Poulenc mosaiksteinartige Taktgruppierungen von unterschiedlicher, meist sehr konträrer Aussagekraft. Da die wechselnden Stimmungen und Gefühle in der Regel mit einer Veränderung der Zeitmaße und des Tempos verbunden sind, wird die inhaltliche Geschlossenheit der Einzelsätze aufgehoben. Der Hörer muss stets auf alles gefasst sein: schnelle Sätze enthalten langsame Partien, während langsame Sätze von lebhaften Teilen durchwirkt sein können.

Das unvermittelte Eintreten solcher inhaltlichen Wechsel begünstigt ununterbrochen ein spannungsvolles Hineinhorchen in Poulencs Werke – zweifellos die Grundlage für deren Aufführungserfolge. Die »Mosaiksteine« sind: T1 kadenzartige, »frei schwebende« Takte; T2 Überraschungstakte ohne Bezug zum Ganzen; Rh1 expressive (dissonante) Rhythmusepisoden; Rh2 burleske (tonale) Rhythmusepisoden; M1 Expressive (ernste) Melodien; M2 triviale (parodistische) Melodien.   PÄ

Die japanische Violinistin Midori tritt seit 1986 weltweit als Solistin auf. 2001 spielte sie Poulencs Violinsonate zusammen mit Werken von Debussy und Saint-Saëns ein.

Violinsonate

Sätze 1. Allegro con fuoco, 2. Intermezzo: très lent et calme, 3. Presto tragico
Entstehung 1943; 1949 (Revision)
Verlag Eschig
Spieldauer ca. 19 Minuten

Musik In Erinnerung an Federico García Lorca komponiert und der Geigerin Ginette Neveu gewidmet, verrät das dreisätzige Opus aus der mittleren Schaffensperiode des Komponisten seine eigenbrötlerische Stilistik und die für ihn typische Ausformung der Werkarchitektur: neoklassizistisch, doch unabhängig von überlieferten Normen.

Erster Satz Nach einer dissonanten Kurzeinleitung (T2) bilden ein vitaler Themenblock (Rh1) und eine melodische Taktgruppe (M1/M2: teils ernst, teils mit ironisierender Stehgeigersüße) eine Art »Exposition«. Ein Crescendo mit abrupter Generalpause (T2) erregt Aufmerksamkeit für den darauf folgenden, langsamen Mittelteil voller schwärmerischer Geigenklänge als Quasidurchführung (M1/M2). Die Andeutung einer Reprise zitiert noch einmal das erste »Thema« (Rh1).

Zweiter Satz Wiederum bestimmen kontrastierende, zum Teil ineinander verschlungene »Mosaiksteine« mit neuen Motiven den Ablauf des Satzes: T1–M1–M2–M1–T2.

Dritter Satz Dem ständigen Rollenwechsel von Klavier und Geige als melodieführende Stimme oder figurierender Begleitpartner entspricht das scheinbar unentschlossene Schwanken zwischen expressiver und tänzerischer Rhythmik (Rh1/Rh2). Nach einem melodiösen Intermezzo (M2) tritt noch einmal schemenhaft das erste Thema des Kopfsatzes in Erscheinung, um sich sodann mit einem längeren Geigenrezitativ (T1), Pausenzäsuren und peitschendem Schlussakkord (T2) von den Träumen einer verführerischen Melodie (M2) ruckartig zu befreien. Eine musikalisch verschlüsselte García-Lorca-Botschaft?

Wirkung Die Violinsonate und seine Cellosonate von 1948 sind Poulencs einzige Beiträge zu einer Kammermusik für Streichinstrumente. Entsprechend hoch ist ihre Wertschätzung bei den Interpreten und beim Publikum. Yehudi Menuhin ist, begleitet von Jacques Février, mit einer inzwischen historischen Einspielung von 1967 im Rahmen einer (jüngeren) Gesamtveröffentlichung aller Kammermusikwerke Poulencs auf einer Doppel-CD zu hören.   PÄ

Einspielungen (Auswahl)
- Chantal Juillet (Violine), Pascal Rogé (Klavier), 1994 (+ weitere Kammermusik); Decca
- Midori (Violine), Robert McDonald (Klavier), 2001 (+ Violinsonaten von Debussy und Saint-Saëns); Sony/BMG

Cellosonate

Sätze 1. Allegro (Tempo di marcia), 2. Cavatine, 3. Ballabile, 4. Finale
Entstehung 1948; 1953 (Revision)
Verlag Heugel
Spieldauer ca. 23 Minuten

Musik Die Mosaiktechnik zeichnet sich auch hier durch manche liebenswürdige Marotte aus. Poulenc komponiert eine Musik der unentwegten Aha-Effekte, die eine pausenlos vorwärtsstrebende Erwartungshaltung bewirkt. Wie wird es weitergehen? Mozarts Geist wird pointenreich aktualisiert: »Die Konzerte sind eben das Mittelding zwischen zu schwer und zu leicht, sind sehr brillant, angenehm in die Ohren, natürlich ohne in das Leere zu fallen; hier und da können auch Kenner allein Satisfaktion erhalten, doch so, dass die Nichtkenner damit zufrieden sein müssen, ohne zu wissen warum«, schrieb Mozart in einem Brief vom 28. Dezember 1782. Zugleich konterkariert Poulenc die oft zu mysteriös-rätselhaften Abstraktionen und brüskierenden Kakofonien neigende Moderne. Er demonstriert (hierin Jean Françaix vergleichbar) Freude und Spaß an Melodie und Rhythmus und scheut sich auch nicht, sein Publikum mit »Gefälligkeiten« vom Jahrmarkt, aus Kaffeehäusern oder mit seichten Salonklängen zu überraschen.

Erster Satz Nach einem signalartigen Einstieg (T2) mit dem »Kuckucksruf« als Zitat des Hauptthemas beginnt ein neckischer Tanz (Rh2), dessen echohafte Wiederholungen und Sequenzierungen im Wechsel der Instrumente sich nahtlos zu einer eingängigen Melodie entwickeln (M2). Ein neuer Themenblock lässt mit besinnlicher Verlangsamung des Tempos eine Trivialmelodie erklingen, die dem Liebesflehen eines Operettenbuffos abgelauscht sein könnte (M2). Ein kurzes Cellopizzicato winkt gleichsam ab und leitet dafür einen burlesken Mittelteil ein

(Rh2). Eine Reprise in umgekehrter Reihenfolge ruft nochmals den zweiten Themenblock (»Operette«) in Erinnerung, anschließend auch den »Kuckucksruf« des Hauptthemas. Ein Minicodaeffekt (T2) beschließt den Quasisonatensatz.

Zweiter Satz Hingehauchte Klavierakkorde und zaghaft-sparsame Cellotöne (T1) bilden den »Vorhang«, der sich zu einem ausgedehnten Melodiespiel (M1) mit dynamisch-dramatischer Steigerung bis zu einem Fortissimo öffnet. Nach einer längeren Phase des Abklingens gibt eine energische Akkordfolge des Klaviers (T1) dem Cello das Startzeichen zu einer besinnlich dahinschwebenden Reprisenvariante des Satzthemas (M1), das nach einem weitläufigen Diminuendo mit einem gezupften Pianissimoton einsam ausklingt (T2).

Dritter Satz Die Satzbezeichnung »Ballabile« (eine Wortschöpfung Poulencs?) charakterisiert den Inhalt: eine heitere Mischung aus »cantabile« (gesanglich), »amabile« (liebevoll) und »Ballade« (erzählend). Im Wechsel rhythmischer Motive mit melodischen Partien lehnt sich die Werkarchitektur an eine zweiteilige Liedform (a+b) an. Ein aufblitzender Kontrastgedanke in der Satzmitte (T2) und eine thematisch freie Kurzcoda runden das balladeske Bild ab: a(Rh2)–b(M2)–(T2)–a–b1–Coda(T2).

Vierter Satz Nach einer gemächlichen Einleitung (T1) bilden zwei temperamentvolle Themenblöcke eine Exposition (Rh2/M2), deren Seitenthema (nach längerer Polkaepisode) sich in eine beschwingte Walzermotivik verwandelt: Ersatz für eine Durchführung? Reprisenartige Reminiszenzen und ein Zitat aus der langsamen Satzeinleitung bilden den abschließenden Rahmen für das virtuos-amüsante Wechselspiel der beiden Instrumente.

Wirkung Pierre Fournier, Widmungsträger der Cellosonate, hat das Werk 1964 zusammen mit dem Pianisten Jacques Février eingespielt.

PÄ

Einspielungen (Auswahl)
- Steven Isserlis (Violoncello), Pascal Devoyen (Klavier), 1989 (+ Cellosonaten von Debussy & Franck); Virgin/EMI
- Daniel Müller-Schott (Cello), Robert Kulek (Klavier), 2001 (+ Cellosonaten von Debussy und Franck); EMI

Trio für Klavier, Oboe und Fagott FP 43

Sätze 1. Lent – Presto, 2. Andante con moto,
3. Rondo: Très vif
Entstehung Februar–April 1926
Verlag Wilhelm Hansen
Spieldauer ca. 13 Minuten

Entstehung Der französische Komponist Francis Poulenc bevorzugte, nicht nur in seiner Kammermusik, die Blas- gegenüber den Streichinstrumenten. Je eine Flöten-, Oboen- und Klarinettensonate, eine Elegie für Horn, Sonaten für zwei Klarinetten, für Klarinette und Fagott bzw. für Horn, Trompete und Posaune legen davon Zeugnis ab. Und natürlich sein »Trio pour piano, hautbois et basson«, das er Anfang 1926 an der französischen Riviera komponierte und dem spanischen Kollegen Manuel de Falla widmete.

Musik Das Trio für Klavier, Oboe und Fagott atmet den Geist eines klassischen Divertimentos, weist sich aber zugleich u. a. durch den Gebrauch von Dissonanzen als ein Werk des 20. Jahrhunderts aus. Die Reihenfolge der Musikinstrumente im Titel bezeichnet zugleich eine Rangfolge: Deutlich mehr gefordert als die beiden Blasinstrumente wird das Klavier.

Erster Satz Die kurze langsame Einleitung zum ersten Satz erinnert an ein Opernrezitativ: akzentuiert und zugleich mit Taktwechseln und Freiheiten, was die Ausführung der schnellen Spielfiguren von Oboe und Fagott angeht (Anweisung: »librement toujours«), ernst und feierlich, dann wieder verschroben-ironisch. Der spritzige Prestoteil basiert auf einem Allegro von Joseph Haydn.

Zweiter Satz Das knappe Andante gleicht einem lyrischen Lied. Hier könnte ein langsamer Mozart-Satz Pate gestanden haben. Die Spielanweisungen lauten u. a. »très chanté« (sehr gesangvoll) und »très doux et mélancolique« (sehr süß und melancholisch).

Dritter Satz Das rasante Rondo mit seinen variierten Zwischenspielen gibt sich humorvoll. Sein Hauptthema hat Poulenc von dem Klassizisten Camille Saint-Saëns übernommen. Das Ende der Komposition kommt überraschend.

Wirkung Mit seinem Trio für Klavier, Oboe und Fagott errang Poulenc 1926 seinen ersten größeren Erfolg auf dem Gebiet der Kammermusik. STÜ

Sextett für Klavier und Bläser

Sätze 1. Allegro vivace: Très vite et emporté – Subitement presque le double plus lent – Tempo I subito – Emporté et très rythmé, 2. Intermezzo: très lent en calme, 3. Presto tragico
Entstehung 1932; 1939/40 (Revision)
Verlag Chester Music
Spieldauer ca. 18 Minuten

Entstehung Das Sextett ist Poulencs erstes größeres Kammermusikwerk mit Bläsern. Vorangegangen waren zu Beginn der 1920er-Jahre eine Sonate für zwei Klarinetten, eine Duosonate für Klarinette und Fagott und eine Triosonate für Horn, Trompete und Posaune. Im Gesamtschaffen nimmt das Bläser-»Sextuor« eine Schlüsselstellung ein (und steht hier stellvertretend für alle weiteren Bläserwerke), weil es Poulencs kompositorisches Prinzip der Satzbausteine ausgereift vorführt und damit Modellcharakter angenommen hat.

Musik Modellhaft sind auch die hohen technischen Anforderungen an die Bläser. Zugleich beweisen die extrem virtuos angelegten Partien, mit welcher Meisterschaft und Raffinesse des Komponierens die einzigartigen psychologischen Reizwirkungen erzielt werden. Dies gilt ebenso für Poulencs Instrumentierungskunst mit ihren Farbwirkungen und für die Ausdrucksvielfalt durch ihre thematischen, kontrapunktischen, harmonischen und rhythmischen, nicht zuletzt dynamischen Ent- und Verwicklungen.

Erster Satz Nach einem frechen Werkeinstieg (T2) beginnt ein furioses Konzertieren aller Beteiligten (Rh1), das sich zu einem fröhlichen Wechselspiel der einzelnen Instrumente entwickelt (Rh2). Eine Fagottkadenz (T1) bewirkt einen abrupten Stimmungs- und Tempowechsel: Das Klavier stimmt eine ernste Melodie an, die nach und nach von allen Instrumenten übernommen wird (M1). Nachdem sich dieser eindrucksvolle, langsame »Satz im Satz« bis zu einem bedrohlich wirkenden Fortissimohornsignal gesteigert hat, folgt ein lang gestrecktes Diminuendo, das allmählich mit stockenden Einzeltönen erstirbt. Aber trotzig wiederholt sich das wilde, quirlig variierte Musizieren aus dem Anfangsteil, damit den Rest des Satzes beherrschend (Rh1).

Zweiter Satz In Umkehrung der Werkarchitektur des Eröffnungssatzes wird ein besinnlich-lyrisches Andante (M1) durch einen heiteren, schnellen Mittelteil unterbrochen (Rh2), um sich schließlich – fast unmerklich mit gleitender Verlangsamung des Tempos – in die Stimmung des Satzanfangs zurückzuversetzen (M1+T2).

Dritter Satz Mit einer Harlekinade sondergleichen lässt der Komponist sein Opus ausklingen. Hier werden rhythmische Purzelbäume geschlagen (Rh2) und Gassenhauermelodien angestimmt (M2). Und noch einmal erinnert ein langsamer Schlussteil mit trauriger, fast wehmütiger Klage daran, dass alle Fröhlichkeit nur eine Vision gewesen ist. Die Kunst ist eben doch nicht so unbeschwert und heiter, wie sie es hier oft vorgegaukelt hat. Poulenc erweist sich als Philosoph: Gelächter gefriert zu bitterem Ernst. Man ist betroffen. Diese Musik ist eine geniale Transformation alter Vanitasmotive in die vergnügungssüchtige Gegenwart.

Wirkung Als Gegenströmung zu den »abstrakten« Techniken der klassischen Moderne (Zwölfton- und serielle Technik) erobert das vitale Schaffen der »Groupe des Six« zunehmend die Konzertsäle und Medien. Eine CD-Wiederveröffentlichung sämtlicher Kammermusikwerke Poulencs bei EMI ist ein Spiegel dieser Entwicklung. PÄ

Einspielungen (Auswahl)
- Nash Ensemble, 1985; CRD
- Pascal Rogé (Klavier), Patrick Gallois (Flöte), Maurice Bourgue (Oboe), Michel Portal (Klarinette), Amaury Wallez (Fagott), André Cazalet (Horn), 1988 (+ Flötensonate, Klarinettensonate, Oboensonate, Trio); Decca
- Eric Le Sage (Klavier), Emanuel Pahud (Flöte), François Leleux (Oboe), Paul Meyer (Klarinette), Ab Koster (Horn), Bilbert Audin (Fagott), 1998 (+ Kammermusik); RCA/BMG

Prokofjew | Sergei

* 23. 4. 1891
Gut Sonzowka
im Gouvernement Jekaterinoslaw
† 5. 3. 1953
Moskau

Der Komponist Prokofjew war weniger an Fragen der musikalischen Ästhetik interessiert als am Stellenwert der Musik im Gefüge einer Gesellschaft, die sich seit der Revolution in ständiger Umwandlung befand. Seine Musik legte die provozierenden Schockwirkungen der in Amerika und Paris entstandenen Werke mehr und mehr ab und fand zu einer gemäßigten, dennoch höchst persönlichen Sprache, die keineswegs ihr Jahrhundert verleugnete, aber fasslich blieb.

Prokofjew war der Sohn eines Gutsverwalters in der kleinen ukrainischen Stadt Sonzowka im Gouvernement Jekaterinoslaw. Seine Mutter war eine versierte Klavierspielerin, sodass Sergei in einer musikfreudigen Umgebung aufwuchs. Seine musikalische Begabung äußerte sich früh. 1902 stellte seine Mutter ihn dem Komponisten Sergei Tanejew in Moskau vor, der ihn zum Studium der Komposition ermutigte. 1904 zog seine Mutter mit ihm nach St. Petersburg, wo er als Schüler von Anatoli Ljadow und Nikolai Rimski-Korsakow zehn Jahre lang studierte. Dort legte er auch den Grund zu seinem frühen Ruhm als Pianist. 1914 gewann er den Rubinstein-Klavierpreis.

In den Jahren vor dem Ersten Weltkrieg begeisterten sich die jungen russischen Musiker für die damals neue Musik von Komponisten wie Strawinsky und Skrjabin, und der junge Prokofjew schockierte seine Lehrer mit antikonformistischen Kompositionen. Den Krieg verbrachte er in Russland mit der Komposition seiner ersten Oper »Der Spieler« nach Dostojewski. Die Februarrevolution erlebte er in Petersburg, zog es aber 1918 vor, die Heimat zu verlassen und in die USA überzusiedeln, wo er die Oper »Die Liebe zu den drei Orangen« vollendete. 1921 ging er nach Paris, lebte eine Zeit lang in Ettal, wo er die Oper »Der feurige Engel« abschloss.

Mehrere Besuche in die Sowjetunion bewogen ihn 1936, für immer dorthin zurückzukehren, womit er sich den Reglementierungen durch die stalinistische Kulturbürokratie aussetzte, die ihn mehrfach – gleich seinem Kollegen Schostakowitsch – des »Formalismus« bezichtigte. Dennoch entstanden dort seine meistgespielten Werke, die fünfte bis siebte Sinfonie, das Ballett »Romeo und Julia«, die letzten Klaviersonaten, Filmmusiken, das zweite Violinkonzert, zahlreiche Lieder, die Opern »Die Verlobung im Kloster«, »Simon Kotko« sowie das gewaltige Opernepos »Krieg und Frieden« nach Tolstoi, das zu seinen Lebzeiten jedoch nie vollständig aufgeführt wurde. Außerdem war Prokofjew zeitweilig am Moskauer Konservatorium als Lehrer tätig.

Prokofjew galt so bald als der neben Schostakowitsch bedeutendste Komponist der Sowjetunion, dessen Werke auch im Ausland Fuß fassten, soweit sie nicht politisch-ideologisch ihrem Ursprungsland verhaftet blieben. Der Tod des Komponisten wurde durch den Tod des Diktators überschattet: Am 5. März 1953 starb in Moskau auch Josef Stalin. BEAU

Fünf Melodien für Violine und Klavier op. 35a

Bezeichnungen 1. Andantino, 2. Lento, ma non troppo, 3. Animato, ma non allegro, 4. Allegretto leggiero e scherzando, 5. Andante non troppo
Entstehung 1920/1925
Verlag Sikorski
Spieldauer ca. 13 Minuten

Entstehung Im Jahr 1920 komponierte Prokofjew fünf »Lieder ohne Worte« (Vokalisen) für Sopran und Klavier. Da der kleine Zyklus wenig Erfolg hatte, schuf der Komponist 1925 eine Fassung für Violine und Klavier. Die einzelnen Stücke widmete er verschiedenen Geigern, darunter Joseph Szigeti.

Musik Melodie 1 Die Violine entfaltet eine romantisch-elegische Kantilene, die sich im Mittelteil zu größerer Intensität mit Doppelgriffen und Oktavengängen steigert, um dann zu der schlichten Melodiösität des Beginns zurückzukehren. Der Klaviersatz ist von eigenwillig-aparter Harmonik.

Melodie 2 Über zartwogenden Klavierpassagen breitet die Violine eine weitgespannte Melodie aus. Der etwas lebhaftere Mittelteil erhält seinen klanglichen Reiz durch das Con-sordino-Spiel der Violine. Eine Wiederholung der Melodie in hoher Lage führt zum zarten Ausklang.

Melodie 3 Der heftige Beginn verliert sich bald in lyrischen Violinmelismen, deren harmonisch-modulatorischer Reichtum anregender ist als der melodische. Eine am Steg zu spielende Stelle bringt einen aparten Klangreiz.

Melodie 4 In kaum mehr als einer Minute huscht diese kapriziös tändelnde Scherzominiatur vorüber. Die unorthodoxe Harmonik des Klaviersatzes ist charakteristisch für den Komponisten der Oper »Die Liebe zu den drei Orangen«.

Melodie 5 Eine ruhig schreitende Kantilene, die am Ende in ätherischen Flageolettklängen der Violine ausschwingt, umrahmt einen tänzerisch-temperamentvolleren Teil.

Wirkung Die »Fünf Melodien« zeigen Prokofjew von seiner lyrischen Seite, die bereits in seiner »wilden« Frühzeit mit ihren Bruitismen und Grotesken stark ausgeprägt war. Sie machen deutlich, dass die spätere Hinwendung des Komponisten zu einer melodisch-fasslichen Sprache keineswegs nur eine Folge der »Anpassung« an die Forderungen der stalinistischen Musikbürokratie war. BEAU

Einspielungen (Auswahl)
• Wadim Repin (Violine), Boris Berezovsky (Klavier), 1995 (+ Violinsonaten); Erato

Violinsonaten

Sonate Nr. 1 f-Moll op. 80

Sätze 1. Andante assai – Poco più animato, 2. Allegro brusco – Poco più tranquillo, 3. Andante – Poco meno mosso, 4. Allegrissimo – Poco più tranquillo
Entstehung 1938/1946
UA 23. Oktober 1946 Moskau
Verlag Sikorski
Spieldauer ca. 30 Minuten

Entstehung Prokofjew begann die Arbeit an seiner ersten Violinsonate im Jahr 1938. Die Fertigstellung verzögerte sich durch andere Arbeiten und schließlich durch den Zweiten Weltkrieg. Erst 1946 konnte er die Komposition beenden.

Musik Erster Satz Das einleitende Andante trägt balladenhafte Züge. Seine an eine Passacaglia erinnernde Hauptmelodie erscheint in einer Unisonobewegung des Klaviers in tiefer Lage. Die Violine setzt seufzerartige, in Trillern auslaufende Motive hinzu und ergeht sich in elegischen Doppelgriffpassagen. Das unregelmäßige metrische Schema in Gestalt eines Wechsels von 3/4- und 4/4-Takten unterstreicht den Charakter des Vagen, Vorbereitenden. Eine Steigerung, in der die Violine die Führung übernimmt, führt zur dunklen Stimmung des Beginns zurück. Aber dann erklingt im Diskant des Klaviers ein glockenartiger Choral, den die Violine mit schwirrenden Zweiunddreißigsteln umspielt. Er wiederholt sich, ehe der Satz im düsteren Kolorit des Beginns zu Pizzicati der Violine erlischt.

Zweiter Satz Die Anmerkung »brusco« (grob) bezeichnet den »Ton« des Satzes: hämmernde Klavierostinati, kurzphrasige, oft doppelgriffige Repetitionen der Violine vermitteln das Bild grober Kraft. Plötzlich steigt aus diesem Chaos eine Melodie sieghaft auf, mit »eroico« bezeichnet. Sie erscheint ein zweites Mal, diesmal kontrapunktisch grundiert von den »groben« Repetitionen, um sich dann beim dritten Erscheinen zu tänzerischer Eleganz zu erheben. Der Wechsel von schneidend dissonanten und beruhigten Passagen führt zu einem kraftvollen C-Dur-Satzschluss.

Dritter Satz Das Andante, ein stimmungsvolles Notturno, wird von bewegten Figurationen eingeleitet, zu denen die Violine in tiefer Lage eine zarte, ausdrucksvolle Melodie intoniert. Sie wechselt später in den Diskant des Klaviers. Der Mittelteil des Satzes wird von einem fragenden Dreitonmotiv, das in beiden Instrumenten immer wieder erscheint, beherrscht. Der wiegende 12/8-Takt, der dem Ganzen die Bewegung ruhigen Strömens gibt, entbindet erneut die Melodie des Beginns, ehe sich die lyrische Nachtvision verflüchtigt.

David Oistrach spielte die Uraufführung der Violinsonate Nr. 1 f-Moll op. 80, die Prokofjew dem herausragenden Violinisten gewidmet hatte.

Vierter Satz Ein im Unisono von Klavier und Violine energisch hochsteigendes, vitales Thema, das in einem heftigen Akkord endet, bestimmt den Charakter des Finales. Es wird gleich mehrfach variiert. Ein kantabler Seitengedanke erscheint zunächst in der Violine. Aber das Hauptthema beherrscht im weiteren Verlauf mit motivischen Abspaltungen das Geschehen. Plötzlich taucht nach einer Überleitung der Diskantchoral des ersten Satzes erneut auf, wiederum umspielt von schwirrender Bewegung der Violine. Ein zweites Auftreten des Seitengedankens führt zum ruhigen Ausklang des Werkes.

Wirkung Die Uraufführung der Sonate am 23. Oktober 1946 in Moskau durch den Widmungsträger David Oistrach und den Pianisten Lev Oborin fand begeisterte Zustimmung. Im Juni 1947 wurde das Werk mit dem Stalinpreis ausgezeichnet. BEAU

Sonate Nr. 2 D-Dur op. 94a

Sätze 1. Moderato, 2. Presto – poco meno mosso, 3. Andante, 4. Allegro con brio – poco meno mosso
Entstehung 1943/44
UA 17. Juni 1944 Moskau
Verlag Sikorski
Spieldauer ca. 24 Minuten

Entstehung Die zweite Violinsonate ist eine vom Original stark abweichende Umarbeitung der 1942/43 in Molotow, dem Evakuierungsort Prokofjews, komponierten Sonate für Flöte und Klavier op. 94. Bei der Transkription beriet den Komponisten David Oistrach. Das

Der Geiger David Oistrach

Der mit Sergei Prokofjew befreundete David Oistrach war der sowjetische »König der Geiger« und zugleich einer der international gefragtesten Musiker seiner Zeit. Seine Interpretationen romantischer wie zeitgenössischer Violinmusik verbanden technische Perfektion mit einem hohen Maß an klanglicher Ausgewogenheit. Der Musikwissenschaftler Kurt Blaukopf hob noch ein weiteres Charakteristikum seines Spiels hervor, die »stilistische Elastizität«: »Oistrach gibt sich anders im konzertanten Solo und anders in der Abhängigkeit des funktionellen Musizierens. Phrasierung und Agogik, Dynamik und Ausdruck sind für ihn nicht etwa ein für alle Mal feststehende Größen. Er löst die komplizierten Gleichungen der Kammermusik auf eine ungewöhnliche Art. Bekannte Größen sind für ihn: das Werk des Komponisten und der Stil des Partners. Als ›Variable‹ aber behandelt er den ›eigenen Stil‹, den es erst zu suchen gilt. Dieses Verfahren setzt ein hohes Maß von Selbstsicherheit voraus.«

Werk entstand damit vor der Vollendung der ersten Violinsonate.

Musik Erster Satz Anders als die erste Violinsonate ist die zweite durchweg auf einen lyrischen Ton gestimmt. Außerdem bevorzugt Prokofjew hier eine formal übersichtliche Anlage. Das lässt schon der erste Satz erkennen, ein Sonatenhauptsatz mit Wiederholung der Exposition. Dem von der Violine angestimmten, ruhig fließenden Hauptthema, das vom Klavier aufgenommen wird, folgt ein ähnlich gesangliches Seitenthema, das mit seinen Punktierungen fast volkstümlich wirkt. In der Durchführung, die beide Themen gegeneinander ausspielt, tritt ein dritter, an ein Trommelmotiv gemahnender Gedanke kontrapunktierend hinzu. Das Stück gerät hier in konzertanttemperamentvollere Regionen, ohne dass der lyrische Grundton verlassen würde. Mit dem Kopf des Hauptthemas klingt der Satz ruhig aus.

Zweiter Satz Ein dreiteiliges Scherzo eilt im Dreiertakt mit kurzphrasigen Repetitionsmotiven virtuos vorüber. Aus dem kapriziösen Wirbel löst sich ein auftaktig auftrumpfendes Tanzthema, ehe das Spiel mit den Repetitionsmotiven erneut anhebt. Der nicht als solcher bezeichnete Triomittelteil hebt sich schon durch den Wechsel zum Zweiertakt und durch ruhigeren Fluss vom Vorhergehenden ab. Eine verkürzte Wiederholung des Scherzoteils rundet den spielerisch-brillanten Satz ab.

Dritter Satz Dreiteilig ist auch das Andante angelegt. Zu einfacher Begleitung des Klaviers stimmt die Violine einen weitgespannten Gesang an, der vom Klavier aufgenommen wird. Triolische Wellenbewegungen lockern den Mittelteil auf: ein fast impressionistisches Motivspiel. Als Kontrapunkt grundieren sie den Wiedereintritt der Melodie des Satzbeginns, die zunächst im Klavier, dann in der Violine erscheint und den kurzen Satz schlicht ausklingen lässt.

Vierter Satz In diesem Finale entfernt sich die Violinsonate am weitesten von der ursprünglichen Flötenfassung. Ein rustikales Tanzthema mit hartnäckigen Quartenrepetitionen eröffnet den rondoartigen, temperamentvoll auftrumpfenden, schwungvollen Satz. Nicht minder einprägsam ist das zweite Thema mit

Der russische Geiger Wadim Repin (hier bei einem Auftritt in Berlin, 2005) widmet sich neben dem klassisch-romantischen Violinrepertoire besonders der Musik des 20. Jahrhunderts, darunter besonders den Werken Prokofjews.

seinen unisono aufsteigenden Terzschritten. Ein etwas ruhigerer Mittelteil entfaltet sich kantabler. Dann aber übernehmen die beiden Themen des Anfangsteils, variiert und gelegentlich ineinander verschränkt, erneut die Führung, das Werk zum brillant-konzertanten Schluss bringend.

Wirkung Die Uraufführung der Violinsonate am 17. Juni 1944 in Moskau durch David Oistrach war ein einhelliger Erfolg. Er ist dem Stück treu geblieben. BEAU

Einspielungen (Auswahl)
- Frank Peter Zimmermann (Violine), Alexander Lonquich (Klavier), 1987 (+ Solosonate op. 115, Sonate für zwei Violinen op. 56, Sonate Nr. 1 op. 80, Melodien op. 35a, Violinkonzerte Nr. 1 und Nr. 2); EMI
- Wadim Repin (Violine), Boris Berezovsky (Klavier), 1995 (+ Sonate Nr. 1, Fünf Melodien); Erato

Sonaten für andere Besetzungen

Cellosonate C-Dur op. 119

Sätze 1. Andante grave – Moderato animato – Allegro moderato, 2. Moderato – Andante dolce, 3. Allegro, ma non troppo – Andantino
Entstehung 1949
UA 1. März 1950 Moskau
Verlag Sikorski
Spieldauer ca. 26 Minuten

Entstehung Prokofjew schrieb seine Cellosonate kurz nach der erneuten Verfemung der »formalistischen« Komponisten durch den Beschluss des Zentralkomitees der KPdSU (1948), dem auch Schostakowitsch zum Opfer fiel. Ob sich hieraus die kantabel-diatonische, in ihrer sinnfälligen Melodik an die siebte Sinfonie gemahnende Faktur des Werkes erklärt, bleibe dahingestellt. Dennoch überrascht der Komponist mit unkonventionellen, das Material gelegentlich grotesk umfunktionierenden Wendungen, die die »Einfachheit« zu konterkarieren scheinen. Vor der Uraufführung sandte Prokofjew die Sonate Mstislaw Rostropowitsch zur Begutachtung zu.

Musik Erster Satz Das weitausschwingende Andante kann formal als Sonatenhauptsatz gedeutet werden. Das Violoncello beginnt mit einer breit ausgesponnenen Solokantilene in tiefer Lage, akkordisch begleitet vom Klavier. Sie enthält die Elemente eines Hauptthemas. Ein zweiter Gedanke, der im Klavierdiskant erscheint, wird für den Durchführungsteil bedeutsam. Er leitet über zum eigentlichen Seitenthema, einem schwelgerischen Cellogesang, der von beiden Instrumenten weitergeführt wird. Der Schluss der Exposition ist durch eine ausklingende Zäsur markiert. Der zweite Gedanke eröffnet den Durchführungsteil, diesmal aber als beschleunigte, erregte Figur vom Cello angestimmt und vom Klavier übernommen. Zweimal unterbricht sie den ruhigen Fluss, der auch die Durchführung kennzeichnet, in der sich die beiden Hauptthemen modulatorisch und in gesteigertem Ausdruck ausbreiten. Wiederum markiert eine Zäsur den Beginn der Reprise, die mit dem Hauptthema in der tiefen Lage des Klaviers anhebt und, gerafft, regulär verläuft. Eine erregt beginnende, pathetisch sich steigernde Coda mit Gitarreneffekten des Cellos führt zum ruhigen Ausklang des höchst eindrucksvollen Satzes, des gewichtigsten der Sonate.

Zweiter Satz Ein hüpfendes Kinderlied, vom Klavier kapriziös vorgetragen, eröffnet das scherzoartige Moderato. Es steigert sich mit Schrumm-schrumm-Effekten des Cellos zu einem rustikalen Tanz. Ein breit angelegter Mittelteil gehört wiederum ausschließlich kantabler Ausbreitung einer Cellokantilene und knüpft damit an die lyrische Ausdruckswelt des ersten Satzes an. Der verkürzte Wiedereintritt des »Kinderlieds« schließt den Satz mit Flageolettklängen des Cellos ab.

Dritter Satz Das rondoartige Finale hebt mit einem rüstig voranschreitenden, melodiö-

sen Cellothema an, das im Lauf des Satzes dreimal erscheint. Dazwischen stehen tänzerisch auftrumpfende und lyrisch-kantable Passagen, ein buntes, frisch-musikantisches Kaleidoskop. Plötzlich tönt in machtvollem Klavierunisono das Hauptthema des ersten Satzes hinein, den Beginn einer sich pathetisch steigernden Coda anzeigend. Sie beschließt mit aufschießenden Skalen fast monumental das melodiöse Spätwerk.

Wirkung Die Uraufführung mit dem Cellisten Mstislaw Rostropowitsch und Swjatoslaw Richter am Flügel war ein großer Erfolg.

BEAU

Einspielungen (Auswahl)
• Steven Isserlis (Violoncello), Olli Mustonen (Klavier), 1995; BMG/RCA

Streichquartette

Streichquartett Nr. 1 h-Moll op. 50

Sätze 1. Allegro, 2. Andante molto – vivace, 3. Andante
Entstehung 1930
UA 25. April 1931 Washington
Verlag Sikorski
Spieldauer ca. 24 Minuten

Entstehung Die beiden Streichquartette verdanken ihre Entstehung äußeren Anlässen. Das erste Quartett wurde im Auftrag der Elizabeth Sprague Coolidge Foundation für die Library of Congress in Washington geschrieben. Dieser kam es weniger auf die Musik als vielmehr auf die Komponistenhandschrift an, mit der der damals noch bescheidene Bestand der Bibliothek an Originalmanuskripten berühmter Zeitgenossen erweitert werden sollte.

Musik Prokofjew studierte, bevor er die Komposition in Angriff nahm, eingehend die Streichquartette Beethovens, was deutlich an der imitatorischen Durchführungstechnik des Werkes ablesbar ist. Darin unterscheidet sich das erste Quartett auch grundlegend von dem viel späteren zweiten.

Erster Satz Er präsentiert sich als eines jener unbekümmerten, optimistischen Spielstücke, wie sie für den mittleren Prokofjew charakteristisch sind. Der pulsierende Rhythmus treibt in der ersten Violine das hochstrebende, sehr markante Hauptthema gleich durch mehrere Tonarten. Dieser erste Komplex endet in einer deutlichen Zäsur. Ein zweiter Abschnitt führt zum lyrischen, aber schwungvollen Seitenthema, und als drittes Thema der Exposition erscheint ein dem Hauptthema ähnlicher Gedanke zu harten Staccati in den Mittelstimmen. Die kurze Durchführung, wiederum deutlich durch einen Einschnitt markiert, arbeitet in der Hauptsache mit dem Hauptthema und einer Überwurffigur, die aus dem zweiten Thema abgeleitet ist. Eine staccatierte Tonrepetition in der Violine zeigt den Beginn der Reprise an, die regelhaft als verkürzte Wiederholung der Exposition verläuft.

Zweiter Satz Dieser wird mit einem das Hauptthema des Finales vorwegnehmenden Andante eingeleitet, dem ein scherzoartiges, drängendes Vivace folgt. Letzteres hat Brückenform: dem dreimal erscheinenden Hauptteil, der sich aus einem Doppelthema – anrollendes, dann als Tonleiter hochsteigendes Thema im Bass, absteigende Figur im Diskant – entwickelt, kontrastiert zweimal eine schwungvolle Kantilene, die zuerst vom Cello intoniert wird. Beide Themengruppen werden wiederum zu dichten Komplexen ausgeweitet.

Dritter Satz Das Finale hat Prokofjew als den wichtigsten Satz des Quartetts bezeichnet. Er ist auch der längste, ein Espressivostück von großer Dichte des Liniengefüges, frei in der formalen Gestaltung. Wiegende Terzen, ein kurzes Motiv von Cello und Violine, das späterhin zu dramatischen Entwicklungen führt, dann erklingt im Cello und anschließend in der Violine das erste lyrisch-kantable Thema. Ein zweites, gleichfalls singendes und sich fließend ausbreitendes Thema folgt. Der bisherige schreitende Zweiertakt geht in einen wiegenden 9/8-Rhythmus über. Das Tempo steigert sich, zugleich verdichtet sich die Musik in einem großen Crescendo zu harten Ballungen, hervorgerufen durch das hartnäckige Anfangsmotiv. Dissonante Ostinati leiten den Schlussteil ein. Beruhigung bringt die Wiederkehr des Hauptthemas im Cello. Das Quartett schließt in sich verlierendem Pianissimo.

Wirkung Die Uraufführung fand am 25. April 1931 durch das Brose Quartet in Washington statt. Ihr folgte am 9. Oktober 1931 eine erste Darbietung in Moskau durch das Budapester Roth-Quartett. Prokofjew erstellte nachträglich noch eine Fassung des Schlusssatzes für Streichquintett bzw. Streichorchester. Dazu der Komponist: »Das Andante versuchte ich für einen fünfstimmigen Streichkörper zu bearbeiten, wozu ich einige Stellen in der Cellostimme ändern und Kontrabässe dazuschreiben musste. Es schien, dass dieses vorherrschend gesangliche Andante im Orchester intensiver klingen müsste, aber es stellte sich heraus, dass es im Quartett besser herauskam.« BEAU

Streichquartett Nr. 2 F-Dur op. 92 »über kabardinische Themen«

Sätze 1. Allegro sostenuto, 2. Adagio, 3. Allegro – Andante molto
Entstehung November/Dezember 1941
UA 5. September 1942 Moskau
Verlag Sikorski
Spieldauer ca. 23 Minuten

Entstehung Nach dem Überfall der deutschen Armee auf die Sowjetunion wurde Prokofjew im August 1941 auf Befehl der Sowjetregierung mit anderen Komponisten nach Naltschik im Nordkaukasus evakuiert. Dort lernte er die kabardinische Volksmusik mit ihren orientalischen Einflüssen kennen. Auf Anregung des Vorsitzenden der Kunstkommission der Kabardinischen Volksrepublik komponierte Prokofjew sein Streichquartett »über kabardinische Themen«.

Musik Prokofjew zwängte in seinem Quartett die Volksmusik in das Gerüst der klassischen Sonatenform, ein Widerspruch, aber ein reizvoller. Bezeichnend für das Werk sind die Imitationen von Folkloreinstrumenten sowie die an den thematischen Vorlagen orientierte Rhythmik und Harmonik.

Erster Satz Der erste Satz kommt in stampfendem Marschschritt daher. Das gleich zu Beginn von der Violine intonierte Hauptthema verrät sofort seine folkloristische Herkunft. Seine modale Färbung lässt keinen Grundton erkennen. Das Seitenthema wird von drei Repetitionstönen zu Beginn charakterisiert. Ein drittes, die Schlussgruppe der formgerechten Sonatenexposition, hebt mit einem energischen Quartschritt an. Harmonisiert wird dieses folkloristische Material bordunartig mit dissonanten Quint- und Terzakkorden. Eine ausführliche Durchführung reiht Teile aller drei Themen aneinander und beleuchtet sie neu. Eine Reprise bringt die drei Themen nacheinander in gedrängter Abfolge. Das Ganze klingt mit seinen unabhängig geführten Stimmen heterofon und spröde, ist aber von eigenartigem Reiz.

Zweiter Satz Das ausdrucksvolle Adagio intoniert nach einigen linear-schwebenden Takten in hoher Cellolage das wehmütig-melodische erste Thema. Triolische Figuren in hoher Violinlage schweben über diesem fast orientalisch wirkenden Gesang. Der Mittelteil des dreiteilig angelegten Satzes bringt als Kontrast eine Tanzweise, begleitet von gitarrenartigen Pizzicati, die sich mehr und mehr steigert. Dann kehrt erneut die Stimmung des Beginns wieder. Die einleitenden Takte werden in diesem Abschnitt zu einem weiteren Thema geweitet, ehe in hoher Violinlage der »orientalische« Gesang zum Schluss führt. Der Satz ist von ungewöhnlichem koloristischem Reiz.

Dritter Satz Das Finale kann als freies Rondo gedeutet werden. Das mehrfach wiederkehrende Hauptthema, das gleich zu Beginn als synkopierter Marsch ertönt, wird abgelöst von einem lyrischen Gedanken, den die Violine in hoher Lage intoniert. Ein kurzes fünftöniges drittes Motiv spielt eine durchführungsartige Rolle. Eine Solokadenz des Cellos leitet über zum Schlussteil, in dem die Themen nochmals repetiert werden, ehe das Hauptthema das letzte Wort führt.

Wirkung Die Uraufführung am 5. September 1942 in Moskau durch das Beethoven-Quartett fand bei Publikum und Kritik eine positive Aufnahme. Gewürdigt wurde besonders die Mischung aus ursprünglicher Folklore und moderner Harmonik. BEAU

Einspielungen (Auswahl)
• Emerson String Quartet, 1990 (+ Sonate für zwei Violinen op. 56); Deutsche Grammophon

Purcell | Henry

* 1659 London?
† 21. 11. 1695 Westminster, London

Purcell war nicht nur ein hervorragender Komponist des Barockzeitalters, sondern einer der größten englischen Komponisten überhaupt. Zu seiner Kammermusik gehören vor allem die »Sonatas of III parts« (1683), »Sonatas in four parts« (1697) sowie die drei- bis siebenstimmigen Fantasien (ca. 1680) mit der bekannten »Fantasia upon one note« und den beiden »In nomine«-Fantasien.

Mit der Oper »Dido and Aeneas« (1689), den Semiopern »Dioclesian« (1690), »King Arthur« (1691), »The Fairy Queen« (1692), »The Indian Queen« (1695) und »The Tempest« (ca. 1695) sowie mit über 40 Schauspielmusiken leistete Purcell einen wesentlichen Beitrag zur Entwicklung der englischsprachigen dramatischen Musik. Wäre er nicht bereits 1695 im Alter von 36 Jahren gestorben, so hätte er zweifellos der nationalsprachigen Oper in England zum Durchbruch verholfen.

Über seine Geburt und sein Elternhaus ist wenig bekannt, doch vermutlich ist er der Sohn des Sängers und Komponisten Thomas Purcell. Er war gerade einmal acht Jahre alt, als bereits ein Lied von ihm in John Playfords Sammlung »Catch that Catch Can or The Musical Companion« veröffentlicht wurde. Purcell sang als Chorknabe in der Londoner Chapel Royal unter Henry Cooke und Pelham Humfrey. Als er 1673 in den Stimmbruch kam, wurde er als Gehilfe des königlichen Instrumentenverwalters John Hingeston angestellt und erhielt zu dieser Zeit vermutlich Unterricht von John Blow. Im Jahr darauf war Purcell als Orgelstimmer und Notenkopist an Westminster Abbey tätig. 1677 folgte er dem verstorbenen Matthew Locke als »Composer for the Violins« am Hof Charles' II. nach und übernahm 1679 das Amt von John Blow als Organist an Westminster Abbey. Drei Jahre später wirkte er als Organist und Chorsänger an der Chapel Royal, und als John Hingeston 1684 starb, erhielt er auch noch das Amt des königlichen Instrumentenverwalters. Purcell, der alle seine Ämter bis zum Tod behielt, wurde am 26. November 1695 in Westminster Abbey beigesetzt.

Purcell komponierte zahlreiche weltliche Lieder, Oden, Welcome Songs und Catches (Kanons und freie Stücke für Männerstimmen). Bis er sich 1689 der dramatischen Musik zuwandte, sind zahlreiche geistliche Werke, insbesondere Anthems (Bibeltextvertonungen) und Services (liturgische Kompositionen) entstanden. Der Komponist schrieb sowohl orgelbegleitete Verse Anthems als auch Full Anthems im motettischen Stil für Solostimmen, Chor und Streicher. Die herausragende Vokalmusik überschattete häufig seine Bedeutung als Instrumentalkomponist. Doch schon zu seinen Lebzeiten wurden die Instrumentalsätze seiner Bühnenwerke in Orchestersuiten zusammengefasst.

MÖ

»Sonatas of III parts« für zwei Violinen, Viola da Gamba und Generalbass Z 790–801

Entstehung 1677 trat Purcell die Nachfolge von Matthew Locke als »Composer for the Violins« am Hof König Charles' II. an. Zu den zahlreichen Kammermusikwerken, die er in den folgenden Jahren komponierte, zählen sowohl die »Sonatas of III parts« als auch die »Sonatas in four parts«, die Purcells Witwe zwar erst 1697 posthum publizierte, die aber vermutlich schon um 1680 entstanden sind.

Purcells zwölf »Sonatas of III parts« für zwei Violinen, Viola da Gamba und Generalbass (Cembalo oder Orgel) wurden im Juni 1683 in

---

Consort Music

Die bevorzugte instrumentale Kammermusik im England des ausgehenden 16. sowie des 17. Jahrhunderts war »Consort Music«, gespielt von Ensembles mit vier bis sechs Mitwirkenden. Nach der Art der Besetzung wurden dabei unterschieden: das »Whole Consort« mit Instrumenten der gleichen Familie (besonders beliebt: reine Gambenensembles) und das »Broken Consort« aus Saiten- und Blasinstrumenten (etwa die von Königin Elisabeth I. geschätzten »Exquisite Six« aus Laute, Flöte, Zither, Basszither, Tenor- und Bassgambe). Wichtig war nur, wie auch Michael Praetorius betont, dass die beteiligten Instrumente »gar still / sanfft und lieblich accordiren, und in anmutiger Symphonia mit einander zusammen stimmen«. Das Consort-Music-Repertoire bestand meist aus Tanzstücken und Fantasien (Fancys). Als Komponist tat sich neben Henry Purcell besonders der heute vor allem als Madrigalkomponist geschätzte Thomas Morley auf diesem Gebiet hervor.

London veröffentlicht und sind seinem Dienstherrn Charles II. gewidmet. Sie sind die ersten in England gedruckten Triosonaten eines englischen Komponisten überhaupt. Die Entstehung ist vermutlich ein paar Jahre früher anzusetzen, also etwa zeitgleich zu den »Sonatas in four parts«.

Musik Purcells Triosonaten spiegeln seine Vorliebe für die italienische Musik wider. Im Vorwort der Erstausgabe wird ausdrücklich hervorgehoben, dass er sich ernsthaft bemüht habe, die berühmtesten italienischen Meister nachzuahmen, »vor allem, um dem Ernst und der Bedeutung dieser Art von Musik zu Beliebtheit und gutem Ruf unter unseren Landsleuten zu verhelfen«. Die Engländer bevorzugten zu dieser Zeit nämlich den französischen Stil, den der König mithilfe seines Hoforchesters (24 Violinen) durchgesetzt hatte. Doch nach und nach kamen Drucke von Maurizio Cazzati, Giovanni Battista Vitali und anderen italienischen Komponisten nach London und erweckten Purcells Interesse.

Italienischen Ursprungs sind Satzbezeichnungen wie Adagio, Largo, Allegro, Vivace, die in England noch wenig bekannt waren und daher von Purcell in der Vorrede erklärt werden. Wenn die Machart der Triosonaten auch italienisch ist, so lassen sich doch kaum Beziehungen zur Form der Sonata da Chiesa herstellen: Purcells Sonaten sind drei- bis fünfsätzig, und die langsamen und schnellen Sätze wechseln sich nicht nach einem bestimmten Schema ab.

Purcell bedient sich in den Sonaten kontrapunktischer Techniken, insbesondere der Umkehrung, Engführung, Augmentation und Diminution. Überhaupt interessiert er sich weniger für den konzertierenden Wettstreit der beiden Oberstimmen, der für die italienische Triosonate konstitutiv ist, als vielmehr für die traditionelle polyfone Satzkunst und die kontrapunktischen Formen von Fuge und Kanon.

Im Zentrum der meisten Sonaten steht ein »Canzona« genannter fugierter Satz. Sein Thema geht häufig in den festgehaltenen Kontrapunkt zum Comes über, wie in den Sonaten Nr. 3, 4 und 7. In anderen Canzonen erklingt das Thema gleichzeitig mit dem Kontrasubjekt, wie zum Beispiel in den Sonaten Nr. 4 und 11. Die polyfone Satzstruktur bleibt aber keineswegs auf die Canzona beschränkt. Ein instruktives Beispiel bietet die Sonate Nr. 6: Im Kopfsatz wird das Thema, das zunächst im Bass erscheint, gleichzeitig von der zweiten Violine in der Vergrößerung auf der Quinte und von der ersten Violine in doppelter Vergrößerung auf der Oktave kontrapunktiert.

Wirkung Purcells Sonaten stehen der konservativen Sonata a tre näher als der italienischen Sonata a due, die für die Entwicklung der spätbarocken Triosonate von größerer Bedeutung ist. Kein Wunder also, dass etwa Arcangelo Corelli nicht viel von den Werken hielt, zumal ihn die italienischen Stilelemente, von denen im Vorwort die Rede ist, nicht überzeugten.

MÖ

Einspielungen (Auswahl)
• London Baroque, 1993; Harmonia Mundi

Fantasien für Gambenensemble Z 732–743, 745–747

Entstehung Purcells Fantasien für Gambenensemble sind in einem autografen Konvolut im British Museum überliefert. Darin befinden sich

drei dreistimmige und neun vierstimmige Fantasien, die fünfstimmige »Fantasia upon one note« sowie zwei »In nomine«-Fantasien zu sechs bzw. sieben Stimmen. Die dreistimmigen Fantasien – Purcells früheste Kammermusikwerke überhaupt – wurden vermutlich bereits zwischen 1678 und 1680 komponiert. Während die fünf- bis siebenstimmigen Fantasien nur ungefähr auf das Jahr 1680 bzw. kurz davor zu datieren sind, hat Purcell die Entstehungszeit der vierstimmigen Fantasien jeweils auf den Tag genau angegeben. Sie sind zwischen dem 10. Juni und 31. August 1680 entstanden.

Purcell wollte die Sammlung offenbar erweitern, denn er kündigte im Autograf neben sechs- und siebenstimmigen auch achtstimmige Fantasien an, die allerdings nicht überliefert sind. Darüber hinaus ist das Fragment einer weiteren vierstimmigen, 1682/83 entstandenen Fantasia erhalten.

König Charles II. duldete angeblich nur Musik, zu der er tanzen und mitklatschen konnte, also vor allem französische Tanzmusik und eben nicht die kontrapunktische Kunst der Fantasien. Hinzu kam, dass er die Violen bei Hof durch die modernen Violinen ersetzt hatte. Das mag dazu beigetragen haben, dass Purcells Fantasien für Gambenconsort zu seinen Lebzeiten nicht gedruckt wurden und lange Zeit in Vergessenheit gerieten. Komponiert hat er sie offenbar für Musikliebhaber, die sich das Gambenspiel noch bewahrt hatten. Die einzelnen Stimmen werden von den Gamben ihrer jeweiligen Klanglage entsprechend ausgeführt. Die Bassgambe muss in der vierstimmigen Fantasia Nr. 2 nach $_1$C herabgestimmt werden, was aber durchaus üblich war.

Musik Die Gattung Fantasia bzw. Fancy, wie sie in der Regel genannt wurde, erfreute sich in England seit dem ausgehenden 16. Jahrhundert großer Beliebtheit. Sie ist aus der Übertragung von Motetten auf Instrumentalensembles entstanden und wurde im 17. Jahrhundert zur Hauptform der instrumentalen Kammermusik in England. Mit ihrem kontrapunktischen Stil ohne Generalbass und der Besetzung für Gambenensemble mussten Purcells Fantasien gegen Ende des Jahrhunderts bereits als veraltet gelten, und tatsächlich sind sie die letzten bekannten Beispiele der Gattung.

Werke für Gambenensemble waren im 17. Jahrhundert als höfische Unterhaltungsmusik beliebt (»Herzog August der Jüngere mit seiner Familie beim Gambenkonzert«, zeitgenössisches Gemälde von Albert Freyse). Doch Purcell traf mit seinen kunstvollen Harmonien nicht den Geschmack seines Dienstherrn, König Karls II.: Sie wurden lange nicht gedruckt und gerieten so in Vergessenheit.

Die Fantasien bestehen aus mehreren Abschnitten, die oft mit unterschiedlichen Tempobezeichnungen wie quick (schnell), drag (schleppend), brisk (lebhaft) und slow (langsam) versehen sind und kontrastierende Satzstrukturen aufweisen. Oft wechseln polyfone und homofone Teile einander ab. In den polyfonen Abschnitten verwendet Purcell verschiedene kontrapunktische Kunstformen. Die Themen werden zum Beispiel von ihrer eigenen Umkehrung kontrapunktiert, wie in den vierstimmigen Fantasien Nr. 5 und 8. Ein weiteres Beispiel bietet die vierstimmige Fantasia Nr. 6, in der mehrere Themen miteinander kombiniert und kontrapunktisch verarbeitet werden.

Jede Fantasie hat höchstens einen, meist recht kurzen homofonen Teil. Die Tonalität dieser in der Regel langsamen Abschnitte ist oft nicht eindeutig, doch aufgrund ihrer individuell ausgearbeiteten, oft chromatischen Stimmführungen und der damit verbundenen modulatorischen Ausweichungen sind sie besonders ausdrucksstark. Beispiele finden sich in der dreistimmigen Fantasia Nr. 2 und der vierstimmigen Fantasia Nr. 1.

Mit der fünfstimmigen »Fantasia upon one note« hat sich Purcell selbst vor ein schwieriges Problem gestellt, da die vierte Stimme in jedem Takt das c^1 wiederholt. Um diesen Orgelpunkt weben die übrigen Stimmen ein kontrapunktisches Netz, das sich in rhythmischer Hinsicht bis zu Sechzehntelbewegungen steigert. Die Fantasia ist nicht zuletzt wegen ihrer kontrapunktischen Meisterschaft eines der meistgespielten Kammermusikwerke des Komponisten. Sie belegt, dass Purcell bei aller kontrapunktischen Kunstfertigkeit niemals akademisch, sondern stets ausdrucksstark und gefällig komponiert hat.

»In nomine« ist die Bezeichnung für eine besondere Form der englischen Instrumentalfantasie. In England hat sich im 17. Jahrhundert in der Instrumentalmusik eine Vorliebe für den Cantus-firmus-Satz herausgebildet, und das »In nomine« für Gambenconsort wurde von vielen bedeutenden Komponisten gepflegt. Den Fantasien liegt die Antifon »Gloria tibi Trinitatis« zugrunde, die erstmals in John Taverners gleichnamiger Messe zu den Worten »In nomine Domini« verwendet wurde. Besonders typisch ist Purcells siebenstimmiges »In nomine« im dorischen Modus. Der Cantus firmus erscheint hier in langen Noten in einer Mittelstimme und wird von den übrigen, rhythmisch lebhafteren Stimmen kontrapunktiert. Im wesentlich kürzeren sechsstimmigen »In nomine« sind die Kontrapunkte aus dem Cantus firmus heraus erfunden.

Wirkung Erst die Veröffentlichung von Peter Warlock aus dem Jahr 1927 hat für die Verbreitung der Fantasien gesorgt. Die Ensembles Fretwork, Hespérion XX und London Baroque haben die Werke vollständig auf CD eingespielt. MÖ

Einspielungen (Auswahl)
• Fretwork, 1994; Virgin Classics

Quantz | Johann Joachim

* 30. 1. 1697
Oberscheden
bei Göttingen
† 12. 7. 1773
Potsdam

Weniger durch seine zahlreichen, zumeist ungedruckt gebliebenen Kompositionen (darunter 277 erhaltene Flötenkonzerte) als durch seinen »Versuch einer Anweisung, die Flöte traversière zu spielen« (Berlin, 1752) übte Quantz nachhaltigen Einfluss aus. Dieses Lehrwerk, nur zu einem geringen Teil dem Flötenspiel gewidmet, stellt ein umfassendes Kompendium der Aufführungspraxis und Musikanschauung der Zeit und des galanten Stils dar.

Als Sohn eines Hufschmieds geboren, wandte er sich nach dem Tod des Vaters im Jahr 1707 ganz seiner Neigung zur Musik zu. In der Obhut eines Onkels, der in Merseburg als Stadtpfeifer wirkte, eignete sich Quantz das Spiel aller zu Fest- und Tanzmusiken notwendigen Instrumente an. Den schon früh aufkeimenden Wunsch, in Dresden oder Berlin zu wirken, verfolgte er mit bemerkenswerter Konsequenz. 1714 ging er als Stadtpfeifergeselle nach Pirna und lernte dort die Violinkonzerte Vivaldis kennen. 1716 wechselte er nach Dresden, wo er 1718 als Oboist in die sogenannte Polnische Kapelle Augusts des Starken aufgenommen wurde. Hier wechselte er zur Traversflöte.

Nachdem er bereits 1717 für kurze Zeit in Wien von Jan Dismas Zelenka im Kontrapunkt unterrichtet worden war, bildete sich Quantz durch Selbststudium weiter. Eine ausgedehnte Reise führte ihn 1724 bis 1727 nach Italien, Paris und London. Dabei lernte er neben den bedeutendsten Komponisten, Instrumentalisten und Sängern seiner Zeit auch die unterschiedlichen musikalischen Stile und Strömungen kennen. Mehrfach schlug Quantz ihm angebotene Anstellungen aus und kehrte nach Dresden zurück. 1728 übernahm er daselbst die Stelle des Ersten Flötisten in der Königlichen Hofkapelle. Hier lernte ihn bei einem Staatsbesuch Kronprinz Friedrich von Preußen kennen, der Quantz als Flötenlehrer an seinen Berliner Hof binden wollte. August der Starke gab ihm jedoch nur zu zwei Unterrichtsbesuchen im Jahr frei. Nach dessen Tod wurde Quantz 1741 Kammermusiker und Hofkomponist Friedrichs II. Vom gewöhnlichen Dienst in der Hofkapelle freigestellt, konnte er sich ganz der Unterweisung und den abendlichen Kammerkonzerten des Königs sowie dem Flötenbau widmen. KU

Flötensonaten

Musik Die insgesamt 197 überlieferten Flötensonaten sind in zwei Gruppen aufzuteilen. Den Werken mit Basso continuo, bei denen das Blasinstrument lediglich von einem Bass begleitet wird, stehen die Sonaten mit obligatem Cembalo gegenüber. Hier kommt dem Tasteninstrument eine eigene, konzertierende Funktion zu, sodass ein einfaches Korrespondieren oder ein lebhaftes Wechselspiel entstehen kann.

Bei den Solosonaten finden sich vier- und dreisätzige Anlagen sowie in späteren Kompositionen der sogenannte Strettatyp, bei dem der zweite langsame Satz zugunsten einer allmählichen Steigerung des Tempos ausfällt (etwa in der Sonate D-Dur mit obligatem Cembalo). Obwohl starke Affekte in den Werken kaum anzutreffen sind – Friedrich II. bevorzugte offensichtlich eine zärtliche und heitere, manchmal unverbindliche Melodik –, weisen sie Quantz als exponierten Vertreter des »vermischten Geschmacks« aus, einer Synthese von französischen und italienischen Stilelementen.

Diesen hat Quantz in seinem »Versuch einer Anweisung, die Flöte traversière zu spielen« (Kapitel XVIII, § 87) so erläutert: »Wenn man aus verschiedener Völker ihrem Geschmacke in der Musik, mit zugehöriger Beurtheilung, das Beste zu wählen weis: so fließt daraus ein vermischter Geschmack, welchen man, ohne die Gränzen der Bescheidenheit zu überschreiten, nunmehr sehr wohl: den deutschen Geschmack nennen könnte: nicht allein, weil die Deutschen zuerst darauf verfallen sind; sondern auch, weil er schon seit vielen Jahren, an unterschiedenen Orten Deutschlands, eingeführet worden ist, und noch blühet...«.

Wirkung Nur 24 der Flötensonaten von Johann Joachim Quantz wurden in Publikationen des 18. Jahrhunderts veröffentlicht. Die einzige vom Komponisten autorisierte Ausgabe war: »Sei sonate a flauto traversière solo... op. 1« (Dresden, 1734). KU

Einspielungen (Auswahl)
• Musica Poetica, 1989 (+ Triosonaten); Thorofon

Triosonaten

45 Triosonaten in den unterschiedlichsten Besetzungen haben sich von Quantz erhalten. Neben den zahlreichen Werken für zwei Querflöten und Continuo, die Quantz wohl mit dem König gemeinsam in den allabendlichen Hofkonzerten aufführte, finden heute die Sonaten für gemischte Besetzungen wegen ihres klanglichen Reizes weite Verbreitung: Stücke für eine Traversflöte plus Violine, Oboe, Oboe d'Amore oder Blockflöte.

Das bekannteste dieser Werke ist die Triosonate C-Dur für Blockflöte, Querflöte und Continuo – die einzige überlieferte Originalkomposition in dieser Besetzung (1. Affettuoso, 2. Alla breve, 3. Larghetto, 4. Vivace). Die in einer Dresdner Handschrift erhaltene, von Bärenreiter veröffentlichte g-Moll-Triosonate in gleicher Besetzung stellt eine Bearbeitung einer Sonate in e-Moll für Traversflöte, Violine und Basso continuo dar.

Formal herrscht in den Trios der viersätzige Da-Chiesa-Typ mit der Folge langsam–schnell–langsam–schnell vor. Das erste Allegro ist dabei in der Regel fugiert gestaltet; der letzte Satz hat zumeist einen tanzhaften Charakter im 3/8- oder 2/4-Takt. Allerdings kommen auch dreisätzige Anlagen vor. Grundsätzlich zeichnen sich die Kompositionen durch einen »galanten Stil«, aber auch kontrapunktisch gearbeitete Faktur aus.

Im 18. Jahrhundert war es bisweilen Praxis, den Part eines der beiden (Blas-)Instrumente von der rechten Hand des Cembalisten spielen zu lassen. KU

Im Dienst des Königs

Johann Joachim Quantz leitete als Flötist und Komponist die königlichen Kammermusiken. Mit 2000 Talern war sein Verdienst für damalige Verhältnisse hoch: Johann Sebastian Bach verdiente nur 300 Taler, nur einzelne Opernsänger erhielten noch höhere Gagen. Seine Ausnahmestellung verdankte Quantz der Tatsache, dass er seinem Dienstherrn, Friedrich II., dem Großen, von Preußen, Unterricht erteilte. Zudem war er verpflichtet, für die regelmäßig abgehaltenen Kammermusikabende immer neue Werke zu liefern, besonders Flötenkompositionen für den König, der hierzu auch eigene Werke beisteuerte.

Rachmaninow | Sergei

* 20. 3. (1. 4.)
1873 Semjo-
nowo (Oneg)
bei Nowgorod
† 28. 3. 1943
Beverly Hills

Während triviale Kleinigkeiten wie das cis-Moll-Prélude op. 3/2 durch ihre schonungslose Ausweidung weltweit als »typischer« Rachmaninow gelten, sind viele der wichtigsten Werke des Komponisten noch nahezu unbekannt. Charakteristisch für seine Werke ist neben ihrer stilistisch konservativen Haltung die Direktheit der emotionalen Aussage, aber gerade in diesen Punkten ist Rachmaninows Musik auch am leichtesten angreifbar und am meisten kritisiert worden.

Rachmaninow begann früh, das Klavierspiel zu lernen; der Vater war dilettierender Pianist und Komponist. Als die Familie 1882 nach St. Petersburg zog, erhielt Sergei allgemeinen Musikunterricht im Konservatorium. Nach der Trennung seiner Eltern zog er 1885 nach Moskau zu Nikolai Zwerew, einem strengen Klavierpädagogen, dessen junge Schüler in seiner Wohnung lebten. Ab 1888 studierte Rachmaninow Klavier bei seinem Cousin Alexandr Siloti, der selbst Liszt-Schüler war, sowie Musiktheorie bei Tanejew und Arenski. 1891/92 beendete er seine Studien mit der großen Goldmedaille für Klavierspiel und Komposition. Die folgenden Jahre waren von Erfolgen als Pianist und Komponist gekennzeichnet, bis 1897 die Aufführung seiner

ersten Sinfonie unter dem wohl betrunkenen Glasunow zum Desaster geriet und Rachmaninow in eine mehrjährige schöpferische Krise stürzte, aus der ihn nur therapeutische Hilfe befreien konnte. Stattdessen begann er eine weitere Laufbahn als Dirigent. Mit dem überwältigenden Erfolg seines zweiten Klavierkonzerts konnte Rachmaninow im Dezember 1900 seine frühere Schaffenskraft zurückgewinnen.

Bis zu seiner Emigration in die USA (1917) galt Rachmaninow neben Skrjabin als bedeutendster russischer Komponist seiner Generation. Doch nach der Oktoberrevolution hörte er fast völlig zu komponieren auf; auch zum Taktstock griff er nur noch selten. Der Verlust von Natur und Menschen seiner Heimat, mit denen Rachmaninow so tief verbunden war, brachte seine künstlerische Produktion nahezu gänzlich zum Erliegen. Dagegen konnte Rachmaninow als Pianist seinen Ruf als einer der bedeutendsten Künstler seiner Zeit festigen. Als Symbolfigur für zahlreiche russische Künstler, von denen Rachmaninow nicht wenige generös unterstützte, starb er im amerikanischen Exil.   FL

Cellosonate g-Moll op. 19

Sätze 1. Lento – Allegro moderato, 2. Allegro scherzando, 3. Andante, 4. Allegro mosso
Entstehung Sommer und Herbst 1901
UA 2. (15.) Dezember 1901 Moskau
Verlag Boosey & Hawkes
Spieldauer ca. 33 Minuten

Entstehung   Zum Cello und seinem warmen Timbre hatte Rachmaninow als einzigem Instrument außer »seinem« Klavier eine gewisse Beziehung. 1890 komponierte er für Cello mit Klavierbegleitung eine Romanze, 1892 zwei Salonstückchen (op. 2). Fast ein Jahrzehnt später entstanden, gehört die Cellosonate zu den ersten Werken, mit denen sich Rachmaninow nach seiner langen schöpferischen Krise wieder als Komponist präsentierte. Auf dem Autograf ist als Datum der Beendigung der 20. November 1901 vermerkt; einer zweiten Datierung zufolge wurden nach der Uraufführung noch bis zum 12. Dezember Korrekturen und Änderungen vorgenommen.

Nach einer langen schöpferischen Krise trat Rachmaninow 1900 wieder als Komponist hervor. Seine Cellosonate g-Moll op. 19 gehört zu den ersten Werken, die er nach dieser Zeit veröffentlichte (hier Rachmaninow im Kreis seiner Cousinen, um 1900).

Musik Wie die anderen Kompositionen Rachmaninows aus den Jahren nach der blockierten Kreativität zeichnet sich auch die Sonate op. 19 durch melodischen und harmonischen Reichtum, emotionale Dichte und durchgehende Spontaneität aus; virtuose Elemente sind nicht länger Selbstzweck, sondern Ausdrucksmittel.

Die Einleitung exponiert als Kernmotiv einen aufsteigenden Sekundschritt, dann hebt das Cello mit einer lebhaften Melodie an, die zunehmend rhythmisch gestrafft wird; der liebliche Seitensatz erklingt zunächst im Klavier, wird dann vom Streichinstrument aufgegriffen und entwickelt. In der Durchführung kommt es nach einer groß angelegten Steigerung zu einer massiven Kulmination, die dem vollgriffigen Stil der Klavierkonzerte entspricht; das Satzende ist von lakonischer Knappheit.

Dem düsteren, rhythmisch fesselnden Scherzo mit seinen plötzlichen Ausbrüchen steht – überraschend schnell – ein lyrischer Gedanke von außergewöhnlicher Schönheit entgegen, wobei das Cello die zarte Seufzermotivik des Klaviers aufgreift.

Der langsame Satz changiert ständig zwischen lichten und dunklen Momenten, nach einer mächtigen Verbreiterung wird der Klang stark zurückgenommen und ätherisch ausgedünnt; auch die Schlussbildung ist von äußerster Zartheit.

Das Finale belegt nochmals die melodiöse Begabung von Rachmaninow. Das gilt bereits für das mitreißende erste Thema im Cello, noch mehr aber für dessen wunderbar warmen Seitensatz, der in üppig wogende Klavierharmonien eingebettet ist. Die perkussive Akkordik des Klaviers in der Durchführung läutet bei ihrer Wiederkehr die Reprise ein. In der Coda sinkt die Cellostimme über einem Orgelpunkt im Klavier herab, um plötzlich einem letzten virtuosen Ausbruch Platz zu machen.

Wirkung Rachmaninow widmete die Sonate – wie bereits die Stücke op. 2 – dem Cellisten Anatoli Brandukow. Auch nach der Uraufführung spielte er die Sonate mehrmals mit Brandukow, 1919 auch mit Pablo Casals. Anton Arenski betrachtete diese Sonate als Wendepunkt in Rachmaninows künstlerischer Entwicklung und meinte, dass man jetzt »große Stücke« von ihm erwarten könnte. Manche Kritiker stellten die Cellosonate im Erfindungsreichtum noch über das 2. Klavierkonzert. FL

Einspielungen (Auswahl)
* Truls Mørk (Violoncello), Jean-Yves Thibaudet (Klavier), 1994 (+ Vocalise op. 34/14, Zwei Stücke op. 2; Mjaskowski: Cellosonate op. 12); Virgin Classics
* Troels Svane (Cello), Elena Margolina (Klavier), 2002 (+ Lied f-Moll, Prélude et danse orientale op. 2, Elégie op. 3 Nr. 1, Mélodie op. 3 Nr. 3, In der Stille der Nacht op. 4 Nr. 3, Prélude op. 23 Nr. 10, Vokalise op. 34 Nr. 14); Ars Produktion/ MUSIKwelt

»Trio élégiaque« op. 9

Besetzung Klavier, Violine, Violoncello
Sätze 1. Moderato, 2. Quasi variazione,
3. Allegro risoluto
Entstehung November 1893
UA 30. Januar (12. Februar) 1894 Moskau
Verlag Boosey & Hawkes
Spieldauer ca. 45 Minuten

Entstehung Bereits im Januar 1892, noch vor dem Abschluss seines Kompositionsstudiums, hatte Rachmaninow in wenigen Tagen ein einsätziges Klaviertrio g-Moll geschrieben, das er als »Trio élégiaque« betitelte, aber noch nicht mit einer Opusnummer versah. Es wurde am 30. Januar 1892 in Moskau uraufgeführt, jedoch erst posthum (1947) publiziert. Schon in diesem Stück scheint Rachmaninows Personalstil weitgehend ausgebildet, zumal im vollgriffig-üppigen Klaviersatz und in einer (bis in den Titel gedrungenen) elegischen Grundstimmung, wenn deren leidenschaftliche Ausbrüche auch oft schwerfällig, konstruiert und äußerlich wirken; beeindruckend und suggestiv ist dagegen der Schluss mit einem ostinaten Trommelrhythmus im tiefsten Bassregister des Klaviers.

Unter dem unmittelbaren und erschütternden Eindruck des Todes von Tschaikowski im Herbst 1893, der kompositorisch wohl Rachmaninows größtes Vorbild war und die Werke des Jüngeren schätzte, entstand ein zweites »Trio élégiaque«, gewidmet »Dem Gedenken eines großen Künstlers«. In der Wahl der Besetzung orientierte sich Rachmaninow auch hier an Tschaikowskis a-Moll-Klaviertrio op. 50 (1882), das dieser zum Gedenken an Nikolai Rubinstein geschrieben und im ersten Satz »Pezzo elegiaco« genannt hatte. 1907 und 1917 nahm Rachmaninow Revisionen des Notentexts vor.

Musik Erster Satz Der Satzbeginn ist weniger von Verzweiflung als von Wehmut gekennzeichnet: Über einer ostinaten Lamentobegleitfigur des Klaviers ertönt der verhaltene und erst spät dynamisch gesteigerte Klagegesang in Violine und Cello. Der kontrastierende zweite Themenkomplex führt im Klavier das Kernmotiv akkordisch in beiden Händen in Gegenbewegung, die immer weiter ausgreift und gesteigert wird, bis schließlich in majestätischer Breite unter den zuckenden Arpeggien der Streicher ein geradezu sakraler Hymnus mit aller Pracht hervorbricht, die Rachmaninow zu Gebote steht. Dieser Klangrausch verebbt, und das Kernmotiv wird in einer lyrischen Episode von berückender Schönheit weitergeführt, wobei das Klavier mit seinen weit gebrochenen Akkorden ständig neue harmonische Schattierungen für das tränenselige Duett von Violine und Cello findet. Die Durchführung bricht jäh in diese entspannte Atmosphäre ein, sie zerfällt in einen langen kantablen und einen dissonant-akkordischen Teil. Zu Beginn der Reprise sind die Stimmen vertauscht (in den Streichern liegt die Begleitung, im Klavier die Melodie), ansonsten bleibt die Wiederholung gleich.

Zweiter Satz Das stille und unauffällige Thema des Variationensatzes wird vom Klavier solo vorgetragen, wandert darauf in die Streicher, wird rhapsodisch frei (einstimmig) im Klavier variiert, dann in ein kapriziöses Scherzo verwandelt und erklingt danach, über langen Haltetönen von Violine und Cello, celestaähnlich im höchsten Diskant des Klaviers. Die fünfte Variation verlegt das Thema ins Cello, während die Violine mit Trillern und das Klavier mit Begleitfiguren beschäftigt sind. Die folgende klangvollsonore Durvariation, die in ihrer melodiösen Freiheit und emotionalen Offenheit auf reifere

Werke wie die Cellosonate op. 19 vorausweist, wird von einem klagenden Bicinium der Streicher abgelöst, bevor der unmittelbar angeschlossene Schlussteil allmählich zu einer Auflichtung findet.

Dritter Satz Gegenüber den vorhergegangenen Sätzen fällt das Finale stark ab. Das vehement einsetzende Klavier beherrscht mit lautstark dissonierender Akkordik minutenlang fast ganz allein das (überaus repetitive) Geschehen. Erst ein imitatorischer Abschnitt führt zu einer Beteiligung der Streicher und steigert sich zu einem markanten Unisonohöhepunkt. Nach einer deutlichen Zäsur kehrt überraschend der Beginn des Kopfsatzes wieder, sodass die Form des Trios zyklisch geschlossen wird. Wie schon im Falle des g-Moll-Trios beendet Rachmaninow auch dieses Werk in den düstersten Farben mit einem leiser werdenden Grollen in den tiefsten Registern der Instrumente.

Wirkung Der Cellist Michail Bukinik berichtet in seinen Erinnerungen, wie er noch vor der Uraufführung durch den Komponisten am Klavier, Alexander Goldenweiser (Violine) und Konstantin Saradschew (Violoncello) das erst im Manuskript vorliegende Werk einstudieren wollte, wobei die technischen Anforderungen und die emotionale Anspannung das Musizieren oft unmöglich machten (»die Tränen erstickten uns«). Als die Musiker Rachmaninow bei einer Probe um Hinweise zu Tempi und Vortrag baten, waren sie über dessen geradezu »akademische« Nüchternheit (die angesichts der Gefahr zu großer Sentimentalität sicher angeraten ist) mehr als überrascht.

Wohl aufgrund der ungleichen Gewichtung der Stimmen und der von Satz zu Satz abnehmenden Qualität der Musik wird das Trio zwar als Beitrag zum Repertoire geschätzt, aber nicht sehr oft aufgeführt oder eingespielt.   FL

Einspielungen (Auswahl)
- Beaux Arts Trio, 1986 (+ Trio élégiaque 1892); Philips
- Borodin Trio, 1994 (+ Trio élégiaque 1892); Chandos

Ravel | Maurice

*7. 3. 1875
Ciboure (Departement Basses-Pyrénées)
† 28. 12. 1937
Paris

Nicht von ungefähr gehört Ravel zu den meistgespielten Komponisten des 20. Jahrhunderts: Er trat nicht als Zerstörer, sondern als Erneuerer der traditionellen Formen und Techniken auf. Auf einzigartige Weise verbinden sich Klangsinn und Raffinement mit kühler Strenge und Kalkulation.

Von seinem Vater, einem Ingenieur und Amateurmusiker, kam die erste Anregung zur Musik und zur Erlernung des Klavierspiels. 1889 wurde Ravel in die Vorbereitungsklasse des Pariser Conservatoire aufgenommen, wo er ab 1897 bei André Gédalge (Kontrapunkt, Fuge und Instrumentation) und Gabriel Fauré (Komposition) studierte. Nachdem er sich bereits mehrfach vergeblich um den Rom-Preis bemüht hatte, kam es mit seiner letzten Bewerbung 1905 zur »Affäre Ravel«, da die Jury ihn, den vielversprechenden und bereits anerkannten Komponisten, gar nicht zur Hauptrunde zuließ. Entsprechende Presseberichte führen zum Sturz des Direktors Théodore Dubois, dessen Nachfolger Gabriel Fauré wurde. Auf Anregung Ravels wurde (u. a. zusammen mit Fauré) 1909 die Société Musicale Indépendante zur Förderung der zeitgenössischen französischen Musik gegründet.

Schon seit der frühen Studienzeit hatte Ravel zahlreiche Kontakte zu Pariser Künstlerkreisen und gehörte zu den »Apachen«, einer allem Neuen aufgeschlossenen, extravaganten Gruppe von Malern, Literaten und Musikern (Mitglieder waren u. a. der Pianist Ricardo Viñes, die Komponisten Florent Schmitt und Déodat de Séverac, später auch Igor Strawinsky und Manuel de Falla). Ravel, der schon früh mit seinen Kompositionen an die Öffentlichkeit trat, führte seine Werke als Pianist und Dirigent auf, wobei er nach dem Ersten Weltkrieg, an dem er 1915 bis 1917 teilnahm, vor allem im Ausland großen Erfolg hatte. 1921 verließ er Paris und lebte, abgesehen von den Konzertreisen, zurückgezogen in seiner Villa in Montfort l'Amaury (Departement Yvelines). Ein Gehirnleiden wurde durch einen Unfall 1932 so verschlimmert, dass Ravel nichts mehr komponieren konnte. Kuraufenthalte blieben genauso fruchtlos wie die Gehirnoperation, an deren Folgen Ravel 1937 starb.

In der Frühzeit durch die Klavierwerke von Frédéric Chopin, Franz Liszt und Emmanuel Chabrier sowie durch die Orchesterwerke Nicolai Rimski-Korsakows und Alexander Borodins angeregt, spielten in der Folge die spanisch-baskische Folklore, der Impressionismus von Claude Debussy, die neuartige Klanglichkeit eines Erik Satie und Elemente der Jazz- und Unterhaltungsmusik, aber auch die französische Barockmusik eine bedeutende Rolle als Inspirationsquellen für Ravel.

In seinem relativ schmalen Œuvre sind alle musikalischen Gattungen vertreten, wobei international vor allem seine Klaviermusik (»Jeux d'eaux«, 1901; »Miroirs«, 1905; »Le tombeau de Couperin«, 1914–17) und seine – teilweise aus Bühnenmusiken herausgezogenen – Orchesterwerke (»Rapsodie espagnole«, 1907; »La Valse«, 1920; »Boléro«, 1928, sowie zwei Klavierkonzerte, 1929–31), daneben auch seine Kammermusik bekannt geworden ist, während etwa die Lieder (»Histoires naturelles«, 1906; »Trois Poèmes de Stéphane Mallarmé«, 1913) seltener zu hören sind. Stärkeres Interesse haben in letzter Zeit auch wieder Ravels Opern – die musikalische Komödie »L'heure espagnol« (»Die spanische Stunde«, 1907–09) und die lyrische Fantasie »L'enfant et les sortilèges« (»Das Kind und der Zauberspuk«, 1920–25) – gefunden, die im Gegensatz zu den Balletten zunächst sehr umstritten waren und sich erst allmählich durchset-

zen konnten. Ravels Orchestrierungskunst ist nicht nur im »Boléro«, sondern auch in seiner Bearbeitung von Modest Mussorgskis »Bilder einer Ausstellung« (1922) weltberühmt geworden. JO

Violinsonaten

Sonate in einem Satz

Bezeichnung Allegro
Entstehung April 1897
UA 1897 (?) Paris
Verlag Salabert
Spieldauer ca. 11 Minuten

Entstehung Der Sonatensatz stellt Ravels erstes Kammermusikwerk dar. Er wurde möglicherweise für den rumänischen Geiger und Komponisten George Enescu geschrieben, wie Ravel ein Schüler Faurés. Die Komposition wurde von beiden vermutlich noch 1897 im Conservatoire uraufgeführt, von Ravel allerdings nicht der Veröffentlichung würdig befunden (Publikation erst 1975).

Musik Der in a-Moll stehende Allegrosatz exponiert ein durch seine Triolenfigur sehr prägnantes, leicht modal gefärbtes Thema, das im Kontrast zum zweiten Gedanken die Basis für die Verwandlungen in der ausgedehnten Durchführung bildet. In vielen Zügen (vorwiegend lyrischer Ablauf, Chromatik) sind die Vorbilder – Faurés erste Violinsonate (1875) und César Francks Violinsonate (1886) – zu erkennen.

Ravels persönliche Tonsprache äußert sich vor allem in den eigenwilligen Stimmfortschreitungen (Quintparallelen!) und in der Harmonik. Prinzipiell folgt der Sonatensatz zwar dem traditionellen Schema, weicht aber in der Reprise insofern ab, als das erste Thema nun in gesteigerter Form (Vortrag in der Violine in Oktaven unter vollgriffiger Klavierbegleitung) zu Gehör kommt und der aus der Exposition bekannte Ablauf stark verdichtet wird. JO

Einspielungen (Auswahl)
- Cho-Liang Lin (Violine), Paul Crossley (Klavier), 1994 (+ Sonaten von Debussy und Poulenc); Sony Classical

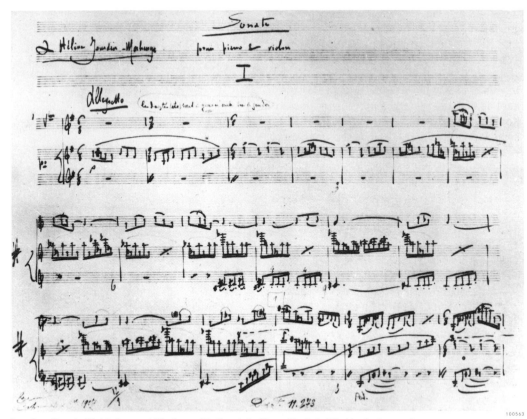

In seiner Sonate für Violine und Klavier wollte Ravel die Eigenständigkeit beider Instrumente demonstrieren und überlagerte besonders im ersten Satz (hier der Beginn der eigenhändigen Niederschrift Ravels mit Widmung an die Violinistin Hélène Jourdan-Morhange) lyrische und tänzerische Elemente.

Sonate

Sätze 1. Allegretto, 2. Blues, 3. Perpetuum mobile
Entstehung 1923–27
UA 30. Mai 1927 Paris
Verlag Durand
Spieldauer ca. 18 Minuten

Entstehung Mit Blick auf den erst posthum veröffentlichten Sonatensatz von 1897 wird die Sonate oft als Nr. 2 bezeichnet, obwohl beide Werke nichts miteinander zu tun haben. Ravel arbeitete an diesem letzten Kammermusikwerk ungewöhnlich lange, da sich andere Kompositionen dazwischenschoben, aber auch, da umfangreichere Werke eine immer größere Anstrengung für den bereits kranken Ravel bedeuteten. Im Briefwechsel mit der befreundeten

Geigerin Hélène Jourdan-Morhange tauchte schon 1920 das Projekt eines Violinkonzerts auf, aus dem offenbar die Violinsonate hervorging.

Musik Nicht die Verschmelzung der beiden Instrumente, sondern deren weitgehende Unabhängigkeit steht im Vordergrund der Komposition. Nach Ravels eigener pointierter Äußerung sollte die Sonate die Unvereinbarkeit von Violine und Klavier illustrieren.

Erster Satz Im Eingangssatz, der mit vier Themen aufwartet, wird dies besonders deutlich beim simultanen Vortrag von lyrischen und tänzerischen Passagen. Die lyrische Grundstimmung tritt vor allem in der Durchführung hervor, die auf jede dramatische Entwicklung durch motivisch-thematische Arbeit verzichtet und insofern nicht ganz den Erwartungen nach dem Sonatensatzmodell entspricht. Die verkürzte

Reprise nimmt die Themen in veränderter Einkleidung auf: Eine ausgedehnte Cantabilepassage der Violine überwölbt die ersten beiden Themen und führt zu einem abschließenden Fugato.

Zweiter Satz Im Mittelsatz nahm Ravel eigenwillige Jazzadaptionen vor. Bei einem Besuch in den Vereinigten Staaten ein Jahr nach Vollendung der Sonate betonte Ravel, dass dieser »Blues« durch seine Stilisierung französisch geworden sei. Nicht nur rhythmisch, sondern auch klanglich verweist der Satz stets auf seine Vorbilder: Das Klavier wird oft wie ein Schlaginstrument behandelt, und die Violine lässt den »Sound« von Saxofon und Banjo ansatzweise heraushören.

Dritter Satz Das Finale ist als Perpetuum mobile mit zahlreichen schnellen Tonrepetitionen und in sich kreisenden Figuren konzipiert und unterstreicht den zyklischen Charakter des Werks, indem es auf Material aus den beiden vorangegangenen Sätzen anspielt sowie die tonale Spannung von G-Dur (Satz 1) und As-Dur (Satz 2) am Schluss durch die Reibung der Töne G und Fis wieder aufnimmt.

Wirkung Da die Widmungsträgerin Jourdan-Morhange wegen einer schweren Rheumaerkrankung ihre Laufbahn abbrechen musste, gelangte das Werk mit George Enescu (Violine) und dem Komponisten (Klavier) zur erfolgreichen Uraufführung. JO

Einspielungen (Auswahl)
- Shlomo Mintz (Violine), Yefim Bronfman (Klavier), 1985 (+ Sonaten von Debussy, Franck, Prokofjew); Deutsche Grammophon
- Isabelle van Keulen (Violine), Ronald Brautigam (Klavier), 1996 (+ Messiaen: Thème et variations, Saint-Saëns: Violinsonate Nr. 1 d-Moll op. 75, Milhaud: Violinsonate Nr. 2 op. 40); Koch Classics
- Renaud Capuçon (Violine), Frank Braley (Klavier), 2001 (+ Sonate in einem Satz, Sonate für Violine und Violoncello, Klaviertrio); Virgin/EMI

Weitere Werke

Sonate für Violine und Violoncello

Sätze 1. Allegro, 2. Très vif, 3. Lent, 4. Vif, avec entrain
Entstehung 1920–22
UA 6. April 1922 Paris
Verlag Durand
Spieldauer ca. 22 Minuten

Entstehung Den ersten Satz schrieb Ravel im Frühjahr 1920 zum Gedenken an Claude Debussy. Die Zeitschrift »Revue musicale« widmete dem 1918 verstorbenen Komponisten im Dezember 1920 eine Sondernummer, in der dieser Satz zusammen mit Beiträgen anderer namhafter Komponisten abgedruckt wurde. Die übrigen Sätze wurden danach mit Unterbrechungen bis zum Februar 1922 niedergeschrieben.

Musik Die Sonate markiert eine bedeutende stilistische Neuorientierung Ravels, deren auffallendster Zug die Reduktion der Mittel und die Dominanz der linearen Bewegung sind. Scharfe Dissonanzen oder bitonale Passagen ersetzen die früheren harmonischen Raffinessen. Entsprechend wirkt die Sonate – mit Ausnahme des Finales – über weite Strecken kühl-distanziert, ja spröde, obwohl technisch den beiden Spielern sehr viel abverlangt wird.

Die Kehrseite der gegen die romantischen Tradition gewandten klanglichen Askese – der sich nach dem Ersten Weltkrieg eine ganze Komponistengeneration verpflichtet fühlte – stellt die Anleihe an den galanten Stil des 18. Jahrhunderts dar. Die weitgehende Unabhängigkeit der melodischen Verläufe der durch den gemeinsamen Streicherklang verbundenen Instrumente ergibt ein eigenartiges Changieren zwischen lyrischem Aussingen und klanglichen Härten.

Erster Satz Die Sonatenform wird im ersten Satz nur noch sehr äußerlich gewahrt, denn die einzelnen Abschnitte sind von ihrer herkömmlichen Funktion weitgehend entbunden. So verarbeitet die Durchführung ein erst hier exponiertes Thema, andererseits wirkt die Reprise wie eine neue Durchführung, da die Modifikationen gegenüber der Exposition sehr zahlreich sind.

Zweiter Satz Das Scherzo setzt den für das ganze Werk so typischen Wechsel von Dur- und Molldreiklängen fort. Charakteristisch ist hier vor allem das Alternieren zwischen dem 3/8- und dem 2/8-Takt.

Dritter Satz Der langsame Satz entspricht mit seiner dreiteiligen Bogenform und seinem ruhig-getragenen Gestus den traditionellen Sonatenadagios.

Vierter Satz Im rhythmisch betonten Finale werden drei neue Themen eingeführt, zusätzlich erscheint aber mehrfach – zur zyklischen Abrundung – das Seitenthema des Eingangssatzes. Charakteristisch ist der häufige Wechsel der tonalen Zentren und die abrupte Rückkehr zu C-Dur, zur Grundtonart der ganzen Sonate.

Wirkung Bei der Uraufführung in Abwesenheit des Komponisten wurde die Sonate denkbar kühl aufgenommen, da das Publikum nicht auf ihren »spröden Charme« vorbereitet gewesen war. Dass die Sonate auch heute noch eher selten zu hören ist, dürfte abgesehen von der ungewöhnlichen Besetzung vor allem auf ihre undankbare (schwierige, aber nicht brillante) Faktur zurückzuführen sein.　　　　　　JO

Einspielungen (Auswahl)
- Chantal Juillet (Violine), Truls Mørk (Violoncello), 1995; Decca
- Renaud Capuçon (Violine), Gautier Capuçon (Cello), 2001 (+ Violinsonaten, Klaviertrio); Virgin/EMI

Klaviertrio

Sätze 1. Modéré, 2. Pantoum: Assez vif, 3. Passacaille: Très large, 4. Final: Animé
Entstehung 1914
UA 28. Januar 1915 Paris
Verlag Durand
Spieldauer ca. 25 Minuten

Entstehung Das Werk wurde zwischen April und August 1914 in Saint-Jean-de-Luz niedergeschrieben und setzte einen schon seit 1908 bestehenden Kompositionsplan um.

Musik Gegenüber dem noch zu den Jugendwerken zählenden Streichquartett stellt das Klaviertrio Ravels ersten reifen und abgeklärten Beitrag zur Kammermusik dar. Die schon in den vorausgegangenen Kompositionen erkennbare Tendenz zum Konstruktiven ist hier noch offensichtlicher. Das Werk ist äußerst dicht gearbeitet und technisch für alle drei Solisten sehr anspruchsvoll. In allen Sätzen finden sich weite Orgelpunkte, um den tonalen Bezugsrahmen – Grundtonart des Werkes ist a-Moll – auch nach außen deutlich wahrnehmbar zu demonstrieren. Auffallendstes Merkmal dürften die rhythmisch-metrischen Innovationen sein, die zumindest teilweise von Strawinskys 1913 uraufgeführter Ballettmusik »Le sacre du printemps« angeregt wurden.

Gleich im ersten Satz wird der 8/8-Takt im Hauptthema asymmetrisch in Achtelphrasen über einem in Vierteln voranschreitenden Bass zerlegt. Der zweite Satz zeigt eine polymetrische Übereinanderlagerung von zwei verschiedenen Taktarten. Sein merkwürdiger Titel spielt auf eine malaiische Dichtungs- und Vortragsform an.

Der Rückverweis auf die barocke Musik, der um 1920 zu einem festen Bestandteil des aufblühenden Neoklassizismus werden sollte, deutet sich durch den dritten Satz an, der als Passacaglia im bachschen Geist gearbeitet ist und an der Stelle des eigentlich zu erwartenden langsamen Satzes steht.

Im Finale wechseln verschiedene, eher ungebräuchliche Taktarten (5/4- und 7/4-Takt) miteinander ab, die schon an sich einem regelmäßigen zwei- oder dreifachen Pulsieren widersprechen und vielleicht auf die baskische Herkunft des Verfassers verweisen. Wie in allen reifen Werken von Ravel wird die Sonatenform äußerlich beibehalten, aber inhaltlich-funktionell neu bestimmt. Der Repriseteil entfernt sich sehr weit von der Exposition; während des modifizierten Vortrags des ersten, von baskischer Folklore gefärbten Themas im Klavier führen die tremolierenden Streicher das zweite Thema zunächst in Zweiunddreißigsteln, dann in Sechzehnteln und schließlich in Achteln aus.

Wirkung Das seinem Kontrapunktlehrer André Gédalge gewidmete Trio kam mit Alfredo

Casella (Klavier), Gabriel Willaume (Violine) und Louis Feuillard (Violoncello) zur Uraufführung. Obwohl Ravel selbst es für »fast zu klassisch« erachtete, wirkt es auch heute noch frisch und gehört zum festen Repertoire dieses Besetzungstyps. JO

Einspielungen (Auswahl)

- Nash Ensemble of London, 1990 (+ Violinsonate 1927, Lieder); Virgin Classics
- Renaud Capuçon (Violine), Gautier Capuçon (Cello), Frank Braley (Klavier), 2001 (+ Violinsonaten, Sonate für Violine und Violoncello); Virgin/EMI

Streichquartett F-Dur

Sätze 1. Allegro moderato – Très doux, 2. Assez vif – Très rythmé, 3. Très lent, 4. Vif et agité
Entstehung 1902/03
UA 5. März 1904 Paris
Verlag Durand
Spieldauer ca. 28 Minuten

Entstehung Unmittelbares Vorbild für dieses erste bedeutende Kammermusikwerk Ravels war das Streichquartett Debussys; das Werk entstand im Dezember 1902 (Sätze 1 und 2) und im April 1903 (Sätze 3 und 4) in Paris. Das nach der eigentlichen Studienzeit, aber noch in den Jahren, als sich Ravel um den Rom-Preis bemühte, niedergeschriebene Streichquartett wurde offenbar von Ravel selbst als eine Art Abschluss seiner Lehrzeit empfunden und seinem »lieben Meister Gabriel Fauré« gewidmet.

Musik Der Fortschritt gegenüber der frühen Violinsonate in einem Satz von 1897 ist erstaunlich. Ravel selbst äußerte dazu, das Werk entspreche seinem »Willen nach musikalischer Konstruktion, die, obwohl nur unvollkommen verwirklicht, dennoch viel deutlicher als in meinen früheren Kompositionen in Erscheinung tritt«.

Trotz der stilistischen Anlehnung an Debussy treten unabweisbar eigenständige Kennzeichen hervor, die auch in den späteren Kammermusikwerken zu den Charakteristika Ravels gehören: hoch entwickelter Klangsinn, ständige thematische Modifizierung, harmonische Ambigui-

tät der melodischen Linie, zyklische Verzahnung durch Ableitung der meisten Gedanken aus den Grundthemen des ersten Satzes sowie Wiederaufnahme früherer Motive und Themen in späteren Sätzen (hier im dritten und vierten Satz).

Wie schon in der früheren Violinsonate wird die Durchführung im ersten Satz nicht zum dramatisch zugespitzten Höhepunkt, sondern gibt sich überwiegend lyrisch-zart. Von eindrucksvoller Raffinesse ist die Wiederkehr des zweiten Themas in der Reprise: Durch die Rückung des Cellos um eine kleine Terz nach oben präsentiert sich jetzt das Thema in F-Dur statt in a-Moll.

Der Klangsinn Ravels tritt vor allem im langsamen Satz, dem ein energisch-virtuoses Scherzo vorangeht, hervor, der durch seine zahlreiche Tempowechsel einen rhapsodischen Charakter erhält. Sowohl das Spiel auf dem Griffbrett als auch ausschließlich im Violinschlüssel (für Bratsche und Cello also hohe und höchste Lagen) bieten Beispiele für solche Klangeffekte. Im brillanten Finalsatz wechseln Fünfer- und Dreiertakt ab, was auf das metrische Changieren im Klaviertrio von 1914 vorausweist.

Wirkung Die Komposition erlebte eine aufsehenerregende Uraufführung durch das Heymann-Quartett. Während der Widmungsträger Fauré durchaus Ansatzpunkte für kritische Bemerkungen fand, war Debussy begeistert. Wie schon dessen Quartett von 1892/93 wird auch Ravels Beitrag zur Traditionsgattung heute als willkommene Bereicherung des Kammermusikrepertoires gesehen. JO

Einspielungen (Auswahl)

- Quartetto Italiano, 1965 (+ Debussy: Streichquartett); Philips
- Carmina-Quartett, 1992 (+ Debussy: Streichquartett); Denon
- Hagen Quartett, 1992/93 (+ Debussy: Streichquartett); Deutsche Grammophon

Reger | Max

* 19. 3. 1873
Brand (Ober-
pfalz)
† 11. 5. 1916
Leipzig

100977

Das in den zeitgenössischen Beschreibungen überlieferte Bild Regers zeigt eine zerrissene, gespaltene Persönlichkeit, in der sich hochgestimmte Schaffensfreude und depressive Selbstkritik, Intellektualität und rustikale Derbheit merkwürdig komplementär ergänzen. Ähnlich zwiespältig scheint auch sein Werk: Dies zeigt sich zunächst an der klanglichen Oberfläche, für die heftige Wechsel zwischen monumentaler Kraftentfaltung und versonnener Zartheit typisch sind, sowie in der Spannweite der Tonfälle, die von höchst sperrigen Fakturen bis zu populärer Eingängigkeit reicht.

Der in der oberpfälzischen Provinzstadt Weiden aufgewachsene Reger stammte aus einer musikalischen Familie und eignete sich schon früh umfassende Fähigkeiten und Fertigkeiten des musikalischen Handwerks an. Ein Bayreuth-Besuch 1888 brachte den unumstößlichen Entschluss, Komponist zu werden, einen Entschluss, den Reger gegen den hartnäckigen Widerstand seines Vaters durchsetzen musste. Die Jahre in Wiesbaden, wo Reger zunächst bei Hugo Riemann studierte, dann selbst Lehrer am Konservatorium wurde, endeten mit einer höchst bedrohlichen, von Krankheit und Schulden gekennzeichneten Lebenskrise. 1898 wurde der 25-Jährige von seiner Familie notgedrungen nach Weiden zurückgeholt, wo er sich ganz in die Komposition von Orgelmusik vertiefte. Einigermaßen wiederhergestellt, zog er 1901 nach München und erarbeitete sich, in ständiger Reibung mit den dort dominierenden »Neudeutschen«, komponierend und konzertierend seinen umstrittenen Ruf in der Musikwelt seiner Zeit. 1907 wurde er Musikdirektor und Kompositionslehrer in Leipzig, 1911 übernahm er die Leitung der berühmten Meininger Hofkapelle, 1914 zog er nach Jena, um sich stärker der Kompositionsarbeit zu widmen. Nach einer letzten anstrengenden Konzertsaison 1915 / 16 forderte der unaufhörliche Raubbau an den eigenen Kräften seinen Tribut: Reger starb nach einem Herzanfall in der Nacht zum 11. Mai 1916.

Regers Œuvre geht von Beethoven und Brahms aus, bewahrt Bach als permanenten Orientierungspunkt, benutzt die überlieferten Formen und Gattungen (Fuge, Variation, Suite, Passacaglia etc.) und bindet den musikalischen Satz fest in die Ordnungen polyfoner Kunst. Ungeachtet dieser retrospektiven Tendenzen erreicht seine Tonsprache in der Harmonik eine chromatische Überformung, bei der die Tonalität erweitert, ja fast gelockert scheint und jeder Akkord frei verfügbar geworden ist. Dass Reger diese beiden widersprechenden Richtungen mit der ihm eigenen Konsequenz bis in die Extreme ausgeschritten ist, gibt seiner Musik ihre unverwechselbare Spannung und Dichte.

Die Kammermusik nimmt einen zentralen Platz ein und begleitet alle Schaffensphasen. Regers Orchestermusik stammt hauptsächlich aus der Meininger Zeit, er meidet die programmatische sinfonische Dichtung, eine große Sinfonie (im Sinne der Beethoven-Nachfolge) hat er nicht komponiert, wohl aber geplant. Die Orgelmusik, mit der Reger dem Instrument, das kaum mehr als zeitgemäßes Medium großer Musik betrachtet wurde, einen ganz neuen Wert zuwies, entstand vorwiegend in den Weidener Jahren (1898–1901).

Es verwundert nicht, dass auch die Rezeption Regers in seiner Zeit (und in gemilderter Form vielleicht bis heute) höchst gespalten war. Gehässige Anfeindung und ehrfürchtige Verehrung standen sich gegenüber, und mit seiner Musik zwischen »gestern und morgen« (H. H. Stuckenschmidt) machte es der Komponist den musikideologischen Parteien nicht leicht. So wurde er von Konservativen und Neuerern gleichermaßen vereinnahmt oder auch der musikalischen Anarchie bzw. des akademischen Epigonentums beschuldigt.   WA

Solostücke

Sonaten für Violine allein

Entstehung Mit seinen unbegleiteten Violinsonaten griff Reger dezidiert eine seit den Solosonaten von Johann Sebastian Bach verschüttete Gattungstradition auf: Nicht zufällig entstand die erste dieser Serien, Opus 42, im Jahr 1899 – eingebettet in die ebenfalls stark von der Bach-Rezeption getragene »Orgelphase«. Wohl auch wegen der durchaus freundlichen Resonanz auf diese Werke kehrte Reger 1905 dann nochmals zu dem Genre zurück. Die ungewöhnliche Anzahl der Sonaten op. 91 hat Reger in einem Brief an Karl Straube so begründet: »Ich hab jetzt noch eine 7. Solosonate für die Geige geschrieben: denn Bach schrieb 6, wenn ich nun auch mit 6 Solosonaten komme, so geht das Geschreie schon von vornherein an.«

Musik Es ist sicher nicht allein der historisierende Rückgriff auf eine barocke Form, den Reger hier verfolgte: In der äußersten Beschränkung in der Besetzung zeigt sich auch eine bewusste Gegenhaltung zu zeittypischen musikalischen Massenwirkungen. So fördert die Reduktion der Mittel die Intensivierung des Ausdrucks, die Aufmerksamkeit für das kleinste Detail. Das bachsche Modell scheint deutlich durch: Fuge und Chaconne werden als Formen aufgegriffen; barocke Fortspinnung, kontrapunktische Ausarbeitung und bewegliche Rhythmik prägen die Melodik. Dabei bleibt immer eine für Reger überhaupt charakteristische Spannung zwischen gebundener, objektivierender Tonsprache und klangorientiertem, sinnlich-romantischem Lyrismus bestehen. So werden die Solosonaten zu vollgültigen Kammermusikwerken, die auf neue Weise die »Gesetzlichkeit einer unbegleiteten Melodik formulieren« (H. Mersmann).

Die Sonaten op. 42 erscheinen als der Aufriss, sowohl im Typus als auch im stilistischen Zwie-spalt. Die zweite Serie der Sonaten (op. 91) festigt einerseits die barocke Orientierung, verwandelt sie aber zugleich in ein distanziertes Stilzitat und gibt der Musik so eine persönliche Färbung.

Es braucht kaum erwähnt zu werden, dass die Sonaten mit ihrer extremen Fülle an klanglicher Vielfalt auch technisch dem Instrument (bzw. dem Virtuosen) das Äußerste abverlangen: vieltönige Akkorde, mehrstimmige polyfone Abschnitte, Wechsel von gestrichenen und gezupften Tönen, durchgehende Bewegung in höchstem Tempo etc. Der Geiger Willy Burmeister, dem das Opus 42 gewidmet ist, notierte sich nur »sehr schwer« in die Partitur – und hat die Sonaten nie öffentlich gespielt.

Wirkung Trotz ihrer außerordentlichen Schwierigkeiten wurden die Solosonaten wohlwollend besprochen und erlangten schnell einen recht hohen Bekanntheitsgrad. Rezensenten zählten sie zu den »erfreulichsten« Schöpfungen des gerade in den Münchener Jahren sehr umstrittenen Komponisten. Häufig wurde auf das bachsche Vorbild verwiesen, jedoch durchweg positiv gewertet, so im »Berliner Tageblatt« von 1904 als »Epigonenmusik im ehrenvollsten Sinn«. Musikgeschichtlich entfalteten die Sonaten ebenfalls beachtliche Wirkung, begründeten sie doch eine umfangreiche Produktion von vergleichbaren Solowerken zu Beginn des 20. Jahrhunderts (etwa bei Wellesz, Hindemith, Krenek, Karg-Elert), die bis heute ausstrahlt (Xenakis, Penderecki).   WA

Einspielungen (Auswahl)
• Sonaten op. 91: Ulrike-Anima Mathé (Violine), 1994; Dorian

Drei Suiten für Cello allein op. 131c

Suite Nr. 1 G-Dur

Sätze 1. Präludium: Vivace, 2. Adagio, 3. Fuge: Allegro
Entstehung Sommer 1915
Verlag Henle
Spieldauer ca. 13 Minuten

Suite Nr. 2 d-Moll

Sätze 1. Präludium: Largo, 2. Gavotte: Allegretto, 3. Largo, 4. Gigue: Vivace
Entstehung Sommer 1915
Verlag Henle
Spieldauer ca. 20 Minuten

Suite Nr. 3 a-Moll

Sätze 1. Präludium: Sostenuto, 2. Scherzo: Vivace, 3. Andante con variazioni
Entstehung Sommer 1915
Verlag Henle
Spieldauer ca. 22 Minuten

Entstehung Schon 1909 bis 1912 hatte Reger mit »8 Präludien und Fugen für Violine allein op. 117« die in den Sonaten op. 42 und op. 91 begonnene Linie unbegleiteter Solokammermusik fortgesetzt. 1914/15 komponierte er nun mit der Opusnummer 131 eine umfangreiche Werkgruppe mit weiteren Präludien und Fugen für Violine (op. 131a), »Canons und Fugen im alten Stil« für zwei Violinen (op. 131b) sowie je drei Suiten für Cello (op. 131c) bzw. Bratsche (op. 131d). Entstehungsgeschichtlich steht diese bedeutende Serie in der Nähe anderer gelöster Werke im kleinen Format (Kinderlieder, Klavierminiaturen), die recht anschaulich die gewisse Entspannung Regers in den Jenaer Jahren widerspiegeln.

Musik Im Vergleich mit den älteren Soloviolinsonaten sind die Cellosuiten weniger polyfon geladen, sondern legen das Interesse mehr auf die Kunst der Variation (vor allem im Andantino con varizioni der Suite Nr. 3 a-Moll). Der mildere, abgeklärte Ton der Werke ist aber nicht nur aus einer biografisch ruhigeren Phase zu erklären, sondern bedeutet auch (worauf Friedhelm Krummacher hingewiesen hat) einen kompositorischen Fortschritt in der Synthese von historisierender und moderner Haltung: Zwar scheint auch hier das Vorbild barocker Form- und Melodiebildung auf, es ist aber völlig eingeschmolzen in eine Tonsprache, die vor allem in ihrem harmonischen Ausgreifen ganz auf der Höhe ihrer Zeit steht. So wird das sequenzierende Präludieren – etwa im ersten Satz der dritten Suite – durch permanente chromatische Umbildung von innen heraus verwandelt.

Wirkung Die kurz vor Kriegsbeginn oder während des Ersten Weltkriegs erschienenen Werke des Opus 131 sind kaum rezipiert worden. Eine (zumindest Teile umfassende) Uraufführung hat wohl noch vor dem Tod Regers durch den Widmungsträger Paul Grümmer in Weimar stattgefunden. **WA**

Einspielungen (Auswahl)
• Pieter Wispelwey (Violoncello), 1995; Channel Classics
• Guido Schiefen, 1999; Arte Nova/BMG

Duos mit Klavier

Violinsonaten

Entstehung Der Besetzung Violine und Klavier wendet sich Reger über seine ganze Schaffenszeit verteilt immer wieder zu, um in neuen Techniken und Schreibweisen die musikalischen Möglichkeiten auszuschreiten. Die neun Violinsonaten reichen so, zeitlich gesehen, von den Wiesbadener Anfängen (op. 1 und op. 3, 1890/91) über Weiden (op. 41, 1899), München (op. 72 und op. 84, 1903/05), Meiningen (op. 122, 1911) bis in die Jenaer Zeit (op. 139, 1915). Zwischen die großen Sonaten von hohem musikalischem und auch konzertantem Anspruch hat er dabei auch immer wieder Kompositionen kleineren Formats von teils historisierendem (»Suite im alten Stil«, op. 93, 1906), teils hausmusikalischem Gepräge (»Kleine Stücke« und »Kleine Sonaten« op. 103, 1908–16) eingeschoben.

Musik Wie bei einer über 25 Jahre verteilten intensiven Beschäftigung mit der Gattung nicht anders zu erwarten, zeigen die Violinsonaten ein weites Spektrum an stilistischer Entwicklung und umfassen sehr unterschiedliche und unterschiedlich gewichtige Konzeptionen. Die ersten beiden Sonaten (op. 1 und op. 3) sind noch deutlich der Studienzeit bei Hugo Riemann verhaftet, orientieren sich an Beethoven, Schumann und Brahms, verraten aber in manchen harmonischen Wendungen schon charakteristische Eigenart. Geschärfter vor allem in der Kraft des melodischen Atems ist dann die Sonate op. 41, ein Werk höchst bewältigter Brahms-Nachfolge.

Einen entschiedenen Umschwung bedeutet die berühmt-berüchtigte C-Dur-Sonate op. 72 mit ihrer aggressiven Attitüde und ihrer schroff-zerklüfteten Faktur, mit heftigsten Stimmungswechseln und geweiteten Dimensionen. Dass Reger in ihr auf musikalische Weise seine Kritiker verhöhnt (so sind als Klangchiffren die Tonfolgen [e]s-c-h-a-f und a-f-f-e immer wieder deutlich herauszuhören), wird immer hervorgehoben, stilgeschichtlich wichtiger ist aber der verfeinerte kammermusikalische Satz und die extreme harmonische Weiträumigkeit und Dichte der Komposition.

Die unmittelbar folgende Sonate op. 84 ist sozusagen das positive, unverkrampftere Gegenstück dieser Schaffensepoche. Bedeutsam ist vor allem die die Variationsfolge des Andante überhöhend abschließende Fuge: ein Formmodell, das Reger später mehrfach wieder aufgriff.

Die beiden letzten Sonaten zeigen im Vergleich dazu ein milderes, gelasseneres Musizieren: Besonders geschätzt hat Reger die allerletzte (op. 139), in der er einen »ganz neuen Stil«, an anderer Stelle »freien jenaischen Stil« genannt, verwirklicht sah. Regers Einschätzung ist häufig zitiert, meist aber nur unscharf als Tendenz zu einer Art musikalischer Prosa gedeutet worden. Neuere Studien haben detailliert nachgewiesen, wie sich unter der klanglich friedvollen Oberfläche der Sonate ein äußerst bewusstes und ökonomisches Arbeiten mit Motiven und Strukturen verbirgt.

Wirkung Die Rezeption der Violinsonaten, deren Verbreitung Reger in seinen Konzerten zusammen mit einer ganzen Reihe bedeutender Geiger engagiert betrieb, gibt naturgemäß ein buntes Bild, da sich nicht nur der Typus der Werke, sondern auch die Fronten in der musikästhetischen Haltung von Publikum und Presse im Lauf der Jahre immer wieder verschoben. Uneinheitlich bewertet wurden die frühesten wie die letzten Werke, vorwiegend positive Rezensionen finden sich zu den Sonaten op. 41 und op. 84.

Die größten Wellen geschlagen hat ohne Frage die C-Dur-Sonate op. 72: Bei den gern zitierten, geradezu höhnisch abwertenden Urteilen der Münchner Publizistik darf aber auch nicht verkannt werden, wie gezielt Reger die Aufregung provoziert und lanciert hat, sodass das Bild vom einsamen, verkannten Künstler auch durchaus beabsichtigt und werbewirksam war. In der Breite ist die kritische Reaktion neben den extremen Ausfällen (»Das Lallen eines, der seiner Sinne nicht mehr mächtig« – »Hamburger Correspondent« vom 30. November 1905) eher von einer gewissermaßen tief beeindruckten Ratlosigkeit gekennzeichnet. Beim Tonkünstlerfest 1904 in Frankfurt war das Werk, wie vielfach berichtet wird, unangefochtenes Tagesgespräch. WA

Einspielungen (Auswahl)
• Sonaten Nr. 7 & 8: Hansheinz Schneeberger (Violine), Jean-Jacques Dünki (Klavier), 1991; Jecklin

Cellosonaten

Entstehung Regers Cellosonaten sind wie die Violinsonaten über seine gesamte Schaffenszeit verteilt. Die Werkfolge wird 1892 in Wiesbaden mit der Sonate op. 5 eröffnet und schließt mit dem Spätwerk op. 116 aus dem Jahr 1910 (komponiert im bayerischen Oberaudorf – in den »Ferien«, was für Reger bedeutete, sich ohne Konzertverpflichtungen ganz dem Komponieren zu widmen). Dazwischen liegt je eine Komposition aus der Zeit nach der Rückkehr nach Weiden (1898: op. 28) und eine aus München (1904: op. 78). Bemerkenswert ist die vergleichsweise hohe Zahl von gleich vier Sonaten in dieser von den Komponisten allgemein wenig gepflegten Besetzung.

Musik Obwohl Reger seine erste Cellosonate op. 5 später als »arg verfehltes Jugendwerk« geschmäht hat (wie er überhaupt seine Opera 1–20 zu »heillosem Blödsinn« erklärte), bedeutet sie in ihrer durchweg ernst-düsteren Haltung einen bedeutenden Fortschritt an Ausdruckskraft gegenüber den frühen Violinsonaten. Während er in der dreisätzigen Konzeption des Opus 5 auf ein Scherzo verzichtet, findet sich in der erfindungsreichen und vielseitigen zweiten Cellosonate op. 28 ein ganz typisches, äußerst schnelles »Prestissimo« als zweiter Satz: Dieser Satztypus, der oft das Bizarre streift, wird in den folgenden Cellosonaten beibehalten.

Die F-Dur-Sonate op. 78 steht nicht nur chronologisch in der Nähe der Violinsonate op. 72: Es handelt sich ebenfalls um ein Werk der radikalen Münchner Phase Regers – rhapsodisch frei in der Anlage, rezitativisch dicht im Melos und kühn in der Fortschreitung der Harmonien. Der Musiktheoretiker Hugo Leichtentritt sprach 1905, verständnisvoll in jeder Hinsicht, von »Akkordfolgen, über die mancher biedere Musiker von seinem beschränkten Gesichtskreise aus nicht ohne jede Veranlassung zetern mag«. Reger selbst hat die Sonate als das »Beste«, was er überhaupt auf dem Gebiet der Kammermusik gemacht habe, geschätzt.

Die letzte der Cellosonaten (op. 116) markiert in ihrer unbeschwerten, geradezu unproblematisch scheinenden Faktur einen Stilwandel in Regers Werk, eine fast klassizistische Wendung zu größerer Klarheit und gemäßigtem Ausdruck, wobei der konstruktive Zusammenhang (hier die kleine Terz als zentrales Intervall) sorgfältig gearbeitet erscheint, eine Überwucherung der melodischen Linie durch Kontrapunkt oder dichte thematische Arbeit aber vermieden wird.

Wirkung Trotz der großen Unterschiede in der Werkgestalt der einzelnen Sonaten war die frühe Rezeption gerade bei diesen Werken recht einheitlich – und zwar einheitlich ablehnend: So hieß es 1894 in der Leipziger »Allgemeinen Musikalischen Zeitung« über die Sonate op. 5, den beiden Instrumenten würden »technische Dinge zugemutet, die über ihr natürliches Leistungsvermögen hinausgehen«. Die Sonate op. 78 betrachtete ein Rezensent 1905 in der gleichen Zeitschrift als »in ihrer Monstrosität in der gesamten Literatur einzig dastehend«. Und selbst die klanglich doch weit zugänglichere a-Moll-Sonate op. 116 wurde im »Hamburger Fremdenblatt« von 1911 dem »wilden Reger« zugeordnet – sie entfalte eine »Grazie in nägelbeschlagenen Alpenschuhen«. WA

Einspielungen (Auswahl)
• Sonaten Nr. 1 op. 5 & Nr. 4 op. 116: Reimund Korupp (Violoncello), Rudolf Meister (Klavier), 1994; CPO

Klarinettensonaten

Sonate Nr. 1 As-Dur op. 49 Nr. 1

Sätze 1. Allegro, 2. Vivace, 3. Larghetto, 4. Prestissimo assai
Entstehung Mai 1900
UA 18. April 1902 München
Verlag Universal Edition
Spieldauer ca. 22 Minuten

Sonate Nr. 2 fis-Moll op. 49 Nr. 2

Sätze 1. Allegro dolente, 2. Scherzo: Vivacissimo, 3. Sostenuto: Larghetto, 4. Allegro
Entstehung Mai 1900
UA 29. April 1902 München
Verlag Universal Edition
Spieldauer ca. 23 Minuten

Sonate Nr. 3 B-Dur op. 107

Sätze 1. Moderato, 2. Vivace, 3. Adagio, 4. Allegretto con grazia
Entstehung Februar 1909
UA 9. Juni 1909 Darmstadt
Verlag Universal Edition
Spieldauer ca. 30 Minuten

Entstehung Die beiden ersten Sonaten entstanden im Mai 1900 in Weiden. Regers Klavier- und Orgellehrer berichtet: »Mit Kümeyer spielte ich nun eines Tages die Klarinettensonate op. 120 f-Moll von Brahms. Während des Spiels trat Reger ins Zimmer, hörte uns zu und sagte, nachdem wir geendet: Schön, werde ich auch zwei solche Dinger schreiben!« Im Februar 1909 folgte die dritte Klarinettensonate, offenbar als entspanntes Komponieren nach den Anstrengungen des »Symphonischen Prologs« op. 108. Reger schrieb über sie in einem Brief, sie werde »ungemein klar, licht« und »freundlich«.

Musik Die direkte Anregung durch den bedeutenden Brahms-Beitrag zur Gattung ist in den Klarinettensonaten op. 49 nicht nur entstehungsgeschichtlich, sondern auch klanglich und stilistisch zu fassen. Dabei scheint sich Reger nicht allein an der brahmsschen Klarinettensonate als Vorbild orientiert zu haben, sondern an typischen Merkmalen der Kammermusik von Brahms überhaupt: So findet sich hier der vollgriffige, polyfon erweiterte und thematisch gearbeitete Klaviersatz, der so charakteristisch für Brahms ist, wie in den langsamen Sätzen die dreiteilige Liedform mit bewegtem spannungsmäßig gesteigertem Mittelteil – insgesamt gesehen ein ruhiger, strömender melodischer Fluss. Neben diesen Einflüssen lassen sich jedoch im zuweilen derben Humor und in der schwelgerischen Chromatik der Werke auch durchaus eigene Züge Regers vernehmen. Im Charakter ist die As-Dur-Sonate (für Klarinette in B) das festlichere, frischere Werk, die fis-Moll-Sonate (für Klarinette in A) das lyrisch-melancholische Seitenstück.

Die spätere Sonate op. 107, die Reger – wohl im Hinblick auf beschränkte Aufführungsgelegenheiten – auch als Violin- bzw. Bratschensonate herausgegeben hat, zeigt im Vergleich mit ihren Vorgängern deutlicher eigenständiges Gepräge. Regers immer wieder zu beobachtendes Interesse, seine komplizierte Musik zugänglicher und einsichtiger zu strukturieren, kommt zum Ausdruck. Hier sind es besonders thematische Verknüpfungen und Melodiezitate zwischen den Sätzen, die den musikalischen Gang gliedern und leichter verfolgen lassen. Die wie üblich avancierte Harmonik erscheint dabei mühelos und selbstverständlich eingearbeitet, und sorgfältig ist jeder Ansatz virtuosen Konzertierens vermieden. Alles ist in kammermusikalischem Dialog von großer Feinheit entwickelt.

Wirkung Die Sonaten op. 49 wurden 1902 uraufgeführt und gerieten so mitten hinein in die musikpublizistischen Konflikte von Regers Münchner Jahren: Entsprechend gespalten war auch die Reaktion zwischen begeisterter Protektion und harscher Kritik. Durchweg eher für sich einnehmend erschien dem zeitgenössischen Publikum die dritte der Sonaten, und selbst voreingenommene Kritiker attestierten ihr angenehme Vornehmheit und Zurückhaltung: »Wie ein weicher Traum« und »fast dissonanzenrein – und das ist ein ungeheurer Fortschritt in Regers Entwicklung« – erschien sie im Jahr 1909 dem Rezensenten einer Berliner Zeitung.   WA

Einspielungen (Auswahl)
- Nikolaus Friedrich (Klarinette), Thomas Palm (Klavier), 1990; Bayer Records
- Ib Hausmann (Klarinette), Nina Tichman (Klavier), 1998 (+ Albumblatt Es-Dur, Romanze G-Dur, Tarantella g-Moll); Hänssler

Trios ohne Klavier

Entstehung In unmittelbarer Nähe zu den »schweren« Kammermusikwerken Opus 74 (Streichquartett) und Opus 78 (Cellosonate) komponierte Reger im Sommer 1904 mit den beiden Trios op. 77 ein Doppelopus von ganz anderer Art, das er in Briefen als »urputzig, urfidel, fabelhaft einfach und klar« ankündigte. Über zehn Jahre später ließ er diesem mit dem Opus 141 (April 1915) ein ganz ähnliches Werk nachfolgen.

Musik Die Opera 77a/b und 141a/b sind zugleich eine ganz unproblematische und eine – ihrer stilistischen Haltung und ihrer spezifischen Konstellation wegen – ganz merkwürdige Werkgruppe, die zu mancherlei ästhetischen Spekulationen Anlass gegeben hat. Die Musik selbst wirft wenig Fragen auf: Es ist ein graziöses Spiel von hohem klanglichem Reiz, archaisierend an klassische, vor allem mozartsche Tonfälle anknüpfend in den Flötenserenaden, volkstümlich und liedhaft in den Streichtrios. So erscheinen Variation und Fuge in für Reger ungewöhnlich gelöster Art, das Ganze ist ebenso unverstellt musikantisch wie in seiner Durchsichtigkeit von verinnerlichter Schlichtheit.

Wie dieser Stil aber im Rahmen von Regers kompositorischer Entwicklung einzuordnen ist und wie man den wiederholenden Neuansatz (Serenade und Trio op. 141) zu deuten habe, ist in der Musikforschung der letzten Jahre kontrovers diskutiert worden: die kunstvolle und künstliche Simplizität der Werke – ist sie geradewegs als populistische Anstrengung im Sinne eines gesicherten Markterfolgs entworfen? Handelt es sich um eine kalkulierte Reaktion auf die Normen der gehobenen Kammermusik? Zeigt sich hier (op. 77) 1904 eine Vorahnung von Regers Stilwende? Oder verfolgt er nur einmal mehr einen musikalischen Gedanken ins Extreme – hier: den Historismus bis ins Regressive? Und wie erklärt sich die »Verdopplung« der Werkkonzeption, die tatsächlich Satz für Satz fast identische Konstellation der beiden Werknummern: als Anknüpfung an den Verkaufserfolg, als bedenklicher Reminiszenzenzwang oder als Reflektion über Musik im Medium der Musik?

Wirkung Die hier angedeuteten Irritationen wurden auch schon in der zeitgenössischen Musikkritik thematisiert, musste doch gerade bei so einem umstrittenen Komponisten wie Reger die hier vorgestellte Musik verblüffen (besonders 1905/06 beim Opus 77, die späteren Trios ließen sich leichter in ein auch bereits erweitertes Reger-Bild einfügen). Recht unbeeindruckt von solchen Spitzfindigkeiten war jedoch die unmittelbare Popularität bei Musikern und Publikum: Gern und viel gespielt und gehört, wurden die Trios schnell zu besonders beliebten Kompositionen – sicher aus dem Beweggrund, den auch 1906 der Kritiker der »Göttinger Zeitung« ausspricht: »Hier konnte man recht genießen, ohne durch irgendein geistreiches Experiment gestört zu werden.« WA

Einspielungen (Auswahl)
• Streichtrios op. 77b & op. 141b: Wiener Streichtrio, 1990; Calig

1907 zog Max Reger nach Leipzig und arbeitete dort als Universitätsprofessor und Kompositionslehrer (Reger mit seiner Frau Elsa und den Kindern auf dem Balkon seiner Leipziger Wohnung, um 1912).

Klaviertrios

Klaviertrio h-Moll op. 2

Sätze 1. Allegro appassionato, ma non troppo, 2. Allegretto, non troppo mosso, 3. Adagio con variazioni
Entstehung August 1891
UA 14. Februar 1894 Berlin
Verlag Bote & Bock
Spieldauer ca. 22 Minuten

Klaviertrio e-Moll op. 102

Sätze 1. Allegro moderato, ma con passione, 2. Allegretto, 3. Largo, 4. Allegro con moto
Entstehung Januar/Februar 1908
UA 22. März 1908 Leipzig
Verlag Bote & Bock
Spieldauer ca. 40 Minuten

Entstehung Über die Entstehung des Klaviertrios op. 102 berichtete Reger brieflich, er habe es während »endloser Eisenbahnfahrten im Winter [1906/07] im Kopfe ausgearbeitet«. Niedergeschrieben hat er es aber erst kurz vor der avisierten Uraufführung – im Januar und Februar 1908. Mehrfach unterstrich Reger das »Revolutionäre« seines neuen Opus, so an Wolfrum: »Das Trio wird fertig; ich hab die Themen schon; das wird toll! Watte für die Ohren ist da sehr notwendig.« 17 Jahre zuvor hatte Reger im Rahmen seines Kompositionsstudiums bei Hugo Riemann bereits ein Klaviertrio (op. 2, 1891) komponiert, das aber schnell in Vergessenheit geriet.

Musik Das frühe h-Moll-Trio fällt zunächst durch seine Besetzung auf, bei der eine Bratsche das Cello ersetzt. Das Werk trägt deutlich die Spuren einer Studienarbeit: Reger ist bemüht, dem Vorbild Brahms gerecht zu werden und gleichzeitig – vor allem in der offenen Themenbildung, den verwischten Zäsuren und der auf

den völligen Niedergang der abendländischen Musik zu sehen geneigt waren: Eine Komposition »der Nase nach, ohne Inspiration, ohne wesentlichen Plan, ohne erkennbare Ziele«, so »Der Tag« vom 15. Oktober 1908. Es dominierten aber Stimmen, die stark beeindruckt waren und Regers Tonsprache immer klarer innere Notwendigkeit zusprachen.

So markiert gerade dieses Klaviertrio (das in mehreren Rezensionen als wegweisend für moderne, zeitgemäße Kammermusik betrachtet wurde) einen Umschlagpunkt in der Reger-Rezeption, steht am Anfang einer prinzipiell anerkennenderen Haltung. Generell gut war auch der direkte Erfolg in Konzerten, »stürmische Ovationen« gab es schon bei der Uraufführung: »Es wurde wie wahnsinnig applaudiert«, berichtete der Kritiker der »Dresdner Neuesten Nachrichten«. WA

Einspielungen (Auswahl)
- Hans Maile (Violine), Yumiko Noda (Viola), Horst Göbel (Klavier), 1989; Etcetera

ein organisches Ganzes zielenden Variationstechnik – bereits eigenem Formwillen zu folgen. Das zweite Klaviertrio in e-Moll ist dagegen ein ganz zentrales Kammermusikwerk des reifen Meisters. Die äußeren Dimensionen des Werks sind enorm und von fast sinfonischem Zuschnitt. Schon im chromatischen und ganz eigenartigen Thema des Kopfsatzes, der sich in weiträumiger Formarchitektur entfaltet, wird die Originalität der Komposition vorgeprägt. Das Scherzo (Allegretto) folgt als entrücktes Klangspiel mit kanonischem Mittelteil. Das dichte Largo trägt religiösen Charakter; es soll von Reger als »Gebet zu Gott« (für seine damals schwer kranke Frau Elsa) bezeichnet worden sein. Besonders typisch ist das aggressiv und mit grimmigem Humor auftrumpfende Finale mit stärksten dynamischen und agogischen Kontrasten. Im komplizierten Satz, der leidenschaftlichen Tonsprache und der Fülle der heterogenen musikalischen Mittel steht das Trio modellhaft für die Kammermusik des mittleren Reger.

Wirkung Nicht zufällig gehört das Klaviertrio e-Moll op. 102 zu jenen Werken, bei denen die konservativen zeitgenössischen Kritiker

Streichquartette

Entstehung Das d-Moll-Quartett des 15-jährigen Reger ist mehr von biografischem als musikalischem Interesse. Es bezieht sich offensichtlich auf seinen Vater, der selbst Kontrabass spielte und nicht wollte, dass sein Sohn Komponist wird. Im Finale wird ein Kontrabass verlangt – wohl ein Versuch, den skeptischen Vater mit hineinzunehmen in Regers Vision einer Komponistenlaufbahn. Sieht man von diesem Jugendquartett aus den Jahren 1888/89 ab, so hat sich Reger der anspruchsvollsten Gattung der Kammermusik erst genähert, als er schon über eine breite Erfahrung in anderen Besetzungstypen verfügte und sich seiner schöpferischen Mittel sehr sicher war: So entstanden die ersten beiden der nummerierten Quartette 1900/01 kurz vor dem Umzug nach München. Die weiteren Werke verteilen sich auf die Münchner und Leipziger Zeit, das Quartett op. 74 komponierte Reger Anfang 1904, das Quartett op. 109 im Sommer 1909, das letzte Quartett op. 121 im Sommer 1911.

Musik »Ich betone nachdrücklichst, dass mein Streichquartett keinerlei verstecktes oder geleugnetes Programm in sich birgt; das Werk will nur Musik sein. Es steht jedermann frei, sich dabei etwas zu denken oder nicht.« Hinter der spöttischen Ironie dieser »Erläuterung« Regers steckt sachlich eine zentrale Aussage seiner (Streichquartett-)Ästhetik: Er übernimmt – wie Brahms – die klassische mehrsätzige Form des Quartetts sowie das Ideal der absoluten Musik und lehnt die damals aktuellen poetischen oder programmatischen Konzeptionen (etwa bei Pfitzner, Wolf und Smetana) ab. So stellt er sein Quartettschaffen in die Traditionslinie Haydn–Beethoven–Brahms.

Im Gegensatz zu Brahms zeigt Reger aber wenig Interesse an der zyklischen Ordnung und ihrer logischen Durchdringung, sondern er füllt und erweitert den übernommenen Rahmen vielmehr mit höchster Intensität des Ausdrucks im Detail und Integration des strengen kontrapunktischen Satzes. So entsteht ein Gattungsbeitrag, der in der Geschichte des Streichquartetts einen gewichtigen, zuweilen aber auch das Fragwürdige streifenden Rang einnimmt. Problematisch scheint vor allem das Streichquartett Nr. 1 g-Moll op. 54/1. Der große pathetische Stil ist hier mit einer Wucht und Dichte auf das Quartett übertragen, für die es keine Vorbilder (und kaum Nachfolger) gibt: Symptomatisch für die gewaltige Innenspannung und den permanent sehr komplexen Satz sind die präzisen Artikulationsanweisungen, die gleichsam jede Note der Partitur zieren bzw. überfrachten. Die Konflikte des Werks finden ihre Steigerung in einer Prestissimodoppelfuge als Finale. Als sei sich Reger der Zwiespältigkeit dieses Quartetts bewusst gewesen, setzte er im A-Dur-Quartett op. 54/2 einen bis an provozierende Trivialität reichenden klangfreudigeren Gegensatz.

Ökonomischer und bewältigter bei unvermindert angespannter Tonsprache ist das d-Moll-Quartett op. 74 gestaltet, das Reger selbst als ein »tolles Stück Musik«, aber auch als »musikalisch und seelisch schwer« bezeichnet hat. Es beginnt mit einem wahrhaft gigantischen Kopfsatz von sinfonischem Atem, der wie in Opus 54/1 ganz aus leidenschaftlichem »Agitato« heraus empfunden ist. Die folgenden Sätze sind dann aber weit ruhiger und klarer gearbeitet, zielen auf übersichtliche Kontraste und sensible Einfühlung in musikalische Gesten – bis hin zum heiter-entspannten Ausklang.

Diese inhaltliche Formanlage wird im folgenden Es-Dur-Quartett op. 109 gleichsam umgekehrt: Hier scheinen die drei ersten Sätze als Vorbereitung der mächtigen und großartigen Fuge zum Abschluss des Werks. Diese steigert sich aus einem harmlosen Con-grazia-Thema in enormen Durchführungen und wird mit einem Adagiothema zur Doppelfuge ausgebaut. Stilistisch ist dieses Streichquartett, das wohl bekannteste Max Regers, ein Höhepunkt des gelichteten Spätstils des Komponisten, in dem die harmonische Freiheit, die auch hier zuweilen bis an die Grenzen der Tonalität führt, völlig im polyfonen Satz eingebunden ist. Kennzeichnend für den ruhigen Fluss dieser Musik ist auch das Schweben zwischen kantablen und rhythmischen Elementen.

Den hier eingeschlagenen Weg geht das letzte Quartett in fis-Moll (op. 121) weiter und erreicht dabei eine noch größere Fasslichkeit und Transparenz. In der Behandlung der Motivik und der thematischen Verwendung einzelner Intervalle weist das Werk zugleich in die Zukunft: Es dürfte gerade die rhapsodisch frei wirkende, aber präzise konstruierte melodische »Prosa« dieses und ähnlicher Reger-Werke gewesen sein, die beispielsweise Arnold Schönberg an dem Komponisten so faszinierte.

Wirkung Die beiden Quartette op. 54 erlebten nur wenige, zeitlich verzögerte Aufführungen. Allein die spieltechnische Hürde dieser Werke scheint fast unüberwindlich gewesen zu sein. So berichtete Reger von einer Probe des Hösl-Quartetts: »Keiner weiß, was er zu spielen hat – infolgedessen klingt mein Quartett, als wenn es ein absolut betrunkener Faun komponiert hätte.«

Das Etikett der Unspielbarkeit hing auch dem Opus 74 noch an. In den Rezensionen wurde der erste Satz häufig abgelehnt, die weiteren Sätze allerdings durchaus wohlwollend goutiert. Ein wirklicher Erfolg war nur das Quartett op. 109, das nach einer gewissen Anlaufzeit – während der der zugleich konventionellere und doch ambitionierte Stil mit Verblüffung aufgenommen wurde – zumindest bis in die 1940er-Jahre hinein wie nur wenige Reger-Kammermusikwerke zu einem echten Repertoirestück wurde. Für die beiden letzten Quartette hat sich mit dem Böhmischen Quartett das wohl berühmteste Ensemble seiner Zeit mit zahlreichen und guten Aufführungen verdienstvoll eingesetzt. WA

Einspielungen (Auswahl)
- Gesamtaufnahme: Berner Streichquartett, 1993; CPO

Klavierquartette

Klavierquartett Nr. 1 d-Moll op. 113

Sätze 1. Allegro moderato, ma con passione, 2. Vivace, 3. Larghetto, 4. Allegro energico
Entstehung April 1910
UA 30. Mai 1910 Zürich
Verlag Bote & Bock
Spieldauer ca. 32 Minuten

Klavierquartett Nr. 2 a-Moll op. 133

Sätze 1. Allegro con passione, 2. Vivace, 3. Larghetto, 4. Allegro con spirito
Entstehung August 1914
UA 7. Februar 1915 Leipzig
Verlag Bote & Bock
Spieldauer ca. 30 Minuten

Entstehung Die Quartette für Klavier, Violine, Viola und Violoncello stammen beide aus den späteren Jahren Regers. Sie entstanden, wie allerdings bei diesem Komponisten fast die Regel, außerordentlich schnell: Den Kopfsatz des Opus 113 hat Reger nach eigener Angabe in einer Nacht komponiert. Während das erste Quartett (Ostern 1910) in zeitlicher Nähe seiner großen Leipziger Chor- und Orchesterwerke steht, folgt das Opus 133 (August 1914) unmittelbar den bekannten »Mozart-Variationen« op. 132. Von den Meininger Amtspflichten befreit, komponierte Reger in dieser Zeit mit großer Energie und Freude.
Musik Für die Uraufführung des ersten Klavierquartetts beim Tonkünstlerfest 1910 in Zü-

rich hat Reger eine »Analyse« verfasst, in der er die stereotypen Angriffe auf seine Musik ironisch zusammenfasst und zugleich auf köstliche Weise den leidigen Konzertführerstil parodiert. Sie verdient es, hier zitiert zu werden, weniger aus sachlichen Gründen (denn sinnvolle Hinweise auf die Musik sind ihr absichtlich nicht zu entnehmen) als vielmehr als Blick auf die Persönlichkeit des Komponisten: »Das Werk hat natürlich vier Sätze, welche Tatsache in meiner Vielschreiberei begründet ist. Das Larghetto geht ziemlich langsam; die anderen drei Sätze nimmt man nach altem Gebrauch natürlich schneller. Doch: Man kann es bei diesem Werke auch umgekehrt machen – diese Musik wird immer schrecklich klingen. Tonart d-Moll – für welche äußerst verwegene Behauptung ich keine Garantie übernehme. Themen aufzuführen ist zwecklos, da diese doch niemals zu hören sind. Eine verehrliche Polizei wird hiermit aufmerksam gemacht, dass ich gerade in diesem Werke – wie leider schon so oft – ganz entsetzlich gestohlen habe. Von Fugen und ähnlichem Unfug habe ich jedoch – merkwürdigerweise – abgesehen. P. S. Sollte die Harmonik nicht immer ganz bazillenfrei sein, so bitte ich alle tonalen Keuschheitsapostel um gütige Vergebung.«

Der mutwillige Spaß dieser Werkeinführung kann aber nicht darüber hinwegtäuschen, dass das Klavierquartett d-Moll ein äußerst ernstes, persönliches Stück Bekenntnismusik ist: Reger nutzt die Klangfülle der Gattung zu einer geballten Ausdrucksverdichtung, zu einer Stimmung stellenweise dämonischer Düsterkeit. In diesem Sinne ist auch die formale Weitung und Großzügigkeit des Werks (es kann, je nach Tempowahl, leicht eine Stunde dauern) ein Symptom für den Ausdruckswillen: So ersetzt zum Beispiel im Scherzo (zweiter Satz) ein Adagio das übliche Trio. Strukturell ist hier die für Reger typische Spannung zwischen übernommenen Formschemata und mehr spontan sich entfaltender Formung im Einzelnen besonders deutlich spürbar.

Im Gegensatz zu dieser leidenschaftlichen Tonsprache ist das zweite Klavierquartett in a-Moll von versöhnlicher Haltung, ökonomischer Ordnung und unbeschwerter Musizierfreude geprägt: Regers entspannterer Spätstil ist hier modellhaft verwirklicht – verbunden mit einer retrospektiven Tendenz, die sich komponierend der

Traditionen (vor allem Brahms) versichert. Während der erste Satz (Allegro con passione) noch vergleichsweise kräftige Konflikte austrägt, zeigen die folgenden Sätze eine kontinuierliche Aufhellung und zunehmende Durchsichtigkeit.

Wirkung Die Uraufführung des Klavierquartetts op. 113 am 30. Mai 1910 in Zürich war ein respektabler Erfolg – Reger schrieb an Straube, er »habe den Vogel abgeschossen«. Durchgesetzt hat sich das Quartett aber nicht. Neben unentschiedenen Rezensionen und dem wiederholten Rat, Kürzungen vorzunehmen, fanden sich zunehmend auch ausgesprochen unfreundliche Besprechungen: Der Leipziger Kritiker Niemann erklärte es zu »einem der allerschwächsten und gestaltungsohnmächtigsten Werke«, in dem er nur »chaotisches, nichts gebärendes Wühlen, in hochpathetischer, krampfhafter Pose befangenes Dahinmusizieren« erblicken könne.

Durchweg freundlich war dagegen nach der Uraufführung am 7. Februar 1915 in Leipzig die Resonanz auf das Opus 133, das, wie auch andere Kompositionen der letzten Jenaer Jahre, als lang ersehnte Milderung im Gestus regerscher Musik begrüßt wurde. WA

Klavierquintette

Klavierquintett c-Moll o. op.

Entstehung vollendet Februar 1898
UA 6. Juni 1922 Düsseldorf
Verlag Schott
Spieldauer ca. 30 Minuten

Klavierquintett c-Moll op. 64

Sätze 1. Con moto ed agitato, 2. Vivace, 3. Lento, 4. Allegro risoluto
Entstehung Mai 1902
UA 1. Mai 1903 München
Verlag Schott
Spieldauer ca. 40 Minuten

Entstehung Die beiden Quintette liegen zeitlich recht nahe beieinander: Das erst aus dem Nachlass veröffentlichte Werk ohne Opuszahl ist das letzte der Wiesbadener Zeit (vollendet Februar 1898), das Opus 64 entstand zu Beginn der Münchner Jahre (Mai 1902). Vieles deutet darauf hin, dass das Quintett op. 64 seinen Vorläufer quasi ersetzen sollte: die identische Tonart, Regers Verzicht auf eine Veröffentlichung des älteren Werks (die zuweilen anzutreffende Behauptung, er habe keine Verleger gefunden, ist unrichtig), schließlich der Umstand, dass das Klavierquintett eine Gattung war, zu der die meisten Komponisten nur ein Einzelwerk beisteuerten.

Musik Eine solche Vermutung kann auch die völlig konträre stilistische und charakterliche Ausprägung der beiden Quintette erklären. Das Klavierquintett aus dem Nachlass ist eine Komposition der unverkennbaren Brahms-Nachfolge. Nicht nur in der Raffinesse des kammermusikalischen Satzes, auch in den klanglichen Farben, bis hin zu einem andeutenden Themenzitat handelt es sich geradezu um eine Huldigung an Brahms. Und mit einer solchen – und sei sie noch so gut gelungen und klangschön – wollte Reger sich offenbar bei seinem Debüt als Komponist in München nicht präsentieren.

So ist das zweite Quintett op. 64 denn auch ein Werk geworden, das keinerlei Verdacht auf braves Epigonentum seines Schöpfers aufkommen lässt. Diese c-Moll-Komposition ist ein Extrempunkt, nicht nur in Regers Kammermusik, sondern in der Geschichte der Kammermusik überhaupt. Die Faktur bedeutet ein Maximum von kompromissloser Schichtung verschiedener Verläufe und Prozesse, von Gleichzeitigkeit auseinanderstrebender musikalischer Tendenzen. Der Maßlosigkeit dieses Werks, auch dem ständigen Umschwung von tobendem Fortissimo und verlöschendem Zurücksinken, haben auch erklärte Anhänger des Komponisten immer etwas distanziert gegenübergestanden. Als Dokument für Regers Sturm-und-Drang-Jahre ist es aber ohne Zweifel von hohem Interesse.

Wirkung »Allgemeinstes Entsetzen«, so konstatierte Reger nach der Uraufführung fast befriedigt, habe das Klavierquintett »in den musikverständigen Kreisen« erregt. Die Situation war aber durchaus differenzierter: Neben einigen anerkennenden und einigen grob verhöhnenden Stimmen fanden sich auch mehrfach Einschätzungen, die – nicht ganz zu Unrecht –

vorsichtig die Unmöglichkeit, solch komprimierte Musik hörend aufzufassen, thematisierten (Hermann Treibler und Arthur Seidl, 1903). Das ältere Quintett wurde erst 1922 in Düsseldorf erstaufgeführt und ein Jahr später publiziert.   WA

Quintette in anderen Besetzungen

Klarinettenquintett A-Dur op. 146

Sätze 1. Moderato ed amabile, 2. Vivace, 3. Largo, 4. Poco allegretto
Entstehung August–Dezember 1915
UA 6. November 1916 Stuttgart
Verlag Peters
Spieldauer ca. 43 Minuten

Entstehung Das Klarinettenquintett ist die letzte vollendete Komposition Regers, sie wurde am 16. Dezember 1915 fertiggestellt. Er hat das Werk am 1. Mai 1916 an den Verleger Simrock geschickt und am 7. Mai – vier Tage vor seinem Tod – noch den Widmungsträger, Prof. Carl Wendling, informiert.
Musik Regers Klarinettenquintett ist von jeher als freundlich-lyrisches Musikstück gehört und geliebt worden. Die klangliche Feinheit der Gestaltung, der zarte, fast entrückt wirkende Grundton, die abgeklärte Sicherheit der formalen Anlage scheinen in der Tat das Werk zu einem liebenswerten Vertreter des Spätstils, wenn nicht gar zu einem versöhnlichen Abgesang einer heftig durchlebten Musikerbiografie zu machen. Und immer wieder taucht dabei auch die Assoziation an Mozart (vermittelt natürlich auch durch das bedeutende Klarinettenquintett KV 581) auf, die schon Regers Freund Karl Straube bei der Durchsicht der Partitur feststellte. Freilich ist gerade dabei nicht an den authentischen Mozart zu denken, sondern an die Begrifflichkeit, die das späte 19. Jahrhundert mit dem Namen verband, eine gleichsam ideale Harmonie als Bezugspunkt in einer desorientierten musikalischen Welt.

Ob Regers Rückgriff auf die Traditionen so schlicht zu deuten ist, hat der Musikwissenschaftler Roland Brotbeck jüngst in einer ausführlichen Studie zu Regers Spätstil infrage gestellt: Er sieht in Regers Technik hier keinen Rückzug auf traditionelle Schreibweisen, sondern eher ein völlig losgelöstes Spiel mit der Tradition, eine »Darstellungsästhetik, in der das musikalische Material mit dem, was gesagt wird, nichts zu tun hat«. Die scheinbar unproblematischen Muster werden nicht realisiert, sondern nur vorgeführt, und in dieser Entfremdung (auch der Tonalität) sieht Brotbeck den Komponisten auch und gerade in seinem »mozartischen« Klarinettenquintett ganz an der Seite der Avantgarde, an der Seite Arnold Schönbergs.

Wirkung Sicher hat auch der Tod Regers die enthusiastische Rezeption des Quintetts geprägt und überformt. Zum einen dadurch, dass harsche Kritik sich schon aus Pietät verbot, zum anderen inhaltlich, in der Wehmut über den Verlust eines großen Musikers, einer Wehmut, die man in der Musik widerklingen zu hören glaubte. Ein anderer, nicht zu vernachlässigender Wirkungshintergrund war aber auch der Krieg, der einer Musik wie der vorliegenden selbstverständlich die Rolle einer Gegenwelt von verinnerlichter Menschlichkeit, Weltflucht und Trost zuwies. »Nicht als ob irgendeine Schwäche zu spüren wäre! Nein, es ist die Zartheit des Starken … man möchte an dichterische Ahnungen glauben, die Reger zu diesem weihevollen Verhallen seines stürmischen Schaffens gezwungen hatten«, heißt es in den »Münchner Neuesten Nachrichten« vom 11. November 1916. Und ein Züricher Fachblatt vermerkte zur Stuttgarter Uraufführung: »Über dem tief elegischen Werk lagert die Resignation eines dem Weltgetriebe abgewandten, in verklärter Ruhe sich ergebenden Fühlens.«   WA

Einspielungen (Auswahl)
- Pierre Woudenberg (Klarinette), Schoenberg Quartet, 1987 (+ Brahms: Klarinettenquintett); Koch Schwann
- Sabine Mayer (Klarinette), Mitglieder des Wiener Streichsextetts, 1995 (+ Streichsextett op. 118); EMI

Reicha | Anton

* 26. 2. 1770
Prag
† 28. 5. 1836
Paris

Als Zeitgenosse und Jugendfreund Beethovens gehört Anton Reicha zu den auffallend individuellen Künstlerpersönlichkeiten des Überganges von der musikalischen Klassik zur Romantik. Er sollte vor allem zum Wegbereiter des Bläserquintetts in der solistischen Besetzung mit Flöte, Oboe, Klarinette, Horn und Fagott werden.

Bleibende Verdienste hat sich Reicha als Akademieprofessor für Komposition an der École royale erworben, dem Vorläufer des berühmten Conservatoire Supérieur de Musique von Paris. Seine prominenten »Schüler« sind Berlioz, Liszt, Gounod, Vieuxtemps, Onslow und César Franck gewesen. Mit seinem Namen verbunden ist auch ein neues, erweitertes Formenverständnis der Sonatensatzstrukturen. Nicht durchsetzen konnte er dagegen neue Regeln für die Fugenkomposition. Für die Musikgeschichtsschreibung wurde er daher zu einem der »eigenartigsten Köpfe der experimentierenden Frühromantik« (Ernst Bücken).

In ärmliche Familienverhältnisse tschechischer Herkunft hineingeboren, wurde Antonín Rejcha (so schreiben ihn seine Landsleute) durch den Tod des Vaters frühzeitig zum Halbwaisen und kam mit elf Jahren in die Obhut seines Onkels Joseph Reicha. Von ihm, dem angesehenen Cellisten und Komponisten in der Fürstlichen Kapelle im mittelfränkischen Wallerstein, wurde Anton auf den Instrumenten Klavier, Geige und Flöte mit raschem Erfolg ausgebildet. Ebenso schnell und nahezu perfekt lernte der begabte Knabe die deutsche und französische Sprache. 1785 wurde der Onkel nach Bonn in die Hofkapelle des Kurfürsten Maximilian Franz berufen. Anton begleitete ihn und lernte hier den gleichaltrigen Beethoven kennen. Gemeinsame künstlerische Aufgaben und Kompositionsstudien begründeten eine lang anhaltende Freundschaft. Nach der Auflösung der Kapelle (eine Folge der französischen Besetzung) ging Beethoven nach Wien, während sich Reicha für das Operngeschehen in der Hansestadt Hamburg interessierte. Seine ersten Bühnenerfahrungen versuchte er schon 1799 an der Pariser Oper umzusetzen. Da jedoch der erhoffte Erfolg ausblieb, suchte er seinen Jugendfreund in Wien auf. Neuen Auftrieb gab ein gemeinsamer Unterricht bei Albrechtsberger und bei dem berühmten Antonio Salieri. Auch von anregenden Gesprächen mit dem alternden Haydn wusste Reicha später in seiner Autobiografie zu berichten. 1808 brach er nochmals nach Paris auf und erlebte jetzt erste, wenn auch moderate Erfolge mit Opernbeiträgen.

Zur entscheidenden Wende trug der Kontakt zu fünf hervorragenden Pultvirtuosen unter den Pariser Holzbläsern bei. Mit der neuartigen Ensemblekunst für ein blasendes Quintett (für das es einige Vorläufer von Gioacchino Cambino gab) überraschte Reicha die Öffentlichkeit und löste enthusiastische Begeisterung aus. Sie inspirierte sogar den älteren, hoch geschätzten Franz Danzi zu ähnlichen Werken, die er seinem Anreger Reicha widmete. Der wachsende Ruhm Anton Reichas führte 1818 zur Berufung als »Professeur du contrepoint et fugue« an die École royale de Musique. Neben zwölf Opern, acht Sinfonien und etlichen Chor- und anderen Orchesterwerken weist der Werkkatalog zu dieser Zeit bereits 20 Streichquartette, sechs Flötenquartette, diverse Klaviertrios, Violinsonaten, Horntrios, Flötenduos, ein Oktett, vor allem aber die 28 aufsehenerregenden Bläserquintette auf.

Von 1826 an widmete sich Reicha ausschließlich seiner Lehrtätigkeit. Auch dieser Lebensabschnitt fand seinen bleibenden Niederschlag in musiktheoretischen Schriften und Büchern, die bis zum Beginn des 20. Jahrhunderts zu den Standardlehrwerken für junge Komponisten gehören sollten. 1831 wurde Antoine Reicha, wie er sich selbst nach Annahme der französischen Staatsbürgerschaft nannte, zum Ritter der Ehrenlegion erhoben und 1835 als Nachfolger Boieldieus zum Mitglied des Institut de France berufen. PÄ

Bläserquintette

Musik Als 1814 der erste Werkzyklus von Reicha-Quintetten (Opus 88) durch die Elite der Pariser Bläsersolisten uraufgeführt wurde, gab es triumphalen Beifall für den Komponisten und seine Interpreten, verbunden mit einem unglaublichen Zulauf zu allen Folgeveranstaltungen. Eine neue Werkgattung war geboren – und ihr Schöpfer wurde schnell mit Haydn (als dem vermeintlichen »Erfinder« des Streichquartetts) gleichgestellt.

Ganz und gar neu war aber der musikalische Stil der Bläserquintette. Weder stand Reicha im Schatten der Großen seiner Zeit (Mozart und Beethoven), noch geriet er in den Sog vorübergehend erfolgreicher, aber weniger namhafter

Nach den Uraufführungen der Bläserquintette im Théâtre Favart (hier eine Außenansicht von Jean Baptiste Arnout, um 1820) wurde Reicha in Paris als vermeintlicher »Erfinder« einer neuartigen Ensemblekunst für ein blasendes Orchester gefeiert.

Routiniers. Reichas Formenbewusstsein, eine Mischung aus originellem Einfallsreichtum und ungebändigtem Schaffensdrang, sprengt mit spürbarer Lust jede schulmäßige Norm. Natürlich tut er dies nicht mit Willkür und revolutionärer Gebärde, sondern er verleiht anderen, nicht minder wichtigen Parametern des Komponierens einen höheren Stellenwert. Vorrangig denkt er an neuartige Spielfiguren und an ihre virtuosen Möglichkeiten in einem erweiterten Satzbau, darin durchaus dem aufkommenden Virtuosenzeitalter, jedoch den bislang noch stiefmütterlich behandelten Bläsern verpflichtet.

So lässt Reicha mit Rücksicht auf die Anzahl der Mitwirkenden gern fünf Themen in den Expositionen der Sonatensatzform aufmarschieren (im Extremfall des Opus 100/3 sind es gar zehn!), teilt sie gelegentlich auf und verkettet ihre Elemente neu miteinander, überrumpelt seine Zuhörer oft mit neuen Durchführungsgedanken und Repriseneinfällen, lässt etwa mitten im Rondo das Thema »verschwinden« oder beendet vorzeitig eine Variationenkette. Er ersetzt fantasiereich ausgedehnte Liedformen durch instrumental empfundene Opernszenen, spornt durch Beinahezitate ein musikalisches Rätselraten an und kombiniert seine Thematik immer wieder mit hörvergnüglichen Melodien »im Volkston«.

Überhaupt ist das Kombinieren meist launiger Effekte Reichas Stärke: »Ich hatte immer einen großen Hang, Außerordentliches in der Komposition zu machen. Eine neue Idee elektrisierte mich auf eine kaum begreifliche Art, und ich verwirklichte beinahe immer mit Glück einen neuen Plan und einen neuen Entwurf. Nie gelang es mir besser, als wenn ich Kombinationen machte und Konzeptionen versuchte, die meine Vorgänger nicht gemacht hatten« (mitgeteilt von Georg Kastner, Paris 1844).

Wirkung Die Uraufführungen der Reicha-Quintette fanden ab 1814 im Foyer des Théâtre Favart in Paris statt. Die Bläsersolisten waren Joseph Guillou (Flöte), Gustav Vogt (Oboe), Jacques Jules Boufille (Klarinette), Louis François Dauprat (Naturhorn) und Antoine Nicholas Henry (Fagott).

Obwohl Anton Reicha mit seinen Bläserquintetten entscheidende Impulse für diese Werkgattung gegeben hat, begegnet man in Kammer-

Der Pionier des Bläserquintetts

Ende des 18. Jahrhunderts wurde der aus Nordböhmen stammende Francesco Antonio Rosetti oder auch Franz Anton Rösler in einem Atemzug mit Mozart und Haydn genannt und zählte zu den meistaufgeführten Komponisten. Lange Jahre Mitglied der Kapelle des Fürsten Kraft Ernst zu Oettingen-Wallerstein nahe Nördlingen, wurden seine Orchesterwerke (u. a. 35 Sinfonien) in Paris und London gespielt. Und bei der Prager Gedenkfeier für den verstorbenen Wolfgang Amadeus Mozart erklang im Dezember 1791 ein von ihm komponiertes Requiem.

Heute wird Rosetti als derjenige gefeiert, der das wohl erste Bläserquintett geschrieben hat, in dem jede Stimme einem anderen Instrument zugeteilt ist. Jenes Es-Dur-Quintett verlangt im Original noch statt des Horns ein Englischhorn. Rosettis Bläsersatz hob u. a. Ernst Ludwig Gerber in seinem »Historisch-biographischen Lexicon der Tonkünstler« hervor: »Es ist auch nicht zu leugnen, daß in seinen Werken ein angenehm schmeichelnder und süß-tändelnder Ton herrscht und besonders fallen seine Sätze für Blase-Instrumente öfters himmlisch schön aus.«

konzerten immer wieder denselben wenigen Stücken. Neu gedrucktes Aufführungsmaterial ist immer noch rar.

Eine viel beachtete Ersteinspielung aller Quintette erfolgte in den Jahren 1986 bis 1989 durch das mehrfach prämierte Albert-Schweitzer-Quintett mithilfe historischer Erstdrucke und Originalmanuskripte (10 CDs, ausgezeichnet mit dem »Preis der Deutschen Schallplattenkritik«). PÄ

Einspielungen (Auswahl)
• Albert-Schweitzer-Quintett, 1986–89; CPO

Quintette für Solobläser und Streichquartett

Entstehung An den Opuszahlen lässt sich ablesen, dass die streicherbegleiteten Werke für Flöte, Oboe, Klarinette und Horn unmittelbar nach Beendigung der Arbeit an den Bläserquin-

tetten entstanden sind. Die Vermutung liegt nahe, dass Reicha damit attraktive Solobeiträge für die Mitglieder seines Pariser Spitzenensembles geschaffen hat. Allerdings trägt der Erstdruck des Klarinettenquintetts den Hinweis »dédie à Monsieur Boscary de Villeplaine«. Möglicherweise bezieht sich diese Widmung auf einen Freund oder Gönner des Komponisten. Das Fagottquintett wurde erst um 1826 veröffentlicht.

Musik Bereits bei den 28 Bläserquintetten war die interessante Beobachtung zu machen, dass über den mehrjährigen Zeitraum der Entstehung hinweg keine Stilentwicklung im Sinne von Früh- oder Spätwerken stattgefunden hat. Alle Kompositionen repräsentieren den hohen Standard einer gleichbleibenden Reife, die auch alle anderen Kammermusiken Reichas auszeichnet: Ideenreichtum, Flexibilität und Formenvielfalt. Insofern sind auch die Bläsersoli mit obligatem Streichquartett symptomatisch für Anton Reichas oft kreativ überbordenden Personalstil.

Die bereits bei den Bläserquintetten bewunderte Fülle der Themen und Motive, die das konventionelle Schema der klassischen Sonatenhauptsatzform gern sprengen und damit zum spannungsvollen Hörlabyrinth ausufern lassen, haben bereits zu Lebzeiten des Komponisten zugleich Beifall und Kritik ausgelöst. So fand Louis Spohr nach seinem Pariser Aufenthalt 1820/21 Reichas Werke »in der Form oft mangelhaft«. Seine Begründung lautete: »Herr Reicha ist zu wenig haushälterisch mit seinen Ideen und gibt oft schon im Anfange seiner Musikstücke vier bis fünf Themen. Weniger reich wäre hier reicher.« Doch bekennt Spohr in seiner Autobiografie (1860/61) zugleich, dass »einige unter ihnen in Form und Gehalt wahre Meisterstücke« seien. In der Leipziger »Allgemeinen Musikalischen Zeitung« von 1825 war dagegen zu lesen: »Was die Ausarbeitung der Harmonie betrifft, so wird sich Herr Reicha jenem herrlichen Meister (Haydn) selbst nicht an die Seite stellen, doch ist seine Ausarbeitung nicht oberflächlich und greift nicht selten in die Tiefe… Die Instrumente kennt Herr Reicha vollkommen und weiß die einem jeden eigentümlichen Reize sowie einem jede natürliche Behandlungsart aufs Beste zu benutzen«, so Friedrich Rochlitz.

Wirkung Mit Ausnahme des Klarinettenquintettes, das stets zum Standardrepertoire gehörte und dessen Beliebtheit sogar zu einer frühen verlegerischen Umarbeitung des Oboenquintettes für die Klarinette geführt hat, sind alle anderen Beiträge erst in neuerer Zeit als weitgehend vergessene Kammermusiken wiederentdeckt worden: 1993/94 hat sie u. a. das Consortium Classicum in einer Auswahl auf zwei CDs eingespielt. PÄ

Einspielungen (Auswahl)
• Oboenquintett op. 107: Les Adieux (+ Flötenquartett op. 98), 1992; BMG/Deutsche Harmonia Mundi

Reinecke | Carl

* 23. 6. 1824
Altona bei
Hamburg
† 10. 3. 1910
Leipzig

»Ich will nicht dagegen opponieren, wenn man mich einen Epigonen nennt«, bekannte Carl Reinecke voll schöpferischen Selbstbewusstseins in seinen Lebenserinnerungen. So wurde er, einschließlich seines reichen, alle Werkgattungen umfassenden Schaffens von den fortschrittlichen Gemütern seiner Zeit als »Spitzweg und Ludwig Richter der deutschen Musik« eingestuft. Offensichtlich nicht ganz zu Unrecht, wie mancher Versuch einer Wiederbelebung zeigen sollte.

Wo immer heute die Neuheitensucher im Schallplattenkatalog nach Reinecke-Entdeckungen fahnden, müssen sie feststellen, dass es sich bei nahezu allen ausgewählten Titeln, trotz hoher Qualität der Einspielungen, um einsame Randerscheinungen handelt. Ausnahmen bilden lediglich das Flötenkonzert op. 283, die Trios op. 188, op. 264 und op. 274 für Oboe (bzw. Klarinette), Horn (bzw. Viola) und Klavier und als Spitzenreiter die »Undine«-Flötensonate op. 167 mit ihrem virtuos-konzertanten Klavierpart. Allerdings weisen diese Werke deutlich über den eng gefassten Epigonenbegriff und biedermeierlichen Spitzweg-Effekt hinaus. Als aufschlussreiche Klangdokumente verleihen sie dem Komponisten den Rang einer bemerkenswerten Brückenfunktion zwischen den altdeutschen Romantikern Schumann und Mendelssohn und den neudeutschen »Zukünftlern« Brahms, Liszt und Wagner. Gelernt hat Carl Reinecke die Grundlagen des Klavierspiels und Komponierens ausschließlich beim Vater, einem professionellen Musiklehrer, der auch die gesamte schulische Ausbildung seines Sohnes übernommen hatte. Bereits mit elf Jahren konzertierte der junge Pianist öffentlich, trat 1843 in Kopenhagen erfolgreich unter der Leitung von Nils Gade auf und gehörte in Leipzig als Musikstudent zum Freundeskreis von Schumann. Von 1846 bis 1848 wurde er als Hofpianist Christians VIII. von Dänemark engagiert. Weitere »feste« Berufsstationen des Tourneekünstlers waren Bremen, Köln, Barmen und Breslau.

Den Gipfel seiner Karriere erreichte Reinecke 1860 in Leipzig, wo er 36-jährig zum Kapellmeister des Gewandhausorchesters (als Vorgänger von Arthur Nikisch) und Lehrer für Klavier und Komposition am Konservatorium berufen wurde. Aus seiner Komponistenklasse sollten u. a. Grieg, Sinding, Sullivan und Weingartner hervorgehen. 51-jährig wurde Reinecke zum Mitglied der Berliner Königlichen Akademie der Künste ernannt, zu seinem 60. Geburtstag wurde ihm die Würde eines Ehrendoktors verliehen. Erst im hohen Alter von 78 Jahren entschloss er sich zum Ruhestand und fühlte sich bis zuletzt verpflichtet, »die Meisterwerke der Klassik unausgesetzt zu kultivieren«. Als Herausgeber und Bearbeiter von Klavierwerken verschiedener Meister für den praktischen Gebrauch hat er sich bleibende Verdienste erworben, ebenso als Komponist von Konzertkaden-

zen für Virtuosen. Schriftstellerisch und in Fach-
aufsätzen hat sich Reinecke vor allem mit der
Klaviermusik von Mozart und Beethoven auseinandergesetzt. PÄ

Sonate »Undine« für Flöte und Klavier e-Moll op. 167

Sätze 1. Allegro, 2. Intermezzo: Allegro vivace,
3. Andante tranquillo, 4. Finale: Allegro molto
Entstehung um 1867
Verlag Forberg
Spieldauer ca. 20 Minuten

Musik Der programmatische Hinweis auf
die Titelfigur »Undine« der gleichnamigen romantischen Märchendichtung von Friedrich Baron de la Motte-Fouqué (1811) entspricht durchaus einer beliebten (oft laienhaften) Musik-
vorstellung, abstrakte Töne und Klänge mit
konkreten Inhalten der Werke zu verbinden und
Gefühle und Fantasien der Zuhörer in eine bestimmte Richtung zu lenken. Den Komponisten,
der eine literarische Vorlage im Auge und Ohr
hat, hindert sie aber nicht daran, eine »absolute
Musik« im formalen Sinne, also in der strengen
Werkarchitektur einer Sonate, zu schaffen. So
komponierte Reinecke die Ecksätze in der Sonatenhauptsatzform, den zweiten Satz als
Scherzo mit Trioteil (hier ganz im Geiste von
Mendelssohns Elfenspuk im »Sommernachtstraum«), den langsamen Satz in dreiteiliger Liedform.

Dennoch legen die »sprudelnden« Motive und
wellenartig wogenden Begleitkaskaden des emi-
nent virtuosen Klavierparts Assoziationen an
das übermütig-temperamentvolle, ständig in
Bewegung befindliche, irrlichternde Nymphen-
wesen einer Meerjungfrau nahe. »Undine« bedeutet dem Wortsinn nach »kleine Welle«, um-
schreibt also ganz konkret das vorliegende musikalische Geschehen. Der Inhalt der Erzählung
spiegelt sich dagegen im emotionellen Bereich
der Musik wider: Die irdische Liebe des Wasser-
mädchens zu dem Ritter Huldbrand verändert ihr
spukhaftes Wesen, verleiht der hübschen Blon-
dine eine Seele, macht sie »engelmild und sanft«
(dritter Satz).

Die Ausdrucksformen und das Kontrastprinzip
einer Sonate stehen natürlich solchen Umschwüngen und Entwicklungen der Gefühle entgegen. Doch die Kenntnis der Erzählung von de
la Motte-Fouqué, die Goethe seinem Eckermann
zur Lektüre empfahl (»ein guter Stoff«), beflügelt
zusätzlich die Fantasie und verleiht den dramatischen Entwicklungen des Schlusssatzes mit
dem resignierend verklingenden Erinnerungs-
motiv der Coda eine ergreifende Pointe: Das
Wagnis einer Liebesbeziehung zwischen Mensch
und Zauberwesen ist zum Scheitern verurteilt.

Wirkung Die formale und inhaltliche Dop-
pelbedeutung dieses spieltechnisch anspruchsvollen und künstlerisch reizvollen Virtuosen-
stücks hat eine Beliebtheit bei den Interpreten
und beim Publikum ausgelöst, die sich ungebrochen bis in die Gegenwart hinein verfolgen lässt.
Bereits 1883 hatte dies den Komponisten veranlasst, zusätzlich eine Version für die Klarinette
zu schaffen.

Mehr noch als in der originalen Flötenfassung
wird in der Klarinettentranskription Reineckes
Stilnähe zu Brahms deutlich (nachzuprüfen etwa
auf einer Reinecke-CD des Klarinettisten Hans
Rudolf Stalder mit dem Pianisten Jürg von

Die »Neuerfindung« der Flöte

Als Erfinder der modernen Querflöte gilt der
deutsche Flötenvirtuose Theobald Boehm.
Mit seinen Instrumenten, die er allein nach
theoretischen Grundsätzen der Akustik konstruierte, stellte er quasi alles infrage, was
die Flöten seiner Zeit ausmachte: Profil,
Material und Dicke des Rohres, Anzahl,
Größe und Abstand der Grifflöcher sowie
auch die Form des Mundlochs (mit aufgesetz-
ter, gebogener Mundlochplatte). Sein Modell
von 1832 war noch aus Holz, 1846 folgte ein
zylindrisch gebohrtes Instrument aus Metall
mit parabolischem Kopfstück. Letzteres, in
der Regel aus Silber gefertigt, trat alsbald
international den Siegeszug an.
Seine Forschungsergebnisse fasste Theobald
Boehm in den Schriften »Über den Flötenbau«
(1847) und »Die Flöte und das Flötenspiel«
(1871) zusammen. Ferner gab er eine Sammlung mit zwölf Etüden (»12 Études pour la
flûte propres à égaliser le doigté dans toutes
les gammes«) sowie einige Bravourstücke für
die »Boehmflöte« heraus.

Vintschger). Besonders eindrucksvoll ist der Vergleich des Werkes mit den Klarinettensonaten op. 120 von Brahms aus dem Jahr 1894.

PÄ

Rihm | Wolfgang

* 13. 3. 1952
Karlsruhe

100563

Als er im Jahr 2003 den renommierten Ernst-von-Siemens-Musikpreis erhielt, begründete das die Jury wie folgt: »Wolfgang Rihm ist einer der fruchtbarsten und vielseitigsten Komponisten der Gegenwart. Mit unerschöpflicher Fantasie, vitaler Schaffenslust und scharfer Selbstreflexion hat er ein an Facetten reiches Œuvre geschaffen, das schon heute über 400 Kompositionen aus allen musikalischen Gattungen umfasst. In Rihms Musik manifestiert sich der Glaube an die unzerstörbare Existenz des schöpferischen Individuums, das seine Kraft und Würde gegen alle äußeren Gefährdungen zu behaupten vermag.«

Rihm studierte zunächst bei Eugen M. Velte an der Musikhochschule Karlsruhe; 1973 arbeitete er bei Karlheinz Stockhausen, 1974 bei Klaus Huber sowie am Musikwissenschaftlichen Institut der Universität in Freiburg im Breisgau. Von 1973 an unterrichtete er an seiner Karlsruher Ausbildungsstätte sowie seit 1979 bei den Darmstädter Ferienkursen für Neue Musik.

1985 erhielt er eine Professur in Karlsruhe. Das Œuvre des Komponisten wachse in einem Tempo, das einen immer wieder die Stirn runzeln lasse, stellte ein Rezensent 1993 anlässlich der Uraufführung von Wolfgang Rihms neuntem Streichquartett fest. Sein Werk kann in der Tat überbordend genannt werden.

Aufgefallen ist Rihm erstmals mit dem Stück »Sub-Kontur« für Orchester (1974/75), mit dem sein Hang zum ausgreifenden Adagiogestus in groß angelegten Instrumentalwerken deutlich wurde und auch sein Umgang mit der Tradition: In dem Werk stauen sich Materialien aus der jüngeren Musikgeschichte, Illusionen, Strukturen, die von Stockhausen zurück über Berg zu Mahler zu führen scheinen, zitathaft – aber keine Zitate. Gegenüber dem vegetativen Austreiben seiner Orchesterstücke haben Rihms Konzerte in den Solopartien zum Teil einen seltsam schlichten Duktus, so zum Beispiel das Bratschenkonzert von 1979/83.

Das erwähnte, dem Komponisten häufig attestierte »vegetative Wuchern« des musikalischen Materials ist in manchem kammermusikalischen Werk ebenfalls anzutreffen, etwa in den meisten Streichquartetten – besonders im sechsten, dessen figurativ dichtes Gewebe sich in »manischen Schüben« (Rudolf Frisius) entwickelt. Gegenüber diesem dreiviertelstündigen Werk sind beispielsweise die »Chiffre«-Kompositionen knapper, viel kürzer, scharf konturiert, was sich schon äußerlich, im Bild der Partiturhandschriften des Komponisten, die gegenüber jenen der Streichquartette viel »aufgeräumter« wirken, dokumentiert. Es seien Versuche, eine Musiksprache zu finden, die »frei ist von Verarbeitungs- und Verlaufsvorgaben«.

Der direkte, eruptiv-kraftvolle Zugriff auf den Hörer, den Rihms Kompositionen immer wieder bewerkstelligen, steht einer nachdrücklichen Berufung des Komponisten auf Innerlichkeit (in seinem dritten Streichquartett von 1976 durch den Titel »Im Innersten« deutlich markiert) keineswegs entgegen. Auf diese Weise manifestiert sich vielmehr das Bekenntnis einer jungen Komponistengeneration in Deutschland zur Subjektivität, zu einer – auch das Publikum miteinbeziehenden – Verinnerlichung. Er beabsichtige »unverstellten Tonfall und unverdrängte Emotion«, sagt Rihm.

PE

Klaviertrios

»Fremde Szenen I–III« (»Versuche über Klaviertrio, erste Folge«)

Entstehung Die drei Teile von »Fremde Szenen« für Violine, Violoncello und Klavier entstanden in den Jahren 1982, 1983 und 1984 zunächst als Einzelstücke. Der Untertitel verweist auf die bewusste Auseinandersetzung mit der tradierten Werkgattung des Klaviertrios. Vom Modell einer zyklisch geschlossenen, klassizistischen Mehrsätzigkeit distanziert sich der Komponist durch den Zusatz »Erste Folge«, der die Unabgeschlossenheit des Werks betont, worauf auch die Spielanweisung für das Cello im allerletzten Takt des Werks verweist: »Als begänne…«.

Rihm schrieb zu diesem Werk: »›Fremde Szenen‹ sind Versuche über Klaviertrio, auch: über ›Klaviertrio‹, jene möbellastige Besetzung, die es nicht mehr gibt, die aber noch herumsteht. Wie in verlassenen Räumen kann hier Unerlaubtes geschehen. Wir werden Zeugen befremdlicher Szenerien…«.

Musik »Aus kalten Intervallen den heißen Klang suchen. Feuer im Eis« – mit diesem an den fünften Akt von Shakespeares »Sommernachtstraum« und die darin enthaltene Definition des Manierismus (»Komisch und doch tragisch? Das ist ja glühend Eis und schwarzer Schnee…«) gemahnenden Motto hat Rihm seine »Fremde Szene I« versehen. Das Stück beginnt mit der leeren Quart a–d im Klavier, »gellend« zu spielen. Der Anfang wird von den Streichern übernommen; danach verdichtet sich der Verlauf der Musik zusehends. Klanghüllen werden mit kleinen rhythmischen und melodischen Partikeln aufgefüllt; Cluster entstehen in Quart- und Quinträumen – zum Teil statisch, zum Teil bewegt, aber stets von differenzierter Dynamik (mit heftigen Kontrasten vom Pianissimo zum dreifachen Forte sowie Akzenten mit der Bezeichnung sfffzp etc.) in Unruhe versetzt. Am Schluss kehren die Instrumente unisono wieder zur leeren Quart des Beginns zurück. Spieldauer: 10 Minuten.

»Fremde Szene II«. Kurz vor Schluss des ersten Stücks war ein imaginäres Schumann-Zitat aufgetaucht: üppig wuchernde Akkordfigurationen, tonale Begleitfiguren, wie sie sich im Klaviersatz des Romantikers häufig finden, eine Anspielung an Rihms »Vorliebe für Schumann und für dessen ›schwankende‹ Konstruktionen (Rudolf Frisius). »Fremde Szene II« nun wird mit der Bezeichnung »rasch (und schwankend)« eröffnet, und die Schumann-Gesten aus dem ersten Stück kehren zurück. Immer wieder tauchen hier solche Erinnerungen an tonale Kadenzoornamente auf, zusammen mit anderen fragmentarischen Reminiszenzen an tonale Musik, herangespült wie Strandgut vom »Meer« eines ruhelosen, von der Dynamik her gezeitenhaft immer wieder neu ansetzenden Formverlaufs. In ihrer gebrochenen Faktur stellen sich diese Erinnerungen an traditionelle Musik »gegenseitig infrage« (Frisius). Steigerung, Ausbruch, plötzliches Umschlagen: In allen drei Stücken bestimmten diese Gestaltungsprinzipien den musikalischen Verlauf. Kurz vor Schluss von »Fremde Szene II« heizt der Komponist die Spieler zum Ausdruck »mit aller Kraft und verzweifeltem Schwung« an, ehe die Entwicklung abreißt und das Stück (darin dem vorausgegangenen ähnlich) mit leisen Tonrepetitionen in c und f, immer fragmentarischer werdend, durch lange Pausen getrennt (die allerdings »so schnell wie möglich« zu zählen sind), mit einem Sechzehntel-f des Klaviers in fünffachem Piano zum Ende kommt. Spieldauer: ca. 20 Minuten.

Auch »Fremde Szene III« scheint in vielen Schnitten und Brüchen immer wieder auf Traditionelles zurückzugreifen (die Partitur bezeichnet solch »mittelbares« Zitieren bei Takt 41 ironisch als »Verrufene Stelle«). Zudem erinnert sich dieses dritte Stück häufig, wenn auch fragmentarisch, an die vorangegangenen beiden. Auf dem Höhepunkt des Satzes, wenige Takte vor Schluss, erscheinen markante Clusterstrukturen (die Spielanweisung für die Streicher lautet dort: »sehr geräuschhaft, extremster Bogendruck«), die freilich durch »vorwärtstreibende Melodielinien in schwelgerischer Vorhaltsmelodik, durch jagende Akkordfiguren und manische Repetitionen« (Frisius) lange vorbereitet werden. Nach einer Generalpause wird das Geschehen vom Klavier mit abwärtshastenden Staccati zurück bis in die tiefste Lage genommen. Im dreifachen Piano scheint es auszuklingen – doch dann, im letzten Takt, zwei zarte, aufsteigende Pizzicatotöne des Cellos mit der Spielanweisung: »Als begänne…« – offenbar das Gegenteil von »Es war einmal«. Spieldauer: ca. 15 Minuten.

Wirkung Nach der Uraufführung von »Fremde Szene I« am 17. August 1982 bei den Salzburger Festspielen durch das Odeon Trio sprach Rihm von einer »wundervollen Fremdheit am Uraufführungsort Salzburg: Das Stück stand wie Karl Valentins Hose (ohne Valentin) schräg herum; jeder verstand es für sich, es füllte sich mit den verschiedenen (Miss- und anderen) Verständnissen und ging weg…«.

»Fremde Szene II« wurde am 8. Juni 1984 beim Rheinischen Musikfest in Düsseldorf uraufgeführt, »Fremde Szene III« am 21. November des gleichen Jahres in Gelsenkirchen. Die Solisten dieser Uraufführungen waren jeweils Saschko Gawriloff (Violine), Siegfried Palm (Violoncello) und Bruno Canino (Klavier). Das vollständige Werk wurde 1991 vom Beethoven Trio Ravensburg eingespielt; das Fachmagazin »FonoForum« sprach von einer »ebenso luziden wie prägnanten Darstellung«. Das Aufführungsmaterial ist bei der Universal Edition erschienen.   PE

Einspielungen (Auswahl)
• Beethoven Trio Ravensburg, 1991; CPO

Streichquartette

Entstehung »Streichquartett ist für mich ein magisches Wort, der Geheimnischarakter von Kunst schwingt darin, klingt an. Intimes und Öffentliches tragen sich aus als Streichquartett, gleichzeitig. Eine Satzverpflichtung besteht nicht, dringt aber trotzdem durch. ›Nur in Musik‹ löst sich das Streichquartett auf, vergittert wie es ist, ist es altertümlich genug, um sprengend aufzufallen, ohne Geplänkel, Hausrat und (k)lumpige Zeitgenossenschaft. Streichquartett ist kein Samen. Aber es ist generativ… Mit Streichquartett muss gekämpft wer-

den, bissig und liebevoll. Die Materialebene: ein Schlachtfeld…« – so der Komponist Wolfgang Rihm.

Sein erstes Streichquartett hatte er bereits 1966 geschrieben, als 14-Jähriger. Den ersten markanten Akzent von Rihms Streichquartettkompositionen markiert »Im Innersten« (1976), das als drittes Quartett geführt wird. In den Jahren 1979–85 entstanden die Streichquartette vier bis sieben; 1988 das achte Quartett, 1993 das auch als »Quartettsatz I« bezeichnete neunte Quartett.

Sein zehntes Quartett komponierte Rihm in den Jahren 1993 bis 1997 im Auftrag der Berliner Festwochen für das Arditti String Quartet. Es folgten die für den »Internationalen Musikwettbewerb der ARD« in München geschriebene »Quartettstudie« (Quartett 11) und für den Internationalen Streichquartettwettbewerb »Premio Borciani« in Reggio Emilia das zwölfte Quartett.

Musik Von seinem ersten Streichquartett berichtet der Komponist, es habe ihn Verzagen ergriffen, als ihm ein älterer Kollege den Rat erteilt habe, von Zwölftonspielen abzulassen. »Unfähig, seinen ungebrochenen Zwölftonfaden fortzuspinnen, tat der Verstörte das einzig Richtige: Er fuhr mit seinem Zweifel ins Material und zerbiss seine ›ordre‹…« (Lutz Lesle). Dieser Gestus des »Zer-Beißens« (besser: »Sich-Hineinbeißens«) mag als charakteristisch für Rihms Kompositionen dieses Genres insgesamt gelten.

Wirkung Rihms Streichquartette wurden zum Teil von herausragenden Ensembles für Neue Musik uraufgeführt: dem Alban Berg Quartett (Nr. 4), Arditti String Quartet (Nr. 5, 6, 8 und 10), Kronos Quartet (Nr. 7) und Emerson String Quartet (Nr. 9).   PE

Streichquartett Nr. 3 »Im Innersten«

Sätze Sechs (ohne Bezeichnungen)
Entstehung 1976
UA 3. April 1977 Royan
Verlag Universal Edition
Spieldauer ca. 30 Minuten

Das Arditti String Quartet zählt seit seiner Gründung 1974 in London zu den führenden Ensembles für zeitgenössische Kammermusik – es spielte auch die Uraufführung mehrerer Streichquartette von Rihm.

Musik Der Untertitel für das dritte Streichquartett (1976), »Im Innersten«, verweist auf Verbindungen zu Janáčeks zweitem Streichquartett, »Intime Briefe«. Aber auch Béla Bartók, Arnold Schönberg und Alban Berg sind dem Werk zumindest gestisch nahe; mit Bergs »Lyrischer Suite« teilt es, wie in einer Analyse festgestellt wurde, neben der Sechssätzigkeit auch die »Formulierung innerer Prozesse«. Das 30-minütige Quartett bezieht seine Wirkung aus extremen Kontrasten: Passagen eruptivster Bewegung wechseln mit Abschnitten größter Verinnerlichung. Am Ende des vierten Satzes etwa crescendiert die erste Violine innerhalb einer halben Note vom vierfachen Piano zum vierfachen Forte, um daraufhin in dieser Lautstärke quasi zu »ersterben«. Die Spielanweisung »morendo in ffff«, dieses Verlöschen in extremer Dynamik, scheint nur auf den ersten Blick absurd. Im Programmheft der Veranstaltungsreihe »Wien Modern« 1988 wurde sie definiert als Darstellung der »kompositorischen Vergeblichkeit allen musikalischen Ausdrucks«. PE

Einspielungen (Auswahl)
• Minguet Quartett, 2002 (+ Quartette Nr. 1, 2 und 4); col legno / harmonia mundi

Streichquartett Nr. 4

Sätze 1. Agitato, allegro alla marcia, allegro, ma non troppo, 2. Con moto, allegro, andante, allegro molto, 3. Adagio
Entstehung 1980 / 81
UA 12. November 1983 Badenweiler
Verlag Universal Edition
Spieldauer ca. 17 Minuten

Musik Sein viertes Streichquartett hat Wolfgang Rihm als »Nachzügler und Vorbote« bezeichnet. »Nachzügler« hinsichtlich der Verwendung traditioneller Materialien – zu einem Zeitpunkt, als er in seinem kompositorischen Denken schon weiter war. Rihm über das Werk: »Ich freute mich auf seine Poesie, die mich heute gar nicht mehr interessiert, weil sie durch das Stadium des ›Interessanten‹ bereits hindurch ist und jetzt viel interessanter ist: so uninteressant, wie sie heute sein darf.«

Eine Besonderheit des Werks ist seine ungewöhnliche Satzfolge: Auf zwei schnelle Abschnitte folgt ein langsamer Abgesang. In dem 17-minütigen Quartett kommt Rihms Drang, unmittelbar zum Hörer zu reden, deutlich zum Ausdruck: Es trägt daher quasi »das Herz auf der Zunge«, ist extrem gefühlsbetont, leidenschaftlich, mit hochexpressiven Ausbrüchen sowie einer dramatisch zerklüfteten musikalischen Landschaft.

Erster Satz In einigen Abschnitten erinnert er mit seinen wild herausfahrenden Figuren an Mahlers sechste Sinfonie.

Zweiter Satz Im zweiteiligen zweiten Satz fällt eine akkordlich dominierte Einleitung in merkwürdig gepresstem Tonfall auf; der zweite Teil bringt eine zunächst immer wilder werdende »Aria«, die danach zurückgenommen wird und in der Stille zerrinnt.

Dritter Satz Nach ätherischem Beginn (vierfaches Piano, Flageoletttöne, Pizzicatoglissandi) führt er über markante sfffz-Akzente, die in einem Aufschwung subito appassionato kulminieren, zu einem verlöschenden Ende im Adagio molto, wobei die tiefen Streicher am Schluss in tiefer Lage staccatierte Zweiunddreißigstelfiguren im Pianissimo arco col legno (das Bogenholz auf die Saite fallen lassend) spielen. PE

Einspielungen (Auswahl)
• Alban Berg Quartett, 1990 (+ Schnittke: Streichquartett Nr. 4); EMI

Streichquartett Nr. 5
»Ohne Titel«

Bezeichnung 1. Schnell, rastlos
Entstehung 1981–83
UA 9. Dezember 1983 Brüssel
Verlag Universal Edition
Spieldauer ca. 27 Minuten

Musik »Ohne Titel« nennt Rihm sein fünftes Streichquartett, das in einem 27-minütigen Satz mit der Tempobezeichnung »schnell, rastlos« abrollt. Es lebt erneut von extremen dynamischen Kontrasten, beginnt beispielsweise im dreifachen Piano, wird weiter zum pppp zurückgenommen, ehe es sich innerhalb eines einzigen Taktes, dem vierten, zum vierfachen Forte hochtreibt. Gezacktes und Schroffes bilden auch hier das gestische Charakteristikum; im Unterschied zum vorhergehenden Quartett endet das fünfte nicht in der Stille, sondern mit einem weiteren Extremcrescendo vom Pianissimo zum vierfachen Forte. PE

Streichquartett Nr. 6
»Blaubuch«

Bezeichnung Schnell und frei – meno mosso, zögernd und stockend – wieder schnell
Entstehung 1984
UA 14. Juni 1986 Frankfurt am Main
Verlag Universal Edition
Spieldauer ca. 45 Minuten

Musik Sein sechstes Streichquartett nannte der Komponist »Blaubuch«. Einerseits reflektiert diese Bezeichnung das Verfahren der Entstehung: Er führte das Buch stets bei sich, trug es »immer am Leib« (Rihm) und fügte bei jeder Gelegenheit Ideen in die Partitur ein. Andererseits spielt der Titel auch auf August Strindbergs »Blaubuch« an, in dem sich die Ebenen von Realität und Traum, Beobachtung und Wunschvorstellung mischen.

Das 45-minütige Werk in einem Satz spielt formal auf die monumentale Einsätzigkeit etwa von Schönbergs Streichquartett op. 7 an. Heinz-Harald Löhlein beschrieb es als »Prozess vegetativen Wucherns und Austreibens, der Knotenbildung und Verästelung… unter der lapidaren Satzüberschrift ›Schnell und frei‹«, wobei das figurativ dichte Gewebe der 854 Takte sich in »manischen Schüben« und über »hektische Fortissimo-Katarakte« entwickle. Dazwischen einige wenige stille Inseln, Adagiozonen, kurzes Atemanhalten. Doch an den Schlüsselstellen emphatischen Ausdrucks weist die Partitur

»jene katastrophischen Einschnitte und plötzlichen Generalpausen auf, die sich in ihrer dramatischen Gespanntheit von den Einsturzpartien in den Sinfonien Bruckners und Mahlers herschreiben« (Löhlein).   PE

Einspielungen (Auswahl)
• Minguet Quartett, 2002 (+ Quartett Nr. 5); col legno/harmonia mundi

Streichquartett Nr. 7 »Veränderungen«

Entstehung 1985
UA 19. Juli 1986 London
Verlag Universal Edition
Spieldauer ca. 17 Minuten

Musik Die im Titel des siebten Streichquartetts genannten »Veränderungen« dürften vor allem bei der Ausweitung des Ausdrucksspektrums durch »eine Art Schrei« (Rihm) an bestimmten Punkten und bei der Verwendung von Woodblocks – von den beiden Geigern und dem Bratschisten betätigt – zu suchen sein. Heinz-Harald Löhlein bezeichnete das 17-minütige Werk als »grimmiges Scherzando«.   PE

Streichquartett Nr. 8

Entstehung 1987/88
UA 17. Januar 1989 Mailand
Verlag Universal Edition
Spieldauer ca. 15 Minuten

Musik Das achte Streichquartett sollte ursprünglich »Zeichnungen, Seiten« heißen, doch hat der Komponist diesen Titel eliminiert. Ausgangspunkt ist nach Rihms Worten »das Schreiben selbst, das Zeichen-Setzen. Der Text entsteht durch sein Geräusch, durch das Geräusch der Hervorbringung…«.

Das Werk nennt zu Beginn die energisch unterstrichene Spielvorschrift »tutti: sempre ricochet col legno«, und dieses Springbogenspiel mit dem Bogenholz bestimmt über lange Strecken auch die »Gangart« des Stücks (zwischendurch wird auf Springbogen mit der Rosshaar-

seite des Bogens umgeschaltet). Die Palette der Spielarten, die »kompositorische Hervorbringungsgeräusche« exemplifizieren sollen, umfasst zudem das Spiel auf dem Griffbrett (sul tasto), am Steg (sul ponticello), das Schlagen mit dem Bogenholz auf die Saiten (battuto col legno) sowie den Gegensatz gezupft/gestrichen (pizzicato/arco). An einigen Stellen wird auch ordinario, normal, gespielt.

Zusätzlich bezieht Rihm Geräuscheffekte mit ein: Am Anfang etwa greift nach wenigen Takten der zweite Geiger zu einem Blatt Papier, schüttelt es, lässt es knistern, zerfetzt, zerknüllt es: unmittelbare Darstellung kreativer Mühe? Später, bei Ziffer 63 der Partitur, soll der erste Geiger »mit der Bogenstange/Spitze auf den Noten kratzen, ›schreiben‹«. Dynamisch finden sich die rihmtypischen Berg-und-Tal-Fahrten vom Leisesten zum Lautesten.   PE

Streichquartett Nr. 9 »Quartettsatz I«

Entstehung 1992/93
UA 13. November 1993 Badenweiler
Verlag Universal Edition
Spieldauer ca. 25 Minuten

Musik Das im Untertitel als »Quartettsatz I« bezeichnete, etwa halbstündige neunte Streichquartett führt einen frischen, jugendlichen Gestus vor: Ungestüm, »schnell und wild« galoppiert das Werk dahin, wobei der Komponist eine »neue Kantabilität« zeigt, auch Melodisches unbekümmert verwendet. »Insbesondere die tiefen Streicher, Cello und Bratsche, dürfen singen, sogar ›dolcissimo‹, mit vorgeschriebenem Vibrato…«, so Lotte Thaler.

Wirkung Bei der Uraufführung 1993 fand das Werk so großen Anklang bei der Zuhörerschaft der Römerbad-Musiktage in Badenweiler, dass das Emerson String Quartet es spontan in vollem Umfang wiederholte.   PE

Einspielungen (Auswahl)
• Minguet Quartett, 2004 (+ Quartette Nr. 7 und 8); col legno/harmonia mundi

Streichquartett Nr. 10

Sätze 1. Vorform, 2. Battaglia/Follia, 3. Strophe
Entstehung 1993–97
UA 20. September 1997 Berlin
Verlag Universal Edition
Spieldauer ca. 23 Minuten

Quartettstudie (Streichquartett Nr. 11)

Entstehung 2003/04
UA 16. September 2004 München
Verlag Universal Edition
Spieldauer ca. 13 Minuten

Streichquartett Nr. 12

Entstehung 2000/01
UA 23. Juni 2002 Reggio Emilia
Verlag Universal Edition
Spieldauer ca. 15 Minuten

Mit seinen weiteren Quartetten führte Rihm die Streichquartettkunst vor- und zurückblickend ins 21. Jahrhundert. So stellt er etwa ins Zentrum seines zehnten Quartetts den nach der Art frühbarocker Programmmusik benannten Satz »Battaglia/Follia«. Laut Beate Kutschke vagiert dieser zweite Satz »zwischen zwei gegensätzlichen Regionen: zwischen existenziellem Ernst und taumelndem Spaß. Die an Kriegsgetümmel gemahnenden, massierten Saltatosalven und die pfeifenden Glissandoquerschläger lassen sich als Antikriegsmanifest lesen: Battaglia/Follia ergäbe dann, aus dem Italienischen übersetzt, ›Schlacht/Torheit, Wahnsinn‹. Zusammen mit den kreiselnden rondoartigen Wiederholungen langer Passagen sowie dem grotesken Zitat des Kinderliedes ›Grün, grün, grün sind alle meine Kleider‹ verrät die differenzierungslose Lautstärke eine verfremdende, ironisierende Distanz, die sich dem ausgelassenen, lärmenden Spaß, eben dem Mummenschanz treibenden Folliatanz hingibt«.

Das in einem Satz konzipierte zwölfte Quartett greift gleichwohl die Dreiteiligkeit des zehnten Quartetts wieder auf: Auf eine kurze Introduktion folgen ein bewegter und recht ausgreifender Mittelteil und ein abschließendes Lento, das die Stimmung der Einleitung aufnimmt und fortspinnt. Als Zitat in das Stück hineingenommen ist »Fetzen I« für Streichquartett, das Rihm 1999 für das Arditti String Quartet komponiert hatte.

Das Minguet Quartett (hier bei der Aufführung eines Stücks von Rihm zusammen mit dem Akkordeonvirtuosen Teodoro Anzelloti in Davos, 2005) legte eine Einspielung sämtlicher Streichquartette von Rihm vor.

»Bevor«, so Irvine Arditti, »das zwölfte Quartett äußerst zurückgenommen ausklingt, bestimmt die energische Übermalung des ›Fetzen‹-Materials das Geschehen.« Der Kritiker Egon Bezold urteilte: »Mit seiner artifiziellen Innerlichkeit und den wilden Aufbrüchen gleicht das dicht gearbeitete einsätzige Werk einer kompositorischen Tiefenbohrung. Beethoven auf modern.« Das zwölfte Quartett übrigens diente dann seinerseits als Vorlage für Rihms im Rahmen von »Wien Modern 2002« uraufgeführtes Klavierquintett »Interscriptum«. STÜ

Einspielungen (Auswahl)
• Minguet Quartett, 2005 (Quartette Nr. 10, 12 und Quartettstudie); col legno / harmonia mundi

Werke für größere Besetzungen

»Chiffre«-Zyklus

Entstehung »Chiffre« war zunächst der Titel eines einzigen Werks, das Wolfgang Rihm im Jahr 1982 komponierte und am 8. Januar 1983 abschloss. Es ist für Klavier und Kammerensemble (sieben Spieler) geschrieben und dem Pianisten Aloys Kontarsky gewidmet. In den Folgejahren entstanden weitere Stücke vergleichbarer Besetzungen, die sich auch vom Material her auf das erste »Chiffre«-Stück bezogen, etwa das 1983 für das Ensemble London Sinfonietta geschriebene »Silence to be beaten« (»Chiffre II«). Der »Chiffre«-Zyklus entwickelte sich in Einzelschritten von Stück zu Stück – fast alle wurden zunächst als selbstständige Einzelkompositionen geschrieben und separat aufgeführt. »Der Gesamtaufbau des Zyklus stand nicht von Anfang an fest. Wohl dürfte Rihm schon frühzeitig davon ausgegangen sein, dass die einzelnen Stücke auch im zyklischen Zusammenhang ihre Selbstständigkeit behalten, das heißt unverändert aneinandergereiht werden sollten«, so Rudolf Frisius. Zum »Chiffre«-Zyklus hinzugezählt wird auch »Bild (eine Chiffre)« für Klavier und acht Spieler aus dem Jahr 1984, da es sich in Satztechnik und Instrumentation den »Chiffre«-Stücken nähert. Das als Begleitmusik für Luis Buñuels Stummfilm »Un chien Andalou« (»Ein andalusischer Hund«) in Auftrag gegebene Werk wird bei zyklischen Aufführungen gewöhnlich nach »Chiffre I–IV« gespielt.

Musik »Die Stücke des ›Chiffre‹-Zyklus… reden in Abkürzungen, Klangzeichen, Beleuchtungswechseln und Nahtstellen (Narben, Schriftverwundungen), es herrschen Rätsel und fließen Blitze zurück, gleichzeitig, bewegungslos, Fluchten«, schreibt Wolfgang Rihm.

»Chiffre I« für Klavier und Klarinette (auch Bassklarinette), Fagott, Trompete, Posaune, zwei Violoncelli und Kontrabass (1982) gewinnt seine Spannung aus schlagzeughaften Klavierakzenten (»Klavier als Stachel, Keilschrift in den umgebenden Klangraum«, Rihm) sowie Klangflächen und Melodieteilen der übrigen Instrumente. Spieldauer: ca. 8 Minuten.

»Silence to be beaten« oder »Chiffre II« für Flöte, Oboe, Klarinette, Fagott, Horn, Trompete, Posaune, Klavier, zwei Schlagzeuger, zwei Violinen, Viola, Cello, Kontrabass (1983) greift nicht nur im Klaviersatz, sondern auch in manchen Details der Instrumentation und Satztechnik auf »Chiffre I« zurück. Rihm kommentierte sein Werk folgendermaßen: »Das Schweigen muss geschlagen werden, um es zum Klang zu zwingen. Also Perspektiven: Schweigen, aus dem Klänge herausgeschlagen werden (die Schriftmaschine aus ›Chiffre I‹), Klänge, in die Schweigen hineinbricht…«. Spieldauer: ca. 14 Minuten.

Die schlagzeughaften Repetitionsmuster des Klaviers in »Chiffre I« sind in den beiden Folgewerken zu markanten Passagen der beiden Schlagzeuger angewachsen. Auch die Besetzung nimmt zu, in »Chiffre III« (1983) werden zwölf Spieler verlangt: Englischhorn, Bassklarinette, Fagott (Kontrafagott), Horn, Basstrompete, Posaune, Klavier, zwei Schlagzeuger, zwei Violoncelli, Kontrabass. »Kompakte Szene, absurde Ausblicke, eine Art Bündelung, viel Körper, das Schrifthafte tritt zurück, das Plastische vor…«, so der Komponist. Spieldauer: ca. 6 Minuten.

»Chiffre IV« (1983/84) reduziert die Besetzung radikal zum Trio: Bassklarinette, Violoncello und Klavier. »Nur drei Spieler, aber als Orchester gedacht. Ganz Innenspannung. Plastik der Klang(Stahl)fäden…« (Rihm); langsam entwickelt sich das Geschehen; immer wieder gerät der Fluss ins Stocken, setzt neu an. Kreisende Bewegungen um Einzeltöne, Akkordflächen. Rihm: »Schattenhafte Reminiszenzen an einzelne Klänge und Klangkomplexe, die man in vorausgegangenen ›Chiffre‹-Stücken in hellerer, schärferer Beleuchtung wahrgenommen hat…«. Spieldauer: ca. 9 Minuten.

»Bild (eine Chiffre)« (1984) ist für neun Instrumente komponiert: Trompete, Horn, Posaune, zwei Schlagzeuger, Klavier, Viola, Violoncello, Kontrabass. Da das als Stummfilmbegleitmusik geplante Stück nach Aussage Rihms durchaus »eine selbstständige Komposition im Umkreis des Chiffre-Zyklus« darstellt, hat der Komponist sich nach einigem Zögern entschlossen, es in den Zyklus aufzunehmen. Durch das Fehlen der Holzbläser ist die Farbpalette hier weniger reich als etwa in den ersten drei Stücken des Zyklus; nur im vierten fehlen ebenfalls Farben einer Bläsergruppe – dort des Blechs. Spieldauer: ca. 9 Minuten.

In »Chiffre V« (1984) hat Rihm das Klavier noch stärker als bei den vorhergehenden Stücken in den Ensemblesatz integriert. Daher ist der Klaviersatz hier nicht so stark auf perkussive Repetitionsmuster festgelegt, sondern flexibler, kann auf unterschiedliche Klangkonstellationen reagieren. Diese sind hier recht pastos, da dieses Stück mit 17 Spielern (neben dem gleich stark besetzten »Chiffre VII«) das von der Instrumentation her »dickste« des Zyklus ist. Der dichte Ensembleklang bricht nur an einer Stelle auf: Das Klavier wird auf manisch-monotone Repetitionen reduziert, während die anderen Instrumente verstummen und erst nach und nach mit Einzeltönen, changierenden Klangflächen bzw. Melodielinien, wieder einsetzen. Gegen Ende stockt die Musik, zerfällt, bis, so Rudolf Frisius, nur noch einige »schattenhaft aufsteigende Töne« übrig bleiben. Spieldauer: ca. 11 Minuten.

»Chiffre VI« war eine Auftragskomposition für die Europäischen Kulturtage 1985 in Karlsruhe. Es ist für acht Spieler geschrieben: Bassklarinette (auch Es-Klarinette), Kontrafagott, Horn, zwei Violinen, Viola, Violoncello, Kontrabass. »Dunkles Zeichen. Gitter. Eingeschwärztes (übermaltes) Oktett…« (Rihm): Das Stück beginnt in extrem tiefer Lage, wofür der Komponist u.a. die Bassklarinette einsetzt. Der Klarinettist

wechselt später zur Es-Klarinette, die gegen Schluss nach einem »langsamen, qualvollen Glissando« in extreme Höhenlagen sich hochtreibt und dort »nur höchste und hässlichste Töne« (Rihm) zustande bringt. Das Stück endet dann in weniger exponierter Lage – mit eher »eng« klingenden Clustern des Streichquartetts. Spieldauer: ca. 6 Minuten.

Für »Chiffre VII« (1985) hat Rihm die gleiche Besetzung wie für »Silence to be beaten« (»Chiffre II«) im Sinn gehabt und diese nur leicht verändert: Flöte (Piccolo), Oboe (Englischhorn), Klarinette, Fagott (Kontrafagott), Horn, Trompete, Basstrompete, Posaune, Klavier, zwei Schlagzeuger, zwei Violinen, Viola, zwei Violoncelli, Kontrabass. Der Anfang von »Chiffre II« wird an zwei Stellen zu Beginn eingebracht. »Repetitionen, die sich in anderen ›Chiffre‹-Stücken meist in raschem Tempo auf Klavier oder Schlagzeug konzentrieren, beherrschen in ›Chiffre VII‹ weite Passagen des Orchestersatzes« (Rudolf Frisius): in verschiedenen Lagen, Klangmischungen und -gruppierungen etc. Am Schluss baut sich eine große Tuttifläche auf, die dann in Melodie- und Akkordpartikel zerfasert wird. Rihm: »(Auf)gelöste helle(re) Zeichen, mehr ins Offene; perspektivische Melodik.« Spieldauer: ca. 11 Minuten.

»Chiffre VIII« (1985–88). Wie sehr Wolfgang Rihm in Klangfarben denkt, beweisen die bildhaften Beschreibungen, die er seinen Kompositionen mitgegeben hat, nicht zuletzt dem letzten Stück des »Chiffre«-Zyklus: Es »ist ein Dunkelklang, den es ruckhaft heraufpresst und wieder hinabdrückt. Perspektive: schwarz-grau-grüne Skulptur«. Besetzung: Bassklarinette, Kontrafagott, Horn, Trompete, zwei Violoncelli, Kontrabass und Klavier. Spieldauer: ca. 4 Minuten.

Wirkung Die Uraufführungen fanden zwischen 1983 und 1988 statt. Anlässlich der Premiere des letzten Stücks am 23. April 1988 in Witten erklang erstmals der vollständige Zyklus. Die Stücke Nr. III, VI, VII und VIII wurden vom Ensemble 13 unter Manfred Reichert in Karlsruhe uraufgeführt. Weitere Erstinterpreten waren Mitglieder des Saarbrücker Rundfunk-Sinfonieorchesters unter Bernhard Kontarsky (»Chiffre I«), die London Sinfonietta unter Anthony Pay (»Chiffre II«) sowie das Ensemble InterContemporain unter Gary Bertini (»Chiffre V«).   PE

Rossini | Gioacchino

* 19. 2. 1792
Pesaro
† 13. 11. 1868
Passy bei Paris

100563

Die Instrumentalmusik von Rossini ist vorwiegend den Blasinstrumenten Flöte, Horn, Fagott, vor allem aber der Klarinette gewidmet. Sie spiegelt damit klanglich und stilistisch das Bläserideal seiner Orchesterpartituren wider. Formal handelt es sich durchweg um Meisterbeiträge, die dem Ideal der melodischen Schönheit und Eleganz huldigen und durch ihre harmonische Delikatesse, Dynamik und verführerische Brillanz im Artistischen bestechen.

Die Biografie von Rossini liest sich nicht nur wie ein Erfolgsroman der Oper, sondern sie ist es auch. Der Sohn eines Trompeters und einer Laiensängerin erhielt neunjährig ersten Instrumentalunterricht an der Akademie von Bologna. In der Bibliothek des Giuseppe Malerbi, dem der junge Rossini seine musiktheoretischen Grundkenntnisse verdankt, lernte er die Werke von Cimarosa, Haydn und Mozart kennen. Sie sollten für ihn zu lebenslangen Vorbildern werden. Im Jahr 1806 wurde Gioacchino regulärer Akademieschüler am Liceo Musicale. Wegen seiner Leistungen im Gesang erlangte er 14-jährig die Aufnahme in die Accademia Filarmonica di Bologna. Im gleichen Jahr komponierte er seine erste Oper.

1810 verließ er das Liceo Musicale und erhielt vom Teatro San Mosè in Venedig seinen ersten offiziellen Opernauftrag. Der Erfolg dieses Opus, »La cambiale di matrimonio«, löste eine regelrechte Kettenreaktion von Werkbestellungen aller namhaften Bühnen aus. Das nun einsetzende fieberhafte Erfolgsschaffen – alljährlich mindestens zwei Opern! – erstreckte sich nahtlos bis zum Jahr 1829, um dann mit dem »Guillaume Tell« seinen Höhepunkt und sein (vorzeitiges) Ende zu finden. Die Julirevolution von 1830, die Trennung von seiner Frau, der Opernsängerin Isabella Colbran, und quälende Krankheiten lösten bei Rossini Depressionen aus, die sein rastloses Schaffen lähmten. Teils zog er sich auf den Posten eines Direktors des Liceo nach Bologna zurück, teils als Privatmann (und Kochkünstler) nach Paris.

Rossinis Kammermusik für Bläser scheint von den Geniewürfen der Streichersonaten des Jahres 1804 zu profitieren. Als besondere Würze erweisen sich immer wieder die kapriziösen Episoden mit ihren spieltechnischen Herausforderungen, ganz auf der Höhe der damaligen Entwicklung im Instrumentenbau und Virtuosentum. Für die einst modischen Schaustellungen reisender Bläsersolisten bot sich vorrangig die Kompositionsform der Variationensätze an.

»Alterssünden«

Natürlich wurde Rossini immer wieder darauf angesprochen, warum er sich so früh von der Opernkomposition zurückgezogen habe. 1865 gab er zur Antwort: »Seien Sie still! – sprechen Sie zu mir nicht davon! Außerdem komponiere ich dauernd. Sehen Sie diesen Schrank voll Noten? All das habe ich seit ›Guillaume Tell‹ geschrieben. Aber ich veröffentliche nichts, und ich komponiere, weil ich nicht anders kann.«
So schrieb Rossini seit ungefähr 1857 kleine Vokal- und Instrumentalstücke für den ausschließlich häuslichen Gebrauch, die er ironisch als »Péchés de vieillesse« (»Sünden des Alters«) bezeichnete. Bis 1868 entstanden 14 Bände davon. Im neunten Band finden sich u. a. die Elegie »Un mot à Paganini« für Violine, »Prélude, thème et variations« für Horn mit Klavierbegleitung sowie die Variationen »Une larme« für Violoncello. In Band 12 gibt es diverse, als »Quelques riens« bezeichnete Miniaturen, die Rossini ursprünglich für Autogrammalben komponiert hat.

Dank der Verarbeitung eigener Opernthemen erstarren sie trotz enormer bläserischer Ansprüche jedoch niemals zu schematischen Selbstgefälligkeiten mit etüdenhaften Sprüngen und Läufen. Stets bleibt es beim unverwechselbar köstlichen Ohrenschmaus »à la Rossini«.   PÄ

Sonate a quattro

Besetzung 2 Violinen, Violoncello, Kontrabass
Entstehung 1804
UA 1804
Verlag Doblinger
Spieldauer ca. 70 Minuten

Entstehung Auf einem Ergänzungsblatt des Originalmanuskripts, das erst nach 1945 von Alfredo Casella in der Library of Congress in Washington entdeckt wurde, befindet sich ein handschriftlicher Nachtrag des Komponisten, der in der Übersetzung folgendermaßen lautet: »Auf dem Landsitz meines Freundes und Gönners Agostino Triossi bei Ravenna komponiert, als ich noch ganz jung war und keinen Kompositionsunterricht hatte. Es wurde alles innerhalb von drei Tagen komponiert und in Stimmen ausgeschrieben und hundemäßig (›cagnescamente‹) aufgeführt von Triossi mit seinen beiden Vettern und von mir als zweitem Geiger, der ich bei Gott nicht der schlimmste Hund war.« Die merkwürdige Abweichung von der regulären Streichquartettbesetzung mit dem Austausch der Bratsche durch die immer etwas brummig wirkende Bassgeige erklärt sich dadurch, dass der Gastgeber Triossi selbst den Kontrabass spielte. Das Notenmanuskript trägt den Originaltitel »Opera di sei Sonate Composte Dal Sig.r Giovacchino Rossini in età di anni XII in Ravenna, l'Anno 1804«.

Musik Dieser Werkzyklus stellt mit seinen insgesamt 18 Einzelsätzen eine Art Kompendium von Rossinis Opernstil dar. Wenn es stimmt, dass der Komponist im Alter von nur zehn Jahren – laut eigener Brieferinnerung vom 18. Oktober 1868 – in der Bibliothek der wohlhabenden Familie Malerbi einige Werke von Haydn und Mozart vorfand und teilweise kopierte, dann braucht man nur deren Ausdrucksvielfalt mit Rossinis eigenem musikalischem Umfeld zu kombinieren, um die Quellen dieser frühen Genieblitze zu erahnen: »Das meiste habe ich aus deutschen Partituren gelernt... ›Die Schöpfung‹, ›Le nozze di Figaro‹, ›Die Zauberflöte‹... Oft habe ich die Singstimme abgeschrieben, ohne mir die Orchesterbegleitung anzusehen. Dann komponierte ich auf einem losen Blatt nach meinem Geschmack eine Begleitung.«

Das Formenschema hält sich an die ihm ebenfalls vertrauten italienischen Concerti mit der Satzfolge schnell–langsam–schnell, konzipiert jedoch jeden Satz als kleine Opernszene mit jeweils eigenem Charakter fern jeglicher Routine: mehrfache Gefühlsumschwünge im Kopfsatz, entfernt dem klassischen Sonatenprinzip vergleichbar mit Haupt- und Seitenthema, Koloraturen als Zwischengruppen, Quasidurchführung mit raffinierten harmonischen Wendungen, Dacapoeffekt (»Teilreprise«) und Kurzcoda.

Die langsamen Mittelsätze überraschen mit schönsten Kavatinen und ariosen Liedthemen, während sich die Finalsätze mit heiterem Kehraus an der Rondoform orientieren. Oft genug vermeint man die punktierte Rhythmik der späteren »Barbier«-Ouvertüre herauszuhören, die rollenden, durch Motivwiederholungen sich steigernden Rossini-Crescendi, den Farbenreichtum mancher Orchesterpartitur. Alles scheint von meisterlicher Hand bereitet.

Wirkung Für den frühen Beifall zu diesen »fertigen« Rossini-Klängen spricht ihre enorm schnelle und weite Verbreitung in den 1820er-Jahren, obwohl der Meister zu dieser Zeit bereits mit allen seinen Hauptschätzen aufwarten konnte. Entsprechend der Konzertpraxis setzten sich vor allem die Bearbeitungen für die reguläre Streichquartettbesetzung durch nebst den Ausgaben für Flöte und Streichtrio oder für Klavier. Den größten Erfolg hatten jedoch die Arrangements als Bläserquartette für Oboe, Klarinette, Horn und Fagott. Sie stammen von dem Mannheimer Klarinettisten Friedrich Beer. Die Stärke dieser Bearbeitungen liegt in der Übernahme typischer Klangfarben, wie sie Rossini im Bläsersatz seiner spritzigen Orchesterpartituren verwendet hat.   PÄ

Saint-Saëns | Camille

* 9. 10. 1835
Paris
† 16. 12. 1921
Algier

Saint-Saëns gilt als der bedeutendste französische Komponist des »classicisme«, einer Rückbesinnung auf das klassische Formenrepertoire, die ihn vor allem zu den Gattungen der in Frankreich bis in die 1870er-Jahre hinein nur wenig beachteten Sinfonik und Kammermusik führten. Zusammen mit César Franck leitete er eine durchgreifende Erneuerung der französischen Musik in diesen Bereichen in die Wege, die von ihren Schülern auf fruchtbare Weise fortgesetzt wurde.

Die musikalische Begabung von Camille Saint-Saëns wurde früh erkannt und gefördert. Als pianistisches Wunderkind trat er schon im Alter von fünf Jahren auf, seine erste Komposition schrieb er gar mit knapp vier Jahren nieder. Ab 1848 studierte er am Pariser Conservatoire, wo François Benoist (Orgel) und (ab 1850) Fromental Halévy (Komposition) seine Lehrer waren. Ab 1853 wirkte Saint-Saëns als Organist, zunächst an Saint-Merri, ab 1858 an der berühmten Madeleine. 1861–66 war er Klavierlehrer an der Pariser École Niedermeyer, wo Gabriel Fauré, mit dem ihn eine lebenslange Freundschaft verbinden sollte, sein Schüler wurde. Mit der Aufgabe seines Organistenamts (1877) widmete er sich nur noch seinem kompositorischen Werk, das er als Pianist und Dirigent auch durch Konzerttourneen im Ausland bekannt zu machen

versuchte. Durch die Gründung der »Société Nationale de Musique« (1871), die sich Aufführungen neuerer französischer Musik zum Ziel setzte, förderte er vor allem die zuvor vernachlässigten Gattungen der Sinfonik und der Kammermusik. Ferner arbeitete er auch als Schriftsteller und äußerte sich nicht nur zu Musikfragen, sondern auch zu Literatur und Philosophie. Nach der Trennung von seiner Frau im Jahr 1881, dem der plötzliche Tod seiner beiden Kinder vorausgegangen war, führte er ein unstetes Wanderleben, löste einige Jahre später sogar seinen Haushalt auf, um erst wieder ab 1904 fest in Paris zu leben.

Ebenso wie im Falle Francks stieß zunächst auch Saint-Saëns' Musik in seinem Heimatland auf Unverständnis, dagegen hatte er im Ausland, namentlich in Deutschland, wo Franz Liszt ihm 1877 in Weimar die Uraufführung der ambitionierten Oper »Samson et Dalida« ermöglichte, zumindest zeitweise größeren Erfolg. Bedingt durch die lange Lebensspanne, in der Saint-Saëns an seinem ästhetischen Ideal festhielt,

Kammermusik ohne Lobby

Noch in den späten 1860er-Jahren, so erinnerte sich Camille Saint-Saëns, »genügte der bloße Name eines französischen Komponisten – noch dazu eines lebenden! – auf einem Konzertprogramm, um das Publikum in die Flucht zu schlagen: Ein französischer Komponist, der die Kühnheit hatte, sich auf das Gebiet der Instrumentalmusik zu wagen, konnte seine Werke lediglich in einem selbst veranstalteten Konzert zur Aufführung bringen, zu dem er seine Freunde und die Presse einlud«. Was die Franzosen hören wollten, waren Opern oder die reisenden Virtuosen mit ihren instrumentalen Kunststücken. Kein Wunder also, dass etwa Hector Berlioz kein einziges Kammermusikwerk geschaffen hat. Und Gabriel Fauré musste seine erste Violinsonate in Leipzig veröffentlichen lassen, weil er in Paris keinen Verleger dafür fand. Nach dem Deutsch-Französischen Krieg von 1870/71 allerdings lebte das künstlerische Nationalbewusstsein der Franzosen wieder auf. Und die 1871 durch Saint-Saëns und Romain Bussine gegründete Société Nationale de Musique förderte auch die französische Kammermusik.

Marcel Proust verehrte Saint-Saëns und verewigte dessen Violinsonate Nr. 1 in seinem Romanzyklus »Auf der Suche nach der verlorenen Zeit«. Sie diente ihm als Vorbild bei der Beschreibung einer Melodie des fiktiven Komponisten Vinteuil (Szene aus der Romanverfilmung »Die wiedergefundene Zeit«, 1999, mit Catherine Deneuve und Marcello Mazzarella als Odette und Proust).

wurde der ehemalige Revolutionär spätestens nach der Jahrhundertwende von der musikalischen Entwicklung überholt und galt mehr und mehr als Akademiker, wenn nicht gar als Erzreaktionär.

Der Vorwurf mangelnder Inspiration ist im Œuvre von Saint-Saëns nicht überall zu entkräften, jedoch muss andererseits das hohe kompositorische Niveau seiner Arbeiten, gerade auch im reichhaltigen und für viele Nachfolger (wie etwa Fauré) wegweisenden Kammermusikschaffen, hervorgehoben werden. So komponierte er u. a. ein Septett für Trompete, Klavier und Streicher, zwei Klavierquintette, ein Klavierquartett, zwei Klaviertrios, zwei Violin- und zwei Cellosonaten sowie je eine Sonate für Oboe, Klarinette und Fagott. Während aus der Orchestermusik zahlreiche Werke den Sprung ins internationale Repertoire geschafft haben – darunter seine dritte Sinfonie (»Orgelsinfonie«, 1886), die sinfonische Dichtung »Danse macabre« (1874), die Klavierkonzerte Nr. 2 und Nr. 4 (1868 bzw. 1875), das dritte Violinkonzert (1880) und das erste Cellokonzert (1872) –, haben die Kammermusikwerke von Saint-Saëns außerhalb des französischen Sprachraums immer noch nicht die ihnen gebührende Anerkennung gefunden.

JO

Violinsonaten

Sonate Nr. 1 d-Moll op. 75

Sätze 1. Allegro agitato – Adagio, 2. Allegretto moderato – Allegro molto
Entstehung 1885
UA Oktober 1885 Paris
Verlag Durand
Spieldauer ca. 21 Minuten

Entstehung Bereits 1879 vertraute Saint-Saëns seinem Verleger Durand an, dass er den Geiger Joseph Marsick, den Widmungsträger seines Opus 75, um technische Ratschläge für die Behandlung der Violine gebeten habe; allerdings dauerte es dann noch sechs Jahre, bis der Komponist seine erste Violinsonate vorlegen konnte.

Musik Die ungewöhnliche Anlage, eine jeweils in sich gegliederte Zweisätzigkeit, findet sich auf ähnliche Weise auch in Saint-Saëns' viertem Klavierkonzert.

Erster Satz Dem stürmischen, unisono bzw. in Oktaven vorgetragenen Hauptthema folgt ein Seitenthema, das in literarischem Zusammenhang Weltberühmtheit erlangte: Nach dem Eingeständnis von Marcel Proust diente der schlichte Gedanke als Vorbild für die »kleine Melodie« in seinem Romanzyklus »Auf der Suche nach der verlorenen Zeit«. Die Durchführung beginnt mit der Wiederaufnahme des Hauptthemas, lässt aber dann das Seitenthema als dreistimmige Fuge folgen, wonach sich die Wendung der Melodie nach Moll anschließt. Der Adagioteil in Es-Dur wird durch die tonale Vorwegnahme am Ende des Allegros vorbereitet. Er weist eine herkömmliche dreiteilige Liedform auf.

Zweiter Satz Der Scherzoteil in g-Moll tritt überraschend leicht und graziös auf, wirkt auch nicht herb oder gar düster, sondern vielmehr melancholisch. Das Finale wartet mit einer toccataartigen Fügung auf: Die Violine startet mit Tonleiterpassagen in schnellen Sechzehnteln, die vom Klavier aufgenommen und kontrapunktiert werden. Im Durchführungsteil taucht wiederum die »kleine Melodie«, das zweite Thema aus dem ersten Satz, auf, die auch in der Reprise ihren Platz auf Kosten des zweiten Themas des Finales behauptet und so die zyklische Verklammerung der Sätze unterstreicht.

Wirkung Durch seinen virtuosen Zuschnitt fand das Werk nicht nur beim Widmungsträger, der es mit Saint-Saëns uraufführte, lebhaften Anklang, sondern erfreut sich auch heute noch bei den Geigern eines gewissen Zuspruchs. JO

Einspielungen (Auswahl)
- Lydia Mordkovitch (Violine), Marina Gusak-Grinz (Klavier), 1992 (+ Werke von Franck, Messiaen); Chandos
- Isabelle van Keulen (Violine), Ronald Brautigam (Klavier), 1996 (+ Messiaen: Thème et variations, Milhaud: Violinsonate Nr. 2 op. 40, Ravel: Violinsonate); Koch Classics

Sonate Nr. 2 Es-Dur op.102

Sätze 1. Poco allegro più tosto moderato, 2. Scherzo: Vivace, 3. Andante, 4. Allegro gracioso, non presto
Entstehung Februar/März 1896
UA 2. Juni 1896 Paris
Verlag Durand
Spieldauer ca. 25 Minuten

Entstehung Aus gesundheitlichen Gründen verbrachte Saint-Saëns, sobald er es sich leisten konnte, die Wintermonate in milden Klimazonen, auf den Kanarischen Inseln oder auch in Nordafrika. So entstand die zweite Violinsonate Anfang 1896 im ägyptischen Luxor, wo der Komponist zur selben Zeit auch sein fünftes Klavierkonzert beendete, das im Gegensatz zu der Violinsonate deutliche Orientalismen enthält.

Musik Weniger spontan und brillant als ihre Vorgängerin, liegt der Sonate eine zunächst eigenartig anmutende Idee zugrunde: In den Ecksätzen ließ sich der Komponist nach eigenen Angaben von der altgriechischen Metrik inspirieren, ein Attizismus, der natürlich dem Publikum verborgen bleiben muss und der möglicherweise dafür verantwortlich ist, dass die Sonate akademisch-trocken wirkt. Davon ausgenommen ist der langsame Satz in H-Dur mit seiner besinnlichen Ruhe. Saint-Saëns war die unterschiedliche Wirkung beider Violinsonaten durchaus bewusst, indem er die erste als »Sonate de Concert«, die zweite jedoch als »Sonate de Chambre« charakterisierte.

Wirkung Zusammen mit dem fünften Klavierkonzert wurde die Sonate (mit Pablo de Sarasate) im denkwürdigen Konzert zum 50-jährigen Bühnenjubiläum des Pianisten Saint-Saëns uraufgeführt. Während sie hier einen triumphalen Erfolg erlebte, zeigte sich in der Folgezeit jedoch schnell, dass das Stück im Schatten der ungleich anziehenderen ersten Sonate bleiben sollte. JO

Einspielungen (Auswahl)
- Jean-Jacques Kantorow (Violine), Jacques Rouvier (Klavier), 1991 (+ Violinsonate Nr. 1); Denon

Cellosonaten

Sonate Nr. 1 c-Moll op. 32

Sätze 1. Allegro, 2. Andante tranquillo sostenuto, 3. Allegro moderato
Entstehung Herbst/Winter 1872
UA 26. März 1873 Paris
Verlag Durand
Spieldauer ca. 20 Minuten

Entstehung Zu Beginn der 1870er-Jahre bezeugte Saint-Saëns eine besondere Vorliebe für das Violoncello: Seine Sonate entstand im unmittelbaren Anschluss an das erste, auch heute noch viel gespielte Cellokonzert.

Musik Nicht nur aufgrund seiner Tonart, sondern vor allem durch seine packende Dramatik erinnert das Werk stark an Beethoven. Dagegen scheinen die gefälligen oder auch glättenden Züge, die sonst so oft in der Kammermusik von Saint-Saëns anzutreffen sind, völlig zu fehlen. Einige Kritiker wollten in dieser für den Komponisten durchaus ungewöhnlichen Ausdruckshaltung einen Nachklang aus dem kurz zuvor verlorenen Krieg mit den anschließenden Wirrnissen der Pariser Kommune sehen.

An Beethoven gemahnt insbesondere das Hauptthema des Kopfsatzes mit seinen kurzen, sich langsam entwickelnden Motivzellen, das hier als Kanon eingeführt wird. Das Seitenthema erscheint nicht in der Tonikaparallele, sondern in der »neapolitanischen« Tonart Des-Dur, auch dies ein Phänomen, das für Saint-Saëns ungewöhnlich anmutet.

Zu dem choralartigen zweiten Satz in Es-Dur gab Saint-Saëns selbst an, er sei aus einer Improvisation an der Orgel der Kirche Saint-Augustin hervorgegangen. Deutsche Hörer werden beim Thema des Andante freilich unwillkürlich an das Gedicht »Der Mond ist aufgegangen« von Matthias Claudius in der volkstümlichen Vertonung durch Johann Abraham Peter Schulz erinnert. Im Mittelteil des Satzes wird das tonale Verhältnis c-Moll–Des-Dur aus dem ersten Satz wieder aufgenommen und erscheint so als ein Charakteristikum der ganzen Sonate.

Das ebenfalls in Sonatenform mit zwei Themen stehende Finale steigert noch die für Saint-

Saëns durchaus untypische Leidenschaft des ersten Satzes, gibt sich ungestüm-drängend und hochvirtuos.

Wirkung Die Ausnahmestellung der Sonate wurde von Publikum und Kritik rasch erkannt. Ähnlich wie bei den Violinsonaten geben die Cellisten auch hier der ersten vor der 1905 vollendeten zweiten Sonate in F-Dur den Vorzug.   JO

Einspielungen (Auswahl)
- Steven Isserlis (Violoncello), Pascal Devoyan (Klavier), 1993 (+ andere Werke von Saint-Saëns); BMG/RCA

Bläsersonaten

Entstehung 16 Jahre nach der zweiten Cellosonate ging der inzwischen 85-jährige Komponist daran, erneut Kammermusik in Sonatenform zu schreiben. Zwischen Mai und Juni 1921 entstanden in Paris gleich drei Sonaten, je eine für Oboe (op. 166), Klarinette (op. 167) und Fagott (op. 168) mit Klavierbegleitung. Saint-Saëns verfolgte das ambitionierte Projekt, für alle Holzblasinstrumente eine Sonate zu schreiben und dachte noch in seinen letzten Lebenstagen im Dezember 1921 in Algier an eine Sonate für Englischhorn, deren Ausführung aber der Tod verhinderte.

Musik In erstaunlicher stilistischer Übereinstimmung zu Saint-Saëns' frühesten Werken knüpfen die drei Sonaten in Form und Tonfall an den galanten Stil des 18. Jahrhunderts an. So ist der erste Satz der Oboensonate eine Aria, der letzte eine Toccata, und der Mittelsatz der Klarinettensonate beginnt wie eine Gavotte. Kein einziger Satz folgt der traditionellen Sonatensatzform – Saint-Saëns gab der dreiteiligen Lied- oder Bogenform den Vorzug.

Da sich andererseits die Harmonik zeitgemäß gibt und die Werke Humor, Witz und Ironie zeigen, stehen die Stücke – was gar nicht zu dem Bild des alternden Komponisten passen will – der neoklassizistischen Bewegung um 1920 erstaunlich nahe. Namentlich drängt sich die Affinität zu den Bläserwerken eines Francis Poulenc auf.

In der dreisätzigen Oboensonate folgen auf den anmutigen Eingangssatz ein pastoral wirkendes Allegretto und ein geistreich-virtuoses Finale. Die beiden anderen Sonaten sind viersätzig: Sie beginnen mit zart-expressiven Allegrettosätzen – einmal lyrisch betont (op. 167), das andere Mal eher elegisch getönt (op. 168) –, beide haben Scherzi an zweiter und als Kernsätze wirkende langsame Sätze an dritter Position; auch die Finalsätze weisen mit ihrer augenzwinkernden Kürze Parallelen auf.

Wirkung Aufgrund ihres nachgerade »neoklassizistischen« Zuschnitts, der nicht wie ein Abschluss des kammermusikalischen Schaffens von Saint-Saëns, sondern vielmehr wie ein neuer Anfang wirkt, erfreuen sich die drei Sonaten von 1921 einer anhaltenden Beliebtheit bei den Holzbläsersolisten, wobei natürlich auch die relativ schmale Literatur für solche Besetzungen mitspielen mag.   JO

Werke für größere Besetzungen

Klavierquartett B-Dur op. 41

Sätze 1. Allegretto, 2. Andante maestoso, ma con moto, 3. Poco allegro più tosto moderato, 4. Allegro
Entstehung 1875
UA 6. März 1875 Paris
Verlag Durand
Spieldauer ca. 29 Minuten

Entstehung Als Präsident der von ihm gegründeten Société Nationale de Musique beklagte Saint-Saëns sich kurze Zeit nach der erfolgreichen Uraufführung seiner ersten Cellosonate, dass die jungen Komponisten die Kammer- zugunsten der Orchestermusik vernachlässigten, und wollte mit seinem Klavierquartett mit gutem Beispiel vorangehen. Tatsächlich sollte gerade dieses von Saint-Saëns selbst hoch geschätzte Werk wenig später Fauré und Franck zu eigenen Kammermusikwerken anregen.

Musik Erster Satz Der ungewöhnlich zarte Satz beginnt mit einem synkopischen Thema, das von den Streichern über leichten Klavierakkorden exponiert wird. Nach einer Kadenz erklingt das ebenfalls in B-Dur stehende zweite, lyrischer gestaltete Thema, das mit sehr feinsinnigen Harmonien aufwartet. Getrennt durch eine kurze Überleitung tritt ein drittes Thema auf, das in F-Dur steht und insofern die Position des eigentlichen Seitenthemas innehat, jedoch durchaus tänzerischen Charakter aufweist. Wie in anderen Kammermusikwerken von Saint-Saëns schließt sich nach der Durchführung die Reprise nicht notengetreu, sondern in variativer Verzierung an.

Zweiter und dritter Satz Der stark an Mendelssohn erinnernde ernste Choral steht in großem Kontrast zum Fin-de-Siècle-Stil des lyrischen Kopfsatzes. Eine einzigartige Besonderheit besitzt das romantisierende Scherzo durch seine stetige Tempobeschleunigung bis hin zum Prestissimo.

Ungewöhnlich mutet auch das Finale durch seine Grundtonart d-Moll statt des erwarteten B-Dur an, das erst gegen Ende des Satzes zu seinem Recht kommt. Auf kunstvolle Weise wird nach dem tonalen Wechsel auf die vorangegangenen Themen und Motive zurückgegriffen und eine zyklische Bindung erreicht, die auf César Francks nachfolgende Werke verweist. Zunächst zitiert Saint-Saëns die ersten Takte des Kopfsatzes, dann dessen drittes Thema, um dieses schließlich mit dem Choralthema aus dem zweiten Satz zu kombinieren.

Wirkung Zusammen mit der ersten Cellosonate gehört das Klavierquartett zu den originellsten Partituren in Saint-Saëns' Kammermusik. Zu Lebzeiten, nicht zuletzt durch den konzertierenden Einsatz des Komponisten selbst, zu seinen bekanntesten Werken zählend, ist es heutzutage zu Unrecht etwas in Vergessenheit geraten.   JO

Einspielungen (Auswahl)
• Hüseyin Sermet (Klavier), Régis Pasquier (Violine), Bruno Pasquier (Viola), Roland Pidoux (Violoncello), 1991 (+ Suite op. 16, Fantaisie op. 124); Auvidis

Schnittke | Alfred

* 24. 11. 1934
Engels (Autonome Republik der Wolgadeutschen;
heute Russland)
† 3. 8. 1998
Hamburg

100563

Kaum einem anderen Komponisten seiner Generation – mit Ausnahme vielleicht von Arvo Pärt – ist es in den letzten Jahren so deutlich gelungen, die Insiderkreise der Neuen Musik zu überschreiten und mit seiner Musik ein breiteres Publikum zu bewegen und zu begeistern wie Alfred Schnittke. Nicht nur ihm gewidmete Konzertserien und Festivals, Preise, Auszeichnungen und Ehrenmitgliedschaften bezeugen diesen Erfolg, vielmehr haben auch zahlreiche Werke von ihm einen festen Platz im »normalen« Konzertbetrieb erobert.

Schnittke stammt aus einer deutsch-jüdischen Familie, erste musikalische Eindrücke erhielt er 1946 bis 1948 in Wien, als sein Vater dort beruflich tätig war. 1953 bis 1958 studierte er Komposition (bei Jewgeni Golubew) am Moskauer Konservatorium, war bis 1961 als Aspirant, danach als Lehrer am Konservatorium und als freier Komponist tätig. Seinen Lebensunterhalt musste er sich hauptsächlich mit Filmmusik verdienen. Obwohl in der Sowjetunion nach dem Tod Stalins die Repressionen gegen künstlerische Abweichler nachließen und eine gewisse Öffnung die Musiker auch in Kontakt mit der westlichen Neuen Musik brachte, war Schnittkes kompositorische Existenz bis 1985 vielfachen Beschränkungen und Behinderungen ausgesetzt. Konzertprogramme wurden zensiert oder sabotiert, Auslandsreisen verboten. Nachdem er sich in der Studienzeit mit Strawinsky, Bartók und der Wiener Schule auseinandergesetzt hatte, beschäftigte sich Schnittke in den 1960er-Jahren kompositorisch und publizistisch intensiv mit den Entwicklungen und Richtungen der neuesten Musik: der Dodekafonie, der seriellen Technik, der Aleatorik. Als besonders bedeutsam hat er die Begegnung mit Luigi Nono bezeichnet, der 1963 Moskau besuchte und dessen feinfühlige, temperamentvolle Art ihn sehr einnahm. Schwere gesundheitliche Beeinträchtigungen überschatteten Schnittkes Arbeit ab 1985: Er erlitt drei Schlaganfälle (1985, 1991 und 1994), bevor er im Alter von 63 Jahren starb. Neben verstärkten religiösen Akzenten in seiner Musik der letzten Jahre haben diese Ereignisse nach Schnittkes eigener Aussage auch sein musikalisches Zeitgefühl verändert.

Das Schlagwort, mit dem Schnittkes reifer Stil (ab Ende der 1960er-Jahre) umrissen wird, hat er selbst geprägt: »Polystilistik«. Gemeint ist damit ein zitierender oder anspielender Rückgriff auf vergangene Stilepochen oder Tonfälle unterschiedlichster musikalischer Bereiche. Es geht Schnittke dabei aber nicht um archaisierende Faktur, auch nicht um den Reiz der Collage mit hart kontrastierenden Schnitten, sondern um ein echtes Zusammenwirken der verschiedenen Schichten. Indem sie Relikte verschiedenster Provenienz bricht, verfremdet, umformt, verschmilzt und ineinander übergehen lässt (»stilistische Modulation«), erhält Schnittkes Musik eine Gleichzeitigkeit, die nichts verdrängt, zugleich aber nie den Charakter einer persönlichen Stellungnahme verliert. Schnittke hat in der Polystilistik einen Weg aus der Erstarrung der Neuen Musik im Serialismus gesehen und auch auf Merkmale eines solchen Denkens in der Musik anderer Zeitgenossen wie Kagel, Ligeti und Berio hingewiesen. Außerdem spiegele sein Kompositionsverfahren die »Polyfonisierung« des menschlichen Bewusstseins in der modernen Informationsgesellschaft wider. Zentral ist dabei für Schnittke nicht die Technik an sich, sondern »die Beziehung zum Menschen... Die Musik findet ihr Publikum, wenn sie mit Überzeugung geschrieben ist und einen Gedanken enthält«.

Die Orchestermusik bildet den Schwerpunkt in Schnittkes Œuvre (das aber auch zahlreiche Chorwerke sowie Kammermusik, Opern und Ballette umfasst). WA

Violinsonaten

Sonate Nr. 1

Sätze 1. Andante, 2. Allegretto, 3. Largo, 4. Allegretto scherzando –Largo
Entstehung 1963
UA Frühling 1964 Moskau
Verlag Sikorski
Spieldauer ca. 18 Minuten

Sonate Nr. 2 »Quasi una sonata«

Entstehung 1968
UA Februar 1969 Kasan
Verlag Sikorski
Spieldauer ca. 22 Minuten

Sonate Nr. 3

Sätze 1. Andante, 2. Allegro, 3. Adagio, 4. Senza tempo
Entstehung 1994
Verlag Sikorski
Spieldauer ca. 15 Minuten

Entstehung Die drei Violinsonaten markieren auch von ihrer Entstehungszeit her wichtige Stationen in Schnittkes Schaffen: Die erste (1963; Kammerorchesterfassung, 1968) ist sein erstes Kammermusikwerk, die 31 Jahre später entstandene dritte sein letztes. Die zweite Sonate (»Quasi una Sonata«, 1968) ist Ausdruck der Selbst- und Stilfindung des Komponisten (auch von ihr hat Schnittke eine Fassung für Violine und Kammerorchester erstellt, 1987).
Musik Die 1960er-Jahre standen bei Schnittke im Zeichen der Aneignung des aktuellen avantgardistischen Vokabulars: In der ersten Violinsonate versuchte er, die Zwölftontechnik auf eigene Weise zu adaptieren. Er wendet sie nicht strikt an, sondern benutzt sie als Keimzelle für melodische Entwicklungen. Außerdem richtet er die Reihen so ein, dass sich tonale Felder herauslösen lassen: So sind die einzelnen Sätze durch unterschiedliche Dreiklangbildungen geprägt: der erste Satz durch verminderte und übermäßige Dreiklänge, der zweite durch Moll-Klänge, der dritte durch Dur-Klänge; der vierte Satz kombiniert die verschiedenen Typen. Es ist, so Schnittke, »eine tonale Welt mit atonalen Wegen«, von der sich der Komponist später distanziert hat: »Alles bis dahin Entstandene war falsch und blieb es auch.«

Demgegenüber hat Schnittke die Bedeutung seiner zweiten Violinsonate sehr hoch eingeschätzt. Sie steht am Anfang der dezidiert polystilistischen Periode und bringt die Merkmale der neuen Schreibweise – als Widerstand gegen serielles Komponieren – prägnant zum Ausdruck. Er wollte hier, wie er es plastisch formuliert hat, »aus dem überfüllten Zug der neuen Musik aussteigen und sich zu Fuß durchschlagen«. So beginnt die aus drei nicht näher bezeichneten, ineinander übergehenden Sätzen bestehende Sonate provokativ mit einem

Der Geiger Gidon Kremer

»Das erste Mal hörte ich den Namen Schnittke von einer estnischen Musikjournalistin. Sie war der Meinung, dass ich mir unbedingt ein Werk von ihm anschauen müsste. Schon damals – noch als Student des Konservatoriums – war ich auf alles Neue scharf, besorgte mir deshalb die Noten der 2. Geigensonate ›Quasi una sonata‹ und beschloss, das Werk ins Programm des kommenden Recitals aufzunehmen.« So weit Gidon Kremer. Das Repertoire des virtuosen Geigers lettischer Herkunft reicht von der Musik des Barock bis zu zeitgenössischen Komponisten und umfasst auch weniger bekannte Werke der Violinliteratur. Besonders verbunden fühlt sich der ehemalige Meisterschüler von David Oistrach der neueren russischen Tonkunst, mit Schostakowitsch im Mittelpunkt. Förderung durch ihn erfuhren u. a. Arvo Pärt und auch Alfred Schnittke. 1981 rief Kremer die sommerlichen Festwochen für Kammermusik in Lockenhaus (Österreich) ins Leben. Zu den kongenialen Kammermusikpartnern des Geigers zählen besonders die Pianistin Martha Argerich und der Cellist Mischa Maisky.

g-Moll-Akkord (Schnittke: »Ich möchte etwas ganz Unanständiges schreiben – einen g-Moll-Akkord«). In der Folge entwickelt sich ein Wechselspiel von solchen tonalen Setzungen und dissonanten Gegenklängen, von periodisch gegliederten Phrasen und freien, stammelnden Auflösungsfeldern, von romantisch anmutenden Klavierpassagen und Clustern – und immer wieder wird das B-A-C-H-Motiv als Vision einer Lösung angedeutet. Schnittke führt die heterogenen Elemente jedoch nicht zum Ausgleich, sondern lässt die Konfrontation stehen. Auch formal bleibt die Anlage so zweideutig, wie schon im Titel »Quasi una sonata« (der natürlich auf Beethovens Fantasiesonaten op. 27 anspielt) angedeutet, handelt der Verlauf vom Nichtzustandekommen der Sonatenform.

Unter ganz anderen Vorzeichen steht die dritte Violinsonate. Stilistisch scheint eine Beruhigung und Vereinfachung angestrebt, auch die traditionelle viersätzige Form ist eingehalten. Umso deutlicher ist der Ausdruckswille, das Mitteilungsbedürfnis des Komponisten, was durch thematische Bezüge zu seinen letzten, kurz zuvor entstandenen Opern »Gesualdo« und »Historia von D. Johann Fausten« unterstrichen wird. Der elegische bis düstere Tonfall des Werks, die eindringliche Beschwörung von Todesnähe und vor allem die am Schluss heftig zu intonierenden Geigentöne, hohes A und tiefes Es (= A. S., Alfred Schnittke), lassen die Vorahnung einer persönlichen Katastrophe (wie sie den Komponisten mit seinem dritten, schwersten Schlaganfall wenige Tage nach Fertigstellung der Sonate ereilte) nur schwer von der Hand weisen.

Wirkung Alle drei Sonaten sind dem Geiger Mark Lubotsky gewidmet, der sie auch, jeweils kurz nach der Entstehung, uraufführte. Die Drucklegung der zweiten Sonate wurde von den verantwortlichen Stellen in der Sowjetunion mit großem Misstrauen beobachtet, da sie in den Elementen grafischer Notation ein Kennzeichen äußerster Avantgarde sahen (obwohl das Werk ironischerweise gerade der Abschied von dieser ist). Die beiden ersten Sonaten liegen jeweils in mehreren Tonaufnahmen vor.   WA

Einspielungen (Auswahl)
- Sonaten Nr. 1 & 2: Mark Lubotsky (Violine), Ralf Gothóni (Klavier), 1991; Ondine

- Sonate Nr. 3: Daniel Hope (Violine), Simon Mulligan (Klavier), 1999 (+ Stille Nacht, Schostakowitsch: Sonate op. 134, Penderecki: Kadenz für Solovioline, Pärt: Spiegel im Spiegel); Nimbus

Cellosonaten

Sonate

Sätze 1. Largo, 2. Presto, 3. Largo
Entstehung 1978
UA Januar 1979 Moskau
Verlag Sikorski
Spieldauer ca. 21 Minuten

Entstehung Die Cellosonate entstand 1978, also lange vor den beiden Cellokonzerten (1985; 1990), mit denen Schnittke das Repertoire für das Instrument so bedeutsam erweitert hat. Sie ist der Cellistin Natalja Gutman (die auch Solistin der Uraufführung des ersten Cellokonzerts war) gewidmet.

Musik Die Satzbezeichnungen (Largo, Presto, Largo) deuten die Tempofolge der barocken Kirchensonate an. Im Vergleich zu früheren Werken zeigt die Cellosonate dennoch eine weniger polystilistische, insgesamt geschlossenere Faktur. Der erste Satz ist nur sehr kurz, eine gedrängte Formulierung der Grundidee. Das folgende Presto basiert in Art eines Perpetuum mobile auf einer schnellen, durchgängigen Achtelbewegung, teils in chromatisch angereicherten Läufen, teils in gebrochenen Akkorden, abwechselnd in Klavier und Cello. Die Bewegung läuft sich tot und endet abrupt im Fortissimo im höchsten Klavierdiskant. Der langsame Schlusssatz (Schnittke: »Besinnungsfinale«) greift den Gestus des ersten Satzes auf, gegen Ende klingen aber auch die Schatten der schnellen Achtel aus dem Presto immer wieder in die ruhige Entwicklung hinein.

Die Spannung zwischen Tonalität und Atonalität ist in der Cellosonate besonders intrikat »verdreht«. Die (atonale) Zwölftonreihe zu Beginn des ersten Satzes ist periodisch-tonal gegliedert. Die (tonalen) Dreiklänge haben durch chromatische Anreicherungen atonale Tendenz.   WA

Werke für verschiedene Besetzungen

Moz-Art nach KV 416d

Entstehung Die »Moz-Art«-Werkreihe geht auf eine Anregung des Geigers Gidon Kremer zurück, der bei einem Neujahrskonzert 1976 Mozarts Musik zu einer Pantomime KV 416d spielen wollte; von der Partitur (ursprünglich für Streichquartettbesetzung) ist aber nur die erste Violinstimme erhalten. Kremer bat nun Schnittke um eine Ergänzung, die als satirisch-improvisatorische Urfassung (mit einem Kinderlied zum Schluss) aufgeführt wurde. Später hat Schnittke das Mozart-Fragment immer wieder aufgegriffen und dabei nicht nur für verschiedene Besetzungen umarrangiert, sondern jeweils in ganz neuer Weise bearbeitet.

Musik »Lose Blätter einer beinahe verschollenen Partitur des Hofkomponisten zu Wien, Johannes Chrisostomos Wolfgangus Theophilus Mozart… nach beinahe zweihundertjähriger Vergessenheit von seinem treuesten Schüler und ergebensten Verehrer, Alfredus Henricus Germanus Hebraeus Rusticus zu Moscau 1976 im Träume erhöret und mit höchster Präzision in Notenschrift festgehalten, sowie durch kleine, dem Geschmack der gegenwärtigen Zeitmode entsprechenden Vervollständigungen verzieret.« – Schnittkes launige Widmung der »Moz-Art«-Erstfassung deutet, wie auch schon der Titel selbst, an, dass es sich hier um eine besonders direkte, ja vordergründige Spielart seiner Polystilistik handelt. Der durchaus spürbare humoristische Zug sollte jedoch nicht den Eindruck erwecken, es ginge hier allein um einen musikalischen Spaß. Die Absicht geht vielmehr tiefer, gerade auch im mehrfachen Neuansatz, nämlich durch, so Schnittke, »Umkreisen dem Kern der Sache näherzukommen«. Jede Version verfolgt dabei eine unterschiedliche Grundidee.

In der Violinduofassung von »Moz-Art« geschieht die verfremdende Arbeit mit dem gege-

Alfred Schnittkes Werkreihe »Moz-Art« geht auf eine Anregung des Violinisten Gidon Kremer zurück, dessen Repertoire von Bach bis zu zeitgenössischen Kompositionen reicht.

benen Material besonders durchsichtig: Zu Beginn ergänzt Schnittke die Melodie zu einem Kanon in kurzem Einsatzabstand, sodass sich schon bald zänkische Dissonanzen ergeben. Es folgen Pfeifeinlagen, Flageoletttöne, bitonal harmonisierte Abschnitte, Zitate aus anderen Mozart-Werken, immer neu gekoppelt. Die Tonalität der historischen Elemente wird bloßgelegt und zugleich infrage gestellt.

In »Moz-Art à la Haydn« werden dieselben Techniken ergänzt um szenische Effekte (unterschiedliche Gruppenaufstellungen; Beleuchtung) und eine klangliche Erweiterung im Bereich moderner Spieltechniken. Am Schluss verlassen die Musiker (wie in Haydns »Abschiedssinfonie«) aus einem zarten Klanggewebe heraus sukzessive den Raum und lassen den wehmütig weiterdirigierenden Dirigenten zurück.

»Moz-Art für sechs Instrumente« integriert eine andere szenisch-dramatische Idee in die Konzeption: Die Instrumente bilden drei »Ehepaare«, die im Laufe des Stückes typische Stadien zwischen idyllischem Anfang, skandalöser Trennung und beruhigtem Zusammenfinden durchlaufen.

»Moz-Art à la Mozart« folgt wieder eher der Linie der »à-la-Haydn«-Version (schon in der Absurdität des Titels) und fächert dabei den Klangraum mit zwei Piccoloflöten, zwei Flöten, zwei Altflöten, zwei Bassflöten und Harfe auf. Zu dieser vorläufig letzten Formulierung hat Schnittke noch eine Erklärung beigefügt: »Das Schöne kommt wirklich notengetreu von Mozart (Themen), das Hässliche von mir (entstellte Kopplung und dissonierende Einschübe von allen Seiten). Aber so schlecht ist man heute – vor 200 Jahren waren die Verbrecher milder als die heutigen Professoren.«

Wirkung Es verwundert nicht, dass »Moz-Art« zu den bekanntesten und beliebtesten Werken Schnittkes gehört und recht häufig auf Konzertprogrammen zu finden ist (auf Tonträger seltener – der szenische Aspekt scheint in der Tat wichtig). Eine besondere Rezeption hat die Werkreihe auf der Ballettbühne gefunden: Gleich mehrere Produktionen setzten sich in den 1990er-Jahren choreografisch mit dieser Musik Schnittkes auseinander, so John Neumeier in »Fenster zu Mozart«, Valerie Aris und Beate Ry-

gert in »Moz-Art« und Fryderyk Flamand und Fabrizio Plessi in »Titanic«.   WA

Einspielungen (Auswahl)
• Oleh Krysa, Alexander Fischer (Violinen), 1994 (+ A Paganini, Madrigal, Prelude, Stille Musik, Klaviertrio); BIS

Werke für Streichquartett

Entstehung Alfred Schnittke, der eine besondere Vorliebe für den Streicherklang hatte, weil dieser dem Melos der menschlichen Stimme am nächsten steht, hat für die Streichquartettbesetzung bis 1997 vier durchnummerierte Werke sowie den »Kanon in memoriam Igor Strawinsky« komponiert: Das erste Quartett entstand 1966 für das Borodin-Quartett. Die beiden nächsten Werke wurden als Trauermusiken konzipiert – der »Kanon« war 1971 eines von mehreren Auftragswerken der Londoner Musikzeitschrift »Tempo« zum Gedenken an Igor Strawinsky, das zweite Streichquartett (ein Auftrag der Universal Edition Wien von 1980) widmete Schnittke dem Andenken der bei einem Autounfall verunglückten Filmregisseurin Larissa Schepitko. Die beiden weiteren Werke der Gattung folgten 1983 und 1989.

Musik Das erste Streichquartett gehört jener Phase in Schnittkes Entwicklung an, während der er sich gängige Verfahrensweisen der aktuellen westlichen Neuen Musik aneignete. In diesem Quartett sind dies die Öffnung der Form bis hin zu quasialeatorischen Tendenzen. Die Unbestimmtheit der musikalischen Parameter wächst in den einzelnen Sätzen (1. Sonata, 2. Canon, 3. Cadenza) ständig an, wobei sich Periodik und Metrik völlig auflösen, bis es zu einem ergänzenden Reprisenversuch kommt.

Der achtminütige »Kanon in memoriam Igor Strawinsky« ist eher als eine Studie in Heterofonie mit bogenförmiger Gesamtanlage (Intensivierung in Artikulation und Dynamik bis zu einer Klimax im ersten Teil, Abebben im zweiten Teil) zu bezeichnen. Dabei sind die melodischen Phrasen in den einzelnen Stimmen in unterschiedlichen Rhythmen gestaltet – nach einer Technik, die Schnittke »kanonische Unisonoimitation« nennt.

Das Tonmaterial des zweiten Streichquartetts ist der altrussischen Kirchenmusik entnommen und wird, chromatisch angereichert und spieltechnisch instabilisiert (ähnlich wie bei Ligeti), in mikropolyfon und polyrhythmisch gestalteten Klangfeldern zu einem Gewebe bewegter Klage, ehe es in einen feierlichen homofonen Kondukt mündet.

Im dritten Streichquartett tritt Schnittkes »Polystilismus« besonders deutlich hervor: In der ausgesprochen expressiven und dichten Komposition werden drei ganz unterschiedliche Schichten zitiert und reflektiert: eine schlichte Kadenzfigur aus dem »Stabat mater« von Orlando di Lasso, das Hauptthema aus Beethovens »Großer Fuge« sowie der chiffrierte Name »Dmitri Schostakowitsch«. Aus den gegensätzlichen Impulsen dieses Materials gewinnt Schnittke die Energien für ein heftiges Scherzo (Agitato), bis im dritten Satz (Pesante) eine Synthese, eine versöhnende Verklärung angestrebt wird.

Wirkung Das erste Streichquartett konnte wegen Widerständen vonseiten der russischen Kulturbürokratie erst 1968 uraufgeführt werden. Es spielte, wie auch 1971 bei der ersten Aufführung des »Kanons in memoriam Igor Strawinsky«, das Borodin-Quartett. Das amerikanische Muir-Quartett brachte im Mai 1980 beim Internationalen Streichquartettwettbewerb in Evian (Frankreich) das zweite Streichquartett zur Uraufführung. Bei den weiteren Werken waren das Beethoven-Quartett (drittes Streichquartett: 8. Januar 1984 in Moskau) und das Alban Berg Quartett (viertes Quartett: 21. Oktober 1989 in Wien) die ersten Interpreten.

Eine Episode aus der Rezeption des ersten Streichquartetts zeigt, wie unterschiedlich die ästhetischen Urteilslinien bei Neuer Musik verlaufen können: Während gerade diese Komposition in der Sowjetunion als »westlichen Avantgardisten« nahes »fragwürdiges Experiment« eingeordnet wurde, beschrieb es ein Kritiker in New York nach der amerikanischen Erstaufführung als ein »Werk eines guten Akademikers, der moderne Ideen kultivieren wollte, ohne selbst radikal zu sein«. WA

Einspielungen (Auswahl)
- Streichquartette Nr. 1–3: Tale Quartet, 1988; BIS
- Streichquartett Nr. 1: Alban Berg Quartett, 1990 (+ Rihm: Streichquartett Nr. 4); EMI
- Streichquartette Nr. 1–4: Kronos Quartet, 1994–96; Nonesuch/Eastwest

Klavierquintett

Sätze 1. Moderato, 2. In tempo di valse, 3. Andante, 4. Lento, 5. Moderato pastorale
Entstehung 1972–76
UA September 1976 Moskau
Verlag Sikorski
Spieldauer ca. 29 Minuten

Entstehung Das Klavierquintett ist dem Gedenken an Schnittkes 1972 verstorbene Mutter Maria Vogel gewidmet – seine Entstehung zog sich über mehrere Jahre hin. Den ersten Satz komponierte Schnittke schon 1972, dann kam er aber nicht mehr weiter. Der Plan eines instrumentalen Requiems wurde fallen gelassen (das »Requiem« als Chorkomposition 1975 aus dem Werkkonzept herausgelöst). Erst 1976 konnte Schnittke das Werk vollenden, ein ursprünglich für andere Zwecke entworfener melancholischer Walzer (als zweiter Satz) brachte die Lösung der kompositorischen Konflikte. 1978 hat Schnittke eine Orchesterversion des Quintetts erstellt (»In memoriam«).

Musik »Fünf Sätze – alle langsam und leise. Ich kann absolut nicht mehr aggressive dissonante Musik schreiben, es ist für mich wie ein voriges Leben«, so schrieb Schnittke im Dezember 1975 in einem Brief an einen befreundeten Interpreten über die Skizze zum Klavierquintett.

Das Werk markiert – sicher auch vorgegeben durch den tragischen Anlass – eine gewisse Wendung in Schnittkes Stil, eine Art neue Innerlichkeit (gerade nach der kompliziert polystilistisch konstruierten ersten Sinfonie). Nach der Erzählung des Komponisten soll seine Mutter seine Musik, die ihr zu modern war, wenig geschätzt haben – im Quintett wollte er eine ernste und schlichte Musik schreiben, die ihr gefallen hätte. Die Schwierigkeiten lagen dabei darin, so Schnittke, die imaginären Klangräume ins Reale zu übertragen.

In der satztechnischen Struktur gibt Schnittke dabei der gattungstypischen Trennung des Ensembles in Streichergruppe und Klavier eine inhaltliche Vertiefung: Die Streicher werden häufig in Vierteltönen geführt (einer Art Hyperchromatik) und symbolisieren die Sphäre des Schmerzes, das Klavier ist der »Wächter« der Tonalität, bringt Trost und Kontrolle in die emotionale Tonsprache hinein. Diese beiden Klangwelten »überkreuzen« sich permanent, wie überhaupt die musikalische Figur des Kreuzes auf verschiedenen Ebenen der Partitur aufgegriffen wird.

Der erste Satz basiert auf einem expressiven Fünftonmotiv, das als Quasizitat barocker musikalischer Rhetorik erscheint, aber zu einer ganz persönlichen trauernden Meditation umgeformt wird. Der zweite Satz ist ein melancholischer Walzer über die Tonfolge B-A-C-H und so wohl auch eine Erinnerung an die Musikwelt, die in Schnittkes Elternhaus gepflegt wurde. Der dritte und vierte Satz sind besonders direkt ausdruckshafte Umsetzungen der Klage über und des Protests gegen den Tod. Der letzte Satz bringt eine verklärende Ebene: Es entfaltet sich in der alten Ostinatoform der Passacaglia ein entspannter Dialog, fast bildhaft erscheint das rein diatonische Thema in den Höhen des Klavierdiskants. Dort wird es 14-mal wiederholt, es ist also eine satztechnisch gespiegelte Passacaglia, bei der die Motive der vorhergehenden Sätze in gelöster Form nochmals integriert werden. »Nur die Musik kann so vom Tode sprechen, nur die Musik führt uns so über die Grenze des Todes hinaus«, sagte Frans C. Lemaire.

Wirkung Die unmittelbar bewegende Tonsprache des Werks und die Klarheit der Struktur haben das Klavierquintett zu einem der wohl am häufigsten aufgeführten Kammermusikwerke aus der zweiten Hälfte des 20. Jahrhunderts gemacht. Es liegen nicht weniger als sieben Aufnahmen (und zwei der Orchesterfassung) vor. WA

Einspielungen (Auswahl)
• Roland Pöntinen (Klavier), Tale Quartet, 1991 (+ Quartettsatz a-Moll, Streichtrio); BIS

Schönberg | Arnold

* 13. 9. 1874
Wien
† 13. 7. 1951
Los Angeles

100562

Schönberg prägte wie kein zweiter Komponist die Musik des 20. Jahrhunderts. Sein singulärer Rang zeigt sich nicht nur in seinem künstlerischen, sondern auch in seinem pädagogischen Beitrag zur Musikgeschichte: Er prägte die kompositorische Entwicklung von Alban Berg und Anton Webern und begründete die sogenannte Zweite Wiener Schule. Zum Antipoden Strawinskys stilisiert, der mit der musikalischen Romantik radikal brach, führte Schönberg diese Tradition konsequent weiter; seine revolutionäre Leistung bestand in der radikalen Neuorganisation des Tonmaterials.

Schönberg war Autodidakt und ließ sich erst spät ausbilden. Von seinem Freund und Mentor Alexander von Zemlinsky und von Gustav Mahler nachdrücklich gefördert, wurde Schönberg bereits um die Jahrhundertwende von Anhängern begeistert verehrt. Er ging seinen Weg unbeirrt und kompromisslos, mit der Konsequenz, dass ihm finanzieller Erfolg versagt blieb und sein Werk häufig Gegenstand wütender Ablehnung war. Aber in Fachkreisen galt er als bedeutender Künstler und wurde 1925 als Nachfolger Ferruccio Busonis an die Preußische Akademie der Künste berufen. Wie viele Hochschullehrer jüdischer Herkunft vom nationalsozialistischen Regime zur Aufgabe seines Amts gezwungen, emigrierte Schönberg 1933 in die USA. Dort konnte er als freischaffender Künstler nicht existieren, und er unterrichtete bis zu seiner Pensionierung an der University of California in Los Angeles (UCLA).

Sind seine frühesten Stücke noch Brahms nachempfunden, so wurde Schönberg bald von der Chromatik Wagners sowie von Mahler und Strauss beeinflusst. Im hypertrophen Stil der Spätromantik schrieb er sinfonische und kammermusikalische Werke (u. a. »Verklärte Nacht« op. 4 für Streichsextett/Streichorchester, »Pelleas und Melisande« op. 5 für großes Orchester), in denen sich die Auflösung der Tonalität abzeichnete, und die logische Konsequenz dieser Entwicklung war, dass er den epochalen Schritt wagte, die Musik von der Bindung an einen Grundton zu befreien.

Durch die »Atonalität« waren alle Klangkonstellationen gleichberechtigt; die Hierarchie der Konsonanz über die Dissonanz sowie die Spannung zwischen Tonika und Dominante, von denen die alten Formgesetze abhingen, besaßen keine Gültigkeit mehr. Schönberg, im Formdenken eigentlich konservativ, suchte nach einem neuen Prinzip zur Strukturierung musikalischer Zusammenhänge und entwickelte die Kompositionstechnik »mit zwölf nur aufeinander bezogenen Tönen«, die seit 1923 fast allen seinen Stücken zugrunde liegt und Generationen von Komponisten prägen sollte. Bei diesem Verfahren bildet eine Reihe aus den zwölf Tönen der Oktave die kompositorische Basis und bestimmt, durch kontrapunktische Kunstgriffe variiert, alle horizontalen und vertikalen Intervallverhältnisse eines Musikstücks. WE

Duos und Trios

Fantasie für Violine mit Klavierbegleitung op. 47

Entstehung 3.–22. März 1949
UA 13. September 1949
Verlag Peters, New York
Spieldauer ca. 9 Minuten

Entstehung Eine Phase künstlerischer Untätigkeit beendete Schönberg im März 1949 mit der Komposition der »Phantasy for Violin with Piano Accompaniment«, zu der ihn der amerikanische Geiger Adolf Koldofsky angeregt hatte, dem das Stück auch gewidmet ist. Ungewöhnlich war, dass Schönberg, um der Geige die führende Rolle zu geben, zuerst die vollständige Violinstimme notierte und dann erst den Klavierpart.

Musik Die Fantasie ist die letzte Instrumentalkomposition Schönbergs, der sich in diesem Stück kaum noch an klassischen Formen orientierte und selbst kommentierte, dass der frei fließende Ablauf nicht mehr an irgendwelche Theorien gebunden sei: Lyrische und choralartige Abschnitte kontrastieren mit heftigen Ausbrüchen und tänzerischen Episoden.

Das Stück ist in Zwölftontechnik geschrieben, und jede der beiden Stimmen besteht aus in sich abgeschlossenen, komplementären Reihensegmenten, die sich beim Spiel zur vollständigen Reihe ergänzen.

Wirkung Uraufgeführt wurde die Fantasie von Adolf Koldofsky und Leonard Stein im Rahmen eines Festkonzerts in Los Angeles, mit dem die International Society of Contemporary Music den Komponisten anlässlich seines 75. Geburtstags ehrte; bei der ersten europäischen Aufführung spielte Tibor Varga den Violinpart. Obwohl es das einzige vollständige Werk Schönbergs für dieses Genre ist (eine Violinsonate von 1928 kam über 43 Takte nicht hinaus), wird es wegen der spieltechnischen Schwierigkeiten und seines spröden Charakters nur selten ins Repertoire aufgenommen. WE

Einspielungen (Auswahl)
• Irvine Arditti (Violine), Stefan Litwin (Klavier), 1993 (+ Ode an Napoleon, Streichquartett Nr. 4, Streichtrio, Verklärte Nacht); Auvidis Montaigne

Streichtrio op. 45

Entstehung Juni–September 1946
UA 1. März 1947 Harvard University, Cambridge, Massachusetts
Spieldauer ca. 20 Minuten

Entstehung Vom Department of Music der Harvard University beauftragt, begann Schönberg im Juni 1946 mit der Komposition seines Streichtrios. Im August desselben Jahres erkrankte er so schwer, dass nach einer Injektion der Puls aussetzte und erst nach einer weiteren Injektion sein Herz wieder zu schlagen begann. Kaum genesen, fuhr der Komponist mit der Arbeit fort und soll, wie Thomas Mann und Hanns Eisler berichteten, diese Krankheitserfahrung in dem Stück verarbeitet haben.

Musik In der Schönberg-Rezeption gilt das bizarre Streichtrio als Reflex der Todesangst. Der Eindruck von Beklemmung entsteht durch schockartige dynamische Kontraste, die häufiger als in anderen Werken Schönbergs auftauchen, und durch Verfremdungseffekte wie Flageolettgriffe, Pizzicati, Geräuschwirkungen durch umgedrehten Bogen und Spielen auf dem Steg.

Ein Sonderfall in Schönbergs Œuvre ist die differenzierte Behandlung der Zwölftontechnik, da er die Reihe geteilt und jede Hälfte durch Permutationen variiert hat. Zentrale Bedeutung haben dabei deren isolierte Randtöne. Das Werk selbst gliedert sich in fünf Abschnitte (Part 1–3 mit zwei Episoden als Verbindungsstücke), die, in sich formal differenziert, ohne Unterbrechung ineinander übergehen.

Wirkung Das Streichtrio ist eines der spieltechnisch anspruchsvollsten Werke der Gattung. Deshalb fragte Schönberg vor der endgültigen Revision des Notentextes den Geiger Rudolf Kolisch um Rat und ließ daraufhin bei einigen besonders komplizierten Passagen alternative Ausführungsmöglichkeiten zu. Wegen der großen Schwierigkeiten spielte er außerdem mit dem Gedanken, das Stück für Streichquartett zu arrangieren.

Die Uraufführung am 1. März 1947 an der Harvard University fand im Rahmen eines »Symposium on Music Criticism« statt, wofür auch Hindemith, Malipiero, Copland und Martinů Auftragsarbeiten geschrieben hatten. Obwohl Schönberg sein Stück lieber Rudolf Kolisch anvertraut hätte, spielten Mitglieder des vertraglich vorgesehenen Walden String Quartet. WE

Einspielungen (Auswahl)
- Gidon Kremer (Violine), Veronika Hagen (Viola), Clemens Hagen (Violoncello), 1994 (+ Fantasie op. 47; Mahler: Quartettsatz; Berg: Stücke op. 5; Webern: Stücke für Violine/Cello, Klavier); Deutsche Grammophon

Streichquartette

Von den Quartetten Beethovens und vor allem von dessen »Großer Fuge« op. 133 inspiriert, schrieb Schönberg bereits als jugendlicher Autodidakt Stücke für Streichquartett – und die Gattung sollte zum zentralen Genre seines kammermusikalischen Schaffens werden. Die vier Quartette, zu denen er sich auch später noch bekannte und die er mit Opuszahlen versah, sind repräsentative Beispiele seines Œuvres und geben Einblick in seine kompositorische Entwicklung. Diesen vier Werken gingen nach seiner eigenen Aussage wenigstens fünf oder sechs Arbeiten voraus, von denen jedoch nur eine vollständig, zwei als Einzelsätze und zwei fragmentarisch erhalten sind. WE

Streichquartett D-Dur

Sätze 1. Allegro molto, 2. Intermezzo (Andantino grazioso), 3. Andante con moto, 4. Presto
Entstehung Herbst 1897
UA 17. März 1898 Wien
Spieldauer ca. 22 Minuten

Entstehung Schönberg war 23 Jahre alt, als er das Streichquartett D-Dur schrieb. Entscheidend beeinflusst wurde er von seinem Mentor Alexander von Zemlinsky, auf dessen Rat hin er den ersten Satz umarbeitete, den zweiten neu komponierte und die Konzeption des gerade begonnenen dritten Satzes änderte.

Musik In dem D-Dur-Quartett, seiner umfangreichsten frühen Komposition, hat Schönberg noch nicht zu einem eigenen Stil gefunden; das Werk ist frei von der schillernden Alterationsharmonik und dem Pathos seiner spätromantischen Schaffensperiode, steht noch ganz in der Tradition von Brahms und Dvořák. Der formale Aufbau orientiert sich mit einer gewissen akademischen Akribie an klassischen Vorbildern, indem zum Beispiel der dritte Satz mit einem achttaktigen Thema beginnt, dem sechs achttaktige figurierte Variationen folgen, und mit einer Sonatensatzcoda schließt.

Wirkung Zemlinsky war nicht nur an der Entstehung des Quartetts beteiligt, sondern vermittelte auch die Uraufführung, die am 17. März 1898 in einer Privatveranstaltung des Wiener Tonkünstlervereins stattfand. Öffentlich vorgestellt wurde das Stück im Dezember desselben Jahres in einem Konzert des Fitzer-Quartetts im Wiener Bösendorfersaal. Obwohl die Presse ausgesprochen wohlwollend reagierte – man bezeichnete den Komponisten als »wahrhaftes Talent« und lobte vor allem die beiden Mittelsätze –, zog Schönberg das Werk nach diesen beiden Aufführungen zurück. 1951 erwarb die Library of Congress in Washington das Manuskript aus dem Nachlass. Seither wird das Stück sporadisch aufgeführt. WE

Streichquartett Nr. 1 d-Moll op. 7

Entstehung 1904/05
UA 5. Februar 1907 Wien
Verlag Birnbach (Vertrieb Universal Edition)
Spieldauer ca. 45 Minuten

Entstehung Die ersten Entwürfe zu seinem Streichquartett op. 7, dem ersten, das er zur Veröffentlichung freigab, trug Schönberg 1904 in sein Skizzenbuch ein. Den größten Teil des Stücks schrieb er aber im darauffolgenden Jahr und schloss die Komposition am 26. September 1905 während eines Ferienaufenthalts in Gmunden am Traunsee ab.

Musik Mit einer Aufführungsdauer von 45 Minuten ist das Werk das umfangreichste Quartett Schönbergs, der die ausladenden Dimensionen seiner sinfonischen Dichtung »Pelleas und Melisande« auf die Kammermusik übertrug. Charakteristisch für den Kompositionsstil dieser

Das 1882 gegründete, 1938 aufgelöste Rosé-Quartett (Foto von 1930) spielte neben Uraufführungen zahlreicher Werke der Spätromantik auch die Premieren der Streichquartette Nr. 1 und Nr. 2 von Arnold Schönberg.

Zeit ist die übersteigerte spätromantische Diktion, die Technik der motivischen Variation, durch die alle musikalischen Gedanken miteinander verzahnt sind, und der dichte Kontrapunkt. Schönberg selbst meinte später selbstkritisch, er habe hier noch »dicken Satz« geschrieben und die Stimmen zu wenig durch Pausen aufgelockert.

Die vier Abschnitte des Stücks – Kopfsatz, Scherzo mit Trio, Adagio und Rondofinale – gehen nahtlos ineinander über und entsprechen dem Formverlauf eines einzigen Sonatensatzes. Obwohl Analysen das Werk als absolute Musik definieren, basiert das Quartett auf einem Programm, das Schönberg aber nicht veröffentlicht hat und das, verkürzt wiedergegeben, folgende Gemütszustände nachzeichnet: Auflehnung, Verzweiflung, neues Leben fühlend, Enttäuschung, Sehnsucht und Harmonie.

Wirkung Die Wiener Uraufführung am 5. Februar 1907 wurde vom Rosé-Quartett gespielt; ein Teil des Publikums reagierte mit stürmischem Beifall, ein anderer mit lautstarken Missfallensäußerungen. Einen aufgebrachten Hörer versuchte Gustav Mahler, von der Komposition tief beeindruckt, energisch zum Schweigen zu bringen. Die Presse bezeichnete das Stück zunächst als ein großartiges Werk, und erst bei einer späteren Aufführung wurde es als »harte Nuss« kritisiert, da Schönberg bei aller kompositorischer Meisterschaft die Möglichkeiten der musikalischen Rezeption überschätzt habe.

WE

Streichquartett Nr. 2 fis-Moll op. 10

Sätze 1. Mäßig (moderato), 2. Sehr rasch, 3. Litanei, 4. Entrückung
Entstehung 9. März 1907 bis 27. Juli 1908
UA 21. Dezember 1908 Wien
Verlag Universal Edition
Spieldauer ca. 30 Minuten

Entstehung Die vier Sätze des zweiten Streichquartetts, die Schönberg nicht in chronologischer Reihenfolge schrieb, sind zwischen Frühjahr 1907 und Sommer 1908 entstanden,

und mehrmals musste die Arbeit zugunsten anderer, dringenderer Kompositionen unterbrochen werden. Gewidmet hat Schönberg das Stück seiner ersten Frau Mathilde, die, nachdem sie ihn verlassen hatte, nicht zuletzt durch Vermittlung Anton Weberns während dieser Zeit zurückgekehrt war.

Musik Das zweite Streichquartett gilt als Markstein in der Entwicklung der Neuen Musik; es dokumentiert den Übergang von der Tonalität zur Atonalität. Aber der sich ankündigende Bruch mit der Tradition manifestiert sich nicht nur im Umgang mit dem harmonischen Material, sondern auch in der Besetzung: Durch Mahlers Sinfonik inspiriert, fügte Schönberg den beiden letzten Sätzen eine Sopranstimme hinzu. Dadurch verstieß er gegen die Norm eines Genres, das seit Beethoven das ästhetische Ideal der Kammermusik repräsentierte. Schönberg entnahm die Texte »Litanei« und »Entrückung« dem Gedichtzyklus »Der siebente Ring« von Stefan George, der mystisch von einem neuen Reich kündete, das nach Zeiten des Verfalls göttergleiche Menschen hervorbringen sollte.

Im ersten Satz, einem Sonatensatz mit mehreren Haupt- und Seitenthemen, geht Schönberg über die erweiterte Harmonik seiner ersten Kammersinfonie nicht hinaus. Aber viele Akkordverbindungen des skurrilen zweiten Satzes, in dessen Mittelteil Schönberg das Lied »Oh, du lieber Augustin« zitiert, lassen sich bereits nicht mehr tonal definieren, und in weiten Passagen der beiden letzten Sätze, die zwar noch traditionell enden, ist der Bezug zum Grundton aufgehoben. Um den kammermusikalischen Rahmen nicht durch opernhafte Dramatik zu sprengen, konzipierte Schönberg »Litanei« als strenge Variationenfolge. Die Vertonung des Gedichts »Entrückung«, der Vision eines Ausflugs in den Weltraum als Metapher für die Loslösung von allen irdischen Bindungen, repräsentiert zugleich den letzten musikalischen Schritt vor der Befreiung von allen harmonischen Fesseln: Die »Luft von anderen Planeten«, die der Text voahnt, wird zum Sinnbild einer neuen Musik.

Wirkung Die Uraufführung des Streichquartetts mit dem Rosé-Quartett und Marie Gutheil-Schröder am 21. Dezember 1908 im Wiener Bösendorfersaal ist als Konzertskandal in die Musikgeschichte eingegangen: Begeisterte Anhänger Schönbergs – von einem Kritiker als »dekadente Jünglinge« ohne Recht auf Meinungsäußerung abqualifiziert – und aufgebrachte Gegner lieferten sich, applaudierend und pfeifend, eine regelrechte Schlacht. Erst eine spätere Aufführung in Wien verlief ungestört, und Richard Specht schrieb darüber, dass es ohne Zweifel ein ernst zu nehmendes Werk sei.

Schönberg selbst war sich der epochalen Bedeutung seines zweiten Streichquartetts bewusst: Immer wieder hat er seine theoretischen Vorträge mit Beispielen aus diesem Stück veranschaulicht, und immer wieder revidierte er den Notentext, den er auch mehrfach für Streichorchester bearbeitete.   WE

Streichquartett Nr. 3 op. 30

Sätze 1. Moderato, 2. Adagio, 3. Intermezzo, 4. Rondo
Entstehung Januar–März 1927
UA 19. September 1927 Wien
Verlag Universal Edition
Spieldauer ca. 30 Minuten

Entstehung Es dauerte 18 Jahre, bis Schönberg nach seinem zweiten Streichquartett ein weiteres Werk dieses Genres vollendete. Als die amerikanische Mäzenin Elizabeth Sprague Coolidge bei ihm eine Komposition für Kammerorchester in Auftrag gab, hatte er den ersten Satz des dritten Quartetts fast abgeschlossen, sodass das bestellte Orchesterstück durch das Streichquartett ersetzt wurde.

Musik Das Werk ist eine Zwölftonkomposition, deren Sätze frei auf klassischen Formen beruhen. Schönberg schrieb in seinem Text zu einer Schallplattenaufnahme, dass er bei der Arbeit am ersten Satz ein Bild aus Wilhelm Hauffs »Gespensterschiff« vor Augen gehabt habe, das ihn als Kind gequält hatte: den Kapitän, der von den Matrosen an den Mast genagelt worden ist. Diese Schreckensszene liegt dem Satz aber nicht als Programm zugrunde, sondern bildet eher die psychologische Basis der Musik.

Im zweiten, einem Adagiosatz, verknüpfte Schönberg die Variationenform mit der eines Rondos, indem er den Hauptgedanken bei jeder Wiederholung veränderte. Aber auch das Intermezzo, ein Scherzo mit Trio, und der Schlusssatz, ein Sonatenhauptsatz mit Durchführung, Reprise und Coda, beruhen auf den Prinzipien eines Rondos.

Wirkung Die Uraufführung am 19. September 1927 in Wien wurde vom Wiener Streichquartett, dem Kolisch-Quartett, in Anwesenheit der Auftraggeberin gespielt. Der übliche Schönberg-Skandal blieb aus, da nur geladene Gäste zugelassen waren. Die Presse meinte aber, Schönberg habe sich eigensinnig-fanatisch in seine Thesen verrannt und das Werk sei Ausdruck des Dadaismus, der in anderen Künsten inzwischen glücklich überwunden sei. Theodor W. Adorno hingegen, der 1928 die Kritik über die erste Frankfurter Aufführung schrieb, war begeistert und nannte das Stück ein »mächtiges Werk« – »unerbittlich und unangreifbar«.   WE

Mäzenin Elizabeth Sprague Coolidge

Elizabeth Sprague Coolidge, Tochter eines Großhändlers aus Chicago, machte sich als Förderin zeitgenössischer Kammermusik einen Namen. 1916 gründete sie das Berkshire String Quartet und zwei Jahre später das Berkshire Music Festival in Massachusetts, Vorläufer des Tanglewood Festivals. 1932 rief sie die »Elizabeth Sprague Coolidge Medal« für »herausragende Verdienste um die Kammermusik« ins Leben, die dann u. a. die Komponisten Frank Bridge, Benjamin Britten und Roy Harris erhielten. Der Library of Congress in Washington ermöglichte sie den Bau eines Kammermusiksaals (Coolidge Auditorium).

Über ihre 1925 gegründete Coolidge-Stiftung gab die Mäzenin neue Kammermusikwerke bei europäischen und amerikanischen Komponisten in Auftrag. Neben dem dritten und vierten Streichquartett von Schönberg sind hier u. a. zu nennen: die Flötensonate von Francis Poulenc (1953) sowie Streichquartette von Béla Bartók (Nr. 5, 1934), Benjamin Britten (Nr. 1, 1941), Sergei Prokofjew (Nr. 1, 1930) und Anton Webern (op. 28, 1938).

Streichquartett Nr. 4 op. 37

Sätze 1. Allegro molto, energico, 2. Commodo, 3. Largo, 4. Allegro
Entstehung April–Juli 1936
UA 9. Januar 1937 Los Angeles
Verlag G. Schirmer
Spieldauer ca. 30 Minuten

Entstehung Schönbergs viertes Streichquartett, sein letztes Werk dieser Gattung, ist im amerikanischen Exil, wiederum im Auftrag von Elizabeth Sprague Coolidge, entstanden. Die Arbeit wurde für einige Wochen unterbrochen, als die Schönbergs von Hollywood in ein Haus in Brentwood Park umzogen.

Musik Das Stück kennzeichnet die Grenze zwischen Schönbergs mittlerer und später Schaffensperiode, denn nach dem vierten Streichquartett hat er sechs Jahre lang keine zwölftönige Komposition mehr vollendet. Wie in den Orchestervariationen op. 31, dem Violinkonzert op. 36 und der Oper »Moses und Aron« ist die Beherrschung der Kompositionstechnik souverän: Das Quartett beruht auf einer einzigen Zwölftonreihe, in der die Reihenfolge der Elemente nicht verändert wird. Vielfältiger als im dritten Quartett wird der Instrumentalklang durch ausgefallene Spieltechniken bereichert.

Dem Werk liegen – wie den meisten schönbergschen Stücken – klassische Formen zugrunde; von einem rondoartigen Sonatenhauptsatz wird es eröffnet, dem sich eine Art dreiteiliges Menuett anschließt. Formal originell ist das Largo mit zwei dramatischen rezitativischen Abschnitten, die von lyrischen Teilen unterbrochen und abgeschlossen werden. Das Finale verbindet das Prinzip eines Rondos mit dem der Variation.

Wirkung Die Mäzenin finanzierte nicht nur die Komposition, sondern auch die Uraufführung, die im Rahmen eines viertägigen Konzertzyklus an der University of California in Los Angeles stattfand: Das Kolisch-Quartett spielte die vier Quartette Schönbergs, von denen jedes einem Beethoven-Quartett gegenübergestellt wurde. WE

Einspielungen (Auswahl)
• Streichquartette Nr. 1–4: Arditti String Quartet, 1993; Auvidis Montaigne

Werke für größere Besetzungen

Bläserquintett op. 26

Besetzung Flöte, Oboe, Klarinette, Horn, Fagott
Sätze 1. Schwungvoll, 2. Anmutig, 3. Etwas langsam. Poco adagio, 4. Rondo
Entstehung 14. Juni 1923 bis 27. August 1924
UA 13. September 1924 Wien
Verlag Universal Edition
Spieldauer ca. 40 Minuten

Entstehung Mit der Komposition seines Bläserquintetts begann Schönberg am 14. Juni 1923 und setzte die Arbeit nach einer längeren Unterbrechung im Sommer 1924 fort. Die Reinschrift trägt das Datum des 27. August 1924. Er hat das Werk seinem Enkel, »dem Bubi Arnold«, gewidmet, da er hoffte, dass die künftige Generation seine Musik leichter verstehen werde.

Musik In der Schönberg-Literatur gilt das Werk als der konservativste Versuch, die Zwölftontechnik mit traditionellen Formen zu verbinden: Nach klassischem Vorbild gliedert sich das Stück in die Satzfolge Sonatenhauptsatz, Scherzo mit Trio, dreiteilige Liedform und Rondo, und die Zwölftonreihe ist so konstruiert, dass die zweite Reihenhälfte die erste mit einer geringen Abweichung in die Oberquint transponiert. Durch diesen Kunstgriff wird eine pseudotonale Spannung suggeriert, die dem Prinzip der strengen, Konsonanz und Tonalität ausschließenden Zwölftontechnik letztlich widerspricht. So verleiht die Diskrepanz zwischen den klassischen, äußerst kunstvoll realisierten Gesetzmäßigkeiten der äußeren Form und den neuen Regeln der Klangordnung dem Stück einen zuweilen spröden, ja hermetischen Charakter.

Wirkung Die Uraufführung, die am 13. September 1924, Schönbergs 50. Geburtstag, in Wien stattfand, musste wegen der kurzen Probenzeit und den spieltechnischen Schwierigkeiten von seinem Schwiegersohn Felix Greissle dirigiert werden. Pläne Schönbergs, das Stück zu orchestrieren, wurden nicht realisiert. WE

Einspielungen (Auswahl)
• Aulos Bläserquintett, 1992 (+ Eisler: Divertimento op. 4; Hindemith: Kleine Kammermusik); Koch Schwann

»Verklärte Nacht« op. 4 für Streichsextett

Entstehung September 1899
UA 18. März 1902 Wien
Verlag Birnbach (Vertrieb Universal Edition)
Spieldauer ca. 30 Minuten

Entstehung Beeindruckt vom grüblerischen zweiten Streichquartett Smetanas, der das programmatische Prinzip auf die Kammermusik übertragen hatte, komponierte Schönberg in nur drei Wochen das umfangreiche Streichsextett »Verklärte Nacht« über ein Gedicht von Richard Dehmel. Es ist Schönbergs erste vollendete sinfonische Dichtung, nachdem er zwei vorangegangene Versuche über Märchensujets abgebrochen hatte.

Musik In »Verklärte Nacht« ist der spätromantische Kompositionsstil Schönbergs mit übersteigertem Pathos, schillernder Chromatik und dichtem polyfonem Satz ausgereift. Stilistisch knüpft das Werk an »Tristan und Isolde« an, geht aber über Wagners ambivalente Alterationsharmonik weit hinaus, sodass manche Akkordschichtungen tonal kaum noch zu definieren sind.

Formal folgt die einsätzige Komposition den fünf Strophen der literarischen Vorlage, die keine Ereignisse von äußerer Dramatik, sondern innere Konflikte beschreibt: Während eines Spaziergangs in heller Mondnacht gesteht eine Frau schuldbewusst ihrem Geliebten, dass sie das Kind eines anderen erwartet; der Mann aber bekennt sich bedingungslos zu ihr und wird das fremde Kind als sein eigenes annehmen.

Eine langsame Einleitung mit einer absteigenden chromatischen Figur, dem »Mondscheinthema«, entspricht dem nächtlichen Stimmungsbild der ersten Strophe, und der zweite, größere Abschnitt charakterisiert die Gemütsverfassung der Frau. Ein groteskes Scherzo leitet zur Liebeserklärung des Mannes über, die motivisch auf den zweiten Teil zurückgreift und durch eine Cellokantilene repräsentiert wird. Der Schluss fasst noch einmal einige der zahlreichen Themen zusammen.

Schönberg komponierte sein Streichsextett »Verklärte Nacht« über ein Gedicht von Richard Dehmel (eigenhändige Niederschrift der Einleitung, 1899).

Wirkung Es war Gustav Mahler, der seinem Schwager Arnold Rosé, dem Konzertmeister der Wiener Philharmoniker, riet, »Verklärte Nacht« zu spielen, obwohl das Stück nicht den Vorstellungen des Wiener Tonkünstlervereins entsprach. Das Publikum der Uraufführung, 1902 im Kleinen Musikvereinssaal durch das verstärkte Rosé-Quartett, war ratlos, und auch die Presse reagierte mit Unverständnis, störte sich aber weniger an der Musik als am Sujet, das man als ungeeignet bezeichnete. Heute ist »Verklärte Nacht« eines der meistgespielten Stücke Schönbergs, der es auch zweimal – 1917 und 1943 – für Streichorchester bearbeitet hat. Weniger bekannt ist eine Fassung des Pianisten Eduard Steuermann für Klaviertrio.   WE

Einspielungen (Auswahl)
• Arditti String Quartet, 1993 (+ Fantasie op. 47, Ode an Napoleon, Streichquartett D-Dur, Trio op. 45); Auvidis Montaigne

Suite op. 29

Besetzung 3 Klarinetten (Flöte, Klarinette, Fagott), Violine, Viola, Violoncello, Klavier
Sätze 1. Ouvertüre, 2. Tanzschritte, 3. Thema mit Variationen, 4. Gigue
Entstehung 28. Oktober 1924 bis 1. Mai 1926
UA 15. Dezember 1927 Paris
Verlag Universal Edition
Spieldauer ca. 30 Minuten

Entstehung In der Zeit nach dem Ersten Weltkrieg versuchte Schönberg, eine Reihe von heiteren, »populären« Werken zu schreiben, was schließlich in dem Operneinakter »Von heute auf morgen« (1928/29) gipfelte. Die ersten Gedanken zu der Suite op. 29 skizzierte er im Oktober 1924, mit der eigentlichen Ausarbeitung der Komposition begann er 1925 während eines Aufenthalts in Barcelona. Ursprünglich hatte er eine Folge von sieben Tänzen mit burlesken Titeln wie »Bluff«, »Foxtrott« und »Film« geplant, schrieb dann aber nur ein viersätziges Werk, das er nach einigen Unterbrechungen am 1. Mai 1926 vollendete.

Musik Die ironische Heiterkeit, die das Stück auszeichnet, steht in gewissem Widerspruch zur Strenge der kompositorischen Faktur. Der erste Satz, Ouvertüre, gliedert sich nach klassischem Muster in drei Teile, während der zweite sich frei an eine Scherzoform anlehnt. Berühmt wurde der dritte Satz, in dem Schönberg eine tonale Melodie, Silchers »Ännchen von Tharau«, mit Mitteln der Zwölftontechnik variiert: Jeder Ton des Lieds wird als Bestandteil der Reihe verwendet und komplementär ergänzt.

Die Suite schließt nach barockem Vorbild mit einer Gigue. Sie ist dem Finale der »Jupiter-Symphonie« von Mozart nachempfunden und verknüpft kunstvoll Prinzipien von Sonatenform und Fuge miteinander. Die Reihe selbst ist eine Hommage an Schönbergs zweite Frau, Gertrud: Jeder Satz beginnt und schließt, scheinbar tonal, mit den Tönen Es und G, den Buchstaben ihres Monogramms.

Wirkung Die Uraufführung fand am 15. Dezember 1927 in Paris statt, als dort zwei Konzerte mit Werken Schönbergs veranstaltet wurden. Der Komponist selbst dirigierte, den anspruchsvollen Klavierpart übernahm sein Schüler Winfried Zillig. Auf einer Postkarte, die Schönberg kurz darauf aus Südfrankreich an Anton Webern schickte, berichtete er von einem großen Erfolg. Wegen der ungewöhnlichen Besetzung und der spieltechnischen Schwierigkeiten ist das Stück nur selten im Konzertsaal zu hören. WE

Einspielungen (Auswahl)
• Ensemble InterContemporain / Pierre Boulez, 1982 (+ Verklärte Nacht, Stücke für Kammerorchester); Sony Classical

Schostakowitsch | Dmitri

*25. 9. 1906
St. Petersburg
†9. 8. 1975
Moskau

Schostakowitsch war nicht nur der bedeutendste Komponist der Sowjetunion, sondern auch einer der größten des 20. Jahrhunderts überhaupt. Neben 15 bedeutenden Sinfonien schrieb er ebenso viele Streichquartette. Zu seinen Schülern zählt u. a. die Komponistin Galina Ustwolskaja.

Schon als Kind kam er im Elternhaus mit deutscher und russischer Musik in Berührung. Seine Mutter gab dem Sechsjährigen den ersten Klavierunterricht. Als 13-Jähriger nahm er sein Musikstudium bei Leonid Nikolajew (Klavier) und Maximilian Steinberg (Komposition) am Konservatorium in St. Petersburg auf und schloss es 1925 mit der Komposition seiner 1. Sinfonie, die bald um die Welt ging, ab. Er schlug sich zunächst als Kinopianist durch, vollendete jedoch bereits 1928 seine erste Oper »Die Nase«, in deren Grotesken sich die modernistischen Strömungen der ersten nachrevolutionären Jahre der Sowjetunion spiegeln. Seine 1934 uraufgeführte zweite Oper »Lady Macbeth von Mzensk« erfuhr mehr als 100 Aufführungen auf russischen und ausländischen Bühnen.

Dann traf den jungen Komponisten der Bannstrahl der kommunistischen Kulturideologen in Gestalt des von Stalin inspirierten, am 28. Januar 1936 in der »Prawda« erschienenen Artikels »Chaos statt Musik«, der nicht nur seine Opern von den Bühnen verschwinden ließ, sondern ihn in Lebensgefahr brachte: Monatelang rechnete Schostakowitsch damit, des Nachts verhaftet und liquidiert zu werden. Später war er überzeugt davon, dass ihn nur Stalins Hochschätzung seiner Filmmusiken – er schrieb insgesamt Partituren für 35 Filme – gerettet habe. Er hat diesen Schlag nie ganz verwunden, zumal ihn 1948 ein zweiter durch das Zentralkomitee der KPdSU traf, der sich diesmal auch gegen Komponistenkollegen richtete. Fortan ging Schostakowitsch, der weder zum Helden noch zum Märtyrer geschaffen war, in die innere Emigration, verlas, auch auf Auslandsreisen, zu denen man ihn als Repräsentanten der sowjetischen Musik zwang, vorgefertigte Erklärungen und Statements und erweckte damit außerhalb der Sowjetunion den falschen Eindruck von Regimetreue. Was wirklich in ihm vorging, vertraute er kryptisch seinen Sinfonien, seiner Kammermusik und Liederzyklen an, von denen manches erst nach dem Tod Stalins 1953 aufgeführt werden konnte.

Die späten Jahre befreiten Schostakowitsch weitgehend von äußerem Druck, er erlebte schließlich die Wiederaufführung seiner Opern und wurde zum Vorsitzenden des sowjetischen Komponistenverbandes gewählt, wofür er

zwangsweise der KPdSU beitreten musste, was er sich nie verzieh. Die letzten Jahre waren von schwerer, unheilbarer Krankheit überschattet. Zunehmende Lähmungen erschwerten das Komponieren und machten das Klavierspiel unmöglich. Eine Krebserkrankung kam hinzu. Sein Tod, der im Ausland Gedenkkonzerte veranlasste, wurde in der »Prawda« mit dreitägiger Verspätung durch eine kurze Notiz auf der dritten Seite bekannt gegeben.　　　　　　　BEAU

Sonaten mit Klavier

Sonate G-Dur op. 134

Sätze 1. Andante, 2. Allegro, 3. Largo
Entstehung 1968
UA 3. Mai 1969 Moskau
Verlag Sikorski
Spieldauer ca. 32 Minuten

Entstehung Schostakowitsch komponierte die Violinsonate als Geschenk für den Geiger David Oistrach zu dessen 60. Geburtstag.

Musik Anders als die melodiöse Cellosonate von 1934 ist die Violinsonate ein sperriges, gedankenschweres, spieltechnisch höchste Ansprüche stellendes Spätwerk, das unter Verzicht auf melodisch-thematische Sinnfälligkeit auch vom Hörer ein Äußerstes an Konzentration verlangt.

Erster Satz Eine Intervallreihe in tiefer Lage des Klaviers eröffnet den Satz. Die Violine tritt hinzu, es entfaltet sich ein Zwiegespräch, das fast durchgängig in zweistimmigem Satz geführt wird, da das Klavier sich weiterhin auf eine Linie beschränkt. Melodische Floskeln werden angerissen, ein rhythmisches Motiv tritt mehr und mehr hervor. Polyfones Doppelgriffspiel der Violine weitet den Satz zur Dreistimmigkeit und intensiviert den Ausdruck. Gegen Ende treten klangliche Verfremdungen hinzu: Violinarpeggien in hoher Lage und Flageoletts liegen über dem im Schreitrhythmus dahinziehenden, die tiefen Register bevorzugenden Klaviersatz. Der Eindruck der Musik ist seltsam abstrakt: eine Meditation, die keine festen Konturen annehmen will.

Zweiter Satz Ein auftaktiger Trommelrhythmus erscheint als stabiles Element des energisch dahinjagenden Allegros. Er lässt einige Male ein festes Motiv auftauchen. Der Klaviersatz bleibt auch hier auf weiten Strecken linear in Oktavgängen geführt. Wildes Détaché der Violine, auch in Doppelgriffen und Oktaven, abgerissene Sforzati geben der Musik den Charakter des Dramatischen, ja Katastrophischen. Die Erregung bleibt bis zum abrupten Schluss. Wie schon im ersten Satz werden Motive nur angedeutet, während die vorwärtsstürmende Bewegung das Wesentliche der Aussage ist.

Dritter Satz Das Finale in Gestalt einer gewaltigen Passacaglia bezeichnet fraglos den Höhepunkt der Sonate. Nach einer kurzen Einleitung zupft die Violine das lange Passacagliathema, das in der Folge abwechselnd von beiden Instrumenten mehr oder weniger deutlich, aber stets durchscheinend übernommen wird. Schostakowitschs Fantasie in der Erfindung immer neuer Beleuchtungen des Themas – von schlichter Linearität bis zu monumentalen Ballungen, Doppelgrifftrillern, rasenden Violinpassagen – erscheint unerschöpflich. Der Satz ist als sich steigernde und wieder absinkende Ausdruckskurve gebaut. Auf dem Höhepunkt steht eine wilde Violinkadenz. Der sich mehr und mehr beruhigende Epilog lässt Elemente der Einleitung aufleuchten, um in geheimnisvollen Flageoletts auszuklingen.

Wirkung Die Uraufführung der Sonate durch David Oistrach und Swjatoslaw Richter ist auf einer berühmten Schallplattenaufnahme dokumentiert. Im Konzertsaal ist das Werk selten zu hören. BEAU

Einspielungen (Auswahl)
- David Oistrach (Violine), Swjatoslaw Richter (Klavier), 1969 (+ Franck: Violinsonate); Melodiya/BMG
- Rostislaw Dubinsky (Violine), Luba Edlina (Klavier), 1984 (+ Schnittke: Violinsonate, Sonate im alten Stil); Chandos
- Isabelle van Keulen (Violine), Ronald Brautigam (Klavier), 1992 (+ Bratschensonate op. 147); Vanguard Classics/Note 1

Bratschensonate C-Dur op. 147

Sätze 1. Moderato, 2. Allegretto, 3. Adagio
Entstehung Mai–Juli 1975
UA 25. September 1975 Leningrad
Verlag Sikorski
Spieldauer ca. 32 Minuten

Entstehung Schostakowitschs letztes vollendetes Werk, die Violasonate, entstand in den Monaten Mai bis Juli 1975 unter schwierigsten gesundheitlichen Bedingungen. Sie war dem Bratschisten des Beethoven-Quartetts, Fjodor Druschinin, zugedacht.

Musik Die Bratschensonate entfaltet alle Merkmale von Schostakowitschs Spätstil: ausgedünnte Satzweise, zitathafte Reminiszenzen an eigene und fremde Musik, Einführung von Zwölftonreihen, die jedoch keinen Einfluss auf die kompositorische Binnenstruktur des Werkes haben, Spaltklänge des Klaviers durch einstimmige Linien im Abstand zweier Oktaven, Ausdruck von rückblickender Elegie, ja Resignation.

Erster Satz Die Viola intoniert pizzicato eine rhythmisierte Quintfolge, die auffallend an den Anfang des Violinkonzertes von Alban Berg erinnert. Diese Quintfolge erscheint mehrere Male, jedesmal einen formalen Einschnitt markierend. Ihr Rhythmus wird bestimmend für die weitere Entwicklung in Gestalt einer ausschwingenden Bratschenkantilene. Als zweiter Gedanke tritt ein triolisches Motiv auf, das zu leidenschaftlichen Steigerungen führt. Wenn der Klavierdiskant die Quintfolge übernimmt, legt die Viola gespenstische Flageolettklänge darüber. Eine große Violakadenz leitet über zur verklingenden Schlusspartie.

Zweiter Satz Der heftige Beginn des Allegrettos erinnert an die für Schostakowitsch so typischen Galoppaden früherer Werke mit ihrem frechen Drive. Dazu gehört auch der punktierte Trommelrhythmus. Der Mittelteil des eine Art von freiem Scherzo darstellenden Satzes beruhigt sich etwas und schlägt sogar pathetische Töne an. Im Diskant des Klaviers klingen leise die Quinten auf über einem dunkel rollenden Ostinato der Viola. Der Schlussteil kehrt, wenn auch weniger hektisch, zu den Bewegungsimpulsen des Beginns zurück, aber der Satz klingt

Der russische Bratschist Juri Baschmet widmet sich v. a. zeitgenössischen Kompositionen. 1976 wurde er Preisträger beim Internationalen Musikwettbewerb der ARD in München und feierte damit seinen Durchbruch.

dann, den Trommelrhythmus leise intonierend, ruhig aus.

Dritter Satz Das Adagiofinale ist eine wehmütige freie Fantasie über den Beginn von Beethovens Klaviersonate cis-Moll op. 27/2, die »Mondscheinsonate«. Nicht nur die punktierte Dreitonrepetition erscheint immer wieder – sie trägt ohnehin Trauermarschcharakter –, auch die in gebrochenen Dreiklängen dahinziehende triolische Begleitung wird in allen möglichen Varianten abgewandelt und gibt dem Satz jenen ergreifend resignativen Tonfall. Die Bratsche zieht in weiten melodischen Bogen darüber hin. Der Mittelteil steigert sich zu einem schmerzlichen Ausbruch, zu einer Art Violakadenz mit leidenschaftlichen Doppelgriffklängen, in die schließlich die Bassregister des Klaviers hineinschlagen. Der Ausklang ist wie ein Abschied: Das Dreitonmotiv verklingt mit der von der Viola gehaltenen Terz des C-Dur-Dreiklangs.

Wirkung Die Uraufführung am 25. September 1975 mit Fjodor Druschinin und Michail Muntjan in Leningrad – am 69. Geburtstag des Komponisten, den er nicht mehr erlebte – war ein ergreifendes Ereignis. Seitdem gehört die Sonate zum festen Repertoire der Bratschenvirtuosen. BEAU

Einspielungen (Auswahl)
• Juri Baschmet (Viola), Michail Muntian (Klavier), 1991 (+ Glinka, Roslawez: Sonaten); BMG/RCA

Cellosonate d-Moll op. 40

Sätze 1. Allegro non troppo, 2. Allegro, 3. Largo, 4. Allegro
Entstehung 1934
UA 25. Dezember 1935 Leningrad
Verlag Peters
Spieldauer ca. 24 Minuten

Entstehung Die Cellosonate, Schostakowitschs erstes bedeutendes Kammermusikwerk, wurde für den mit ihm befreundeten Cellisten Wiktor Kubazki komponiert.

Musik Die viersätzige Sonate trägt in ihrer Lyrik und Melodik konservativ-spätromantische Züge.

Erster Satz Zu perlender Klavierbegleitung stimmt das Violoncello eine melodisch strömende, weitgespannte Weise an, die als erster Themenkomplex den Sonatensatz eröffnet. Nach einer Übergangsphase intoniert das Klavier das schwelgerische Seitenthema, das in seiner Sinnfälligkeit vom Cello weitergesponnen wird. Der Durchführungsteil wird von repetierenden Passagen des Klaviers eröffnet. Das Repetitionsmotiv grundiert die weitere Entwicklung, die im Wesentlichen aus dem ersten Themenkomplex gewonnen wird. Die Reprise setzt dementsprechend mit dem Seitenthema des Klaviers ein. Der erste Themenkomplex erscheint als besinnlicher, klanglich verschleierter Ausklang.

Zweiter Satz Das dreiteilige Scherzo lässt das Klavier über rollenden Passagen des Violoncellos einen temperamentvollen auftaktigen Rundtanz anstimmen, in den das Cello einstimmt. Klanglich reizvoll ist der Triomittelteil mit seinen Flageolettpassagen des Cellos zu hohem Diskantgeklingel des Klaviers. Er wartet mit einer eigenen Tanzmelodie auf. Die Wiederholung des Scherzoteils erscheint variiert.

Dritter Satz Das Largo in h-Moll gehört fast ganz dem Violoncello, das Klavier hat auf weiten Strecken nur dunkel grundierende Funktion. Der Cellosolobeginn entfaltet eine aufsteigende, geheimnisvolle Pianissimolinie, die sich dann zum eigentlichen Gesang formt. Dieser wird bestimmt von dem punktierten Dreitonmotiv, das immer wieder das expressive Strömen des Melodischen weitertreibt und zu intensiver Steigerung führt. Kurz erscheint der Gesang auch im Diskant des Klaviers. Der Schluss des ausdrucksstarken Satzes fällt in die geheimnisvolle Stimmung des Beginns zurück.

Vierter Satz Das von dem heiter-rokokohaft tändelnden Rondothema bestimmte Finale verlässt auch in den verschiedenen Couplets den Ton musikantischer Spielfreude nicht. Wenn es gegen Schluss mit rollenden Oktavläufen des Klaviers virtuosere Züge annimmt, so kehrt der liebenswürdig-lockere Tonfall dennoch sofort zurück. Die beiden energischen Akkorde sind nur der launige Schlusspunkt.

Wirkung Die Uraufführung am 25. Dezember 1935 in Leningrad durch den Widmungsträger Kubazki und den Komponisten am Flügel war ein großer Erfolg, lag das Werk doch ganz auf der Linie der von Stalins Kulturfunktionären geforderten »Verständlichkeit«. Die Sonate bahnte sich sehr schnell den Weg auch durch die westlichen Konzertsäle, wo sich insbesondere Gregor Piatigorsky und Pierre Fournier für sie einsetzten. Heute gehört das Werk zum festen Repertoire der internationalen Cellistenszene. **BEAU**

Einspielungen (Auswahl)
- Steven Isserlis (Violoncello), Olli Mustonen (Klavier), 1995; BMG/RCA
- Pieter Wispelwey (Cello), Dejan Lazic (Klavier), 2002 (+ Sonaten von Prokofjew und Britten); Channel Classics/Helikon
- Johannes Moser (Cello), Paul Rivinius (Klavier), 2005 (+ Sonaten von Moisey Weinberg und Boris Tschaikowski); Hänssler/Naxos

Klaviertrios

Klaviertrio Nr. 1 C-Dur op. 8

Bezeichnung Andante – Allegro
Entstehung 1923
UA 20. März 1925 Moskau
Verlag Sikorski
Spieldauer ca. 12 Minuten

Entstehung Schostakowitsch schrieb das Werk während seines Studiums am Konservatorium in Petrograd. 22 Takte, die im Klavierpart des Manuskripts fehlen, ergänzte später sein Schüler Boris Tischtschenko.

Musik Das rhapsodisch-einsätzige Stück des 17-Jährigen variiert in ständig wechselnden Tempoepisoden ein zu Beginn intoniertes chromatisch absteigendes Dreitonmotiv. Die Fülle der Einfälle, in die das Motiv gekleidet wird – lyrische, groteske, virtuose, pathetische – ist bewundernswert. Als zweiter Gedanke erscheint eine schwelgerische Melodie, die das Vorbild Tschaikowski nicht verleugnen kann und am Ende zum Höhepunkt des Stückes führt. Trotz der stilistischen Uneinheitlichkeit ist das Trio als Talentprobe eines kommenden Genies reizvoll, schon wegen der souveränen Beherrschung des Kompositorischen. BEAU

Einspielungen (Auswahl)
- Oslo Trio, 1987 (+ Klaviertrio Nr. 2, Fantastische Tänze op. 5); Simax
- Trio Wanderer, 2003 (+ Trio Nr. 2, Copland: Trio Vitebsk); harmonia mundi/Helikon

Klaviertrio Nr. 2 e-Moll op. 67

Sätze 1. Andante – moderato, 2. Allegro con brio, 3. Largo, 4. Allegretto – Adagio
Entstehung 1944
UA 14. November 1944 Leningrad
Verlag Sikorski
Spieldauer ca. 26 Minuten

Entstehung Das zweite Klaviertrio schrieb Schostakowitsch im Sommer 1944 in Iwanowo, wohin er evakuiert worden war. Er widmete das Werk dem Gedächtnis seines Freundes Iwan Sollertinski, dessen Tod am 11. Februar 1944 ihn sehr erschüttert hatte.

Musik Erster Satz Das Violoncello beginnt in höchster Flageolettlage mit einem getragenen Gesang, die Violine nimmt ihn gleichfalls in hoher Lage auf, das Klavier antwortet mit tiefen Bassgängen. Das Tempo beschleunigt sich. Das mehr und mehr dem Allegro zustrebende Geschehen ist eine Kette von Varianten des zuerst als Gesang erschienenen Themas, die schließlich energisch vorantreiben und dem so schattenhaft begonnenen Satz den Charakter männlicher Entschlossenheit geben.

Zweiter Satz Rustikal auftrumpfende Töne schlägt das kurze Scherzo an, das mit einem einprägsamen Tanzthema beginnt, sich dann in einen immer heftiger werdenden Bewegungstaumel steigert, der durch angerissene Pizzicati in seiner virtuosen Wildheit noch unterstrichen wird.

Dritter Satz Emotionales Zentrum des Werkes ist das Largo. Schwere Klavierakkorde bereiten den Einsatz des Violingesanges vor. Mit seinem ausdrucksgeladenen Doppelschlag wirkt er wie ein elegisches Memento mori. Das Violoncello übernimmt ihn, und nun entwickelt sich

ein Zwiegesang der beiden Streicher, den das Klavier lediglich akkordisch stützt.

Vierter Satz Zwei Themen beherrschen das temperamentvolle Finale, das seine Energie aus dem jüdischen Volkstanz schöpft: das zu Beginn gezupfte kleinintervallische Tanzthema mit seinem Ende auf der Septime sowie das rustikal stampfende, vom Klavier gehämmerte Unisonothema. Weitere Motive treten hinzu, das Klavier gibt rhythmische Impulse. Die ständig sich steigernde Ausgelassenheit scheint ins Bedrohliche umzukippen, wird aber dann gebremst. Der Gesang aus dem ersten Satz taucht auf, desgleichen die schweren Akkorde des Largos. Das Tanzthema nimmt besinnliche Züge an, und das Werk schließt ruhig verklingend.

Wirkung Die Uraufführung am 14. November 1944 im befreiten Leningrad durch zwei Mitglieder des Beethoven-Quartetts und den Komponisten am Klavier war ein großer Erfolg. Das Werk gehört zu den meistgespielten Kammermusiken Schostakowitschs, während das erste Klaviertrio selten im Konzertsaal zu hören ist. BEAU

Einspielungen (Auswahl)
- Nash Ensemble of London, 1990 (+ Klavierquintett, 4 Walzer); Virgin Classics
- Beaux Arts Trio, 2005 (+ Trio Nr. 1, Lieder op. 127); Warner Classics

Streichquartette

Obgleich alle wichtigen russischen Komponisten des späten 19. Jahrhunderts (u. a. Glasunow, Ljadow, Tschaikowski, Borodin, Anton Rubinstein) die Quartettkomposition kultivierten, fand Schostakowitsch erst spät zu dieser Gattung. Als er 1938 sein erstes Streichquartett schrieb, hatte er bereits fünf Sinfonien komponiert. Der Grund für diese Zurückhaltung war die Entwicklung der Musik im jungen Sowjetstaat. In den ersten Jahren nach der Revolution stand unter den jungen Komponisten die von der westlichen Musikavantgarde geforderte Experimentierfreudigkeit im Vordergrund. Als dann unter Stalin die Regression des »sozialistischen Realismus« einsetzte, wurde die repräsentative Sinfonie als das geeignetere Mittel angesehen, die Errungenschaften des neuen Staates zu preisen. In seiner zweiten und dritten Sinfonie huldigte Schostakowitsch denn auch diesen Ideen. Möglicherweise war der Schock, ausgelöst durch eine vernichtende Kritik in der »Prawda« vom 28. Januar 1936, der Auslöser einer kompositorischen »inneren Emigration«, die sich in der Komposition von nicht weniger als 15 Streichquartetten niederschlug.

Schostakowitschs Streichquartette sind in hohem Maß persönliche Bekenntnismusik. Das lassen nicht nur die zahlreichen Widmungen erkennen, die mehrfach den Charakter eines Gedenkens haben, das ist auch an der Intimität der Musiksprache festzumachen. Vorbild für die kompositorische Struktur war der späte Beethoven, dessen letzte Quartette ja gleichfalls monologische Fantasien sind. Von der lichten Heiterkeit des ersten Quartetts bis zur Resignation des fünf Adagiosätze aufreihenden fünfzehnten spannt sich ein Entwicklungsbogen, dem keine Ausdrucksregung fremd ist (vgl. der Verzweiflungsausbruch im Quartett Nr. 13).

Schostakowitsch ist auch in seinen Streichquartetten ein Ideenkomponist, ein nachromantischer Ausdrucksmusiker. Kein Wunder, dass er bei aller Bewunderung für Alban Berg der Zwölftontechnik, die er als zu abstrakt empfand, ablehnend gegenüberstand. Wenn er in seinen letzten Quartetten mit Zwölftonreihen operierte, so benutzte er diese lediglich horizontal-thematisch, ohne dass sie Einfluss auf die innere Struktur der Musik genommen hätten.

Auffallend ist, dass sich in den Quartetten die Tonarten nicht wiederholen. Sollte der Komponist, wie er selbst später äußerte, von vornherein die Absicht gehabt haben, 24 Quartette über sämtliche Tonarten zu schreiben? Aber auch ohne diese »Vollständigkeit« gehört sein großer Quartettzyklus zu den bedeutendsten Manifestationen dieser als Krone des Komponierens angesehenen Gattung im 20. Jahrhundert.   BEAU

Einspielungen (Auswahl)
- Borodin Quartet, 1964–83 (+ Klavierquintett op. 57; Zwei Stücke für Streichoktett op. 11); Melodiya
- Fitzwilliam String Quartet, 1975–77; Decca
- Emerson String Quartet, 1994–99; Deutsche Grammophon

Streichquartett Nr. 1 C-Dur op. 49

Sätze 1. Moderato, 2. Moderato, 3. Allegro molto, 4. Allegro
Entstehung Sommer 1938
UA 10. Oktober 1938 Leningrad
Verlag Sikorski
Spieldauer ca. 14 Minuten

Die Streichquartette von Dmitri Schostakowitsch

Entstehung	Uraufführung	Titel
1938	1938	Streichquartett Nr. 1 C-Dur op. 49
1944	1944	Streichquartett Nr. 2 A-Dur op. 68
1946	1946	Streichquartett Nr. 3 F-Dur op. 73
1949	1950 und 1953	Streichquartett Nr. 4 D-Dur op. 83
1952	1953	Streichquartett Nr. 5 B-Dur op. 92
1956	1956	Streichquartett Nr. 6 G-Dur op. 101
1960	1960	Streichquartett Nr. 7 fis-Moll op. 108
1960	1960	Streichquartett Nr. 8 c-Moll op. 110
1964	1964	Streichquartett Nr. 9 Es-Dur op. 117
1964	1964	Streichquartett Nr. 10 op. As-Dur op. 116
1966	1966	Streichquartett Nr. 11 f-Moll op. 122
1968	1968	Streichquartett Nr. 12 Des-Dur op. 133
1970	1970	Streichquartett Nr. 13 b-Moll op. 138
1973	1973	Streichquartett Nr. 14 Fis-Dur op. 142
1974	1974	Streichquartett Nr. 15 es-Moll op. 144

Entstehung Seinen ersten Versuch mit der anspruchsvollen Gattung des Streichquartetts machte Schostakowitsch 1938, durch den Erfolg seiner fünften Sinfonie halbwegs rehabilitiert von dem zwei Jahre zuvor ausgesprochenen lebensbedrohenden »Prawda«-Verdikt seiner Oper »Lady Macbeth von Mzensk«. Er selbst bewertete sein erstes Streichquartett nicht sehr hoch. Seine Stimmung gibt der von Volkow berichtete Ausspruch wieder: »Um nicht gesteinigt zu werden, behauptet man, an dem und dem Werk zu arbeiten, der Titel muss natürlich bombastisch klingen. Dabei schreibt man ein Quartett und findet leise Befriedigung. Den Potentaten erklärt man aber, eine Oper ›Karl Marx‹ oder ›Junge Garde‹ reife heran. Dann verzeihen sie dir das Quartett als Freizeitbeschäftigung und lassen dich in Ruhe.«

Musik Erster Satz Als Quartettkomponist orientiert sich Schostakowitsch an Beethoven. Der erste Satz des im Ganzen freundlich-lyrischen Quartetts ähnelt formal einer Sonatine. Das Hauptthema, mit dem der Satz beginnt, wird mit vier repetierenden Tönen eröffnet, die für den gesamten Satz strukturell bedeutsam sind. Ein zweites Thema erhebt sich über dem in Glissandi schaukelnden, tänzerischen Bass. Der Durchführungsteil ist kurz und beschränkt sich auf Varianten des Hauptthemas. Auch die Reprise ist verkürzt.

Zweiter Satz Ein weit ausgesponnenes a-Moll-Bratschenthema fast volkstümlichen Charakters wird ständiger Variierung unterzogen, wobei der Quartettsatz gegenüber dem meist homofonen ersten Satz polyfoner wirkt und ein reicher Radius an Tonarten durchschritten wird. Besonders schön ist die Wendung nach Dur in der Mitte.

Dritter Satz Das Allegro molto ist ein schwirrendes cis-Moll-Scherzo, dessen Melodie über schnellen Repetitionen dahineilt. Den Mittelteil bildet ein hurtiger, charmanter Walzer. Der Scherzoteil wird verkürzt wiederholt, der Walzer noch einmal angedeutet, dann ist der Zweiminutensatz zu Ende.

Vierter Satz Das Finale, ein Sonatensatz mit relativ breit angelegtem Durchführungsteil, exponiert zwei Themen: das temperamentvoll hochschießende Hauptthema, das die erste Violine anstimmt, und ein energisch schreitendes Seitenthema, das vom Violoncello intoniert wird. In der Durchführung werden beide Themen virtuos miteinander kombiniert. Der Repriseneintritt mit dem Hauptthema im Cello leitet verkürzt die rasante Coda ein.

Wirkung »Man soll nicht versuchen, eine besondere Tiefe in diesem meinem ersten Quartett zu entdecken«, so Schostakowitsch, »der Stimmung nach ist es heiter, lustig und lyrisch. Ich würde es ›frühlingshaft‹ nennen.« Die Uraufführung am 10. Oktober 1938 in Leningrad durch das Glasunow-Quartett war ein großer Erfolg. Bedeutsamer noch war die Zweitaufführung in Moskau durch das Beethoven-Quartett, das fast alle weiteren Streichquartette des Komponisten aus der Taufe heben sollte.   BEAU

Streichquartett Nr. 2 A-Dur op. 68

Sätze 1. Ouvertüre: Moderato con moto, 2. Rezitativ und Romanze: Adagio, 3. Walzer: Allegro, 4. Thema mit Variationen: Adagio
Entstehung 1944
UA 14. November 1944 Leningrad
Verlag Sikorski
Spieldauer ca. 36 Minuten

Entstehung Im Unterschied zum ersten Streichquartett lässt das zweite die äußeren Umstände seiner Entstehung erkennen: die Schrecken des auf dem Höhepunkt befindlichen Krieges. Der Komponist widmete das binnen weniger Wochen entstandene Werk seinem Freund Wissarion Schebalin, dem Komponisten und Direktor des Moskauer Konservatoriums, der ihn 1943 als Professor für Komposition an dieses Institut berufen hatte. Fünf Jahre später musste Schostakowitsch aufgrund des ihn verurteilenden »historischen Beschlusses« der KPdSU diese seine Existenz sichernde Position wieder aufgeben.

Musik Der unbeschwerte Musizierton des ersten Quartetts ist affektgeladener Deklamatorik gewichen, was an barocke Vorbilder erinnert, die ja auch die Satzbezeichnungen prägen.

Erster Satz Die Ouvertüre ist ein Sonatensatz mit wiederholter Exposition, der sich aus

Sein Streichquartett Nr. 3 F-Dur op. 73 widmete Schostakowitsch dem berühmten Beethoven-Quartett, das zahlreiche seiner Werke zur Uraufführung brachte (hier Schostakowitsch, Zweiter von rechts, mit Mitgliedern des Beethoven-Quartetts, 1972).

dem slawisch getönten, von der Violine angestimmten Hauptmotiv entwickelt. Dieses Motiv wird zu einem »Seitenthema« erweitert, es erscheint in zahllosen Mutationen, wie sie vor allem den Durchführungsteil prägen. Der Sonatenhauptsatz ist hier nicht als dialektisches Spannungsgebilde verstanden, sondern als Steigerungsprinzip vermittels monothematischer, variierender Arbeit. Die vorwärtsdrängende Energie des Satzes sichert ihm Geschlossenheit.

Zweiter Satz Das b-Moll-Adagio gibt sich als taktfrei notiertes Rezitativespressivo der ersten Violine über stehenden fahlen Vierklängen der übrigen Streicher: ein affektgeladener Klagegesang, der sich im Mittelteil zu einer »Romanze« verdichtet, die in ihrer hochgesteigerten Expressivität aller Instrumente dem traditionellen Begriff Hohn spricht. Der Schlussteil des in Bogenform gebauten Satzes gehört wiederum der Rezitativklage der Violine.

Dritter Satz Das Cello intoniert ein düsteres, fast unheimliches Walzerthema, das wiederum Gegenstand variativer Umbildungen wird, ohne dass der dunkle Tonfall, der eher an einen Totentanz denn an den Wiener Walzer erinnert, verlassen würde. Im Mittelteil intensiviert sich das Geschehen zu dramatischen Steigerungen, um dann in das fahle Kolorit des Beginns zurückzufallen.

Vierter Satz Ein von der Bratsche solo vorgetragenes Thema, das nach kurzer rezitativischer Einleitung erklingt, trägt russisch-folkloristischen Charakter und erinnert an den Anfang von Mussorgskis »Boris Godunow«. Es wird zunächst figurativ variiert, dann aber entfernen sich die Variationen mehr und mehr vom Modell, wobei häufig nur der Themenkopf hörbar ist. Die modale Harmonik unterstreicht das »Russische« der Musik. Steigerungen führen zu einer Art Schlussapotheose, die in machtvollem a-Moll das Werk eher düster krönt.

Wirkung Die Uraufführung fand am 14. November 1944 in Leningrad durch das Beethoven-Quartett statt. BEAU

Streichquartett Nr. 3 F-Dur op. 73

Sätze 1. Allegretto, 2. Moderato con moto, 3. Allegro non troppo, 4. Adagio, 5 Moderato
Entstehung 1946
UA 16. Dezember 1946 Moskau
Verlag Sikorski
Spieldauer ca. 33 Minuten

Entstehung Das dritte Streichquartett entstand nach der luziden neunten Sinfonie. Schostakowitsch widmete es dem Beethoven-Quartett, dem er seit der Uraufführung des Klavierquintetts und des zweiten Streichquartetts verbunden war. Der Komponist schätzte das sich offenkundig an Beethovens späten Streichquartetten orientierende Werk hoch.

Musik Erster Satz Der klar gebaute Sonatensatz greift die heitere Musizierlaune des ersten Satzes der neunten Sinfonie auf. An ihn erinnert auch die Themenbildung: Einem lustig tändelnden Hauptthema wird ein gleich unbeschwertes Seitenthema gegenübergestellt. Die Exposition wird wiederholt. Die Durchführung, höchst kunstvoll, benutzt beide Themen zu einem ausführlichen Doppelfugato, dann wird in elegantem Schwung die verkürzte Reprise erreicht. Mit einer virtuos dahinjagenden Coda schließt der problemlose Satz.

Zweiter Satz Ein Scherzo im Dreiertakt, das mit allen möglichen Überraschungen aufwartet. Die Bratsche skandiert den Takt, darüber geistern Motive und Motivfetzen. Ein Spiccatoteil hüpft vorüber, Glissandi, langbogige Legati lösen einander ab, Flageolettklänge und Con-sordino-Passagen schaffen ein ständig wechselndes Kolorit. Der Bewegungsimpuls lässt nach, und der Satz endet überraschend ruhig.

Dritter Satz Dieser skurrile, offenbar den Stechschritt ironisch glossierende Marsch in gis-Moll exponiert ein betont banales Thema in der ersten Geige und ein zweites in der Bratsche: insgesamt eine höchst zwielichtige Musik, die zwischen martialischer Energie und fataler Parodie schwankt und der nicht zu trauen ist. Auch hier ist die Verbindung mit der neunten Sinfonie ohrenfällig, diesmal mit deren Finale.

Vierter und fünfter Satz Die beiden Schlusssätze, Adagio und Moderato, gehen ohne Zäsur ineinander über. Auch das entspricht der Finaledisposition der neunten Sinfonie. Ein machtvolles Unisonothema, zweimal auftretend und jedesmal von Klängen in hoher Lage beantwortet, eröffnet das Adagio. Es entwickelt sich zu einer Passacaglia, in der das Thema jedoch nicht nur im Bass, sondern von allen Instrumenten aufgegriffen wird: ein pathetischer Klagegesang, der nach machtvoller Steigerung erlischt. Das anschließende Finalmoderato zieht quasi die Summe aus den voraufgegangenen Sätzen. Das Rondothema mit seiner chromatischen Endung wirkt fragend. Es gleitet ruhig dahin, zuerst in der Bratsche, dann in der Violine auftretend. Ein zweiter Gedanke hat nur vorübergehende Bedeutung, denn plötzlich greift das heitere Hauptthema des Kopfsatzes in das Geschehen ein, dann mit dramatischem Ernst das Passacagliathema, das den Satz zu einer mächtigen Steigerung führt. Das Kopfsatzhauptthema erscheint abermals, diesmal in einer ätherisch-ruhigen Variante. Sie leitet den Schluss ein: Das Rondothema transzendiert ins Visionäre und zerfasert über einem langen Orgelpunkt, das Werk pianissimo beschließend.

Wirkung Die Uraufführung am 16. Dezember 1946 in Moskau durch das Beethoven-Quartett war ein Erfolg. Zumindest die Musiker erkannten die hohen Qualitäten des Werkes.
BEAU

Streichquartett Nr. 4 D-Dur op. 83

Sätze 1. Allegretto, 2. Andantino, 3. Allegretto, 4. Allegretto
Entstehung 1949
UA 25. September 1950 (privat), 3. Dezember 1953 Moskau (öffentlich)
Verlag Sikorski
Spieldauer ca. 25 Minuten

Entstehung Obwohl das vierte Streichquartett bereits Ende 1949 vollendet war, hielt Schostakowitsch die Veröffentlichung zurück. Grund war vermutlich die neuerliche Verurteilung des Komponisten – gemeinsam mit anderen – durch den »historischen« Beschluss des Zentralkomitees der KPdSU von 1948, der ihn seine Professur am Moskauer Konservatorium kostete.

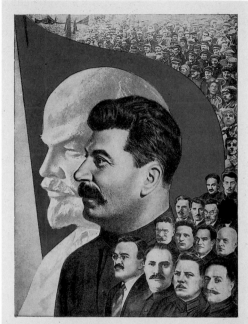

Со знаменем Ленина победили мы в боях за Октябрьскую революцию. Со знаменем Ленина добились мы решающих успехов в борьбе за победу социалистического строительства. С этим же знаменем победим в пролетарской революции во всем мире. И. Сталин.

Худ. Клуцис.   Плакат. 1933 г.

Mit diktatorischer staatlicher Repression sicherte Stalin seine Alleinherrschaft (Plakat »Lenins Banner« von Gustav Klucis, 1933). Eigenständig denkende Künstler wie Schostakowitsch waren ständiger Unterdrückung ausgesetzt.

Musik Erster Satz Das Quartett als Ganzes ist auf einen lyrischen Ton gestimmt, der bereits im kurzen ersten Satz, einer Art von Präludium, angeschlagen wird. Über einem langen Orgelpunkt auf dem Ton D, der fast die Hälfte der Spieldauer beansprucht, bewegen sich verschlungene, thematisch kaum fassbare Linien. Es handelt sich um Variierungen und Vergrößerungen eines kurzen Themas, das erst in der zweiten Satzhälfte zweimal melodisch-aphoristisch aufleuchtet.

Zweiter Satz Der Satzbeginn lässt eine Violinromanze erwarten. Aber die Melodik verdichtet sich nach Übernahme des Themas durch das Violoncello mehr und mehr zu einem warmen Espressivo, sich steigernd und intensivierend, um in der Satzmitte in ätherische Klanghöhen zu steigen. Die Wiederaufnahme des Romanzenthemas durch die Violine leitet den mit Dämpfer gespielten Schlussteil ein. Der ausdrucksstarke, stimmungsvolle Satz verklingt pianissimo.

Dritter Satz Gedämpft huscht das c-Moll-Scherzo vorüber. Sein vom Violoncello intoniertes, hüpfendes Staccatothema wird von einem Unisonomotiv abgelöst. Ein drittes Gebilde wirkt wie eine ferne Fanfare. All das läuft vorwiegend in unteren Stärkegraden ab, sodass der Eindruck einer fahlen Groteske entsteht.

Vierter Satz Ohne Zäsur schließt das Finale an, das schon von seinem Umfang her den Schwerpunkt des Werkes bildet. Ein Monolog der Bratsche zu harfenartigen Arpeggien leitet ein Rondo ein, das seine sämtlichen Melodiebildungen aus der jüdischen Volksmusik schöpft: eine Demonstration des Komponisten gegen den in der Sowjetunion verbreiteten Antisemitismus. Das hüpfende Tanzthema, von Gitarrenklängen rhythmisiert, bewegt sich in kleinsten Intervallen. Modale Klänge und Skalen, Ostinati, Tonrepetitionen, das alles prägt auch die weiteren thematisch-motivischen Gebilde, sodass über dem Ganzen trotz des Tänzerischen ein Hauch von Trauer liegt. Der Tanz steigert sich zu stampfender Ausgelassenheit, immer wieder von Gitarrenpizzicati begleitet, aber dann leitet ein Bratschenmonolog klagend den Schlussteil ein. Choralartige Klänge aus dem zweiten Satz, eine in höchste Höhen steigende Violinkadenz – und das Quartett endet resignativ in verhauchendem D-Dur.

Wirkung Das Beethoven-Quartett spielte 1950 zum Geburtstag des Komponisten in seiner Wohnung im Freundeskreis die private Erstaufführung des vierten Streichquartetts. Erst nach Stalins Tod wurde das Werk am 3. Dezember 1953 in Moskau öffentlich aufgeführt.   BEAU

Streichquartett Nr. 5 B-Dur op. 92

Sätze 1. Allegro non troppo, 2. Andante – Andantino, 3. Moderato – Allegretto – Andante
Entstehung 1952
UA 13. November 1953 Moskau
Verlag Sikorski
Spieldauer ca. 29 Minuten

Entstehung Das fünfte Streichquartett ist zeitlich der zehnten Sinfonie benachbart und gehört, wie diese, zu den bedeutendsten Werken Schostakowitschs, ja der Quartettliteratur des 20. Jahrhunderts überhaupt. Querverbindungen zur Sinfonie sind auch motivisch feststellbar. Der Komponist widmete das Werk den Mitgliedern des Beethoven-Quartetts aus Anlass des 30-jährigen Bestehens dieses Ensembles, hielt jedoch, wie schon im Fall des vierten Streichquartetts, die Veröffentlichung zurück. So konnte es erst nach Stalins Tod uraufgeführt werden.

Musik Die drei Sätze des Quartetts gehen ohne Zäsur ineinander über.

Erster Satz An Dichte der harmonischen Ballungen, an Unerbittlichkeit des Rhythmischen, an dynamischem Kraftgestus hat dieser Sonatensatz mit doppelter Exposition nicht seinesgleichen in Schostakowitschs Quartettkunst. Ausgehend von einem gleich zu Beginn von der Bratsche intonierten, mit einem chromatischen »Anlauf« beginnenden, äußerst markanten Motiv, das in fast manischen Wiederholungen den Satz als Hauptthema trägt, drängt eine Entwicklung vorwärts, die in ihrer dissonanten Klanghärte an die Streichquartette des mittleren Bartók gemahnt. Ein sich aufschwingendes Seitenthema kann sich nicht lyrisch entfalten, sondern wird von der Unerbittlichkeit des Trommelrhythmus der Unterstimmen konterkariert. Im Durchführungsteil nimmt das Motivgewebe dramatisch-sinfonische Ballungsdichte an, man glaubt in den Oberstimmen Einwürfe des Blechs zu hören. Eine verkürzte Reprise mündet in einen sich beruhigenden Violinmonolog, das Hauptmotiv verliert an Triebkraft und bereitet, zerfallend, den Eintritt des zweiten Satzes vor.

Zweiter Satz Eine unendliche »Klangrede« von tiefer Melancholie, von der Bratsche angestimmt, von der Violine in höchster Oktavlage geisterhaft parallel geführt, zieht unbestimmt melodisierend dahin. Flageolett- und Con-sordino-Wirkungen geben der Musik eine fahle Farbe, die durch Bevorzugung extrem hoher Lagen noch unterstrichen wird. Sinnfällige melodische oder motivische Konturen werden vermieden, selbst im etwas beschleunigten Mittelteil nehmen sie nur vage Gestalt an. Hier sind denn auch Bezüge zur zehnten Sinfonie hörbar. Die chromatisch ausgestufte Klageweise des Satzbeginns leitet mit einem Solo der Violine über zum Finale.

Dritter Satz Eine erste Überleitungsphase scheint die Ausdruckswelt des Mittelsatzes fortzusetzen. Dann erklingt in der Bratsche ein tänzerisches Thema, das, von der Violine aufgenommen und mit gitarrenhaften Klängen grundiert, einen kapriziösen Tanz beginnt. Er ist jedoch nur kurze Episode. Das Thema wird in immer neuen Mutationen und Abspaltungen durch die gegensätzlichsten Ausdruckswelten geführt bis hin zu den Verdichtungen und Ballungen des ersten Satzes. Der Tanz versucht es aufs Neue. Dann hebt ein breit angelegter Abgesang an, der in immer transparentere Klanggefilde aufsteigt: eine Threnodie, die am Ende zur Transzendenz wird.

Wirkung Die Uraufführung wurde zwar beifällig aufgenommen, aber die Größe des Werkes wurde erst später erkannt.   BEAU

Streichquartett Nr. 6 G-Dur op. 101

Sätze 1. Allegretto, 2. Moderato con moto, 3. Lento, 4. Allegretto
Entstehung 1956
UA 7. Oktober 1956 Leningrad
Verlag Sikorski
Spieldauer ca. 25 Minuten

Entstehung Dieses Streichquartett entstand zu einer Zeit, da die Pressionen, unter denen der Komponist zu Lebzeiten Stalins stand, gemindert schienen. Er schrieb das Stück nach seiner Hochzeit mit seiner zweiten Frau, Margarita Kajnowa. Es atmet den unbeschwerten Musiziergeist des ersten Quartetts.

Musik Erster Satz Über tickenden Repetitionstönen der Viola stimmen die beiden Violinen in Terzpaarungen ein lustiges Wanderthema an, dessen auftaktiger Dreitonsekundgang konstruktiv für den gesamten Satz wird, was auch für die Tonrepetitionen gilt, die wie ein vorantreibender Motor die konstante Bewegung sichern. Ein Seitenthema trägt ähnlichen Charakter und hat nur vorübergehende Bedeutung, da einzig der allgegenwärtige Sekund-»Jodler« das Geschehen bestimmt. Im Durchführungsteil des Sonatensatzes kommt es zu energischen Doppelgriffschlägen, die aber trotz ihrer Dissonanzballungen eher übermütig wirken. Eine Coda lässt den Satz ruhig ausklingen.

Zweiter Satz Dieser fröhliche Tanzreigen wird von der ersten Violine über Liegetönen der beiden Unterstimmen angestimmt, die dann mit einem neuen, sich aufschwingenden Thema walzerartigen Charakters den Bewegungsfluss fortsetzen. Als drittes thematisches Gebilde tritt in höchster Lage der ersten Violine eine chromatisch auf- und abwogende Linie auf. Auch in diesem Scherzosatz sind Terz- und Oktavgänge der Mittel- und Unterstimmen bestimmend für die Transparenz des Klanges.

Dritter Satz Ernstere Töne schlägt das b-Moll-Lento in Gestalt einer Chaconne an. Das irregulär zehntaktige Bassthema, stark chromatisch gefärbt, wird siebenmal wiederholt, nach dem fünften Mal kurz von einer klangfarblichen Episode unterbrochen. Über dem in gravitätischen Halben einherschreitenden Thema entfalten die drei Oberstimmen ein Linienspiel aus ruhigen Vierteln und ornamentierenden Achtelfiguren, ohne dass es zu einer Steigerung käme. Die Schlusskadenz moduliert nach G-Dur, sodass sich das Finale nahtlos anschließen kann.

Vierter Satz Eine lange Soloviolinkadenz beginnt mit dem Dreitonsekundgang, dem »Jodler« des ersten Satzes, biegt ihn im weiteren Verlauf als abwärts- statt optimistisch aufwärtsgleitend um. Damit ist das Signal gegeben: Das Finale spielt mit thematischem Material der vorhergehenden Sätze auf höchst geistvolle und launige Weise, wobei wiederum das Dreitonmotiv die entscheidende Rolle spielt. Auch die Intervallsprünge des Scherzobeginns tauchen auf,

selbst das Passacagliathema wird einmal im Bass zitiert. All dies läuft wechselnd in Dreier- und Vierertakt heiter fließend dahin. Am Schluss dominiert das Dreitonmotiv in der absteigenden Umkehrung, den wiederum in eine Kadenz mündenden ruhigen Ausklang vorbereitend.

Wirkung Nach den Höhenflügen der Quartette Nr. 3 und Nr. 5 wurde das sechste, das am 7. Oktober 1956 in Leningrad durch das Beethoven-Quartett zur Uraufführung gelangte, zunächst unterbewertet.   BEAU

Streichquartett Nr. 7 fis-Moll op. 108

Sätze 1. Allegretto, 2. Lento, 3. Allegro – Allegretto
Entstehung 1960
UA 15. Mai 1960 Leningrad
Verlag Sikorski
Spieldauer ca. 12 Minuten

Entstehung Dieses konzentrierteste seiner Streichquartette widmete Schostakowitsch dem Gedenken an seine erste Frau Nina, die am 5. Dezember 1954 im Alter von nur 45 Jahren an einer Krebserkrankung gestorben war. Entsprechend der Verdichtung gehen die drei Sätze ohne Zäsur ineinander über.

Musik Erster Satz Ein durch eine Oktave hinabstürzendes Dreitonmotiv, das in dieser Gestalt viermal auftritt, eröffnet den Satz. Die drei Töne, nun als Repetitionen, antworten lakonisch in den Unterstimmen. Ein zweites Thema, wiederum aus mehrfachen Dreitonfolgen zusammengesetzt, schraubt sich im Violoncello zu repetierenden Sechzehnteln von zweiter Violine und Bratsche hoch. Es wird von der ersten Violine übernommen und in höchste Höhen geführt. Eine akkordische Überleitung eröffnet den zweiten Satzteil, der die bisherige Achtelbewegung ins Triolische wendet und das Dreitonsturzmotiv des Beginns in Achteltriolen abgleiten lässt, es auch aufsteigend in der Umkehrung bringt. Die Rückkehr zum Zweiertakt wirkt reprisenhaft und wird vom zweiten Thema im Violoncello beherrscht. Der Fis-Dur-Ausklang mit repetierenden Achteln verliert sich im Unendlichen.

Zweiter Satz Das mit Dämpfern zu spielende Lento entfaltet über auf- und absteigenden Sechzehntelarpeggiofiguren in der ersten Violine eine klagende Weise. Ein Heulglissando von Bratsche und Cello unterstreicht das Unheimliche der Musik. Violoncello und Bratsche führen die Klageweise weiter, während die unentwegte, nun chromatisch schleichende Sechzehntelbewegung an den düsteren Beginn der Klosterszene in Mussorgskis Oper »Boris Godunow« gemahnt. Der Mittelteil des Satzes lässt die klagende Weise von in Oktaven parallel geführten Unterstimmen in die erste Violine übergehen. Dazu ertönen nun stockend punktierte Repetitionstöne in der zweiten Geige. Eine verkürzte Reprise nimmt die Sechzehntelbewegung wieder auf und lässt mit ihr den Satz verlöschen.

Dritter Satz Auffahrende Dreierfiguren leiten eine vehement losstürmende Fuge ein, deren aus auf- und abrasenden Sechzehnteln bestehendes, in punktierten Achtelrhythmen auslaufendes Thema von der Bratsche angestimmt, dann von allen Stimmen durchgeführt wird. Auf ihrem Höhepunkt erscheint es vergrößert in den Unterstimmen, dann in Engführung. Wilde dissonante Sforzatoschläge lassen sich nur als Ausdruck von Todesangst deuten. Die Stelle ist in ihrer Verzweiflung bei Schostakowitsch singulär. Ein abschließendes Allegretto breitet das nun sordinierte Fugenthema in fast manisch wirkender Wiederkehr, aber in beruhigtem Tempo aus, ehe das Gedenkwerk in ersterbendem Fis-Dur entschwindet.

Wirkung Bereits die Uraufführung am 15. Mai 1960 in Leningrad durch das Beethoven-Quartett hinterließ einen starken Eindruck. Dieser stellt sich auch heute noch beim Hörer ein.

BEAU

Streichquartett Nr. 8 c-Moll op. 110

Sätze 1. Largo, 2. Allegro molto, 3. Allegretto, 4. Largo, 5. Largo
Entstehung Sommer 1960
UA 12. Oktober 1960 Leningrad
Verlag Sikorski
Spieldauer ca. 21 Minuten

Das Beethoven-Quartett

Das russische Beethoven-Quartett wurde 1923 von den Geigern Dmitri Tziganow und Wassili Schirinski, dem Bratschisten Wadim Borissowski und dem Cellisten Sergei Schirinski als »Streichquartett des Moskauer Konservatoriums« gegründet. 1927 spielte es zum 100. Todestag Ludwig van Beethovens dessen sämtliche Streichquartette, vier Jahre später nahm es den Namen des deutschen Komponisten an. Das Quartett hat fast alle Streichquartette von Schostakowitsch (Nr. 1–12 und 14) uraufgeführt, von denen einige dem Ensemble bzw. dessen einzelnen Musikern gewidmet sind. Darüber hinaus hoben die vier Russen zusammen mit dem Komponisten am Klavier auch das Klavierquintett und das zweite Klaviertrio von Schostakowitsch aus der Taufe. Auch die Uraufführung des zweiten Streichquartetts von Sergei Prokofjew geht auf das Konto des Beethoven-Quartetts, das 1975 aufgelöst wurde.

Entstehung Das achte Streichquartett, 1960 bei Königstein in der Sächsischen Schweiz mit Bildern des zerstörten Dresden vor Augen entstanden, ist das persönlichste Musikdokument Schostakowitschs. Die offizielle Widmung lautet zwar »In memoriam der Opfer von Faschismus und Krieg« – und dieses Anliegen mag auch eine Rolle spielen –, aber in Wahrheit hat der Komponist es »sich selbst gewidmet«, wie seine Tochter Galina berichtet. »Ich dachte darüber nach, dass, sollte ich irgendwann einmal sterben, kaum jemand ein Werk schreiben wird, das meinem Andenken gewidmet ist. Deshalb habe ich beschlossen, selbst etwas Derartiges zu komponieren«, ließ Schostakowitsch einen Freund wissen. Die Tonfolge aus den Initialen D-Es-C-H, das Zitieren eigener Werke (erste und zehnte Sinfonie, Klaviertrio Nr. 1, Cellokonzert, Oper »Lady Macbeth von Mzensk«) sowie des alten Revolutionsliedes »Gequält von schwerer Gefangenschaft« lassen keinen Zweifel an diesem persönlichen Anliegen. Der Komposition unmittelbar vorausgegangen war der erzwungene Eintritt Schostakowitschs in die KPdSU, um Vorsitzender des sowjetischen Komponistenverbands werden zu können – ein Zeichen seiner »geistigen Gefangenschaft«.

Musik Erster Satz Die fünf Sätze des Quartetts sind ohne Unterbrechung zu spielen. Das einleitende Largo hebt mit einem schwermütigen Fugato über das Initialmotto D-Es-C-H, das mit Ausnahme des vierten Satzes das gesamte Werk durchzieht, an. Der Beginn des cis-Moll-Quartetts von Beethoven hat hier Pate gestanden. Zitate aus der ersten und fünften Sinfonie tauchen schemenhaft aus dem dunkel dahinziehenden Fluss der Musik auf. Der Satz schließt mit dem choralartig gesetzten Motto.

Zweiter Satz Das Allegro molto peitscht das Initialmotto durch wütende Sforzati und Motivsplitter aus dem ersten Satz. Zweimal wird ein jüdisches Thema aus dem 1944 komponierten Klaviertrio op. 67 zitiert und in den wilden Bewegungsfluss eingebaut.

Dritter Satz Abrupt erfolgt der Sprung in das Allegretto, einen walzerartigen Rundtanz, der das Motto unentwegt im hüpfenden Diskant der Violine ertönen lässt. Das wirkt eher makaber als heiter. Zweimal springt das Motto aus dem Dreier- in den Zweiertakt, außerdem klingt ein Motiv aus dem Cellokonzert op. 107 von 1959 hinein.

Vierter Satz Der Übergang in das Largo vollzieht sich über einen Orgelpunkt der Violine auf dem Ton B. Rondoartig auftretende harte Dreifachschläge, Symbole für Brutalität, gliedern den Satz, in dessen Trauermarschpathos das Lied »Gequält von schwerer Gefangenschaft« sowie der Liebesgesang der Katerina aus dem Schlussakt der für den Komponisten so verhängnisvollen Oper »Lady Macbeth von Mzensk« in gespenstischer Schattenhaftigkeit eingebettet sind.

Fünfter Satz Das Schlusslargo kehrt zur Ausdruckswelt des Beginns zurück. Mit einer choralartigen, modalen Kadenz des Mottos schließt das in seiner Bekenntnishaftigkeit erschütternde Werk.

Wirkung Das achte Streichquartett, vom Beethoven-Quartett am 12. Oktober 1960 in Leningrad uraufgeführt, gilt als das meistgespielte Quartett Schostakowitschs. Fast noch bekannter wurde die von Rudolf Barschai erstellte, vom Komponisten gebilligte Fassung für Streichorchester. BEAU

Streichquartett Nr. 9 Es-Dur op. 117

Sätze 1. Moderato con moto, 2. Adagio, 3. Allegretto, 4. Adagio, 5. Allegro
Entstehung 1964
UA 20. November 1964 Moskau
Verlag Sikorski
Spieldauer ca. 26 Minuten

Entstehung Bei diesem Werk handelt es sich bereits um das »zweite neunte Streichquartett«. Das erste hatte Schostakowitsch bereits 1961 komponiert, jedoch wegen großer Unzufriedenheit damit »in einem Anfall gesunder Selbstkritik« verbrannt. Das neue Opus vollendete er laut Aussage seines Freundes Isaak Glikman am 28. Mai 1964. Er widmete es seiner dritten Frau, Irina.

Musik Wie das dritte und fünfte Streichquartett ist auch das neunte sinfonisch konzipiert. Die fünf ohne Unterbrechung aufeinanderfolgenden Sätze zielen auf das breit angelegte, mehr als ein Drittel der Aufführungsdauer beanspruchende Finale hin, sodass von einer sinfonischen Steigerungsdramaturgie gesprochen werden kann.

Erster Satz Über liegenden Unterstimmen und einer in Sekundschritten gleitenden Achtelbewegung der zweiten Violine erklingt in der ersten Geige ein Thema, das, durch eine fallende Quarte gekennzeichnet, immer aufs Neue auftritt. Als zweiter, für das spätere Finale wichtiger thematischer Baustein fungiert ein in chromatischen Sequenzen absteigendes Dreitonmotiv in hoher Lage der Violine. Schließlich gibt es noch ein im Cello zu Pizzicati der übrigen Instrumente erscheinendes Marschthema, das wiederum das fallende Dreitonmotiv intoniert. Diese drei Motive prägen den sonatinenhaften, ruhig dahingleitenden Satz.

Zweiter Satz Die sehnsüchtige Weise dieses ausdrucksstarken Adagiointermezzos wird von der Bratsche angestimmt. Den Mittelteil des dreiteiligen Satzes bildet ein expressiver Monolog der Violine über Liegetönen. Am Schluss nimmt die Violine solo den Beginn des folgenden Scherzos vorweg.

Dritter Satz Das Allegretto ist ein Scherzo mit trommelartigen rhythmischen Effekten, Glissandi und der Wiederkehr des fallenden Dreitonmotivs aus dem ersten Satz. Letzteres prägt bereits den Soloanfang der ersten Violine. Ferner gibt es ein in den Unterstimmen auftauchendes Thema zu Achtelbewegungen der Oberstimmen. Später erscheint es noch ausgeprägter in höchster Lage der ersten Violine.

Vierter Satz Zu den Sekundostinati der ersten Geige, die für das gesamte Werk prägend sind, erklingt in den drei Unterstimmen ein trauriger Choral, der wiederum das fallende Dreitonmotiv hören lässt. Solomonologe der Violine und der Bratsche, dann das nun punktierte Dreitonmotiv in hoher Violinlage führen den kurzen Satz mit dem Choral zu Ende.

Fünfter Satz Das Finale, einer der bedeutendsten Quartettsätze Schostakowitschs, fasst das gesamte thematisch-motivische Material der voraufgegangenen Sätze zu einer genialen Verzahnung von Marsch, Choral, Fuge und Rezitativ in immer neuen Kombinationen zusammen. Dabei spielt das fallende Dreitonmotiv in allen möglichen Varianten bis hin zur energischen Schlussfloskel eine bestimmende Rolle. Glissandi, Trillerketten, gezupfte Akkorde, in dieser Verdichtung neu bei Schostakowitsch, geben dem Satz auch koloristisch stellenweise orchestral-sinfonisches Gepräge: ein Triumph der Synthese von kombinatorischer Satzkunst und mitreißender Erfindung.

Wirkung Die Uraufführung am 20. November 1964 in Moskau und die Wiederholung einen Tag später in Leningrad durch das Beethoven-Quartett waren einhellige Erfolge. BEAU

Streichquartett Nr. 10 As-Dur op. 116

Sätze 1. Andante, 2. Allegretto furioso, 3. Adagio, 4. Allegretto
Entstehung Juli 1964
UA 20. November 1964 Moskau
Verlag Sikorski
Spieldauer ca. 24 Minuten

Entstehung Das zehnte Streichquartett entstand innerhalb von nur elf Tagen im Juli 1964 in Armenien, wo sich Schostakowitsch zur Erholung aufhielt. Er widmete es seinem Freund und geschätzten jüngeren Komponistenkollegen Moissej Wainberg. »Er hatte neun Quartette geschrieben und mich damit überholt. Ich hatte es mir zur Aufgabe gemacht, Wainberg einzuholen und zu überholen, was ich nun auch gemacht habe«, so Schostakowitsch an Isaak Glikman. Wie schon im neunten Quartett liegt auch hier der Schwerpunkt auf dem Finale.

Musik Erster Satz Das kammermusikalisch-duftige Andante, in sonatinenartiger Form gebaut wie der Eröffnungssatz des neunten Quartetts, wird von einem abstürzenden Motiv bestimmt, das die erste Violine ganz allein anstimmt. Mehrere Male kommt es zu einer choralartig-modalen Kadenzbildung. Repetierende Achtel wirken als rhythmisches Fundament. Unter ihnen entfaltet das Violoncello ein gesangliches zweites Thema. Eine kurze auf dem Steg zu spielende Episode, die fast gespenstig wirkt, führt zum reprisenartigen Schluss.

Zweiter Satz Das ungestüme, den denkbar größten Kontrast zum Vorhergehenden bildende Scherzo erinnert an den ganz ähnlich wirkenden »Stalin«-Satz der zehnten Sinfonie. Ein schrittweise absteigendes Motiv, das zu Beginn von Sforzati der ersten Violine intoniert wird, erscheint auf dem Höhepunkt des Satzes in den Unterstimmen. Die Erregung steigert sich permanent, gehämmerte Doppeloktaven, grelle Dissonanzen, Akkordschläge in dreifachem Fortissimo bestimmen den aggressiven Ton des Satzes, der schließlich abrupt abbricht.

Dritter Satz Die melancholische Passacaglia wirkt durch ihren irregulären Bau zwielichtig. Das Thema, fast immer im Bass, ist neun- statt achttaktig, außerdem wechseln Dreier- und Vierertakt. Wenn es bei der siebten Wiederkehr von der Violine aufgegriffen wird, wirkt dies wie ein Lichtstrahl. Der Übergang zum Finale ist als Geigenmonolog über einen Liegeton (Des) im Cello gestaltet.

Vierter Satz Das Finale ist eine Mischung aus Rondo und Sonate. Das hüpfende, sich in kleinsten Intervallen rhythmisch bewegende, von der Bratsche intonierte Rondothema prägt fast wie ein Ostinato den gesamten Satz. Bis hin zur Satzmitte bewegt sich alles in unteren, gespenstisch wirkenden Stärkegraden, auch wenn das Thema Tanzcharakter annimmt. Eine bordunartige Episode lässt eine Bratschenmelodie durchscheinen, dann setzt wieder das hüpfende Rondothema ein. Endlich kommt es zu einer dynamischen Steigerung. Die Hüpffigur nimmt energische Züge an. Sforzatoschläge der Oberstimmen über repetierenden Sechzehnteln des Cellos, die dann von den Oberstimmen übernommen werden, Doppelgriffsforzati, dann flaut die Erregung ab. Das hüpfende Motiv beherrscht wieder die Szene, die Bordunstelle tritt erneut auf. Das dynamische Halblicht des Beginns lässt die Choralkadenz und das abstürzende Hauptthema aus dem ersten Satz zitathaft auftreten. Mit dem Rondomotiv klingt das Werk pianissimo aus.

Wirkung Das zehnte Quartett wurde zusammen mit dem neunten am 20. November 1964 in Moskau uraufgeführt und einen Tag später in Leningrad wiederholt. Beide Male spielte das Beethoven-Quartett. BEAU

Streichquartett Nr. 11 f-Moll op. 122

Sätze 1. Introduktion: Andantino, 2. Scherzo: Allegretto, 3. Rezitativ: Adagio, 4. Etüde: Allegro, 5. Humoreske: Allegro, 6. Elegie: Adagio, 7. Finale: Moderato
Entstehung 1966
UA 28. Mai 1966 Leningrad
Verlag Sikorski
Spieldauer ca. 18 Minuten

Entstehung Das elfte Streichquartett wurde zum Gedenken an den verstorbenen zweiten Geiger des Beethoven-Quartetts, Wassili Schirinski, geschrieben, dem Schostakowitsch, wie allen Mitgliedern dieses Ensembles, freundschaftlich verbunden war. Es ist somit, wie das siebte und das achte Quartett, eine Totenehrung.

Musik Bei den sieben Sätzen, von denen nur die beiden letzten die Vierminutendauer ein wenig überschreiten, während die übrigen jeweils kaum mehr als eine bzw. zwei Minuten beanspruchen, handelt es sich eher um Miniaturen, die sich ohne Zäsur aufreihen. Man kann fast von stenografischen Protokollen sprechen. Dem

entspricht eine luzide Transparenz des Klangbildes, das Ballungen fast ganz meidet und sich stattdessen in Solomonologen, zwei- und dreistimmiger Linienführung sowie motivischer Verknappung mittels Repetitionsnoten und Kleinintervallen ergeht. Das Ganze wird vom Ausdruck tiefer, stiller Trauer beherrscht. Das Quartett ist Schostakowitschs vielleicht intimste Musik überhaupt.

Erster Satz Die Introduktion beginnt mit einem weitausholenden Violinmonolog, der jedoch immer wieder resignativ auf den Grundton F zurückfällt. Eine traurige Bassweise tritt vorübergehend hinzu. Der Violinmonolog wiederholt sich zu akkordisch repetierenden Grundierungen.

Zweiter Satz Das Scherzo lässt eine repetierende, kleinintervallische Motivweise kanonisch durch alle Instrumente wandern. Die monotonen Sechzehntelrepetitionen, die den ganzen Satz bestimmen, werden von seltsamen Glissandi begleitet. Ein eher trostloses Scherzo.

Dritter Satz Das Rezitativ besteht im Wesentlichen aus dreimal hochfahrenden Unisoni, die in Liegetönen ausklingen, über denen sich harte Doppelgriffrufe der Violine dissonant erheben. Eine kurze, traurige Choralweise schließt sich an.

Vierter Satz Die kaum mehr als eine Minute Spieldauer beanspruchende Etüde lässt über einem rasenden Ostinato Klagemotive zunächst verhalten, dann in energischen Bordunklängen ertönen.

Fünfter Satz Ein Violinostinato der fallenden Terz, wie Kuckucksrufe anmutend, bildet die Grundlage für kurze Einwürfe der übrigen Instrumente. Eine höchst zwielichtige Humoreske.

Sechster Satz Die Elegie erscheint in Gestalt eines Trauermarsches, der sich am punktierten Schreitrhythmus von Beethovens »Eroica«-Modell orientiert. Die düsteren Farben werden zweimal von dem hohen Register der gedämpften Violine wie mit einem sanften Lichtstrahl aufgehellt.

Siebter Satz Ein Viertonostinato eröffnet das Finale. Über ihm erscheint die repetierende Motivweise des Scherzos, nun als trostlos stammelnde Trauermusik. Solomonologe der Violine und der Bratsche unterbrechen die klagenden Repetitionen, die dann jedoch den verlöschenden Ausklang dieser klangsensiblen Threnodie, motivisch zerfallend, prägen.

Wirkung Die Uraufführung des Quartetts am 28. Mai 1966 im Glinka-Saal zu Leningrad rundete ein reines Schostakowitsch-Programm ab, das zusätzlich Klavierlieder und das erste Streichquartett umfasste. BEAU

Streichquartett Nr. 12 Des-Dur op. 133

Sätze 1. Moderato, 2. Allegretto
Entstehung März 1968
UA 14. September 1968 Moskau
Verlag Sikorski
Spieldauer ca. 28 Minuten

Entstehung Das zwölfte Quartett entstand im Ferienort Repino bei Leningrad, wo sich Schostakowitsch nach längerer Krankheit zur Erholung aufhielt. Dem Widmungsträger Dmitri Tziganow, Primgeiger des Beethoven-Quartetts, schrieb er, das Werk sei keine Kammermusik, sondern eine Sinfonie.

Musik Erstmalig in seinem Œuvre übernimmt Schostakowitsch in diesem Quartett Elemente von Schönbergs Zwölftontechnik. Haupt- und Seitenthema des ersten Satzes sind zwölf-tönig angelegt. Allerdings ergeben sich daraus keine Konsequenzen für die Struktur des Werkes, das durchaus tonal gearbeitet ist und die Grundtonart Des-Dur nicht verleugnet. Das Quartett ist zweisätzig, wobei der erste Satz wie ein Präludium zum ausgedehnten zweiten wirkt.

Erster Satz Das Zwölftonhauptthema, vom Cello angestimmt, eröffnet das als freier Sonatensatz zu deutende Moderato. Zwei weitere Motive, die strukturell bedeutsam werden, treten sofort hinzu: eine in Sequenzen aufsteigende Sekundfolge und ein schwermütiges, die kleine Sekunde umkreisendes Thema. Das wiederum zwölftönige Seitenthema hat Tanzcharakter und wird von Pizzicati umspielt. Der Wiedereintritt des Zwölftonhauptthemas markiert jeweils die formalen Schnittpunkte des sehr dicht gearbeiteten, ausdrucksstark-düsteren Satzes.

Zweiter Satz Was Schostakowitsch meinte, als er von einer »Sinfonie« sprach, ist im unge-mein komplexen, vielschichtigen, kontrastreichen und von orchestralen Klangballungen gekennzeichneten zweiten Satz erkennbar. Sein erster Teil wird von dem zu Beginn heftig dreinfahrenden Repetitionsmotto beherrscht, das in allen möglichen Varianten das aufgeregte Geschehen bestimmt. Schnelle auf- und absteigende Skalen und Doppelgriffpizzicati leiten in den Mittelteil über, in dem con sordino ein Trauermarsch ertönt, dem mehrfach ein leidenschaftlich-deklamatorisches Cellosolo antwortet. Pizzicati kündigen eine grimmige scherzoartige Episode an. Der breit angelegte Schlussteil, signalisiert durch das Wiedereintreten des heftigen Repetitionsthemas, greift auf thematisch-motivisches Material des ersten Satzes zurück. Die in Sequenzen aufsteigende Sekundfolge, das ausdrucksvolle, die kleine Sekunde umkreisende Thema, das Zwölftonhauptthema, tauchen wieder auf, mehr und mehr setzt sich jedoch das Repetitionsmotiv des Satzbeginns durch, das schließlich seine Heftigkeit verliert und zum Motto eines sich bestätigenden, kraftvollen Des-Dur-Ausklangs wird. Der Satz ist in seiner strukturell-motivischen Dichte, seiner sinfonischen Energie, seiner Ausdrucksvielfalt und Differenziertheit einer der bedeutendsten Quartettsätze Schostakowitschs.

Wirkung Das Werk wurde am 14. September 1968 vom Beethoven-Quartett in Moskau uraufgeführt. Der sehr erfolgreichen Leningrader Premiere am 3. November 1968 wohnte auch Schostakowitsch bei. Außerhalb der Sowjetunion setzte sich das Quartett nur langsam durch. BEAU

Streichquartett Nr. 13 b-Moll op. 138

Bezeichnung Adagio
Entstehung 1970
UA 13. Dezember 1970 Leningrad
Verlag Sikorski
Spieldauer ca. 20 Minuten

Entstehung Das im Sommer 1970 entstandene Streichquartett, das Schostakowitsch seinem Freund Wadim Borissowski widmete, gehört wie die 14. Sinfonie, die ihm um ein Jahr voraufging, zu den Spätwerken, in denen sich der kranke Komponist mit dem Tod auseinandersetzt. Der Tod erscheint keineswegs transzendent überhöht, sondern bedeutet endgültiges Verlöschen.

Musik Das Quartett ist von einer Düsternis getragen, die von keinem Hoffnungsschimmer aufgehellt wird. Wie im zwölften Quartett verwendet Schostakowitsch thematische Zwölftonreihen, aber keine weiter reichende zwölftönige Architektur. Das Quartett ist einsätzig, lässt jedoch formal eine Bogenform erkennen: Den beiden langsamen Außenteilen ist ein schneller Innenteil eingefügt. Das Grundtempo ist Adagio, der Mittelteil soll in genau dem doppelten Zeitmaß gespielt werden.

Thematischer Baustein ist die zu Beginn von der Bratsche intonierte, dreimal anhebende und zur Zwölftonreihe sich fügende Viertonsequenz. Vor allem die ersten vier Töne durchdringen motivisch die klagenden Eckteile, sie erscheinen in allen möglichen Varianten, ohne dass sie weiter gespannte melodische Bildungen aus sich entließen.

Eine allmähliche Temposteigerung führt in den erregten Mittelteil, in dem plötzlich auf den Violinkorpus geschlagene Klopfsignale, wie sie für die avantgardistische Musik der 1960er-Jahre charakteristisch waren, wie Menetekel der verrinnenden Zeit erscheinen. Der Rhythmus wird immer hektischer, hämmernde Nonen werden übereinandergetürmt, Pizzicati in hoher Lage wirken abgerissen und verloren über fahlen Trillern. Flageoletts, zerrende Orgelpunkte, all das scheint seiner Disparatheit und seinen schneidenden Dissonanzen Ausdruck der Verzweiflung zu sein, zumal es sich in abgerissenen Kurzmotiven, die keine thematische Entwicklung erkennen lassen, abspielt.

Die Erregung klingt allmählich ab, und mit dem Wiedereintreten des Zwölftonthemas in der Bratsche beginnt reprisenartig der Schlussteil, der die düstere Stimmung des Beginns wieder aufnimmt. Am Ende verliert sich die Solobratsche in höchste Höhen, wobei ihre einsame Meditation durch das Ticken von Klopfzeichen begleitet wird.

Das Quartett in seiner Gesamtheit ist nicht nur, was die kompositorische Struktur und die

klangliche Materialbehandlung angeht, Schostakowitschs »avantgardistischste« Komposition, es ist auch eine seiner erschütterndsten, weil persönlichsten.

Wirkung Das Werk wurde vom Borodin-Quartett am 13. Dezember 1970 in Leningrad uraufgeführt und am 20. Dezember in Moskau wiederholt. Ein Mitglied dieses Quartetts berichtete, dass der Komponist nach der Generalprobe, von seiner eigenen Musik erschüttert, wortlos den Raum verlassen habe. Die Uraufführung selbst hat Isaak Glikman geschildert: »Im Konzert wurde das 1., 12. und 13. Quartett gespielt. Was für einen langen und dornenvollen Weg der Komponist... zurückgelegt hatte, ging mit unvergleichlicher Beredsamkeit aus der Musik hervor: hell das 1., trostlos das 12., tragisch das 13. Quartett, das ich als kleinen Bruder der 14. Sinfonie verstand. Das ganze Publikum erhob sich am Ende des neuen Quartetts und blieb stehen, bis es in voller Länge ein zweites Mal gespielt wurde.« BEAU

Streichquartett Nr. 14 Fis-Dur op. 142

Sätze 1. Allegretto, 2. Adagio, 3. Allegretto
Entstehung 1973
UA 12. November 1973 Leningrad
Verlag Sikorski
Spieldauer ca. 25 Minuten

Entstehung Im Frühjahr 1973 komponierte Schostakowitsch in seinem Erholungsort Repino bei Leningrad sein 14. Quartett. Er widmete es Sergei Schirinski, dem Cellisten des Beethoven-Quartetts. Entsprechend exponiert ist der Cellopart gehalten – bis hin zu kadenzartigen Soli.

Musik Im Gegensatz zu seinem Vorgänger ist das 14. Streichquartett frei von gedanklicher Problematik. Auch die Rückkehr zur Mehrsätzigkeit lässt den konventionelleren Charakter des Werkes erkennen, das zudem auf zwölftönige Themenbildungen verzichtet.

Erster Satz Unter dem liegenden Basiston Fis in der Bratsche intoniert das Violoncello das tänzerische Hauptthema, eine im 3/4-Takt dahingleitende, eintaktige, rollende Figur aus Achteln und Sechzehnteln, die sequenzartig absteigt. Sie ist der Motivkeim für die ganze Entwicklung des ersten Themenkomplexes, wird mehr oder weniger modifiziert und rhythmisch abgewandelt, in die hohe Lage der ersten Geige versetzt, mit Glissandi und spitzen Zupfakkorden durchsetzt. Gegen Ende dieses Komplexes erscheint im Cello eine absteigende Figur, die bedeutsamer für das Weitere wird als das eigentliche Seitenthema, das die erste Violine über Sechzehnteln des Violoncellos vorstellt. Der Durchführungsteil verarbeitet diese Motive, vor allem das Hauptthema und die absteigende Figur. Sie hebt mit dem Thema im Cello an, zu dem die Bratsche einen Trommelrhythmus anstimmt. In der Reprise erscheint das Hauptthema auch in der Umkehrung. Zwei kadenzartige Soloeinschübe des Violoncellos dienen zugleich als formale Markierungspunkte.

Zweiter Satz Das Adagio ist ein Zwiegesang von erster Violine und Violoncello, von der Violine mit einem langen Solo, das den Charakter einer unendlichen Melodie trägt, eröffnet. Die Mittelstimmen geben nur gelegentlich harmonisches Fundament. Das Cello nimmt den Gesang auf, die Violine intensiviert in steigerndem Espressivo, auch mit Fortepizzicati, die Entwicklung, die dann in melodischen Varianten rückläufig ist. Am Ende leitet die Violine wiederum solistisch auf der Dominante (Cis-Dur) unmittelbar zum anschließenden Finale über.

Dritter Satz In freier rhapsodischer Form gestaltet, mit Pizzicatotonrepetitionen der ersten Geige eröffnet, die das rhythmische Modell für den ganzen Satz bilden, weicht das muntere Allegretto mit seinem Thema und dem Motivspiel aller Instrumente bald einem Adagio mit solistischen Passagen, einem kurzen Marscheinschub zu Trommelrhythmus, schließlich einer aus dem zweiten Satz entnommenen gefühligen Sextenstelle. Letztere wirkt wie ein wehmütiger Rückblick auf Vergangenes. Auch das Thema des zweiten Satzes taucht auf. Der ruhige Ausklang ist leise Resignation.

Wirkung Die Uraufführung durch das Beethoven-Quartett verzögerte sich wegen des krankheitsbedingten Ausfalls des zweiten Geigers bis Ende 1973. BEAU

Streichquartett Nr. 15 es-Moll op. 144

Sätze 1. Elegie: Adagio, 2. Serenade: Adagio, 3. Intermezzo: Adagio, 4. Nocturne: Adagio, 5. Trauermarsch: Adagio, 6. Epilog: Adagio
Entstehung Frühjahr 1974
UA 15. November 1974 Leningrad
Verlag Sikorski
Spieldauer ca. 38 Minuten

Entstehung Das letzte Streichquartett von Schostakowitsch entstand im Frühjahr 1974. Der schwer kranke Komponist war nicht mehr in der Lage, das Werk, wie gewohnt, dem Beethoven-Quartett vorzuspielen.

Musik Formal stellt das Werk eine Folge von sechs ineinander übergehenden Adagiosätzen dar, die sämtlich die es-Moll-Tonalität wahren. Das auch für den Sinfoniker Schostakowitsch bezeichnende großräumige Adagio findet hier in einer Musik des Abschieds seine letzte Ausprägung.

Erster Satz Gezogene Tonrepetitionen, die den Ton Es umkreisen, sind der Auslöser eines von der Bratsche angestimmten Fugatos. Die Dreitonrepetition durchzieht den gesamten Satz. Obwohl die Violine ein zweites, helleres Dreiklangthema einführt, das mit dem Fugatothema kontrapunktisch verwoben wird, hat der Satz keine eigentliche Entwicklung. Er kreist hoffnungslos um sich selbst.

Zweiter Satz Eine Zwölftonreihe, in der jeder Ton vom Pianissimo bis zum hart abgerissenen Fortissimo anschwillt, eine von der Violine angestimmte, später vom Violoncello übernommene Serenadenweise, stechende Akkorde, fahle Gitarrenreminiszenzen bestimmen die alles andere als heitere »Serenade«, die eher von grotesker Hintergründigkeit bestimmt wird.

Dritter Satz Eine auffahrende Violinkadenz über dem Orgelpunkt Es des Violoncellos: Solistische und zweistimmige Linien, wie sie für des gesamte Werk charakteristisch sind, prägen das kurze »Intermezzo«.

Vierter Satz Eine von der Bratsche vorgetragene, später vom Cello aufgenommene »Nocturno«-Weise wird con sordino von fahlen Arpeggien umspielt. Der Satzschluss leitet durch

Vorwegnahme des Trauermarschrhythmus in den nächsten Satz über.

Fünfter Satz In scharf rhythmisiertem es-Moll setzt tutti der »Trauermarsch« ein. Diese Tuttieinwürfe erscheinen in unterschiedlicher Dynamik zwischen den einzelnen solistischen Strophen, die das Dreiklangthema aus dem ersten Satz wieder aufnehmen. Die Reminiszenz an Beethovens »Eroica«-Trauermarsch ist unüberhörbar.

Sechster Satz Eine Violinkadenz eröffnet den »Epilog«. Das Thema des Trauermarsches, das Fugatothema des ersten Satzes, eine Reminiszenz an eine Episode aus der sechsten Sinfonie, geheimnisvolle Trillerketten, über denen sich solistische Zwölftonlinien entfalten, bilden das motivische Gerüst dieses resignativen Trauerfinales. Schostakowitsch verweigert den Trost, lässt den Satz in düsterem es-Moll verklingen.

Wirkung Während der Einstudierung von Schostakowitschs letztem Streichquartett starb der herzkranke Cellist des Beethoven-Quartetts. Der Komponist musste die Uraufführung daraufhin dem Tanejew-Quartett übertragen. Selbst schwer krank, konnte er am 15. November 1974 im Kleinen Saal der Leningrader Philharmonie noch die Huldigungen des ergriffenen Publikums entgegennehmen.   BEAU

Werke für größere Besetzungen

Klavierquintett g-Moll op. 57

Sätze 1. Präludium: Lento, 2. Fuge: Adagio, 3. Scherzo: Allegretto, 4. Intermezzo: Lento, 5. Finale: Allegretto
Entstehung Sommer 1940
UA 23. November 1940 Moskau
Verlag Sikorski
Spieldauer ca. 34 Minuten

Entstehung Das Klavierquintett wurde auf Wunsch des Beethoven-Quartetts nach dessen Erfolg mit Schostakowitschs C-Dur-Quartett op. 49 komponiert. Die Erweiterung des Streich-quartettsatzes um einen Klavierpart begründete der Komponist seinem Freund Isaak Glikman gegenüber ganz egoistisch: »Um ihn selbst zu spielen und so einen Grund zu haben, zu Konzerten in verschiedenste Städte und Dörfer zu reisen. Jetzt können die Glasunower und Beethovener, die doch überall herumreisen, nicht mehr ohne mich auskommen!«

Musik Das Klavierquintett bezeichnet einen Markstein im Kammermusikschaffen des Komponisten. Formale Meisterschaft, melodisch-thematische Einfallsfülle und koloristische Vielfalt verschmelzen zu einer Synthese, die die Sprache des mittleren Schostakowitsch gültig ausprägt.

Erster Satz Das in seiner Monumentalität an Bachs Orgelwerke gemahnende Präludium ist dreiteilig. Die Eckteile stellen dem präludierenden Klavier einen blockartigen Streichersatz gegenüber, der lebhaftere Mittelteil – Poco più mosso – fächert den Klang linear auf. Melodische Linien durchdringen einander, wobei vor allem die Bratsche mit ihrer breiten Kantilene im Vordergrund steht.

Zweiter Satz Die ruhig dahinziehende Fuge wird von den das melodisch ausgreifende Thema nacheinander intonierenden Streichern eröffnet. Der Klavierbass greift erst später ein. Im Mittelteil, der als Steigerungskurve angelegt ist, wird das polyfone Gewebe freier gehandhabt, das Thema erklingt auch in Motivpartikeln. Auf dem Höhepunkt erscheint eine Reminiszenz an die Präludiummonumentalität. Die Reprise kehrt zur ruhigen Strenge des Beginns zurück.

Dritter Satz Ein rustikal hämmerndes Scherzo mit auf- und absteigenden Basslinien und einem im Klavierdiskant herausgellenden Tanzmotto weicht einem graziösen Mittelteil, der zunächst von den Streichern bestimmt wird, ehe das hohe Klavierregister gläserne Klänge hineinwirft. Der Anfangsteil kehrt variiert wieder.

Vierter Satz Das Intermezzo, der lyrische Ruhepunkt des Quintetts, bringt über schreitenden Pizzicati des Violoncellos eine schwärmerische, weitausgesungene Melodie der ersten Violine, die durch sukzessives Hinzutreten der übrigen Instrumente an expressiver Dichte ständig zunimmt. Empfindsame Terzgänge, kunstvolle kanonische Stimmführungen breiten eine Fülle von warmer Emotionalität aus. Der Satz klingt leise aus und geht unmittelbar in das Finale über.

Schostakowitsch komponierte sein Klavierquintett aus ganz eigennützigen Motiven: Er wollte den
Klavierpart selbst spielen und gemeinsam mit dem Beethoven-Quartett auf Konzertreisen präsentieren
(»Bildnis des Komponisten Dmitri Schostakowitsch«, Gemälde von Pjotr Williams, 1947).

Fünfter Satz Der Schlusssatz steht im Zeichen gelassener, entspannter Musizierfreude. Die thematischen Elemente des rondoartigen Satzes sind ein zu Beginn vom Klavier intoniertes Drehmotiv, ein chromatisch aufsteigender, mit einer Drehfloskel endender Gang parallel geführter Streicher sowie ein juchzerartiges Tanzmotiv. Die Setzweise ist von feiner Transparenz, das Ganze hat zauberhaften Charme und klingt verhuschend-kapriziös aus.

Wirkung Die Uraufführung durch das Beethoven-Quartett und den Komponisten am Flügel wurde zum vielleicht größten Triumph in Schostakowitschs bewegter Laufbahn. Auch die »Prawda« brachte eine euphorische Kritik: »Worin besteht das Neue und die Kraft dieses Werkes? Der Inhalt des Quintetts besteht aus einer Reihe lyrischer, menschlich wahrheitsgetreuer Verhaltensweisen, Stimmungen und Bilder. Das Werk ergreift durch seine Tiefe und Größe. Schostakowitsch fand die lyrische Lösung einer sehr wichtigen künstlerischen Aufgabe der Gegenwart: Wahrheitsgetreu, aufrichtig und hinreißend erschloss er den inneren Reichtum einer großen menschlichen Persönlichkeit... Die Kraft der ästhetischen Wirkung und die musikalische Ausdruckskraft des Quintetts sind wirklich bedeutend.«

Das Werk wurde 1941 mit dem Stalin-Preis 1. Klasse ausgezeichnet und rehabilitierte den 1936 gemaßregelten Komponisten zumindest zeitweilig. Es gehört zum festen Bestand des Kammermusikrepertoires. BEAU

Einspielungen (Auswahl)
• Elisabeth Leonskaja (Klavier), Borodin Quartet, 1995 (+ Klaviertrio Nr. 2); Teldec

Schubert | Franz

* 31. 1. 1797
Wien
† 19. 11. 1828
Wien

Ein Kind der Wiener Klassik, aufgewachsen im Schatten des übergroßen Vorbilds Beethoven, bemühte sich Schubert zeitlebens um die eigene kompositorische Identität, fand sie vor allem in seinen über 600 Liedkompositionen, aber auch in seiner Klaviermusik, seinen Sinfonien, seiner Kirchenmusik und den Werken der Kammermusik, mit denen er gleichzeitig an die klassische Tradition anknüpfte und dennoch einen kompositorischen Weg in die Zukunft wies.

Anders als für andere Komponisten der Zeit blieb die Musikstadt Wien für Schubert zeitlebens existenzieller Mittelpunkt. Hier wurde er 1797 in kleinbürgerlichen Verhältnissen geboren, wuchs im Schulhaus seines Vaters auf und erhielt den ersten Musikunterricht in Geige, Klavier, Orgel, Generalbass und Gesang. Mit elf Jahren trat er 1808 als Sängerknabe in das Stadtkonvikt ein, das ihm bis 1813 auch die Ausbildung seiner musikalischen Fähigkeiten ermöglichte. Zu seinen Lehrern zählten der Hoforganist Václav Ružička und der Komponist Antonio Salieri.

Nach dem Stimmbruch und seinem Ausscheiden aus dem Konvikt arbeitete Schubert zunächst als Schulgehilfe seines Vaters, entschied sich dann aber dafür, ganz seinen künstlerischen Ambitionen zu folgen und mit materieller Unterstützung seiner Freunde als freier Künstler zu le-

ben. Sein Aufenthalt in Wien wurde nur durch wenige Reisen innerhalb Österreichs und durch eine kurzfristige Musiklehrerstelle beim Grafen Esterházy auf dessen Schloss Zseliz in Ungarn (1818 und 1824) unterbrochen.

Wien war zu Schuberts Zeit zwar kulturelles Zentrum Österreichs, das intellektuelle Leben der Stadt geriet aber ab 1819 im Zuge der Karlsbader Beschlüsse immer mehr in den Bann der metternichschen Zensur und Repression. Als Künstler und Komponist konnte Schubert in seiner Heimatstadt niemals wirklich Fuß fassen, eine feste Anstellung als Komponist oder Musiker blieb ihm versagt. Nur ein einziges öffentliches Konzert mit ausschließlich eigenen Werken veranstaltete er als »Privat-Concert« 1828 im Saal des Musikvereins, das sowohl in finanzieller wie auch künstlerischer Hinsicht zu einem großen Erfolg wurde. Statt repräsentativer öffentlicher Konzerte wurden die »Schubertiaden« – Zusammenkünfte befreundeter Künstler, in deren Verlauf Musik Schuberts aufgeführt wurde – zum eigentlichen Podium des Komponisten.

Schuberts Schaffen auf kammermusikalischem Gebiet erstreckt sich zeitlich von den noch ganz den klassischen Vorbildern Mozarts und Haydns verpflichteten Frühwerken bis zu den zukunftsweisenden Kompositionen seiner letzten Lebensphase. Auch im Kammermusikwerk hinterlassen die sogenannten Jahre der Krise (1818–23), in denen Schubert um eine individuelle Instrumentalsprache rang, ihre Spur in Form von unvollendeten fragmentarischen Werken wie etwa dem Quartettsatz c-Moll D 703.

Geboren aus der Atmosphäre häuslichen Musizierens, wie Schubert sie etwa in seiner Jugend beim Spiel im Familienstreichquartett kennengelernt hatte, wurde das Kammermusikschaffen mehr und mehr zum Experimentierfeld seiner instrumentalen Sprache: Momente gelösten, inspirierten Musizierens stehen hierbei neben dem Ausdruck tiefen Ernstes. KRA

Duos

Violinsonaten (Sonatinen) D 384, D 385, D 408

Sonate Nr. 1 D-Dur D 384

Sätze 1. Allegro moderato, 2. Andante, 3. Allegro vivace
Entstehung März 1816
Verlag Bärenreiter
Spieldauer ca. 13 Minuten

Sonate Nr. 2 a-Moll D 385

Sätze 1. Allegro moderato, 2. Andante, 3. Menuetto: Allegro, 4. Allegro
Entstehung März 1816
Verlag Bärenreiter
Spieldauer ca. 24 Minuten

Sonate Nr. 3 g-Moll D 408

Sätze 1. Allegro giusto, 2. Andante, 3. Menuetto mit Trio, 4. Allegro moderato
Entstehung April 1816
Verlag Bärenreiter
Spieldauer ca. 17 Minuten

Entstehung Wie viele seiner Werke wurden die von Schubert bereits im Frühjahr 1816 komponierten Sonaten für Violine und Klavier erst einige Jahre nach dem frühen Tod des Komponisten veröffentlicht. So ist auch zu erklären, dass sie bis heute im Konzertleben meist fälschlicherweise als »Sonatinen« bezeichnet werden, so, wie sie der Verleger Diabelli bei der Erstveröffentlichung 1836 nannte. Kompositorisch sind sie offensichtliches Ergebnis der kammermusikalischen Erfahrungen, die der zur Zeit der Entstehung 19-jährige Schubert sowohl in seinem Elternhaus wie auch später als Zögling im Wiener Stadtkonvikt sammeln konnte.

Musik Betrachtet man die drei Violinsonaten aus gattungsgeschichtlicher Perspektive, ist man versucht, eine gewisse historische Naivität Schuberts in ihnen zu erkennen: In ihrer klaren Strukturiertheit und knappen Form orientieren sie sich unmittelbar am Sonatenschaffen Mozarts, ohne die Weiterentwicklung des Genres zu berücksichtigen.

Allerdings besteht eine interessante Parallelität der schubertschen Sonaten zu den frühen Violinsonaten Beethovens, den drei Sonaten op. 12. In ihnen hat Beethoven bereits 20 Jahre vor Schubert, wahrscheinlich in den Jahren 1797/98 in Wien, in ähnlicher Weise an Mozarts Sonatenkompositionen angeknüpft. Beethoven widmete die Werke seinem damaligen Kompositionslehrer Antonio Salieri – eben jenem Salieri, dessen Kompositionsschüler Franz Schubert zur Zeit der Entstehung seiner Violinsonaten ist. Die kompositorische Nähe zu diesem frühen Opus Beethovens ist kaum zu übersehen.

Trotz dieser Rückwärtsgewandtheit zeigen die Sonaten Schuberts gerade im souveränen Umgang mit dem thematischen Material und in der natürlichen Entfaltung der Melodik Schuberts kompositorisches Potenzial, das später zur Ausbildung seiner individuellen Instrumentalsprache führte. Prägendes Merkmal aller drei Sonaten ist das dialogische Moment im Zusammenspiel der Instrumente. Klavier und Geige wechseln ständig ihre Rollen: Präsentiert der eine Duopartner die Melodie, übernimmt der andere die Begleitung oder schweigt.

Wirkung Aufgrund ihrer Schlichtheit, melodischen Schönheit und guten Spielbarkeit auch für musikalische Laien sind die Sonaten Schuberts sowohl im Rahmen der Hausmusik als auch besonders als Bestandteil der Literatur für den Geigenunterricht sehr beliebt. KRA

Einspielungen (Auswahl)
• Arthur Grumiaux (Violine), Robert Veyron-Lacroix (Klavier), 1971 (+ Violinsonate D 574); Philips
• David Grimal (Violine), Valery Afanassiev (Klavier), 2003; aeon/Helikon

Violinsonate (Duo) A-Dur D 574

Sätze 1. Allegro moderato, 2. Scherzo: Presto – Trio, 3. Andantino, 4. Allegro vivace
Entstehung August 1817
Verlag Henle (Urtext)
Spieldauer ca. 17 Minuten

Entstehung Nach den auch als »Sonatinen« bezeichneten drei Sonaten für Violine und Klavier (1816) ist die Violinsonate A-Dur D 574 aus dem folgenden Jahr bereits Schuberts letzter Beitrag zu dieser Gattung. Obwohl nur ein Jahr zwischen der Entstehung der Werke liegt, ist doch die bedeutende kompositorische Entwicklung zu spüren. Sie ist Resultat der zwischenzeitlichen intensiven, experimentellen Auseinandersetzung Schuberts mit der Sonatenform – auf dem Gebiet der Klaviermusik.

Musik Schon der Beginn der Sonate zeigt gegenüber den früheren Beiträgen Schuberts zu dieser Gattung ein verändertes Modell der Duopartnerschaft der beiden Instrumente. Über den schwingenden Bässen der einleitenden Takte des Klaviers setzt die Violinstimme mit dem im Piano gehaltenen ersten Thema des Satzes ein, um sich dann mehr und mehr zu entfalten.

Der zweite Satz macht deutlich, dass die Instrumente nicht länger – wie in den früheren Violinsonaten Schuberts – in ihrer Rolle aufgehen, wechselseitig Melodie oder Begleitung zu übernehmen. Stattdessen sind Violine und Klavier eng miteinander verzahnt und spielen sich in diesem übermütigen Scherzo gegenseitig die musikalischen Pointen zu. Immer mehr sind die beiden musikalischen Partner nicht mehr unabhängig voneinander zu denken.

Nach dem dritten Satz, einem eher luftigen Andantino in C-Dur, folgt als Schlusssatz das spielfreudige Allegro vivace: Hier – wie auch in den übrigen Sätzen – ist deutlich die Tendenz Schuberts zu spüren, den virtuos-konzertanten Möglichkeiten der beiden Instrumente mehr Raum zu geben, was in seinen späteren Kompositionen für diese Besetzung, dem »Rondo brillant« D 895 und der Fantasie C-Dur D 934, zu einer ausgesprochen virtuosen Anlage der Werke führt.

Wirkung Die A-Dur-Sonate ist erst 1851 bei Diabelli unter dem Titel »Duo« verlegt worden, der noch heute oft neben der von Schubert selbst gewählten Bezeichnung »Sonate« erscheint. Obwohl es neben den drei frühen Sonaten von 1816 Schuberts einzige größere Sonate für Violine und Klavier ist, hat sie im Konzertrepertoire nie einen Spitzenplatz unter den großen Violinsonaten der klassisch-romantischen Epoche gefunden. KRA

Einspielungen (Auswahl)
• Arthur Grumiaux (Violine), Robert Veyron-Lacroix (Klavier), 1971 (+ Sonatinen); Philips

Rondo brillant für Violine und Klavier h-Moll D 895

Bezeichnung Andante – Allegro
Entstehung Oktober 1826
UA Januar 1827 Wien
Verlag Henle (Urtext)
Spieldauer ca. 15 Minuten

Entstehung Fast zehn Jahre nach seinen ersten Sonaten für Violine und Klavier wendete sich Franz Schubert im Herbst 1826 erneut dieser Besetzung zu. Diesmal aber tritt er mit seiner Komposition aus der intimen Atmosphäre der Hausmusik heraus und schreibt ein Werk ausgesprochen virtuosen Charakters. Inspiration hierzu erhielt er durch seine Bekanntschaft mit dem jungen böhmischen Geiger Josef Slavík (1806–33), der im April 1826 sein erstes umjubeltes Konzert in Wien gegeben hatte und von zeitgenössischen Kritikern gar mit Paganini verglichen wurde. Von der großen technischen Brillanz des Geigers zeugt auch Schuberts Rondo, das der Verleger Domenico Artaria mit dem Zusatz »brillant« versah.

Musik Auf den ersten Blick erscheint die Rondoform, die Schubert als strukturelle Folie für dieses Werk wählt, geeignet, die instrumentale Brillanz eines Geigers wirkungsvoll hervorzuheben. Denn gerade die für das Rondo typische Reihungsstruktur eröffnet die Möglichkeit zum pointierten Wechsel verschiedener Stimmungen, instrumentaler Effekte und Ausdrucksqualitäten. Doch Schuberts Musik gerät in ein eigenartiges Schwanken zwischen dem Willen, virtuos-konzertante Effekte zu erzielen, und dem Anspruch, gleichzeitig dennoch einen individuellen musikalischen Ausdruck zu finden. So bedient sich Schubert durchaus extremer dynamischer Kontraste und der Gegenüberstellung dramatischer und lyrischer Passagen, doch verzichtet er darauf, die bei einem Rondo durch Erwartung der Rückkehr des Themas aufgebaute Spannung für die innere Zielgerichtetheit des Werkes zu nutzen. Stattdessen scheint es, als

Viele kammermusikalische Werke stellte Schubert seinem Publikum im Rahmen sogenannter Schubertiaden, geselliger Abende in Privathäusern, vor (»Ein Schubert-Abend in einem Wiener Bürgerhause«, Gemälde von Julius Schmid, 1897). Sein »Rondo brillant« wurde im Hause des Verlegers Artaria uraufgeführt.

verweile Schubert auf seiner musikalischen Wanderung durch verschiedene Regionen immer wieder einmal für längere Zeit in den wechselnden Episoden. Eingeleitet wird das groß angelegte »Rondo brillant« von einer deklamatorischen Andantepassage, die in ein Innehalten der beiden Instrumente mündet und so den Weg in das eigentliche Rondogeschehen freigibt.

Wirkung Die Uraufführung fand in Anwesenheit des Komponisten durch Josef Slavík und den Schubert-Freund Karl von Bocklet im Haus des Verlegers Artaria statt. Dass auch die Zeitgenossen in dem Rondo die Dopplung von Virtuosität und musikalischem Gestaltungswillen wahrgenommen haben, zeigt eine Wiener Konzertkritik vom Juni 1828: »Obwohl das Ganze brillant ist, so verdankt es doch nicht seine Existenz den bloßen Figuren, die uns aus mancher Komposition in tausendfältigen Verrenkungen angrinsen und die Seele ermüden. Der Geist des Erfinders hat hier oft recht kräftig seinen Fittich geschwungen und uns mit ihm erhoben.« KRA

Einspielungen (Auswahl)
- Gidon Kremer (Violine), Valery Afanassiev (Klavier), 1991 (+ Fantasie D 934, Duo D 574); Deutsche Grammophon

Fantasie für Violine und Klavier C-Dur D 934

Bezeichnungen Andante molto – Allegretto – Andantino – Allegro vivace – alla breve
Entstehung Dezember 1827
UA 20. Januar 1828 Wien
Verlag Henle (Urtext)
Spieldauer ca. 25 Minuten

Entstehung Wichtigste Ergebnisse der Auseinandersetzung Schuberts mit dem Prinzip der Fantasie sind seine drei großen Fantasiekompositionen: Neben der »Wandererfantasie« D 760 für Klavier (1822) und der Fantasie f-Moll D 940 für Klavier zu vier Händen (1828) entstand im Dezember 1827 auch die Violinfantasie C-Dur D 934. Wie auch das ein Jahr zuvor komponierte »Rondo brillant« wurde die Fantasie für Violine und Klavier für den Geiger Josef Slavík und den Pianisten und Schubert-Freund Karl von Bocklet geschrieben, die das Stück im Januar 1828 uraufführten und anschließend in ihr Konzertrepertoire aufnahmen.

Musik Das Ineinander von Fantasiemomenten und Sonatensatzprinzipien als kompositorisches Merkmal der späten Fantasien Schuberts prägt auch die Struktur der Violinfantasie D 934. Das Werk ist eine Reihung verschiedener Sätze, die durch Überleitungstakte oder etwa das erneute Auftauchen von einzelnen Abschnitten miteinander verbunden sind und doch gleichzeitig merkwürdig isoliert nebeneinanderstehen.

Melodisches Zentrum der Fantasie ist ein Selbstzitat: Schubert formt eine Zeile seines Liedes »Sei mir gegrüßt« D 741 nach einem Text von Friedrich Rückert zum Thema des Andantinoabschnitts, in dessen Verlauf Violine und Klavier ihre instrumentalen Möglichkeiten in mehreren Variationen zur Entfaltung bringen. Diesem Selbstzitat kommt in ästhetischer Hinsicht eine doppelte Funktion zu, indem es einerseits zum musikalischen Material der Variationen wird, andererseits durch den Bezug zur Rückert-Vertonung ein inhaltliches Assoziationsfeld von Trennung und Sehnsucht schafft. Anders aber als etwa in der »Wandererfantasie«, der auch ein Liedzitat Schuberts zugrunde liegt, wird in der Violinfantasie der musikalische Prozess der umgebenden Sätze nicht in gleicher Weise von diesem thematischen Material mitbestimmt. Dass die Komposition höchste Anforderungen nicht nur an die technisch-virtuose Brillanz, sondern auch an die musikalische Gestaltungsfähigkeit der Interpreten stellt, zeigt schon der Beginn: Vonseiten des Pianisten bedarf es einer differenzierten Klanggestaltung des Klavierparts, um dem Geiger die Möglichkeit zu eröffnen, die sich darüberspannenden großen melodischen Bogen der Violinstimme zu formulieren.

Wirkung Das weitgespannte Werk scheint die zeitgenössischen Hörer überfordert zu haben, wie aus einer Wiener Kritik des Jahres 1828 hervorgeht: »Die Fantasie für Pianoforte und Violine, eine Komposition des Hrn. Franz Schubert, ... dehnte sich etwas zu lang über die Zeit aus, die der Wiener den geistigen Genüssen widmen will. Der Saal wurde allmählich leerer, und der Referent gesteht, dass auch er von dem Ausgang dieses Musikstückes nichts zu sagen weiß.«   KRA

Einspielungen (Auswahl)
- Gidon Kremer (Violine), Valery Afanassiev (Klavier), 1991 (+ Rondo D 895, Duo D 574); Deutsche Grammophon

Sonate für Arpeggione und Klavier a–Moll D 821

Sätze 1. Allegro moderato, 2. Adagio, 3. Allegretto
Entstehung November 1824
UA Dezember 1824
Verlag Doblinger (Bratschenfassung), Bärenreiter (Cellofassung)
Spieldauer ca. 25 Minuten

Entstehung Schuberts Sonate für Arpeggione und Klavier a-Moll ist eine Kuriosität: Das Instrument, für das Schubert diese Sonate im November 1824 schrieb, war erst im Jahr zuvor von dem Wiener Instrumentenbauer Johann Georg Staufer entwickelt worden. Es vereinigt Merkmale der Gitarre und des Violoncellos. Als erster Interpret dieses Instruments ist Vincenz Schuster bekannt, der auch die Sonate Schuberts im Dezember 1824 uraufführte und die erste und einzige Schule für das Instrument schrieb, die 1825 erschien. Den Namen »Arpeggione« hat Schubert durch die Benennung seiner Sonate selbst geprägt.

Musik In seiner »Arpeggionesonate« nutzt Schubert die neuen instrumentalen Möglichkeiten und schafft zudem ein ausgesprochen klangvolles Werk. Durch die Lage und Anzahl der Saiten ist das Instrument besonders für Arpeggien und Akkordgriffe geeignet, die etwa auf einem in Quinten gestimmten viersaitigen Cello nicht in gleicher Weise ausführbar wären. Im ersten Satz, der sich immer wieder ins Melancholische wendet, tauchen dann auch drei- bis sechsstimmige Akkorde auf, die entweder gezupft oder gestrichen werden sollen. Nach dem zweiten Satz, einem lyrischen Adagio mit großem sanglichem Bogen, zeigt das abschließende, frei gestaltete Sonatenrondo neben ausgesprochen melodischen Passagen auch die Möglichkeit des virtuosen Arpeggiospiels.

Das Arpeggione

Das Arpeggione oder – wie es auch genannt wurde – »Guitarre-Violoncell« hat die Größe eines Cellos, gleicht aber mit seinem 8-förmigen Umriss, der Terz-Quart-Stimmung der sechs umsponnenen Darmsaiten (E-A-d-g-h-e¹) und dem Griffbrett mit metallenen Bünden einer Gitarre. Das Instrument wird mit dem Bogen gestrichen. Wie es auch in der Spielpraxis des Violoncellos zur Schubert-Zeit noch durchaus üblich war, wurde es zwischen den Knien gehalten und ohne die heute übliche Stütze, den Stachel, gespielt. In den historischen Rezensionen fällt auf, dass das Arpeggione in seinen Klangeigenschaften fast ausschließlich mit Blasinstrumenten verglichen und als »bedeutend nasal« wahrgenommen wurde. Andere Kritiker beschrieben den Klang des Instruments als »bezaubernd schön«. Dennoch konnte es sich in der Musikpraxis nicht durchsetzen.

Wirkung Schon nach wenigen Jahren war das Arpeggione wieder vollständig aus dem Konzertleben verschwunden und man ging dazu über, Schuberts Sonate alternativ auf dem Cello auszuführen. Durch ihren besonders weichen, leicht nasalen Klang erscheint besonders die Bratsche zur Annäherung an den ursprünglichen Arpeggioneklang geeignet. Im heutigen Konzertleben ist die Sonate meist in der Fassung mit Cello oder Bratsche zu hören.   KRA

Einspielungen (Auswahl)
- Mstislaw Rostropowitsch (Violoncello), Benjamin Britten (Klavier), 1968 (+ Debussy: Cellosonate, Schumann: Stücke im Volkston); Decca
- Yo-Yo Ma (Cello), Emanuel Ax (Klavier), 1995 (+ Quintett A-Dur D 667); Sony BMG

Introduktion und Variationen über »Trockne Blumen« für Flöte und Klavier D 802

Bezeichnungen Introduktion: Andante – Thema: Andantino (plus sieben Variationen)
Entstehung Januar 1824
Verlag Schott (Wiener Urtext Edition)
Spieldauer ca. 17 Minuten

Entstehung Wie schon im »Forellenquintett«, der »Wandererfantasie« und wenig später auch im Streichquartett »Der Tod und das Mädchen« wählt Schubert auch in diesem Werk ein eigenes Lied zum Thema eines Variationssatzes. Es ist das drittletzte Lied, »Trockne Blumen«, aus dem kurz zuvor entstandenen Liederzyklus »Die schöne Müllerin«. Anlass für die Komposition war wahrscheinlich Schuberts Bekanntschaft mit dem Wiener Flötisten Ferdinand Bogner.

Musik In diesem Variationswerk für Flöte und Klavier verbinden sich Momente des Salonhaft-Virtuosen mit der lyrischen Sphäre des Liedes, das als Thema zugrunde liegt. In eben diesem Spannungsfeld von Virtuosem und Poetischem verharrt das aus einer vorangestellten Introduktion und einem Thema mit sieben Variationen bestehende Stück. Gewichtig hebt die Introduktion mit einem vom Klavier gestalteten trauermarschähnlichen Motiv an, das in seiner musikalischen Geste an das Thema des Schubert-Liedes »Der Tod und das Mädchen« D 531 erinnert. Hieraus entfaltet sich die frei angelegte, fantasievolle Einleitung, die durch eine Fermate zum eigentlichen Thema überleitet, das vom Klavier vorgestellt und dann von der Flöte aufgegriffen wird. Die nun folgenden Variationen bieten beiden Instrumentalisten die Möglichkeit, in reichem Verzierungs- und Passagenwerk ihre instrumentale Brillanz zu beweisen. Von der zunächst in der Introduktion angedeuteten musikalischen Vertiefung, der erneuten Auseinandersetzung Schuberts mit dem Monate zuvor komponierten Lied, bleiben nur momenthafte Züge. Die letzte Variation präsentiert das Thema marschartig und nach Dur gewendet. Fast erscheint der Schluss in seiner virtuosen Bravour wie die Vision einer Überwindung des melancholischen, todessehnsüchtigen Liedes.

Wirkung Die Frage bleibt, ob eine derartig virtuose Ausformung einem solch innigen Lied wie »Trockne Blumen«, das seinen Reiz im Original ja gerade durch die auffallende Ökonomie der kompositorischen Struktur erhält, ästhetisch überhaupt gerecht werden kann. Dies ist der Grund, warum das Stück in der Schubert-Rezeption bis heute umstritten geblieben ist. Als Bestandteil des Konzertrepertoires für die von den Komponisten der Romantik wenig bedachte Flöte gehört es aber dennoch zu den viel gehörten Stücken. Es existiert auch eine Bearbeitung für Violine und Klavier. KRA

Streichtrios

Trio für Violine, Viola und Violoncello B-Dur D 471

Sätze 1. Allegro, 2. Andante sostenuto
Entstehung September 1816
Verlag Bärenreiter
Spieldauer ca. 9 Minuten

Trio für Violine, Viola und Violoncello B-Dur D 581

Sätze 1. Allegro moderato, 2. Andante, 3. Menuetto: Allegretto, 4. Rondo: Allegretto
Entstehung September 1817
Verlag Bärenreiter
Spieldauer ca. 20 Minuten

Entstehung Im Abstand von nur einem Jahr komponierte Franz Schubert seine beiden Streichtrios, von denen das erste, im September 1816 begonnene in B-Dur unvollendet blieb. Nur das eröffnende Allegro und 39 Takte eines langsamen Satzes sind überliefert, danach bricht die Komposition ab.

Musik Beide Kompositionen lassen nicht in gleicher Weise wie die im selben zeitlichen Umfeld entstandenen Streichquartette den experimentellen Umgang Schuberts mit der Sonatensatzform erkennen. Deutlich an den Mustern Haydns und Mozarts orientiert, wirken sie formal klar und durchsichtig. In den meisten Sät-

zen entwickelt sich ein unkompliziertes Musizieren.

Das Allegro aus dem Fragment gebliebenen Streichtrio B-Dur D 471 – sicherlich als erster Satz eines geplanten viersätzigen Trios gedacht – zeigt in seiner kompositorischen Anlage den souveränen und selbstverständlichen Umgang mit den klassischen Vorbildern der Gattung.

Trotz der Anlehnung an klassische Formmodelle zeigt sich besonders in dem ambitionierteren, viersätzig angelegten Trio B-Dur D 581 auch bereits der ausgeprägte Klangsinn Schuberts im Umgang mit den Instrumentalparts. Zwar dominiert die Violine in diesem Werk mit ausgeprägten Figurationen oft das musikalische Geschehen, doch zeugen etwa die durch eine fließende Cellobewegung getragene Mollpassage des Andante oder das von der Bratsche bestimmte Trio des Menuetts von einer farbenreichen Konzeption des Werkes.

Wirkung Die Streichtrios sind aus der Atmosphäre der Hausmusik geboren. So ist überliefert, dass Vater Schubert mit seinen Söhnen Ignaz, Ferdinand und Franz regelmäßig musizierte und dabei gewiss auch die Werke des komponierenden Sohnes zum Klingen gebracht wurden. Bis in unser Jahrhundert sind die beiden Trios beliebte Werke der häuslichen Kammermusikpraxis. KRA

Einspielungen (Auswahl)
• Grumiaux Trio, 1969 (+ Klaviertrios, Sonatensatz, Notturno); Philips

Klaviertrios

Triosatz Es-Dur D 897
(»Notturno«)

Bezeichnung Adagio
Entstehung um 1827 (?)
Verlag Bärenreiter
Spieldauer ca. 13 Minuten

Entstehung Wohl zur Verkaufsförderung wurde dem Klaviertriosatz Es-Dur D 897 bei seiner Erstveröffentlichung 1846 durch den

Das seit 1954 bestehende Beaux Arts Trio ist eines der ältesten Ensembles seiner Art. Seine Mitglieder widmeten sich fast der gesamten Klaviertrioliteratur und spielten auch Schuberts Trios ein.

Verleger Diabelli in Wien nachträglich der Titel »Notturno« beigefügt, der später auch in die erste Schubert-Gesamtausgabe übernommen wurde. Wann und unter welchen Bedingungen dieser Satz entstanden ist, bleibt unklar. Zu vermuten ist aber, dass er im zeitlichen und kompositorischen Umfeld der weiteren Kompositionen für dieselbe Besetzung, also den beiden Klaviertrios von 1827, komponiert wurde. Wahrscheinlich war das Trio D 897 sogar zunächst als langsamer Satz zu einem dieser Werke gedacht.

Musik Das einsätzige, mit Adagio bezeichnete Klaviertrio offenbart eine besondere Konstellation der beteiligten Instrumente. Die beiden Streicher werden nie in die Selbstständigkeit entlassen, sondern mit Ausnahme einiger Überleitungstakte den ganzen Satz hindurch nahezu parallel geführt. Hierdurch und durch die Beharrlichkeit eines immer wiederkehrenden rhythmisch-melodischen Musters erhält der Satz eher den Charakter eines meditativen In-sich-Kreisens als eines entwickelnden musikalischen Gedankenprozesses. Durch den bestim-

menden harmonischen Prozess kommt es immer wieder zu einem Wechsel von Gespanntheit und Ruhe.

Überdies zeigt der Beginn des Satzes Schuberts Interesse an den instrumentalen Klangmöglichkeiten: Nach den einleitenden harfenähnlichen Arpeggien des Klaviers präsentieren Violine und Violoncello wie mit einer Stimme in Terzklängen das den gesamten Satz prägende Motiv, das in Anlehnung an den nachträglich hinzugefügten Titel »Notturno« durchaus als der Nacht zugehörig angesehen werden kann. Später dann tauschen die Instrumente ihre Rollen, indem nun die Streichinstrumente die begleitenden Arpeggioklänge zupfen, während das Klavier das Thema intoniert.

Wirkung Wohl aufgrund der »sonderbaren Leere«, wie sie Alfred Einstein in seinem Schubert-Porträt in Zusammenhang mit dieser Komposition konstatierte, erlangte der schlichte, auf konzertante Effekte verzichtende Triosatz D 897 nie die gleiche Bedeutung für das Konzertrepertoire, wie sie den beiden großen Klaviertrios Schuberts zukommt.   KRA

Trio B-Dur D 898

Sätze 1. Allegro moderato, 2. Andante un poco mosso, 3. Scherzo: Allegro, 4. Rondo: Allegro vivace
Entstehung Herbst 1827 (?)
Verlag Bärenreiter
Spieldauer ca. 35 Minuten

Entstehung Das Klaviertrio B-Dur D 898, wahrscheinlich im Herbst 1827 komponiert, wurde bereits im Januar 1828 im privaten Rahmen durch die Wiener Musiker Carl Maria von Bocklet, Ignaz Schuppanzigh und Josef Linke aufgeführt.

Musik »Leidend, weiblich, lyrisch«, so charakterisierte Robert Schumann das Klaviertrio in seiner berühmten Rezension und beschrieb damit vor allem die weiche, fließende Melodik, die sich in diesem Werk entfaltet. Auffallend ist der differenzierte und gegenüber den früheren Kammermusikwerken mit Klavier gereifte Instrumentalklang.

Im Vordergrund steht nicht die Darstellung instrumentaler Virtuosität, sondern das Ausloten eines besonderen kammermusikalischen Tones. So erhält etwa der erste Satz durch die bewusste Reduktion des Klavierparts einen besonderen Klangreiz. Hat das Klavier etwas melodisch Bedeutsames zu sagen, werden die beiden Hände des Pianisten meist als kantable Stimme im Oktavabstand unisono geführt, was in Kombination mit den Streicherstimmen zu einer interessanten Klanggestalt führt. In einem Brief überlieferte Schubert die Äußerungen seiner Freunde über sein eigenes Klavierspiel: »...dass die Tasten unter meinen Händen zu singenden Stimmen würden.« Dies kann wohl in Zusammenhang mit derartigen Passagen als Interpretationsideal für den ausführenden Pianisten gelten. Im zweiten Satz, dem Andante un poco mosso mit den sanft verwobenen Stimmen der beiden Streichinstrumente, sah Robert Schumann das musikalische Bild eines »seligen Träumens, ein Auf- und Niederwallen schön menschlicher Empfindung«. Nach einem musikantischen Scherzo mit Trio folgt als Schlusssatz ein ausgedehntes Rondo, das in seinem tänzerischen Duktus und seinem thematischen Material eine Anlehnung an den Umkreis der Volksmusik und des Tanzbodens offenbart, gleichzeitig aber auch die einzelnen thematischen Felder auf kunstvolle Art und Weise miteinander verbindet. Das Rondothema ist ein melodischer Rückgriff Schuberts auf sein eigenes Lied »Skolie« D 306 von 1815.

Der dem Lied zugrunde liegende Text von Johann Ludwig Ferdinand von Deinhardstein bietet eine mögliche Deutungsebene des auffallend lyrischen und lebensbejahenden Tones dieses späten Trios im zeitlichen Umfeld der eher resignativen »Winterreise«: »Lasst im Morgenstrahl des Mai'n / Uns der Blume Leben freun, / Eh' ihr Duft entweichet!«

Wirkung Aus Anlass der Erstveröffentlichung des Trios durch Diabelli 1836 in Wien rezensierte Robert Schumann es in seiner »Neuen Zeitschrift für Musik«. Er bezeichnete den Charakter des Werkes als »anmuthig, vertrauend, jungfräulich«. Bis heute gehört das Klaviertrio zu Schuberts beliebtesten Kammermusikwerken.

KRA

Trio Es-Dur D 929

Sätze 1. Allegro, 2. Andante con moto, 3. Scherzando: Allegro moderato, 4. Allegro moderato
Entstehung begonnen November 1827
UA 26. Dezember 1827 Wien
Verlag Bärenreiter
Spieldauer ca. 45 Minuten

Entstehung Ebenso wie das wahrscheinlich im gleichen Jahr 1827 entstandene Klaviertrio B-Dur verlässt auch das Klaviertrio Es-Dur D 929 den Rahmen häuslichen Musizierens. Geschrieben hat es Schubert für den Pianisten Carl Maria von Bocklet, den Geiger Ignaz Schuppanzigh und den Cellisten Josef Linke, die das Werk dann auch uraufführten.

Musik Als »zürnende Himmelserscheinung«, die zur Zeit der Uraufführung »über das damalige Musiktreiben hinwegging«, titulierte Robert Schumann dieses Klaviertrio in seiner Rezension von 1836. Er hatte hierbei wohl vor allem die kompositionsgeschichtliche Bedeutung im Blick, denn Schubert blieb zu Lebzeiten die große öffentliche Wirkung versagt. Es ist der musikalische Reichtum, die Mannigfaltigkeit der thematischen Einfälle und ihrer Verarbeitung einerseits und das gleichzeitige Ringen um innere Geschlossenheit andererseits, die dieses Werk prägen und zum Vorbild folgender Komponistengenerationen werden ließen.

Der erste Satz beginnt mit einem energievollen Thema, das unisono von den drei Instrumenten vorgetragen wird. Für Schumann verbindet sich in diesem eröffnenden Allegro »tiefer Zorn« mit »überschwänglicher Sehnsucht«, wie sie sich im weiteren Verlauf des Satzes etwa in Passagen des Wechselspiels der beiden Streichinstrumente über den Kaskaden des Klaviers offenbart.

Der zweite Satz (Andante con moto) zeigt in exemplarischer Weise die besondere Rolle, die Schubert dem Cello in der Instrumentenkonstellation des Klaviertrios zuweist. Völlig von den Fesseln eines begleitenden Generalbassinstruments in der Tradition des 18. Jahrhunderts befreit, ist es der Violine gleichberechtigt an die Seite gestellt. So übernimmt das Violoncello etwa zu Beginn des Satzes die Funktion, das lyrische Thema in einem ausgedehnten klavierbegleiteten Solo vorzustellen. In Robert Schumanns Blick wird dieser Satz zum »Seufzer, der sich bis zur Herzensangst steigern möchte«.

Auf ein Scherzo mit kanonisch einsetzenden Instrumenten folgt das abschließende Allegro moderato, ein ausgedehnter Satz, der in seiner kompositorischen Anlage zwischen Rondo und Sonatensatz schwebt. In seinem Klaviertrio verfolgt Schubert unter anderem die Idee einer zyklischen Verknüpfung der Sätze: So lässt er im Finale zweimal das erste Thema des lyrischen zweiten Satzes als thematische Reminiszenz wieder erklingen. Durch diesen Rückbezug erfährt der eher beschwingt-tänzerische vierte Satz im Moment des Rückerinnerns eine poetische Öffnung.

Wirkung Innerhalb seines eigenen kammermusikalischen Schaffens räumte Schubert diesem Trio offensichtlich eine besondere Bedeutung ein, machte er es doch zum Programmmittelpunkt seines einzigen öffentlichen Konzerts mit ausschließlich eigenen Werken, das am 26. März 1828 als »Privat-Concert« im Saal der Gesellschaft der Musikfreunde in Wien stattfand. Das Es-Dur-Trio war aber auch das erste Werk, das zu Lebzeiten des Komponisten außerhalb Österreichs veröffentlicht wurde und auf diese Weise das Bild des Kammermusikkomponisten Schubert nachhaltig prägte. Robert Schumann wies in seinen Schriften immer wieder darauf hin, welch große kompositorische Wirkung das Werk auf die folgende Komponistengeneration um Wilhelm Taubert, Ignaz Moscheles und Felix Mendelssohn hatte. KRA

Einspielungen (Auswahl)
- Beaux Arts Trio, 1966 (+ Streichtrios, Sonatensatz, Notturno); Philips
- András Schiff (Klavier), Yuuko Shiokawa (Violine), Miklós Perényi (Cello), 1995 (+ Notturno D 897, Trio D 898 und Arpeggionesonate D 821); Teldec/Warner Classics
- Wiener Klaviertrio, 2002 (+ Finale in der Originalfassung und Erstausgabe); MDG/Naxos

Streichquartette

Entstehung Franz Schubert hat von frühester Jugend an eine enge Beziehung zu Streichinstrumenten entwickeln können. Bei seinem Vater lernte er das Violin- und Violaspiel. Schon unter seinen ersten eigenen Kompositionsversuchen finden sich Streichquartette. Gleichermaßen dienten sie als wichtige Übungen im »strengen« vierstimmigen Satz wie als Probenmaterial für das häusliche Musizieren im Familienkreis oder später zusammen mit Mitschülern im Konvikt. Zwischen 1810 und August 1813 entstanden mindestens zehn Werke, von denen einige als verloren gelten müssen, andere nur im Fragment vorliegen.

Musik Schnell zeigte sich zwischen den Notenzeilen das bewusste oder unbewusste Ziel des hochbegabten Jungen: sich »auf diese Art den Weg zur großen Sinfonie« zu bahnen. Das Briefzitat aus dem Jahr 1824, das aus dem Umfeld der Meisterquartette in a-Moll D 804 und d-Moll D 810 stammt, kann ansatzweise gleichermaßen für die frühen Quartette gelten. Immer wieder fällt der Hang zur großen Geste, zum geweiteten Klangraum auf. Dezidierte Anklänge an Orchesterversuche nehmen daher nicht wunder: Das lange irrtümlich zu spät datierte Quartett D-Dur D 94 korrespondiert mit der D-Dur-Ouvertüre D 12, und noch das Quartett D-Dur

Streichquartette von Franz Schubert

Entstehung	Titel
»Jugendquartette«	
1810/11	Streichquartett g-Moll/B-Dur D 18
1811/12	Streichquartett D-Dur D 94
1811	Streichquartett c-Moll D 8 A
1812	Streichquartett C-Dur D 32
1812/13	Streichquartett B-Dur D 36
1813	Streichquartett C-Dur D 46
1813	Streichquartett B-Dur D 68
1813	Streichquartett D-Dur D 74
1813	Streichquartett Es-Dur D 87
1814	Streichquartettsatz c-Moll D 103 (Fragment)
1814	Streichquartett B-Dur D 112 (op. post. 168)
1815	Streichquartett g-Moll D 173
1816	Streichquartett E-Dur D 353 (op. post. 125/2)
»Meisterquartette«	
1820	Streichquartettsatz c-Moll D 703
1824	Streichquartett a-Moll D 804 (»Rosamunde«)
1824	Streichquartett d-Moll D 810 (»Der Tod und das Mädchen«)
1826	Streichquartett G-Dur D 887 (op. post. 161)

D 74 birgt Ähnlichkeiten zum Orchesterfragment D 71c.

Alle diese Frühwerke verraten die feinsinnige Absorption zeitgenössischer Impulse, die der junge Schubert von zum Teil heute gänzlich unbekannten Komponisten aufnahm. Vermengt mit einer tastenden Aneignung des Wiener »klassischen« Stils der verehrten Kollegen Mozart und Haydn sowie der eigenen Begabung, offenbaren diese Quartette reizvolle Seiten, die gleichwohl selten im Konzertleben gewürdigt werden. Schubert experimentierte nach dem noch etwas unbeholfenen ersten Quartett in g-Moll/B-Dur D 18 in den Quartetten D 32, D 36, D 46, D 48 und D 94 zunehmend selbstbewusst mit Klang und Harmonik, orchestraler Faktur, melodischen Bogen oder rhythmisch-metrischen Finessen.

Eine zweite Phase bilden die differenzierteren, gleichwohl von der Nachwelt nur geringfügig höher geschätzten »Jugendquartette« der Jahre 1813 bis 1816, da sie eine neue Qualität kompositorischer Eigenständigkeit ausprägen. Der kompetente Unterricht u. a. bei Antonio Salieri, die vielfältigen Eindrücke im Konvikt und natürlich die gewachsene »Reife« und Erfahrung des noch immer sehr jungen Tonsetzers zeitigen eine anspruchsvollere, gewagtere Satzstruktur. Ohne die Rücksichtnahme auf die begrenzten spieltechnischen Möglichkeiten von Schuberts Vater, dem Cellisten im heimischen Streichquartett, emanzipiert sich nach dem Quartett D 112 auch der Basspart als vollgültige Ensemblestimme. Erneut vermischt sich der satztechnische Anspruch der Quartettgattung mit der klangräumlichen Konzeption der nun parallel entstehenden Jugendsinfonien, befruchten sich Quartettstil und orchestrales Empfinden gegenseitig.

Die Frage, warum sich Schubert nach dem in den Quartetten g-Moll D 173 (1815) und vor allem E-Dur D 353 (1816) erreichten Stand vier Jahre lang von der Gattung abwandte, kennt verschiedene plausible Antworten. Einerseits liegt die Vermutung nahe, Schubert habe zeitweise resigniert, seine eigenen Quartette als zu »leicht« befunden, weil er gerade im Jahr 1816 die überragenden Gattungsbeiträge seines Vorbilds Ludwig van Beethoven, die Rasumowsky-Quartette op. 59, das »Harfenquartett« op. 74 und besonders das progressive f-Moll-Quartett op. 95 kennenlernte. Andererseits schließt die neuere Forschung nicht aus, dass die Gattung gerade in jenen Jahren massiv im Wiener Musikleben an Bedeutung und Wertschätzung einbüßte, sodass Schubert keine Perspektive mehr darin sehen konnte, entsprechende Werke zu verfassen.

Zum Dritten steht die Pause in engem Zusammenhang mit den ohnehin schwierigen »Jahren der Krise« (1818–23), die der selbstzweifelnde Komponist vor allem in der Instrumentalmusik durchlitt und dabei zahlreiche Fragmente hinterließ. Zu diesen ist auch noch das erste Quartettmeisterwerk in c-Moll zu zählen, das Schubert nur im gewichtigen und zukunftsorientierten Kopfsatz (Quartettsatz c-Moll D 703) vollendet hat. Der junge Komponist war offenbar auf der Suche nach dem Besonderen, distanzierte sich in einem Brief sogar geringschätzig von seinen frühen Quartetten.

Der Quartettsatz D 703 bildet gemeinsam mit den in den produktiven Jahren 1824 und 1826 schließlich glücklich viersätzig vollendeten, individuellen Quartetten in a-Moll D 804 (»Rosamunde«), d-Moll D 810 (»Der Tod und das Mädchen«) und G-Dur D 887 das eigentliche Erbe der schubertschen Quartettkunst. Diese vier Werke sind es, die sich neben Quartetten von Beethoven, Mozart oder Haydn und noch vor den Beiträgen von Schumann, Mendelssohn, gar Brahms seit Mitte des 19. Jahrhunderts einen festen Platz in den Konzert- und Schallplattenprogrammen der großen Quartettensembles erobern konnten. STR

Einspielungen (Auswahl)
• Melos Quartett, 1976–79; Deutsche Grammophon
• Auryn Quartett, 1995–97; CPO

Streichquartett D-Dur D 74

Sätze 1. Allegro, ma non troppo, 2. Andante, 3. Menuetto: Allegro – Trio, 4. Allegro
Entstehung 22. August bis September 1813
UA vermutlich 4. Oktober 1813 Wien
Verlag Bärenreiter
Spieldauer ca. 23 Minuten

Entstehung »Composés par François Schubert écolier de Msr. De Salieri« – mit Stolz dokumentierte der 16-Jährige auf dem Notenblatt

seine Schülerschaft beim berühmten Hofkomponisten Antonio Salieri. Der Lehrer hat das »Quatuor« nachweislich kritisch in Augenschein genommen. Vielleicht ermutigte er seinen Eleven daraufhin, ein sinfonisches Werk zu schreiben – die im Herbst 1813 begonnene Sinfonie Nr. 1 D-Dur D 82.

Musik Dass das Quartett entstand, kurz bevor sich Schubert erstmals an eine eigene Sinfonie wagte, ist besonders in den Rahmensätzen spürbar. Außerdem existiert eine Skizze (D 71 C), in der der Komponist Teile des Werks versuchsweise orchestrierte.

Erster Satz Schon im Kopfsatz herrscht ein festlicher, quasi sinfonischer Ton. Noch in der knappen Coda treibt Schubert durch ein deutliches Zitat aus Mozarts »Zauberflöten«-Ouvertüre den glanzvollen Duktus auf die Spitze. Formal folgt das Allegro einem zweiteiligen Ouvertürentypus ohne zentrale Durchführung. Trotz der gewaltigen Länge von 502 Takten zeigt der Satz eine monothematische Konzeption: Über einem auch später noch für Schubert typischen Begleitsatz (Cellogrundierung, »webende« Mittelstimmen) entspinnt sich zu Beginn eine weitschweifige Melodie, in deren Schlusstakt fast beiläufig der für den gesamten Verlauf konstitutive anapästische Rhythmus (kurz–kurz–lang) auftaucht.

Zweiter Satz Das Andante überrascht mit reicher Chromatik. Diese empfindsame Serenade diente Schubert wenig später als (teilweise wörtliche) Vorlage für den langsamen Satz seiner D-Dur-Sinfonie.

Dritter Satz Ähnlich schwärmerisch wirkt auch das Menuett mit seinen im Kopfmotiv ebenfalls chromatisch geprägten, kräftig »aussingenden« Oberstimmen. Ihm steht ein zart-zweistimmig anhebendes Ländlertrio gegenüber.

Vierter Satz Das in Analogie zum Kopfsatz zweiteilige Finale bezieht seinen Reiz in erster Linie aus dem Kontrast zwischen einem quirlig-polyfonen Hauptthema und kraftvollen Kadenz-»Fanfaren«. Der ausgedünnt-zweistimmige Beginn lässt Raum für breit angelegte Steigerungspartien, die im mächtig aufrauschenden, präsinfonischen Schluss gipfeln.

Wirkung Das Autograf des Quartetts enthält in der Stimme der ersten Violine den Vermerk »Zur Nahmensfeyer meines Vaters«. Daraus resultiert die Annahme, dass das Werk am 4. Oktober 1813 im Hause Schubert uraufgeführt worden ist.

Schuberts Jugendquartette werden nur selten gespielt. Dabei zeugen sie in vielen Details von früh ausgeprägtem, handwerklichem Können, bewusster Auseinandersetzung mit der Tradition des Wiener Streichquartetts um Haydn und Mozart und der ehrgeizigen Suche nach einem eigenen Stil.   STR

Einspielungen (Auswahl)
- Kodály Quartett, 2000 (+ Quartette g-Moll/B-Dur D 18 und C-Dur D 32); Naxos

Streichquartett Es-Dur D 87

Sätze 1. Allegro più moderato, 2. Scherzo: Prestissimo – Trio, 3. Adagio, 4. Allegro
Entstehung November 1813
UA vermutlich Ende 1813 Wien
Verlag Bärenreiter
Spieldauer ca. 25 Minuten

Entstehung Wie die meisten Jugendquartette Schuberts ist wohl auch das Es-Dur-Werk als Material für das eigene Musizieren im väterlichen Schulhaus entstanden. Schubert hatte im November 1813 gerade seine Ausbildung zum Schulgehilfen begonnen, seine erste Sinfonie vollendet und komponierte zeitgleich sein erstes Singspiel »Des Teufels Lustschloss«.

Musik **Erster Satz** Im Kopfsatz löst sich Schubert erstmals in seinen Jugendquartetten von der einheitstiftenden Monothematik und erprobt das dualistische Prinzip der Sonatenform mit Haupt- und Seitensatz. Der durchgehend gefällige, wellenförmige Melodieduktus und der zu geringe Gegensatz zwischen den thematischen Feldern und ihren Vermittlungspassagen verhindert, jedoch noch eine restlos stringente Konzeption. Immerhin ist eine kurze Durchführung vorhanden, die scheinbar Nebenthematisches aus Überleitung und Schlussgruppe modulierend verarbeitet.

Zweiter Satz Im Prestissimoscherzo werden die Kontraste schon viel deutlicher auf den Punkt gebracht. Dieser metrisch und dynamisch raffinierte Satz mit seinem überaus prägnanten,

im übermütigen Oktavsprung angesteuerten Vorhaltmotiv wird von einem weich fließenden Pianissimotrio in c-Moll unterbrochen, das sich über einer Bordunquinte im Cello entfaltet.

Dritter Satz Mit dem zarten Adagio – das Einzige im gesamten Quartettschaffen Schuberts – assoziiert man leicht Mozart als Vorbild. Kadenzierende Gesten, melodische Oberstimmensüße, der 6/8-Puls und ein zweimalig zaghaft kontrastierender Zwischenteil mit repetierend-flächigen Nebenstimmen bestimmen seinen Charakter.

Vierter Satz Unmittelbare Wirkung entfaltet das Sonatensatzfinale. Sein fliegender Allegroduktus wird von pulsierenden oder tremolierend bewegten Mittelstimmen evoziert, über denen sich die erste Violine (zum Teil im Dialog mit dem Cello) spielerisch ausbreitet. Ein lieblich ausgesungener Seitensatz, eine modulierende Durchführung sowie immer wieder überraschende harmonische Wendungen sorgen für belebende Abwechslung.

Wirkung Das in der Wiener Erstausgabe von 1830 mit dem E-Dur-Quartett D 353 unter einer gemeinsamen Opuszahl (op. post. 125) zusammengefasste Werk hat es nach Schuberts Tod zu einem viel höheren Bekanntheitsgrad gebracht als andere Jugendwerke des Komponisten. Das liegt in erster Linie an einer im 19. Jahrhundert unterlaufenen Fehldatierung, die die Entstehung der beiden Werke erst im Reifejahr 1824 ansetzte, wohl aber auch an der gefälligen Klassizität des Werks.   STR

Einspielungen (Auswahl)
- Quatuor Mosaïques, 1995 (+ Streichquartett D 804); Auvidis
- Alban Berg Quartett, 1997 (+ Quartett d-Moll D 810); EMI
- Vogler-Quartett, 2004 (+ Streichquintett C-Dur D 956); Hänssler Profil/Naxos

Streichquartett B-Dur D 112

Sätze 1. Allegro, ma non troppo, 2. Andante sostenuto, 3. Minuetto: Allegro – Trio, 4. Presto
Entstehung 5.–13. September 1814
UA 23. Februar 1862 Wien
Verlag Bärenreiter
Spieldauer ca. 26 Minuten

Entstehung Seit dem Frühjahr des Jahres 1814 war der junge Schubert in der Schule seines Vaters als Hilfslehrer tätig. Immer noch bestand also Möglichkeit und Anlass, für das Musizieren im häuslichen Quartett eigene Kompositionen beizusteuern. Darüber hinaus war Schubert weiterhin Kompositionsschüler Antonio Salieris, hat diesem seine Werke vermutlich als Studienarbeiten vorgelegt und sah damit seine kompositorischen Aktivitäten zunehmend als Ausdruck des eigenen und eigenständigen Könnens an. Das B-Dur-Quartett entstand im Frühherbst 1814 innerhalb weniger Tage, der Kopfsatz wurde – wie Schubert stolz handschriftlich vermerkte – gar »in 4 1/2 Stund. verfertigt«. Allerdings hatte er ihn vermutlich zuvor bereits als Streichtrio auskomponiert.

Musik Das Quartett ist ein Werk des Übergangs. Einerseits fußt es unverkennbar auf der inzwischen sicher beherrschten satztechnischen »Klassizität« seiner Gattungsvorgänger, andererseits bündelt es mit bemerkenswertem Geschick die Erfahrungen aus den vorangegangenen Werken.

Erster Satz Die schwebende, sehnsuchtsvolle Chromatik des Beginns bleibt eher Einleitung als Hauptthema, denn eine Verarbeitung findet nicht statt. Ein zweites, energischeres Themenfeld bringt mit der pulsierenden Mittelstimmentriolierung eine neue Farbe ins Spiel. Und nach gewichtigen Akkordschlägen folgt in der weit dimensionierten Exposition im Piano-»dolce« über einem synkopierten Pianissimo-Teppichklang eine dritte Themenpassage, die als Seitensatz fungiert und die Durchführung bestimmt.

Zweiter Satz Auch das verschattete, fünfteilige g-Moll-Andante, das stark an Mozart erinnert und in seinen Kontrastteilen in ein vielschichtig motorisch bewegtes, schwärmerisches Singen gerät, entwickelt seine variable Melodik aus den Mittelstimmen heraus: ein fein gewirkter, harmonisch überreicher Satz von unbestreitbar intensiver Qualität.

Dritter und vierter Satz Das Schuberts reizenden Klaviertänzen nahe verwandte ländlerhafte Menuett und erst recht das vor Geist und Witz sprühende Finale gemahnen eher an die Stilistik Haydns. Raffiniert verschleiert der 17-jährige Schubert hier Metrik und Harmonik,

lässt eine virtuose Violinstimme über verdichteten Unterstimmen zuckende Motivfetzen intonieren und wartet mit instinktsicher platzierten Überraschungseffekten auf. STR

Einspielungen (Auswahl)
• Lindsay String Quartet, 1987 (+ Streichquartett D 804); ASV

Streichquartett g-Moll D 173

Sätze 1. Allegro con brio, 2. Andantino, 3. Minuetto: Allegro vivace, 4. Allegro
Entstehung 25. März bis 1. April 1815
UA 29. November 1863 Wien
Verlag Bärenreiter
Spieldauer ca. 23 Minuten

Entstehung Nur einen Tag nach Beendigung seiner zweiten Sinfonie machte sich Schubert im Frühling des Jahres 1815 an die Komposition eines weiteren Streichquartetts. Ohne Frage wirken die Erfahrungen aus der Sinfonie in dem auf vier Stimmen reduzierten Werk fort, so wie umgekehrt die Komposition des Quartetts D 74 für seine erste Sinfonie von zentraler Bedeutung gewesen war.

Musik Das erste Moll-Quartett des 18-jährigen Schubert zeugt von großem Selbstvertrauen, denn der junge Komponist experimentiert in dessen Kopfsatz in einer bisher nicht da gewesenen Weise. So überrascht er mit einer unkonventionellen formalen Hülle, die sich zwar der dreiteiligen Anlage der Sonatenform bedient, aber die in der Wiener Klassik übliche harmonische Anlage (Exposition in Tonika und Dominante, modulierende Durchführung, Reprise in der Tonika) negiert. Schubert spiegelt in der Reprise seines Mollsatzes, die »normalerweise« die Rückkehr zur Grundtonart beinhalten »sollte«, die Tongeschlechter und verändert damit wesentlich den Grundcharakter seiner Themen: Moll wird Dur und Dur wird Moll. Die Durchführung wächst sich, statt exponiertes motivisches Material durchführend zu verarbeiten, zum kurzen, aber auffällig flächigen, orchestralen Klangfeld aus. Die »Arbeit« mit den Themen, in Abspaltungsprozessen und sogar kontrapunktischen Ansätzen, spielt sich in für

Schubert ungewöhnlicher Intensität und Strenge in den Rahmenteilen ab. Vermutlich haben die sehr schlicht gehaltenen Mittelsätze und das etwas eindimensionale Finale dazu beigetragen, dass sich das Werk trotz seines innovativen Kopfsatzes nicht gegen andere Jugendquartette Schuberts durchzusetzen vermochte.   STR

Streichquartett E-Dur D 353

Sätze 1. Allegro con fuoco, 2. Andante, 3. Menuetto: Allegro vivace – Trio, 4. Rondo: Allegro vivace
Entstehung 1816
UA vermutlich 1816 Wien
Verlag Bärenreiter
Spieldauer ca. 23 Minuten

Entstehung Das E-Dur-Quartett ist das letzte der »Jugendquartette« Schuberts. Ein konkreter Anlass ist nicht bekannt. Allerdings deuten die betont artifizielle Kompositionsweise und die gewachsenen spieltechnischen Anforderungen darauf hin, dass das Werk nicht mehr zum »Gebrauch« für das familiäre Streichquartett im väterlichen Schulhaus, sondern als repräsentativer Gattungsbeitrag des allmählich selbstbewusst aufstrebenden 19-jährigen Komponisten gedacht war.

Musik Erster Satz Überzeugender als zuvor gelingt hier die Aneignung des dualistischen Sonatenformprinzips, ohne dass Schubert eine Vermittlung der verschiedenen Satzebenen gänzlich aufgegeben hätte. Aber nicht nur zwischen dem ersten und dem zartgetupften zweiten Themenkomplex entstehen Kontraste, sondern schon den Satzanfang beherrschen gegensätzliche Gesten, wie man sie vor allem bei dem gerade im Entstehungsjahr dieses Quartetts von Schubert besonders verehrten Mozart findet: Den energischen Forteschlägen mit stark punktierten Oktavsprüngen steht ein ruhig fließendes Akkordgewebe gegenüber. Aus diesem vielgesichtigen Material baut Schubert einen oft erfreulich dichten, klangfreudigen, bisweilen in der E-Dur-Harmonik kapriziös ausgreifenden Kopfsatz.

Zweiter Satz Das anmutige, fünfteilige Andante ist überwiegend im unteren Dynamikbe-

reich angesiedelt. In ihm wird eine durchsichtige, teilweise in den Außenstimmen dialogisierende Faktur mit einer virtuos aufspielenden ersten Violine kombiniert.

Dritter Satz Tempo, Themengestalt und Bewegungsvielfalt weisen über den traditionellen Tanzcharakter eines schlichten Menuetto weit hinaus. Dem launig-scherzosen Hauptteil steht ein feingliedriges Trio mit seliger Legatomelodie und Staccatounterbau gegenüber.

Vierter Satz Die prickelnde Wirkung des virtuosen Allegro-vivace-Rondos hängt von einer spielfreudigen Ausführung ab: Werden seine rollenden Sechzehntelfiguren in gehörigen Schwung versetzt, die feinen Modulationen und dynamischen Abstufungen beachtet, die einkomponierten gegenmetrischen Akzente pointiert gesetzt, so entsteht ein Satz mit zündendem Witz.

Wirkung Das E-Dur-Quartett konnte sich nie richtig durchsetzen, obwohl es eigentlich genauso wie das Es-Dur-Quartett D 87 gegenüber anderen Jugendquartetten durch eine lange unkorrigiert gebliebene, schmeichelhafte Fehldatierung auf das Jahr 1824 begünstigt war. Noch heute wird es nur selten und leider oft allzu »zahm« gespielt.   STR

Quartettsatz c-Moll D 703

Sätze 1. Allegro assai, [2. Andante (Fragment)]
Entstehung Dezember 1820
UA möglicherweise 1821 Wien (privat); 1. März 1867 Wien (öffentlich)
Verlag Bärenreiter
Spieldauer ca. 10 Minuten

Entstehung Das Quartettfragment D 703 gehört zu einer umfangreichen Gruppe anspruchsvoller Instrumentalwerke, die Schubert auf der Suche nach einem eigenständigen Stil und neuartigen formalen Lösungen – in seinen »Jahren der Krise« (1818–23) zwar in Angriff genommen, nicht aber in allen geplanten Sätzen vollendet hat. Während der bedeutende erste Satz im Dezember 1820 vollständig niedergeschrieben wurde, bricht das Autograf im langsamen Satz nach 41 skizzierten Takten ab. Ein konkreter Beweggrund, warum sich der Komponist nach jahrelangem Schweigen wieder in der Streichquartettgattung versuchte, ist nicht bekannt.

Musik Extreme Gegensätze werden im kühnen c-Moll-Sonatensatz in spannungsvolle Beziehung gesetzt: auf der einen Seite rastlose Unruhe, düstere c-Moll-Sphären und ausufernde Chromatik, auf der anderen Seite die zauberhafte Macht blühender melodischer Erfindungskraft. Das irritierend unstete motivische Kernmaterial, das den Satz in chromatischen Wechseltönen eröffnet, vertritt zwar in Umfang, Dynamik, Harmonik und Bedeutung die Sphäre eines Hauptsatzes, entwickelt aber keine abgeschlossene thematische Physiognomie. Nur scheinbar versickernd, bleibt das Material im gesamten Satzverlauf als figurativer Unruheherd im Untergrund präsent. Es macht lediglich an der Oberfläche einer extrem weit gespannten, herrlichen As-Dur-Melodie in der ersten Violine Platz.

Nach Ende dieser zweiten, liedhaft geschlossenen Satzphase bricht das Kernmotiv wieder offen heraus, bevor dessen drohende Mollgebärde in einer dritten Expositionsphase erneut von träumerischem Durgesang in den Hintergrund gedrängt wird. Auch in der Durchführung wagen sich weitere melodische Einfälle hervor, deren Transponierungen und Modifikationen an die Stelle der herkömmlich-klassischen Durchführungs-»Arbeit« tritt. In der Reprise spiegelt Schubert ansatzweise die Vorgänge der Exposition und verzögert lange den Eintritt der Haupttonart Es-Dur. Anstelle des unthematischen Satzbeginns tritt zunächst das erste Melodiethema (nun in B-Dur) auf. Das motorische Kernmotiv erobert erst am Satzende seine dominante Stellung zurück.

Wirkung Die Erstaufführung des Quartettsatzes fand möglicherweise schon 1821 im Rahmen einer musikalischen Privatgesellschaft in Wien statt. Die öffentliche Uraufführung im Wiener Musikverein folgte erst 1867 durch das Hellmesberger-Quartett. Drei Jahre später wurde der Kopfsatz des Fragments unter der Bezeichnung »Quartettsatz« erstmals ediert. Die Handschrift befand sich im Besitz von Johannes Brahms. Als »eines der wertvollsten Stücke in der ganzen Quartettliteratur«, so der Streichquartettkenner Wilhelm Altmann, gehört es bis heute zum Standardrepertoire aller großen Quartettformationen. STR

Einspielungen (Auswahl)
• Melos Quartett, 1991 (+ Streichquartett D 804); Harmonia Mundi

Streichquartett a-Moll D 804
(»Rosamunde«)

Sätze 1. Allegro, ma non troppo, 2. Andante, 3. Menuetto: Allegretto – Trio, 4. Allegro moderato
Entstehung Februar bis Anfang März 1824
UA 14. März 1824 Wien
Verlag Bärenreiter
Spieldauer ca. 35 Minuten

Entstehung Auch wenn der Beiname nicht vom Komponisten selbst stammt, verweist er doch zutreffend auf die nahe Verwandtschaft des zweiten Satzes mit der Zwischenaktmusik D 797 zu einem Schauspiel der Schriftstellerin Helmina de Chézy mit dem Titel »Rosamunde, Fürstin von Zypern«, die Schubert nur wenige Wochen zuvor vollendet hatte. Dort leitet die entsprechende Musik zu jener Schäferidylle über, in die sich die enttäuschte zypriotische Prinzessin Rosamunde zurückgezogen hat.

Musik Erster Satz Ob Schubert im Quartett eine inhaltliche Parallele zum Schauspiel kompositorisch »mitdachte«? Symptomatisch dafür ist der Beginn des Sonatensatzallegros: Über einem liegenden Quintklang in Viola und Cello pulsiert eine ständig wiederholte Begleitformel der zweiten Violine – erst darüber wölbt sich, durch die Verzögerung wie entrückt, der unendliche Strom einer fein variierten Kantilene.

Zweiter Satz Das lyrische Zentrum des a-Moll-Quartetts – das erwähnte »Rosamunde«-Andante – färbt seine kreisende Thematik im Begleitstimmensatz unterschiedlich ein und umhüllt so melodische Simplizität mit differenziertem Leben – ein Prinzip, das auch die anderen Sätze prägt.

Dritter Satz Ähnlich wie das Andante weist auch das Menuett auf übergeordnete »Ideen« bei der Komposition hin, denn hier besteht eine deutliche Verbindung zu Schuberts eigener

Mit Ausnahme weniger Reisen innerhalb Österreichs und Ungarns hat Schubert seinen Geburtsort Wien nie verlassen (»Der Stephansplatz«, Gemälde von Rudolf von Alt, 1834). Der Großteil des nahezu 1000 Werknummern umfassenden Œuvre blieb zu Schuberts Lebzeiten ungedruckt, das einzige öffentliche Konzert seiner Werke fand am 26. März 1828 statt.

Schiller-Vertonung »Die Götter Griechenlands« (D 677): Das im Cello intonierte, auffällige Wechselnotenmotiv erinnert stark an den Liedanfang »Schöne Welt, wo bist du?«, das aufgehellte A-Dur-Trio an die Textzeile »Kehre wieder, holdes Blütenalter der Natur«.

Vierter Satz Nur an wenigen Stellen – so im zunächst tänzerisch-bewegten, dann aber auch energisch aufbegehrenden oder erschreckend fahlen Sonatenrondofinale – drohen jene Gefährdungen der innig-melodiösen Welt, jene dramatischen Kulminationen, die erst in den nachfolgenden Quartetten Schuberts offen hervorbrechen.

Wirkung Selten ist Schubert in seiner Instrumentalmusik so sehr der »Sänger«, der Liederkomponist wie im »Rosamunde«-Quartett.

Daher rührt dessen besondere Popularität: Es ist das einzige schon zu Schuberts Lebzeiten gedruckte Streichquartett und wird bis heute viel gespielt. Als das Werk im März 1824 vom Widmungsträger, dem gerühmten Geiger Ignaz Schuppanzigh und seinem Quartett uraufgeführt wurde, schrieb Moritz von Schwind, Wiener Legendenmaler und enger Freund Schuberts: »Das Quartett von Schubert wurde aufgeführt, nach seiner Meinung etwas langsam, aber sehr rein und zart. Es ist im Ganzen sehr weich, aber von der Art, dass einem Melodie bleibt wie von Liedern, ganz Empfindung.« STR

Einspielungen (Auswahl)
• Alban Berg Quartett, 1984 (+ Streichquartett D 810); EMI

- Melos Quartett, 1991 (+ Streichquartett D 703); Harmonia Mundi
- Quatuor Mosaïques, 1995 (+ Streichquartett D 87); Auvidis

Streichquartett d-Moll D 810
(»Der Tod und das Mädchen«)

Sätze 1. Allegro, 2. Andante con moto,
3. Scherzo: Allegro molto – Trio, 4. Presto
Entstehung März 1824
UA 12. März 1833 Berlin
Verlag Bärenreiter
Spieldauer ca. 40 Minuten

Entstehung Die »Jahre der Krise« waren unverkennbar überwunden: Unmittelbar im Anschluss an das a-Moll-Quartett D 804 widmete sich Schubert im März 1824 ein weiteres Mal der Gattung Streichquartett. Brieflich erklärtes Ziel war, sich über die Kammermusik »den Weg zur großen Sinfonie zu bahnen«. Den Beinamen »Der Tod und das Mädchen« erhielt das Quartett durch ein deutliches Selbstzitat im Variationenandante: Das Thema entstammt dem gleichnamigen Klavierlied D 531 auf ein Gedicht von Matthias Claudius, das Schubert im Februar 1817 komponiert hatte.
Musik Wieder avanciert der langsame Satz zum Fluchtpunkt des gesamten Werks. Sein eingängiges Hauptmotiv dient sogar als beziehungsreiche Klammer für alle Sätze.
Erster Satz Das düster-dramatische Allegro berichtet demgegenüber noch von wildem Existenzkampf und tiefer Tragik, auch wenn hier und da der selige (Melodie-)Traum unbeschwerten Glücks aufscheint. Beide Themen des Sonatensatzes tragen den motivischen Kern des Werks in sich und verweisen so unverkennbar auf das Lied und sein Gedankengut.
Zweiter Satz In Anlehnung an den instrumentalen Vor- und Nachspann des besagten Klavierliedes erklingt hier – »übersetzt« in einen akkordisch dichten Streichersatz – der gleichmäßig rhythmisierte melodische Kern des gesamten Quartetts. Was als Thema im Verlauf der Variationen immer wieder neu im Begleitsatz eingefärbt wird, was heftig dramatisiert oder auch in selig-verträumtes Dur verwandelt wird,

bildet gleichzeitig die zentrale »Idee« des Quartetts. In Rückbezug auf das Lied »thematisiert« es den tiefromantischen Widerstreit von bitterer und erlösender Todessehnsucht: »Sei guten Muts, ich bin nicht wild, sollst sanft in meinen Armen schlafen«, raunt der Tod dem Mädchen zu.
Dritter Satz Auf den ersten Blick erscheint das wuchtige Scherzo als typische, metrisch zugespitzte Tanzsatzübersteigerung. Doch das verkürzte Kernmotiv bewirkt auch hier – und noch deutlicher im variativen Durtrio – den Brückenschlag zur Liedvorlage.
Vierter Satz Selbst im Finale, einem Sonatenrondo mit treibendem Unisonorefrain, ist das Kernmotiv unterschwellig in den jagenden Tarantellarhythmus integriert. Ein beklemmender »Totentanz« entsteht, der schlusskräftig in einer sich überschlagenden Prestissimostretta mündet.

Den Beinamen »Der Tod und das Mädchen« erhielt Schuberts Streichquartett d-Moll D 810 wegen des zweiten Satzes, in dem Schubert die Melodie einer gleichnamigen Liedvertonung variierte (»Die drei Lebensalter des Weibes und der Tod«, Gemälde von Hans Baldung, genannt Grien; um 1510).

Wirkung »Das d-Moll-Quartett wurde schon zu Schuberts Lebzeiten in Wien mit Beifall gegeben«, berichtet Eduard Hanslick. Die öffentliche Uraufführung fand aber wohl erst 1833 im Rahmen der berühmten Quartettsoireen des Geigers und Pädagogen Karl Möser in Berlin statt. Das d-Moll-Quartett ist nicht zuletzt aufgrund seiner außermusikalischen (Lied-)Bezüge eines der bekanntesten Werke Schuberts. Doch auch als »autonome« Instrumentalmusik wird es höchsten ästhetischen Maßstäben gerecht. Seine Dramatik, seine schon von Robert Schumann gerühmte »Vorzüglichkeit« haben Ensembles wie das Hollywood Quartet oder das Alban Berg Quartett eindrucksvoll hörbar gemacht. Mehrere Komponisten des 20. Jahrhunderts haben sich in Streichquartetten auf Schuberts Lied und Quartett »Der Tod und das Mädchen« bezogen, so George Crumb (»Black Angels«, 1970) und zuletzt Siegfried Matthus (»Das Mädchen und der Tod«, 1997).   STR

Einspielungen (Auswahl)
- Hollywood String Quartet, 1955 (+ Dohnányi: Streichquartett Nr. 3, Wolf: Italienische Serenade); Testament
- Alban Berg Quartett, 1986 (+ Streichquartett D 804); EMI
- Leipziger Streichquartett, 1995 (+ Menuette und Deutsche D 89, Menuett D 86); MDG/Codaex

Streichquartett G-Dur D 887

Sätze 1. Allegro molto moderato, 2. Andante un poco mosso, 3. Scherzo: Allegro vivace – Trio: Allegretto, 4. Allegro assai
Entstehung 20.–30. Juni 1826
UA 8. Dezember 1850 Wien
Verlag Bärenreiter
Spieldauer ca. 50 Minuten

Entstehung Die Umstände, die Schubert dazu bewogen haben, 1826 nach zweijähriger Pause ein derart anspruchsvolles Quartett in Angriff zu nehmen, sind nicht bekannt. Der genaue Vermerk zum Entstehungszeitraum steht auf dem Manuskript. Wahrscheinlich wurde der Kopfsatz zusammen mit anderen Werken Schuberts in dem »Privatkonzert« vom 26. März 1828 durch das Streichquartett des befreundeten

Geigers Ignaz Schuppanzigh erstmals aufgeführt.

Musik Das G-Dur-Quartett ist Schuberts progressivstes Instrumentalwerk überhaupt. Nicht nur in seiner Ausdehnung und Klangregie sprengt es die Konventionen seiner Zeit – vergleichbar nur mit den späten Quartetten Beethovens –, sondern es überrascht vor allem mit einer die Grenzen der Tonalität radikal ausschreitenden Harmonik. Hart konfrontierte Dur-Moll-Wechsel sowie die Häufung von Rückungen und verminderten Septakkorden bilden den Grundstock der tonalen Systematik.

Erster Satz Schon die Anfangstakte des Kopfsatzes changieren zwischen Dur und Moll. Nach dieser gespannten »Einleitung« wagt sich über einem dichten Tremolo der Unterstimmen zaghaft das lyrische Hauptthema hervor. Im Seitensatzkomplex wird das Prinzip von Themensetzung und Variation kühn in die Sonatenform integriert. Die Durchführung greift in der Dramatik und mit der Harmonik derart weit aus, dass in der zunächst gleichsam erschrocken zurückgenommenen Reprise davon viel in variierten Nebenstimmen nachbebt.

Zweiter Satz So harmlos konventionell (mit einer Kadenzformel) das Andante ansetzt und so melodiös (Cello in hoher Lage) es auch fortgeführt wird – dramatische Kulminationen bleiben auch hier nicht aus. Zweimal wird die zarte Schale brutal aufgebrochen, erschüttern Tremolofelder, aufschnellende Skalen oder »schreiende« Terzmotive den lyrischen Mikrokosmos.

Dritter Satz Schattenhaft schwirrt das lineare Hauptmotiv des Scherzos durch alle Stimmen und berührt im Verlauf durch Verschiebungen alle zwölf Tonstufen des Dur-Moll-Systems. Inmitten dieser rastlosen Unruhe steht als Trio ein trügerisch idyllisches Durintermezzo.

Vierter Satz Die Perpetuum-mobile-Motorik des Sonatenrondos wird jeweils nur kurz gebremst: im akkordisch gestauten Seitensatz oder in der im dreifachen Pianissimo abgedämpften und in unwirkliches cis-Moll-Licht getauchten Durchführungs-»Episode«. Ansonsten bestimmen weitdimensionierte Steigerungs- und Modulationsprozesse den Satz. Sein unablässiger Drang gipfelt in der delirierenden Coda.

Wirkung Das G-Dur-Quartett macht es weder den Ausführenden noch dem Publikum leicht. Schon die zwiespältigen Reaktionen nach der späten Uraufführung durch das Wiener Streichquartett des Geigers Joseph Hellmesberger im Jahr 1850 verrieten Ehrfurcht vor der Größe und spürbaren Bedeutung des Werks, aber auch Zögern ob seines Anspruchs. Wird es vollendet gespielt (genannt seien die Aufnahmen des Busch-, Auryn-, Cherubini- oder Alban Berg Quartetts), sein sinfonischer Habitus in volltönenden Klang verwandelt und sowohl seine Dramatik als auch seine Abgründigkeit ernst genommen, kann es von überwältigender Wirkung sein. STR

Einspielungen (Auswahl)
• Busch-Quartett, 1936/38 (+ Streichquartett D 810); EMI
• Auryn Quartett, 1989; Tacet
• Alban Berg Quartett, 1998 (+ Quartettsatz D 703); EMI

Weitere Quartette

Adagio e Rondo concertante für Klavierquartett F-Dur D 487

Sätze Adagio – Rondo: Allegro vivace
Entstehung Oktober 1816
Verlag Peters
Spieldauer ca. 15 Minuten

Entstehung Das Adagio e Rondo concertante in F-Dur für Klavier, Violine, Viola und Violoncello trägt deutlich die Züge eines Gelegenheitswerks. Schubert schrieb es im Oktober 1816 auf Bitten von Heinrich Grob. Er war der Bruder Therese Grobs, der Jugendliebe Schuberts, die sich schließlich aber für einen Bäckermeister entschied und diesen 1820 heiratete.
Musik Schon der Titel mit dem Zusatz »concertante« deutet auf Traditionszusammenhang und Kompositionsprinzip des Werkes hin. Offensichtlich an den Klavierkonzerten Mozarts und Haydns orientiert, klingt das Werk fast wie ein auf solistische Besetzung reduziertes Konzert für Klavier und Streicher. Die Streichinstrumente erfüllen mit ihren Einwürfen und Klangflächen besonders im Rondo, das attacca an das einleitende Adagio anschließt, fast ausschließ-

lich begleitende Funktion. Übernehmen sie dann doch einmal die Rolle, ein Thema zu präsentieren, so wirkt es meist wie der Einsatz des Tutti in einem Solistenkonzert. Der Klavierpart ist durchweg ausgesprochen dominant gehalten und lässt eigene Impulse der drei Streicher kaum zu. Zudem unterstreicht etwa das Erscheinen eines kadenzierenden Trillers vor Rückkehr des Rondothemas den Anspruch des Klaviers auf die Solistenrolle in diesem Werk. Besonderen klanglichen Reiz erhält das Quartett durch das virtuose Laufwerk und die kaskadengleichen Dreiklangsbrechungen des Klaviers.
Wirkung Als Gelegenheitswerk komponiert und durch diesen Entstehungszusammenhang auch deutlich geprägt, ist dieses Werk nur selten im Konzert zu hören. KRA

Einspielungen (Auswahl)
• Domus, 1988 (+ »Forellenquintett«); Virgin Classics

Quintette

Klavierquintett A-Dur D 667
(»Forellenquintett«)

Besetzung Klavier, Violine, Viola, Violoncello, Kontrabass
Sätze 1. Allegro vivace, 2. Andante, 3. Scherzo: Presto, 4. Thema: Andantino (mit sechs Variationen), 5. Finale: Allegro giusto
Entstehung vermutlich 1819
Verlag Bärenreiter
Spieldauer ca. 40 Minuten

Entstehung Im Sommer 1819 reiste Franz Schubert mit seinem Freund, dem Sänger Johann Michael Vogl, in dessen Heimatort Steyr in Oberösterreich. Hier wurde er in das Musikleben der Stadt eingeführt und lernte so auch den Musikliebhaber Silvester Paumgartner kennen, der regelmäßig Hauskonzerte veranstaltete. Auf Paumgartners Anregung hin komponierte Schubert sein »Forellenquintett«.
Musik Albert Stadler, ein weiterer Freund Schuberts, berichtet, dass Paumgartner nicht nur die Anregung gab, das Schubert-Lied »Die

Forelle« (»In einem Bächlein helle«, 1816/17; Textdichter Christian Friedrich Daniel Schubart) zum Thema des Variationssatzes zu machen, sondern auch vorschlug, die gesamte Komposition nach dem Vorbild des Klavierquintetts op. 87 von Johann Nepomuk Hummel zu formen, das im Oktober 1802 entstanden war. Entsprechend wählte Schubert für sein fünfsätziges Werk eine Besetzung mit Klavier, Violine, Viola, Violoncello und Kontrabass.

Erster Satz Der Anfang des Allegros wirkt zunächst wie eine zögernde Suche, bis sich schließlich nach 25 Takten der spielfreudige Satz entfalten kann, der nun einen Reichtum melodischer und rhythmischer Einfälle zeigt. Wie übrigens auch später in seinen Klaviertrios reduziert Schubert die Klavierstimme an melodisch entscheidenden Stellen auf eine in beiden Händen des Pianisten parallel geführte Bewegung und erreicht dadurch eine interessante Klanggestaltung. Ein weiterer bereichernder Klangfaktor ist der Einsatz des Kontrabasses, durch den zusätzliche Bassregionen erschlossen werden.

Zweiter und dritter Satz Auf den lyrischen Andantesatz mit farbenreicher harmonischer Gestaltung folgt das Scherzo mit Trio, in dem der rhythmischen und motivischen Prägnanz (Scherzo) kantable Momente (Trioteil) entgegengesetzt werden.

Vierter Satz Vor dem abschließenden Finale fügte Schubert den Variationssatz ein, der dem Quintett seinen Namen gab: Zunächst ohne Klavier präsentieren die Streicher das »Forellen«-Thema. Schon in dem 1817 in einer ersten Fassung komponierten Lied »Die Forelle« D 550 sind Züge des Variativen angelegt. In den Variationen des Quintettsatzes offenbart sich nun vor allem die Freude an der Umspielung und Auszierung, die sich von Variation zu Variation steigert. Aber erst in der sechsten Variation, der abschließenden Allegrettovariation, erscheint die prägnante Sextolenfiguration im Klavier, die die berühmte kompositorische Idee des zugrunde liegenden Liedes ausmacht. Auffallend ist der überwiegend heitere Charakter des Werkes, der selbst in der zunächst dramatischer ansetzenden vierten Variation immer wieder in den Vordergrund tritt und die Molltonart niemals richtig ihre dunklere Farbe ausgestalten lässt.

Fünfter Satz Der letzte Satz im tänzerischen, ungarisch anmutenden Duktus wird – wie auch die übrigen Sätze – geprägt durch die Gegenüberstellung und das Wechselspiel von Klavier und Streichergruppe.

Wirkung Das »Forellenquintett« ist wohl eines der bekanntesten Kammermusikwerke Schuberts. Es repräsentiert aber nur eine schöpferische Seite seines Kammermusikschaffens, die das Moment gelösten, inspirierten Musizierens auf großartige Weise mit einer erstaunlichen kompositorischen Gestaltungskraft verbindet. KRA

1819 lernte Schubert den Mäzen und Amateurcellisten Silvester Paumgartner kennen, der ihm den Auftrag für ein Klavierquintett erteilte: Das »Forellenquintett« wurde eines der bekanntesten Werke Schuberts (im Bild das Klavier Schuberts).

Einspielungen (Auswahl)
- Clifford Curzon (Klavier), Mitglieder des Wiener Oktetts, 1957 (+ Streichquartett D 810); Decca
- András Schiff (Klavier), Mitglieder des Hagen Quartetts, Alois Posch (Kontrabass), 1984; Decca
- Alfred Brendel (Klavier), Thomas Zehetmair (Violine), Tabea Zimmermann (Viola), Richard Duven (Cello), Peter Riegelbauer (Kontrabass), 1994 (+ Mozart: Klavierquartett g-Moll KV 478); Philips
- Trio Fontenay mit Nobuko Imai (Viola) und Chi-chi Nwanoku (Kontrabass), 1996/97 (+ Adagio und Rondo concertante D 487); Teldec/Warner Classics

Vorläufer des Klavierquintetts

Mit seiner eigentümlichen Streicherbesetzung (Streichtrio plus Kontrabass), seiner Fünfsätzigkeit und seinem eher unterhaltenden Anspruch kann Schuberts »Forellenquintett« bestenfalls als Vorläufer der Gattung Klavierquintett betrachtet werden. Die »klassische« Form prägte dann 1842 Robert Schumann mit seinem viersätzigen Quintett für Klavier, zwei Violinen, Viola und Violoncello op. 44 aus.

In der Musik gilt das 19. Jahrhundert als das »Jahrhundert des Klaviers«. Das Hammerklavier, das in Bau und Spieltechnik eine rasante Weiterentwicklung erfuhr, stand im Mittelpunkt der Salons, seit der Mitte des Jahrhunderts Ort der Darbietung vorwiegend anspruchsvoller Kammermusik. So nimmt die Ensemblemusik mit Klavier eine besondere Stellung ein. Und im Klavierquintett treffen dann die beiden vornehmsten Klanggruppen aufeinander: Klavier und Streichquartett. Das berühmteste Klavierquintett nach Schumann schrieb 1862 bis 1864 Johannes Brahms mit seinem f-Moll-Quintett op. 34. Auch Hans Pfitzner und Franz Schmidt, Dmitri Schostakowitsch und Alfred Schnittke schrieben Klavierquintette.

Streichquintett C-Dur D 956

Sätze 1. Allegro, ma non troppo, 2. Adagio, 3. Presto – Trio: Andante sostenuto, 4. Allegretto
Entstehung vermutlich September 1828
UA 17. November 1850 Wien
Verlag Bärenreiter
Spieldauer ca. 50 Minuten

Entstehung Am 2. Oktober 1828 vermerkte Schubert, er habe ein Quintett »verfertigt«, das »dieser Tage erst probiert« werde. Welcher Umstand den Komponisten dazu bewogen hatte, im September des Jahres neben drei großen Klaviersonaten in c-Moll, A-Dur und B-Dur noch ein umfangreiches Kammermusikwerk zu Papier zu bringen, kann nur vermutet werden. Möglicherweise wurde er durch Beethovens im gleichen Monat erstmals im Partiturdruck erschienenes C-Dur-Quintett op. 29 angeregt. Auffällig ist die Entscheidung Schuberts für das zweite Violoncello statt der zweiten Bratsche, womit er von

der »klassischen« Quintettbesetzung (etwa bei Mozart, Beethoven oder Michael Haydn) abweicht. Entsprechende Versuche finden sich allerdings auch bei anderen Komponisten (so bei Luigi Boccherini oder Georges Onslow).

Musik Die von ihm gewählte besondere Quintettbesetzung ermöglichte Schubert die Emanzipation des ersten Violoncellos als Hauptträger des melodischen Geschehens in hoher, dem Kunstlied vergleichbar »tenoraler« Lage.

Erster Satz Sowohl der glühend-intensive Fortissimohauptsatz als auch das verträumte Pianissimoseitenthema werden in den beiden Celli vorgestellt. Die Entwicklung dieser thematischen Felder und ihrer hoch differenzierten, polyrhythmisch geschichteten Begleitstimmen erfolgt in diesem Sonatensatz aus einem weitdimensionierten Vorspann heraus. Der verlangsamte Zeitfluss dieser Einleitung zeigt, ohne dass das vorgezeichnete Tempo geändert wird, die enorme Flexibilität von Schuberts stets mehrdimensionalem, in der Harmonik weitausgreifendem Konzept.

Zweiter Satz Das E-Dur-Adagio bildet das Herzstück der gesamten Komposition. Im breiten Espressivostrom sind die Mittelstimmen zu einem Melodieband gebündelt und werden von der hohen Violine (zarte Motivsplitter) und tiefem Cello (Pizzicato) transparent umhüllt. Doch ein bebend aufgewühlter f-Moll-Mittelteil zerschlägt den idyllischen, zeitentgrenzten »Traum«. Noch in seiner zögernden Wiederaufnahme zittert etwas von der Bedrohung nach.

Dritter Satz Das Scherzo trumpft mit der geballten Klangmacht von fünf im Fortissimo, in Doppelgriffen und Borduneffekten entfesselten Streichinstrumenten auf. Als schattenhaft-jenseitiges, extremes Gegenbild präsentiert sich das Des-Dur-Trio.

Vierter Satz Das Allegrettofinale ist nur auf den ersten Blick tänzerisch beschwingt. Immer wieder löst sich die thematische Substanz auf, verwischen selbst die lyrisch »singenden« Espressivoepisoden (Celli) im fahlen Nebel ausgedehnter Steigerungspassagen und scheint jene Bedrohung durch, die auch die selige Entrückung des langsamen Satzes zunichte gemacht hatte. Noch im letzten Moment, wenn der Kampf mit »dunklen Mächten« im übermütigen Beschwörungstaumel der beschleunigten Coda schon gewonnen scheint, deutet Schubert in einem überspannten Fortefortissimoaufschrei und dem chromatischen Schlussakkordvorschlag (des vor c) Gefahren an.

Wirkung »Vor dem C-Dur-Quintett verneigen sich alle Menschen, denen Musik etwas bedeutet, glücklich bewundernd – oder sie schwärmen.« Wem der Musikkritiker Joachim Kaiser mit dieser Einschätzung aus der Seele spricht, mag kaum begreifen, dass das Werk nicht immer uneingeschränkt Beifall fand. Trotz freundlicher Aufnahme durch das Publikum bei der Uraufführung (Hellmesberger-Quartett mit dem Cellisten Josef Stransky) hinterließ es beim damaligen Rezensenten der Wiener Zeitung keinen »befriedigenden, durchwegs harmonischen Eindruck, obwohl einzelne Stellen, in denen Schuberts Genius, insbesondere die Melodiekraft des Lyrikers, siegend hervorbrachen, sehr ansprachen«. Inzwischen sind die Bedeutung und Vielschichtigkeit des Quintetts wohl unbestritten.   STR

Einspielungen (Auswahl)
- Hollywood String Quartet, Kurt Reher (Violoncello), 1951 (+ Schönberg: Verklärte Nacht); Testament
- Cleveland Quartet, Yo-Yo Ma (Violoncello), 1984; Sony Classical
- Auryn Quartet, Christian Poltéra (Cello), 2001; Tacet
- Vogler-Quartett, Daniel Müller-Schott (Cello), 2004 (+ Streichquartett Es-Dur D 87); Hänssler Profil/Naxos

Oktette

Oktett für Klarinette, Horn, Fagott, Streichquartett und Kontrabass F-Dur D 803

Sätze 1. Adagio – Allegro, 2. Adagio, 3. Allegro vivace, 4. Thema mit sieben Variationen: Andante, 5. Menuetto: Allegretto, 6. Andante molto – Allegro
Entstehung Februar bis 1. März 1824
UA 1824 Wien (privat); 1827 Wien (öffentlich)
Verlag Bärenreiter
Spieldauer ca. 60 Minuten

Entstehung Wohl auf Bitten des Grafen Ferdinand Troyer widmete sich Schubert zu Beginn des Jahres 1824 der Komposition eines Oktetts. An das Ende des Autografen setzte er: »Finis den 1. März 1824.«

Musik »Überhaupt will ich mir auf diese Art den Weg zur großen Sinfonie bahnen«, schrieb Schubert in einem Brief des Jahres 1824 über die Arbeit an einigen Kammermusikkompositionen. Ausdrücklich genannt ist unter den erwähnten Werken auch das Oktett D 803. Es erscheint durchaus plausibel, dass sich Schubert gerade mit einem Oktett für Streicher und Bläser einer neuen sinfonischen Musiksprache nähern wollte. Erstens konnte er so im kammermusikalischen Rahmen mit den verschiedenen Instrumentenfarben experimentieren, und zweitens bedeutete die Beschäftigung mit dieser Gattung eine direkte Auseinandersetzung mit dem Schaffen Ludwig van Beethovens, dem gerade im sinfonischen Bereich übergroßen Vorbild, der mit seinem Septett op. 20 (1799) quasi den Prototyp der Gattung entworfen hatte. So ist das Werk Schuberts auch deutlich an der beethovenschen Vorlage orientiert: Er wählt die gleiche Besetzung, fügt nur eine zweite Geige hinzu. Auch Anzahl und Abfolge der sechs Sätze folgen dem Vorbild, Schubert vertauscht lediglich Menuett und Scherzo.

In eine eigenartige Zwischenstellung gerät das Werk, weil es Züge des Divertimentos mit sinfonischen Momenten verbindet. Auf der einen Seite beherrschen Tanzmetren und die Vielfältigkeit von Charakteren das Werk, auf der anderen Seite werden der erste wie der letzte Satz durch eine sinfonisch anmutende langsame Einleitung begonnen. Wie Beethoven fügt Schubert als vierten Satz einen Variationssatz ein, dessen Thema – wie so oft in Schuberts Kammermusik – aus einem eigenen Vokalwerk stammt, in diesem Fall aus dem Liebesduett seines frühen Singspiels »Die Freunde von Salamanca« (1815).

Wirkung Nach einer ersten Aufführung 1824 im Haus des Grafen Troyer wurde das Oktett drei Jahre später im Saal des Musikvereins öffentlich uraufgeführt. Die zeitgenössische Kritik lobte Schuberts Musik, kritisierte aber die Dauer des fast einstündigen Werkes: »Hrn. Schuberts Komposition ist dem anerkannten Talente des Autors angemessen, lichtvoll, angenehm und interessant; nur dürfte die Aufmerksamkeit der Hörer durch die lange Zeitdauer vielleicht über die Billigkeit in Anspruch genommen sein.« Wohl aus diesem Grund ließ man bei der Erstveröffentlichung 1853 auch die Variationen und das Menuett herausfallen. 1872 wurde das Oktett vollständig herausgegeben.

KRA

Einspielungen (Auswahl)
• Nash Ensemble, 1987; Virgin Classics
• Hausmusik, 1990; EMI

Schumann | Robert

* 8. 6. 1810
Zwickau
† 29. 7. 1856
Endenich bei
Bonn

Robert Schumann zählt mit seinem Klavierwerk und seinen Liedern, seiner Kammermusik und seinen Sinfonien zu den Großmeistern der musikalischen Romantik. Mit einer musikalisch-literarischen Doppelbegabung versehen, stieß er in seinem lange Zeit abwertend beurteilten Spätwerk durch motivische Verdichtung, kontrapunktische Durchdringung des Tonsatzes und eine relativ freie Behandlung metrischer Strukturen in musikalisches Neuland vor.

Schumann war der Sohn eines Buchhändlers und Verlegers. Als sein Vater 1826 starb, nahm er auf Drängen seines Vormunds das Jurastudium in Leipzig und Heidelberg auf. Das Erlebnis eines Paganini-Konzerts gab den Ausschlag, sich ganz der Musik zu widmen. Er studierte Klavier bei dem angesehenen Klavierpädagogen Friedrich Wieck in Leipzig, musste aber die Aussicht auf eine Virtuosenlaufbahn aufgeben, als er sich durch falsches Üben die Lähmung eines Fingers zuzog. Bei Heinrich Dorn in Leipzig wurde er zeitweilig in Musiktheorie unterrichtet. Seine ausgeprägten literarischen Neigungen fanden ihren Niederschlag in Aufsätzen gegen philiströse Verfallserscheinungen auf dem Gebiet der Musik. 1834 gründete Schumann in Leipzig die »Neue Zeitschrift für Musik«, deren Herausgeber und einziger Redakteur er war. Sie gewann bald bedeutende Beachtung im deutschen Musikleben. Seine Liebe zur Tochter Clara seines Klavierlehrers Wieck führte zu jahrelangen Auseinandersetzungen, die mit der gerichtlich erstrittenen Heirat am 12. September 1840 endeten. Die Intrigen Wiecks hatten bei Schumann zu Nervenkrisen und Schwermutsanfällen geführt.

Der Komponist Schumann widmete sich bis 1839 ausschließlich Klavierwerken. Damals entstanden die großen Klavierzyklen, die bis heute seinen Ruhm ausmachen. 1840 war das Jahr der Liederzyklen. Erst nach seiner Heirat weitete er den Radius seines Komponierens aus. 1841 entstand die erste Sinfonie (»Frühlingssinfonie«), kurz darauf die bekannteste, als Nr. 4 figurierende in d-Moll, die 1853 ihre endgültige Gestalt erhielt. 1846 folgte die C-Dur-Sinfonie (Nr. 2), 1851 die Sinfonie Nr. 3 Es-Dur (»Rheinische«). 1842 war das Jahr der großen Kammermusiken, der drei Streichquartette, des Klavierquintetts und des Klavierquartetts, Gipfelwerke der romantischen Kammermusik. 1844 übersiedelte das Ehepaar Schumann nach Dresden. Schon 1845 musste sich der Komponist in nervenärztliche Behandlung begeben. 1850 nahm er die Stelle eines Städtischen Musikdirektors in Düsseldorf an, aber die mannigfachen Aufgaben überforderten ihn, sodass es zu Problemen mit Chor und Orchester kam. 1852 verschlimmerte sich die Nervenerkrankung, die am 27. Februar 1854 zu einem Selbstmordversuch im Rhein führte. Am 4. März wurde Schumann in der Nervenheilanstalt Endenich bei Bonn aufgenommen, wo er am 29. Juli 1856 starb.

Das Spätwerk stand lange im Streit der Wertungen, wollten doch selbst so kompetente Beurteiler wie Johannes Brahms nachlassende Schöpferkraft feststellen. So konnte etwa das 1853 komponierte Violinkonzert erst 1937 im Druck erscheinen. Mögen sich diese Wertungen auch heute geändert haben, so sind die Spätwerke, etwa die Messe und das Requiem, weiterhin nur selten im Konzertsaal zu hören. Und die 1850 in Leipzig uraufgeführte einzige Oper Schumanns, »Genoveva«, konnte sich nicht auf der Bühne behaupten. BEAU

Violinsonaten

Sonate Nr. 1 a–Moll op. 105

Sätze 1. Mit leidenschaftlichem Ausdruck,
2. Allegretto, 3. Lebhaft
Entstehung 12.–16. September 1851
UA 21. März 1852 Leipzig
Verlag Henle
Spieldauer ca. 17 Minuten

Entstehung In einem Brief vom 18. Januar 1850 lobte Ferdinand David, der Konzertmeister des Leipziger Gewandhausorchesters, Schumanns »Fantasiestücke« op. 73 und versuchte, ihm ein Werk für Geige und Klavier zu entlocken. Möglicherweise wurde er damit zum Anreger für die Violinsonate.

Musik Die 1. Violinsonate prägt den vielfach unterschätzten Spätstil Schumanns exemplarisch aus: formale Konzentration in Verbindung mit Neigung zu Monothematik.

Erster Satz Der formal sehr geschlossene Kopfsatz, Sonatenhauptsatz mit zu wiederholender Exposition, baut sich trotz seiner weitausholenden melodischen Linien fast ganz aus dem synkopischen Anfangsmotiv des leidenschaftlichen Hauptthemas auf. Violine und wogender Klaviersatz sind gleichberechtigt an der imitatorischen motivischen Struktur beteiligt. Ein im Durchführungsteil wichtiges auf- und absteigendes Motiv sowie das Seitenthema mit seinen Schlussritenuti sind aus dem Hauptgedanken ableitbar. So ist auch die Durchführung weniger ein Aufeinanderprallen zweier Elemente im

Sinne Beethovens als ein weiteres Entfalten motivischer Abspaltungen und Varianten des Hauptthemas. Die Reprise verläuft regelhaft. Der leidenschaftlich wühlende Satz schließt mit einer kraftvollen Coda.

Zweiter Satz Der als Intermezzo angelegte Satz entfaltet seine Reize durch den Gegensatz von liedhafter Innigkeit und Schlichtheit mit kapriziös-tänzerischen Elementen. Das rhythmisch kapriziöse Motiv, das den Liedgedanken plötzlich beschließt, demonstriert diesen Gegensatz auf kleinstem Raum. Ein kurzer Molleinschub hat nur vorübergehende Bedeutung. Größeres Gewicht hat eine Intensivierung des kapriziösen Motivs zu einer temperamentvollen Steigerung, die jedoch am Ende in die poesievolle Lyrik der Liedweise zurückfällt. Von besonderem Reiz sind die agogischen Rückungen, die dem Satz etwas Schwebendes geben.

Dritter Satz Monothematik beherrscht auch das Finale mit seinem, so Schumann, »störrischen, unwirschen Ton«. Das toccatenhafte, von in aufsteigender Folge fallenden Sechzehntelsekundintervallen geprägte motorische Thema des Satzbeginns bestimmt den gesamten Satzverlauf. Es erscheint sowohl in der Violine als auch im Klavier. Das Auftreten kraftvoll-energischer Gedanken – besonders charakteristisch der in zwei Akkordschlägen endende – und ein vorübergehend in elegischere Gefilde ausweichender Mittelteil wirken kontrastierend, ändern aber den voranstürmenden Gesamtduktus des Satzes nicht. Kurz vor Schluss klingt wie eine Erinnerung das Anfangsmotiv des ersten Satzes auf, um aber gleich von der Sechzehntel-toccatenbewegung überspielt zu werden, die den energischen Schluss bestimmt.

Wirkung Die erste private Aufführung der Sonate fand am 16. Oktober 1851 durch Clara Schumann und den Geiger Wilhelm Joseph von Wasielewski statt. Clara vermerkte dazu in ihrem Tagebuch: »Es ließ mir keine Ruhe, ich musste gleich heute Roberts neue Sonate probieren. Wir spielten sie und fühlten uns ganz besonders durch den ersten, sehr elegischen sowie den zweiten, lieblichen Satz ergriffen, nur der dritte, etwas weniger anmutige, mehr störrische Satz wollte noch nicht so recht gehen.« Erst weitere Proben mit den Geigern Ferdinand David und Joseph Joachim ließen die Ausführung des Finales nicht mehr so problematisch erscheinen. BEAU

Einspielungen (Auswahl)
• Gidon Kremer (Violine), Martha Argerich (Klavier), 1986 (+ Violinsonate op. 121); Deutsche Grammophon

Sonate Nr. 2 d-Moll op. 121

Sätze 1. Ziemlich langsam – lebhaft, 2. Sehr lebhaft, 3. Leise, einfach, 4. Bewegt
Entstehung 26. Oktober bis 2. November 1851
UA (?) 15. März 1852 Leipzig
Verlag Peters
Spieldauer ca. 33 Minuten

Entstehung Schumann schrieb seine zweite Violinsonate sofort nach der ersten und kommentierte dies laut Wilhelm Joseph von Wasielewski mit den offenbar ironisch gemeinten Worten: »Die erste Violinsonate hat mir nicht gefallen; da habe ich denn noch eine zweite gemacht, die hoffentlich besser gerathen ist.«

Musik Das Werk war für den Geiger und Konzertmeister des Leipziger Gewandhausorchesters Ferdinand David gedacht und ist entsprechend breiter und weit konzertanter angelegt als die intime erste Sonate. Auch die spieltechnischen Ansprüche an beide Ausführende sind höher.

Erster Satz Von sinfonisch-konzertantem Schwung wird der Kopfsatz getragen. Die mit pathetischen Akkorden anhebende langsame Einleitung nimmt das Hauptthema des folgenden lebhaften Hauptteils vorweg: den markanten Quartsprung abwärts, dem in gleicher Bewegung ein Terzsprung folgt – ein Motto, das, auch intervallisch variiert, aber rhythmisch immer gleichbleibend, den gesamten Satz motivisch trägt. Als zweites Element tritt ein schleuderartig hochschießendes Motiv hinzu. Diesem ersten Themenkomplex steht ein lyrisches Seitenthema kontrastierend gegenüber. Der Schluss der Exposition des in Sonatenhauptsatzform geschriebenen Satzes wird ausschließlich vom Hauptmotiv beherrscht. Die breit angelegte Durchführung spielt diese Themen kontrapunk-

tisch gegeneinander aus. Eine Überleitung führt zur fast unmerklich eintretenden Reprise.

Zweiter Satz Das temperamentvoll, scharf rhythmisierte Scherzo ist fünfteilig. Zwei Trios, das eine sich melodisch wiegend, das zweite marschartig schreitend, unterbrechen den drängenden Bewegungsimpuls, ohne jedoch als Ruhepunkte zu wirken. Der hymnische Durchschluss des h-Moll-Satzes nimmt, wenn auch in pompösem Gewand, das Liedthema des dritten Satzes vorweg.

Dritter Satz Das viergliedrige, schlichte Liedthema des Variationensatzes wird von der Violine pizzicato vorgetragen, vom Klavier melodisch gestützt. In der ersten Variation singt die Violine es zu wogenden Klavierpassagen aus, in der zweiten erscheint es in Doppelgriffen. Die dritte entfernt sich mithilfe von plötzlich auftauchenden Elementen des Scherzos weiter vom Thema. Die vierte Variation ist nichts anderes als die schlichte Wiederholung

---

Der Geiger Ferdinand David

Im Januar 1850 bat der Gewandhauskonzertmeister Ferdinand David den mit ihm befreundeten Schumann um Werke für Violine und Klavier: »Es fehlt so sehr an was Gescheidtem Neuen, und ich wüßte Niemand, der es besser könnte als Du. Wie schön wäre es, wenn Du jetzt noch etwas derartiges machtest, was ich Dir dann mit Deiner Frau vorspielen könnte.« Schumann ließ ihn eindreiviertel Jahre warten.
David zählte zu den führenden deutschen Geigern seiner Zeit. In Leipzig spielte er 1826–1829 im Orchester des Königstädtischen Theaters, 1836 wurde er Konzertmeister des Gewandhausorchesters, 1843 Violinlehrer am neuen Konservatorium. Darüber hinaus war der Musiker ein leidenschaftlicher Quartettspieler: So führte er in den Jahren 1829–1835 ein privates Streichquartett eines baltischen Landrats an, mit dem er auch in mehreren russischen Städten auftrat. Aus Davids eigenen Kompositionen ragen die kleineren Charakterstücke für Violine und Klavier heraus, darunter Sammlungen wie »Bunte Reihe« op. 30 (24 Stücke), »Dur und Moll. 25 Etüden, Capricen und Charakterstücke in allen Tonarten« op. 39 und »Aus der Ferienzeit« op. 46–50.

des Themas durch die Violine. In die Coda spielen noch einmal Reminiszenzen des Scherzos hinein.

Vierter Satz Das Finale mit seinem auf- und abwogenden Bewegungsimpuls, der von rhythmisierten Klavierakkorden beantwortet wird, hat wiederum Sonatenform. Ein kurzes Seitenthema springt energisch aus dem Gewoge heraus, ihm vorübergehend Kontur gebend. Ein drittes Thema bringt Beruhigung, ohne dass der vorwärtsdrängende Puls der Musik, deren Ausdrucksgestus an den Kopfsatz anschließt, gebremst würde. Auch hier bestimmt das konzertant-schwungvolle Element das Geschehen, den Schluss macht eine virtuos gesteigerte Coda.

Wirkung Die Uraufführung der Sonate fand vermutlich am 15. März 1852 in Leipzig durch Ferdinand David und Clara Schumann statt. Joseph Hellmesberger brachte das Werk 1858 in Wien zu Gehör. Joseph Joachim und auch Franz Liszt, der sie mit Ede Reményi spielte, lobten die d-Moll-Sonate. Immer wieder wurde das Werk jedoch mit Schumanns Geisteskrankheit in Verbindung gebracht. So nannte Philipp Spitta die beiden Violinsonaten »düstere, leidenschaftliche Kompositionen, die man kaum ohne peinliche Empfindung hören kann«. Wilhelm Joseph von Wasielewski fasste die Rezeptionsgeschichte 1897 denn auch wie folgt zusammen: »Eine allgemeine durchgreifende Wirkung hat dies bedeutende Kunstwerk nicht gehabt, und manche Künstler vermochten zu demselben kein rechtes Verhältnis gewinnen.« BEAU

Einspielungen (Auswahl)
• Gidon Kremer (Violine), Martha Argerich (Klavier), 1986 (+ Violinsonate op. 105); Deutsche Grammophon

Sonate Nr. 3 a-Moll o. op.

Sätze 1. Ziemlich langsam, 2. Lebhaft, 3. Intermezzo: bewegt, doch nicht zu schnell, 4. Finale: markiertes, ziemlich lebhaftes Tempo
Entstehung 22. Oktober bis 1. November 1853
Verlag Henle
Spieldauer ca. 24 Minuten

Entstehung Im Herbst 1853 regte Schumann »in heiterer Stimmung«, wie sein Schüler Albert Dietrich berichtete, die Gemeinschaftskomposition einer Violinsonate für Joseph Joachim an. Er selbst schrieb das Intermezzo und das Finale, Dietrich den ersten, der junge Brahms den dritten Satz. Als einheitliche, thematische Keimzelle diente die Phonfolge F-A-E, entsprechend Joachims Motto »Frei, aber einsam«.

Ob diese »F.A.E.-Sonate« damals tatsächlich zur Aufführung gelangt ist, hat die Forschung nicht eindeutig klären können, da sich die Quellen in dieser Frage widersprechen. Ende Oktober 1853 ging Schumann daran, die beiden fremden Sätze durch nachkomponierte eigene zu ersetzen, sodass das Werk nun als geschlossene Eigenkomposition vorlag.

Musik Erster Satz Das F-A-E-Motiv, bestimmend für die Gemeinschaftsarbeit, erscheint in den nachkomponierten Sätzen nur in Varianten und Umkehrungen, wird dort also dem Hörer kaum bewusst. Der Satz beginnt mit einer pathetischen Einleitung, die von der abstürzenden kleinen Sext geprägt ist. Dieses Intervall bestimmt auch das Hauptthema des unmerklich eintretenden Allegrohauptsatzes und, als große Sext aufsteigend, das schwelgerische Seitenthema. Der breit angelegte Durchführungsteil verarbeitet beide Themen, die Reprise erscheint regelhaft. Der sehr geschlossen wirkende Satz erhält seine einheitliche Prägung vor allem durch die vielen fallenden Sext- und Quintintervalle, die ihm einen Zug von leidenschaftlicher Bestimmtheit geben.

Zweiter Satz Das fünfteilige Scherzo mit zwei Trios in d-Moll wird von aufwärtsgleitenden Klavierpassagen, die die Violine kanonisch beantwortet, eröffnet. Der stampfende Tanz weicht im ersten Trio, das wiederum mit der fallenden kleinen Sext beginnt, einem lyrischen Motiv, während das zweite Trio mit einem fallenden Septimensprung anhebt, der eine elegant schwingende Triole auslöst.

Dritter Satz Das F-Dur-Intermezzo in Gestalt einer dreiteiligen, empfindungsvollen Violinenkantilene exponiert gleich zu Beginn das F-A-E-Motiv und wandelt es im weiteren Verlauf des kurzen, strömenden Satzes mannigfaltig um.

Vierter Satz Auch das Finale in Sonatenform wird vom F-A-E-Motiv, das gleich zu Anfang im Klavierbass erscheint, sowie von dessen Abwandlungen konstruktiv getragen. Den energisch voranschreitenden Charakter des Satzes bestimmt jedoch der auftaktig punktiert anspringende Rhythmus, der fast alle thematischen Bildungen prägt. Die Durchführung entfaltet eine dreistimmige Fuge über eine Variante des F-A-E-Motivs, die jedoch als solche dem Hörer kaum bewusst wird. In der Coda nimmt der Violinpart mit erregtem Passagenspiel virtuose Züge an.

Wirkung Die auf Grundlage der beiden Schumann-Sätze der »F.A.E.-Sonate« geschaffene dritte Violinsonate wurde 1854 durch Joseph Joachim und Clara Schumann mehrfach »mit Begeisterung« (so Clara) gespielt. Umso unverständlicher war es, dass die Komponistengattin und Johannes Brahms die Herausgabe des Werks innerhalb der Schumann-Gesamtedition verhinderten.

Erschien die »F.A.E.-Sonate« erst 1935 im Druck, so musste die a-Moll-Sonate gar bis 1956 auf ihre Veröffentlichung warten. Bis heute hat sie nicht die Beliebtheit der beiden voraufgegangenen schumannschen Violinsonaten gefunden. BEAU

Weitere Stücke für Klavier und ein Melodieinstrument

Adagio und Allegro für Klavier und Horn op. 70

Bezeichnungen 1. Adagio, 2. Allegro
Entstehung Februar 1849
UA 2. März 1849 Dresden (privat)
Verlag Breitkopf & Härtel (Horn-, Violin- und Cellofassung)
Spieldauer ca. 9 Minuten

Fantasiestücke für Klavier und Klarinette op. 73

Bezeichnungen 1. Zart und mit Ausdruck, 2. Lebhaft, leicht, 3. Rasch und mit Feuer
Entstehung Februar 1849
UA 14. Januar 1850 Leipzig
Verlag Henle (Klarinetten-, Violin- und Cellofassung)
Spieldauer ca. 11 Minuten

Drei Romanzen für Oboe und Klavier op. 94

Bezeichnungen 1. Nicht schnell, 2. Einfach, innig, 3. Nicht schnell
Entstehung Dezember 1849
UA 27. Dezember 1849 Dresden (privat)
Verlag Henle (Oboen-, Violin- und Klarinettenfassung)
Spieldauer ca. 11 Minuten

Fünf Stücke im Volkston für Violoncello und Klavier op. 102

Bezeichnungen 1. Mit Humor, 2. Langsam, 3. Nicht schnell, mit viel Ton zu spielen, 4. Nicht zu rasch, 5. Stark und markiert
Entstehung April 1849
UA 24. April 1849 Dresden (privat)
Verlag Breitkopf & Härtel (Cello- und Violinfassung)
Spieldauer ca. 14 Minuten

Entstehung Die kleinen Charakterstücke, die Schumann 1849 für Klavier und verschiedene Melodieinstrumente schrieb, sind auch mit Klavier und Violine (op. 70 und op. 73 mit Cello) aufführbar und werden häufig in diesen gängigeren Besetzungen gespielt.

Musik Op. 70 Ein ausdrucksvoller Gesang eröffnet das Opus 70. Zwischen Horn und Klavier kommt es zu einem innigen Dialog, an dem beide Instrumente völlig gleichberechtigt beteiligt sind. Das gilt in gleichem Maß für das in freier Rondoform angelegte, feurig dahineilende Allegro, dessen Rondothema mit seinen Repetitionstönen spezifisch für das Horn erfunden wurde, in der Violin- bzw. Cellofassung also an

100562

Mischa Maisky zählt zu den renommiertesten Cellisten seiner Generation. Mit der Pianistin Daria Hovora spielte er Schumanns Stücke für Violoncello und Klavier ein.

nen bewegten Mollmittelteil. Durch reizvolles Changieren zwischen Moll und Dur fesselt die dritte Romanze, deren Anfangsmelodie wie Frage und Antwort wirkt. Obgleich Schumann bei den Romanzen von »Begleitung« durch das Klavier spricht, ist der Klavierpart in allen drei Stücken auf dialogische Selbstständigkeit hin angelegt.

Op. 102   In reizvoller Gegensätzlichkeit sind die »Fünf Stücke im Volkston« op. 102 angelegt. Sie klingen in der Originalfassung für Violoncello plastischer als in der Violinversion. Das erste hat ungarischen Einschlag, suggeriert durch die markant stampfende Endfloskel der Tanzmelodie. In seiner melodischen Schlichtheit gemahnt das zweite Stück an ein Wiegenlied. Besonders hübsch der Mittelteil, wenn das Klavier die melodische Führung übernimmt. Aus dem sonoren Ton des Violoncellos erfunden ist das »mit viel Ton« zu spielende dritte Stück, das eine elegisch klagende Weise mit Staccatoakkorden des Klaviers konfrontiert und sich am Ende von Moll nach Dur aufhellt. Eine rüstig schreitende Marschweise bildet die Eckteile des vierten Stückes, dessen optimistischer Ausdrucksgestus durch eine kleine Mollepisode nicht ernstlich getrübt wird. Triolengänge in beiden Instrumenten verleihen dem letzten Stück den Charakter rhapsodisch-aufbegehrender Leidenschaftlichkeit, die durch die bis zum Ende unerbittlich durchgehaltene Molltonalität noch unterstrichen wird.   BEAU

Charakteristik einbüßt. Das Stück ist von mitreißendem Schwung.

Op. 73   Die drei Fantasiestücke op. 73 gehen pausenlos ineinander über und sind im Sinne einer Tempobeschleunigung angelegt. Das erste fließt als lyrischer Gesang dahin, das zweite erscheint anmutig-bewegt, das dritte stürmisch-temperamentvoll. Die Originalfassung für Klarinette hat der Violin- bzw. Cellofassung den Reiz spezifischer Klanglichkeit voraus. Das Schlussstück stellt an den Pianisten erhebliche Ansprüche, wenngleich der Klavierpart – in der Hauptsache wogendes Arpeggienspiel – reine Begleitfunktion hat. Die ersten beiden Stücke sind melodische Reminiszenzen an Lieder Schumanns.

Op. 94   »Ad libitum Violine« schrieb Schumann über die drei Oboenromanzen op. 94. Die Stücke liegen bearbeitet von Jean-Pierre Rampal auch in einer Fassung für Flöte vor. Das Linienspiel der ersten Romanze ist spürbar von der Beweglichkeit der Oboe her erfunden. Die zweite Romanze stellt zwischen liedhafte Eckteile ei-

Einspielungen (Auswahl)
- op. 70: Mischa Maisky (Violoncello), Daria Hovora (Klavier), 1993 (+ Werke von Bach, Bloch, Boccherini, Chopin, Debussy, Händel, Saint-Saëns, Schubert, Siloti); Deutsche Grammophon
- op. 73: Paul Meyer (Klarinette), Eric Le Sage (Klavier), 1993 (+ Märchenbilder op. 113, Stücke im Volkston op. 102, Romanzen op. 94); Denon
- op. 94: Heinz Holliger (Oboe), Alfred Brendel (Klavier), 1979 (+ Adagio und Allegro, Fantasiestücke op. 73, einzelne weitere Stücke); Philips
- op. 102: Steven Isserlis (Cello), Christoph Eschenbach (Klavier), 1996 (+ Adagio und Allegro op. 70, Fantasiestücke op. 73, Cellokonzert op. 129, Offertorium aus op. 147); RCA/BMG

»Märchenbilder«. Vier Stücke für Klavier und Viola op. 113

Bezeichnungen 1. Nicht schnell, 2. Lebhaft, 3. Rasch, 4. Langsam, mit melancholischem Ausdruck
Entstehung 1.–4. März 1851
Verlag Breitkopf & Härtel
Spieldauer ca. 16 Minuten

Entstehung Mit den »Märchenbildern« setzte Schumann die 1849 in Dresden begonnene Reihe der Zyklen mit Charakterstücken fort. Die vier Sätze wurden für den als Konzertmeister an das Düsseldorfer Orchester verpflichteten Leipziger Geiger Wilhelm Joseph von Wasielewski, der auch ein tüchtiger Bratschist war, geschrieben. Es handelt sich dabei eher um Hausmusik, wie sie bei Schumann und seiner berühmten Ehefrau, der Pianistin Clara Schumann, eifrig gepflegt wurde.

Musik Nr. 1 d-Moll Eine empfindsame, mit einem ausdrucksvollen Praller geschmückte Melodie, die in den verschiedensten Varianten im Dialog von Viola und Klavier abgewandelt wird – ein poesievolles Frage-und-Antwort-Spiel.

Nr. 2 F-Dur Tatkräftige Entschlossenheit strahlt das mit einem kraftvollen Doppelgriffmarschthema anhebende, energisch rhythmisierte Stück aus. Das erste Zwischenspiel trägt lockeren Scherzandocharakter, das zweite ergeht sich in munterem Skalenspiel beider einander ablösenden Instrumente. Dreimal tritt das Marschthema auf, sodass das Stück als kurzes fünfteiliges Scherzo vorüberzieht.

Nr. 3 Aus dem Rahmen des Hausmusikalischen, zumindest was die technischen Ansprüche an die Bratschisten angehen, fällt das schnelle d-Moll-Stück mit seinen virtuos wirbelnden, auf und ab jagenden Eckteilen. Der Mittelteil in der entfernten Tonart E-Dur schlägt beruhigte, romantisch-expressive Töne an.

Nr. 4 D-Dur Das längste und vielleicht schönste der vier Stücke: ein melancholisches Wiegenlied, das seine melodischen Triebkräfte aus dem Anfangsmotto gewinnt, ein Bratschengesang, in den das Klavier nur kommentierend eingreift und sich ansonsten auf die empfindsame Begleitrolle beschränkt. Der dunkle Ton der Bratsche gibt dem Stück seinen spezifischen klanglichen Zauber.

Wirkung György Kurtág schrieb 1990 eine »Hommage à R. Sch.« op. 15/d, die die gleiche Besetzung wie die »Märchenerzählungen« verlangt. Auf den deutschen Romantiker verweisen darin schumannsche Gesten und Klangcharaktere wie auch fünf der sechs Stücktitel: Nr. 1, »Merkwürdige Pirouetten des Kapellmeisters Johannes Kreisler«, spielt auf die Figur von E.T.A. Hoffmann aus Schumanns »Kreisleriana« an. Hinter den Initialen in Nr. 2, »E. der begrenzte Kreis…«, und Nr. 3, »… und wieder zuckt es F. schmerzlich um die Lippen…«, verbergen sich der sanfte, nachdenkliche Eusebius und der leidenschaftlich-feurige Florestan als die beiden Personifikationen von Schumanns künstlerischem Ego; letzterer Titel ist zugleich ein Zitat aus den »Davidsbündlertänzen« op. 6 für Klavier. Nr. 6, »Abschied – Meister Raro entdeckt Guillaume de Machaut«, bringt zusätzlich die ausgleichend-nachdenkliche Figur des Meister Raro ins Spiel. Nr. 5, »In der Nacht«, aber beschwört allgemein die Atmosphäre von Schumanns Nachtstücken.

BEAU

Einspielungen (Auswahl)
- Nobuko Imai (Viola), Martha Argerich (Klavier), 1994 (+ Fantasiestücke op. 73, Andante und Variationen op. 46, Klavierquintett op. 44); EMI

Klaviertrios

Klaviertrio Nr. 1 d-Moll op. 63

Sätze 1. Mit Energie und Leidenschaft, 2. Lebhaft, doch nicht zu rasch, 3. Langsam, mit inniger Empfindung, 4. Mit Feuer
Entstehung 3. Juni bis 7. September 1847
UA 1. Dezember 1847 Dresden
Verlag Peters
Spieldauer ca. 34 Minuten

Entstehung Diesem Klaviertrio ging im Dezember 1842 ein Werk in gleicher Besetzung voraus, das später als »Fantasiestücke« op. 88 bezeichnet wurde. Das 1847 in Dresden komponierte d-Moll-Klaviertrio entstand nach Schumanns Worten »in einer Zeit düsterer Stimmungen«. Diese Stimmungen sind zumindest in die drei ersten Sätze eingegangen.

Musik Erster Satz Zu wogendem Klaviersatz intoniert die Violine das aus der Tiefe aufsteigende, sich hochschwingende, aber düsterleidenschaftliche Hauptthema, das zu einem Komplex ausgeweitet wird. Ein energisch rhythmisierter Gedanke, von allen Instrumenten vorgetragen, schließt sich an. Aufhellung bringt mit zögernder Beruhigung erst das chromatisch aufsteigende Seitenthema, das, vom Klavier angestimmt, von den beiden Streichern übernommen wird und sich gleichfalls in Erweiterungen und Varianten zu einem Komplex weitet. Düster und leidenschaftlich wie der Beginn schließt die Exposition, die wiederholt werden soll. Der ausgedehnte Durchführungsteil hebt mit hellen Achteltriolen des Klaviers an, während die Streicher in hoher Lage gespenstisch wirkende Linien darüberlegen. In der Folge gewinnt ein aus dem ersten Themenkomplex gewonnenes Motiv einer fallenden Quint Bedeutung, daneben das chromatische Seitenthema. Die Reprise verläuft regelhaft. Mit Motivelementen des Hauptthemas schließt in düsterem d-Moll die Coda.

Zweiter Satz Das ganz und gar nicht scherzhafte, sondern erregt vorwärtsstürmende Scherzo lebt von einem sich chromatisch schubweise hochdrängenden Thema, das durch die vorgeschriebenen Wiederholungen der beiden Teile fast manisch wirkt. Das Trio wird von einer auf- und absteigenden Melodiefloskel, die ein Instrument dem anderen kanonisch nachsingt, bestimmt.

Dritter Satz Der als empfindungsvolles Adagio dahinziehende Satz will sich nicht zu einer geschlossenen Gesangslinie formen, sondern ergeht sich in gebrochenen, abgesetzten Melodiefragmenten von klagender Ausdruckskraft. Zunächst hat die Violine das Wort. Erst wenn das Violoncello dialogisierend hinzutritt, verdichtet sich das kantable Liniengefüge zu strömendem melodischem Fluss. Dieser steigert sich im bewegteren Mittelteil, der von a-Moll nach F-Dur aufhellend moduliert. Zu dem Cantabile der Streicher gibt das Klavier eine triolische Grundierung. Es beschränkt sich in diesem Satz fast ganz auf eine Begleitfunktion und überlässt den beiden Streichinstrumenten die Führung.

Vierter Satz Ohne Unterbrechung schließt sich das Finale an, in dem endlich heiterer Spielfreude Raum gegeben wird. Das sich freudig aufschwingende Hauptthema, vom Klavier intoniert, dann von der Violine aufgegriffen, breitet sich als viergliedrige Liedmelodie aus und wird dann Gegenstand mannigfacher motivischer Abspaltungen und Varianten. Ein kurzes Seitenthema tritt hinzu. Die wiederum ausführliche Durchführung wartet mit einem Scheinrepriseneintritt auf, der die triumphale Gebärde des echten Reprisenbeginns umso wirkungsvoller macht. Der ganze Satz atmet kraftvolle Lebensbejahung, die in der strettaartigen, brillanten Coda zu letzter Aufgipfelung kommt.

Wirkung Nach einer privaten Voraufführung am 13. September 1847, dem Geburtstag von Clara Schumann, urteilte die Pianistin: »Es klingt wie von einem, von dem noch vieles zu erwarten steht, so jugendfrisch und kräftig, dabei doch in der Ausführung so meisterhaft.« Das d-Moll-Trio gilt allgemein als das bedeutendste der drei Klaviertrios. Das konzeptionell geschlossenste ist es sicherlich. Entsprechend häufig ist es im Konzertsaal zu hören.

BEAU

Klaviertrio Nr. 2 F–Dur op. 80

Sätze 1. Sehr lebhaft, 2. Mit innigem Ausdruck, 3. In mäßiger Bewegung, 4. Nicht zu rasch
Entstehung August–November 1847
UA 22. Februar 1850 Leipzig
Verlag Peters
Spieldauer ca. 27 Minuten

Entstehung Robert Schumann nahm die Arbeit an seinem zweiten Klaviertrio sofort nach Abschluss des ersten auf. Er bezeichnete die Komposition als »freundlicher und schneller«.

Musik Erster Satz Das um sich selbt kreisende, rollende Hauptthema eröffnet den in lebhaftem 6/8-Takt ablaufenden Sonatensatz. Die Rollfigur wird im weiteren Satzverlauf ein entscheidender Antriebsmotor. Ein lyrisches, akkordisch begleitetes Seitenthema wirkt als Kontrast, ehe die sehr konzentrierte Exposition ruhig ausklingt. Eine von der Violine intonierte absteigende, gesangvolle Weise eröffnet als neues Thema den weitläufigen Durchführungsteil. Ihr gesellt sich bald die Rollfigur des Hauptthemas zu. Nun entfaltet sich ein ausgedehntes Spiel mit Kontrapunktkünsten, dessen Ende fast unmerklich in den Reprisenbeginn übergeht. Die Coda lässt noch einmal den Anfang der absteigenden Weise kurz anklingen, ehe der Satz temperamentvoll schließt.

Zweiter Satz Von romantischem Klangzauber und innigem Ausdruck ist der langsame Satz geprägt. Die stufenweise abgleitende Gesangsmelodie der Violine duettiert mit einer in Gegenbewegung verlaufenden rhythmisierten Linie des Violoncellos. Dazu erklingen triolische Akkorde des Klaviers. Aus der Gegenmelodie des Cellos entwickelt sich ein triolisch aufstrebendes zweites Thema. Ein drittes wird von absteigenden Dreiklangbrechungen geprägt. Diese thematischen Gedanken bestimmen in kunstvollen Verwebungen und Varianten den gesamten Satz, der zu den Perlen schumannscher Instrumentallyrik gehört.

Dritter Satz Das kapriziös rhythmisierte, tänzerisch schaukelnde Scherzo, in dem die fallende Quinte eine bedeutende Rolle spielt, wird mit kanonischen Führungen angereichert. Im sequenzartig hochsteigenden Trio erscheint ein bereits im langsamen Satz aufgetretener charakteristischer Septsprung, diesmal jedoch aufsteigend.

Vierter Satz Das sich aufschwingende Thema des Finalebeginns hat für die weitere Entwicklung des Sonatensatzes kaum Bedeutung. Tragendes Motiv ist vielmehr die auftaktig anspringende, in Sekundschritten aufsteigende Figur, die im Durchführungsteil Auslöser kanonisch-kontrapunktischer Künste wird. Wie denn in diesem Satz die kunstvolle Faktur bedeutsamer ist als die wenig prägnante thematische Erfindung. Auch ein chromatisch ansteigendes Seitenthema kommt im Wesentlichen nur als kontrapunktisches Element zur Entfaltung. Dennoch fesselt der Satz durch seine konzertant-musikantische Frische.

Wirkung Clara Schumann notierte im April 1849 über das Trio: »Es gehört zu den Stücken Roberts, die mich von Anfang bis zum Ende in tiefster Seele erwärmen und entzücken. Ich

liebe es leidenschaftlich und möchte es immer und immer wieder spielen.« Bei der ersten öffentlichen Aufführung 1850 in Leipzig saß sie neben Ferdinand David und Julius Rietz auf dem Podium. BEAU

Klaviertrio Nr. 3 g-Moll op. 110

Sätze 1. Bewegt, doch nicht zu rasch, 2. Ziemlich langsam, 3. Rasch, 4. Kräftig, mit Humor
Entstehung 2.–9. Oktober 1851
UA 21. März 1852 Leipzig
Verlag Peters
Spieldauer ca. 28 Minuten

Entstehung Das in Düsseldorf komponierte letzte Klaviertrio Schumanns repräsentiert sein immer noch in seiner Werthaftigkeit umstrittenes Spätschaffen. Der Komponist widmete das Stück Niels Wilhelm Gade, dem von ihm geschätzten geistesverwandten Romantiker.

Musik Erster Satz Die innere Unruhe, die das gesamte Werk kennzeichnet, äußert sich bereits im Hauptthema des Sonatensatzes, einem erregt bis zur Dezime hochwogenden, zweimal ausgreifenden und wieder abstürzenden Gebilde, das den ganzen Satz beherrscht, sei es als

---

Zwei Seelen in der Brust

Im Ringen gegen musikalisches Mittelmaß und Philistertum ersann Robert Schumann die beiden fiktiven Gestalten »Florestan« und »Eusebius«, die ihn – David – im Kampf »gegen Goliath« unterstützten. Nach dem Vorbild von Walt und Vult, den beiden Protagonisten aus Jean Pauls Roman »Flegeljahre« (1804/05), schuf Schumann mit ihnen zwei konträre Charaktere, die seine eigene, für den Künstler der Romantik typische Ambivalenz symbolisierten: Der mitreißende Florestan stand für strahlendes Draufgängertum, Eusebius hingegen erschien als ein schwärmerischer, verträumter Geist. Beide zusammen ergaben das ideale, doch nie erreichte Ganze, für das Schumann als eine Art Mittler noch eine dritte Gestalt erfand – den bedachten »Meister Raro«, für den Schumanns Klavierlehrer Friedrich Wieck Modell stand.

Ganzes oder in motivischen Bruchstücken. Es tritt in der Violine auf, das Violoncello greift es auf, und das Klavier grundiert es mit erregtem Arpeggienspiel. Die gleiche Auf- und Abwärtskurve, wenn auch gedrängter, durchmisst das Seitenthema mit seinem Septimensprung. Der Durchführungsteil entwickelt sich zunächst aus diesen beiden Themen, dann aber setzt quasi exterritorial eine spukhafte Episode ein: Motivische Fragmente geistern zu einem rhythmisierten Dreiklang einher, ehe die regelhaft ablaufende Reprise einsetzt. Der Satz ist bei aller Unruhe von großer thematisch-motivischer Geschlossenheit.

Zweiter Satz Ein empfindsames, mit einem Sextensprung anhebendes Thema eröffnet den langsamen Mittelsatz, der im 12/8-Takt zunächst ruhig dahinzieht. Der thematisch-motivische Dialog zwischen den beiden Streichinstrumenten ist von schwelgerischer Ausdruckshaftigkeit. Das Klavier beschränkt sich auf Begleitfunktion. Plötzlich bricht auch hier Erregung ein in Gestalt eines Mittelteils, der nervöse Sekundostinati entfaltet. Eine zitathafte Erinnerung an das Hauptthema des ersten Satzes steigert die Unruhe, dann aber kehrt der Satz zum beruhigten Es-Dur des kantablen Beginns zurück, um ruhevoll auszuklingen.

Dritter Satz Auch in den Hauptteilen des fünfteiligen Scherzos lässt die Erregung nicht nach. Das auftaktig anspringende Hauptthema ist deutlich als Variante des Hauptgedankens aus dem ersten Satz erkennbar. Im ersten Trio schraubt sich eine Melodie chromatisch hoch, um in einer ausdrucksvollen Floskel zu enden. Im zweiten Trio schlägt die Unruhe in Fröhlichkeit um, erklingt doch eine Tanzweise, die am Ende an eine Tarantella gemahnt.

Vierter Satz »Humor« vermittelt das Finale kaum, wenn auch Kraft. Das immer wiederkehrende Hauptthema mit seinen vier Sextaufsprüngen wirkt mit seinen vielen Selbstbestätigungen ein wenig gewaltsam »humoristisch«. Die Sexten, zu anderen aufspringenden Intervallen variiert, tragen den gesamten Satz. Das nur einmal auftretende Seitenthema ist mit dem ersten Trio des Scherzos identisch. Es leuchtet in der Coda noch einmal schemenhaft auf. Auch der anschließende Marsch kehrt nicht wieder. Mit einer letzten Bestätigung des

Hauptthemas schließt das Werk in energischem G-Dur.

Wirkung Wilhelm Joseph von Wasielewski, der bei einer Probe des Trios Ende Oktober 1851 den Violinpart spielte, fasste seine Eindrücke so zusammen: »Diesem originellen Werke liegt in den drei ersten Sätzen eine gereizte, düstere Stimmung zugrunde, die nicht gerade zum Mitgenuss einlädt. Schumann mochte dies selbst empfunden haben, und hatte daher gesucht, dem Finale einen humoristisch schwungvollen Ton zu geben. Er meinte aber selbst, nachdem er's gehört, es habe damit nicht so recht gehen wollen.« BEAU

Einspielungen (Auswahl)
• Beaux Arts Trio, 1990; Philips

Weitere Stücke in Triobesetzungen

Fantasiestücke für Klavier, Violine und Violoncello op. 88

Bezeichnungen 1. Romanze: Nicht schnell, mit innigem Ausdruck, 2. Humoreske: Lebhaft, 3. Duett: Langsam und mit Ausdruck, 4. Finale: Im Marschtempo
Entstehung Dezember 1842; Oktober 1849 (Überarbeitung)
Verlag Peters
Spieldauer ca. 19 Minuten

Entstehung Die Fantasiestücke komponierte Schumann im Anschluss an die großen Kammermusikwerke des Jahres 1842, die Streichquartette, das Klavierquintett und -quartett. Die lange als »Trio für Pianoforte, Violine und Violoncello« bezeichneten Stücke wurden nach Umarbeitung erst 1850 veröffentlicht. Der neue Titel »Fantasiestücke« trägt dem Umstand Rechnung, dass es sich streng genommen nicht um ein Klaviertrio (zyklische Sonatenform), sondern um eine Folge von Charakterstücken handelt.

Musik Die Romanze im 6/8-Takt (a-Moll) steht dem Typus des »Liedes ohne Worte«, wie ihn Mendelssohn ausprägte, nahe. Dementsprechend hat das Klavier in dem schlichten, melodischen Stück das Sagen. Die beiden Streichinstrumente geben zumeist nur den harmonischen Hintergrund.

Die Humoreske, weit ausgedehnter, exponiert in ihren Eckteilen eine rhythmische Floskel, die an den Beginn von Beethovens »Geistertrio« gemahnt, allerdings durch Punktierung geschärft erscheint. Diese Eckteile in F-Dur umschließen mehrere Zwischensätze, die einen Streifzug durch a-Moll, d-Moll und B-Dur unternehmen. Alle betonen das rhythmische Element, sei es durch Punktierungen oder Synkopierungen.

Das Duett in d-Moll entfaltet einen elegischen Gesang von Violine und Violoncello, der sich, imitierend oder parallel laufend, empfindungsvoll hinzieht. Dem Klavier kommt nur bewegte Begleitfunktion zu.

Als eine Miniaturversion des Marsches der Davidsbündler aus dem Klavierzyklus »Carnaval« erscheint der abschließende, eher heitere als martialische Marsch, der wiederum mehrere Zwischenglieder aufreiht und überraschend lyrisch endet.

Wirkung Die Fantasiestücke sind selten im Konzertsaal zu hören, eignen sich aber – auch was ihren Schwierigkeitsgrad angeht – ideal für die Hausmusik. BEAU

»Märchenerzählungen« (Vier Stücke für Klarinette, Viola und Klavier) op. 132

Bezeichnungen 1. Lebhaft, nicht zu schnell, 2. Lebhaft und sehr markiert, 3. Ruhiges Tempo, mit zartem Ausdruck, 4. Lebhaft, sehr markiert – etwas ruhigeres Tempo
Entstehung 9.–11. Oktober 1853
Verlag Breitkopf & Härtel
Spieldauer ca. 16 Minuten

Entstehung Schumanns letztes Werk für Triobesetzung (die Klarinette kann auch durch eine Violine ersetzt werden) entstand in einer Zeit, da sich die Vorboten seiner Todeskrankheit bemerkbar zu machen begannen. 1854 widmete der Komponist den Zyklus von Charakterstü-

cken seinem ehemaligen Schüler Albert Dietrich mit den vielsagenden Worten »... zu langer Erinnerung am 20. Februar 1854 (einem guten Tage)«.

Musik Am 11. Oktober 1853 notierte Clara Schumann in ihr Tagebuch: »Heute vollendete Robert 4 Stücke für Klavier, Klarinette und Viola und war selbst sehr beglückt darüber. Er meint, diese Zusammenstellung werde sich höchst romantisch ausnehmen.« Der besondere Reiz des Zyklus liegt denn auch in der aparten Besetzung, die viel von ihrer spezifischen Klanglichkeit verliert, wenn die Klarinette durch die Violine ersetzt wird.

Erster Satz Das Stück gewinnt seinen graziös schwebenden Gestus durch das eine melodische Phrase und einen kapriziösen Nachsatz verbindende Thema. Es erscheint in allen drei Instrumenten, während das Klavier ständig emporhüpfende Staccati hineinwirft: ein still-heiteres romantisches Schwärmen von feiner Eleganz.

Zweiter Satz Das dreiteilige Stück stellt einen G-Dur-Marsch mit gelegentlichen Kapriolen der Klarinette und der Viola, der aber zumeist homofon-akkordisch gesetzt ist, gegen einen Mittelteil, der ein triolisch aufstrebendes lyrisches Thema aus dem Marsch herauswachsen lässt.

Dritter Satz Das Andante ist ein schlichter, leicht wehmütiger Gesang der Klarinette und der Viola über leise wogenden Klavierpassagen. Das Ganze wirkt wie ein inniger Rückblick und trifft den Ton einer romantischen »Märchenerzählung« wunderschön.

Vierter Satz Ein energisch punktierter Marsch mit triolischen Aufschwüngen bestimmt die Eckteile des dreiteiligen Stückes. Der etwas ruhigere Mittelteil entfaltet eine fast volkstümlich dahinschlendernde Weise. Eine kleine Coda beschließt das Stück.

Wirkung Der Zyklus wird relativ selten gespielt; zumindest im ersten und dritten Stück ist kein Nachlassen der schöpferischen Kräfte Schumanns zu erkennen. BEAU

Einspielungen (Auswahl)
- Sabine Meyer (Klarinette), Tabea Zimmermann (Viola), Hartmut Höll (Klavier), 1988 (+ Bruch: Stücke op. 83, Mozart: Klarinettentrio); EMI

Streichquartette

Entstehung Schumann wagte sich erst als 32-Jähriger an die Komposition von Streichquartetten, nachdem er die entsprechenden Werke von Haydn, Mozart, Beethoven und Mendelssohn Bartholdy eingehend studiert hatte. Zunächst plante er nur zwei Werke, die er musikalisch miteinander zu verknüpfen gedachte, indem die Überleitungstakte zwischen langsamer Einleitung und Allegro aus dem a-Moll-Quartett auch im F-Dur-Quartett Verwendung finden sollten. Diese Konzeption wurde dann allerdings wieder verworfen. Die Komposition erfolgte im Juni und Juli des »Kammermusikjahres« 1842 in Leipzig. Zunächst skizzierte Schumann das a-Moll-Quartett, dann das F-Dur-Quartett, eine Ausarbeitung der beiden Werke schloss sich an. Erst dann nahm er die Arbeit an dem A-Dur-Quartett auf. Stärker als in anderen Kompositionen hält sich Schumann als Quartettkomponist an den strengen klassischen Kanon. Vorbild war nicht die Konfliktdramaturgie Beethovens, sondern die formale Konzentration Mendelssohns, dem er nicht ohne Grund die drei Streichquartette op. 41 widmete.

Wirkung Die ersten privaten Aufführungen der drei Quartette fanden im Oktober 1842 in Leipzig statt. Dabei war auch Widmungsträger Mendelssohn zugegen, der anschließend äußerte: »Von Schumann wurden mir drei Violinquartette vorgespielt, deren erstes mir ganz außerordentlich wohl gefiel.« Bereits im Januar 1843 erschienen die Werke bei Breitkopf & Härtel im Druck.

Zur frühen Rezeptionsgeschichte in Wien macht Eduard Hanslick folgende Angaben: »Mit Schumann, dessen drei Streichquartette zu den Perlen der Kammermusik aller Zeiten gehören, ging es langsamer. (Joseph) Hellmesberger brachte zwar im Jahre 1852 das Streichquartett Nr. 1, 1853 das Klavierquartett und 1854 das Klavierquintett, aber erst am 20. Januar 1856 eine Wiederholung jenes ersten Streichquartetts und im folgenden Jahre das zweite. Zu dem dritten Streichquartett entschloss er sich vollends erst im Jahre 1858. Seither ist jedoch kein hellmesbergerscher Zyklus ohne ein Werk von Schumann verflossen.« BEAU

Streichquartett Nr. 1 a-Moll op. 41

Sätze 1. Introduzione: Andante erspressivo – Allegro, 2. Scherzo: Presto – Intermezzo, 3. Adagio, 4. Presto
Entstehung 4.–25. Juni 1842
UA 8. Januar 1843 Leipzig
Verlag Peters
Spieldauer ca. 27 Minuten

Musik Erster Satz Ruhig fließende, imitatorisch geführte Linien prägen die Introduktion in a-Moll. Eine energische Modulation leitet in den F-Dur-Hauptsatz, dessen melodisch auf- und absteigendes, lyrisch strömendes Hauptthema im 6/8-Takt dahingleitet. Sein Reichtum ermöglicht motivische Abspaltungen und Varianten, die die Entwicklung organisch weitertreiben. Auch das Seitenthema, ein Doppelgebilde aus energisch rhythmisierten, aufstrebenden Terzen, die in punktierten Dreierakzenten münden, und darunterlaufenden Achteln sind aus dem Hauptthema entwickelt, bilden also keinen Kontrast im Sinne Beethovens. Der Durchführungsteil verarbeitet dieses reiche Motivmaterial in polyfoner Mannigfaltigkeit. Die Reprise verläuft streng regelhaft. Der Satz ist von konfliktloser Lebendigkeit und warmer Empfindung geprägt.

Zweiter Satz Das die Grundtonart a-Moll aufnehmende Scherzo jagt mit einem 6/8-Thema, dessen Verwandtschaft mit dem Hauptthema des ersten Satzes unverkennbar ist, dahin. Energische Trommelrhythmen unterstreichen den kraftvollen »Ton«, der im Mittelteil ins kapriziös Virtuose umschlägt. Das als Intermezzo bezeichnete Trio entfaltet eine lyrisch strömende C-Dur-Weise.

Dritter Satz Aufsteigende Figuren leiten das F-Dur-Adagio ein, in dem die Violine einen weitschwingenden, von Beethoven inspirierten Gesang anstimmt. Die kontrapunktierenden unruhigen Linien der Mittelstimmen, vor allem der Bratsche, sind in ihren auf- und absteigenden Kurven wiederum mit der Thematik des ersten Satzes verwandt. Die empfindungsvollen Eckteile des Satzes schließen einen erregteren Mittelteil ein, der jedoch den Charakter einer Variante trägt. Der Satz verklingt ruhevoll.

100880

Das Repertoire des Melos Quartetts ist von den großen klassischen und romantischen Werken geprägt. Zu den zahlreichen Einspielungen des Ensembles zählen auch die Streichquartette Schumanns.

Vierter Satz Das Prestofinale, zunächst in a-Moll, später nach A-Dur wechselnd, stürmt alla breve in kraftvollem Vorwärtsdrang dahin. Das markante Hauptthema, ein Quintaufsprung mit sich anschließendem marschartigem Abstieg, beherrscht in Verbindung mit dem zweiten, ihm zumeist kontrapunktierenden Thema, einer in gebrochenen Terzen emporeilenden Bewegungslinie, den gesamten Satz. Alle anderen prägnanten thematischen Gebilde sind Varianten dieser beiden Grundmotive. Im Durchführungsteil werden sie kontrapunktisch verwoben, wobei vor allem die Imitationen des Quintthemenkopfes drängende Impulse geben. Ein plötzlicher Moderatoeinbruch bringt Stillstand: Über bordunartigen Klängen bei immer stärker werdendem Ritardando klingt dudelsackartig ein neues Thema auf; eine Episode, die das kraftvoll-brillante Ende spannungsvoll verzögert. BEAU

Einspielungen (Auswahl)
• Zehetmair Quartett, 2001 (+ Quartett Nr. 3); ECM/Universal

Streichquartett Nr. 2 F–Dur op. 41

Sätze 1. Allegro, 2. Andante, quasi variazioni, 3. Scherzo: Presto, 4. Allegro molto vivace
Entstehung 11. Juni bis 5. Juli 1842
Verlag Peters
Spieldauer ca. 23 Minuten

Musik Erster Satz Ein sich empfindungsvoll hochschwingendes und wieder absinkendes, melodisch schwelgerisches Hauptthema eröffnet in der ersten Violine den sehr konzentrierten Satz. Aus ihm entfaltet sich, organisch fließend, das weitere Geschehen. Während dieser Hauptgedanke von den übrigen Stimmen in lebhaftem Quartettsatz kontrapunktiert wird, erscheint das Seitenthema als kanonisch-imitatorisch geführte Figur. Der Durchführungsteil intensiviert und steigert das kunstvolle thematisch-motivische Gewebe, das sich mit beglückender Natürlichkeit entfaltet. Sehr reizvoll ist in Exposition und Reprise die jeweils kurze, vorüberhuschende Episode, da das Thema über bordunartigen Dudelsackklängen erscheint.

Zweiter Satz Eine mehrgliedrige Liedweise in fließendem 12/8-Takt bildet das Thema des

As-Dur-Variationensatzes. Ihre Synkopierungen im zweiten Teil geben ihr drängenden Charakter. Die erste Variation bringt das Thema in zögerndem Schreiten, das Synkopische betonend, homofon harmonisiert. Die zweite grundiert es mit lebhaften Achtellinien. Ornamental aufgelöst dahingleitend erscheint es zu Pizzicati des Violoncellos in der dritten Variation, die einen im Ausdruck gesteigerten Mittelteil enthält. Geheimnisvoll in Sekundgängen sich schiebend, tritt das Thema in der fünften Variation auf. In heiteren Aufschwüngen präsentiert sich die sechste Variation. Schließlich erscheint das Thema wieder in seiner Originalgestalt. Eine Coda in wogender 12/8-Bewegung beschließt den Satz.

Dritter Satz Das in typisch schumannscher Bogenform auf- und abwogende Prestoscherzo mit kapriziösen Details eilt virtuos dahin. Das Trio ist ein launiges Frage-und-Antwort-Spiel, zunächst zwischen Violoncello und den übrigen Streichern, dann umgekehrt. In der Coda wird es nochmals aufgenommen, ehe das Ganze mit Pizzicati schließt.

Vierter Satz Übermütig eilt das Finale dahin. Das in Sechzehnteln hurtig auf- und abspringende Hauptthema erscheint mehrere Male, sodass der Satz infolge seiner Wiederholungen rondoartige Züge trägt. Dennoch enthält er einen Durchführungsteil, der einen punktiert rhythmisierten Gedanken, einen Oktavsprung, der sich auch in anderen Intervallen gefällt, exponiert. Eine gleichfalls mehrfach auftretende Wendung gemahnt an das letzte Lied des Beethoven-Zyklus »An die ferne Geliebte«, ist jedoch hier aus dem Bereich des Lyrischen in eilenden Bewegungsfluss transponiert. In kraftvoller Lebensfreude klingt das Werk aus. BEAU

Einspielungen (Auswahl)
- Hagen Quartett, 1995 (+ Quartett Nr. 3); Deutsche Grammophon

Streichquartett Nr. 3 A-Dur op. 41

Sätze 1. Andante espressivo – Allegro molto moderato, 2. Assai agitato – Un poco adagio –

Tempo risoluto, 3. Adagio molto, 4. Finale: Allegro molto vivace
Entstehung 8.–22. Juli 1842
Verlag Peters
Spieldauer ca. 32 Minuten

Musik Erster Satz Die fallende Quinte, das Grundmotiv des gesamten Satzes, wird bereits zu Beginn der wie eine Frage anhebenden Andanteeinleitung exponiert. Der ausdrucksvolle Doppelschlag und die sprechenden Pausen vertiefen den Eindruck des spannungsvoll Vorbereitenden. Das fließende Hauptthema des konzentrierten Sonatensatzes, wiederum mit dem Quintfall beginnend, ist ein gesangvoll dahingleitendes Gebilde von bezwingendem melodischem Reiz. Zwei heftige Akkorde fahren dazwischen, haben aber lediglich die Funktion, das Seitenthema anzukündigen, wiederum eine strömende, aufwärtsstrebende Melodie mit zweimaligem Quintfall. Sie ist aus dem Hauptthema ableitbar. Der knappen, zu wiederholenden Exposition folgt ein genauso knapper Durchführungsteil, der das fallende Intervall, nicht nur als Quinte, dazu vor allem im Violoncello und die aufsteigende Skala des Hauptthemas zu modulatorischen Varianten nutzt. Die Reprise setzt gleich mit dem Seitenthema ein. Die fallende Quinte des Cellos behauptet am Schluss der Coda das letzte Wort.

Zweiter Satz Anstelle des üblichen Scherzos steht ein unruhiger Variationensatz in fis-Moll. Schon das seltsam keuchende, von Pausen zerstückelte Thema findet kaum zu sich selbst. Die erste Variation gibt ihm dahineilenden, von Repetitionen geprägten Fluss. Die aufsteigende Quinte, zum energischen Fugato im 2/4-Takt erweitert, bestimmt, vom Violoncello angestimmt, die zweite Variation. In punktiertem Sizilianorhythmus gleitet die dritte Variation dahin. Das Thema ist nun zu melodischer Konsistenz gelangt. Besonders reizvoll erscheint der kanonische Dialog von Violine und Bratsche. Zum Grundtempo kehrt die energische vierte Variation, von der aufsteigenden Quarte und Quinte synkopisch vorangetrieben, zurück. Eine lyrisch fließende Coda macht den Beschluss.

Dritter Satz Eine weit gespannte, mehrgliedrige Liedmelodie, in ihrem Tonfall an Mendelssohn gemahnend, prägt das Adagio, das emotionale Herzstück des Quartetts. Ihr D-Dur schlägt alsbald in Moll um. Zu einem starren, punktiert-monotonen Begleitmotiv der zweiten Violine erklingt ein klagendes, von der aufsteigenden Quarte geprägtes Motiv. Der Anfang der Liedmelodie des Anfangs tönt hinein. Dieser Wechsel von Durmelodie und Molltrübung wiederholt sich, gesteigert und in den Mittelstimmen intensiviert. Die dritte Wiederkehr des Gesanges wird durch Pizzicati des Violoncellos grundiert. Die ruhig ausklingende Coda, obwohl in D-Dur, wird von dem manisch hineintönenden punktiert-monotonen Begleitmotiv ins Klagende gerückt.

Vierter Satz Das Finale in Rondoform erreicht nicht ganz das kompositorische Niveau der voraufgegangenen Sätze. Das burschikose, punktierte Hauptthema, homofon gesetzt, erscheint sechsmal. Da es in sich bereits Wiederholungen enthält, vermehrt sich die Wiederkehr noch. Auch die Zwischenglieder sind homofon, und das hübsche dritte, tänzerische wird gleichfalls oft wiederholt. Der punktierte Rhythmus des Rondothemas treibt den Satz zum temperamentvollen Ende.   BEAU

Einspielungen (Auswahl)
- Melos Quartett, 1988 (+ Brahms: Streichquartette); Deutsche Grammophon
- Cherubini Quartett, 1989–91 (+ Quartette Nr. 2 und 3; + Klavierquintett op. 44); EMI

Weitere Werke

Klavierquartett Es-Dur op. 47

Sätze 1. Sostenuto assai – Allegro, ma non troppo, 2. Scherzo: Molto vivace, 3. Andante cantabile, 4. Finale: Vivace
Entstehung 24. Oktober bis 26. November 1842
UA 8. Dezember 1844 Leipzig
Verlag Peters
Spieldauer ca. 30 Minuten

Entstehung Das Klavierquartett entstand als letztes Werk des für Schumann so fruchtbaren Jahres 1842. Der Komponist schrieb es binnen fünf Wochen und widmete es Graf Mathieu

1840 heiratete Robert Schumann Clara Wieck, die schon mit 16 Jahren als Pianistin von europäischem Rang galt. Sie brachte viele Werke ihres Mannes zur Uraufführung.

Wielhorsky, einem Hobbycellisten, der, gemessen an der Schwierigkeit des Celloparts und seiner dominierenden Rolle in Schumanns Opus, sehr versiert auf seinem Instrument gewesen sein muss.

Musik Erster Satz Die Sostenutoeinleitung stimmt in den Streichern das Dreitonhauptmotiv des Satzes in geheimnisvoller Ruhe an, ehe es im Allegro akkordisch aufklingt und nach einer kadenzartigen Klavierfiguration in schwingenden Bogen melodisch erweitert wird. Das Thema entwickelt sich zu einem Komplex, dem ein zweiter in Gestalt des Seitenthemas, eines aufstrebenden Achtellaufs in g-Moll, folgt. Das Ganze ist von schwungvollem Brio getragen. Vor Beginn des Durchführungsteils erscheint noch einmal das Dunkel der Sostenutoeinleitung. Der sich ständig steigernde Durchführungsteil bringt zunächst das vollständige Thema, dann aber spaltet sich der auftaktige Themenkopf ab und wird Gegenstand eines kanonischen Motivspiels von fast sinfonischer Dichte. Auch die melodische Erweiterung des Themas wird in die Entwicklung einbezogen. Der Repriseneinsatz bezeichnet den Höhepunkt des Satzes. Vor der Coda erscheint nochmals die Sostenutoruhe, ehe mit vorwärtsstürmendem Agitato der prachtvolle, überaus geschlossene Satz zu Ende geht.

Zweiter Satz Das fünfteilige Scherzo stellt zwischen die wie ein Perpetuum mobile dahinhuschenden Mollhauptteile zwei Trios. Das erste trägt lyrisch-kantable Züge, das zweite, akkordische gewinnt seinen Reiz aus synkopischen, geheimnisvollen Klängen, in die mehrfach der Beginn des Hauptteils unruhig hineintönt.

Dritter Satz Ein schwärmerischer Gesang des Violoncellos, den die Violine übernimmt, trägt die Eckteile des B-Dur-Andante: eine Zwiesprache von liedhaft-expressiver Kantabilität. Eine Klaviermelodie, die von der Bratsche beantwortet wird, hat nur Episodencharakter, kehrt sie doch nicht wieder. Stattdessen steigt der Mittelteil des Satzes in beethovensche Gefilde. Ein Ges-Dur-Teil von feierlicher Entrücktheit, der nur in Umrissen feste melodische Konturen annimmt, führt schließlich zurück zum Cellogesang, der nun von der Violine umspielt wird und in seinem weiteren Verlauf eine Variante des ersten Satzteils darstellt. Die breit angelegte Coda exponiert mehrfach einen Quintruf, der sich als Vorbereitung auf das Hauptthema des Finales erweist. Mit ihm klingt der Satz geheimnisvoll aus.

Vierter Satz Ein Quintsprung abwärts in Akkordschlägen mit anschließendem abwärtsschießendem Sechzehntellauf präsentiert sich als Hauptthema des Finales. Dieser Lauf wird sofort Gegenstand eines energischen Fugatos. Das rhythmisch punktierte aufstrebende Seitenthema, vom Cello angestimmt, wird von der Violine übernommen. Ein dritter Gedanke wird vom Klavier intoniert, dann von den übrigen Instrumenten fortgeführt. Er fügt dem Satz einen lyrischen Zug hinzu, ohne dass der strömende Bewegungsfluss gehemmt würde. Der Durchführungsteil stützt sich im Wesentlichen auf den Quintsprung und den Sechzehntellauf des Hauptthemas. Er steigert die leidenschaftliche Intensität der Bewegung noch und führt zum Repriseneintritt, dem überraschend ein neuer Gedanke in Gestalt unruhiger Achtelläufe folgt. Er bleibt jedoch Episode. Mit dem Wiedereintritt des Seitenthemas im Violoncello verläuft die Reprise regelhaft und führt mit einer brillant-musikantischen Coda das Werk zu Ende.

Wirkung Das Klavierquartett wurde am 5. April 1843 in einer Privatgesellschaft erstmals gespielt, die erste öffentliche Aufführung durch Clara Schumann (Klavier), Ferdinand David (Violine), Niels Gade (Viola) und Graf Wielhorsky (Cello) ließ dann allerdings eindreiviertel Jahre auf sich warten. 1845 kam das Werk im Druck heraus. Es gehört, wie Schumanns Klavierquintett, zu den Standardwerken der Kammermusik mit Klavier.   BEAU

Einspielungen (Auswahl)
- Glenn Gould (Klavier), Mitglieder des Juilliard String Quartet, 1968 (+ Brahms: Klavierquintett op. 34); Sony BMG
- Menahem Pressler (Klavier), Emerson String Quartet, 1995 (+ Klavierquintett op. 44); Deutsche Grammophon
- Trio Parnassus, Hariolf Schlichtig (Viola), 2005 (+ frühes Quartett o. op. von 1829); MDG/Codaex

Klavierquintett Es-Dur op. 44

Sätze 1. Allegro brillante, 2. In modo d'una Marcia: Un poco largamento – Agitato, 3. Scherzo: Molto vivace, 4. Finale: Allegro, ma non troppo
Entstehung 23. September bis 16. Oktober 1842
UA 8. Januar 1843 Leipzig
Verlag Peters
Spieldauer ca. 30 Minuten

Entstehung Das Klavierquintett entstand im Anschluss an die drei Streichquartette. Ursprünglich sollte auf die Marcia ein im Skizzenheft mit »Scena« überschriebener zweiter langsamer Satz folgen. Während Schumann den Marciasatz in der Ausarbeitung verkürzte, komponierte er den Fugatoschluss für das Finale erst nachträglich hinzu. Das Quintett ist Clara Schumann gewidmet.

Musik Anders als die Streichquartette von Schumann trägt sein Klavierquintett in seiner schon durch die Mitwirkung des Klaviers bedingten klanglichen Ausweitung direkt sinfonische Züge.

Erster Satz Das wuchtige, aber feurige Hauptthema, mit dem das Werk anhebt, wird gleich nach der ersten Entwicklung ins Lyrische umgebogen. Das Klavier nimmt den Anfang des schwärmerischen Seitenthemas vorweg, bevor dieses vom Violoncello ausgesungen wird, wobei die Bratsche es mit der Themenumkehrung beantwortet. Die Wiederkehr des feurigen Hauptthemas beschließt die Exposition. Der Durchführungsteil ist aus dem zweiten Teil des Hauptthemas, den das Klavier in der Verkleinerung als Achtelfigur unentwegt intoniert, gewonnen. Dieser Bewegungsimpuls führt zu einer Steigerung, auf deren Höhepunkt die Reprise mit dem Hauptthema einsetzt. Eine schwungvolle Coda beschließt den kontrastreichen Satz.

Zweiter Satz Mit einem stockenden Trauermarsch, dessen Weise die erste Violine intoniert, beginnt der c-Moll-Satz. Seine Düsterkeit wird plötzlich aufgehellt: Die Violine singt eine lichte C-Dur-Kantilene, die übrigen Instrumente begleiten, eine Eingebung von unvergleichlichem Zauber. Aber der Trauermarsch kehrt in f-Moll wieder und steigert sich durch Beschleunigung des Marschthemas zu einem wilden Agitato, in dem vor allem das Klavier das Wort hat. Die Erregung klingt ab, um erneut der lichten Kantilene Platz zu machen. Am Ende hat der Trauermarsch das letzte Wort. Der Satz verklingt düster.

Dritter Satz Auf- und abwärtsjagende Skalen, die in bewundernswerter Mannigfaltigkeit behandelt sind, tragen die Scherzoteile. Dazwischen stehen zwei Trios, das eine sich freundlich in Ges-Dur wiegend, wobei der Kanon von Violine und Violoncello von besonderem Reiz ist, das andere in as-Moll treibt erregt durch mehrere Tonarten. Die abermalige Wiederkehr des Scherzos mit seinem Skalenspiel schließt den Satz brillant ab.

Vierter Satz Das Finale entfaltet mehrere, für den Verlauf des glanzvollen Satzes bedeutsame Themen. Das erste in c-Moll, vom Klavier in Oktavgang angestimmt, gibt sich als rüstig schreitend. Auch das zweite gehört dem Klavier, eine stufenweise aufsteigende Figur, die den Satz in die Grundtonart Es-Dur führt. Seine Verkleinerung in Gestalt von Achtelläufen wirkt wie eine Scherzoepisode. Die Bratsche stimmt ein drittes, abwärtsführendes Thema an, das von der Violine übernommen wird. Klavierakkorde leiten einen durchführungsartigen Teil ein, in dem das thematische Material kunstvoll verarbeitet wird. Die Wiederkehr des Hauptthemas in Moll bringt eine Wiederholung des gesamten ersten Komplexes. Nun hebt eine höchst kunstvolle kontrapunktische Entwicklung an, die auf ihrem Höhepunkt ein

Doppelfugato bildet, in dem das Hauptthema des Finales und das in Vergrößerung erscheinende Hauptthema des ersten Satzes glanzvoll kombiniert werden. Die breit ausgebaute Entwicklung führt zum machtvollen Schluss.

Wirkung Clara Schumann spielte den Klavierpart bei der ersten öffentlichen Aufführung (8. Januar 1843) des Werks. Der Erstdruck kam zu Claras Geburtstag am 13. September 1843 heraus. Elf Jahre später machte Johannes Brahms der befreundeten Pianistin ein selbst angefertigtes Arrangement des Quintetts für Klavier zu vier Händen zum Präsent.

Das Klavierquintett gilt zu Recht als der Gipfel von Schumanns Kammermusik. Die thematische Plastik, die Kunst der Kombinatorik und Polyfonie, der weite Ausdrucksradius machen es zu einem der meistgespielten Werke der Kammermusik mit Klavier. Zugleich ist es quasi das erste Werk für Klavier und Streichquartett, eine Gattung, der sich in der Folge u. a. Brahms, Franck und Dvořák annahmen. · BEAU

Einspielungen (Auswahl)
• Menahem Pressler (Klavier), Emerson String Quartet, 1995 (+ Klavierquartett op. 47); Deutsche Grammophon

Sibelius | Jean

* 8. 12. 1865 Hämeenlinna † 20. 9. 1957 Järvenpää bei Helsinki

100563

Sibelius war der erste große Sinfoniker Nordeuropas. Sein patriotisches Bekenntnis zur

finnischen Freiheitsbewegung und seine Liebe zur nordischen Mythologie und Naturpoesie begründen seine Vorrangstellung in der Musikgeschichte Finnlands. Seine Kammermusik verdankt sich vor allem seiner Geigenleidenschaft.

Der Sohn eines Landarztes stammte aus einer Familie, die zur Schwedisch sprechenden Minorität der finnischen Oberschicht gehörte; erst als Gymnasiast lernte Jean Sibelius Finnisch. Sein Patriotismus wurde nicht zuletzt durch die Familie seiner Frau Aino Järnefeldt geweckt. 1892, im Jahr der Eheschließung, erklang mit der fünfsätzigen Chorsinfonie »Kullervo« das erste große Werk, das vom finnischen Nationalepos »Kalevala« inspiriert war. Bald darauf folgten die vier Tondichtungen »Lemminkäinen«. Und als 1899 ein Dekret des Zaren die Russifizierung Finnlands weitertrieb, antwortete Sibelius mit seiner Tondichtung »Finlandia«, die auf Anhieb ein Symbol finnischen Unabhängigkeitsstrebens wurde.

Erst nach einem einjährigen Jurastudium war für Jean Sibelius die Entscheidung zugunsten der Musik gefallen. In Helsinki war der tüchtige junge Geiger ein Kompositionsschüler des Wagnerianers Martin Wegelius, bevor er als Stipendiat seine Studien in Berlin und Wien fortsetzte. Nach 1892 unterrichtete er dann selbst in Helsinki. Doch noch vor der Jahrhundertwende erlaubte ihm eine staatliche Ehrenpension auf Lebenszeit, sich fortan ungestört seinem kompositorischen Schaffen widmen zu können. Im Jahr 1904 ließ er sich in Järvenpää, nördlich von Helsinki, sein Haus »Ainola« bauen, in dem er bis zu seinem Tod lebte und wirkte. Nach 1929 jedoch hörte die Musikwelt von keinem neuen Werk mehr. Mit der 7. Sinfonie und der sinfonischen Dichtung »Tapiola« hatte Sibelius einen Schlussstrich unter sein kompositorisches Schaffen gezogen. So vernichtete er die Partitur einer 1929 vollendeten 8. Sinfonie. Viel ist über die Gründe seines langen Schweigens spekuliert worden; Selbstkritik dürfte auf jeden Fall eine entscheidende Rolle gespielt haben.

Mit ihrer unendlichen Weite ist die finnische Landschaft nicht ohne Einfluss auf das musikalische Denken eines Komponisten geblieben, in dessen Sinfonien weiträumige Themen erst in ei-

nem langsamen Entstehungsprozess ihre Gestalt annehmen. Enthusiastische Anhänger hatte Sibelius' Musik vor allem in englischsprachigen Ländern gefunden, wo sich Sir Thomas Beecham, Serge Koussevitzky oder später auch Leonard Bernstein für sein Schaffen einsetzten. Nicht gleich reibungslos verlief die Rezeption in Deutschland, wo vor allem die Musikpublizistik nach dem harschen Verdikt von Theodor W. Adorno und René Leibowitz kritische Distanz wahrte. WO

Werke für Violine und Klavier

Entstehung Sibelius schwebte eine Karriere als Geiger vor, als er 15-jährig in Hämeenlinna Unterricht bei dem Leiter der Städtischen Militärkapelle zu nehmen begann. Sein unermüdlicher Fleiß zahlte sich aus: Als er sechs Jahre später (1886) in Helsinki das e-Moll-Violinkonzert von Ferdinand David spielte, attestierte ihm die Musikkritik eine »hoch entwickelte Technik«. Auch als Kammermusiker wurde der Student des Musikinstituts von Helsinki geschätzt. Bei einer Aufführung des Es-Dur-Klavierquintetts von Robert Schumann mit dem damals in der finnischen Metropole lehrenden Ferruccio Busoni saß er am zweiten Geigenpult.

Das Repertoire des Familientrios – Schwester Linda spielte Klavier, Bruder Christian Cello – hatte Sibelius schon in seiner Jugend mit kleineren Kompositionen bereichert. Während der Studienjahre in Helsinki entstand dann eine F-Dur-Violinsonate im Stil Griegs. Weitere Stücke datieren aus dem Jahr 1915. Durch den Krieg war die Verbindung des Komponisten zum Leipziger Verlagshaus Breitkopf & Härtel unterbrochen. Die finanziellen Einbußen suchte Sibelius damals durch Gelegenheitskompositionen wettzumachen, die in dänischen und finnischen Verlagen veröffentlicht wurden. Eine »Novellette« op. 102 folgte 1923. Schließlich entstanden 1929 – als Opus 115 und Opus 116 bei Breitkopf & Härtel im Druck erschienen – sieben Stücke für Violine und Klavier. Nach diesen Miniaturen hat Sibelius kaum mehr zu Schreibfeder und Notenpapier gegriffen.

Musik In der dreisätzigen, insgesamt nur knapp zwölfminütigen Sonatine E-Dur op. 80 rahmen zwei Sätze in klassizistischem Stil ein kontemplatives Andantino, das nach kahlem Unisonobeginn zunehmend an Wärme und Kantabilität gewinnt, bevor es am Schluss wieder zur anfänglichen Ausdruckswelt zurückfindet. Im transparenten, luziden Kopfsatz reißt das diesseitig-unbekümmerte Hauptthema (Allegro) aus den Träumen einer neuntaktigen langsamen Einleitung. Auch dem in eine Stretta mündenden Allegrettoschlusssatz hat Sibelius eine langsame Einleitung vorangestellt.

Das mit »Religioso« überschriebene dritte Stück aus der Sammlung »Vier Stücke« op. 78 widmete Sibelius seinem Cello spielenden Bruder Christian, der sich inzwischen als Mediziner einen Namen gemacht hatte. Wie die »Romanze« op. 78/2 liegt es deshalb alternativ in Fassungen für Violine bzw. Violoncello und Klavier vor. Mit dem »Rigaudon« (op. 78/4), einem barocken Tanz, huldigte Sibelius einem Genre, das u. a. von Fritz Kreisler mit seinen Geigenstücken »im alten Stil« kultiviert wurde.

Die weitgehend auf einen Salonton gestimmten Werke von 1915 (op. 78, 79, 81) werden von den Miniaturen des Jahres 1929 – »Vier Stücke op. 115« und »Drei Stücke« op. 116 – in den Schatten gestellt. Sibelius scheint in diesen ungleich reiferen Kompositionen für sich selbst zu musizieren. In der »Ballade« op. 115/2 verschmilzt die typische Erzählhaltung mit einem Anflug von Virtuosität. Kaum zuvor in seinem kammermusikalischen Schaffen dürfte Sibelius eine so komprimierte Aussage gelungen sein wie in dem knapp zweiminütigen »Auf der Heide« op. 115/1. Und in der »Danse caractéristique« op. 116/2 lässt ein für den Komponisten ungewohnter Geigenstil fast an Béla Bartók denken.

Wirkung Ein Großteil der Kompositionen für Violine und Klavier liegt in Einspielungen des Finlandia-Labels mit den Geigern Yoshiko Arai und Yuval Yaron sowie den Pianisten Izumi Tateno und Rena Sharon vor. Die »Romanze« op. 78/2 erschien auch in einer Einspielung des Salonorchesters Cölln.   WO

Weitere Werke

Streichquartett d-Moll op. 56 »Voces intimae«

Sätze 1. Andante – Allegro molto moderato, 2. Vivace, 3. Adagio di molto, 4. Allegretto (ma pesante), 5. Allegro
Entstehung 1908/09
Verlag Robert Lienau
Spieldauer ca. 30 Minuten

Entstehung Mit einem a-Moll-Streichquartett und einem Streichtrio, dessen Originalität den damals in Helsinki wirkenden Ferruccio Busoni überraschte, hatte Sibelius 1889 seine Studien am Musikinstitut beendet. Unmittelbar darauf schrieb der noch nicht einmal 24-jährige Komponist, der in einem Streichquartett des Instituts am zweiten Geigenpult gesessen hatte, sein B-Dur-Streichquartett op. 4. Erst 1909 vollendete Sibelius dann während seiner vierten Englandreise in London das d-Moll-Streichquartett op. 56. Ausgerechnet im Getriebe der Großstadt, in dem er auch Claude Debussy und Vincent d'Indy begegnete, arbeitete er an seinem vielleicht introvertiertesten Werk.

Musik Jean Sibelius' Bekenntnis, dass sein op. 56 »mehr Streichquartett vertragen könne«, ist durchaus ernst zu nehmen. Auf jeden Fall ist hier die für ihn charakteristische Technik der Themen- und Formentwicklung von der Sinfonie auf das sinfonisch verstandene Streichquartett übertragen.

Erster und zweiter Satz Die Coda des ersten Satzes führt ohne Unterbrechung in den nächsten Satz. Sibelius selbst sprach von dem Vivace als dem »Satz Nr. 1 1/2«. In der Tat verarbeitet er thematisches Material des Kopfsatzes; eng sind beide Sätze miteinander verknüpft.

Dritter Satz Nach 20 Takten einer »unendlichen«, mit ihren Oktavaufschwüngen sehnsüchtig-elegischen Melodie schließen sich drei geheimnisvolle e-Moll-Akkorde an. In einer Taschenpartitur des Streichquartetts entdeckte der Sibelius-Biograf Nils Eric Ringbom an dieser

Stelle eine Bleistifteintragung des Komponisten: »Voces intimae« (»innere Stimmen«). In der Einleitung zur Coda kehren die drei Akkorde wieder.

Vierter und fünfter Satz Dem Herzstück des symmetrisch angelegten Quartetts folgt ein scherzohafter Satz, der sich im Vergleich mit dem korrespondierenden zweiten Satz erdhafter, dabei eigentümlich unfrei gibt. Und auch aus dem Finalsatz hat man zu Recht etwas Zwanghaftes heraushören wollen. Assoziationen an das Totentanzfinale von Schuberts d-Moll-Streichquartett (»Der Tod und das Mädchen«) stellen sich ein. WO

Einspielungen (Auswahl)
- Sophisticated Ladies, 1989 (+ Streichquartett a-Moll von 1889); BIS
- New Helsinki Quartet, 1997 (+ Quartette Es-Dur 1885, a-Moll 1889, und B-Dur op. 4 1890); Finlandia/Warner Classics

Smetana | Bedřich

* 2. 3. 1824
Litomyšl
† 12. 3. 1884
Prag

Smetana gilt als »Vater« der tschechischen Musik. Ohne folkloristische Bezüge schuf er dennoch eine Musik mit unverwechselbar tschechischem Tonfall. Den Schwerpunkt in seinem Œuvre bilden sinfonische Dichtungen und Opern. Seine Kammermusik hingegen offenbart mehr von seinem Innenleben.

Der Komponist wurde 1824 als Sohn des tschechischen Bierbrauers František Smetana geboren. Die rasante musikalische Entwicklung des begabten Kindes wurde von den Eltern vorbildlich gefördert. Seine ersten Lehrer waren sein Vater, der sich auch als Amateurgeiger betätigte, Jan Chmelík, František Ikavec und Victorin Matocha. Ab 1843 studierte Smetana bei Josef Proksch in Prag Musiktheorie und gab selbst Klavierstunden. Fünf Jahre später gründete er eine eigene Musikschule in der tschechischen Metropole. Nach einigen Jahren in Göteborg, wo er zwischen 1856 und 1861 die Abonnementskonzerte leitete und auch Konzerte mit Kammermusik organisierte, kehrte Smetana in seine Heimat zurück und ließ sich in Prag nieder. Dort avancierte er mit einem Zeitungsbeitrag über das Konzertwesen schnell zum Wortführer der neuen, national geprägten, sich von Österreich lossagenden Musikbewegung. In seinem Artikel heißt es: »Als Tscheche arrangiere ich tschechische Konzerte. Es wird uns Tschechen doch erlaubt sein, unsere eigenen haben zu dürfen. Oder ist das tschechische Publikum weniger befähigt dazu? Ich glaube, dass der Ruf der tschechischen Nation als einer musikalischen ziemlich alt und bekannt sei, und eben diesen zu erhalten, neu zu beleben und ihn mehr und mehr zu heben, ist die Aufgabe eines jeden Künstlers, der zugleich von wahrer Vaterlandsliebe beseelt ist. Ich, ich mache bloß den Anfang.«

Kompositorisch verwirklichte Smetana diese Ideen am nachhaltigsten in seinem sechsteiligen Zyklus sinfonischer Dichtungen »Má Vlast« (»Mein Vaterland«), der in zwei Phasen während der Jahre 1874/75 und 1878/79 entstand. Hier fand der erhabene nationale Stil seine unmittelbarste Ausprägung. Bei seinen Bühnenkompositionen hat Smetana jedoch auch den Forderungen des Publikums nach leichter Eingängigkeit nachgegeben, ohne sich dabei künstlerisch zu verleugnen. Smetanas Opernschaffen hängt eng mit seiner Tätigkeit als Kapellmeister am Prager Interimstheater zusammen, die 1866 begann. Diese einflussreiche Position musste er allerdings 1874 aufgeben, als er endgültig ertaubte. Im Gegensatz zu seinem Vorgänger Jan Nepomuk Maýr, der die italienische Oper bevorzugte, setzte Smetana neben französische auch russische und neue tschechische Opern auf den Spielplan, nachdem mit der stürmisch aufgenommenen Wiederholungsaufführung der »Verkauften Braut« am 27. Oktober 1866 die tschechische Nationaloper geboren worden war. (Die Uraufführung am 30. Mai 1866 hatte noch vor halb leerem Haus stattgefunden und fand nur verhaltene Resonanz.)

Entsprechend seinem Engagement als Dirigent und Komponist von Opern und Orchesterwerken, nimmt die Kammermusik in Smetanas Œuvre einen zahlenmäßig nur geringen, gleichwohl qualitativ bedeutenden Raum ein. Nur vier vollständige Werke sind überliefert: die beiden Stücke »Aus der Heimat« für Violine und Klavier, das Klaviertrio in g-Moll sowie die beiden Streichquartette in e-Moll (»Aus meinem Leben«) und in d-Moll. Andere Werke für Streichquartett, die 1839/40 entstanden (zwei Polkas, ein Walzer in F-Dur, eine an Mozart angelehnte Ouvertüre sowie ein Streichquartett in des-Moll), sind verschollen. KU

Smetanas Liebe zu seiner böhmischen Heimat spiegelt sich in vielen seiner Werke wider. Noch heute wird er als Gründer des tschechischen Nationalstils verehrt (Smetana-Denkmal an der Moldau in Prag).

»Aus der Heimat«: Zwei Stücke für Violine und Klavier

Bezeichnungen 1. Moderato, 2. Andantino – Moderato
Entstehung 1880
Verlag Artia (Prag); Edition Peters
Spieldauer ca. 13 Minuten

Musik Vornehmlich lyrischen Ausdruck haben die beiden auch einzeln zu spielenden Stücke (A-Dur und g-Moll). Wie in seinem gesamten kompositorischen Schaffen spiegelt sich auch hier in jedem der Themen Smetanas böhmische Heimat musikalisch wider. Variativ oder fortspinnend werden die einzelnen Gedanken in unterschiedlich charakterisierten Teilen entfaltet und entwickelt. Beiden Stücken geht jeweils eine nur wenige Takte umfassende Einleitung voran.

Wirkung Der klangliche Reiz verhalf den beiden Piècen zu einiger Beliebtheit im bürgerlichen Salon. Dem trug die weitverbreitete Ausgabe der Edition Peters Rechnung, in der einige schwierige Violinpassagen ganz gestrichen und die anspruchsvolle Klavierbegleitung vereinfacht wurden. KU

Klaviertrio g-Moll op. 15

Sätze 1. Moderato assai, 2. Allegro, ma non agitato, 3. Finale: Presto
Entstehung September–November 1855; 1857 (Revision)
UA 3. Dezember 1855 Prag
Verlag Artia (Prag), Edition Peters
Spieldauer ca. 30 Minuten

Entstehung Smetana komponierte das Klaviertrio zur Erinnerung an seine musikalisch hochbegabte Tochter Bedřiška, die 1855 im Alter von nur knapp viereinhalb Jahren an Scharlach starb. Eine programmatische Deutung des Werkes über seinen teilweise dramatischen Stimmungsgehalt hinaus ist jedoch nicht möglich.

Musik **Erster Satz** Rhapsodisch frei und aufgewühlt setzt die Violine mit dem Hauptthema ein, dessen chromatische Abwärtsbewegung mottoartig auch in den anderen Sätzes des Werkes wiederkehrt. Mit den kompakten, fast orchestralen Steigerungen scheint sich Smetana zumindest zeitweise von einer spezifisch kammermusikalischen Satztechnik zu entfernen, bevor ein zweites Thema zunächst mit äußerster Schlichtheit einsetzt. Der zum Ende des Satzes hin stark beschleunigten Reprise geht eine feinsinnige Kadenz des Klaviers voraus.

Zweiter Satz In den ersten Takten des scherzohaften Mittelsatzes wird das Mottomotiv des Werkes zitiert. Den tanzhaften Duktus kontrastieren zwei Alternativoeinschübe in Charakter und Tempo. Sie ersetzen gleichsam den fehlenden langsamen Satz.

Dritter Satz Die chromatische Geste des Mottothemas wird in der knappen Einleitung des Finales noch einmal aufgegriffen. Aus dem letzten Satz einer bereits 1846 komponierten Klaviersonate (ebenfalls in g-Moll) entstammt das erste, rhythmisch schwebende Hauptthema. Zu ihm bildet der melodische Seitengedanke einen ruhigen Kontrast. Er kehrt am Ende des Satzes im Charakter eines Trauermarsches wieder, bevor das Werk mit einem nach Dur aufgehellten Kehraus fulminant schließt.

Wirkung Die Uraufführung in Prag war ein einziger Misserfolg. Als Smetana das Trio ein Jahr später Franz Liszt vorspielte, war dieser jedoch vollkommen begeistert. Trotz einer 1857 vorgenommenen Revision erschien das Werk erst 1879 beim Hamburger Musikverleger Pohle erstmals im Druck. Ursprünglich war von Smetana eine Widmung an Ludevít Procházka vorgesehen. Da der Verlag allerdings nur eine deutschsprachige Zueignung drucken wollte, verzichtete Smetana auf eine Dedikation. KU

Einspielungen (Auswahl)
• Golup Kaplan Carr Trio, 1994 (+ Tschaikowski: Trio op. 50); Arabesque

Streichquartette

Streichquartett Nr. 1 e-Moll »Aus meinem Leben«

Sätze 1. Allegro vivo appassionato, 2. Allegro moderato à la Polca, 3. Largo sostenuto, 4. Vivace
Entstehung Oktober bis 29. Dezember 1876
UA 29. März 1879 Prag
Verlag Edition Peters, Breitkopf & Härtel, Artia (Prag)
Spieldauer ca. 26 Minuten

Entstehung Nach einer dem Klaviertrio op. 15 folgenden Pause von 21 Jahren wendete sich Smetana im Herbst 1876 mit der Konzeption dieses Quartetts wieder der Kammermusik zu. Obwohl keine schriftlichen Quellen vorliegen, ist es sehr wahrscheinlich, dass die Entstehung des Werks in unmittelbarem Zusammenhang mit den Gründungsvorbereitungen des Prager Kammermusikvereins steht, der von Smetanas Schüler und eifrigem Förderer Ludevít Procházka angeregt wurde.

Musik Bedingt durch die überlieferten programmatischen Notizen und den Beinamen »Z mého života« (»Aus meinem Leben«) wird das Streichquartett gemeinhin als ein Stück tönende Autobiografie verstanden. Doch sind die Hinweise, die Smetana auch der gedruckten Partitur voranstellte, so unverbindlich gehalten, dass man allenfalls von poetischen Ideen sprechen kann, die den einzelnen Sätzen zugrunde liegen.

Erster Satz Die fallende Quinte des in der Viola eingesetzten Hauptthemas dachte Smetana mottoartig als Warnung vor dem Schicksal. Ein ausgedehnter zweiter Gedanke wendet die dramatische Stimmung ins Lyrische, bevor in der Durchführung der Satz zunehmend an Dichte gewinnt. Da hier ausschließlich das Motto verarbeitet wird, setzt die Reprise mit dem Seitenthema ein. Eine Coda lässt den Satz piano ausklingen.

Zweiter Satz Smetana ersetzt das Scherzo durch eine schwungvolle Polka, deren Trio (in Des-Dur) einige spieltechnische Schwierigkeiten (Doppelgriffe) aufweist.

Dritter Satz Nach einer rezitativischen Introduktion wird in der ersten Violine ein erstes Thema vorgetragen, das jedoch zweimal abbricht – ebenso wie die einer fast orchestralen Überleitung folgende zweite melodische Geste. Am Ende des Satzes vereinen sich beide Gedanken zu einem weitausgesponnenen neuen Thema.

Vierter Satz Sprühende Heiterkeit durchzieht das Finale – bis mit einem plötzlichen Halt jenes hohe e einsetzt, mit dem Smetana sein Gehörleiden musikalisch symbolisiert. Noch einmal kehrt das lyrische Element des Kopfsatzes wie eine Erinnerung aus besserer Zeit wieder; das Werk endet verhalten, aber positiv gewendet in E-Dur.

Wirkung Dass die für den 19. Februar 1877 geplante Uraufführung abgesagt werden musste, wurde offiziell mit der Unspielbarkeit des Werkes begründet. Sicherlich wird aber auch Smetanas (musik)politisches Engagement eine Rolle gespielt haben. Nach der erfolgreichen ersten Aufführung durch Ferdinand Lachner, Jan Pelikán, Josef Krehan und Alois Neruda erlangte das Quartett rasch große Beliebtheit. Dies hängt sicherlich auch mit den für eine Kammermusikkomposition ungewöhnlichen programmatischen Notizen zusammen – gleich welche Bedeutung sie auch tatsächlich für das Werk haben.

George Szell arrangierte das Quartett für großes Orchester. Eine interpretatorisch Maßstäbe setzende, auch klanglich fulminante Einspielung legte das Takács Quartet vor. KU

Einspielungen (Auswahl)
- Juilliard String Quartet, 1989 (+ Franck: Streichquartett D-Dur); Sony BMG
- Takács Quartet, 1995 (+ Borodin: Streichquartett Nr. 2 D-Dur); Decca

Streichquartett Nr. 2 d-Moll

Sätze 1. Allegro, 2. Allegro moderato – Andante cantabile, 3. Allegro non più moderato, ma agitato e con fuoco, 4. Finale: Presto
Entstehung Sommer 1882 bis 12. März 1883
UA 3. Januar 1884 Prag
Verlag Artia (Prag)
Spieldauer ca. 19 Minuten

Entstehung Knapp ein Jahr vor Smetanas Tod abgeschlossen, ist dieses Werk eine seiner letzten vollendeten Kompositionen. Geht man vom programmatischen Untertitel des ersten Streichquartetts aus, bildet das zweite gleichsam die Fortsetzung der musikalischen Selbstreflexion des von absoluter Taubheit gezeichneten Komponisten.

Musik Erster Satz In einem Brief von Smetana heißt es: »Den ersten Satz meines Quartetts habe ich beendet, er bringt mich aber etwas in Verlegenheit, der Satz ist etwas allzu ungewohnt in der Form und schwer verständlich. Eine gewisse Zerrissenheit kennzeichnet ihn und wird, wie ich befürchte, den Spielern große Schwierigkeiten machen.« Hektisch wechseln zwei scharf kontrastierende Gedanken einander ab, sodass der gesamte Satz den Eindruck einer permanenten Durchführung hinterlässt: Einer im Unisono schnell aufsteigenden Triolenbewegung folgt ein eher kantabel gehaltenes Motiv.

Zweiter bis vierter Satz Wie schon im ersten Streichquartett ist der zweite Satz als Polka angelegt, deren einzelne Abschnitte zum Ende hin immer kürzer wiederholt werden. An die Stelle des langsamen Satzes tritt eine dramatische Szene voll aufgewühlter Emotionen, die sich nur bedingt in den knapp gehaltenen Fugatostrecken beruhigen können. Das Finale überrascht mit seiner Kürze und seiner motivischen Stringenz. Und statt eines autobiografischen Ausbruchs großer Verzweiflung wendet sich der Satz am Ende zu einer strahlenden D-Dur-Stretta.

Wirkung Im Gegensatz zum ersten Streichquartett ist das zweite kaum bekannt und wird nur selten gespielt. Dies geht auf die bis heute geäußerten Vorbehalte gegenüber der eigentümlichen Anlage der Sätze zurück, deren Expressivität Smetana dazu nutzt, traditionelle Formmodelle aufzulösen. Welche Bedeutung das Werk im musikgeschichtlichen Kontext hat, geht aus einer Äußerung von Arnold Schönberg hervor: Ihm sei beim Hören dieses Quartetts »ein Licht aufgegangen«. KU

Einspielungen (Auswahl)
- Panocha-Quartett, 1989; Supraphon

Sor | Fernando

* 13. oder
14. 2. 1778
Barcelona
† 10. 7. 1839
Paris

Der spanische Gitarrenvirtuose Fernando Sor
wird heute vor allem noch geschätzt für die
als klassisch geltende Musik, die er für sein
Instrument komponiert hat. Sein Markenzeichen ist eine ungewöhnlich ausgearbeitete
Mehrstimmigkeit. Spanisches Kolorit findet
sich dagegen kaum.

Zwischen den ersten 13 Jahren in Barcelona
und den letzten 13 in Paris bewegt sich das
Leben und Wirken Fernando Sors äußerst umtriebig und unstet; der bio- und geografische Bogen umspannt den »Polizeihauptkommissar im
andalusischen Jerez«, den »Komponisten zu Beerdigungs- und Krönungsfeierlichkeiten am Petersburger Zarenhof«, den herzoglichen und
königlichen Verwalter in Spanien, den Gitarrenvirtuosen und Sänger zwischen Madrid und Warschau, den gefeierten Bühnenkomponisten in
London, Moskau, Paris, den Gitarren-, Gesangs-,
Klavier- und Theorielehrer und den Verfasser
von Gitarrenschulen. Bedeutung bis heute gewann Fernando Sor aber allein durch seine Kompositionen für Gitarre.

Vom Vater nur zögernd im Gitarren- und Geigenspiel gefördert, wurde Sor nach dessen Tod
von der Mutter in die kostenlose Schule des Benediktinerklosters auf dem Montserrat geschickt. Hier bewies der Junge im Knabenchor

seine sängerische Begabung, beim umfassenden Musikunterricht seine weitreichende instrumentale und theoretische Befähigung. Nach dieser Ausbildung entsprach er dem elterlichen
Wunsch einer militärischen Laufbahn, die ihn einem ständigen Standortwechsel unterwarf, bis
er 1813 mit den Franzosen als deren langjähriger Sympathisant für immer Spanien verlassen
musste. Bis dahin hatte Sor wenig für Gitarre geschrieben, doch bereits vier Bühnenwerke. Mit
seiner ersten Oper, »Telèmaco en la Isla de Calipso«, war er bereits als 19-Jähriger am Teatro
di Liceo in Barcelona aufgefallen. Die drei anderen Werke sind ebenso verschollen wie seine
einzigen nicht mit Gitarre besetzten Kammermusikwerke, die drei Streichquartette von
1802/03.

In Paris besorgte er die ersten Ausgaben seiner Gitarrenkompositionen, die später als op. 5
(»Six petit Pièces...«) und op. 7 (»Fantaisie pour
la Guitare«) erschienen. Vergeblich bemühte
sich Sor um eine Stelle als Hofmusiker Ludwigs XVIII. 1815 ging er nach London und war
dort zwei Jahre später mit seinem (ebenfalls verloren gegangenen) »Concertante« für Gitarre,
Violine, Viola und Violoncello äußerst erfolgreich. Er veröffentlichte einige Arietten und Duette mit Klavier sowie Walzer und Quadrillen für
dieses Instrument (zu zwei bzw. vier Händen),
ebenso mehrere Opera für Gitarre. Im Frühjahr
1821 publizierte er seine Mozart-Variationen
op. 9, und im Jahr darauf wurde am King's Theatre Sors verbreitetstes Werk uraufgeführt, »Cendrillon«, das dritte seiner neun Ballette. Während seines letzten Lebensabschnittes in Paris
trat er nur noch gelegentlich als Gitarrist auf und
sah 1830 seine »Méthode pour la guitare« erscheinen. Er starb zurückgezogen an Zungenkrebs.   HO

Werke für Gitarre

Entstehung Fernando Sor war bereits ein
Mittdreißiger, als 1812/13 seine ersten Kompositionen für Gitarre in Paris veröffentlicht wurden – ohne seine eigene Initiative. Obwohl er in
Spanien als meisterlicher Spieler aufgefallen
war, wurde dort keines seiner Werke gedruckt.

Mit Sicherheit war Sor jedoch in dieser Zeit schöpferisch tätig.

Welch glanzvollen Ruf er sich bald in ganz Europa mit seinen Stücken erspielte, zeigt ein Diktum der Leipziger »Allgemeinen Musikalischen Zeitung« von 1823: »Sor ist unbezweifelt der erste Guitarre-Spieler der Welt.« 1826 erschien in Paris seine »Collection complète des œuvres pour la guitare«, die die bereits einzeln herausgegebenen Werknummern 1–23 umfasste; ein Jahr später kam eine kleine Sammlung der Katalognummern 24–29 heraus. Danach entstand bis 1838 der zweite, etwas größere Teil des gitarristischen Schaffens, das auch ein Dutzend Kompositionen für zwei Gitarren umfasst.

Musik Zusammen mit Mauro Giuliani zählt Sor zu den Vätern des klassischen Repertoires für die Ende des 18. Jahrhunderts entwickelte sechssaitige Gitarre. Anders als bei Giuliani war sein Werk aber nicht auf das eine Instrument beschränkt, sodass Sors weitgefasstere Formensprache, seine kompositorische Vielschichtigkeit und musikalische Flexibilität den Gitarrenwerken zusätzlich zugutekommen. Dabei ist die frühzeitige Beeinflussung durch französische Musik deutlich aus seinen Werken herauszuhören. Eine typisch spanische Note fehlt also völlig, ähnlich wie bei Sors Landsmann und Freund, dem komponierenden Gitarristen Dionisio Aguado, dem er die Fantasie »Les deux amis« op. 41 für zwei Gitarren widmete (1830/31).

Neben Variationsstücken, Fantasien, Divertisements, Tanzstücken und Etüden hat Sor (nach zwei kleineren Sonaten) mit op. 22 und op. 25 zwei große Sonaten in vier Sätzen (beide in C-Dur, Spieldauer jeweils ca. 25 Minuten) geschrieben, von denen die erste besondere Aufmerksamkeit verdient. Aus der letzten Schaffensphase ragt die zweisätzige »Fantaisie elégiaque« op. 59 heraus; dank eines »Tripodison«, eines von Aguado erfundenen dreibeinigen Stativs für die körperfreie Haltung des Instruments, verwirklichte Sor dabei das für nicht möglich Gehaltene, »dass die Gitarre gleichzeitig Klänge unterschiedlicher Qualität in der Melodie, im Bass und der harmonischen Ergänzung hervorbringen könnte«, wie er selbst schrieb.

Im Frühjahr 1821 erschien zu London in einer englischen Ausgabe »Das beliebte Lied ›Das klinget so herrlich‹ aus Mozarts Oper ›Die Zauber-

flöte‹, arrangiert mit einer Einleitung und Variationen für Gitarre. Wie vom Autor bei den Adels-Konzerten aufgeführt. Seinem Bruder gewidmet, von F. Sor«. Die zehnminütigen Mozart-Variationen op. 9 für den Bruder Carlos, der gleichfalls Gitarrist war, sind zu einem der meistgespielten Stücke Sors geworden. Nach einer Introduktion (Andante largo) wird das originale Chorstück als bereits abgewandeltes Thema (Andante moderato) vorgestellt und in fünf kurzen Variationen verarbeitet. HO

Einspielungen (Auswahl)
• Fantasien und Variationen op. 7, 9 & 30: Julian Bream (Gitarre), 1980; BMG/RCA

Spohr | Louis

* 5. 4. 1784
Braunschweig
† 22. 10. 1859
Kassel

In der ersten Hälfte des 19. Jahrhunderts galt Spohr als eine der führenden Musikerpersönlichkeiten und wurde dabei etwa als Komponist mit Beethoven und als Violinvirtuose mit Paganini verglichen. Seine reiche Kammermusik entstand vorwiegend zum eigenen Gebrauch.

Im kleinen Ort Seesen aufgewachsen, erhielt Spohr schon früh ersten Unterricht auf der Violine. 1799 fand er in Herzog Karl Wilhelm Ferdinand von Braunschweig einen Gönner und wurde zur weiteren Ausbildung in dessen Hofkapelle aufgenommen. Gemeinsam mit seinem Lehrer, dem Geigenvirtuosen Franz Eck, unternahm Spohr 1802/03 eine Konzertreise nach St. Petersburg, die den Abschluss seiner Studien bedeutete. Es entstanden die ersten veröffentlichten Kompositionen: Das Violinkonzert A-Dur op. 1 und die Violinduette op. 3. Spohrs erste eigene Konzertreise durch Deutschland begründete seinen Ruf als Instrumentalist und Komponist. So ist es verständlich, dass ihm bereits in jungen Jahren die Leitung der Hofkapelle in Gotha angetragen wurde, deren Konzertmeister er von 1805 bis 1812 war.

Die Begegnung mit der Harfenistin Dorette Scheidler, die 1806 Spohrs erste Frau wurde, führte zur Komposition zahlreicher Werke für Violine und Harfe. Auf mehreren Konzertreisen durch Europa erreichte das Ehepaar als Duo eine bis dahin kaum gekannte Vollkommenheit des Zusammenspiels. 1813 wurde Spohr Orchesterdirektor am Theater an der Wien. Während dieser Zeit entstand die große romantische Oper »Faust«, die Carl Maria von Weber 1816 in Prag herausbrachte, aber auch wichtige Kammermusikkompositionen wie das Nonett F-Dur op. 31 und das Oktett E-Dur op. 32. Reisen nach Rom, London und Paris gaben Spohrs Namen internationale Geltung.

1822 wurde Spohr zum Hofkapellmeister nach Kassel berufen. Unter seiner Leitung entwickelte sich hier ein blühendes Musikleben. So kamen 1832 Bachs Matthäus-Passion, 1843 Wagners »Fliegender Holländer« und 1853 der »Tannhäuser« zur Aufführung. Spohrs liberale Ansichten wurden vom Hof allerdings zunehmend mit Misstrauen beobachtet. 1857 wurde er pensioniert. Ein wichtiges musikhistorisches Dokument bildet die kurz nach seinem Tod gedruckte zweibändige (in einem kommentierten Neudruck vorliegende) »Selbstbiografie«.

Trotz vieler Ehrungen erlebte Spohr in den letzten Lebensjahren einen merklichen Rückgang des Interesses an seinen Kompositionen. Zu sehr hatte sich der vorherrschende Stil geändert, während Spohr seine von Mozarts Ausdrucksweise abgeleitete musikalische Sprache nicht mehr ändern wollte und konnte. Dem einmal entwickelten Personalstil blieb er ohne große Veränderungen bis zu seinem Lebensende treu. Ausdruck seiner Vorlieben für kontrapunktische Ausarbeitung und die Wiener Klassik sowie die weitgehende Ablehnung zeitgenössischer Entwicklungen ist die 1839 entstandene »Historische Sinfonie« (Nr. 6), deren einzelne Sätze verschiedene musikgeschichtliche Perioden widerspiegeln.

Erst seit Mitte des 20. Jahrhunderts fanden die Kompositionen von Spohr wieder mehr Beachtung. In den letzten Jahren erschienen auch zahlreiche Produktionen aus den Bereichen Oper, Sinfonie, Konzert und Kammermusik auf Compact Disc. KU

Violinduos

Obwohl Spohr als reisender Virtuose und angesehener Lehrer die meisten seiner Violinduette für sich selbst oder seine Schüler schrieb, fanden die Werke – wie die zahlreichen Drucke aus Leipzig, Paris und anderen Orten zeigen – rasch eine weite Verbreitung. Dies trifft schon auf die Duos op. 3 zu, die Spohr noch mit seinem Lehrer Franz Eck musizierte. Die als Opus 9 erschienenen Werke widmete er dann aber bereits vier eigenen Schülern.

Welch technisches Können die Stücke fordern, zeigen insbesondere die Duos op. 39. Die Klagen des Verlegers Peters über die für den Absatz hinderlichen Schwierigkeiten ließ Spohr allerdings nur für die Nr. 3 dieses Opus gelten; dennoch sprach er in seiner Selbstbiografie von »überaus schweren, ... fast immer vierstimmigen Duetten«. Eines der Werke führte der Komponist am 1. September 1820 zusammen mit seinem jungen und hochbegabten Schüler Eduard Grund in Hildesheim auf. Es ist daher kein Wunder, wenn Carl Friedrich Peters mehrfach den Wunsch nach Kompositionen mit nicht gar so hohen technischen Anforderungen äußerte. Spohr erfüllte diesen aber erst acht Jahre später mit seinen Duos op. 67.

Einen ganz anderen Anspruch haben die späten viersätzigen, als zusammengehörige Gruppe geplanten großen Duos aus den 1850er-Jahren. Die Werke sind den Brüdern Alfred und Henry Holmes gewidmet, die Spohr 1853 bei seinem letzten Aufenthalt in London kennenlernte. Die beiden galten schon in jungen Jahren als Meister des Duospiels und müssen den Komponisten stark beeindruckt haben. Unveröffentlicht blieben bisher die drei Duos (F-Dur, C-Dur, Es-Dur) WoO 21 (1796) und ein weiteres Duo (Es-Dur) WoO 22 (1797) – alles Kompositionsversuche aus frühester Jugend.

In der Regel umfassen die Werke jeweils drei Sätze, aber auch zwei- und viersätzige Folgen sind anzutreffen. Trotz des zum Teil hohen Schwierigkeitsgrades faszinieren die außerhalb des Geigenunterrichts leider fast vergessenen Kompositionen vor allem durch einen nie versiegenden Einfallsreichtum und die für Spohr typische Qualität der Ausarbeitung. »Spohr gibt uns alles in meisterhafter Form, und selbst Gekanntes in gewählter Gewandung«, urteilte Robert Schumann über die Musik seines Kollegen.   KU

Einspielungen (Auswahl)
• Duos op. 67: Heinz Schunk, Ulrike Petersen, 1994; CPO

Klaviertrios

Entstehung Als Spohr 1840 in Hamburg Aufführungen seiner Oper »Jessonda« dirigierte, bot ihm der Verleger Julius Schuberth einen Vertrag für ein noch zu schreibendes Klaviertrio an. Noch während der Drucklegung des Opus 119 begann Spohr – offensichtlich von den kompositorischen und klanglichen Möglichkeiten der Gattung angetan – mit der Niederschrift des zweiten Trios. Innerhalb weniger Jahre schloss er den fünfteiligen Zyklus seiner Klaviertrios ab.

Musik »Gewiss, Spohr könnte alles ohne seinen Namen herausgeben, man würde ihn auf den Augenblick erkennen. Von keinem Künstler der Gegenwart ist das in demselben Maße zu behaupten«, so Robert Schumann 1842 in seiner Besprechung des Klaviertrios op. 119. Über die einzelnen Sätze dieses Werkes führt er aus: »Der erste ist ein feines Gewebe, von sicherer Hand kunstreich ausgeführt. Das Scherzo gehört zu Spohrs vorzüglichsten, die er geschrieben; man verlangt es wieder und wieder zu hören. Der letzte Satz hat ein durch Spohr selbst etwas allgemein gewordenes Motiv, im Ganzen herrscht

aber ein außerordentlicher Schwung, das Violoncell-Pizzicato nicht zu vergessen und die schön eingewebte Melodie aus dem Adagio.«

Charakteristisch für alle Trios sind die chromatische wie kontrapunktische Bewegung der einzelnen Stimmen und eine Harmonik, die mehr ausweicht und moduliert als an der Tonika festhält. Geradezu typisch wirkt in diesem Sinne die Behandlung des ersten Themas im Kopfsatz aus op. 119. Im Gegensatz zur traditionellen Aufteilung in Melodielinie und Begleitung sind in den Klaviertrios von Spohr alle Instrumente zu jeder Zeit gleichrangig, sodass sich immer wieder frappierende Klangfarben einstellen. Der eingängigen und ausdrucksstarken Thematik in den Ecksätzen stehen nur selten virtuose Passagen gegenüber.

Wirkung Neben den Klaviertrios von Mendelssohn, Schumann und Franz Berwald gehören diejenigen von Spohr zu den herausragenden Kompositionen dieser Gattung in der Mitte des 19. Jahrhunderts. Über das erste Trio op. 119 urteilte ein Rezensent der »Neuen Zeitschrift für Musik«: »Das Trio ist eine der herrlichsten Blüten des spohrschen Geistes, in welchem neben der größtmöglichen Vollendung in Form und Faktur eine Menge Schönheiten ersten Ranges, geniale Meisterzüge hervortreten.«

Im Gegensatz zu den ersten drei Trios hatten die beiden letzten Werke weit weniger Erfolg. So verkaufte der Verleger Schuberth vom Trio op. 133 innerhalb von zweieinhalb Jahren nur 91 Exemplare.   KU

Streichquartette

Entstehung Spohrs mehr als ansehnliches Œuvre für Streichquartett erstreckt sich fast über sein gesamtes Komponistenleben: 20-jährig schrieb er sein erstes, zwei Jahre vor seinem Tod das letzte Quartett. Antrieb für die Entstehung der insgesamt 36 Werke war Spohrs eigenes vollendetes Violinspiel, das er zum einen in großen Konzerten mit Orchesterbegleitung vorführte, zum anderen in verschiedenen Kammermusikzirkeln in den Dienst eines kleinen Ensembles stellte. Dabei sorgte er freilich nicht nur für die Aufführung eigener Kompositionen, sondern

Im Alter von 21 Jahren wurde Spohr die Leitung der Hofkapelle in Gotha übertragen (Blick auf Schloss Friedenstein). Nach seiner ersten Konzertreise durch Deutschland war er in den Jahren zuvor als Komponist und herausragender Violinist gefeiert worden.

auch für gut geprobte, exemplarische Interpretationen der Werke von Mozart, Haydn und dem frühen Beethoven.

Musik Mit seinen ersten Quartetten ging Spohr nach Angaben in seiner Selbstbiografie sehr kritisch um: Die beiden als Opus 4 erschienenen Werke wären nie veröffentlicht worden, hätte sie der Leipziger Verleger Kühnel nicht ausdrücklich eingefordert. Auch die Herausgabe der Streichquartette op. 15 hat Spohr später bereut. Obwohl diese Kompositionen deutlich Merkmale eines persönlichen Stils aufweisen, gut gearbeitet sind und eine frische Erfindung aufweisen, sind es die vielfachen Anklänge an Mozart und Haydn im Tonfall und der formalen Gestaltung, die diese Reserve erklären. An diesen Werken fasziniert heute vor allem der leichte, fast unbefangene Umgang mit kontrapunktischen Passagen, wie im ansprechenden Finale des g-Moll-Quartetts op. 4/2 oder (durchgängig) im sehr lohnenden Streichquartett

D-Dur op. 15/2. Hier knüpft Spohr im letzten Satz unmittelbar an das Finale aus Mozarts Quartett G-Dur KV 387 an. Dass das Werk ohne langsamen Satz gedruckt wurde, geht auf einen Einwand von Johann Friedrich Reichardt zurück.

Einen ganz anderen Ton weist das Quartett op. 27 auf, das die erste Violine bevorzugt behandelt. Es gehört mit zu jenen Werken, die Spohr in Wien für Johann Tost schrieb – einen wohlhabenden Fabrikbesitzer und leidenschaftlichen Musikfreund, dem schon Haydn einige seiner Quartette gewidmet hatte. Gegen ein ansehnliches Honorar hatte Spohr ihm und seiner »Notenmappe« neue Kammermusikwerke für drei Jahre zu überlassen. Tost begründete sein Engagement für damalige Verhältnisse recht eigenwillig: »Ich beabsichtige zweierlei: Erstlich will ich zu den Musikpartiten, in welchen Sie Ihre Kompositionen vortragen werden, eingeladen sein, deshalb muss ich diese in meinem Beschluss haben; und zweitens hoffe ich, auf Geschäftsreisen, im Besitze solcher Kunstschätze, ausgebreitete Bekanntschaften unter den Musikfreunden zu machen, die mir dann wieder für mein Fabrikgeschäft von Nutzen sein werden.«

Zu Spohrs originellsten und schönsten Werken zählt das Streichquartett Es-Dur op. 29/1. Angeregt durch eine Komposition von Alexander Fesca formt Spohr das erste Thema des Kopfsatzes nach seinem Namen, indem er die wenig gebräuchliche Abkürzung »po.« für piano und die alte Schreibweise der Viertelpause nutzt (eS-po-h-r). Davon abgesehen entwickelt sich aus dem Sprung es–h ein interessant ausgearbeiteter Satz. Die sich anschließende Variationsreihe (c-Moll) weist ein reiches Ausdrucksspektrum auf. Voller Anmut – aber auch virtuoser – ist das A-Dur-Quartett op. 30 gehalten, das für lange Zeit Spohrs Favoritstück in Privatgesellschaften war.

Unverkennbar bleibt Spohr seinem Stil auch in den drei als Opus 45 gedruckten Quartetten treu, die für öffentliche Quartettaufführungen in Frankfurt am Main entstanden. Trotz starker rhythmischer Prägungen rücken die Themen der Kopfsätze gegenüber ihrer eigenen Verarbeitung eigentümlicherweise in den Hintergrund. Luigi Cherubini, der 1821 beim Besuch Spohrs in Paris von diesen Werken schlicht begeistert war, fand besonders am elegischen langsamen Satz aus dem e-Moll-Quartett op. 45/2 Gefallen.

Als Spohr 1821 in Dresden weilte, hatte er die Möglichkeit bei wöchentlichen Quartettabenden vor »den eifrigsten Musikfreunden der Stadt« alle seine bisher komponierten Quartette und Quintette aufzuführen. Da sie großen Anklang fanden, vollendete er in kürzester Zeit die ersten beiden der unter Opus 58 veröffentlichten Werke und brachte sie zur Aufführung.

Den einmal erreichten (und erfolgreichen) Stil veränderte Spohr jedoch in den folgenden Jahren nicht wesentlich. Auch die Quartette op. 74 weisen einen lyrischen Charakter auf. Das erste wirkt dabei etwas energischer, das dritte ist sehr großzügig angelegt. Alle drei Kompositionen spiegeln Wilhelm Altmann zufolge Spohrs »musikalische Eigenart, aber auch seine ganze Mozart-Verehrung besonders gut wider«.

In ähnlicher Weise sind die drei Quartette op. 82 konzipiert, die übrigens keinerlei Reaktion auf Beethovens bahnbrechende späte Streichquartette zeigen. Wie sehr Spohr an die älteren Werke der Wiener Klassiker anknüpfte und sich in ihrer Nachfolge sah, wird auch in den als Opus 84 erschienenen Werken deutlich. Sowohl die formale Disposition als auch der Charakter der einzelnen Sätze greifen auf den sanktionierten Kanon zurück. Spohr meidet jegliches Experiment. Seine letzten Quartette wirken daher nicht mehr ganz so frisch, obwohl das virtuose Element zugunsten eines gleichberechtigten vierstimmigen Satzes kaum mehr eine Rolle spielt. Die beiden letzten, vom Komponisten ohne Opusnummer hinterlassenen Werke sind bis heute unveröffentlicht geblieben.

Das Quatuor brillant, diese Sonderrichtung des Streichquartetts, bei der die erste Violine solistisch hervortritt, während den anderen Instrumenten eine ausschließlich begleitende Funktion zukommt, wurde von Spohr für seine eigenen Bedürfnisse als virtuoser Interpret auch kompositorisch gepflegt. Obwohl all diese Werke dreisätzig angelegt sind und nicht dem hohen satztechnischen Anspruch des gearbeiteten Streichquartetts gerecht werden, handelt es sich dennoch um sehr interessante Kompositionen, die eines gewissen Reizes nicht entbehren und wieder mehr Beachtung verdient hätten. Besonders trifft dies für das Quatuor brillant op. 11 zu.

Wirkung Spohrs Streichquartette fanden während des frühen 19. Jahrhunderts in zahlreichen Ausgaben weite Verbreitung unter den Liebhabern der Kammermusik. Mit zunehmender Ablehnung seines Kompositionsstils, der Mitte des Jahrhunderts als überholt empfunden wurde, gerieten neben fast allen anderen Kompositionen auch die Quartette in Vergessenheit. Noch zum 200. Geburtstag Spohrs (1984) lag kein einziges dieser Werke auf Schallplatte vor. Neuausgaben in Partitur oder Stimmen fehlen auch heute bis auf wenige Ausnahmen.

Als CD-Gesamteinspielung verdienstvoll ist die Aufnahme aller Spohr-Quartette mit dem Neuen Budapester Streichquartett, die seit Jahren bei Marco Polo erscheint; interpretatorische Maßstäbe setzt jedoch die Aufnahme der Quartette op. 15/2 und op. 29/1 durch das Amati-Quartett. KU

Einspielungen (Auswahl)
• Neues Budapester Streichquartett, 1991; Marco Polo

Streichquintette

Entstehung Wie einige der Streichquartette, das Nonett und das Oktett entstanden 1813/14 auch die beiden als Opus 33 veröffentlichten Streichquintette für den Fabrikanten Johann Tost und seine Notenmappe. Am bedeutendsten ist sicherlich das 1826 komponierte h-Moll-Quintett op. 69, mit dem Spohr an Mozarts Meisterwerke anknüpft. Das Streichquintett g-Moll op. 106 von 1838 wurde durch das gemeinsame Musizieren mit dem Dresdner Kapellmeister Karl Gottlieb Reissiger angeregt, dem es auch gewidmet ist. Die letzten beiden Werke entstanden im Rahmen von Spohrs neuerlichen kammermusikalischen Aktivitäten während der 1840er-Jahre. In allen Werken wird die Viola zur Stärkung der Mittelstimmen verdoppelt.

Musik Im Gegensatz zu seinen späteren Werken gab Spohr seinen beiden ersten Streichquintetten einen virtuoseren Zuschnitt. Dies betrifft vornehmlich die erste Violine, die er bei Aufführungen mit technischer Bravour selbst übernahm. Einem Missverständnis des Verlegers ist es zuzuschreiben, dass die Quintette op. 33 entgegen der Chronologie nummeriert wurden.

Ein Geniestreich gelang Spohr mit dem Quintett h-Moll op. 69, in dem er thematische Erfindung und Ausarbeitung mit einem fließenden Bewegungsstrom verband. Neben dem melodischen Schmelz im Trio des Scherzos beeindrucken vor allem der elegische Ton und die Weite des Finales, die man in dieser Weise sonst nur bei Schubert findet. Auffällig ist, dass Spohr in den späten Quintetten Molltonarten und gedeckte Farben bevorzugte, die das dunkle Timbre der verdoppelten Viola weidlich ausnutzen.

Wirkung Der ohnehin im Schatten des Quartetts stehenden Gattung gemäß fanden auch Spohrs Streichquintette keine allzu weite Verbreitung. Allerdings wurden sämtliche Werke kurz nach ihrem erstmaligen Erscheinen in Paris nachgedruckt.

Über das Quintett op. 33/2 entbrannte in Wien eine in der Presse ausgetragene Kontroverse mit dem Staatsbeamten und Komponisten Ignaz Franz von Mosel, die erst durch das Eingreifen der Zensurbehörde beendet wurde. Hierbei ging es allerdings weniger um musikalisch-ästhetische Fragen als vielmehr um eine persönliche Fehde zwischen Spohr und Mosel.   KU

Einspielungen (Auswahl)
• Academy of St Martin in the Fields Chamber Ensemble, 1994 (+ Sextett op. 140); Chandos

Quintette in anderen Besetzungen

Klavierquintett c-Moll op. 52

Besetzung Flöte, Klarinette, Horn, Fagott, Klavier
Sätze 1. Allegro moderato, 2. Larghetto con moto, 3. Menuetto: Allegretto, 4. Allegro molto
Entstehung April und Juli 1820
UA November 1820 Göttingen
Verlag Musica Rara, London
Spieldauer ca. 28 Minuten

Entstehung Spohr schrieb dieses Werk vornehmlich für seine Frau Dorette, um ihr den bevorstehenden, gesundheitlich bedingten Verzicht auf ihr Harfenspiel mit einer passablen Komposition zu erleichtern.

Musik Im Gegensatz zu der sonst bei Spohr üblichen, kontrapunktisch gefügten Satztechnik wird dieses Klavierquintett von virtuoser Eleganz bestimmt. Allein das Hauptthema des ersten Satzes zeigt jene strukturelle Verknüpfung zwischen Ensemble und Tasteninstrument, die man bei einem Kammermusikwerk dieser Art erwartet. Ansonsten kommt den Blasinstrumenten (abgesehen vom zweiten Gedanken) häufig nur eine den Klavierpart kolorierende Funktion zu. Dennoch überzeugt die Komposition durch ihre geistvolle, Leichtigkeit ausstrahlende Erfindung.

Der dreiteilige zweite Satz weist in den rahmenden Abschnitten einen dialogischen Charakter auf, der Mittelteil wird vom virtuos auftrumpfenden Klavier bestimmt. Melancholie prägt das schreitende Menuett; das knappe Trio ist ganz dem Klavier vorbehalten. Voller Dramatik hebt das Finale an, das über weite Strecken wie ein Satz aus einer ensemblebegleiteten Klaviersonate anmutet.

Wirkung Kurz nach der Vollendung der Komposition nahm Spohr (angeregt durch den Besuch befreundeter Musiker) eine Bearbeitung der Bläserstimmen für Streichquartett vor, die sogleich privat aufgeführt wurde und als Opus 53 im Druck erschien. Wegen des anspruchsvollen Klavierparts hat das Werk jedoch nur begrenzte Verbreitung gefunden. Bei Spohrs Besuch 1820 in Paris erklang das Quintett mit den ausgezeichneten Bläsern der reichaschen Kammermusikvereinigung. Ignaz Moscheles berichtet, dass das Werk »mit großem Enthusiasmus angehört wurde«. KU

Klavierquintett D-Dur op. 130

Besetzung Zwei Violinen, Viola, Violoncello, Klavier
Sätze 1. Allegro moderato, 2. Scherzo: Moderato, 3. Adagio, 4. Finale: Vivace
Entstehung August und September 1845

UA 31. März 1846 Leipzig
Verlag Garland, New York (Partitur)
Spieldauer ca. 32 Minuten

Entstehung Nach dem außerordentlichen Erfolg seiner ersten drei Klaviertrios wurde Spohr vom Hamburger Verleger Schuberth gleich mehrfach zur Komposition eines Klavierquintetts aufgefordert und schließlich dazu überredet.

Musik Nicht dramatisch, sondern elegant beginnt der Kopfsatz in d-Moll, wobei die Streicher den Akkordschlägen des Klaviers eine ruhige Geste entgegensetzen. Die Durchführung bringt Modulationen in entlegene Tonarten, bevor sich mit dem Seitenthema in der Reprise die Harmonik nach D-Dur wendet. Auffällig ist hier wie im weiteren Verlauf der Komposition die Ensemblebehandlung der Streicher gegenüber dem Klavier – eine Satztechnik, die sich deutlich von der eher konzertierenden in den Klaviertrios unterscheidet.

1822 trat Spohr seine Stelle als Hofkapellmeister in Kassel an (Blick auf den Friedrichsplatz, Kupferstich von Johann Werner Kobold, 1789). Unter seiner Führung wurde die Stadt zu einer international angesehenen Musikmetropole.

Das Scherzo ist sehr kontrapunktisch gearbeitet, ohne jedoch gelehrt zu erscheinen; das Trio bildet einen spielfreudigen Kontrast. Im dritten Satz entfaltet Spohr eine unangefochtene Poesie und Intimität des Ausdrucks. Mit dem breit angelegten Finale, das ohne Virtuosität dennoch brillant erscheint, wechselt das Tongeschlecht endgültig nach Dur.

Wirkung Dass es sich Felix Mendelssohn Bartholdy bei der Uraufführung im Leipziger Gewandhaus nicht nehmen ließ, selbst den Klavierpart zu spielen, spricht für das hohe Ansehen, das Spohr zu jener Zeit im Musikleben genoss. Für Mendelssohn war es einer seiner letzten Auftritte als Pianist. KU

Sextette und Septette

Sextett C-Dur op. 140

Besetzung Zwei Violinen, zwei Violen, zwei Violoncelli
Sätze 1. Allegro moderato, 2. Larghetto, 3. Scherzo: Moderato, 4. Finale: Presto
Entstehung März und April 1848
Verlag Garland, New York (Partitur)
Spieldauer ca. 24 Minuten

Entstehung Wie aus Spohrs Zusatz zur Eintragung in das eigenhändige Werkverzeichnis hervorgeht, entstand das Streichsextett in politisch bewegten Zeiten (»Zur Zeit der glorreichen Volks-Revolution zur Wiedererweckung der Freiheit, Einheit und Größe Deutschlands«), wobei die Märzrevolution von 1848 die Musik nicht programmatisch beeinflusst hat. In der Bemerkung spiegelt sich allein Spohrs ganz persönliche, politisch liberale und demokratische Einstellung, die ihm freilich am Kasseler Hof das Leben nicht eben einfacher machen sollte.

Musik Der Komponist beschrieb den Stil seines Streichsextetts selbst als »konzertierend für alle Instrumente« und meinte damit die Gleichbehandlung aller Stimmen in einem obligaten Accompagnement. Auffällig ist die häufige Koppelung gleicher Instrumente zu einem Paar. Im Kopfsatz kommt besonders der Viola eine tragende Rolle bei der Vorstellung der Themen

zu, während die Trillerfiguration der Violinen fast die Bedeutung eines vereinheitlichenden Motivs erlangt.

Der aufgefächerte Beginn des zweiten Satzes zeigt deutlich das Klangspektrum der Besetzung. Scherzo und Finale verbindet Spohr zu einem einzigen Satz, womit er an Beethovens 5. Sinfonie anknüpft. Statt einer Durchführung setzt die Wiederholung des knappen Scherzos ein, das auch nochmals kurz vor Ende des Sextetts zitiert wird.

Wirkung In einem Aufführungsbericht aus den »Signalen für die musikalische Welt« von 1851 ist zu lesen: »Es fehlt uns an diesem Werk das, was wir schon vorher genauer gekannt haben, die eigentliche Pointe.« Ein Urteil, das freilich gerade für die Behandlung der Instrumente und die höchst originelle Verknüpfung der beiden letzten Sätze kaum zutreffen will. So kam die »Musical World« 1853 zu einem entgegengesetzten Urteil: Spohrs Werk sei eines »seiner besten und fesselndsten überhaupt«.

Das Spohr-Sextett ist seit den entsprechenden Werken Boccherinis die erste Komposition von hervorragender Bedeutung für diese Besetzung – und es muss als Vorläufer der Streichsextette op. 18 und op. 36 von Brahms angesehen werden. KU

Einspielungen (Auswahl)
• Academy of St Martin in the Fields Chamber Ensemble, 1994 (+ Streichquintett op. 91); Chandos

Septett a-Moll op. 147

Besetzung Flöte, Klarinette, Horn, Fagott, Violine, Violoncello, Klavier
Sätze 1. Allegro vivace, 2. Pastorale: Larghetto, 3. Scherzo: Vivace, 4. Finale: Allegro molto
Entstehung Herbst 1853
UA 1854 Leipzig
Verlag Musica Rara, London
Spieldauer ca. 35 Minuten

Entstehung Mit ungebrochener Schaffenskraft schrieb Spohr im 70. Lebensjahr dies Septett nach einer in London empfangenen Anregung. Es ist sein letztes groß besetztes Werk für Kammermusikensemble.

Musik Schon der erste Satz weist den elegischen Grundcharakter der Komposition aus. Hier zeigt sich Spohr als umsichtiger Klangregisseur bei der Disposition seiner musikalischen Gedanken. Die kontrapunktische Entwicklung der Motive nimmt breiten Raum ein, allerdings wird auf chromatische Wendungen verzichtet.

Mit unterschiedlichen Kombinationen der Instrumente erreicht Spohr in der dreiteiligen Pastorale eine vielseitige Farbigkeit. Besonders die drei Bläser rücken dabei in der Vordergrund. Das Scherzo wirkt hingegen viel dunkler; das Trio I bringt solistische Aufgaben für die Klarinette, das Trio II für das Horn. Fast orchestrale Akzente setzt der Komponist im Finale.

Wirkung Bei der Erstaufführung im Leipziger Gewandhaus übernahm kein geringerer als Ignaz Moscheles den Klavierpart. Trotz der gediegenen Ausarbeitung geriet das Septett im Gegensatz zu Spohrs Oktett und Nonett bald in Vergessenheit. Dieses Schicksal teilt es allerdings mit den meisten anderen Alterswerken des Komponisten. KU

Doppelquartette

Entstehung Zu seiner ersten Komposition für zwei Streichquartette wurde Spohr durch Andreas Romberg angeregt, der ein eigenes Werk gleicher Besetzung nicht mehr vollenden konnte. Seinem 1823 komponierten ersten Doppelquartett ließ Spohr bis 1847 noch drei weitere folgen.

Musik Von welchen Ideen er sich bei der Komposition leiten ließ, beschreibt Spohr anschaulich in seiner Selbstbiografie: »Der Umstand, dass Romberg sich jahrelang mit dem Gedanken beschäftigt hatte …, reizte mich besonders, und ich stellte mir die Aufgabe, wie auch er sie aufgefasst hatte, zwei Quartette nebeneinandersitzend ein Musikstück ausführen zu lassen, dabei aber die beiden Quartette nach Art von Doppelchören häufig abwechseln und konzertieren zu lassen und das Achtstimmige nur für die Hauptstellen der Komposition aufzusparen. Nach dieser Aufgabe schrieb ich also

---

Moderne Doppelchörigkeit

Ein historisches Modell für die Doppelquartette von Louis Spohr bildet die vokal-instrumentale Mehrchörigkeit des italienischen Barock. Dabei begünstigte der Markusdom in Venedig mit seinen zwei Orgelemporen die Komposition für zwei, drei oder mehr fern voneinander postierte, jeweils vierstimmige Chöre, die nach Art der Antifon im Wechsel sangen, sich aber auch stellenweise mischten und (besonders an den Schlüssen) zur volltönenden Achtstimmigkeit vereinten. Als Modell dienten die doppelchörigen »Salmi spezzati« (1550) von Adrian Willaert. Meister der sogenannten venezianischen Mehrchörigkeit wurden dann Andrea Gabrieli und sein Neffe Giovanni Gabrieli.

---

mein erstes Doppelquartett, begann das Thema des ersten Allegro mit beiden Quartetten unisono und forte, um es den Hörern recht einzuprägen, und führte es dann konzertierend durch beide Quartette abwechselnd durch.«

Obwohl Spohr dieses Prinzip allen seinen Doppelquartetten zugrunde legt, finden sich über weite Strecken verschiedene Kombinationen der einzelnen Stimmen über den favorisierten chorischen Wechsel hinaus. Die Werke zeichnen sich durch jeweils einheitlichen Charakter und kontrapunktisches Raffinement aus. Formale Besonderheiten gibt es allerdings kaum. So folgt etwa der Kopfsatz des ersten Doppelquartetts, obwohl er kein zweites Thema aufweist, dennoch in der tonalen Disposition dem obligatorischen Sonatensatzmodell. Das überaus reizvolle klangliche und satztechnische Experiment zwischen doppelchörigem Musizieren und kompaktem Oktettsatz steht für Spohr ganz im Vordergrund.

Wirkung G. W. Fink, Redakteur der Leipziger »Allgemeinen Musikalischen Zeitung«, verlangte 1828 in einer umfangreichen Rezension der ersten beiden Doppelquartette eine striktere Anlage nach »dem griechischen Doppelchore, der zwey verschiedene Parteyen bildet, deren jede ihre eigene Ansicht durchzusetzen sucht«. Überdies hatte bereits beim zweiten Doppelquartett die originelle Besetzung an Zugkraft verloren. Zudem war es schon damals mit erheblichen Schwierigkeiten verbunden, zwei versierte Quartettvereinigungen für Aufführungen zusammenzubringen. Entsprechend konnte Spohr auch keinen der großen Verleger mehr zu einer Drucklegung bewegen.

Von den ersten drei Kompositionen erschienen auch Bearbeitungen für Klavier zu vier Händen, Ende des 19. Jahrhunderts von allen vier Doppelquartetten sogar Taschenpartituren. Mendelssohn dürfte für die Arbeit an seinem Oktett op. 20 durch diese Werke angeregt worden sein, obwohl Spohr behauptete, das Oktett gehöre »einer ganz anderen Kunstgattung an«.

Ein höchst origineller Sonderfall des Doppelquartetts findet sich im 20. Jahrhundert bei Darius Milhaud, dessen Streichquartette Nr. 14 und Nr. 15 (op. 291) nach Vorgabe des Komponisten nicht nur nacheinander, sondern auch simultan aufgeführt werden können.   KU

Einspielungen (Auswahl)
- Academy of St Martin in the Fields Chamber Ensemble, 1986/87; Hyperion

Werke in anderen und größeren Besetzungen

Oktett E-Dur op. 32

Besetzung Klarinette, zwei Hörner, Violine, zwei Violen, Violoncello, Kontrabass
Sätze 1. Adagio – Allegro, 2. Menuetto: Allegro, 3. Andante con variazioni, 4. Finale: Allegretto
Entstehung 1814
Verlag Bärenreiter, Musica Rara (London)
Spieldauer ca. 29 Minuten

Entstehung Nach dem großen Erfolg des spohrschen Nonetts veranlasste der Kunstmäzen Johann Tost die Komposition des Oktetts. Seinem Wunsch gemäß legte Spohr dem Variationssatz das Air aus der 5. Cembalosuite (HWV 430) von Georg Friedrich Händel zugrunde, in der Vorlage Thema der sogenannten Grobschmied-Variationen. Auf einer Geschäftsreise durch England wollte Tost mit dem Werk so einiges Aufsehen erregen – ein höchst moderner Fall von Geschäftsinteresse und Kulturförderung.

Musik Erster Satz Spohr verknüpft die knappe langsame Einleitung und beide Hauptthemen des Kopfsatzes motivisch miteinander und schafft so über den leichten Tonfall hinaus ein dichtes Beziehungsgeflecht: Während die auf- und absteigenden gebrochenen Dreiklänge in umgekehrter Reihenfolge die ersten Takte des Allegros prägen, kehrt die punktierte Wechselnote in der Begleitung des Seitenthemas wieder. Neben den drei Bläsern wird besonders die erste Violine solistisch geführt; die Stimme erfordert große technische Souveränität.

Zweiter Satz Bläser und Streicher sind im Menuett gruppenweise gegenübergestellt. Mit dem Wechsel nach e-Moll gewinnt die Harmonik an Farbigkeit.

Dritter Satz Viel Virtuosität erfordern die insgesamt sechs Händel-Variationen von jedem der acht Instrumentalisten. Spohr zeigt hier sein kontrapunktisches Können und seinen Sinn für Klangwirkungen. Der plötzlichen Rückung nach C-Dur in der dritten Variation folgt eine aparte chromatische Modulation in die Grundtonart E-Dur.

Vierter Satz Das Finale weist mit seinen originellen Themen einen leichten Kehrauscharakter auf. In der Coda streift das Ensemble sinfonische Klangbereiche.

Wirkung Obwohl Spohr sein Oktett sehr häufig mit der Aufführung eines Streichquartetts und -quintetts koppelte, erreichte das Werk nicht die Beliebtheit des Nonetts. Dennoch erschien das Werk gegen Ende des 19. Jahrhunderts in Taschenpartitur.   KU

Einspielungen (Auswahl)
- Gaudier Ensemble, 1993 (+ Nonett); Hyperion
- Tschechisches Nonett, 2001 (+ Nonett op. 31); Praga/Helikon

Nonett F-Dur op. 31

Besetzung Flöte, Oboe, Klarinette, Horn, Fagott, Violine, Viola, Violoncello, Kontrabass
Sätze 1. Allegro, 2. Scherzo: Allegro, 3. Adagio, 4. Finale: Vivace
Entstehung 1813
Verlag Bärenreiter, Edition Peters
Spieldauer ca. 30 Minuten

Entstehung Auch die Anregung zu diesem außergewöhnlich groß besetzten Werk gab Spohrs Verehrer und Mäzen Johann Tost. Nach seinem Wunsch sollte dabei, so Spohr in seiner Selbstbiografie, jedes der »Instrumente seinem Charakter und Wesen gemäß« hervortreten.

Musik Spohr schrieb mit seinem Nonett nicht nur das erste Werk dieser Gattung, sondern setzte mit ihm in gewissem Sinn auch die Wiener Tradition des Divertimentos, durchsetzt von einem schwärmerischen frühromantischen Gestus, fort. Die Besetzung ist ihm dabei kein Hindernis, denn der kammermusikalische Tonfall bleibt zu jedem Zeitpunkt gewahrt. Durch die obligate Führung aller Instrumente erzielt er ganz neue Farbwirkungen.

Erster Satz Die beiden umfangreichen Themengruppen des Kopfsatzes leben von der eingängigen Melodik und dem Wechsel zwischen Streich- und Blasinstumenten. Den Überleitungen wie auch der Durchführung liegen Sequenzmodelle zugrunde, sodass die formale Disposition des Satzes eine erstaunliche Größenordnung erreicht.

Zweiter Satz Seine kontrapunktische Meisterschaft zeigt Spohr in den Imitationen des Scherzos. Hierzu kontrastieren zwei Trios mit tänzerischen und wiegenden Charakteren.

Dritter Satz Noch stärker als die vorangehenden Sätze lebt das Adagio von der Gegenüberstellung der Streich- und Blasinstrumente. Bereits zu Beginn ergibt sich ein fast chorisches Alternieren beider Gruppen, das auch in der weiteren Differenzierung der einzelnen Stimmen fortlebt.

Vierter Satz Mit einem frischen, spielerischen, scherzandoartigen Hauptthema hebt das rasche Finale an. Obwohl das Seitenthema zunächst von der Oboe vorgetragen wird, steht wieder der Ensembleklang im Vordergrund, bei dem jedem Instrument eine eigene Aufgabe zukommt.

Wirkung Das Nonett entwickelte sich zu einem der erfolgreichsten Kammermusikwerke von Spohr, die er selbst wiederholt in Wien, Paris und London aufführte. Werke gleicher Besetzung schrieben u.a. Georges Onslow (op. 77, 1851), Franz Lachner (1875) und Joseph Rheinberger (op. 139, 1885). KU

Einspielungen (Auswahl)
- Gaudier Ensemble, 1993 (+ Oktett); Hyperion CDA 66699
- Tschechisches Nonett, 2001 (+ Oktett op. 32); Praga/Helikon

Stockhausen|
Karlheinz

* 22. 8. 1928
Mödrath bei
Köln

100562

Karlheinz Stockhausen ist einer der bekanntesten Komponisten seiner Generation. Mit seinem breit gefächerten Œuvre prägte die Entwicklung der Neuen Musik maßgeblich.

Seine musikalische Ausbildung absolvierte er in Köln und in Paris, wo er 1952 in der Analyseklasse Olivier Messiaens bedeutende künstlerische Impulse empfing. An Messiaen anknüpfend, hat Stockhausen die Reihentechnik Schönbergs und Weberns auf sämtliche kompositorische Details ausgeweitet und den Einzelklang in allen Parametern (Höhe, Dauer und Intensität) durch Reihenprinzipien festgelegt. Da aber diesem »punktuellen« Verfahren Ordnungskriterien für übergreifende Zusammenhänge fehlten, ging Stockhausen bald darüber hinaus: Um kohärente Formen zu bilden, zerlegte er das Material nicht mehr in isolierte »Punkte«, sondern bündelte es aufgrund bestimmter Charakteristika zu »Gruppen«. Das komplexeste und bedeutendste Werk dieser Schaffensphase, »Gruppen für drei Orchester«, war Höhepunkt der Donaueschinger Musiktage von 1958: 173 »Gruppen« konstituieren die kompositorische Basis und bewegen sich – nacheinander oder gleichzeitig – in unterschiedlichen Zeitschichten.

Aber nicht nur im Bereich der Instrumentalmusik, sondern auch als Pionier der elektronischen Musik wirkte Stockhausen bahnbrechend. Nach seinen »Elektronischen Studien« (1953/54) schuf er mit dem »Gesang der Jünglinge« (1956) die wohl berühmteste Tonbandkomposition überhaupt. In diesem Stück hat er erstmals synthetisches Klangmaterial mit Sprachaufnahmen verknüpft und Phoneme in die serielle Disposition einbezogen. Nach exakt fixierten Kompositionen, die notwendigerweise nur einen Teil der statistisch möglichen Materialpermutationen enthalten, experimentierte Stockhausen mit offenen Formen: Er schrieb Stücke, die von Aufführung zu Aufführung eine andere Gestalt annehmen können, indem die musikalische Abfolge den Interpreten überlassen ist. Setzte er damit den traditionellen Werkbegriff außer Kraft, so sollte die darauf folgende Konzeption einer »Momentform« mit traditionellen Hörgewohnheiten brechen: Musikalische Ereignisse erscheinen in Abständen, die zu lang sind, um Rhythmen, zu kurz aber, um größere Formen zu bilden; der »Augenblick« – nicht der Kontext – wurde zum Zentrum der kompositorischen Arbeit.

Stockhausens Entwicklung mündete in eine fortgeschrittene Variante der seriellen Technik, die er »Formelkomposition« nennt, und in der eine auskomponierte »Formel« die Grundlage der musikalischen Abläufe bildet. Dieses Verfahren liegt seit den 1970er-Jahren allen seinen Werken zugrunde. Gleichzeitig begann er, szenische Musik zu schreiben und einen selbst Wagners Ambitionen übertreffenden Opernzyklus (»LICHT. Die sieben Tage der Woche«) zu konzipieren, den er im Jahr 2002 abschloss. Alle Kompositionen (also auch die Kammermusiken) Stockhausens seit den 1980er-Jahren sind gleichzeitig Teile dieses Opernprojekts. WE

»Harlekin« und »Der kleine Harlekin« für Klarinette

Entstehung 1975
UA 7. März 1976 Köln (»Harlekin«); 3. August 1977 Aix-en-Provence (»Der kleine Harlekin«)
Verlag Stockhausen-Verlag
Spieldauer ca. 45 Minuten (»Harlekin«); ca. 9 Minuten (»Der kleine Harlekin«)

Entstehung Anfang der 1970er-Jahre begann Stockhausen mehr und mehr szenische Elemente in seine Kompositionen zu integrieren. 1975 schrieb er das Klarinettenstück »Harlekin« (Werk Nr. 110), in dem der Interpret nicht nur den Notentext zu spielen, sondern auch Körperbewegungen auszuführen hat, die detailliert vorgeschrieben sind. Das Sujet beruht auf der Figur der klassischen Commedia dell'Arte, die Stockhausen seinen Zwecken angepasst hat: In der Inkarnation als Klarinettist durchlebt Harlekin sieben verschiedene Charaktertypen (u. a. Traumbote, Lehrer, Tänzer), bevor er wieder entschwindet.

»Der kleine Harlekin«, ursprünglich als Teil von »Harlekin« konzipiert, wurde als eigenständiges Stück (Werk Nr. 111) veröffentlicht: Der musikalisch und choreografisch komplexe Part des Werks dokumentiert Stockhausens Vision von einem neuen, flexiblen Interpretentyp.

Musik Beide Stücke beruhen auf einer musikalischen Formel, die in »Harlekin« allmählich entwickelt, variiert und am Schluss wieder »zusammengewickelt« wird, sodass eine symmetrische Großform entsteht: Von einem hohen Triller ausgehend, weitet sich der Tonraum allmählich in die tieferen Register aus; es ist eine Klangspirale, die mit den Kreisbewegungen des Protagonisten korrespondiert. Nach und nach entsteht eine Melodie: die Formel, die im dritten Teil (»Der verliebte Lyriker«) vollständig erscheint. Im Schlusssatz werden die Figurationen des Anfangs in umgekehrter Reihenfolge verarbeitet: Die Klangspirale windet sich nach oben, bis sie von schrillen Lauten, die Vogelrufen nachempfunden sind, unterbrochen und ausgelöscht wird.

Tanzrhythmen sind integraler Bestandteil der Partitur und stehen vor allem in »Der kleine Harlekin« dem virtuosen Klarinettenpart gleichberechtigt gegenüber. Auch in einer rein konzertanten Wiedergabe dürfen diese Rhythmen nicht weggelassen werden, sondern sind von einem Schlagzeuger zu spielen.

Wirkung Die amerikanische Klarinettistin Suzanne Stephens, der die Stücke gewidmet sind, war auch die erste Darstellerin des »Harlekin«, der 1976 im großen Sendesaal des WDR in Köln uraufgeführt wurde. Seither hat sie das Werk in Europa, Amerika und Asien oft gespielt. Die Uraufführung des »Kleinen Harlekin« fand 1977 mit derselben Interpretin im Rahmen eines Interpretationskurses in Aix-en-Provence statt. Von beiden Kompositionen existiert auch eine Bearbeitung für Flöte. Das Prinzip der szenisch agierenden Instrumentalisten hat Stockhausen in den folgenden Jahren weiterentwickelt und in seinen bis heute vorliegenden »LICHT«-Opern perfektioniert.   WE

»Tierkreis – 12 Melodien der Sternzeichen«

Besetzung ein Melodie- und/oder Akkordinstrument
Sätze 1. Aquarius–Wassermann, 2. Pisces–Fische, 3. Aries–Widder, 4. Taurus–Stier, 5. Gemini–Zwillinge, 6. Cancer–Krebs, 7. Leo–Löwe, 8. Virgo–Jungfrau, 9. Libra–Waage, 10. Scorpio–Skorpion, 11. Sagittarius–Schütze, 12. Capricorn–Steinbock
Entstehung 1975/76
Verlag Stockhausen-Verlag
Spieldauer ca. 26 Minuten

Entstehung 1975 schrieb Stockhausen das szenische Werk »Musik im Bauch« für sechs Schlagzeuger und Spieluhren, wofür er einen Fundus von zwölf Melodien komponierte, die die Sternzeichen des Tierkreises repräsentieren. Aber nur drei dieser Melodien werden für eine Aufführung gebraucht; sie werden von den Spielern selbst gewählt und bilden – variiert, zerlegt und übereinandergeschichtet – das gesamte Tonmaterial. Den vollständigen Melodiezyklus, ursprünglich für Schweizer Spieluhren geschrieben, hat Stockhausen als eigenständige, konzertante Arbeit veröffentlicht: »Tier-

Karlheinz Stockhausen (rechts) mit Pierre Boulez (sitzend) und Bruno Maderna (Mitte) 1961 bei den Internationalen Ferienkursen für Neue Musik in Darmstadt, deren seit 1946 abgehaltene Veranstaltungen sich zu einem Treffpunkt der Avantgarde entwickelten.

kreis – 12 Melodien der Sternzeichen« (Werk Nr. 101).

Musik Die ursprüngliche Fassung ist eine der wenigen Originalkompositionen für Spieluhr, und die begrenzten Möglichkeiten der Walzenmechanik, die nach Stockhausens Angaben teilweise verändert wurde, haben die Konzeption geprägt. Jede Melodie beruht auf einem Zentralton und sollte wenigstens dreimal hintereinander gespielt werden. Die Reihenfolge richtet sich nach dem astrologischen Jahreszyklus, der mit Wassermann beginnt und mit Steinbock endet, und die Abschnitte – die, unterschiedlich proportiniert, in der Version für Spieluhr ungefähr zwei Minuten dauern – verkörpern astrologische Charaktereigenschaften.

Wirkung »Tierkreis« gehört zu den Werken, von denen es keine definitive Fassung gibt: Die Interpreten müssen sich eine eigene Version erarbeiten. Es ist eines der meistgespielten Stücke von Stockhausen, der die Melodien der

Sternzeichen für jedes beliebige Melodie- und/ oder Akkordinstrument herausgegeben hat.

Außerdem gibt es u. a. textierte Fassungen für Gesangssolisten (mit oder ohne Instrumentalbegleitung), eine Version für Kammerorchester (Klarinette, Horn, Fagott, Streicher) und eine umfangreiche Variante, die für das kosmisch-mythologische Werk »Sirius« erstellt wurde.

WE

Musik für fünf bis sechs Bläser

»Zeitmaße« für fünf Holzbläser

Besetzung Flöte, Oboe, Englischhorn, Klarinette, Fagott
Entstehung 1955/56
UA 15. Dezember 1956 Paris
Verlag Universal Edition
Spieldauer ca. 15 Minuten

Entstehung Hatte Stockhausen in seinen ersten seriellen Kompositionen den Einzelklang als isoliertes Ereignis verwendet, so versuchte er Mitte der 1950er-Jahre, den musikalischen Kontext durch längere Einheiten zu gliedern, indem er das Material zu »Gruppen« zusammenfasste. Neben dem Hauptwerk dieser Periode, »Gruppen« für drei Orchester (1955–57), entstand 1955/56 auch eine seiner wesentlichen Arbeiten für Kammerensemble: »Zeitmaße« (Werk Nr. 24) für Flöte, Oboe, Englischhorn, Klarinette und Fagott.

Musik Das Stück beruht auf fünf verschiedenen – statischen und dynamischen – Möglichkeiten, Zeit musikalisch zu strukturieren. Vereinfacht wiedergegeben, unterscheidet Stockhausen zwischen absoluter (metronomischer) und relativer Determination (so schnell oder so langsam wie möglich) sowie zwischen progressiven und regressiven Tempomodifikationen (accelerando und ritardando). Diese »Zeitmaße« konstituieren die musikalische Form: sie können nacheinander oder in unterschiedlichen Kombinationen simultan ablaufen, und die Instrumente können sich synchron in einer oder asyn-

chron in maximal fünf Zeitschichten bewegen. So entsteht ein vieldimensionales Zeitempfinden, mit dem Stockhausen die traditionelle »monochronische« Metrik aufbricht.

Wirkung Unter der Leitung von Pierre Boulez wurde »Zeitmaße« im Dezember 1956 »vor einem stillen und äußerst aufmerksamen Publikum« in Paris uraufgeführt. In dem bekannt gewordenen Aufsatz »... wie die Zeit vergeht...« hat Stockhausen seine Überlegungen zur Wahrnehmung und Gestaltung musikalischer Zeitproportionen theoretisch dargestellt.

WE

»Adieu« für Flöte, Oboe, Klarinette, Horn und Fagott

Entstehung 1966
UA 10. Februar 1967 Tokio
Verlag Universal Edition
Spieldauer ca. 16 Minuten

Entstehung Als Stockhausen 1966 von dem Oboisten Wilhelm Meyer gebeten wurde, für eine bevorstehende Asientournee ein neues Werk zu schreiben, sagte er zunächst aus Zeitgründen ab: Für die Ausführung benötige er mehrere Monate, zudem arbeite er bereits an einem größeren Auftrag. Nachdem er aber eine Mondrian-Ausstellung gesehen und sich vorgestellt hatte, dass dieser Künstler an einem Nachmittag ein ganzes Bild habe vollenden können, komponierte Stockhausen innerhalb von nur zwei Tagen »Adieu« (Werk Nr. 44) für Bläserquintett. Er widmete das Stück dem Andenken an Wolfgang Sebastian Meyer, den Sohn des Auftraggebers, der Anfang 1966 im Alter von 29 Jahren tödlich verunglückt war.

Musik Flächige Bläserklänge (»extrem leise, von ganz ganz weit«) und lange Generalpausen verleihen dem Werk einen Ausdruck verhaltener Trauer und Melancholie. Die Partitur verknüpft interpretatorische Freiheit mit serieller Ordnung: Bis auf fünf Takte ist der Notentext nicht im Detail fixiert, sondern besteht aus verbalen Spielanweisungen (zum Beispiel periodische oder aperiodische Wiederholungen, synchrones oder asynchrones Spiel, Glissando, Triller, Flatterzunge) und dem ohne Rhythmus vorgegebenen Tonmaterial. Exakt festgelegt sind hingegen die formalen Proportionen, die auf die Fibonacci-Reihe zurückgehen, eine auf dem Goldenen Schnitt beruhende mathematische Reihe, die Stockhausen auch in anderen Kompositionen verwendet hat.

Wirkung Nachdem »Adieu« bereits zweimal, in Kalkutta und Hongkong, gespielt worden war, fand die offizielle Uraufführung am 10. Februar 1967 in Tokio statt. Das japanische Publikum, so der Komponist, habe das Stück wohlwollend aufgenommen. WE

»Kreuzspiel« für Oboe, Bassklarinette, Klavier und drei Schlagzeuger

Entstehung 1951
UA 21. Juli 1952 Darmstadt
Verlag Universal Edition
Spieldauer ca. 12 Minuten

Entstehung Vor seinem Studienjahr in Paris schrieb Stockhausen 1951 eine Komposition, die von Messiaens berühmter Klavieretüde »Mode de valeurs et d'intensités« (Modus aus Zeitwerten und Lautstärken, 1949) inspiriert wurde: »Kreuzspiel« (Werk Nr. 5). Die erste Konzeption sah neben Klavier und Schlagzeug eine Frauen- und eine Männerstimme vor, die Stockhausen aber bei der Ausführung durch Oboe und Bassklarinette ersetzte.

Musik »Kreuzspiel« gehört zu den ersten Beispielen der »punktuellen Musik«; das gesamte Material ist »präkompositionell« geordnet und jeder Einzelklang seriell determiniert. Der Titel bezieht sich auf die kompositorische Idee, räumliche und zeitliche »Kreuzungsprozesse« darzustellen: Im ersten »Stadium« beginnt der Vorgang in den Extremlagen des Klaviers, das eine Reihe aus zweimal sechs Tönen exponiert. Diese Reihe dehnt sich nach einem komplexen System über alle Register aus und bewegt sich danach wieder in die Anfangspositionen zurück, aber so, dass die oberen Töne mit den unteren vertauscht sind. Das zweite Stadium ist die Umkehrung des ersten: Von der Mitte strebt die Bewegung zu den Extremlagen und wieder zurück.

Im Schlussteil werden beide Prozesse miteinander verbunden.

Wirkung Überfordert von der ungewohnten seriellen Diktion, sorgte selbst das Fachpublikum der Darmstädter Ferienkurse für Neue Musik bei der Uraufführung von »Kreuzspiel« für einen lautstarken Skandal. Für eine Rundfunkaufnahme in Brüssel hat Stockhausen 1953 die Tempi des mittleren Abschnitts verändert und die rhythmische Notation dem metrischen System angepasst. Diese Korrekturen sind in der gedruckten Fassung berücksichtigt worden. WE

Einspielungen (Auswahl)
• London Sinfonietta / Karlheinz Stockhausen, 1973 (+ Chöre für Doris, Choral, Drei Lieder 1950, Sonatine 1951); Stockhausen-Verlag

Kammermusik aus dem Opernzyklus »LICHT«

Entstehung 1977 begann Stockhausen mit der Arbeit an seinem gigantischen Gesamtkunstwerk »LICHT«, das sieben abendfüllende Opern umfasst. Diese Opern sind nach den sieben Wochentagen benannt, die sieben Himmelskörper (Montag: Mond-Tag, Dienstag: Mars-Tag etc.), sieben Eigenschaften, Farben, Elemente und Sinne symbolisieren. Das Sujet konzentriert sich auf drei allegorische Figuren: Michael, den positiven Schöpfergeist, Luzifer, den Rebell und Skeptiker, sowie Eva, die Frau und Mutter. Jeder Tag stellt einen dieser Protagonisten, deren Begegnungen und Konflikte in den Mittelpunkt. So ist zum Beispiel »Montag« (Tag der Geburt) Evas Tag, »Samstag« (Tag des Todes) der Tag Luzifers, und aus der Vereinigung Evas und Michaels, das Thema von »Sonntag«, soll das Leben neu entstehen und sich der Kreis schließen.

Die Besetzung, ebenso aufwendig wie vielseitig, verlangt u. a. pantomimisch agierende Instrumentalsolisten, die eine der drei in mehrere Darsteller aufgespaltenen Hauptrollen oder Nebenfiguren verkörpern. Da die Opern nicht durchkomponiert, sondern aus geschlossenen Teilstücken zusammengesetzt sind, können alle Nummern aus dem Kontext herausgelöst und einzeln – szenisch oder konzertant mit stilisierten Bewegungen und Kostümen – gespielt werden. Zu diesen Nummern gehören auch Kammermusikwerke, außerdem gibt es von vielen Passagen aus »LICHT« Bearbeitungen für kleine Ensembles oder Solisten. Die meisten Soli hat der Komponist Suzanne Stephens (Klarinette und Bassetthorn), Kathinka Pasveer (Flöte) und seinem Sohn Markus Stockhausen (Trompete) gewidmet.

Musik Das Klangmaterial der Heptalogie beruht auf einer »Superformel«, die wie ein genetischer Code alle musikalischen Funktionen bestimmt. Von dieser Superformel leiten sich mehrere »Unterformeln« ab, die den Protagonisten zugeordnet sind, sodass man Stockhausens Verfahren vereinfacht als fortgeschrittene Variante der Leitmotivtechnik definieren könnte.

Die Stücke für Bassetthorn, das klangliche Accessoire der Eva, beziehen sich hauptsächlich auf diese Figur, zum Beispiel »Tanze Luzefa« (1978) aus »Donnerstag«. Ein anderes Bassetthornsolo, »Xi« (1986), beruht auf dem »Montags-Glied«, der Superformel, die zu einer neunminütigen Melodie ausgedehnt ist. Es kann auch auf jedem anderen Klappen- oder Ventilblasinstrument gespielt werden. Ebenfalls im Rahmen des »Montag« entstand der 25 Minuten dauernde »Wochenkreis«, sieben Lieder der Tage, für Bassetthorn und elektronische Tasteninstrumente.

Verschiedene Figurenkonstellationen sind als Duette vertont worden, zum Beispiel »Ave« für Bassetthorn und Altflöte (aus »Montag«), »Elufa« für Bassetthorn und Flöte (aus »Freitag«) sowie »Mission und Himmelfahrt« (1978) für Trompete, das Instrument Michaels, und Bassetthorn (aus »Donnerstag«). In »Luzifers Tanz«, der dritten Szene des »Samstag« (1981–83), erscheint das Orchester als riesiges Gesicht, dessen Teile nacheinander ins Spiel einbezogen werden, und zwei Nummern dieser Szene existieren auch in Soloversionen: der »Oberlippentanz« für Piccolotrompete und der »Zungenspitzentanz« für Piccoloflöte.

Wie eng Stockhausen seine Musik mit kultischen Funktionen verknüpft, dokumentiert »Kathinkas Gesang als Luzifers Requiem« (aus »Samstag«) für Flöte und Schlagzeug, Flöte und elektronisches Tasteninstrument oder für Flöte allein. Vom tibetanischen Totenbuch inspiriert, stellt das 1983 im Rahmen der Donaueschinger Musiktage uraufgeführte Stück Übungen vor, denen die Seele eines Verstorbenen 49 Tage lang lauschen soll, um »zum klaren Bewusstsein« zu gelangen. Der Schluss des Werks, »Der Schrei«, symbolisiert nach Stockhausen – je nachdem, wie sich die Seele entschieden hat – »die Erlösung zur Wiedergeburt«, »die ewige Auslöschung« oder den »Eingang ins klare Licht«. WE

Strauss | Richard

* 11. 6. 1864
München
† 8. 9. 1949
Garmisch-Partenkirchen

Um die Wende zum 20. Jahrhundert galt Strauss noch als Wegbereiter der Moderne. 20 Jahre später war er bereits ein »Klassiker«. Berühmt wurde er besonders mit seinen Tondichtungen und seine Opern. Die Kammermusik entstand zu Beginn und zum Ende seiner Komponistenlaufbahn – hauptsächlich für den privaten Gebrauch.

Geboren als Sohn des 1. Waldhornisten der Münchener Hofkapelle, Franz Joseph Strauss, kam Richard Strauss naturgemäß schon in Kindertagen mit der Musik in Berührung. Seinen ersten Klavierunterricht erhielt er bereits mit fünf Jahren. Und schon bald meldete sich auch das aufkeimende schöpferische Talent zu Wort: 1870/71 entstanden die ersten Kompositionen. Von 1872 an erhielt Strauss bei seinem Vetter, dem Konzertmeister Benno Walter, Violinunterricht; 1875 bis 1880 studierte er bei dem Hofkapellmeister Friedrich Wilhelm Meyer Musiktheorie. Für das häusliche Musizieren im Familien- und Freundeskreis schrieb er in diesen Jahren verschiedene Kammermusikwerke, so etwa Variationen über ein bayrisches Volkslied für Streichtrio (1882), eine Romanze für Violoncello und Klavier (1883, AV 75) und mehrere Stücke für Klavierquartett, von denen ein Arabischer Tanz (1893) ein wahres Unikum darstellt. Dabei waren für Strauss nach eigener Aussage »die klassische Trinität – Mozart (vor allem), Haydn, Beethoven, in Abständen Mendelssohn und Spohr« die Vorbilder.

Für den vom Vater geleiteten Orchesterverein »Wilde Gung'l« entstand der 1881 als Opus 1 gedruckte Festmarsch sowie die Sinfonie in d-Moll (1880). Entscheidend für die weitere Karriere wurde das Zusammentreffen mit Hans von Bülow im Januar 1884. Dieser nahm die Serenade Es-Dur für 13 Blasinstrumente op. 7 (1881) von Strauss in das Reiseprogramm der Meininger Hofkapelle auf und ermunterte den jungen Komponisten zu einem weiteren Werk in dieser Besetzung. Mit der Uraufführung der daraufhin komponierten Suite B-Dur op. 4 für 13 Blasinstrumente debütierte Richard Strauss am 18. November 1884 in München als Dirigent. Ein Jahr später wurde er zum 2. Kapellmeister der Meininger Hofkapelle ernannt und übernahm nach Bülows Rücktritt für einige Zeit die Funktion des Hofmusikdirektors. 1886 kehrte Strauss nach München zurück und wurde zunächst 3. Kapellmeister am dortigen Hoftheater. Am 2. März 1887 leitete er die Uraufführung seiner sinfonischen Dichtung »Aus Italien« op. 16, mit der er den Ausgangspunkt für sein weiteres Schaffen gefunden hatte. Mit insgesamt zehn sinfonischen Dichtungen (1886–1915), zahlreichen Opern (u. a. »Salome«, 1905; »Der Rosenkavalier«, 1911; »Die Frau ohne Schatten«, 1919) wurde Strauss in der Folgezeit zu einem der erfolgreichsten und populärsten Komponisten des 20. Jahrhunderts.

Der Kammermusik widmete er sich erst am Ende seines Lebens wieder – mit zwei Gelegenheitskompositionen: Zum 13. Geburtstag seines Enkels und Geigenschülers Christian entstand am 27. Februar 1945 die »Daphne-Etüde« G-Dur (AV 141) für Violine solo, und am 5. August 1948 schrieb er ein knappes Allegretto E-Dur für Violine und Klavier (AV 149). Die für 16 Bläser geschriebenen Stücke »Aus der Werkstatt eines Invaliden« (1943; AV 135) und »Fröhliche Werkstatt« (1944/45; AV 143) gehören, obwohl als Sonatinen bezeichnet, eher in den Bereich der sinfonischen Blasmusik. KU

Duos

Violinsonate Es-Dur op. 18

Sätze 1. Allegro, ma non troppo, 2. Improvisation: Andante cantabile, 3. Finale: Andante – Allegro
Entstehung beendet 1. November 1887
UA 3. Oktober 1888 Elberfeld
Verlag Universal Edition
Spieldauer ca. 29 Minuten

Entstehung Die Sonate ist gewissermaßen Strauss' letztes Kammermusikwerk. Alle weiteren Kompositionen sind Gelegenheitswerke kleineren Formats und blieben unveröffentlicht; das Streichsextett aus dem Einakter »Capriccio« (1940/41) nimmt ohnehin eine Sonderstellung ein. Die Hinwendung zur sinfonischen Dichtung fällt genau in die Entstehungszeit der Violinsonate: »Aus Italien« wurde 1886, die erste Fassung von »Macbeth« 1888 vollendet – im gleichen Jahr wurde »Don Juan« begonnen. In diesem Zusammenhang erklärt sich auch der eigenwillige Charakter der Sonate, die bisweilen wie die radikale Reduktion eines großformatigen Orchestersatzes anmutet.

Musik Obwohl der erste Satz noch nach Exposition, Durchführung und Reprise gegliedert werden kann und die meisten melodischen Gestalten aus den beiden Hauptthemen abzuleiten sind, scheint der gesamte Verlauf allein der übersprudelnden Fantasie des Komponisten zu gehorchen. Die häufigen Aufschwünge verleihen dem ganzen Satz einen kaum innehaltenden, vorwärtstreibenden Drive.

Wohl nicht zufällig wählte Strauss für den langsamen zweiten Satz die Überschrift »Improvisation«. Auch wenn hier bald klangsinnlich-virtuose Eleganz die anfängliche Ausdruckstiefe ablöst, so ist doch alles klar kalkuliert. Dies zeigt in gleicher Weise die düstere es-Moll-Einleitung zum Finale. Trotz der für Strauss so typischen dramatischen Gesten ist es gerade dieser Schlusssatz, der am deutlichsten Reminiszenzen an schumannsche Wendungen aufweist und damit den Einfluss der großen romantischen Kammermusiktradition nicht verleugnen kann.

Wirkung Die Sonate kam durch Robert Heckmann zur Uraufführung, der sie auch am 5. Oktober 1888 in Köln und acht Tage später in München spielte. Von den zahlreichen weiteren Aufführungen dieses virtuosen Werkes stechen zwei besonders hervor: 1897 spielte Eugène Ysaye die Sonate in Paris; 1939 wurde sie von Licco Amar in Ankara aufgeführt. KU

Einspielungen (Auswahl)
- Kyung-Wha Chung (Violine), Krystian Zimerman (Klavier), 1988 (+ Respighi: Violinsonate); Deutsche Grammophon
- Anne-Akiko Meyers (Violine), Rohan de Silva (Klavier), 1992 (+ Franck: Violinsonate); BMG/RCA

Cellosonate F-Dur op. 6

Sätze 1. Allegro con brio, 2. Andante, ma non troppo, 3. Finale: Allegro vivo
Entstehung 1881–83
UA 8. Dezember 1883 Nürnberg
Verlag Universal Edition
Spieldauer ca. 26 Minuten

Entstehung Unmittelbar nach der viersätzigen Klaviersonate h-Moll op. 5 machte sich Strauss an seine Cellosonate. Nach der Erstfassung aus den Monaten März bis Mai 1881 nahm er das Werk im Herbst und Winter 1882/83 wieder vor, wobei er insbesondere das Finale neu komponierte. Widmungsträger ist Hanuš Wihan, damals Solocellist der Münchener Hofkapelle. Im Autograf steht als Motto der folgende Vierzeiler Grillparzers: »Tonkunst, die vielberedte / sie ist zugleich die Stumme. / Das einzelne verschweigend / gibt sie des Weltalls Summe.«

Musik Souverän verfügt Strauss über die im 19. Jahrhundert standardisierten Formen und versucht, sie bereits in seinen frühen Werken individuell zu gestalten, obwohl vieles vom Tonfall her noch an Mendelssohn und Schumann, aber auch den frühen Brahms erinnert. Die Cellosonate legt er dreisätzig an, verzichtet – wohl aus Rücksicht auf die ohnehin beträchtliche Aufführungsdauer – auf einen Scherzosatz.

Der erste Satz beginnt mit einer 31 Takte umfassenden, fanfarenartigen Einleitung, bevor das eigentliche, mehr lyrisch geprägte Hauptthema im Violoncello erscheint. Das dunkle, von c-Moll ausgehende Seitenthema wird zunächst vom Klavier angestimmt. Die leichter gefügte Schlussgruppe bildet den Ausgangspunkt eines umfangreichen Durchführungsteils, der in ein Fugato mündet.

Während die nach dem schlichten dreiteiligen A-B-A-Modell angelegte zweite Satz durch seine wehmütige, herbstliche Stimmung überzeugt, weist das Finale eine weniger stringente Struktur auf. Auch wenn die ersten Takte schon die Leichtigkeit ähnlicher Bildungen aus späterer Zeit vorwegnehmen, zeigt die Exposition mit ihren drei, lediglich aneinandergereihten Themen deutliche Längen. Die Kanonbildungen in der Durchführung wirken wenig motiviert, sondern als Beweis technischer Meisterschaft aufgesetzt.

Wirkung Die Uraufführung fand mit Widmungsträger Hanuš Wihan und Hildegard Königsthal im Nürnberger Hotel »Goldner Adler« statt, die zweite Aufführung elf Tage später in Dresden durch Ferdinand Böckmann und den Komponisten. Zu diesem Werk sind zwei Dokumente überliefert, die markant die rasche kompositorische Entwicklung von Strauss widerspiegeln. So berichtete der Komponist seiner Mutter nach der Dresdner Aufführung: »Also meine Sonate hat außerordentlich gefallen, sie wurde kolossal applaudiert, von allen Seiten wurde mir gratuliert, und es herrscht nur eine Stimme über das Ganze.« Nur sieben Jahre später, nach einem Konzert im Leipziger Liszt-Verein, schrieb er an Alexander Ritter: »... was mir furchtbar komisch vorkam, so mit allem Ernst den Leuten ein Stück vorspielen, an das man selbst nicht mehr glaubt.« KU

Einspielungen (Auswahl)
- Anne Gastinel (Violoncello), Pierre-Laurent Aimard (Klavier), 1993 (+ Rachmaninow: Cellosonate); Auvidis

- Steven Isserlis (Cello), Stephen Hough (Klavier), 2000 (+ Romanze F-Dur, Don Quixote); RCA/BMG

Introduktion, Thema und Variationen für Waldhorn und Klavier Es-Dur o. op. AV 52

Sätze Introduktion: Moderato assai – Thema: Allegretto (+ fünf Variationen)
Entstehung 26. September bis 4. Oktober 1878
Verlag Schott
Spieldauer ca. 12 Minuten

Entstehung So wie Strauss seinem Vater, dem Hornisten des Münchener Hoforchesters, die Klavierfassung seines frühen ersten Hornkonzerts op. 11 (1883) zugeeignet hat, so schenkte er ihm schon Jahre zuvor zum »Namensfeste« diese Variationenfolge. (Das späte

zweite Hornkonzert von 1942 ist dann seinem Angedenken gewidmet.)

Musik Ausgehend von es-Moll, bereitet das Klavier in einer sich vom Pianissimo zum Forte steigernden Einleitung den Einsatz des Horns vor. Der Aufbau des Themas in zwei mal acht Takten und die klare Trennung zwischen solistischer Oberstimme und begleitendem Klaviersatz wirkt konventionell; allein die plötzliche Modulation nach g-Moll am Ende des ersten Teils überrascht. Mit Ausnahme der vierten, nach es-Moll gewendeten Variation (Adagio), schließt sich jeweils eine kurze Überleitung im Klavier an. Der fünften und letzten Variation im Jagdrhythmus (6/8-Takt) folgt eine fulminante Coda.

Wirkung In einem Brief an den Jugendfreund Ludwig Thuille bekannte Strauss im Sommer 1879: »Zuerst muss ich jedoch die im letzten Herbst komponierten Variationen für Horn in Es-dur umändern und für Menschenlungen und Menschenlippen schreiben; denn so

Richard Strauss verbrachte seine Kindheit in München, wo er von seinem Vater, dem ersten Waldhornisten der Münchner Hofkapelle, Franz Joseph Strauss, unterrichtet wurde. Ihm widmete er 1878 seine Variationenfolge für Waldhorn und Klavier (hier ein Blick auf den Marienplatz und die Frauenkirche, Lithografie um 1830).

sind sie fast unausführbar!« Die Revision unterblieb jedoch. KU

Einspielungen (Auswahl)
• Barry Tuckwell (Horn), Vladimir Ashkenazy (Klavier), 1990 (+ Hornkonzerte Nr. 1 & 2); Decca

Klaviertrios

Klaviertrio Nr. 1 A-Dur AV 37

Sätze 1. Allegro moderato, 2. Adagio, 3. Tempo di Menuetto, ma non lento, 4. Allegro vivace
Entstehung Dezember 1877
UA Juli 1996 Garmisch
Verlag Schott
Spieldauer ca. 14 Minuten

Klaviertrio Nr. 2 D-Dur AV 53

Sätze 1. Allegro moderato, 2. Andante cantabile, ma non troppo, 3. Scherzo: Allegro assai, 4. Finale: Lento assai – Allegro vivace
Entstehung 1878
UA Juli 1996 Garmisch
Verlag Schott
Spieldauer ca. 26 Minuten

Sowohl das dreisätzige Klaviertrio A-Dur (AV 37) vom 19. und 20. Dezember 1877 als auch das viersätzige in D-Dur (AV 53) aus dem Jahr 1878 waren allein für das häusliche Musizieren bestimmt. Entsprechend sind beide Werke Verwandten gewidmet (Anton Ritter von Knözinger bzw. Georg Pschorr).

Vom überraschenden Erfolg des A-Dur-Trios berichtete der gerade 14-jährige Komponist seinem Freund Ludwig Thuille in einem Brief: »Mein Trio wurde bei meinen Onkel, dem kgl. Oberauditeur u. Staatsanwalt Ant. Knözinger, dem ich als Cellisten das Trio widmete, schon mehreremale aufgeführt u. gefiel dort den anwesenden Zuhörern so gut, dass ich mir solche Lobeserhebungen gar nicht erwartet hatte; besonders war mein Onkel von einem Übergange im Adagio von Es-dur nach E-dur ganz gezückt u. hatte er über meine Dedication eine solche Freude, dass er mich bei meiner Mama zum Zeichen seiner höchsten Gunst mit einem seiner militärischen

Kraftausdrücke mit ›Luder‹ betitulirt hat. Als mir Mama dies den nächsten Tag erzählte, musste ich wirklich darüber lachen.«

Beide Werke erlebten erst im Juli 1996 beim Strauss-Fest in Garmisch ihre erste öffentliche Aufführung. KU

Quartette

Streichquartett A-Dur op. 2

Sätze 1. Allegro, 2. Scherzo: Allegro molto, 3. Andante cantabile, molto espressivo, 4. Finale: Allegro vivace
Entstehung beendet 14. November 1880
UA 14. März 1881 München
Verlag Universal Edition
Spieldauer ca. 26 Minuten

Entstehung Strauss war gerade 16 Jahre alt, als er sein einziges Streichquartett komponierte – ein gediegenes Werk im klassischen, an Mozart und Mendelssohn orientierten Stil, das die ganze handwerkliche Meisterschaft des jugendlichen Komponisten offenbart. Es ist einer Quartettvereinigung um den Geiger Benno Walter gewidmet, die auch die Uraufführung spielte.

Musik Alle vier, formal der Tradition verpflichteten Sätze stehen satztechnisch auf einem hohen Stand. Den dominierenden Kopfsatz zeichnet ein rhythmischer Impetus aus, der den Verlauf trotz aller traditionellen, fast überkommenen Wendungen mehr als nur interessant macht. Auch das Scherzo lebt von einem durchgehenden, pulsierenden Motiv, während im dreiteiligen langsamen Satz, der harmonisch durch den Wechsel von h-Moll nach H-Dur überrascht, der große, atmende Melodiebogen im Vordergrund steht. Das Finale mutet weniger gelungen an: Die lange, von dichten kontrapunktischen Versatzstücken geprägte Durchführung erdrückt die knappe Exposition der Themen.

Wirkung Die »Münchener Neuesten Nachrichten« schrieben nach der Uraufführung: »Dasselbe ist die Probe eines entschiedenen Talentes, natürliche Empfindung, Gewandtheit in der Beherrschung der Form zeichnen es aus... Reicher Beifall folgte den einzelnen Sätzen, und am Schluss wurde der junge Künstler zweimal stürmisch gerufen.« KU

Einspielungen (Auswahl)
• Delmé Quartet, 1988 (+ Verdi: Streichquartett); Hyperion

Klavierquartett c-Moll op. 13

Sätze 1. Allegro, 2. Scherzo: Presto, 3. Andante, 4. Finale: Vivace
Entstehung 1883/84, beendet 1. Januar 1885
UA 8. Dezember 1885 Weimar
Verlag Universal Edition
Spieldauer ca. 38 Minuten

Entstehung Nach zwei vorhergehenden Versuchen mit der Serenade G-Dur (AV 168) und einem Festmarsch in D-Dur (AV 178) in der gleichen Besetzung, schrieb Strauss mit dem Klavierquartett op. 13 ein Werk von entscheidender Bedeutung. Mit ihm knüpft er noch einmal an seine großen Vorbilder – vor allem an Johannes Brahms, der drei entsprechende Quartette komponiert hatte – an, findet aber auch seinen eigenen, persönlichen Stil. Die Komposition ist Herzog Georg II. von Sachsen-Meiningen gewidmet, an dessen Hof Strauss in der Nachfolge Hans von Bülows für einige Monate als Hofkapellmeister tätig war.

Musik Mit großem expressivem Ausdruck, Pathos und Schwung kommt der erste Satz daher. Die im sechsten Takt eingetragene Spielanweisung »appassionato« könnte für den ganzen weiteren Verlauf gelten, denn die einzelnen Themen und Verarbeitungsstrecken geraten durch den drängenden Fluss der Bewegung in den Hintergrund. Umso auffälliger sind dann die groß angelegten Unisonopassagen der Streicher, etwa am Ende der Exposition. Die Coda nimmt nochmals Durchführungstechniken auf, bevor schon hier mit aller Macht das erlösende C-Dur erklingt.

Dass das wenig inspirierte Scherzo nicht allzu sehr abfällt, ist der sicheren Handschrift des Komponisten zu verdanken. Auch das Andante erreicht nicht die Qualität des Kopfsatzes. Seine Faktur steht häufig der Disposition eines Klavierquartetts entgegen, wenn sich der Satz über

weite Strecken leicht auf nur eine begleitete Oberstimme reduzieren lässt. Das Finale gewinnt hingegen durch die kunstvolle Verzahnung der Streicher mit dem Klavier und seine instrumentale Virtuosität.

Wirkung Mitglieder des Halir-Quartetts und der Komponist am Klavier bestritten die Uraufführung. 1885 reichte Strauss das Quartett für das vom Berliner Tonkünstler-Verein veranstaltete »Preisausschreiben auf ein Klavierquartett« ein und wurde von den insgesamt 24 eingesandten Werken durch eine Mehrheitsentscheidung der Preisrichter (Heinrich Dorn, Joseph Rheinberger und Franz Wüllner) auf den ersten Platz gesetzt. Für die Bedeutung und Verbreitung der Komposition sprechen die beiden Taschenpartiturausgaben (Universal Edition und Eulenburg); 1904 erschien ein vierhändiger Klavierauszug. KU

Einspielungen (Auswahl)
• Ralf Gothoni (Klavier), Mark Lubotsky (Violine), Matti Hirvikangas (Viola), Martti Rousi (Violoncello), 1994 (+ Mahler: Quartettsatz; Schnittke: Quartettsatz); Ondine
• Lyric Piano Quartet, 1997 (+ Turina: Klavierquartett); Black Box/Note 1

Strawinsky | Igor

* 5. (17.) 6. 1882 Oranienbaum bei St. Petersburg
† 6. 4. 1971 New York

Strawinsky gehört zu den zentralen Künstlerpersönlichkeiten des 20. Jahrhunderts. Bis

ins hohe Alter kompositorisch produktiv, hat er ein ebenso umfangreiches wie stilistisch vielfältiges Œuvre hinterlassen, in dem er Elemente unterschiedlicher Musikepochen absorbierte und in ein eigenes, unverwechselbares Idiom verwandelte.

Erste bedeutende musikalische Impulse erfuhr Strawinsky, der in der Nähe von St. Petersburg als Sohn eines Opernsängers geboren wurde, durch Rimski-Korsakow, bei dem er ab 1903 Privatunterricht nahm. Entscheidend war aber die Begegnung mit Sergei Diaghilew, Gründer und Leiter der in Paris für Furore sorgenden Tanztruppe »Ballets Russes«, für die Strawinsky zwischen 1908 und 1913 drei seiner erfolgreichsten Werke schrieb: »L'Oiseau de feu« (»Der Feuervogel«), »Pétrouchka« und »Le Sacre du printemps«. Diese Ballettmusiken dokumentieren seine Entwicklung vom russischen Romantiker zum internationalen Avantgardisten, der mit der Tradition des 19. Jahrhunderts radikal brach. »Le Sacre du printemps«, Darstellung einer heidnischen Opferhandlung, wurde zu einem Schlüsselwerk der Neuen Musik: Von metrischer Periodizität befreit, suggerieren stampfende Rhythmen und dissonante Akkordschichtungen einen archaischen Primitivismus, der 1913 bei der Pariser Uraufführung den wohl berühmtesten Skandal der Musikgeschichte provozierte. 1914 verließ Strawinsky endgültig seine russische Heimat, die er erst als 80-Jähriger wiedersehen sollte; bis 1920 lebte er in der Schweiz, danach in Frankreich und ab 1940 in den USA.

Galt er zunächst als musikalischer Revolutionär, so begann er in den 1920er-Jahren, ältere Vorbilder aufzugreifen. Im Gegensatz zu Arnold Schönberg – der ebenfalls traditionelle Formen verwendete, damit aber an den romantischen Historismus von Johannes Brahms anknüpfte – zielte Strawinsky auf objektivierende Distanz, indem er barocke und klassische Modelle parodistisch verfremdete. Mit konventionellen Strukturen, durch aperiodische Phrasenbildungen irritiert und wie eine kubistische Collage neu zusammengefügt, etablierte er einen authentischen Stil: den Neoklassizismus, der für Jahrzehnte seine Arbeit prägen sollte. Es entstanden u.a. Ballette, Sinfonien, Solokonzerte, Kammermusik, oratorische und halbszenische Stücke sowie noch 1948 bis 1951 die abendfüllende Oper »The Rake's Progress«.

Strawinsky war längst zur musikalischen Legende geworden, als er Anfang der 1950er-Jahre abermals einen kompositorischen Neubeginn wagte und Stücke schrieb, die auf seriellen Verfahrensweisen beruhen. Ohne sich der subjektiven Ausdrucksästhetik Schönbergs anzunähern, integrierte er die Reihentechnik in seine eigene Diktion und schuf ein Alterswerk, das sich durch asketische Strenge auszeichnet und dessen Schwerpunkt auf der geistlichen Vokalmusik liegt (u.a. »Threni«, 1957/58, und »Requiem Canticles«, 1965/66, jeweils für Solostimmen, Chor und Orchester). WE

Solostücke und Duos

Elégie für Viola

Entstehung 1944
UA 26. Januar 1945 Washington
Verlag Schott
Spieldauer ca. 5 Minuten

Entstehung Strawinsky schrieb die »Elégie«, von der es auch eine Geigenversion gibt, 1944 im Auftrag von Germain Prévost und widmete sie dem Gedenken an Alphonse Onnou, den Gründer des Quatuor Pro Arte.

Musik Das Werk, in der Art einer zweistimmigen Invention konzipiert, gliedert sich in drei Teile: Der Kantilene über einer schlichten, fließenden Begleitung folgt ein Mittelteil, der eine vielstimmige Fuge suggeriert, obwohl nie mehr als zwei kontrapunktische Linien gleichzeitig erklingen. Eine Überleitung führt zur Reprise des Anfangs, die das Werk mit einer veränderten Schlusskadenz beschließt. Das ganze Stück soll nach Vorschrift des Komponisten mit Dämpfer gespielt werden. WE

Einspielungen (Auswahl)
• Tabea Zimmermann (Viola), 1991 (+ Britten: Lachrymae; Schostakowitsch: Bratschensonate op. 147); EMI

Drei Stücke für Klarinette solo

Sätze 1. Sempre piano e molto tranquillo (Viertel = 52), 2. Achtel = 168, 3. Achtel = 160
Entstehung 1918
UA 8. November 1919 Lausanne
Verlag Chester
Spieldauer ca. 4 Minuten

Entstehung Strawinsky lebte in Morges in der französischen Schweiz, als er die »Trois pièces pour clarinette seule« komponierte. Die Stücke hat er aus Dankbarkeit dem bekannten Schweizer Mäzen und Amateurklarinettisten Werner Reinhart gewidmet, der 1918 die erste Produktion des Musiktheaterstücks »L'histoire du soldat« (»Die Geschichte vom Soldaten«) finanziert hatte.

Musik Die drei Miniaturen sind der vielleicht erste Versuch in der Musikgeschichte, die Klarinette solistisch und ohne Begleitung einzusetzen. Die Herausforderung, für ein Instrument zu komponieren, das nur einstimmig spielen kann, hat Strawinsky besonders gereizt. Er schrieb die ersten beiden Stücke für die tiefere A-, das dritte für die B-Klarinette.

Der erste, meditative Satz nutzt vor allem die unteren Register, der ohne Taktstriche notierte zweite Satz hat mit seinen schnellen Arpeggien und Arabesken, die einen ruhigeren und tieferen Mittelteil umrahmen, improvisatorischen Charakter. Das letzte der drei Stücke ähnelt im Gestus dem Tango und dem Ragtime aus »L'histoire du soldat«.

Wirkung Die Uraufführung spielte der Schweizer Edmond Allegra. Seither gehören die spieltechnisch anspruchsvollen Stücke zum Standardrepertoire professioneller Klarinettisten. WE

Einspielungen (Auswahl)
• Paul Meyer (Klarinette), 1993 (+ Berio: Lied, Sequenza IX; Boulez: Domaines; Jolivet: Askesen; Messiaen: Quartett für das Ende der Zeit – 3. Satz; Stockhausen: In Freundschaft); Denon

Duo concertant für Violine und Klavier

Sätze 1. Cantilène, 2. Eclogue I, 3. Eclogue II, 4. Gigue, 5. Dithyrambe
Entstehung Dezember 1931 bis Juli 1932
UA 28. Oktober 1932 Berlin
Verlag Boosey & Hawkes
Spieldauer ca. 16 Minuten

Entstehung Nach Abschluss seines Violinkonzerts setzte sich Strawinsky weiter mit den Möglichkeiten der Geige auseinander und schrieb das »Duo concertant«: Es ist der Versuch, akustische und spieltechnische Probleme zu lösen, die sich seiner Meinung nach durch die Kombination von Violine und Klavier ergaben. Bei geigerischen Fragen konsultierte er den amerikanischen Virtuosen Samuel Dushkin, der am 28. Oktober 1931 in Berlin Strawinskys Violinkonzert uraufgeführt hatte.

Musik Inspiriert von einer Veröffentlichung über Petrarca, orientierte sich Strawinsky bei

Bei der Komposition seines »Duo concertant« ließ sich Strawinsky von einer Veröffentlichung über den italienischen Dichter der Frührenaissance, Francesco Petrarca, inspirieren (Miniatur aus Petrarcas Sonettenzyklus »Canzoniere«, 1414).

der Komposition des »Duo concertant« an Gedichtformen der Antike und realisierte so seine Vorstellung von musikalischer Lyrik: Die Diktion der Musik sollte einer poetischen Sprache gleichkommen, die auf strengen Regeln beruht.

Der erste Satz, keine Kantilene im üblichen Sinn, besteht aus zwei kontrastierenden Gedanken: Geigenarpeggien, begleitet von Tonrepetitionen, und einer breiten Doppelgriffmelodie über motorischen Klavierfiguren.

Der erste Teil der »Eclogue I« (Ekloge = Hirtengedicht), der ohne Taktstriche notiert ist und an Musik für Drehleier erinnert, verwendet alte Satztechniken wie Orgelpunkt, Cantus firmus, Kanon und Bordun. Es folgt eine komplexe Violinpassage, die in ständigem Taktwechsel eine Akkordfolge permutiert und von Staccatoläufen im Klavier gestützt wird.

»Eclogue II« ist in ihrem ruhigen Cantabile den »Aria«-Sätzen des Violinkonzerts nachempfunden. Pausenlose Motorik zeichnet die Gigue aus, deren triolisch wirkende Grundbewegung um Quartenintervalle kreist und unvermutet durch eine Episode im Zweivierteltakt unterbrochen wird.

In der abschließenden »Dithyrambe« (Dithyrambus = ekstatisches Chorlied) verdichtet sich die Komposition zu fünfstimmiger Polyfonie und ist in ihrer archaischen Harmonik Ausdruck herber Schönheit. Nach einer großen, hymnischen Steigerung endet der Satz verhalten mit der Wiederholung der Anfangstakte.

Wirkung Die Uraufführung des »Duo concertant« spielten Samuel Dushkin und der Komponist 1932 im Berliner Funkhaus. Die Zusammenarbeit mit Dushkin war so erfolgreich, dass Strawinsky einige seiner Orchesterwerke für Violine und Klavier mit ihm bearbeitete, um ein Repertoire für gemeinsame Konzertreisen zu schaffen: So entstanden u. a. die Duos »Suite Italienne« und »Divertimento« nach den Ballettmusiken zu »Pulcinella« und »Le baiser de la fée«. WE

Einspielungen (Auswahl)
• Itzhak Perlman (Violine), Bruno Canino (Klavier), 1974 (+ Suite Italienne); EMI

Bearbeitungen eigener Werke für zwei Instrumente

Um für sich und seine Duopartner ein kammermusikalisches Repertoire zu schaffen, hat Strawinsky nicht nur Originalkompositionen, sondern auch Bearbeitungen eigener Werke geschrieben. Drei dieser Transkriptionen gehen auf sein Ballett »Pulcinella« (1920) zurück, das seinerseits auf Bearbeitungen von mehr oder weniger authentischen Stücken des Komponisten Giovanni Battista Pergolesi beruht. WE

Suite für Violine und Klavier

Sätze 1. Introduzione, 2. Serenata, 3. Tarantella, 4. Gavotta con due variazioni, 5. Minuetto e Finale
Entstehung Sommer 1925
Verlag Boosey & Hawkes
Spieldauer ca. 15 Minuten

Am wenigsten bekannt ist die »Suite pour Violon et Piano«, die Strawinsky 1925 schrieb und dem polnischen Geiger Pawel Kochański widmete. Abgesehen von der Form ist das Stück, dem fünf Sätze der »Pulcinella-Suite« zugrunde liegen, ein eigenständiges Werk, jedenfalls eine sehr eigenständige Neufassung der PergolesiBearbeitung: Zahlreiche, spieltechnisch komplizierte Doppelgriffe verleihen der Violine einen sperrigen und herben Klang, der durch harte Dissonanzen im Klavierpart verstärkt wird. WE

Suite Italienne für Violoncello und Klavier

Sätze 1. Introduzione, 2. Serenata, 3. Aria, 4. Tarantella, 5. Minuetto e Finale
Entstehung 1932
Verlag Boosey & Hawkes
Spieldauer ca. 15 Minuten

Strawinsky schuf einige Bearbeitungen eigener Werke, darunter die Suiten, die auf sein Ballett »Pulcinella« (1920) zurückgingen (Szene aus »Pulcinella« am Theater Altenburg-Gera, 2005).

Acht Jahre später schrieb Strawinsky in Zusammenarbeit mit dem Cellisten Gregor Piatigorsky eine weitere Bearbeitung der »Pulcinella«-Musik: die »Suite Italienne« für Cello und Klavier, die sowohl auf dem Ballett als auch auf der Geigensuite basiert. Die neue Besetzung erforderte einige Veränderungen, sodass Strawinsky einen Satz ausgetauscht und zahlreiche Doppelgriffe eliminiert hat. Außerdem passte er die musikalische Diktion seinem weniger dissonanten Stil der 1930er-Jahre an.　　WE

Auch die Version der »Suite Italienne« für Violine und Klavier, die Strawinsky wohl 1933 zusammen mit Samuel Dushkin schrieb, nimmt die dissonante Tonsprache der ersten Geigensuite zurück, verzichtet wie die Cellosuite auf viele der Doppelgriffe und ist in einem weit konventionelleren Sinn virtuos. Gegenüber der älteren Fassung ist sie um einen Satz aus dem »Pulcinella«-Ballett erweitert worden.　　WE

Einspielungen (Auswahl)
• Itzhak Perlman (Violine), Bruno Canino (Klavier), 1974 (+ Duo concertant); EMI

Suite Italienne für Violine und Klavier

Sätze 1. Introduzione, 2. Serenata, 3. Tarantella, 4. Gavotta con due variazioni, 5. Scherzino, 6. Minuetto e Finale
Entstehung wahrscheinlich 1933
Verlag Boosey & Hawkes
Spieldauer ca. 15 Minuten

Divertimento für Violine und Klavier

Sätze 1. Sinfonia, 2. Danses Suisses, 3. Scherzo, 4. Pas de deux
Entstehung (der Orchesterversion) 1934
Verlag Boosey & Hawkes
Spieldauer ca. 20 Minuten

Abschließend erwähnt werden sollte die spieltechnisch wohl anspruchsvollste, wenn auch selten gespielte Transkription von Strawinsky und Dushkin: das »Divertimento« für Violine und Klavier. Es handelt sich um eine Bearbeitung der gleichnamigen Orchestersuite, die auf das Ballett »Le baiser de la fée« (1928) zurückgeht. Obwohl auch dieses Werk die unverwechselbare Handschrift Strawinskys trägt, ist es keine reine Originalkomposition, sondern verarbeitet Klavier- und Vokalwerke von Peter Tschaikowski. WE

»Epitaphium für das Grabmal des Prinzen Max Egon zu Fürstenberg« für Flöte, Klarinette und Harfe

Entstehung 1959
UA 17. Oktober 1959 Donaueschingen
Verlag Boosey & Hawkes
Spieldauer ca. 1 Minute 30 Sekunden

Entstehung Als Max Egon zu Fürstenberg, Schirmherr der Donaueschinger Musiktage, 1959 starb, widmete ihm Strawinsky, der 1957 und 1958 Gast im fürstlichen Schloss gewesen war, dieses kurze Stück für Triobesetzung zum Gedenken.

Musik Strawinsky konzipierte zunächst ein Werk für zwei Flöten: Nach einigen Skizzen in freier Kompositionstechnik bemerkte er, dass sich das Material für das Reihenverfahren eignete, und arbeitete das kleine Duett konsequent zwölftönig aus. Der Harfenpart wurde erst nachträglich hinzugefügt, um antifonale Strophen zwischen hohen und tiefen Instrumenten zu ermöglichen, die auf den liturgischen Charakter der Musik hinweisen.

Kurz vor der Uraufführung, die im Rahmen der Donaueschinger Musiktage 1959 stattfand, schrieb Strawinsky die zweite Flötenstimme für Klarinette um, da im selben Konzert u.a. die geistlichen Lieder op. 15 von Webern gespielt wurden, die ebenfalls Flöte und Klarinette kombinieren. WE

Werke für Streichquartett

Drei Stücke für Streichquartett

Sätze 1. (Viertel = 126), 2. (Viertel = 76), 3. (Halbe = 40)
Entstehung 1914; 1918 (Revision)
UA 19. Mai 1915 Paris
Verlag Boosey & Hawkes
Spieldauer ca. 8 Minuten

Entstehung Im ersten Jahr seines Schweizer Exils komponierte Strawinsky auch sein erstes kammermusikalisches Werk: »Trois pièces pour quatuor à cordes«. Der zweite Satz ist von einem visuellen Erlebnis beeinflusst, das der Komponist selbst so schilderte: »1914 hatte ich Little Tich in London gesehen, und ich war sehr beeindruckt von seinen Bewegungen, und die Kunst des großen Clowns hat mir die Zuckungen, das Auf und Ab, den Rhythmus – selbst die Stimmung und den Witz der Musik, die ich später ›Eccentric‹ nannte – eingegeben.« Ursprünglich für Misia Sert geschrieben, eine Pariser Freundin, die das Werk aber ablehnte, wurde die endgültige Fassung von 1918 Ernest Ansermet gewidmet.

Musik Die »Drei Stücke für Streichquartett« gehören zu den eigenartigsten Schöpfungen Strawinskys: In drei kontrastierenden Miniaturen, die kein kohärentes Ganzes zu ergeben scheinen, werden die Instrumente zur Erzeugung eines spröden, nahezu irreal wirkenden Klangs eingesetzt.

Das erste, äußerst kurze Stück schichtet verschiedene kompositorische Prozesse übereinander: Motivsplitter einer Tanzmelodie, die in unregelmäßigen Phrasen permutiert werden, ein asymmetrisches Ostinato und absteigende Skalenausschnitte. Das von dem Clown Little Tich inspirierte zweite Stück ist ein sprunghaftes Scherzo. Das Werk schließt mit einem schmucklosen Choral.

Wirkung Publikum und Presse reagierten mit Unverständnis, als die Stücke am 8. November 1915 in Chicago erklangen. Irritiert von der bizarren Musiksprache, meinte ein Kritiker, dass, sollten solche Kompositionen zur Regel werden, das Ende nahe sei. Um die Rezeption in die richtige Richtung zu lenken, nannte Strawinsky das Werk bei der New Yorker Erstaufführung »Grotesques«. Zwischen 1914 und 1918 hat er die Stücke orchestriert und mit »Dance«, »Eccentric« und »Canticle« betitelt; 1928 fügte er einen vierten Orchestersatz hinzu und nannte den Zyklus »Quatre Études pour orchestre«. WE

Einspielungen (Auswahl)
• Borodin-Quartett, 1994 (+ kleinere Werke für Streichquartett von Borodin, Glasunow, Prokofjew, Rachmaninow, Schebalin, Schnittke, Schostakowitsch, Tschaikowski, Wainberg); Teldec

Concertino für Streichquartett

Entstehung Juli–September 1920
UA 3. November 1920 New York
Verlag Wilhelm Hansen, Kopenhagen
Spieldauer ca. 6 Minuten

Entstehung Alfred Pochon, der zweite Geiger des Flonzaley-Quartetts, wollte das rein klassische Repertoire seines Ensembles um ein zeitgenössisches Werk erweitern und beauftragte Strawinsky mit der Komposition eines neuen Stücks, dessen Form und Umfang er selbst bestimmen sollte. So entstand im Sommer 1920 das kurze »Concertino pour quatuor à cordes«, das Strawinsky als Gast Coco Chanels im Pariser Vorort Garches vollendete.

Musik Das Hauptgewicht der Komposition liegt auf der ersten Geige, die solistisch eingesetzt wird. Das einsätzige Stück beruht auf der Form eines freien Sonatenallegros: Aggressive Läufe, die mehrere Tonleitern übereinanderschichten, eröffnen und beschließen die verschiedenen Formteile. Passagen, in denen Strawinsky kurze Motive permutiert, wechseln mit harten Akkordschlägen ab. Den Mittelteil bildet eine Doppelgriffkadenz der ersten Geige (Andante), die in eine Reprise überleitet. Abgeschlossen wird das Stück von einer Coda, die das Andante der Kadenz aufgreift.

Wirkung Die Uraufführung des »Concertino« war ein Fiasko, das Werk wurde als aggressiv und überspannt bezeichnet. Alfredo Casella machte dafür das Flonzaley-Quartett verant-

wortlich, das die Musik nicht verstanden habe. Strawinsky bearbeitete das Stück 1952 für ein zwölfköpfiges Ensemble, um es besser zur Geltung zu bringen. WE

Double Canon

Entstehung 1959
UA 20. Dezember 1959 New York
Verlag Boosey & Hawkes
Spieldauer ca. 2 Minuten

Entstehung Nach Auskunft von Robert Craft schrieb Strawinsky während eines Venedig-Aufenthalts im September 1959 ein Duett für Flöte und Klarinette, das er kurz vor der Uraufführung zum »Double Canon«, seiner letzten Arbeit für Streichquartett, erweiterte. Das Stück ist dem Andenken an den französischen Maler Raoul Dufy gewidmet.

Musik Der Doppelkanon, eine strenge Zwölftonkomposition im Ausdruck einer entsagenden Elegie, repräsentiert den kargen Spätstil Strawinskys: Erste und zweite Violine spielen einen Kanon, der auf einer Zwölftonreihe und ihrer rückläufigen Umkehrung beruht. Gleichzeitig erklingt zwischen Bratsche und Cello ein zweiter Kanon, der den Krebs der Grundreihe verwendet.

Wirkung Die Uraufführung am 20. Dezember 1959 in der New Yorker Town Hall fand im Rahmen eines Strawinsky-Festivals statt. WE

Werke für größere Besetzungen

Septett

Besetzung Klarinette, Fagott, Horn, Klavier, Violine, Viola, Violoncello
Sätze 1. Viertel = 88, 2. Passacaglia – Gigue
Entstehung Juli 1952 bis Februar 1953
UA 23. Januar 1954 Dumbarton Oaks, Washington, D. C.
Verlag Boosey & Hawkes
Spieldauer ca. 12 Minuten

Entstehung Nach Vollendung seiner »Cantata« nach altenglischen Texten schrieb Strawinsky zwischen 1952 und 1953 das Septett, das er der »Dumbarton Oaks Research Library and Collection« in Washington widmete. Der Schlussteil des letzten Satzes (Gigue) war möglicherweise als Hommage an Arnold Schönberg gedacht, der 1951 gestorben war und seine Suite op. 29 ebenfalls mit einer Gigue beendet hatte.

Musik Das Stück dokumentiert den Übergang vom neoklassizistischen zum späten, seriell geprägten Kompositionsstil Strawinskys. Hat der erste Satz, ein Sonatenallegro, noch eine gewisse Ähnlichkeit mit dem 15 Jahre älteren »Dumbarton Oaks Concerto«, das den »Brandenburgischen Konzerten« von Bach nachempfunden ist, so weist der zweite Satz mit Passacaglia und Gigue in eine neue Richtung: Wie in einem Stück Anton Weberns werden die kurzen Motivsplitter des Passacagliathemas auf verschiedene Instrumente verteilt und in neun Abschnitten mit Verfahrensweisen der Reihentechnik variiert.

Die Gigue, ein kontrapunktisches Meisterwerk, enthält vier Fugen; das kompositorische Material besteht aus einer Achttonreihe, die sich aus dem Thema der Passacaglia herleitet. Obwohl der Satz bereits serielles Denken verrät, hat Strawinsky die Reihenorganisation noch in einen tonalen Rahmen eingefügt.

Wirkung Die Uraufführung in Dumbarton Oaks wurde von Strawinsky selbst dirigiert. Vor allem der zweite Satz erregte wegen der kontrapunktischen und seriellen Kompositionstechniken Aufsehen.　　　　WE

Einspielungen (Auswahl)
• Dmitri Ashkenazy (Klarinette), European Soloists Ensemble/Vladimir Ashkenazy, 1994 (+ Epitaphium, Oktett, Ragtime, Stücke für Klarinette); Decca

Oktett für Blasinstrumente

Besetzung Flöte, Klarinette, zwei Fagotte, zwei Trompeten, Posaune, Bassposaune
Sätze 1. Sinfonia, 2. Tema con variazioni, 3. Finale
Entstehung 1922 bis 20. Mai 1923
UA 18. Oktober 1923 Paris
Verlag Boosey & Hawkes
Spieldauer ca. 16 Minuten

Entstehung Anfang der 1920er-Jahre hatte Strawinsky ein neues musikalisches Ideal: Mozart, dessen Sinfonien ihn zu neoklassizistischen Kompositionen inspirierten. Er habe von einem Bläserensemble geträumt, dabei aber keine Musik gehört, schrieb Strawinsky über die Entstehung des »Octuor pour instruments à vent«, und so habe er am nächsten Tag begonnen, selbst ein Stück für diese Besetzung zu schreiben. Kurz darauf musste er die Arbeit für einige Zeit unterbrechen, um die Instrumentierung von »Les Noces« fertigzustellen.

Musik Das Werk ist die erste neoklassizistische Originalkomposition Strawinskys und orientiert sich an Modellen des 18. Jahrhunderts: Den ersten Satz bildet ein Sonatenallegro, dem eine langsame Einleitung voraufgeht. Die Form wird durch die kontrapunktische Entwicklung und die – zum Teil polytonal verfremdete – Harmonik deutlich.

Einen Teil des zweiten Satzes hatte Strawinsky bereits ausgearbeitet, bevor er entdeckte, dass sich das 14-taktige Thema für das Variationsprinzip eignete, und zum ersten Mal in seiner kompositorischen Entwicklung schrieb er eine Variationenfolge.

Im abschließenden Rondofinale griff er eine Technik auf, die er in »Le Sacre du printemps« perfektioniert hatte, wo er eine melodische Floskel mit asymmetrischer Rhythmik in der Art eines russischen Reigentanzes verarbeitete.

Wirkung Die Uraufführung des Oktetts im Pariser Opernhaus fand im Rahmen der Koussevitzky-Konzerte statt. Das Publikum hatte ein aggressives Stück der russischen Avantgarde erwartet und reagierte auf die klassizistische Bläsersonate, von Strawinsky selbst mit »insektengleichen Bewegungen« dirigiert, mit ratlosem

Schweigen: Es war, so Jean Cocteau, ein »scandale du silence«.

1952 gab Strawinsky eine revidierte Fassung heraus, in der er Druckfehler korrigierte und einige Passagen leicht veränderte.   WE

Einspielungen (Auswahl)
- Dmitri Ashkenazy (Klarinette), European Soloists Ensemble/Vladimir Ashkenazy, 1994 (+ Septett, Epitaphium für das Grabmal des Prinzen Max Egon zu Fürstenberg, Ragtime, Drei Stücke für Klarinette); Decca

Szymanowski | Karol

* 6. 10. 1882
Tymoszówka
(Ukraine)
† 29. 3. 1937
Lausanne

100562

Szymanowski, nach Frédéric Chopin der erste polnische Komponist von wirklich internationalem Format, gilt als die einflussreichste Persönlichkeit des polnischen Musiklebens in der ersten Hälfte des 20. Jahrhunderts. Seine Kammermusik ist vor allem der Freundschaft zu dem Geiger Pawel Kochański zu verdanken.

Schon in Kindertagen kam er durch seinen Vater, der dem Landadel angehörte und nicht nur literarischen Interessen nachging, sondern auch begeistert Klavier und Violoncello spielte, mit der musikalischen Tradition in Berührung. Eine erste Auslandsreise 1895 nach Wien und in die Schweiz brachte Szymanowski zum ersten Mal mit der Musik von Richard Wagner in Berüh-

rung, die bei ihm einen nachhaltigen Eindruck hinterließ. Sein Kompositionsstudium begann er jedoch erst 1901 in Warschau; dort schloss er sich auch der Gruppe »Junges Polen« an. Die in dieser Zeit entstandenen Klavierwerke weisen deutlich den Einfluss von Chopin, aber auch Skrjabin auf.

Ganz andere Wurzeln hat die 1. Sinfonie f-Moll op. 15 (1906/07), die er selbst als »kontrapunktisch-harmonisch-orchestrales Monstrum« bezeichnete. Die dichte Polyfonie und scharfsinnig verfeinerte Harmonik eines Reger oder Strauss führte ihn jedoch bald in eine Sackgasse. Zudem fand er in Polen nicht die erhoffte Anerkennung, die ihm im übrigen Europa entgegengebracht wurde. Das 1907 komponierte Klaviertrio op. 16 vernichtete Szymanowski selbst. Reisen nach Italien (1909/10) und Nordafrika (1914) brachten ihm die mediterranen Kulturen näher; in Wien kam er mit der Musik Debussys und Ravels, aber auch den frühen, radikalen Ballettmusiken von Strawinsky in Berührung. Entsprechend gewann seine Musik an klanglicher Exotik; den Höhepunkt dieser Schaffensphase erreichte Szymanowski mit seiner Oper »Król Roger« (»König Roger«, 1918-24).

Nach der Wiedererrichtung eines unabhängigen Polen im Jahr 1918 wandte sich Szymanowski wieder nach Warschau und begann (angeregt durch die Aktivitäten Béla Bartóks), sich mit der Volksmusik seiner Heimat schöpferisch auseinanderzusetzen. Wichtigstes Ergebnis dieser Phase ist die Ballettmusik »Harnasie« op. 55 (1923-31). Seine berühmten Mazurken für Klavier op. 50 (1924/25) beruhen auf der Kombination masovischer Tanzmusik und goralischer Folklore, stellen also nicht bloß moderne Varianten der Meisterwerke Chopins dar. 1927 übernahm Szymanowski die Leitung des Warschauer Konservatoriums; seine Reformen und die durchgreifende Modernisierung des Unterrichts wurden von konservativen Kritikern jedoch so stark bekämpft, dass er nach zwei Jahren zurücktrat. Auch weitere Reformversuche als Rektor der Warschauer Musikakademie (1930-32) scheiterten. Szymanowski, der der polnischen Musik zu europäischer Bedeutung verholfen hat, starb an einer Knochentuberkulose, die sich bei ihm bereits im vierten Lebensjahr bemerkbar gemacht hatte.   KU

Der Geiger Pawel Kochański

»Natürlich bin ich ständig mit dem lieben Pawel und seiner Zosia zusammen, aber auch manchmal mit Arthur, der wie immer schrecklich in Eile ist«, schrieb Szymanowski am 8. Juni 1924 aus Paris an seine Familie in Warschau. Mit den beiden Genannten – dem Geiger Pawel Kochański und dem Pianisten Arthur Rubinstein – war er befreundet. Der polnische Geiger Pawel Kochański spielte mit Vorliebe Bach, Beethoven und Brahms. Er komponierte aber auch die Stücke »Danse sauvage« und »L'Aube« für Violine und Klavier. Auf seine Anregung hin entstand u. a. die Suite für Violine und Klavier (1925) von Igor Strawinsky. Szymanowski beriet er nicht nur in geigentechnischen Fragen bei den für ihn geschriebenen Stücken, sondern er transkribierte auch dessen »Chant de Roxane« aus der Oper »Król Roger« sowie »Chanson polonaise« und »Danse paysanne« aus dem Ballett »Harnasie« für Violine und Klavier (beide 1926).

Violinsonate d-Moll op. 9

Sätze 1. Allegro moderato. Patetico, 2. Andantino tranquillo e dolce. Scherzando (più moto), 3. Finale: Allegro molto, quasi presto
Entstehung 1904
UA 19. April 1909 Warschau
Verlag Universal Edition
Spieldauer ca. 19 Minuten

Entstehung Szymanowski schrieb diese Sonate während seines Unterrichts bei Zygmunt Noskowski. Dass es sich – trotz aller Meisterschaft im Handwerklichen – noch nicht um eine restlos selbstständige Komposition handelt, zeigen Anklänge an die entsprechend besetzten Werke von Johannes Brahms und César Franck.

Musik Erster Satz Die kontrastierenden Ausdruckssphären der beiden Themen spiegeln sich am klarsten in den Spielanweisungen wider: »con passione« und »espressivo dolce«. Sie werden in der Durchführung auf engstem Raum einander gegenübergestellt, die Reprise setzt mit der Überleitung ein. Der Satz schließt ganz verhalten im vierfachen Piano.

Zweiter Satz Eine vom Klavier vorgestellte, matt glänzende Melodie wird zunächst, vorbe-reitet durch eine sich aufschwingende Kadenz, von der Violine aufgegriffen und dann frei mit einem kurzen Mittelteil weiterentwickelt. Plötzlich tritt das leicht beschleunigte Scherzando ein, bevor der erste Teil des Satzes noch einmal stark variiert wiederkehrt.

Dritter Satz Voller Leidenschaft hebt das Finale an. Erst nach einem knappen Fugato der Stimmen wird im Seitensatz ein ruhiger Ton angestimmt. Die Durchführung ist als breite, hochdramatische Steigerung angelegt, die mit dem Repriseneintritt des Hauptthemas ihren Höhepunkt erreicht. Nun gerät auch das zweite Thema in den Sog des zum Ende hin vorwärtsstürmenden 6/8-Taktes.

Wirkung Die Uraufführung der Sonate spielte Pawel Kochański, für den Szymanowski auch alle weiteren Geigenkompositionen (einschließlich seiner beiden Violinkonzerte) schrieb. Am Klavier begleitete der damals 22-jährige Arthur Rubinstein.   KU

Einspielungen (Auswahl)
• Lydia Mordkovitch (Violine), Marina Gusak-Grin (Klavier) 1990, (+ Mythen, Notturno); Chandos

Andere Werke für Violine und Klavier

Entstehung Innerhalb des kammermusikalischen Œuvre von Szymanowski nehmen die Werke für Violine und Klavier eine besondere Stellung ein. Sie sind nicht ohne Pawel Kochański zu denken, der den Komponisten mit den technischen und klanglichen Möglichkeiten der Violine vertraut machte.

Musik Während der Arbeit an seiner zweiten Sinfonie schrieb Szymanowski die »Romance« D-Dur op. 23 (UA 8. April1913 Warschau). In der Melodik und der chromatisch angereicherten Harmonik sind der zeitgemäße spätromantische Tonfall und der Einfluss Max Regers deutlich zu spüren.

Eine völlig andere Klang- und Ausdruckswelt ist den beiden 1915 geschriebenen Kompositionen zu eigen: »Nocturne und Tarantella« op. 28 und »Mythen« op. 30. Sie stehen unter dem Eindruck des französischen Impressionismus, den Szymanowski in seine bisherige Tonsprache aufzunehmen suchte. Auf diese Weise entstanden neben den »Metopen« op. 29 und den »Masken« op. 34 für Klavier wichtige Werke, ohne die seine kompositorische Entwicklung nicht zu denken wäre. Die Tarantella zeichnet sich durch instrumentale Brillanz und rhythmischen Schwung aus; die Satzüberschriften der »Mythen« weisen auf Szymanowskis Interesse an der antiken Kultur: »La Fontaine d'Arethuse«, »Narcissus« und »Dryades et Pan«. So entstanden flirrende, sinnliche und fein differenzierte Klanggemälde voller Erregung; das dritte Stück wird mit einer Vierteltonschwebung eröffnet. Kochański und Szymanowski führten die »Mythen« erstmals 1916 in einem Wohltätigkeitskonzert in Uman (Ukraine) auf. Béla Bartók zeigte großes Interesse an dem Werk.

In den »Drei Paganini-Capricen« op. 40 von 1918 (UA 25. April1918 Elisavetgrad) unterlegt Szymanowski der Solovioline nicht nur eine harmonisch ausgreifende Klavierstimme (im ersten Satz, bei Paganinis Caprice Nr. 20), sondern greift zum Teil erheblich in die Vorlage ein, in dem er sie verkürzt (zweiter Satz, Nr. 21) oder erweitert, wie im dritten Satz, der auf Paganinis bekannte a-Moll-Variationen (Nr. 24) zurückgreift.

1925 wandte sich Szymanowski mit »Kolysanka« (Wiegenlied) op. 52 noch einmal der Besetzung für Violine und Klavier zu. Der Untertitel »La Berceuse d'Aïtacho Enia« gibt den Namen der Villa in Saint-Jean-de-Luz an, in der das Stück entstand.   KU

Einspielungen (Auswahl)
- Mythen op. 30: Kaja Danczowska (Violine), Krystian Zimerman, 1981 (+ Franck: Violinsonate); Deutsche Grammophon

Streichquartette

Streichquartett Nr. 1 C–Dur op. 37

Sätze 1. Lento assai – Allegro moderato, 2. Andantino semplice, in modo d'una canzona,

3. Vivace – Scherzando burlesca – Vivace, ma non troppo
Entstehung Herbst 1917
UA 10. März 1924 Warschau
Verlag Universal Edition
Spieldauer ca. 18 Minuten

Entstehung Während das Streichquartett im Autograf noch vier Sätze aufweist, verzichtete Szymanowski bei der späten Drucklegung auf das als Fuge konzipierte Finale. Durch Vertauschung der vormaligen Mittelsätze bildet das ursprünglich an zweiter Position stehende Scherzo nun den Schlusssatz des Quartetts.

Musik Das Streichquartett ist in allen Sätzen von hochexpressiver, klanggesättigter Melodik geprägt, die die traditionelle formale Anlage vollkommen überdeckt. Die horizontale Entfaltung der Gedanken steht ganz im Mittelpunkt, sodass es im ersten Satz gelegentlich zu kurzen, von statischen Ostinati begleiteten Klangflächen kommt. Das im Titel hervorgehobene C-Dur weist nicht auf eine funktional gebundene Harmonik hin, sondern auf die selbstständige diatonische Führung jeder einzelnen Stimme, deren Zusammenwirken Szymanowski gleichwohl kontrolliert. Die bemerkenswerte Kleinterzschichtung von C-Dur, Es-Dur, Fis-Dur und A-Dur etwa zu Beginn des dritten Satzes wirkt in der klanglichen Realisation ebenso wenig befremdend wie im Notenbild, das von aller Chromatik befreit ist.

Wirkung Im Januar 1922 erhielt Szymanowski für das Quartett den ersten Preis bei einem Kompositionswettbewerb des polnischen Kultusministeriums. Nach der Drucklegung (1924) fand das Werk Aufnahme in das Repertoire mehrerer Streichquartette.   KU

Streichquartett Nr. 2 op. 56

Sätze 1. Moderato dolce e tranquillo, 2. Vivace scherzando, 3. Lento – Moderato
Entstehung 1927
UA 14. Mai 1929 Warschau
Verlag Universal Edition
Spieldauer ca. 19 Minuten

Entstehung Das zweite Streichquartett entstand im Zusammenhang mit einer von der »Musical Fund Society« in Philadelphia ausgeschriebenen Preiskonkurrenz; den ersten Preis erhielten jedoch zu gleichen Teilen das dritte Streichquartett von Béla Bartók und die Serenata op. 46 für fünf Instrumente von Alfredo Casella.

Musik Im zweiten Streichquartett manifestiert sich Szymanowskis ausdrucksstarke Tonsprache in neuen Klangqualitäten, die auch dynamische Extreme berühren. Im zurückgenommenen Anfang des ersten Satzes etwa werden die Mittelstimmen zu einer flirrenden Bewegung gekoppelt, um die die erste Violine und das Violoncello einen fahlen, gedämpften Gedanken spinnen. Mit der anschließenden Beschleunigungsphase rücken markante Akkordbildungen in den Vordergrund. Die Melodien des Scherzos wirken vom Volksliedgut der Goralen inspiriert. Im Finale (wieder ein langsamer Satz) entwirft Szymanowski ein dichtes polyfones Stimmgeflecht, das nicht auf die fugierten Abschnitte beschränkt bleibt. KU

Einspielungen (Auswahl)
- Carmina Quartet (+ Webern: Langsamer Satz), 1991; Denon
- Goldner String Quartet, 1997 (+ Streichquartett Nr. 1, Strawinsky: Werke für Streichquartett); Naxos

Tárrega | Francisco

* 21. 11. 1852 Villarreal (Provinz Castellón)
† 15. 12. 1909 Barcelona

Der von den Zeitgenossen als »Sarasate der Gitarre« gerühmte Virtuose Francisco Tárrega zählt zu den Wegbereitern der modernen Gitarrentechnik. Er führte u. a. einen nuancenreicheren Anschlag ein und erschloss der Gitarre durch Weiterentwicklung des Legatospiels neue Ausdrucksmöglichkeiten.

Pepe Romero feierte ab 1960 mit seinem Vater Celedonio Romero und seinen Brüdern im Gitarrenquartett »Los Romeros« internationale Erfolge. Als Solist spielt er vorwiegend klassische Gitarrenliteratur, darunter auch Werke von Tárrega.

Tárrega erlernte »sein« Instrument bereits als Jugendlicher, erhielt aber ebenso Unterricht auf dem allgemein in höherem Ansehen stehenden Klavier. Auch am Konservatorium von Madrid, das er ab 1874 besuchte, stand neben der Musiktheorie das Klavierspiel auf dem Programm. Ab seinem 25. Lebensjahr bestritt Tárrega sein Leben als Musiklehrer (an den Konservatorien von Madrid und Barcelona) und als Konzertgitarrist. 1880 trat er u. a. in Paris und London auf, 1903 unternahm er eine Tournee durch Italien, dazwischen konzertierte er vor allem in Spanien. Noch in seinem Todesjahr war er mit Gitarre auf der Bühne zu erleben. Eine Gitarrenschule hat er nicht hinterlassen. Doch durch seine Schüler, darunter Miguel Llobet, Daniel Fortea, Emilio Pujol und Maria Rita Brondi, beeinflusste er maßgeblich die Renaissance des Gitarrenspiels im 20. Jahrhundert.

Die Reformen Tárregas fasst die Gitarristin Luise Walker zusammen: »Von Aguado und Sor, den beiden Hauptvertretern der neueren spanischen Schule ausgehend, umfasst Tárregas erweiterte Methode die gesamte technische Spielkultur! Beispielsweise: Die Haltung der rechten Hand mit dem hochgestellten Handgelenk und den die Saiten gestreckt anschlagenden Fingern, das Training jedes einzelnen Fingers durch spezielle Übungen, die logischen Fingersätze der linken Hand mit ihren feinst ausgeklügelten Lagenwechseln, weiterhin der Ausbau der Bindetechnik des Legatospieles, und vor allem die Erkenntnis der ungemein differenten Klangfarbenmöglichkeiten, die bis dahin noch unerkannt in der Gitarre schlummerten!« STÜ

Werke für Gitarre

Tárrega hat ca. 78 Originalwerke und 120 Transkriptionen für Sologitarre sowie 21 Transkriptionen für zwei Gitarren geschaffen. Seine kompositorische Eigenart kommt deutlich in seinen 15 »Preludios« zum Ausdruck, kurzen, im Wesentlichen akkordisch geprägten, stimmungsvollen Stücken, die auch zum Gitarrenstudium geeignet sind. Erwin Schwarz-Reiflingen charakterisierte diese Werke als »Idyllen, die oft an Schumann erinnern und am eindrucksvolls-

ten seinen feinen gitarristischen Klangsinn und die geniale Überwindung aller Schwierigkeiten ausweisen«. Zu einzelnen »Preludios« ließ sich Tárrega durch Werke anderer Komponisten anregen, etwa von Chopin oder Mendelssohn.

Die bekanntesten Gitarrenstücke von Tárrega sind die Tremolostudie »Recuerdos de la Alhambra« (Erinnerungen an die Alhambra) mit ihren durchlaufenden Zweiunddreißigstelnoten, das als Serenata bezeichnete »Capricho arabe« sowie das orientalisch gefärbte Tanzstück »Danza mora« (Maurischer Tanz). Seine Transkriptionen haben meist Klavierstücke zur Grundlage: Sonatensätze von Beethoven (Largo aus der Es-Dur-Sonate op. 7, Adagio und Allegretto aus der »Mondschein-Sonate« op. 27/2), Préludes von Chopin, Charakterstücke von Schubert, Mendelssohn, Gottschalk, Thalberg und Schumann.
STÜ

Tartini | Giuseppe

* 8. 4. 1692
Pirano, Istrien
† 26. 2. 1770
Padua

100563

Der Name des »Maestro delle nazione« ist wohl vornehmlich mit der berühmten »Teufelstriller«-Sonate verbunden, deren Entstehungsgeschichte so dämonisch verbrämt erscheint wie manch abenteuerlich ausgeschmückte Episode aus der Jugendzeit Tartinis. Aber auch die »seriöse« Lesart dieses Künstlerlebens mit einem Nachlass von etwa 125 Violinkonzerten, 50 Triosonaten,

200 Violinsonaten (davon werden heute von der Forschung etwa 40 als authentisch betrachtet) sowie weiteren Instrumental- und Vokalwerken nimmt für sich ein.

Der Violinvirtuose gab überdies einer rasch wachsenden Zahl von Schülern an seiner 1728 in Padua gegründeten Musikakademie, der »Schule der Nationen«, sein Wissen weiter, von dem verschiedene Schriften zeugen: Mit seiner »L'Arte del Arco« gab Tartini in Form von 50 Variationen über ein Gavottethema Corellis wertvolle Anregungen zur Verbesserung der Bogentechnik. In einem Brief von 1760 an seine Schülerin Lombardini hinterließ er einen wenn auch unsystematischen Überblick über Grundfragen des Violinspiels. In seinem posthum veröffentlichten Lehrbuch für Verzierungen legte er eine Anleitung für die Ornamentation bei Sängern und Instrumentalisten vor, und in einem 1754 zu Padua erschienenen »Trattato di Musica« hielt er seine 40 Jahre zuvor gemachte Beobachtung des Phänomens der Kombinationstöne fest. Auch ohne das Vermächtnis einer systematischen Lehre wurde Tartini so zu einem grundlegenden Theoretiker des modernen Geigenspiels.

Dabei trat der in Istrien Geborene, der auf Wunsch des Vaters Priester werden sollte, 1708 in Padua zunächst ein Studium der Rechte an und schlug sich als Geigenlehrer durch. Die heimliche Trauung des 18-Jährigen mit einer jüngeren Schülerin trug ihm eine Anklage des Erzbischofs ein. Er versteckte sich jahrelang im Minoritenkloster von Assisi, wo er unablässig Geige übte und Unterricht in Generalbass wie Kontrapunkt erhielt, bis ihm die Gnade des Kardinals die Virtuosenkarriere eröffnete. Als er Francesco Maria Veracini in Venedig spielen hörte, zog sich Tartini in Ancona nochmals über ein Jahr zu Übungszwecken zurück; danach erwarb er sich den Ruhm als Italiens größter Geiger, was ihm die Einladung zu den Krönungsfeierlichkeiten Karls VI. in Prag und einen dreijährigen Aufenthalt dort eintrug. In Padua prägte er neben seiner Schule die Kirchenmusik an San Antonio als »primo Violino e Capo di Concerto«. Tartinis Kompositionen dokumentieren die fortwährende Weiterentwicklung vom Erbe Corellis und Vivaldis zur frühen Klassik.   HO

Violinsonaten

»Tartinis größten Ruhm als Tonsetzer machen aber seine Violinsonaten aus. Ihnen kommt nicht bloß die Bedeutung einer geigerischen Fundgrube zu, sondern sie stellen auch an sich einen Höhepunkt der italienischen Instrumentalmusik des 18. Jahrhunderts dar ... Hinzu kommt die musterhafte Bauart der Sonaten im Ganzen – sie sind meist in ziemlich knappen Formen gehalten –, und ihr großer harmonischer Reichtum, der sich oft in erstaunlichen Wendungen, ja geradezu kapriziösen Einfällen kundgibt.« Das Urteil von Andreas Moser, einem Assistenten des Geigenvirtuosen Joseph Joachim und Professor der Berliner Musikhochschule, kann auch heute noch herangezogen werden, um der allgemeinen Eigenart der Sonaten Tartinis näherzukommen.

Dabei handelt es sich trotz der Quantität durchaus nicht um kompositorische Massenware, sondern um stilistisch und formal abwechslungsreiche Einzelbeispiele. Von den 1734 in Amsterdam erschienenen »Zwölf Sonaten« op. 1, die eine für Tartini typische, zumeist dreisätzige Anlage langsam–schnell–(sehr) schnell etablieren, sei die Sonate Nr. 10 in g-Moll mit dem programmatischen Beinamen »Didone abbandonata« (»Die verlassene Dido«) besonders

Ein Originalgenie seiner Zeit

Die Tagebücher der Reisen des englischen Organisten und Musikwissenschaftlers Charles Burney dokumentieren das Musikleben seiner Zeit. Sein Hauptwerk, »A general history of music« (1776–89), ist die erste bedeutende Musikgeschichte in englischer Sprache. Über Tartini bemerkte Burney 1770: »Die Verdienste Tartinis als Komponist und Ausübender sind gut bekannt und bedürfen hier keiner Lobrede; ich möchte nur sagen, dass er als Komponist eines der wenigen Originalgenies unserer Zeit gewesen ist, die stets aus eigener Quelle schöpfen, dass seine Melodie voll Feuer und Fantasie, und auch die Harmonie, obwohl ebenfalls gelehrt, dennoch einfach und klar war, dass er als Ausübender in den langsamen Stücken Geschmack und Ausdruck und in den raschen seine hohe Kunstfertigkeit bewies.«

hervorgehoben. Die Anfangstonart jeder Sonate wird über alle drei Sätze hindurch beibehalten.   HO

Telemann | Georg Philipp

* 14. 3. 1681
Magdeburg
† 25. 6. 1767
Hamburg

Sonate g-Moll
(»Teufelstriller«-Sonate)

Sätze 1. Larghetto affettuoso, 2. Allegro (Tempo giusto della scuola Tartinista), 3. Andante – Allegro assai
Entstehung ca. 1713–40
Verlag Schott
Spieldauer ca. 17 Minuten

Entstehung Tartini gab an, die Inspiration für diese Sonate im Traum vom Teufel empfangen zu haben. Da die Urschrift verschollen ist, wird die Sonate sehr vage zwischen 1713 und 1740 eingeordnet und als Endergebnis der Vervollkommnung eines früheren Werkes angesehen.
Musik Die durchweg in g-Moll gehaltene Komposition ist dreisätzig. Der namengebende dritte Satz zwingt zwei Stimmen – eine davon im Dauertriller – selbstständig unter einen Bogenstrich. Die Sonate reizt die geigentechnischen Möglichkeiten musikalisch meisterlich aus und zeigt Tartini in allen Belangen auf dem Höhepunkt seiner Schaffenskraft.
Wirkung Entsprechend gehört die »Teufelstriller«-Sonate zum Standardrepertoire der Geigenvirtuosen, im 20. Jahrhundert angefangen bei Fritz Kreisler, der auch eine moderne Ausgabe des Werks besorgt hat. Yehudi Menuhin hat in seiner Autobiografie überliefert, dass er die Sonate im Spätsommer 1927, also als Elfjähriger, im rumänischen Sinaia gespielt hat. Er hörte damals Zigeuner musizieren und ließ diese daraufhin in seine Pension einladen, »damit ich mit ihnen um die Wette spielen konnte, sie eine Naturmusik wie Vogellaute, ich das raffinierte Gegenstück: Tartinis ›Teufelstriller‹-Sonate«.   HO

Einspielungen (Auswahl)
- Locatelli Trio, 1990 (+ Sonaten op. 1 Nr. 2, 8, 10, 12 & Pastorale A-Dur); Hyperion
- Andrew Manze (Barockvioline), 1997 (+ Sonate a-Moll, Variationen über eine Gavotte von Corelli, Pastorale A-Dur); Harmonia Mundi France / Helikon

Telemann ist einer der bedeutendsten deutschen Komponisten; seine Werke bilden ein wichtiges Bindeglied zwischen der spätbarocken Musizierpraxis und dem galanten Stil der Frühklassik.

Georg Philipp Telemann wurde 1681 in Magdeburg als Sohn des Diakons Heinrich Telemann geboren, der jedoch bereits 1685 verstarb. Als Zehnjähriger erhielt er Musikunterricht beim Magdeburger Kantor Benedikt Christiani und schrieb mit zwölf Jahren bereits die erste Oper, »Sigismundus«. Doch sein musikalisches Talent wurde von seiner Mutter weder gefördert noch geduldet. Um ihren Sohn auf andere Gedanken zu bringen, gab sie ihn im Winter 1693/94 nach Zellerfeld in die Obhut des Superintendenten Caspar Calvör. Vier Jahre später kam er auf das Gymnasium in Hildesheim, wo er alsbald den Kantor an St. Godehard vertrat und in Braunschweig sowie Hannover an höfischen Opernaufführungen teilnahm. 1701 begann Telemann in Leipzig Jura zu studieren, doch schon nach kurzer Zeit beauftragte ihn der Bürgermeister, alle zwei Wochen eine Kantate für den Gottesdienst in der dortigen Thomaskirche zu komponieren.

1702 ergriff Telemann endgültig den Musikerberuf und gründete das telemannsche Collegium musicum, für das er öffentliche Konzerte organisierte. Darüber hinaus leitete er die Leipziger Oper und übernahm das Kantorenamt an der Neukirche. 1705 trat er als Hofkapellmeister in den Dienst des Grafen Erdmann von Promnitz in Sorau, bevor er drei Jahre später nach Eisenach übersiedelte, um am Hof des Herzogs Wilhelm von Sachsen-Eisenach zu wirken. 1712 wurde Telemann zum Stadtmusikdirektor und Kapellmeister der Barfüßer- und der Katharinenkirche in Frankfurt am Main berufen. Er übernahm die Leitung des Collegium musicum der Frauenstein-Gesellschaft, die ihn zu ihrem Sekretär und Verwalter ernannte. Für die Konzerte mit dem Collegium musicum komponierte er Kammermusik, Orchesterwerke und Oratorien.

1721 trat Telemann die Nachfolge Johann Gerstenbüttels als Kantor am Hamburger Johanneum und als Musikdirektor der Hauptkirchen der Hansestadt an. Er schrieb wöchentlich zwei Kantaten, zahlreiche Passionen sowie die jährlichen Kapitänsmusiken. Zusätzlich übernahm er das von Matthias Weckmann gegründete Collegium musicum und ab 1722 die Leitung der Hamburger Oper am Gänsemarkt, für die er 25 Bühnenwerke schrieb.

Unter den zahlreichen Instrumentalkompositionen von Telemann befinden sich etwa 1000 (!) Orchestersuiten, von denen allerdings nur ein kleiner Teil erhalten ist. Aus seiner Kammermusik ragen neben den Werken ohne Generalbass, zu denen die Solofantasien, die Duos für zwei Soloinstrumente und die Violinquartette gehören, vor allem die »Methodischen Sonaten« und die »Pariser Quartette« hervor.　　　　MÖ

Solostücke

Zwölf Fantasien für Traversflöte ohne Generalbass TWV 40: 2–13

Entstehung Telemann hat in besonderem Maß die Kammermusik ohne Generalbass gepflegt, zu der die Solofantasien, die Duos für

zwei Soloinstrumente und die Konzerte für vier Violinen gehören. Die zwölf Fantasien für Traversflöte ohne Generalbass sind nur in einem zeitgenössischen Druck überliefert, der sich nicht genau datieren lässt, aber vermutlich vom Komponisten selbst in Hamburg herausgegeben wurde. Im Anschluss an seine Autobiografie in Johann Matthesons »Grundlage einer EhrenPforte« (1740) hat Telemann ein Verzeichnis seiner gedruckten Werke publiziert, aus dem die Jahre 1732/33 als ungefährer Entstehungszeitraum herausgelesen werden können. Diese Datierung wird von einem Amsterdamer Katalog aus dem Jahr 1733 bestätigt.

Musik Da der Druck und Vertrieb von Noten in Deutschland noch in den Kinderschuhen steckten, wollte Telemann den Musikliebhabern zu gut spielbarer Kammermusik verhelfen. Seine Werke sollten aber nicht nur die Freude am Musizieren fördern, sondern auch zu Übungszwecken dienen. In den Flötenfantasien wird beispielsweise das Spiel in insgesamt zwölf Tonarten verlangt, die im Quintenzirkel zwischen g-Moll und E-Dur liegen.

Die Traversflöte war nach 1720 vierteilig mit einem geteilten Mittelstück, sodass sie durch den Austausch mehrerer Teilstücke unterschiedlichen Stimmungen angepasst werden konnte. Die Anbringung einer Klappe verhalf der Flöte zu einem vollchromatischen Ambitus von d^1 bis a^3, den Telemann in den Fantasien mit d^1 bis e^3 jedoch nicht voll ausschöpfte. Dennoch gelingt es ihm mit den verschiedenen Tonarten sowie zahlreichen Registerwechseln mühelos, den Klangfarbenreichtum der Traversflöte zu demonstrieren.

Neben Arpeggien und schnellen Läufen weisen die Fantasien vor allem eine ausgereifte Sprungtechnik auf. Telemann verwendet sie, um eine latente Mehrstimmigkeit zu erzeugen, ähnlich wie Johann Sebastian Bach in der a-Moll-Partita für Flöte solo. Je weiter die Stimmen dabei auseinanderliegen, desto besser sind die melodischen Linien für den Hörer nachzuvollziehen. Besonders ausgeprägt ist dies im Kopfsatz der a-Moll-Fantasie Nr. 2, aber auch im zweiten Satz der Fantasie Nr. 4 B-Dur und im ersten Satz der Fantasie Nr. 7 D-Dur.

Die Satzfolge der drei- bis fünfsätzigen Fantasien unterliegt keinem bestimmten Schema. Ei-

Kammermusik von Georg Philipp Telemann

Erstveröffentlichung	Titel
1732/33	Zwölf Fantasien für Traversflöte ohne Generalbass TWV 40: 2–13
1732–36	Zwölf Fantasien für Violine ohne Generalbass TWV 40: 14–25
ca. 1708–1721	Konzerte für vier Violinen ohne Generalbass TWV 40: 201–203
Duos für zwei Soloinstrumente ohne Generalbass	
1727	Sechs Sonaten für zwei Traversflöten, Violinen oder Blockflöte ohne Generalbass op. 2 TWV 40: 101–106,
1738	Sechs Sonaten für zwei Traversflöten, Violinen oder Gamben ohne Generalbass op. 5 TWV 40: 118–123
1752	Sechs Sonaten für zwei Violinen, Traversflöten oder Oboen ohne Generalbass TWV 40: 124–129,
unbekannt	Sechs Sonaten für zwei Traversflöten ohne Generalbass TWV 40: 130–135
»Methodische Sonaten« für ein Soloinstrument und Basso continuo	
ca. 1708–1721	Konzerte für vier Violinen ohne Generalbass TWV 40: 201–203
1728	Sechs »Sonate methodiche« für Violine oder Traversflöte und Basso continuo TWV 41: g3, A3, e2, D3, G4 und Sonate a-moll
1732	Sechs Sonaten »Continuation des Sonates méthodiques« für Traversflöte oder Violine und Basso continuo TWV 41: h3, c3, E5, B5, d2, C3
Zwölf Flötenquartette (»Pariser Quartette«)	
1730	Sechs »Quadri« für Violine, Flöte, Gambe oder Violoncello und Generalbass TWV 43: G1, D1, A1, g1, e1, h1
1738	Sechs »Noveaux Quatuors en Six Suites« für Traversflöte, Violine, Gambe oder Violoncello und Generalbass TWV 43: D3, a2, G4, h2, A3, e4

nige richten sich nach der viersätzigen italienischen Kirchensonate mit der Folge langsam–schnell–langsam–schnell, so die Fantasien Nr. 2 und Nr. 9. Die Fantasie Nr. 3 folgt ebenfalls diesem Vorbild, allerdings mit angehängtem Allegro. Die Fantasie Nr. 4 weist hingegen mit der Satzfolge Andante–Allegro–Presto eine Art Strettatyp auf, bei dem das Tempo von Satz zu Satz gesteigert wird.

Französische Stilelemente finden sich beispielsweise im Kopfsatz der Fantasie Nr. 7 (»alla francese«). Er ist in Form der dreiteiligen Französischen Ouvertüre komponiert mit langsamen, gravitätischen Ecksätzen im punktierten Rhythmus und einem schnellen Mittelteil. Die langsamen Sätze der Fantasien sind oft nur zwei bis vier Takte lang und haben die Funktion, von einem schnellen Satz zum anderen überzuleiten. Manche Schlusssätze sind tänzerisch, wie zum Beispiel in den Fantasien Nr. 3 und Nr. 5.

Der in Telemanns Kammermusik vorherrschende »vermischte Geschmack« unterschiedlicher nationaler Stile ebnet dem galanten und empfindsamen Stil der frühen Klassik den Weg. Neue Satztypen wie Dolce, Spirituoso und Affettuoso unterstützen diesen Prozess. Der galante Stil kommt am Schluss des Kopfsatzes der Fantasie Nr. 1 besonders deutlich zum Ausdruck. Rasche Tempowechsel gepaart mit schnell wechselnden dynamischen Kontrasten repräsentieren das »empfindsam Ausdruckshafte« dieses Stils.

Wirkung Telemanns Musik geriet nach seinem Tod für anderthalb Jahrhunderte in Vergessenheit, bevor sie im 20. Jahrhundert im Zuge des Wiederauflebens der Barockmusik neu entdeckt wurde. Der Aufschwung der Hausmusik, insbesondere des Flötenspiels, trug zu einer wahren Telemann-»Renaissance« bei.

Die Flötenfantasien wurden von Jean-Pierre Rampal, Patrick Gallois und Masahiro Arita auf der Querflöte sowie Vertretern der »historischen« Aufführungspraxis wie Barthold Kuijken und Konrad Hünteler auf der barocken Traversflöte eingespielt. Darüber hinaus liegen Interpretationen auf der Blockflöte von Dan Laurin und Peter Holtslag vor. MÖ

Einspielungen (Auswahl)
• Barthold Kuijken (Flöte), 1984; Accent

Zwölf Fantasien für Violine ohne Generalbass TWV 40: 14–25

Entstehung Zu Telemanns Kammermusikwerken ohne Generalbass gehören je zwölf Fantasien für Flöte, Violine und Viola da Gamba, die vom Komponisten zwischen 1732 und 1736 in Hamburg im Selbstverlag publiziert wurden. Davon sind allerdings nur die Fantasien für Flöte und Violine überliefert. Vom Druck der Violinfantasien ist lediglich das Deckblatt erhalten, das fälschlicherweise dem einzigen erhaltenen Exemplar der Flötenfantasien vorgeheftet war. Es trägt zwar keine Jahreszahl, doch auf einer zeitgenössischen Abschrift ist das Jahr 1735 vermerkt. Das Datum deckt sich mit den Angaben in Telemanns Katalogen, denn die Violinfantasien werden erstmals in dem Katalog von 1735 geführt, und zwar unter den Neuveröffentlichungen.

Musik Telemanns Fantasien setzen die Tradition der Musik für Violine solo fort, die bereits im 17. Jahrhundert begonnen und im 18. Jahrhundert durch Komponisten wie Francesco Geminiani und Johann Georg Pisendel fortgeführt wurde. Ihren Gipfelpunkt erreichte das Genre in Johann Sebastian Bachs sechs Partiten und Sonaten.

Die Fantasien sind in der Regel drei- bis viersätzig mit Ausnahme der sechs Sätze der Fantasie Nr. 5, doch ihre Anordnung folgt keinem festen Schema. Im Katalog von 1735 wird jedoch ausdrücklich darauf hingewiesen, dass jede Fantasie eine Fuge enthält. Dabei handelt es sich um kurze, fugierte Sätze, in denen die kontrapunktische Satzkunst zugunsten des spielerischen Elements zurückgedrängt wird. Die Violinfantasien haben einen weitaus geringeren Schwierigkeitsgrad als Bachs Solowerke und bleiben auch vom Umfang her (g–e^3) unter den Möglichkeiten der Barockvioline. Im Unterschied zu Bach wollte Telemann vor allem den Liebhabern des Instruments gut spielbare Übungsliteratur liefern.

Geübt wird beispielsweise das Spiel in verschiedenen Tonarten, die im Quintenzirkel zwischen f-Moll und E-Dur liegen. Darüber hinaus steht in einzelnen Sätzen häufig ein musikalisch-technisches Problem im Vordergrund, wie etwa im Kopfsatz der Fantasie Nr. 2, in dem das Terzenspiel geübt wird. Manche Sätze weisen sogar Etüdencharakter auf, wie die Allegrosätze der Fantasie Nr. 5. Neben den zahlreichen charakteristischen Spielfiguren italienischer Provenienz und den virtuosen einstimmigen Passagen rückt Telemann vor allem das mehrstimmige Spiel in den Mittelpunkt seines pädagogischen Interesses.

Ausgefeilte Doppelgrifftechnik wird ebenso verlangt wie dreistimmiges Spiel, das zum Beispiel in der Siciliana der Fantasie Nr. 6 durchgängig gefordert wird. Im zweiten Satz der Fantasie Nr. 4 wird das mehrstimmige Spiel zur Vierstimmigkeit erweitert. Das Spiel auf allen vier Saiten des Instruments war mit dem locker gespannten Bogen der Barockvioline übrigens leichter zu realisieren als mit dem modernen Bogen.

Neben dem akkordischen Spiel, zu dem auch die Arpeggien gehören, legt Telemann den methodischen Schwerpunkt auf das polyfone Spiel. Doch selbst in fugierten Sätzen scheint es weniger um Satztechnik als um spieltechnische Probleme zu gehen. Ein Beispiel bieten im zweiten Satz der Fantasie Nr. 6 die Ganztaktnoten, die thematische Qualität besitzen und von Vierteln und Achteln kontrapunktiert werden, denn der technische Aspekt des Haltens bzw. Nachklingens langer Töne im mehrstimmigen polyfonen Spiel wird hier thematisiert.

Der für Telemanns Kammermusik charakteristische galante Stil wird im Katalog von 1735 ausdrücklich genannt: »12 Fantasien für die Violine ohne Bass, wovon 6 mit Fugen versehen, 6 aber Galanterien sind.« Wie schon in den Flötenfantasien erhalten die »Galanterien« mit »Dolce«, »Piacevolmente«, »Spirituoso« und »Soave« neue Satzbezeichnungen. Darüber hinaus weisen die langsamen Sätze zuweilen die für den empfindsamen Stil so typische Seufzermelodik auf, wie zum Beispiel im Kopfsatz der Fantasie Nr. 3.

Wirkung Da die Violinfantasien eher für die Hausmusik als für den Konzertsaal geschrieben wurden, gibt es nur wenige Aufnahmen.   MÖ

Einspielungen (Auswahl)
- Andrew Manze (Violine), 1994 (+ Getreuer Musikmeister Nr. 24); Harmonia Mundi
- Rachel Podger (Barockvioline), 2001; Channel Classics/Harmonia Mundi

Duos

Duos für zwei Soloinstrumente ohne Generalbass

Entstehung Die ersten Duos ohne Generalbass (TWV 40: 101–106) brachte Telemann 1727 in Hamburg im Selbstverlag heraus. Der Titel des Erstdrucks lautet: »Sonates sans Basse, à deux Flutes traverses, ou à deux Violons, ou à deux Flutes à bec«. Die Sonaten sind instruktive Beispiele für die zu dieser Zeit noch bestehende Gleichsetzung von Travers- und Blockflöte. Komponiert wurden sie schon vor 1727, denn die Hamburger Presse teilte bereits im November 1726 mit, dass die Sonaten bei Telemann zu beziehen seien. Sie sind als Sonaten »op. 2« in die Telemann-Gesamtausgabe übernommen worden, obwohl die Bezeichnung »Opera seconda« lediglich im Londoner Nachdruck von 1740 erscheint.

Während seines Paris-Aufenthalts 1737/38 beantragte Telemann ein Druckprivileg, um den Raubdrucken des Verlegers Charles Nicolas Le Clerc entgegenzuwirken, der fünf seiner Werke nachgedruckt hatte. Am 3. Februar 1738 erhielt er das königliche Privileg, das ihm erlaubte, seine Werke in Frankreich zu drucken und zu vertreiben. Daraufhin publizierte er noch im gleichen Jahr in Paris »XIIX Canons mélodieux ou VI Sonates a duo« für zwei Traversflöten, Violinen oder Gamben ohne Generalbass (TWV 40: 118–123). Obwohl die Bezeichnung »Opera quinta« nur im Londoner Nachdruck von 1745 zu finden ist, sind sie als Sonaten »op. 5« in die Telemann-Gesamtausgabe eingegangen.

1752 publizierte Michel Blavet mit Telemanns Einverständnis in Paris sechs weitere Sonaten als »Second Livre de Duo pour deux Violons, Fluites ou Hautbois« (TWV 40: 124–129). Sechs weitere Sonaten für zwei Traversflöten ohne Generalbass (TWV 40: 130–135) sind nicht im Autograf, sondern in einer Abschrift überliefert. Ihre Entstehungszeit ist unbekannt.

Dem Amsterdamer Katalog von 1733 zufolge hat Telemann 1735/36 weitere sechs Duette für Traversflöte und Violoncello ohne Generalbass (TWV 40: 112–117) im Selbstverlag in Hamburg veröffentlicht, die jedoch nicht erhalten sind.

Musik Obwohl die meisten Duos bzw. »Duetti«, wie sie zu Telemanns Zeit genannt wurden, alternative Besetzungen anbieten, sind sie doch in erster Linie für die Flöte konzipiert. Johann Joachim Quantz, der Telemanns Duette und Trios besonders schätzte, vermerkte 1759 im Vorwort zu seinen eigenen Flötenduetten: »Es könnten sich nicht allein zween Liebhaber, wenn sie keine zahlreiche Begleitung bei der Hand haben, damit auf eine angenehme Art unterhalten, weil sie beyde, auf diese Art eine in ihrer Art vollkommene Musik besetzen können: sondern auch Anfänger in der Musik aus fleißiger Uebung in wohlgesetzten Duetten einen großen Nutzen ziehen.« Eine Kammermusik zu schreiben, die den Musikliebhabern das gemeinsame Musizieren ermöglicht und zugleich Übungsmaterial bereitstellt, entsprach auch Telemanns pädagogischer Intention.

Ein besonderer Kunstgriff sind die einstimmig notierten Sonaten im Kanon, über die Friedrich Wilhelm Marpurg 1753 schrieb: »Die Meisterstücke Ihrer [Telemanns] Feder haben vorlängst die falsche Meinung widerlegt, als wenn die sogenannte galante Schreibart sich nicht mit einigen aus dem Contrapunct entlehnten Zügen verbinden ließe.« Telemann verknüpft in einzigartiger Weise die kontrapunktische Satzkunst des Spätbarock mit dem melodischen Erfindungsreichtum und der rokokohaften Leichtigkeit des galanten Stils, der auch in neuen Satzbezeichnungen wie »Soave«, »Affettuoso«, »Dolce«, »Gratioso« und »Spirituoso« zum Ausdruck kommt.

Die Sonaten von 1727 folgen dem Schema der italienischen Kirchensonate mit vier abwechselnd langsamen und schnellen Sätzen. Die Sonaten von 1738 mit der Satzfolge schnell–langsam–schnell sind »auf Concertenart« geschrieben, bei der man »den ersten langsamen Satz weglassen und sofort mit dem lebhaften Satze anfangen« kann, wie Telemanns Zeitgenosse Johann Adolph Scheibe berichtet. An die letzte Sonate der Sammlung hat Telemann einen Zirkelkanon (»Canon infinito«) angehängt, der immer wieder in seinen Anfang mündet.

Wirkung Es liegen derzeit keine CD-Aufnahmen der Duos auf Traversflöten vor. Stattdessen haben Clas Pehrsson und Dan Laurin die Sonaten mit Ausnahme von TWV 40: 130–135 vollständig auf zwei Blockflöten eingespielt. Ferner gibt es Aufnahmen der Sonaten TWV 40: 101–116 auf zwei Blockflöten von Michaela Petri und Elisabeth Selin sowie auf zwei Oboen von Burkhard Glaetzner und Ingo Goritzki. Die ersten vier Sonaten aus TWV 40: 118–123 haben Simon Standage und Micaela Comberti auf zwei Barockvioline interpretiert. MÖ

Einspielungen (Auswahl)
• Sonaten TWV 40: 118–123: Simon Standage, Micaela Comberti (Violinen), 1993; Chandos

»Methodische Sonaten« für ein Soloinstrument und Basso continuo

Entstehung Die sechs »Sonate methodiche« für Violine oder Traversflöte und Basso continuo kamen 1728 in Hamburg heraus. Ihre Veröffentlichung gab der »Holsteinische Correspondent« am 13. Aprilbekannt. Das Titelblatt trägt den Vermerk »Opera XIII«, doch tatsächlich handelt es sich um Telemanns zehnte Publikation. Auf die Opuszahl 13 käme man nur, wenn man die im Ausland herausgegebenen Drucke hinzuzählte.

1732 veröffentlichte Telemann ebenfalls in Hamburg im Selbstverlag sechs weitere Sonaten als »Continuation des Sonates méthodiques« für Traversflöte oder Violine und Basso continuo. Am 12. November wurden die Sonaten den Brüdern Rudolf und Hieronymus Burmester gewidmet, von denen Rudolf Burmester im März zum Hamburger Bürgerkapitän gewählt worden war. Die beiden Patrizier waren begeisterte Musikliebhaber, die in ihrer Freizeit Violine spielten.

Musik Die unterschiedliche Besetzung der »Sonate methodiche« (Violine und Flöte) und der »Continuation« (Flöte und Violine) ist möglicherweise kein Zufall. Denn die Ausführung eines Tons auf zwei Saiten in der Sonate Nr. 5 der »Sonate methodiche« deutet auf eine Ausführung durch die Violine hin, während die Sonaten der »Continuation« viele flötenmäßige Griffe und Spielfiguren aufweisen.

Worauf die Bezeichnung »methodisch« abzielt, erläuterte der »Holsteinische Correspondent«: Die Sonaten »werden denen sehr nützlich seyn können, so der sangbaren Manieren sich befleißigen wollen«. Ähnlich wie in Arcangelo Corellis Violinsonaten op. 5 sind die ersten Sätze sowohl mit einer vereinfachten Melodiestimme als auch in verzierter Form notiert. Dem lernbegierigen Musikliebhaber werden dadurch vielfältige Möglichkeiten aufgezeigt, wie man eine Melodie durch Verzierungen gefälliger machen kann. Im Unterschied zu Corelli verknüpft Telemann italienische und französische Manieren zu einem »vermischten Geschmack, welchen man, ohne die Grenzen der Bescheidenheit zu überschreiten, nunmehr sehr wohl den deutschen Geschmack nennen könnte«, wie Johann Joachim Quantz 1752 feststellte. Quantz liefert eine differenzierte Unterscheidung zwischen den »wesentlichen« Manieren, die italienischen Ursprungs sind, und den »willkürlichen« Manieren der Franzosen, die bei Telemann zu einem Stil verschmelzen. Interessant ist etwa, dass er punktierte Rhythmen in Triolen auflöst und ihnen damit den französischen Duktus nimmt, wie in der Sonate Nr. 4 der »Sonate methodiche«. Wo der punktierte Rhythmus für den Tanz charakteristisch ist, wird er dagegen nicht verändert, wie in der Siciliana der Sonate Nr. 1 aus der »Continuation«.

Neben den Verzierungen der Melodie wird im Vorwort ein weiteres methodisches Anliegen Telemanns mit »singendem Stil« umschrieben. »Singen ist das Fundament zur Music in allen Dingen«, war sein musikalisches Glaubensbekenntnis, und dass er damit nicht nur die Vokalmusik meinte, ist der folgenden Äußerung aus seiner Autobiografie von 1718 zu entnehmen: »Wer auf Instrumenten spielt, muss des Singens

HAMBURG.

Telemann lebte und arbeitete viele Jahre in Hamburg, wo er 1721 Musikdirektor der Hauptkirchen der Hansestadt wurde. Seine »Methodischen Sonaten« widmete er unter anderen dem Hamburger Bürgerkapitän Rudolf Burmester (Stadtansicht von Hamburg, Kupferstich von Christian Riegel, um 1795).

kundig seyn.« Der »vermischte Geschmack« und der »singende Stil« von Telemanns Kammermusik gehören zu den frühklassischen Merkmalen des galanten Stils.

Die ersten sechs Sonaten sind viersätzig und lehnen sich an die italienische Kirchensonate mit der Satzfolge langsam–schnell–langsam–schnell an. Die sechs Sonaten der »Continuation« sind dagegen fünfsätzig, beginnen zwar ebenfalls häufig mit einem langsamen Kopfsatz, doch die Reihenfolge von langsamen und schnellen Sätzen ist unterschiedlich. Die schnellen Sätze der »Methodischen Sonaten« beginnen selten fugiert, trotzdem imitiert der Bass häufig die Solostimme, manchmal auch kanonisch, wie im Presto der Sonate Nr. 6 der »Continuation«. Das Finale ist zuweilen tänzerisch nach Art einer Gigue.

Wirkung Die zwölf »Methodischen Sonaten« haben Barthold Kuijken (Traversflöte), Wieland Kuijken (Viola da Gamba) und Robert Kohnen (Cembalo) vollständig auf CD eingespielt. Einzelne Sonaten sind von Frans Brüggen (Blockflöte), Anner Bylsma (Violoncello) und Gustav Leonhardt (Cembalo) aufgenommen worden. MÖ

Werke für vier Instrumente

Konzerte für vier Violinen ohne Generalbass TWV 40: 201–203

Entstehung Die drei Konzerte für vier Violinen ohne Generalbass (TWV 40: 201–203) sind in Abschriften überliefert, die sich heute im Besitz der Hessischen Landesbibliothek Darmstadt befinden. Für die Konzerte Nr. 2 und Nr. 3 ist als Autor »Melante« angegeben, ein anagrammatisches Pseudonym für »Telemann«. Da die drei Konzerte weder im Autograf noch in einem zeitgenössischen Druck vorliegen, ist ihre Datierung äußerst schwierig. Sie stammen vermutlich aus den Jahren zwischen 1708 und 1721, also aus Telemanns Eisenacher oder Frankfurter Zeit, in der er sich eingehend mit Kammermusik beschäftigt hat.

In Eisenach war er als Geiger tätig und spielte mit Pantaleon Hebenstreit zusammen. Doch er könnte die Konzerte auch während seines Frankfurt-Aufenthalts für das Collegium musicum der

Frauenstein-Gesellschaft geschrieben haben, für das er nach eigenen Angaben »die Reihe der Instrumentalstücke vermehrte, die mir bey dem angefangenen großen, wöchentlichen Concerte im Frauenstein, Dienst thaten«. In diese Zeit fällt auch die Zusammenarbeit mit Johann Ernst von Weimar, dessen Violinkonzerte Telemann 1718 herausgab.

Ein viertes Konzert in A-Dur für vier Violinen ohne Generalbass (TWV 40: 204) ist nur in einem Neudruck überliefert, dessen Quelle unbekannt ist. Da die Echtheit des Werks angezweifelt wird, ist es nicht in die Telemann-Gesamtausgabe übernommen worden.

Der Bogen der Engel

Warum konnten die Geiger des Barock leichter mehrstimmig spielen als ihre Kollegen heute? Die Antwort liegt in ihrem Bogen, der nicht über eine so gerade Stange verfügte, wie wir das heute kennen. Die Geiger damals spielten mit einem sogenannten Rundbogen, bei dem zudem die Spannung für das Rosshaar, mit dem sie über die Saiten strichen, noch nicht über eine Stellschraube, sondern über den Daumen der rechten Hand reguliert wurde. Damit war es sogar möglich, alle vier Saiten des Instruments zugleich in Schwingungen zu versetzen. »Diesen Bogen«, so notierte Albert Schweitzer, »kennen wir alle: Er ist der, den die Engel auf alten Gemälden in Händen halten.« Bildliche Darstellungen sind es auch, die auf regionale Unterschiede der Bogenform hinweisen: Danach waren die Geigenbögen des 17. und frühen 18. Jahrhunderts in Italien länger und schon relativ flach, die in Frankreich kürzer und leichter, jene in Mitteleuropa jedoch stärker gekrümmt.

Musik Die Konzerte sind nicht dreisätzig im Sinne der Konzertform, sondern viersätzig gemäß der Sonatenform mit vier abwechselnd langsamen und schnellen Sätzen. Der Begriff »Konzert« bezieht sich also weniger auf die formale Anlage als auf den konzertierenden Wettstreit der vier Violinen. Für die Form des Musizierens mit vier Soloinstrumenten gleicher Klanglage gibt es keine direkten Vorbilder. Die Konzerte sind »methodisch« konzipiert, und zwar für Liebhaber des Violinspiels, die Freude an der Kammermusik haben.

Obwohl die vier Instrumente grundsätzlich gleichberechtigt sind, wird die erste Violine besonders exponiert. Ihr wird das Spiel in den höheren Lagen zugewiesen, und sie erreicht im dritten Satz des Konzerts Nr. 1 immerhin das fis^3. Darüber hinaus fällt ihr in den fugierten Sätzen die Aufgabe zu, das Thema solistisch vorzustellen, bevor es von den übrigen Violinen beantwortet wird. Die einzige Ausnahme dabei bildet der dritte Satz des Konzerts Nr. 1, in dem die dritte Violine beginnt.

Ging es Telemann in den Solofantasien um spieltechnische Beherrschung des Instruments, so rückt er in den Konzerten das Zusammenspiel der Violinen in den Mittelpunkt des pädagogischen Interesses. Dementsprechend scheinen die langsamen Sätze eher nach methodischen als nach formalen Kriterien komponiert worden zu sein.

Ein Beispiel bietet das kurze, nur fünf Einleitungstakte umfassende Adagio im Konzert Nr. 3, in dem zahlreiche Generalpausen für immer neue Einsätze aller vier Stimmen sorgen. Eine Steigerung bietet in dieser Hinsicht der Kopfsatz des Konzerts Nr. 1 mit mehreren Generalpausen innerhalb eines auskomponierten Diminuendos, gefolgt von einem plötzlichen Forte. Hier setzen die Violinen gemeinsam mit wechselnder Dynamik ein (ppp-ppp-f). Zudem haben die Instrumente häufig die gleiche Artikulation. Ein Beispiel bietet der Kopfsatz des Konzerts Nr. 2 (Largo e staccato), in dem das Staccato im weiteren Verlauf von Legatobogen abgelöst wird.

Weitere Aspekte des Zusammenspiels bieten das dramatische Tremolo aller Stimmen im zweiten Satz des Konzerts Nr. 1, die Doppelgriffe im Staccato am Ende des zweiten Satzes des Konzerts Nr. 2 sowie das zwölftaktige Unisono der Violinen, mit dem das Finale dieses Konzerts beginnt.   MÖ

Einspielungen (Auswahl)
• Konzert Nr. 1: Micaela Comberti, Miles Golding, Andrew Manze, Simon Standage (Violinen), 1991 (+ Violinkonzerte Nr. 31 & 43, Doppelkonzert für Flöte und Violine, Orchestersuite g-Moll); Chandos

Zwölf Flötenquartette TWV 43

(»Pariser Quartette«)

Entstehung Im Jahr 1730 publizierte Telemann in Hamburg im Selbstverlag sechs »Quadri a Violino, Flauto traverso, Viola da gamba o Violoncello e Fondamento«. Der Verleger Charles Nicolas Le Clerc veröffentlichte 1736/37 in Paris neben anderen Werken Telemanns auch einen Nachdruck dieser Quartette. Auf Einladung einiger »der dortigen Virtuosen, die an etlichen meiner gedruckten Wercke Geschmack gefunden hatten«, reiste Telemann daraufhin 1737 nach Paris, um den Raubdrucken Le Clercs entgegenzuwirken. Er beantragte ein königliches Druckprivileg, das ihm am 3. Februar 1738 für 20 Jahre ausgestellt wurde, und veröffentlichte im gleichen Jahr in Paris »Nouveaux Quatuors en Six Suites à une Flûte Traversiere, un Violon, une Basse de Viole ou Violoncel et Basso continuo«. Die sechs »Neuen Quartette« wurden von seinen französischen Freunden Blavet (Flöte), Guignon (Violine), Forcroy (Viola da Gamba) und Edouard (Violoncello) aufgeführt und dadurch bei Hof bekannt gemacht. Sie »erwarben mir in kurtzer Zeit, eine fast allgemeine Ehre, welche mit gehäuffter Höflichkeit begleitet war«, berichtet Telemann in seiner Autobiografie von 1740.

Walter Bergmann hat die zwölf Quartette als »Pariser Quartette« in die Telemann-Gesamtausgabe übernommen. Ähnlich wie bei Johann Sebastian Bachs »Brandenburgischen Konzerten« hat sich der Titel daraufhin eingebürgert, obwohl er nicht vom Komponisten selbst stammt.

Musik 1752 widmete Johann Joachim Quantz in seinem »Versuch einer Anweisung die Flöte traversière zu spielen« auch dem »Quatuor« ein gesondertes Kapitel. »Der Gebrauch davon ist noch niemals sehr gemein geworden; folglich kann er auch nicht allen so gar bekannt seyn«, schrieb Quantz und lobte folgerichtig Telemanns Quartette, die zu den wenigen zeitgenössischen Beispielen der Gattung gehören: »Sechs gewisse Quatuor für unterschiedene Instrumente, meistentheils Flöte, Hoboe, und Violine, welche Herr Telemann schon vor ziemlich langer Zeit gesetzet hat ... können, in dieser Art von Musik, vorzüglich schöne Muster abgeben.«

Die erste Sammlung der »Pariser Quartette« von 1730 besteht aus jeweils zwei Konzerten, Sonaten und Suiten. Die erste Sammlung stellt Elemente des italienischen und des französischen Stils einander gegenüber. Dabei macht sich der italienische Einfluss in den Konzerten und Sonaten besonders deutlich bemerkbar. Das erste Konzert ist zwar fünfsätzig, doch das zweite folgt in formaler Hinsicht dem dreisätzigen Konzertsatz Antonio Vivaldis mit der Satzfolge schnell-langsam-schnell. Die beiden Sonaten sind viersätzig nach Art der Kirchensonate Arcangelo Corellis mit der Satzfolge langsam-schnell-langsam-schnell. In stilistischer Hinsicht ist sowohl der konzertierende Dialog der Soloinstrumente als auch die virtuose Anlage ihres Spiels italienischer Provenienz.

Der französische Geschmack kommt vor allem in den Suiten zum Ausdruck. Sie werden jeweils von einem Prélude eingeleitet und bestehen aus sieben bzw. fünf Sätzen. Dabei handelt es sich hauptsächlich um französische Tänze und charakteristische Suitensätze wie Rigaudon, Menuet, Courante, Passepied, Gigue, Réjouissance und Air. Sie lassen die galante Leichtigkeit französischer Melodieführung erkennen und bezeugen Telemanns Liebe zur französischen Musik, zu der er sich schon früh bekannt hatte.

Die sechs »Nouveaux Quatuors« (1738) sind im Titel als »Six Suites« bezeichnet, doch die von einem Prélude eingeleiteten Suitensätze sind mit wenigen Ausnahmen keine französischen Modetänze. Es sind vielmehr charakteristische Stücke mit Satzüberschriften wie »Gai«, »Coulant«, »Triste«, »Flatteusement«, »Tendrement« und »Distrait«. Stellt Telemann in der ersten Sammlung die nationalen Stile einander gegenüber, so verbindet er hier italienische und französische Stilelemente zu einem »vermischten Geschmack«, zu dem Johann David Heinichen 1728 bemerkte, »dass eine glückliche Melange vom Italienischen und Französischen Gout das Ohr am meisten frappieren, und es über allen andern besondern Gout der Welt gewinnen müsse«.

Wirkung Die zwölf »Pariser Quartette« wurden schon in den 1960er-Jahren vom Quadro Amsterdam mit Frans Brüggen (Querflöte) eingespielt. MÖ

Einspielungen (Auswahl)
• Quartette Nr. 1–6: Masahiro Arita (Flöte), Tokyo Baroque Trio, 1992; Denon

Tippett | Michael

* 2. 1. 1905
London
† 8. 1. 1998
London

100880

Michael Tippett gilt als der neben Benjamin Britten wichtigste zeitgenössische Komponist Englands. Während in der Heimat Person und Werk stets unumstritten geblieben sind, wurde ihm dagegen in Mitteleuropa sein Verfahren, auf Bruchstücke der Musikgeschichte zurückzugreifen, von strengen Dogmatikern gelegentlich als eklektizistisch verübelt.

Michael Tippett studierte 1923 bis 1928 am Royal College of Music in London u. a. bei Charles Wood, Adrian Boult und Malcolm Sargent (Dirigieren) sowie bei Reginald Owen Morris (Komposition). Sein erstes gültiges Werk ist der Kammermusik zuzuzählen: das 1. Streichquartett (1935, revidiert 1943). Später wurden zwar andere musikalische Bereiche, etwa der orchestrale oder der vokale – inklusive des Musiktheaters – für sein Œuvre bedeutender, doch komponierte er stets auch für das intime Genre, wie insgesamt fünf Streichquartette sowie zahlreiche Stücke für Solo- und mehrere Instrumente beweisen; von der Besetzung her interessant und im Gestus den Streichquartetten verwandt ist beispielsweise die »Sonata for Four

Horns« (1955). Ein Kuriosum stellt das nur einminütige »In Memoriam Magistri« für Flöte, Klarinette und Streichquartett (1971) dar.

Tippett lebte nie in einem »Elfenbeinturm«: So haben bereits die Ereignisse des Ersten Weltkriegs und ihre Folgen bis in die 1930er-Jahre wie wirtschaftliche Depression und Massenarbeitslosigkeit den jungen Musiker tief bewegt. Ins Oratorium »A Child of Our Time« (1939–41), sein bis heute meistaufgeführtes Werk, flossen diese Erfahrungen ein. Im Jahr 1943 war Tippett zwei Monate lang inhaftiert, da er sich als Pazifist geweigert hatte, die Bedingungen eines (paramilitärischen) Zivildienstes anzuerkennen. Einen Schwerpunkt seiner musikalischen Tätigkeit legte er stets auf die Arbeit als Chorleiter und Dirigent; so war er zwischen 1940 und 1951 Musikdirektor des Londoner Morley College und 1970 bis 1974 künstlerischer Direktor des Bath Festival.

Das Œuvre Tippetts zählt in seiner Vielfalt und seinem Wandel nicht nur zu den herausragenden Werkkomplexen des 20. Jahrhunderts, sondern spiegelt dies auch in gewisser Weise. Seine frühen Kompositionen sind stark vom Neoklassizismus beeinflusst; eine seiner erfolgreichsten, das »Konzert für doppeltes Streichorchester« (1939), liegt auf der Linie von Bohuslav Martinů und Frank Martin. Mit zunehmendem Alter wurden Tippetts Werke exzessiver und schärfer; so bezeichnete Hans-Klaus Jungheinrich die »Dritte Sinfonie« (1972) des Komponisten als »erstaunliches Beispiel von Alterswildheit«. Der Stil der Stücke dieser Zeit, auch der Opern, greift zwar eklektizistisch auf Modelle aus der Musikgeschichte zurück (»besetzte« musikalische Partikel etwa von Mozart, Schubert, aber auch des Blues), schmilzt sie jedoch um in eine kraftvolle, ganz persönliche Sprache.

Schwerpunkte von Tippetts überschaubarem Gesamtwerk sind – neben vier Sinfonien, Konzerten, Orchester- und Kammermusikkompositionen sowie einem umfangreichen Katalog von Vokalmusik – die fünf Stücke fürs Musiktheater: »The Midsummer Marriage« (1947–52), eine Art »Zauberflöten«-Paraphrase, »King Priam« (1958–61), »The Knot Garden« (1966–70) und »The Ice Break« (1973–76) – alle am Royal Opera House Covent Garden uraufgeführt – sowie

»New Year« (1986–88), ein Auftragswerk der Houston Grand Opera. **PE**

Streichquartette

Entstehung Die Streichquartette 1–3 stammen aus Tippetts erster Schaffensperiode: Das erste wurde 1934/35 komponiert (revidiert 1943), das zweite 1941/42, das dritte 1945/46. Dies mache deutlich, so der Komponist, wie nahe ihm diese Form in seiner Jugend gestanden habe. Er habe die ersten drei Werke dieses Genres als eine geplante Serie betrachtet, die er in absehbarer Zeit mit einem vierten Quartett ergänzen wollte. Tippet: »Dies kam damals jedoch nicht zustande, und die Reihe der ersten drei Quartette ist demnach abgeschlossen…«. **PE**

Streichquartett Nr. 1

Sätze 1. Allegro appassionato, 2. Lento cantabile, 3. Allegro assai
Entstehung 1934/35, revidiert 1943
UA 9. Dezember 1935 (Erstfassung)
Verlag Schott
Spieldauer ca. 20 Minuten

Musik Die frühe Streichquartetttrias sowie die erste Klaviersonate, das »Konzert für doppeltes Streichorchester« und die Sinfonie Nr. 1 bezeugen, so Tippett, dass er sich damals fast ausschließlich mit Formproblemen befasste. »Die wichtigsten Fragen waren: Wie viele Sätze? Welche Sätze? Wie ist es zu bewerkstelligen, dass sie auch gelingen – nicht nur jeder für sich, sondern in Zusammenhang mit – und auch als Kontrast zu – den anderen?« Sein Streichquartett Nr. 1 sei das beste Beispiel für diese Probleme.

Die ursprüngliche Fassung enthielt vier Sätze. Die ersten beiden fielen der Bearbeitung im Jahr 1943 zum Opfer; an ihre Stelle trat ein einziger neuer Abschnitt. Dieser neue Kopfsatz ist ein Allegro in Sonatensatzform, wobei der Schluss mit dem Solocello notengetreu der Einleitung des zweiten Satzes der ursprünglichen Version entspricht.

Im zweiten Satz vereinen sich die Instrumente zu einem fast pausenlosen lyrischen Gesang, wobei dieser Teil des Werks der Form der Pavane folgt, »A B C – und diese drei Abschnitte sind ihrerseits in zwei Hälften gegliedert, wie mächtige Atemzüge« (Tippett).

Der dritte Satz ist eine Fuge, die sich nach Auskunft des Komponisten an Beethoven orientiert (zugleich das erste Beispiel variabler Metrik und gegenrhythmischer Polyfonie im Œuvre Tippetts). **PE**

Tippetts Streichquartette zählen zu seinem neoklassizistischen Frühwerk, in dem er sich vor allem von Ludwig van Beethoven inspirieren ließ (hier eine idealisierende Darstellung des »Wiener Klassikers«, 1834).

Streichquartett Nr. 2

Sätze 1. Allegro grazioso, 2. Andante, 3. Presto, 4. Allegro appassionato
Entstehung 1941/42
UA 27. März 1943 London
Verlag Schott
Spieldauer ca. 21 Minuten

Musik Sein zweites Streichquartett bezeichnete Tippett als »normal«, weil in klassischer Viersätzigkeit. Auch in seiner Ausgewogenheit stehe es der Klassik näher als die beiden anderen. »Allerdings wird an dieser angeblichen Norm einiges herumgebastelt und -geschoben«, fand Tippett.

Der erste Satz ist ein Allegro in aufgelockerter Sonatensatzform, wobei »das Lyrische auf Kosten des Dramatischen« betont wird. Der zweite Satz (Andante) bringt eine streng formgebundene, rhythmisch einheitliche Fuge über ein chromatisches Thema. An dritter Stelle steht ein Scherzo (Presto): »Variable Metrik – straffere Satztechnik«, notiert der Komponist.

Der vierte Satz huldigt wieder der Sonatensatzform – und dem Schlusssatz aus Beethovens Quartett cis-Moll op. 131: »Ein leidenschaftliches Allegro. Ich wollte von Anfang an den dramatischen Höhepunkt vom ersten zum letzten Satz verlagern, anstatt am Schluss alles durch eine Art Rondo aufzuhellen«. Die Uraufführung fand am 27. März 1943 in London statt.   PE

Streichquartett Nr. 3

Sätze 1. Grave e sostenuto – Allegro moderato, 2. Andante, 3. Allegro molto e con brio, 4. Lento, 5. Allegro comodo
Entstehung 1945/46
UA 19. Oktober 1946 London
Verlag Schott
Spieldauer ca. 31 Minuten

Musik Das dritte Streichquartett ist fünfsätzig – ohne einen einzigen Sonatensatz. Im ersten Satz folgt auf eine langsame Einleitung eine Fuge »mit ungewöhnlich ausführlichem Thema und langer Exposition in allen vier Instrumenten. Die zweite und dritte Durchführung sowie die Zwischenspiele wahren die Proportionen« (Tippett).

Der getragene zweite Satz ist in Liedform gehalten; die Melodie wird nacheinander von den hohen zu den tiefen Instrumenten vorgetragen. Der dritte Satz, kurz, schnell und rhythmisch energisch, als Doppelfuge entwickelt, stellt das Zentrum des Werks dar.

An vierter Stelle steht wieder ein langsamer Satz. Er beschreibt, so Tippett, »zuerst eine Stimmung, dann entfaltet er eine leidenschaftliche Beredtsamkeit (hier üben vielleicht die

sechs Quartette von Bartók einen unmittelbaren Einfluss aus)«.

Der fünfte und letzte Satz, der sich attacca anschließt, ist wieder als Fuge ausgearbeitet, diesmal mit lyrischem Charakter und einem »freundlichen Thema im 9/8-Takt«, das nach Beschreibung des Komponisten freilich »weniger ins Gewicht« fällt als »das in der Struktur verankerte ›Motto‹ im 3/4-Takt«.   PE

Streichquartett Nr. 4

Sätze Molto legato – Fast – Moderately slow – Very fast
Entstehung 1977/78
UA 20. Mai 1979 Bath
Verlag Schott
Spieldauer ca. 23 Minuten

Entstehung Nach einer Pause von über 30 Jahren kehrte Michael Tippett mit seinem vierten Streichquartett wieder zu dieser Gattung zurück. Er komponierte es zwischen April 1977 und September 1978.

Musik Das Werk ist, wie nur wenige von Tippetts Kompositionen, einsätzig. Auch in ihm ist – wie schon in den vorangehenden Quartetten – der Einfluss Beethovens deutlich spürbar, etwa in dem Bestreben, größere Einheiten mit kontrastierenden Tempi (hier die Abschnitte: 1. Molto legato, 2. Fast, 3. Moderately slow, 4. Very fast) ohne Pause miteinander zu verbinden.

Seine vierte Sinfonie hat Tippett als »Von-Geburt-zum-Tod-Stück« bezeichnet – sein viertes Streichquartett könnte den gleichen Untertitel tragen: Auch hier versucht der Komponist, den Kreis menschlicher Lebenserfahrung auszuschreiten. Beide Werke beginnen mit einer Art »Geburtssymbol«: Musik, die aus der Stille ausdrucksvoll aufblüht. Und beide enden in der Ruhe des Todes. So können sie, wie Meirion Bowen feststellt, als Vorbereitung auf Tippetts umfangreiches Werk für Solisten, Chor und Orchester, »The Mask of Time« (1980–82), gelten.

Zentraler Abschnitt des Quartetts ist der dritte (Moderately slow). Die musikalischen Ideen fließen hier geradezu in Überfülle: Duette für die beiden Violinen sowie für die Viola und das Cello; ein von den beiden Violinen und gegen

Schluss von der Bratsche dekorierend umspieltes Cellosolo; ein sanft murmelndes Wechselspiel zwischen der zweiten Geige und der Bratsche vor akkordbetontem Hintergrund sowie eine umfangreiche Schlussepisode, in der jedes Instrument seinen eigenen Weg zu finden sucht.

Um diese Klimax des Werks herum gruppieren sich die übrigen Abschnitte: am Anfang das Molto legato, das vor allem einleitenden Charakter hat und die Keimzellen späterer Motivik birgt, danach der konfliktreiche zweite Abschnitt mit drei kontrastierenden Themen. Das Finale (Very fast) bringt zunächst einen »Ausbruch von Gewalt« (Bowen), ehe es sich auf ein Thema konzentriert, das sich vor allem rhythmisch recht deutlich auf Beethovens »Große Fuge« bezieht. PE

Streichquartett Nr. 5

Sätze 1. Medium fast – very fast, 2. Slow – medium fast
Entstehung 1990/91
UA 9. Mai 1992 Sheffield
Verlag Schott
Spieldauer ca. 25 Minuten

Musik Auch auf das fünfte Streichquartett fällt der »Schatten Beethovens«, wie Peter Hill feststellte. In seiner Zweisätzigkeit weckt es Assoziationen an Beethovens Klaviersonate op. 111 und ihre Temporelation schnell–langsam; die thematischen Ideen hingegen erinnerten Interpreten des Werks an das Es-Dur-Quartett op. 127.

Der zweite Satz teilt seinen »Grundplan« mit dem »Heiligen Dankgesang« (3. Satz) aus Beethovens Quartett op. 132, etwa durch das gleiche Muster einer zweifach variierten Exposition, die durch tanzartige Einschübe unterbrochen wird. Ansonsten geht der Satz durchaus eigene Wege, zum Beispiel in der mehr auf augenblickliche Eingebung von Schönheit denn auf konsequente Entwicklung musikalischer Ideen beruhenden Konstruktion.

Der erste Satz hingegen ist ökonomisch genau disponiert. Die kleine »Fanfare«, die die Musik zu Beginn »zur Ordnung ruft« (Hill), umfängt zwei Keimideen: blockhaft-massive, repe-

tierte Akkorde auf der einen Seite, schlankere Tanzsynkopen auf der anderen. Letztere werden in einem kleinen Fugato aufgegriffen. Das Seitenthema sieht die Violinen in Terzen sich duettieren »wie ein italienisches Liebespaar« (Hill). In der Durchführung dominieren ruhige, doch gespannte heterofone Passagen; die Reprise findet den Gesang der beiden Violinen von leidenschaftlichen Ausbrüchen durchschnitten. PE

Einspielungen (Auswahl)
• Gesamtaufnahme: Lindsay String Quartet, 1975; ASV/Codaex

Tschaikowski | Peter

* 25. 4. (7. 5.) 1840 Wotkinsk
† 25. 10. (6. 11.) 1893 St. Petersburg

Tschaikowski gilt trotz des »russischeren« Mussorgski allgemein als der repräsentative russische Komponist des 19. Jahrhunderts. Seine Kunst gewinnt ihre spezifischen Qualitäten aus der Synthese »westlicher« und bodenständig-russischer Elemente. Im Unterschied zu den Musikern aus dem Kreis um Mussorgski und Borodin beherrschte Tschaikowski das kompositorische Handwerk souverän.

Tschaikowski war der Sohn eines Hüttendirektors. Waren seine Vorfahren väterlicherseits

Russen, so entstammte die Mutter einer französischen Familie. Man hat die »französische« Eleganz, die aus der Musik des Komponisten gelegentlich spricht, auf dieses mütterliche Erbteil zurückführen wollen. Der junge Tschaikowski studierte zunächst Jura und trat in den Staatsdienst. Nachdem er seine Musikstudien bis dahin nebenher betrieben hatte, wandte er sich 1861 ganz der Musik zu und nahm ein Studium am Petersburger Konservatorium bei Anton Rubinstein auf, das er 1865 abschloss. 1866 wurde er von Nikolai Rubinstein als Theorielehrer an das Moskauer Konservatorium berufen. In die 60er- und 70er-Jahre des 19. Jahrhunderts fallen seine ersten Erfolge als Komponist (Sinfonien Nr. 1–3).

Seine homosexuelle Veranlagung, die damals nicht nur in Russland noch kriminalisiert wurde, suchte er 1877 durch eine Heirat zu verbergen. Das Scheitern der Ehe nach wenigen Wochen führte zu einem Selbstmordversuch. Zeitlebens litt er unter schweren Depressionen. 1878 begann die briefliche Freundschaft mit Nadeschda von Meck, einer reichen Adeligen, die ihm eine jährliche Pension aussetzte, sodass er seine Stellung am Moskauer Konservatorium aufgeben konnte, um sich ganz der Komposition zu widmen. Sein internationaler Ruhm stieg in jenen Jahren, zumal er seit 1887 auch als Dirigent eigener Werke in ganz Europa und einmal auch in den USA auftrat. Die wahren Umstände seines Todes wurden jahrzehntelang verheimlicht. Heute wissen wir, dass er nicht an der Cholera gestorben ist, sondern mit großer Wahrscheinlichkeit als Opfer seiner Veranlagung: Man zwang ihn zum Selbstmord durch Gift, als seine Beziehung zu einem Mitglied der hohen Petersburger Gesellschaft ruchbar wurde.   BEAU

Klaviertrio a-Moll op. 50

Sätze 1. Pezzo elegiaco: Moderato assai – Allegro giusto, 2. Tema con variazioni: Andante con moto
Entstehung Dezember 1881 bis 9. Februar 1882
UA 2. März 1882 Moskau (privat); 30. Oktober 1882 Moskau (öffentlich)
Verlag Peters
Spieldauer ca. 50 Minuten

Entstehung Tschaikowski lehnte die Gattung des Klaviertrios aus klanglichen Gründen ab. Seiner Gönnerin Frau von Meck gab er einen abschlägigen Bescheid, als diese ihn um die Komposition eines Klaviertrios bat. Aber sechs Monate später revidierte er seine Meinung. Anlass war der Tod seines Freundes und Förderers Nikolai Rubinstein am 23. März 1881. Zu dessen Gedenken (»A la mémoire d'un grand Artiste«) komponierte er sein bedeutendstes Kammermusikwerk, das Klaviertrio, ein klingendes Epitaph, das in seiner ausladenden Klanglichkeit die Grenzen der Kammermusik zu sprengen droht.

Musik Erster Satz Eine elegische, weitausholende Kantilene, vom Violoncello zu wogenden Klavierarpeggien eingestimmt, wird zur Keimzelle des gewaltigen Sonatensatzes. Die Violine übernimmt sie, schließlich auch das Klavier. Sie leitet als Introduktion in den Allegrohauptsatz, dessen Hauptthema ihre Anfangstöne übernimmt. Nach machtvoller Entwicklung tritt das Seitenthema auf in Gestalt einer punktierten Akkordfolge des Klaviers mit einem gesangvollen Nachsatz. Ein drittes, absteigendes Thema endet mit einem markanten Viertonmotiv, das, immer wiederkehrend, die Exposition beschließt. Der Durchführungsteil ist eher eine lyrische Episode. Er führt ein scheinbar neues Thema ein, das aber aus dem Vorhergehenden abgeleitet ist. Der Eintritt der Reprise wird durch die Wiederkehr der Kantilene der Einleitung, diesmal von der Violine ausdrucksvoll auf der G-Saite vorgetragen, markiert. Nach regelhaft verlaufender Reprise greift die Coda auf die lyrischen Gedanken des Durchführungsteils zurück, und mit den ersten vier Tönen der Introduktionkantilene klingt der ausgedehnte Satz resignativ aus.

Zweiter Satz Das achtgliedrige, liedhafte Thema des Variationensatzes wird vom Klavier vorgetragen. Die erste Variation bringt eine wörtliche Wiederholung durch die Violine, in der zweiten trägt das Violoncello die Weise gedrängt vor. Die dritte präsentiert sich als kapriziöses Klavierscherzando. Die vierte Variation ist ein Duo von Cello und Violine, in das schließlich das Klavier einstimmt. An fünfter Stelle steht ein Glöckchenspiel des Klaviers im höchsten Diskant zu Liegetönen der Streicher. Die sechste Variation ist ein eleganter Walzer, die siebente ein Akkordmaestoso des Klaviers mit Streichereinwürfen. Als achte Variation folgt eine energische Fuge, die mit allen Kontrapunktkünsten aufwartet. Die neunte Variation tritt als gedämpft-elegisches Duo der Streicher zu herabstürzenden Klavierarpeggien auf, die zehnte als Klaviermazurka à la Chopin, die elfte wirkt wie ein lyrischer Ausklang.

Dann aber folgt eine Variazione finale e Coda (Allegro risoluto e con fuoco), die den Charakter eines eigenen Satzes trägt. Ein Marsch, dessen voranstürmende Energie sich ständig steigert und dessen Themen dem Variationenthema entnommen sind, scheint auf einen brillanten Schluss zu zielen. Dann bricht plötzlich als majestätisches Lamento die elegische Trauerkantilene des ersten Satzes in Gestalt eines Streicherunisonos zu rauschendem Klaviersatz in das turbulente Geschehen ein – und das Gedenkwerk endet als düsterer Trauermarsch.

Wirkung Die Uraufführung fand durch Sergei Tanejew (Klavier), N. Grimali (Violine) und Wilhelm Fitzenhagen (Cello) statt. Eduard Hanslick erlebte 1899 die Wiener Erstaufführung mit Ferruccio Busoni (Klavier) und zwei Musikern des Böhmischen Streichquartetts: dem Primarius Karel Hoffmann und dem Cellisten Hanuš Wihan. Zwar wusste der streitbare Wiener Kritiker der Komposition durchaus positive Seiten abzugewinnen (»trägt ein schöner Ernst dieses Werk und zieren es viele geistreiche Züge und glückliche Wendungen«), doch bemängelte er die Disposition. Das Werk zerfalle »in zwei große Hälften, die mir nicht organisch zusammenzugehören scheinen, eher nachträglich aneinandergelötet«. Vor allem sei das Trio zu lang: »Es gehört zu der Klasse der Selbstmörder unter den Kompositionen, zu jenen, welche durch unbarmherzige Länge sich selbst umbringen.« Doch auch fast 100 Jahre nach diesem Urteil zeigt sich Tschaikowskis Klaviertrio noch »quicklebendig«, denn es gehört zu den Standardwerken der Kammermusikliteratur. BEAU

Einspielungen (Auswahl)
- Beaux Arts Trio, 1988; Philips
- Yefim Bronfman (Klavier), Cho-Liang Lin (Violine), Gary Hoffman (Violoncello), 1992 (+ Arenski: Klaviertrio op. 32); Sony Classical

Streichquartette

Streichquartett Nr. 1 D-Dur op. 11

Sätze 1. Moderato e semplice, 2. Andante cantabile, 3. Scherzo: Allegro non tanto e con fuoco, 4. Finale: Allegro giusto
Entstehung Februar 1871
UA 28. Februar (16. März) 1871 Moskau
Verlag Peters
Spieldauer ca. 31 Minuten

Entstehung Materielle Schwierigkeiten waren der äußere Anlass zur Komposition des ersten Streichquartetts. Der 31-jährige Tschaikowski, als Harmonielehrer am Moskauer Konservatorium schlecht besoldet, sah sich genötigt, ein Konzert mit eigenen Kompositionen, von dem er sich Gewinn erhoffte, zu veranstalten.

Musik Erster Satz Ein homofon gesetzter liedhafter, synkopierter Gedanke tritt als Hauptthema auf. Aber dann lockert sich der Quartettsatz, um zum wiederum homofonen Seitenthema überzuleiten, das somit keinen Kontrast zum Hauptthema setzt. Gegen Ende der Exposition taucht eine aufschießende Fünftonskala auf, die im Folgenden die Entwicklung im Durchführungsteil vorantreibt, der Elemente der beiden Themen kunstvoll verarbeitet. Die Fünftonskala wirkt auch als Ornament in der Reprise nach und beherrscht temperamentvoll die feurige Coda.

Zweiter Satz Zwei lyrische Melodien prägen das Andante. Die erste, ein wehmütiges Volkslied, das Tschaikowski angeblich einen Handwerker singen hörte und die zweite, ein schwärmerisches Cantabile, von der Violine zu Pizzicatobässen vorgetragen, wechseln zweimal einander ab. Bei der Wiederkehr sind die begleitenden Stimmen variiert, und die zweite Weise erklingt nun in der Bratsche. Der Satz gehört dank seiner Melodik zu den populärsten Schöpfungen des Komponisten und wurde Gegenstand zahlreicher recht zweifelhafter Bearbeitungen.

Dritter Satz Das sich aus kurzen Rundtanzmotiven entwickelnde d-Moll-Scherzo wechselt in einem Mittelteil nach D-Dur, ohne den tänzerischen Charakter zu ändern. Das Trio baut sich über einem Orgelpunkt des Violoncellos auf. Der kurze Satz zeichnet sich durch motivische Prägnanz aus.

Vierter Satz Mit einem Quartsprung abwärts, der auf zwei Repetitionstönen landet, hebt das schwungvolle Hauptthema des Finales an. Der Quartsprung bleibt, zu anderen Abwärtsintervallen abgewandelt, das beherrschende Element des Satzes und treibt vor allem den Durchführungsteil, der sich auf Motive des Hauptthemas beschränkt, voran. Von besonderer Wirkung ist das zweite Auftreten des Hauptthemas quasi im »Tutti« als Kanon von Violine und Viola. Der Viola gehört auch das Seitenthema, ein nicht minder schwungvoller, aber gesangvollerer Gedanke. Auf- und abrollende Sechzehntelfigurationen lockern das thematische Geschehen auf. Sie bestimmen schließlich die feurige Strettacoda.

Wirkung Drei Jahre nach der Moskauer Uraufführung meldete Hans von Bülow in einem Zeitungsartikel über das Werk Tschaikowskis: »Ein schönes Streichquartett von ihm hat sich bereits in vielen deutschen Städten eingebürgert.« Der Wiener Kritiker Eduard Hanslick wusste 1881 herauszustellen: »Eine leichtflüssige, ganz eigentlich pikante Komposition, die in dem Andante, einer serenadenhaften Melodie über pizzikierten Bässen, ihre glänzendste Seite aufweist.« Auch heute noch verdankt das Werk seine Beliebtheit vor allem dem populären langsamen Satz – aber auch dem Reichtum an prägnanter Melodik und der Meisterschaft des Quartettsatzes. BEAU

Einspielungen (Auswahl)
- Bartók Quartet, 2001 (+ Streichquartett Nr. 3); Tacet
- St. Lawrence String Quartet, 2001 (+ Streichquartett Nr. 3); EMI

Streichquartett Nr. 2 F-Dur op. 22

Sätze 1. Adagio – Moderato assai, 2. Scherzo: Allegro giusto, 3. Andante, ma non tanto, 4. Finale: Allegro con moto
Entstehung 1874
UA 10. (22.) März 1874 Moskau
Verlag Peters
Spieldauer ca. 37 Minuten

Entstehung Peter Tschaikowski schrieb sein zweites Streichquartett zu Beginn des Jahres 1874 sehr zügig nieder. In einer Privataufführung erntete das Werk starke Kritik seitens des Komponistenkollegen Anton Rubinstein. Tschaikowski überarbeitete es deshalb vor der ersten öffentlichen Aufführung am 10. (22.) März 1874 in Moskau, wo es dann großen Beifall fand.

Musik Erster Satz Die Adagiointroduktion mit ihren Sekundreibungen und ihrer Chromatik weckt Assoziationen an Wagners »Tristan«-Harmonik. Das kantable, leicht elegische Hauptthema enthält eine rhythmische Figur, die im ausgedehnten Durchführungsteil in allen möglichen Varianten die Hauptrolle spielt. Ein zweites Thema, ähnlichen Charakters wie das erste, hat nur beiläufige Bedeutung. Erst der dritte, folkloristisch getönte Gedanke treibt die Entwicklung bis zu fröhlicher Turbulenz und klingt auch in die Komplikationen der Durchführung hinein. Die Reprise verläuft regelhaft. Die breit angelegte Coda speist sich im Wesentlichen aus dem Hauptthema und der markanten rhythmischen Figur, ehe der melodisch-motivisch reiche, glänzend gearbeitete Satz ruhig ausklingt.

Zweiter Satz Im Scherzo präsentiert sich Tschaikowski als Meister irregulärer Rhythmik: Das Thema setzt sich aus zwei 6/8-Takten und einem 9/8-Takt zusammen, was den Eindruck eines schwebenden 7/8-Taktes hervorruft. Das freundliche Schweben verdichtet sich im Mittelteil zu feurigem Drängen. Das Trio in Gestalt eines von der Viola angestimmten Walzers kontrastiert schon durch seine rhythmische Stabilität zu den Scherzoteilen.

Dritter Satz Das in freier Rondoform angelegte Andante ist das expressive Herzstück des

Quartetts. Das zu Beginn intonierte, vorhaltgeschärfte Rondothema wirkt eher wie ein Motto. Weit größeren Raum nimmt der zweite Gedanke ein, ein elegischer Gesang, der mit seiner abspringend-rhythmisierten Quarte an das Thema des zweiten Satzes von Beethovens Klaviersonate op. 111 gemahnt. Das Quartenmotiv beherrscht mit immer größerer Ausdrucksintensität weite Teile des Satzes. Als dritter Gedanke erscheint eine synkopisch aufsteigende, drängende Weise, die den Mittelteil des Satzes zu leidenschaftlicher Steigerung und überbordender Expressivität führt. Nach der Wiederkehr des Rondomottos spielt wiederum das Quartenmotiv die entscheidende Rolle, zuletzt über einem gewaltigen Orgelpunkt auf F seine weitere Entwicklung ausbreitend. Die fallende Quarte setzt resignativ den Schlusspunkt unter den hochbedeutenden f-Moll-Satz.

Vierter Satz Nach diesem Klagegesang wirkt das konzentrierte Finalerondo doppelt befreiend in seiner tänzerischen Beschwingtheit. Nach virtuosem Unisonobeginn übernimmt ein kapriziöses Tanzhauptthema die Führung. Es wird abgelöst von einem hymnenartig auftrumpfenden zweiten Thema, das, nachdem sich das Hauptthema sogar als virtuoses Fugato austoben durfte, zur letzten Grandiosoaufgipfelung führt und das Werk in überschäumender Lebensfreude beschließt.

Wirkung Obwohl bedeutender als das erste Quartett, fand das zweite nicht die Beliebtheit des Vorgängerwerkes. BEAU

Streichquartett Nr. 3 es-Moll op. 30

Sätze 1. Andante sostenuto – Allegro moderato – Andante sostenuto, 2. Allegretto vivo e scherzando, 3. Andante funebre e doloroso, ma con moto, 4. Allegro non troppo e risoluto
Entstehung Januar bis 18. Februar 1876
UA 18. (30.) März 1876 Moskau
Verlag Peters
Spieldauer ca. 38 Minuten

Sein drittes Streichquartett komponierte Tschaikowski während einer Reise, die ihn zusammen mit seinem Bruder Modest nach Berlin, Genf und Paris führte (Tschaikowski, vorne rechts sitzend, mit – von links – seinen Brüdern Anatol, Nikolaj, Hippolyt und Modest, Foto um 1890).

Entstehung Ende 1875 reiste Tschaikowski mit seinem Bruder Modest nach Berlin, Genf und Paris. Auf dieser Reise skizzierte er sein drittes Streichquartett, das er im Januar und Februar 1876 in Moskau ausarbeitete. Das Werk wurde dem Gedächtnis an den Geiger Ferdinand Laub gewidmet, der als Primarius die beiden ersten Quartette von Tschaikowski uraufgeführt hatte.

Musik Erster Satz Der erste Satz wird von einer breit angelegten Andanteintrodukion eingeleitet, die am Ende wiederkehrt. Sie entfaltet im Wesentlichen einen von der Violine vorgetragenen, von der Viola übernommenen, weitschwingenden Klagegesang, der cantabile e molto espressivo vorgetragen wird. Das Hauptthema des Allegrosonatensatzes, eine rhythmisiert aufsteigende und sturzartig wieder abfallende Linie, wird von einem sich wiegenden, mit einer Drehfloskel endenden Seitenthema abgelöst. Dieses Letztere bestimmt mit der charakteristischen Drehfloskel weitgehend den sich breit entfaltenden Durchführungsteil, der zu leidenschaftlichen Steigerungen und Ausdrucksintensivierungen führt. Der regelhaften Reprise folgt als resignativer Ausklang eine Variante der Andanteintrodukion.

Zweiter Satz Das kurze B-Dur-Scherzo jagt eher rastlos als scherzhaft dahin, seiner Kapriziosität ist nicht recht zu trauen. Im Trio entfaltet die Viola eine mit einem Oktavsturz endende Weise.

Dritter Satz Das Andante funebre ist eine dreiteilige Trauermusik von einer Ausdruckskraft und Größe, wie sie Tschaikowski erst im Finale seiner sechsten Sinfonie wieder erreichte. Stockende Akkordik, der eine resignative Weise der Violine antwortet und die schließlich den Kirchengesang der Ostkirche mit monotoner Psalmodie der Bratsche beschwört, gibt den Eckteilen den Charakter eines Trauermarsches, der nicht vom Fleck kommen will. Wenn die Akkordführungen ins Pianissimo absinken, wirkt die Musik fast gespenstisch. Den weitgespannten Mittelteil bestimmt eine tröstlich herabsinkende Violinweise, die sich zu bewegter Ausdrucksintensität steigert und von den übrigen Instrumenten durchgeführt wird. Die Wiederkehr des akkordischen ersten Teils wird durch die »psalmodierende« Monotonie der Viola in ihrer Trostlosigkeit noch intensiviert. Der Satz verliert sich in ätherischen Höhen.

Vierter Satz In beinahe schmerzhaftem Kontrast zum Vorhergehenden steht das Finale mit seinen folkloristisch angehauchten Themen. Ein emporhüpfendes Rondothema, ein Seitenthema in der Art eines Rundgesangs, eine dritte, die brillante Schlussstretta zum turbulenten Ausklang bringende volkstümliche Weise tragen diesen knapp formulierten, unbeschwerten Musiziersatz. Am Ende – so lautet wohl die Aussage des Werkes – siegt doch das Leben.

Wirkung Die Uraufführung des dritten Quartetts am 18. (30.) März 1876 in Moskau machte so großen Eindruck, dass das Werk zweimal wiederholt werden musste. BEAU

Einspielungen (Auswahl)
- Gesamtaufnahme: Borodin Quartet, 1993 (+ Sextett op. 70); Teldec
- Streichquartett Nr. 1 & 3: St. Lawrence String Quartet, 2001 (+ Streichquartett Nr. 1); EMI

Weitere Werke

Streichsextett d-Moll op. 70
(»Souvenir de Florence«)

Sätze 1. Allegro con spirito, 2. Adagio cantabile e con moto, 3. Allegretto moderato, 4. Allegro vivace
Entstehung 13. Juni bis 25. Juli 1890 (Erstfassung); Dezember 1891 bis Januar 1892 (Revision)
UA 24. November 1892 Petersburg
Verlag Benjamin, Hamburg
Spieldauer ca. 34 Minuten

Entstehung Nach der Uraufführung seines »Dornröschen«-Balletts reiste Tschaikowski zu Beginn des Jahres 1890 nach Florenz, um in Ruhe an seiner Oper »Pique Dame« arbeiten zu können. Die künstlerische Frucht dieses Aufenthaltes in der Toskana ist neben der Puschkin-Oper auch das Streichsextett, das er nach seiner Rückkehr nach Moskau im Juni/Juli 1890 in einem Zug komponierte.

Musik Erster Satz Trotz der Grundtonart d-Moll atmet der erste Satz eitel Lebensfreude.

Die amerikanische Violinistin koreanischer Herkunft Sarah Chang (hier bei einem Konzertauftritt in Braunschweig, 2001), die als eine der talentiertesten klassischen Interpretinnen weltweit gilt, spielte 2001 das Streichsextett d-Moll op. 70 von Tschaikowski ein.

Das Hauptthema, im Dreiertakt dahinstürmend, entlässt zwei Dreierfiguren, die den Antriebsmotor des Durchführungsteils bilden und nur dann verstummen, wenn das schmeichlerische, von der Solovioline angestimmte, serenadenhafte Seitenthema das Wort hat. Dieses erscheint auch gegen Ende der Durchführung, leitet dann über zu einer temperamentvollen Steigerung, die zum Höhepunkt des Satzes, dem Eintritt der Reprise, führt. Der Serenadenton weiter Passagen wird durch gitarrenhafte Pizzicatobegleitung unterstrichen. Eine feurige Coda macht den Schluss.

Zweiter Satz Der Serenadenton prägt auch das gefühlvolle Adagio. Nach akkordischer Einleitung intoniert die Solovioline zu Gitarrenpizzicati einen melodisch-schwärmerisch ausschwingenden Gesang. Das Violoncello tritt duettierend hinzu. Das Ganze steigert sich schließlich zu machtvollen Akkorden. Ein kurzes Mittelteilintermezzo huscht in schneller Bewegung geheimnisvoll vorüber, dann beginnt der Gesang aufs Neue, diesmal vom Cello angestimmt und von der Violine beantwortet.

Dritter Satz Das an die Stelle eines Scherzos tretende Allegretto führt von Italien nach Russland zurück. Die Bratsche stimmt ein typisch russisches, kurzphrasiges Liedthema an, das, von den anderen Stimmen übernommen und imitatorisch verarbeitet, die Eckteile des Satzes trägt. Auch der virtuose Mittelteil wartet mit einer temperamentvollen russischen Tanzweise auf.

Vierter Satz Der in der Faktur kunstvollste, kompositorisch wie spieltechnisch brillanteste Satz führt mit seinem ausgelassenen Musiziertemperament wieder in südliche Gefilde. Er wird bestimmt von einem ausgelassenen Rundtanzthema, dem ein fast hymnisch auftrumpfendes zweites Thema folgt. Das Rundtanzthema wird mit allen Künsten der Fugatotechnik durchgeführt, sodass hier stärker als in den voraufgegangenen Sätzen der Eindruck kammermusikalischer Durchstrukturierung, wenn auch in klanglich ausladender Weise, entsteht. Das Werk schließt in fulminantem Brio.

Wirkung Gegen Ende des Jahres 1890 wurde das Stück im privaten Kreis musiziert. Die öffentliche Uraufführung fand infolge von Konzertverpflichtungen des auf dem Höhepunkt seines Ruhmes stehenden Komponisten erst zwei Jahre später statt. Dabei erklang die im Dezember 1891 und Januar 1892 überarbeitete Fassung. Tschaikowskis letztes kammermusikalisches Werk wurde dank seiner melodischen Einfallsfülle und seiner klanglichen Opulenz zu einem beliebten Repertoirestück. In größerer Streicherbesetzung wird es noch zu gesteigerter Wirkung gebracht. BEAU

Einspielungen (Auswahl)
• Raphael Ensemble, 1993 (+ Arenski: Streichquartett Nr. 2); Hyperion
• Sarah Chang und Bernhard Hartog (Violinen), Wolfram und Tanja Christ (Viola), Georg Faust und Olaf Maninger (Cello), 2001 (+ Dvořák: Streichsextett A-Dur); EMI

Turina | Joaquin

* 9. 12. 1882
Sevilla
† 14. 1. 1949
Madrid

100563

Albéniz, de Falla, Granados und Turina – von den vier Komponisten, die der spanischen Musik Ende des 19., Anfang des 20. Jahrhunderts zu neuer Reputation verhalfen, zeigte Turina das größte Interesse an der Kammermusik.

Der Sohn eines Genremalers studierte in Sevilla bei Enrique Rodriguez (Klavier) und dem Domkapellmeister Garcia Torres (Harmonie- und Kompositionslehre). Um die Jahrhundertwende ging er nach Madrid, wo er sich mit Manuel de Falla befreundete. Zudem setzte er seine Studien fort, zunächst am Konservatorium von Madrid, dann ab 1905 bei Moritz Moszkowski und Vincent d'Indy in Paris. 1914 kehrte er als einer der angesehensten spanischen Komponisten nach Madrid zurück. Unter den Orchesterwerken von Turina machten die sinfonische Dichtung »La procesión de Rocio« op. 9 (1913) und die »Sinfonia sevillana« op. 23 (1920) Furore. Sein Klaviertrio op. 35 wurde 1926 mit dem Nationalen Musikpreis ausgezeichnet. Zunächst Chordirektor am Teatro Real (bis 1925), erhielt Turina 1930 eine Professur für Komposition am Konservatorium. Zudem wirkte er als Musikkritiker.

Aus der Musik von Turina lassen sich insbesondere zwei Einflüsse heraushören: von der andalusischen Volksmusik sowie vom französischen Impressionismus (Debussy). Den Schwerpunkt in seinem Œuvre bilden die über 50 Klavierwerke. Aber auch in seiner Kammermusik spielt das Klavier eine zentrale Rolle, so in dem frühen Klavierquintett g-Moll op. 1 (1907), das sich noch stark an César Franck anlehnt, oder dem Klavierquartett »de la guitarra« op. 4 (1911), dessen Hauptthema auf den Tönen der leeren Gitarrensaiten aufbaut.

Der renommierte Gitarrist Andrés Segovia fungierte in den 1920er-Jahren als wichtiger Anreger für Turinas Gitarrenkompositionen, die er, mit Ausnahme der »Sevillana« op. 29 (1923), auch bei Schott im Druck herausgegeben hat. Andalusische Melodien und Rhythmen finden sich hier überall – in »Fandanguillo« op. 36 (1926) und »Ráfaga« op. 53 (1930) ebenso wie in der dreisätzigen »Sonata« op. 61 (1931). Mit »Homenaje a Tárrega« op. 69 (1932) erwies Turina seinem Landsmann Francisco Tárrega seine Reverenz. STÜ

Klaviertrios

Für die Besetzung mit Violine, Violoncello und Klavier hat Turina drei Werke geschaffen: die

Trios op. 35 (1926) und op. 76 (1933) sowie die Fantasie »Circulo« op. 91 (1942). Das erste Klaviertrio bringt das Bemühen des Komponisten um eine »música española con vistas a Europa« zum Ausdruck, indem hier überlieferte musikalische Formen (1. Prélude et Fugue, 2. Thème et Variations, 3. Sonate) mit neuen spanischen Inhalten gefüllt werden. So präsentieren die Variationen Rhythmen unterschiedlicher Volkstänze. Im zweiten Trio fällt über weite Strecken die Parallelführung der beiden Streicher auf, während die linke Hand des Pianisten den Rhythmus beisteuert. »Circulo« op. 91 beschreibt einen Tagesablauf in drei Stimmungsbildern (1. Morgendämmerung, 2. Mittag, 3. Abenddämmerung). Das Eingangsthema des Cellos aus dem ersten Satz kehrt am Schluss der Komposition wieder – der Kreis ist geschlossen.   STÜ

Einspielungen (Auswahl)
• Trio Arbos, 2000; Naxos
• Trio Parnassus, 2001 (+ Klavierquartett a-Moll op. 67); MDG

Varèse | Edgard

* 22.12.1883
Paris
† 6.11.1965
New York

»Zeitgenosse der Zukunft« – der von Kurt Blaukopf auf Gustav Mahler gemünzte Ausspruch ließe sich auch auf den Franzosen Edgar(d) Varèse anwenden. Keiner unter den »Vätern« der Moderne hat die Akzentverschiebungen in gesellschaftlicher und geistesgeschichtlicher Hinsicht in den ersten Jahrzehnten unseres Jahrhunderts so radikal verarbeitet wie er: die Ablösung des bürgerlichen Zeitalters durch ein neues, geprägt von der pragmatischen Verbindung der Naturwissenschaften mit Industrie und Technik, und durch die großen Massenbewegungen.

Beeinflusst wurde Varèse von den Ideen der italienischen Futuristen. Francesco Balilla Pratella hatte 1911 im »Manifesta musica futuristica« formuliert, man müsse »den Massen, dem großen Liede der Industrie, den Eisenbahnzügen, den Luftschiffen eine musikalische Seele geben«. Varèse berief sich auf ein durch die Bedeutung der Technik verändertes Bewusstsein: Als Komponist könnte man mit dem bisherigen musikalischen Material nicht mehr zufrieden sein. In seiner Suche nach neuen Ausdrucksmöglichkeiten näherte sich der Einzelgänger, der keiner Stilrichtung angehörte, weiter als seine Zeitgenossen der bildenden Kunst (zu seinem Bekanntenkreis in New York gehörte u. a. Marcel Duchamp), die früher als die Musik ihre Möglichkeiten durch die Verwendung von ungewöhnlichen Materialien, etwa durch Bruch- und Versatzstücke aus dem Alltag, zu erweitern suchte. In Werken wie dem Orchesterstück »Amériques« (1918–22) trieb der Komponist die Emanzipation des Geräuschs voran; er benutzte den Sirenenton ebenso wie Morsezeichen. Der Entwicklung der Technik weit voraus, experimentierte er schon in den 1920er-Jahren mit elektronischen Instrumenten, die erst 30 und mehr Jahre später, dank jüngerer Entwicklungen, wirklich brauchbar wurden.

Als Sohn eines Italieners und einer Französin 1883 in Paris geboren, studierte er u. a. bei D'Indy und Roussel am Conservatoire. 1908 ging er nach Berlin, wo er wichtige Anregungen durch Ferruccio Busoni und dessen »Entwurf einer neuen Ästhetik der Tonkunst« empfing. Er wurde von Richard Strauss und Hugo von Hofmannsthal gefördert; die Orchesterstücke und sinfonischen Dichtungen, die er zu dieser Zeit schrieb, vernichtete er später. Das erhaltene

Œuvre besteht im Wesentlichen nur aus den ab 1915 im amerikanischen Exil komponierten Stücken. Dazu gehören als wichtigste neben den Orchesterwerken »Amériques« und »Arcana« auch »Hyperprism«, »Octandre« und »Intégrales« für kleinere Bläserbesetzungen (Varèse mochte Streichinstrumente nicht besonders) sowie »Offrandes« für Sopran und Kammerorchester – alle aus den 1920er-Jahren. 1930/31 entstand »Ionisation« für 13 Schlagzeuger. Nach langer Schaffenspause schrieb Varèse ab 1949 »Déserts« für Orchester und Tonbandzuspielungen (1954 in Paris unter Hermann Scherchen uraufgeführt). Für den Philips-Pavillon bei der Weltausstellung in Brüssel 1958 schuf er das »Poème electronique« für drei Tonbandgeräte und 425 Lautsprecher. PE

»Density 21.5« für Soloflöte

Entstehung Januar 1936
UA 16. Februar 1936 New York
Spieldauer ca. 4 Minuten

Entstehung Der Flötist Georges Barrère, für den Edgard Varèse im Januar 1936 »Density 21.5« schrieb, spielte ein eigens für ihn angefertigtes Instrument aus Platin. Varèses Komposition benennt in ihrem Titel »Dichte 21.5« deshalb das spezifische Gewicht dieses Edelmetalls.

Musik Das knapp über vier Minuten lange Stück ist ein lyrisches Juwel von instrumentaler Brillanz. Der Stil, in dem das Soloinstrument eingesetzt wird, erinnert dabei an die Oboensoli in Varèses Kompositionen »Octandre« und »Intégrales« – vor allem in den rhythmischen und melodischen Mustern, in der Art der Repetition und der Nutzung extremer Register und auch in der Wahl des (langsamen) Tempos.

Das musikalische Material ist in einer Keimzelle exponiert, die quasi in der Form eines Schneckenhauses von innen nach außen (kleine bzw. große Sekunde, Quart, verminderte Quint etc.) weiter ausgreift. Danach wird dieses Material auf anderen tonalen Ebenen zitiert, variiert und verändert. Man darf bei »Density 21.5« durchaus an Debussys »Syrinx« oder auch an das erste der »Drei Stücke für Klarinette solo«

von Strawinsky denken – und Varèses Komposition verleugnet seine Herkunft nicht. Die verschiedenen hier ausgeloteten Register der Flöte sorgen für eine Palette von Klangfarben, die über das, was etwa die Impressionisten an diesem Instrument entdeckten, noch hinauszugehen scheint.

Vor allem aber sind es die Charakteristika von Varèses eigener Musik, die in jeder Phrase evident werden: die Intervallwiederholungen, die auf ein bestimmtes Intervall bezogenen Phrasen (wie etwa die Passage mit der kleinen Terz im höchsten Register des Instruments gegen Ende), die subtile Variation dynamischer Ebenen etc. Keines dieser Charakteristika war Varèses Erfindung, aber die Art, wie er sie insistierend benutzte, trug zu seinem sofort erkennbaren Personalstil bei.

Wirkung Die Uraufführung von »Density 21.5«, zugleich erste öffentliche Vorstellung der Platinflöte von Georges Barrère, fand in der New Yorker Carnegie Hall statt. PE

Einspielungen (Auswahl)
- Jacques Zoon, 1997 (+ übrige Werke von Varèse); Decca
- Philippe Bernold, 2000 (+ Werke für Flöte von Boulez, Dutilleux, Jolivet und Messiaen); HMF/ Helikon

»Octandre«

Besetzung Flöte (Piccolo), Klarinette, Oboe, Fagott, Horn, Trompete, Posaune, Kontrabass
Sätze 1. Assez lent, 2. Très vif et nerveux, 3. Grave
Entstehung 1923
UA 13. Januar 1924 New York
Spieldauer ca. 7 Minuten

Musik Varèse erklärte den Titel von »Octandre« mit dem englischen, aus der Botanik stammenden Begriff »octandrious«: »mit acht Staubgefäßen versehen«. Das für vier Holzbläser, drei Blechbläser und Kontrabass geschriebene Stück ist das einzige Werk des Komponisten, das eine traditionelle Aufteilung in drei Sätze einhält – obwohl der zweite und der dritte ineinander übergehen.

Der erste Satz beginnt mit einer elegischen Passage der Oboe, die »Density 21.5« in gewisser Weise vorwegnimmt; aggressive Akzente, zugespitzt von den Farben des hohen Blechs, choralhafte Abschnitte, eine »spanische« Passage in der Trompete bilden den Mittelteil, der im Bogen zurück zur Einleitung der Oboe führt.

Der zweite Satz präsentiert eine rhythmische Figur: die um Vorschläge erweiterte Repetition einer einzigen Note in der Piccoloflöte – eine jener »Keimzellen«, wie sie Varèses Musik immer wieder bietet (in »Intégrales« eröffnet die Klarinette auf ähnliche Weise, in »Hyperprism« die Posaune).

Der dritte Satz beginnt mit einer anderen Version dieser Figur – in langsamem Tempo im Kontrabass. Ein Großteil des Materials dieser dritten Abteilung wächst ihr aus den beiden anderen zu, wird hier nur quasi »recycelt«: das Trompetenthema aus dem ersten Satz etwa oder die Oboen-Fagott-Figur und der abschließende Blechbläserchoral mit obligater Flöte aus dem zweiten Satz. Die Musik bewegt sich dabei »ruckweise« von Block zu Block – in der für den Komponisten so typischen Weise.

Wirkung »Octandre« wurde im Rahmen eines Konzerts der 1921 von Varèse mitbegründeten International Composers' Guild im New Yorker Vanderbilt Theatre uraufgeführt. Die Internationale Gesellschaft für Neue Musik (IGNM) nahm das Werk erst 1966 in Stockholm ins Programm – zum Gedenken des ein Jahr zuvor verstorbenen Komponisten.   PE

Einspielungen (Auswahl)
• Asko-Ensemble unter Leitung von Riccardo Chailly, 1997 (+ übrige Werke von Varèse); Decca

Verdi | Giuseppe

* 9. oder
10. 10. 1813
Le Roncole bei
Busseto
† 27. 1. 1901
Mailand

Giuseppe Verdi war in der zweiten Hälfte des 19. Jahrhunderts der »Alleinherrscher« auf der italienischen Opernbühne: Theaterunternehmer, Agenten, Verleger und das Publikum rissen sich gleichermaßen um ihn. Die Bedeutung des zusammen mit Mozart meistaufgeführten Opernkomponisten der Welt ist nur mit der des gleichaltrigen Richard Wagner zu vergleichen.

Als sich 1898 das Mailänder Konservatorium mit dem Namen des berühmten und international gefeierten Giuseppe Verdi schmücken wollte, verwahrte sich der Komponist gegen dieses Vorhaben: »Ein Konservatorium hat, ich übertreibe nicht, ein Attentat auf meine Existenz verübt, ich darf nicht einmal daran denken.« Verdi konnte nicht vergessen, dass ihm eben jenes Institut 1832 die Aufnahme zum Studium verweigert hatte. Doch dieser Zurückweisung zum Trotz war es schon dem 26-jährigen Musiker gelungen, seine Oper »Oberto« an der Mailänder Scala uraufführen zu lassen. Und nicht einmal drei Jahre später glückte ihm am selben Ort mit »Nabucco« der Durchbruch. Namentlich der Chor der gefangenen Juden im Babylonischen Exil (»Va, pensiero, sull'ali dorate«) traf – in der österreichisch regierten Lombardei – den Nerv der Zeit: den Freiheits- und Unabhängigkeitswillen der Italiener. Verdis Name blieb mit der italienischen Einigungsbewegung eng verbunden; in dem Hochruf »Viva Verdi« wurde er gar zur patriotischen Losung: »Es lebe Vittorio Emanuele Re d'Italia«, der spätere König des geeinten Italien.

In einem Jahrhundert, das von musikalisch-ideologischen Richtungskämpfen zerrissen war, ging Verdi unbeirrt und selbstbewusst seinen Weg: »Ich verachte alle Schulen, weil sie alle zum Konventionalismus führen, ich habe keine Götzen, sondern liebe eine schöne Musik, wenn sie wirklich schön ist, sei sie, von wem sie wolle.« Auch die Idee des musikalischen Fortschritts lehnte er ab: »Ein anderes sinnleeres Wort! So etwas kommt doch ganz von selbst! Ist der Komponist ein Genie, dann bringt er die Kunst voran, ohne es zu suchen und ohne es zu wollen.« Mit seinem Opernschaffen – von »Rigoletto« (1851) über »Il Trovatore«, »La Traviata« (beide 1853), »Simone Boccanegra« (1857), »Un ballo in maschera« (1859) und »Don Carlos« (1867) bis zu den späten Meisterwerken »Aida« (1871), »Otello« (1887) und »Falstaff« (1893) – hat Verdi die Kunst in der Tat vorangebracht. Schrittweise reformierte er die traditionelle Nummernoper, um sie schließlich zugunsten des durchkompo-

nierten, »szenisch-musikalischen Dramas« zu überwinden.

Giuseppe Verdi, als Sohn eines Krämers und Schankwirts in Le Roncole bei Busseto (im Herzogtum Parma) geboren, blieb sich auch mit wachsendem Ruhm und Reichtum treu: »Natürlichkeit und Einfachheit« waren seine Ideale als Künstler und als Mensch. Am glücklichsten fühlte er sich ohnehin fernab der Metropolen auf seinem Landgut in Sant' Agata, in der Nähe seines Geburtsortes, wo er sich der Gartenarchitektur, der Landwirtschaft und der Pferdezucht widmete, wo er die »Freiheit zum Leben« fand und die »Zeit zum Nachdenken«. STÄ

Streichquartett e-Moll

Sätze 1. Allegro, 2. Andantino, 3. Prestissimo, 4. Scherzo. Fuga: Allegro assai mosso – Poco più presto
Entstehung März 1873
UA 1. April 1873 Neapel
Verlag Edition Peters
Spieldauer ca. 22 Minuten

Entstehung Im Winter 1872/73 hielt sich Verdi in Neapel auf: Mit modellhaften Einstudierungen von »Don Carlos« und »Aida« wollte er in der Krise der italienischen Opernhäuser ein Zeichen setzen und überfällige Reformen anregen. Doch eine Erkrankung der Sopranistin Teresa Stolz, die er für die Partien der Elisabeth und Aida ausgewählt hatte, zwang zur Verschiebung der Proben. Verdi saß untätig und gelangweilt in seinem Hotel, und auf der Suche nach Abwechslung fand er einen Zeitvertreib der anspruchsvollsten Art: Er schrieb ein Streichquartett.

Musik Der Charakter eines wehmütigen Rückblicks prägt dieses kostbare Einzelwerk: Verdi orientierte sich an den Wiener Klassikern (deren Streichquartette er auf dem Bücherbord über seinem Bett aufbewahrte); zugleich erinnerte er sich an den Kompositionsunterricht bei seinem Privatlehrer Vincenzo Lavigna, der ihm das Schaffen von Haydn, Mozart, Beethoven und Mendelssohn nahegebracht und ihn zum Schreiben zahlloser Kanons und Fugen angeregt hatte.

Mit einer originellen, gleichsam schwebenden Fuge endet auch das e-Moll-Quartett: Histori-

---

Die Società del Quartetto

Der im Dezember 1818 in Livorno geborene Abramo Basevi war hauptberuflich als Arzt tätig, widmete sich jedoch intensiv der Förderung klassischer Musik. Er gründete eine Musikzeitschrift (»L'Armonia«) und veranstaltete ab 1859 »Beethoven-Matineen«, aus denen 1861 die zusammen mit dem Musikverleger Giovanni Gualberto Guidiccioni ins Leben gerufene Società del Quartetto hervorging. Diese Musikgesellschaft hatte einen wichtigen Einfluss auf das Musikleben von Florenz und bald ganz Italiens, zumal Basevi einen jährlichen Preis für die Komposition von Streichquartetten aussetzte. Die an einem öffentlichen Veranstaltungsort durchgeführten Konzerte der Società del Quartetto wurden nicht durch Eintrittsgelder, sondern durch die Beitragszahlungen ihrer Mitglieder finanziert. Diese hatten als Gegenleistung für ihren Jahresbeitrag einen Anspruch auf mindestens zehn Konzerte sowie auf verschiedene von Guidiccioni publizierte Taschenpartituren.

100264

Mit der Neapolitanischen Schule, als deren führender Meister Alessandro Scarlatti gilt, entwickelte Neapel sich um 1700 zu einem bedeutenden Zentrum im Musikleben Italiens (Blick in das Teatro San Carlo). Zu Probearbeiten an zwei Opern hielt Giuseppe Verdi sich 1872/73 dort auf – und komponierte sein Streichquartett e-Moll.

sche Vorläufer für ein solches Finale lassen sich unschwer in Joseph Haydns Quartetten op. 20 entdecken. Und natürlich begegnen wir dem Vorbild dieses Gründervaters der Gattung auch im Eröffnungssatz mit seinem klassischen Kontrapunkt, dem Prinzip der durchbrochenen Arbeit und der dichten, auf die Hauptthematik konzentrierten Durchführung.

Das vornehm-melancholische Andantino, dessen dreiteilige Anlage kunstvoll mit der Rondoform verschränkt ist, verrät in der schwerelosen Sechzehntelmotorik des Mittelteils den Tonfall der Musik Mendelssohns. Im Trio des dritten Satzes kommen dann auch die Opernfreunde auf ihre Kosten: Der Cellist darf sich als »Sänger« mit italienischer Kantabilität profilieren.

Wirkung Seit 1861, als der Musikkritiker Abramo Basevi in Florenz die Società del Quartetto gründete, zeichnete sich eine gewisse Restauration des italienischen Musiklebens jenseits der Vokalmusik ab. Verdi verstand sein Streich-

quartett jedoch keineswegs als Plädoyer für derartige Wiederbelebungsversuche. Im Gegenteil: Jahrelang widersetzte er sich Aufführungsplänen oder gar einer Veröffentlichung seines am 1. April 1873 in intimer Runde uraufgeführten Opus. Das italienische Klima sei dem Streichquartett nicht zuträglich, das war seine Meinung, und sein eigenes Werk kommentierte er betont gleichgültig: »Ob das Quartett gut oder schlecht ist, weiß ich nicht ... Aber dass es ein Quartett ist, das weiß ich!« STÄ

Einspielungen (Auswahl)
- Hagen Quartett, 1993 (+ Puccini: Chrysanthemen; Muzio: Luisa-Miller-Transkription); Deutsche Grammophon

Vivaldi | Antonio

* 4. 3. 1678
Venedig
† 28. 7. 1741
Wien

100563

Antonio Vivaldi war der einflussreichste italienische Komponist seiner Zeit. Seine rund 500 Konzerte repräsentieren die ganze Palette des barocken Instrumentariums und sind in Bezug auf ihre instrumentale Vielfalt und die unterschiedlichen Klangkombinationen einzigartig in der italienischen Barockmusik. Mit der dreisätzigen Anlage der Konzerte (schnell–langsam–schnell) und der Ritornellform ihrer Ecksätze prägte er die für ganz Europa verbindliche spätbarocke Konzertform aus. Darüber hinaus bereitete Vivaldi mit den »Jahreszeiten«-Konzerten (»Le quattro stagioni«) der orchestralen Programmmusik den Weg.

In Venedig geboren und aufgewachsen, erhielt Vivaldi den ersten Violinunterricht von seinem Vater, dem Barbier und Violinisten Giovanni Battista Vivaldi, der 1685 in das Orchester an San Marco berufen wurde. Die Vermutung liegt nahe, dass Antonio Vivaldi Schüler des Kapellmeisters Giovanni Legrenzi war, zumal er bereits als zehnjähriger Knabe gelegentlich im Orchester mitgespielt haben soll. Später ließ ihn sein Vater die Priesterlaufbahn einschlagen, die in Venedig einer Berufsausübung als Musiker keineswegs im Wege stand. Zwar erhielt er im März 1703 die Priesterweihe, doch aufgrund gesundheitlicher Probleme übte er das Priesteramt nur kurze Zeit aus. Ein halbes Jahr später wurde Vi-

valdi zum »Maestro di Violino« am Waisenhaus »Pio Ospedale della Pietà« ernannt. 1709 trat er die Nachfolge Francesco Gasparinis als Leiter des hoch angesehenen Orchesters der »Pietà« an, dessen künstlerisches Niveau mit dem des Pariser Opernorchesters verglichen wurde. Mit seinen Konzerten und zahlreichen kirchenmusikalischen Werken, darunter Messen, Motetten und Psalmen, bereicherte Vivaldi das Repertoire des Orchesters. 1713 begann er, Opern zu schreiben und übernahm den Posten eines Impresarios am Teatro Sant'Angelo in Venedig. Von nun an komponierte er etwa zwei Opern pro Jahr, darunter »L'Olimpiade« (1734) und »Griselda« (1735). Er schrieb angeblich 94 Opern, von denen aber nur etwa die Hälfte überliefert ist.

Mit der 1711/12 in Amsterdam publizierten Sammlung von zwölf Konzerten op. 3 »L'estro armonico« wurde Vivaldi mit einem Schlag in ganz Europa berühmt. In den nächsten Jahren veröffentlichte er die Konzerte op. 4 »La stravaganza« (um 1712/13) sowie die Konzerte op. 6 und op. 7 (beide um 1716/17). Um 1725 erschienen in Amsterdam die Konzerte op. 8 »Il cimento dell'armonia e dell'invenzione« mit den berühmten »Jahreszeiten«-Konzerten. Es folgten die Konzerte op. 9 »La cetra« (1727), op. 10 (um 1728), op. 11 und op. 12 (beide um 1729/30). Den größten Teil seiner Kammermusik machen die annähernd 90 Sonaten aus. Dazu zählen die Triosonaten op. 1 (1705), die Violinsonaten op. 2 (1708/09) und op. 5 (ca. 1716), die Violoncellosonaten (1740) sowie Sonaten für Holzblasinstrumente. MÖ

Sonaten für Violoncello und Basso continuo RV 39–47

Entstehung Von Vivaldis neun erhaltenen Sonaten für Violoncello und Basso continuo wurden 1740 sechs unter dem Titel »VI Sonates Violoncelle Solo col Basso« (RV 47, 41, 43, 45, 40, 46) von dem Verleger Le Clerc le Cadet in Paris veröffentlicht. Die Sonaten werden häufig unter der Opuszahl 14 geführt, die jedoch weder im Erstdruck noch in den zeitgenössischen Katalogen erscheint. Hinzu kommen drei weitere in

4601

Vivaldi komponierte die meisten seiner Werke in seiner Heimatstadt Venedig. Seine Sonaten für Violoncello und Basso continuo entstanden vermutlich für Mitglieder des angesehenen Orchesters des Waisenhauses »Pio Ospedale della Pietà« (»Ansicht der Kirche Santa Maria della Salute in Venedig«, Gemälde von Francesco Guardi, 1795/98; Moskau, Puschkin-Museum).

Abschriften erhaltene Cellosonaten in Es-Dur RV 39, g-Moll RV 42 und a-Moll RV 44.

Die Vermutung liegt nahe, dass Vivaldi die Sonaten für die Waisen der »Pietà« geschrieben hat, zumal er in der Erstausgabe ausdrücklich als »Maestro dé concerti del Pio Ospedale della Pietà di Venezia« bezeichnet wird. Außerdem wurde er 1735 per Ratsbeschluss verpflichtet, im Bedarfsfall alle nötigen Instrumente zu unterrichten.

Musik Das Violoncello wurde zuerst in Italien zum Soloinstrument erhoben, und zwar vor allem mit den Werken der Bologneser Komponisten Domenico Gabrielli, Petronio Franceschini und Giuseppe Jacchini. Vivaldi hatte schon in den ersten beiden Jahrzehnten des 18. Jahrhunderts 27 Cellokonzerte sowie eines für zwei Violoncelli komponiert. Mit der von Antonio Stradivari entwickelten modernen viersaitigen Form des Violoncellos mit der Stimmung C-G-d-a wurden ab 1710 die baulichen Voraussetzungen geschaffen, die eine Übertragung der Violintechniken auf das Violoncello ermöglichten. Dadurch stiegen aber zugleich die

spieltechnischen Anforderungen. Vivaldi erweiterte das Lagenspiel und verwendet in seinen Konzerten Töne, die auf dem barocken Violoncello nur mit dem Daumenaufsatz gespielt werden können, sodass er als Erfinder des Daumenaufsatzes auf diesem Instrument gelten muss.

In den Sonaten bewegt sich das Violoncello allerdings in dem üblichen Rahmen von C bis a^1. Spieltechnische Errungenschaften sind die häufige Verwendung des Staccatos und der Einsatz des Wurfbogens. Ähnlich wie in den Violinkompositionen bevorzugt Vivaldi das einstimmige virtuose Spiel des Cellos. Darüber hinaus gibt es Passagen mit latenter Mehrstimmigkeit, wie zum Beispiel in den zweiten Sätzen der Sonaten Nr. 3 und Nr. 5. Doch anders als in Johann Sebastian Bachs Sonaten tritt das Cello nicht nur in den Dialog mit sich selbst, sondern auch mit dem Basso continuo, indem es häufig aus der Rolle des Soloinstruments in die des Streichbasses springt und umgekehrt. Obwohl die Sonaten insgesamt nicht als besonders schwierig gelten, weisen die schnellen Sätze durchaus virtuose

Passagen auf, so etwa im Allegrofinale der Sonate Nr. 6.

Vivaldis Cellosonaten sind in der von Arcangelo Corelli entwickelten Form der viersätzigen Kirchensonate mit der Satzfolge Largo–Allegro–Largo–Allegro komponiert. Eine Ausnahme bildet die g-Moll-Sonate RV 42, die in der Art der Kammersonate aus einem Preludio (Largo) und den nachfolgenden Tänzen Allemanda (Allegro), Sarabanda (Largo) und Giga (Allegro) besteht. Bei den übrigen Sonaten ist eine Verschmelzung der Sonata da Chiesa und der Sonata da Camera zu beobachten. Zum einen haben viele Sätze tänzerischen Charakter, insbesondere die Allegrosätze; zum anderen übernehmen auch die tanzfreien Sätze die Zweiteiligkeit der Tanzsätze mit der typischen Modulation des ersten Teils zur Dominante. Die Rückkehr zur Tonika im zweiten Teil wird durch die thematische Wiederkehr des Anfangs zur Reprise erweitert. Vivaldi lässt die Ritornellform seiner Konzerte in die Sonate einfließen und bereitet mit der »Dreiteiligkeit in der Zweiteiligkeit« die klassische Sonatenhauptsatzform vor.

Wirkung Die Sonaten sind Repertoirestücke und wurden von einigen Cellisten für die Schallplatte aufgenommen, darunter Paul Tortelier, Julius Berger, Claude Starck und Christophe Coin. Interessant ist die unterschiedliche Continuobesetzung der genannten Einspielungen. Einige Interpreten wie Tortelier und Berger spielen die Sonaten nur mit Violoncello und Cembalo bzw. Orgel, während andere Interpreten zusätzlich ein zweites Violoncello verwenden.

Die Beliebtheit der Cellosonaten hat auch zu Bearbeitungen für Violoncello und Streichorchester von Vincent d'Indy, Paul Bazelaire und Luigi Dallapiccola geführt. MÖ

Einspielungen (Auswahl)
• Sonaten RV 39, 40, 42, 44–46: Pieter Wispelwey (Violoncello), Florilegium Ensemble, 1994; Channel Classics

Triosonaten für zwei Violinen und Basso continuo RV 61–67, 69, 72, 73, 75, 76, 78 und 79

Entstehung 1705 veröffentlichte Vivaldi in Venedig bei Giuseppe Sala zwölf »Suonate da Camera a tre« für zwei Violinen und Basso continuo op. 1, die dem Grafen Annibale Gambara gewidmet sind. Weitere Editionen in Amsterdam und Paris sorgten für ihre Verbreitung. Die Triosonate war um 1700 immer noch die beliebteste Gattung der Instrumentalmusik, und viele Komponisten wie Arcangelo Corelli, Tomaso Albinoni und Antonio Caldara publizierten als Erstes einen Band Triosonaten, mit dem sie quasi ihre musikalische Visitenkarte abgaben. Zwei weitere Triosonaten von Vivaldi befinden sich unter den sechs Sonaten op. 5, die 1716 von Jeanne Roger in Amsterdam publiziert wurden. Dabei handelt es sich um die Triosonaten Nr. 5 (17) RV 76 und Nr. 6 (18) RV 72. Die sechs Sonaten op. 5 wurden als zweiter Teil der zwölf Sonaten op. 2 angekündigt und daher als Nr. 13–18 gezählt.

Musik Vivaldi erweist mit seinen Triosonaten op. 1 Arcangelo Corelli seine Reverenz, sodass er in der Vergangenheit zuweilen irrtümlich als dessen Schüler bezeichnet wurde. Die formale Vorlage für Vivaldis Triosonaten liefern Corellis Kammersonaten op. 2 (1785) und op. 4 (1790), denn auch Vivaldi verwendet eine Folge von Tänzen, vor allem die traditionellen Suitensätze Allemanda, Corrente, Sarabanda, Gavotta und Giga. Anzahl und Reihenfolge der Tänze ist allerdings sehr unterschiedlich. Zwar folgt die Allemanda oft auf das einleitende Preludio, doch wird sie auch als Finale eingesetzt, wie in der Sonate Nr. 4.

Hinzu kommt Vivaldis freier Umgang mit den Tänzen, der sich auch in unterschiedlichen Tempobezeichnungen zeigt. So sieht er für die Sarabanda neben largo und andante sogar allegro (Sonate Nr. 3) vor. Viele Tänze sind trotz ihrer Stilisierung durchaus charakteristisch, wie die Sarabanda der Sonate Nr. 4, die Gavotta der Sonate Nr. 1 und die Giga der Sonate Nr. 11. Andere Tänze, zum Beispiel die Gavotta der Sonate Nr. 10, haben jedoch einen beachtlichen Stilisierungsgrad erreicht. Neben den stilisierten Tänzen gibt es zweiteilige Sätze, denen das tänzerische Element weitgehend fehlt. Dass dadurch tanzfreier Satz und stilisierter Tanz teilweise gleichgesetzt werden, belegt der mit »Air-Menuet« überschriebene Satz der Sonate op. 5 Nr. 6 (Nr. 18). Solche Beispiele zeigen den hohen Verschmelzungsgrad von Kirchen- und Kammersonate. Der Einfluss der Kirchensonate macht sich auch in der Verwendung der tanzfreien Sätze bemerkbar, insbesondere der langsamen Sätze »Largo«, »Adagio« oder »Grave«. Darüber hinaus sind die meisten Sonaten viersätzig, einige sogar mit abwechselnd langsamen und schnellen Sätzen, wie die Sonaten Nr. 3, 6, 7 und 8.

Abschluss der zwölf Triosonaten op. 1 bilden die »La-Follia«-Variationen, mit denen Vivaldi erneut direkt auf Corellis Werke Bezug nimmt, diesmal auf die Violinsonaten op. 5 (1700). Die »Follia«-Variationen basieren auf einem gleichbleibenden harmonischen Modell, das Vivaldi 20-mal in variierter Form wiederholt. Die Melodie weist den typischen Sarabandenrhythmus auf mit der Betonung der zweiten Zählzeit im 3/4-Takt. Der kontrastierende Charakter der einzelnen Variationen wird häufig durch unterschiedliche Satzbezeichnungen, die von Adagio bis Vivace reichen, verstärkt.

Es fällt auf, dass Vivaldi in den »Follia«-Variationen den konzertierenden Dialog der Oberstimmen häufig aufgibt und die beiden Violinen homorhythmisch in Terzen führt, beispielsweise in den Variationen Nr. 2, 13, 17 und 19. Darüber hinaus exponiert er in den Variationen Nr. 10, 15, 16 und 18 die erste Violine und weist der zweiten Violine lediglich begleitende Funktion zu. In der Variation Nr. 14 übernimmt der Bass die melodische Führung, während die Violinen einmal begleiten. MÖ

Einspielungen (Auswahl)
• Purcell Quartet, 1990; Chandos

Weber | Carl Maria von

* 18. oder 19. 11. 1786 (getauft 20. 11. 1786) Eutin
† 5. 6. 1826 London

Von Hans Pfitzner stammt das Bonmot, dass Weber auf die Welt gekommen sei, um den »Freischütz« zu komponieren. Daran ist viel Richtiges. Einerseits weist in stilistischer Hinsicht vieles im Frühwerk Webers bereits auf den »Freischütz« hin, andererseits blieb dem Meister ein vergleichbarer, weiterer Opernerfolg »danach« versagt.

Dennoch waren die biografischen Voraussetzungen für einen derartigen Erfolg nicht ohne Weiteres gegeben. Zwar wurde Carl Maria in eine Künstlerfamilie hineingeboren, doch war es mehr oder weniger das Wanderzirkusmilieu einer Komödiantentruppe, das den heranwachsenden Musiker umgab. »Von Webersche Schauspielgesellschaft« nannte sich das ominöse Unternehmen seines Vaters, dessen Laufbahn mit erschwindeltem Adelstitel vom kurpfälzischen Offizier, Amtmann, Bratschisten, Komponisten und Kapellmeister bis hin zum Theaterdirektor reichte. Eine Korruptionsaffäre sollte sogar den Sohn mit einer kurzen Gefängnishaft und Ausweisung aus dem Königreich Württemberg belasten.

Der Renommiersucht des Vaters ist es wenigstens zu verdanken, dass er während der Tourneen durch die Lande und Länder den offenkundig frühbegabten Carl Maria zu prominenten Musikpädagogen und Komponisten in die Lehre schickte. Allzu gern hätte er es gesehen, seinen Sohn als Wunderkind und zweiten Mozart der Öffentlichkeit präsentieren zu können. So sorgten neben den Klavierstunden bei Johann Peter Heuschkel, dem Gesangsunterricht bei Valesi (Johann Wallishauser) und dem Orgelspiel bei dem Münchner Hoforganisten Kalcher vor allem die Unterweisung im Tonsatz bei Michael Haydn in Salzburg und bei dem berühmten Abbé Vogler in Wien für ein solides musikalisches Fundament.

Durch Voglers Vermittlung erhielt der erst 18-jährige Carl Maria von Weber dann 1804 auch seine erste Anstellung als Kapellmeister in Breslau, allerdings konnte er sich dort jedoch nicht richtig durchsetzen. Immerhin verlieh ihm Prinz Eugen von Württemberg 1806 den Titel eines Musikintendanten im oberschlesischen Carlsruhe. Zu weiteren Stationen einer künstlerischen Wanderschaft wurden Stuttgart, Mannheim und Darmstadt.

1813 endlich erhielt Weber den Posten eines Operndirektors am Ständetheater in Prag, wo er die Spielplangestaltung erfolgreich reformierte und als Schöpfer einer modernen Dirigiertechnik eine neue Ära der Aufführungspraxis einleitete: An die Stelle des Taktschlagens mit der Notenrolle in der Hand trat die künstlerisch inspirierte Orchesterleitung im Ringen um das »Echte in der Kunst« (Weber). Drei Jahre später (1816) wurde Carl Maria von Weber die herausragende Stellung eines Musikdirektors der Oper in Dresden, Höhepunkt seiner Künstlerkarriere, angetragen.

Auch musikliterarisch ist der Komponist mit bedeutsamen Beiträgen hervorgetreten. Sogar eine Notenstecherei hatte er zeitweise im sächsischen Freiberg mit einem eigenen, von ihm selbst erfundenen lithografischen Verfahren betrieben. Den größten Triumph seines Lebens feierte Carl Maria von Weber jedoch mit seinem »Freischütz« in Berlin (1821), während seine »Euryanthe« in Wien enttäuschte (1823). Von der beifallumrauschten Premiere seines »Oberon« in London (1826) kehrte er nicht mehr

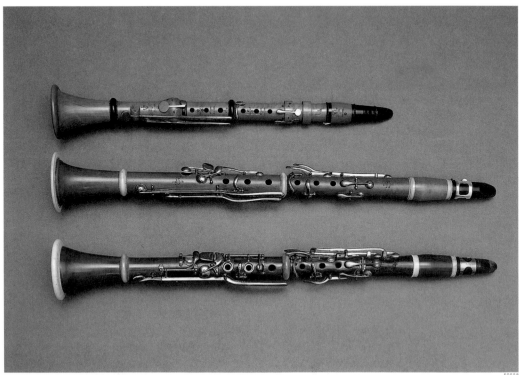

50558

Carl Maria von Weber komponierte neben drei Kammermusikwerken für Klarinette auch mehrere Konzerte für das Holzblasinstrument, das um 1700 von Johann Christoph Denner aus der französischen Schalmei (Chalumeau) entwickelt worden war.

in die Heimat zurück: Eine seit mehreren Jahren besorgniserregende Schwindsucht setzte dem Leben des Komponisten ein vorzeitiges Ende. Richard Wagner veranlasste 1844 die feierliche Verlegung der letzten Ruhestätte Webers von London nach Dresden.   PÄ

Werke für Klarinette und Klavier

Variationen über ein Thema aus der Oper »Silvana« op. 33

Entstehung 1811
Verlag Lienau
Spieldauer ca. 15 Minuten

Entstehung Neben dem Concertino op. 26 und den beiden Klarinettenkonzerten op. 73 und op. 74 (die trotz der weit auseinanderliegenden Opuszahlen alle im Jahr 1811 entstanden sind) hat Carl Maria von Weber drei Kammermusikwerke für die Klarinette komponiert: die »Silvana«-Variationen, das Grand Duo concertant und das Klarinettenquintett. Als Urheber eines weiteren, fälschlich unter Webers Namen veröffentlichten Variationenwerkes (ohne Opusnummer) konnte Joseph Küffner ermittelt werden. Sämtliche Klarinettenwerke Webers sind dem Bläservirtuosen Heinrich Joseph Baermann gewidmet und in enger Zusammenarbeit mit ihm entstanden.

Waren die beiden großen Solistenkonzerte noch Auftragswerke des Königs Max Joseph von Bayern gewesen, nachdem dieser mit Begeisterung das »kleine« Concertino gehört hatte, so sind die Kammermusiken für den Eigenbedarf gemeinsamer Konzertreisen der miteinander befreundeten Künstler Baermann und Weber konzipiert worden. Webers Tagebucheintragung für die »Silvana«-Variationen lautet: »Komponiert 14. 12. 1811 zu Prag, für Heinrich Baermann.«

Musik Als Thema zu den sieben Variationen hat der Komponist die Cavatine »Warum musst' ich dich je erblicken« aus seiner eigenen Oper »Silvana« (1810) gewählt und nach dieser Über-

nahme sofort eine neue Arie für die Oper geschrieben. Neben den Verzierungen und figurativen Ausschmückungen des schlichten, volkstümlichen Liedthemas in den ersten beiden Variationen überrascht vor allem die dritte mit ihrer überzeugenden Umstilisierung als klarinettistische Koloraturarie über den vollen Tonumfang des Instruments. Zu einem opernhaft-dramatischen Auftritt wird die sechste Variante gesteigert: Man hört eine Art Trauermarsch, umhüllt von den vorausgeahnten Wolfsschluchtnebeln (»Der Freischütz«) mit düsterem Klaviertremolo.

Wirkung Der zeitgenössische Musikkritiker Friedrich Rochlitz hat das Besondere an Webers Variationskünsten erkannt und rezensierte in der Leipziger »Allgemeinen Musikalischen Zeitung«: »Diese Variationen (sind) sämtlich wahre Variationen und nicht etwa bloße Auflösungen der Akkorde in diese oder jene gebräuchlichen Figürchen.«   PÄ

Grand Duo concertant Es-Dur op. 48

Sätze 1. Allegro con fuoco, 2. Andante con moto, 3. Rondo: Allegro
Entstehung 1816
Verlag Lienau
Spieldauer ca. 19 Minuten

Entstehung »Komponiert am 8. 11. 1816«, lautet Webers Protokollnotiz, womit er den Abschluss der Arbeiten an seinem letzten Klarinettenwerk registrierte.

Musik Nach einer generösen Auftrittsgeste beider Instrumente scheint sich formal eine mehrteilige Exposition zu entwickeln, aus der nach mancher virtuosen Kurzfloskel, Tonleitern- und Akkordpassage eine Gassenhauermelodie (»Ganz ohne Weiber geht die Chose nicht«) die Funktion eines Seitenthemas übernimmt. Nach der Wiederholung der Exposition entsteht in der Durchführung ein regelrechter Dialog zwischen den beiden Instrumenten, der in immer neuer Abwandlung um einige wenige Themen zu kreisen scheint. Eine Reprise wiederholt noch einmal alle »Argumente« und fasst das Ergebnis in einer konzentrierten Coda mit Engführung zusammen.

Der zweite Satz suggeriert – wie fast alle langsamen Sätze Webers – eine Opernszene: hier als melancholische Da-capo-Arie mit dramatisch bewegtem Klaviermittelteil. Das Schlussrondo (dritter Satz) steigert sich virtuos in alle spieltechnischen Finessen hinein, konzertierend, duettierend, graziös, kapriziös. Die zweite Rondoepisode (im Zentrum des Satzes) lässt der Komponist wiederum im rezitativischen Opernstil erklingen.

Der Erfinder der Klarinette

Der in Leipzig geborene Johann Christoph Denner gehörte einer berühmten, in Nürnberg tätigen Familie von Holzblasinstrumentenmachern an. Ein Hauptbetätigungsfeld fand er in der Weiterentwicklung der französischen Schalmei (Chalumeau). Den Durchbruch erzielte er dabei, indem er zu Beginn des 18. Jahrhunderts am Tenorchalumeau ein Überblasloch für ein hohes Register anbrachte. Das Ergebnis war, so 1730 rückblickend der Musikchronist J. G. Doppelmayer, »eine neue Art von Pfeiffen-Wercken, die sogenannte Clarinette«. Der von der hohen Lage der Trompete (Clarino) abgeleitete Name für das neue Instrument allerdings stammt wohl nicht von Denner – er findet sich erstmals in einem Nürnberger Dokument von 1710.

Wirkung Webers »Klarinettenstudien« sind spürbar den Gefühlswelten und Orchestrierungskünsten seiner (späteren) »Freischütz«-Partitur zugutegekommen. Immer wieder stellen sich daher bei dem heutigen Hörer, der die chronologische Reihenfolge der Werke nicht zu kennen braucht, entsprechende Vergleiche und Assoziationen mit dem Schein des Bekannten ein. PÄ

Einspielungen (Auswahl)
• Emma Johnson (Klarinette), Gordon Back (Klavier), 1989; ASV

Weitere Werke

Trio für Klavier, Flöte und Violoncello g-Moll op. 63

Sätze 1. Allegro moderato, 2. Scherzo, 3. Schäfers Klagelied: Andante espressivo, 4. Finale: Allegro
Entstehung 1819
Verlag Lienau
Spieldauer ca. 24 Minuten

Entstehung Friedrich Wilhelm Jähns vermerkt in seinem Weber-Werkverzeichnis (1871) unter der Nummer J 259: »Trio: 25. 7. 1819 Klein-Hosterwitz bei Pillnitz. Gewidmet dem Arzt und Freunde Dr. Philipp Jungh zu Prag.« Der Mediziner Jung war als Cellospieler offensichtlich ein guter Kammermusiker. Wer seine Partner waren, ist nicht bekannt, doch könnte es sich um eine übliche Klaviertriobesetzung gehandelt haben, da Weber den Flötenpart auch für die Violine eingerichtet hatte.

Musik »Keine Gattung der Musik ist mit wenigern Schwierigkeiten verknüpft und vergnügt mehr, als mit Geist und Kunst gearbeitete Trios«, dokumentierte der Komponist in seinen Schriften und schuf mit seinem ausgereiften Flötentrio ein Paradebeispiel. Musterhaft, anregend, zugleich jedes schematische Formendenken ideenreich erweiternd und überwindend, ist die Satzstruktur durch eine virtuose Vernetzung und Gleichbehandlung aller Partien zu einem homogenen Ganzen verschmolzen worden. Aber auch viel Hintergründiges wirkt in die Werkpartitur hinein.

Nach einer kurzen, feierlich-langsamen Einleitung erklingt ein typisches Fugenthema, ohne jedoch die »Fugenchance« zu nutzen. Es bleibt – zur Überraschung der Zuhörer – bei einem regulären Sonatensatzthema. Die dazugehörige Überleitungsgruppe zum Seitenthema nimmt allerdings im weiteren Satzverlauf, wiederum überraschend, die Qualität eines selbstständigen, neuen »dritten« Themas an: romantische Auflösung klassischer Formenstrenge! Und wiederum spukt der »Freischütz« in das Werk hinein: Die charakteristische Flötenfiguration des zweiten Satzthemas zitiert unverhohlen das Jo-ho-Tralala-Motiv aus dem Jägerchor. Ein einsamer Pizzicatozupfton des Cellos beendet die Exposition und gibt so das Zeichen zur Wiederholung des Anfangs bzw. zum Beginn der Durchführung.

Der zweite Satz ist ein dramatisierter Schnellwalzer voller Synkopenakzente und Ländlerthematik, energisch, aber ohne Trioteil – eine neue Form!

Das innovative Formenspiel wird im nächsten Satz fortgesetzt. So paraphrasiert und variiert Weber die vertraute Liedweise zu dem Eichendorff-Text »In einem kühlen Grunde«. Der Komponist denkt jedoch an Goethes Versdichtung: an des »Schäfers Klagelied«. Damit paraphrasiert und erweitert er zugleich die inhaltliche Aussage.

Das spritzige Finale (formal wiederum ein Sonatenhauptsatz) greift auf die Kopfsatzthemen mit »Fugenchance« und »Jägerchor« zurück. Damit steigert sich das Flötentrio zu einem typisch romantischen Zyklus. Nach dem meisterhaft gearbeiteten, kontrapunktisch durchwirkten Durchführungsteil erhält die verkürzte Reprise sogar eine leitmotivische Funktion und endet mit einer aus Motivreminiszenzen gespeisten Coda.

Wirkung Mit seinen idealtypischen Bläserpartien ist dieses Trio zu einem festen Bestandteil der Flötenliteratur geworden, ohne je von der autorisierten Besetzungsvariante für klassisches Klaviertrio (Klavier, Violine, Violoncello) Gebrauch zu machen. PÄ

Einspielungen (Auswahl)
• Nash Ensemble of London, 1988; CRD

Klarinettenquintett B-Dur op. 34

Sätze 1. Allegro, 2. Fantasia: Adagio, ma non troppo, 3. Menuetto: Capriccio presto, 4. Rondo: Allegro giocoso
Entstehung 1815
UA 26. August 1815 München
Verlag Breitkopf & Härtel
Spieldauer ca. 25 Minuten

Entstehung Bereits nach Heinrich Joseph Baermanns ersten Aufführungserfolgen mit den Klarinettenkonzerten fasste Weber noch im Jahr 1811 den Plan zur Komposition eines Klarinettenquintetts. Im Hinblick auf das modernisierte Instrument des Klarinettisten, das mit seiner erweiterten Zehnklappenmechanik für eine brillante Ausgeglichenheit der chromatischen Tonleiter über den vollen Tonumfang der Klarinette ausgerüstet war, nutzte der Komponist nach Absprache mit dem prominenten Virtuosen alle spieltechnischen Erweiterungen. In dieser Hinsicht weist er über das Vorbild von Mozarts Klarinettenquintett KV 581 hinaus.

Musik Den artistischen Selbstansprüchen des reisenden Virtuosen folgend, hat Carl Maria von Weber mit seinem Klarinettenquintett ein weiteres, allerdings kammermusikalisch besetztes Solokonzert geschaffen. Dabei ist ihm bei aller virtuosen Nutzung des Bläserparts im Banne der romantischen Ästhetik und Gefühlswelt eine einzigartige Synthese der Stil- und Ausdrucksmittel gelungen: Melodie, Harmonie und bläserische Equilibristik durchdringen einander in meisterlicher Weise. Das Streichquartett muss sich dagegen über weite Taktstrecken mit der

Entstehung	Titel	Besetzung
1808	Variations sur un Air Norvégien op. 22	Violine, Klavier
1809	Klavierquartett B-Dur op. 8	Klavier, Violine, Bratsche, Violoncello
1810	Six sonates progressives op. 17	Violine, Klavier
1811	Variationen über ein Thema aus der Oper »Silvana« op. 33	Klarinette, Klavier
1815	Klarinettenquintett B-Dur op. 34	Klarinette, 2 Violinen, Viola, Violoncello
1815/16	Grand Duo concertant Es-Dur op. 48	Klarinette, Klavier
1816	Divertimento assai facile op. 38	Gitarre, Klavier
1819	Trio g-Moll op. 63	Klavier, Flöte, Violoncello

Rolle eines Begleitensembles begnügen. Dafür öffnet sich für das Soloinstrument das gesamte Arsenal klarinettistischer Herausforderungen und Vortragsmöglichkeiten.

Dem ersten Satz in traditioneller Sonatensatzform, dessen melodisch-gesangliche Themenansätze stets in kapriziöse Figurationen einmünden, schließt sich eine ariose Fantasie an. Höhepunkt dieses zweiten Satzes ist die Vorführung dynamisch höchst differenzierter Spitzentöne und Intervallsprünge der Klarinette sowie das Auskosten chromatischer Skalen vom fortissimo possibile bis zum ätherisch verhauchenden Pianissimo. Das Menuettcapriccio (eigentlich ein Prestoscherzo) ist eine bläserische Eskapade für Lippentechniker und Fingerkünstler, während das Schlussrondo als konzertantes Potpourri aller Satztechniken und Ausdrucksformen nochmals tänzerische Rhythmik, heitere Thematik und bravouröse Tonkaskaden genial miteinander vereint.

Wirkung Seit ihrem Erscheinen gehören Mozarts Quintett KV 581 und das virtuos inspirierte Werk Webers zu den unangefochtenen Favoriten in dieser Besetzungsform. Nur Brahms und Reger haben später mit ihren singulären Beiträgen zur Sonderform des Klarinettenquintetts eine vergleichbare Bedeutung erlangen können.   PÄ

Einspielungen (Auswahl)
- Eduard Brunner (Klarinette), Hagen Quartett, 1987 (+ Mozart: Klarinettenquintett); Deutsche Grammophon
- Dirk Schultheis (Klarinette), Telos-Music-Ensemble, 1999 (+ Mozart: Klarinettenquintett); Telos/ Liebermann

Webern | Anton

* 3. 12. 1883
Wien
† 15. 9. 1945
Mittersill bei
Salzburg

100563

Unter den drei großen Komponisten der Zweiten Wiener Schule – Schönberg, Berg und Webern – hatte Letzterer mit seinen Werken zwar den größten Einfluss auf die Entwicklung der Neuen Musik, im öffentlichen Musikleben jedoch die geringste Resonanz. Webern zog durch Verkürzung und Verdichtung der musikalischen Strukturen am radikalsten die Konsequenz aus Schönbergs Methode des Komponierens mit zwölf aufeinander bezogenen Tönen. Sein gesamtes Œuvre hat auf drei CDs Platz.

Anton von Webern – den Adelstitel legte er nach 1918 ab – war der Sohn eines Bergbauingenieurs im österreichischen Staatsdienst. In Klagenfurt, wohin die Familie aus Berufsgründen 1893 übersiedelte, besuchte er das Gymnasium und nahm Privatunterricht in Klavierspiel, Violoncello und Musiktheorie. Musik war in der Familie Webern eine Selbstverständlichkeit, und das erfolgreiche Abitur Antons wurde mit einer Reise nach Bayreuth belohnt. 1902 nahm an der Wiener Universität das Studium der Musikwissenschaft, das auch Harmonielehre und Kontrapunktunterricht umfasste, auf und beendete es 1906 mit einer Dissertation über Heinrich Isaac.

Entscheidend wurde jedoch seine Begegnung mit Arnold Schönberg, dessen Schüler er 1904 gemeinsam mit Alban Berg wurde. Aus dem Lehrer-Schüler-Verhältnis, das bis 1908 dauerte, wurde eine lebenslange Freundschaft. Ab 1908 wirkte Webern als Kapellmeister in Wien, Teplitz, Danzig, Stettin und Prag, gab aber diese Laufbahn, die durch einen kurzen Militärdienst 1915/16 unterbrochen wurde, 1920 endgültig auf. Als Dirigent von Männerchören ließ er sich in Mödling bei Wien nieder. 1922 kam er in Kontakt mit der Sozialdemokratischen Partei und übernahm in diesem Rahmen die Leitung von Arbeitersinfoniekonzerten in Wien. Eine materiell gesicherte Existenz bedeutete dies so wenig wie sein Unterrichten von Privatschülern, und er lebte am Rande der Armut. Ab 1927 besserte sich seine Lage ein wenig, er wurde Dirigent und Fachberater für Neue Musik am Rundfunk und dirigierte auch im Ausland.

All dies brach 1938 mit dem Einmarsch Hitlers in Österreich zusammen. Webern verlor seine Stellung am Rundfunk, seine Kompositionen wurden als »entartet« verboten. Ohne die Hilfe seines Verlages, der Universal Edition, wäre er verhungert. Er zog sich gänzlich in die Isolierung zurück und floh 1945 vor der anrückenden Roten Armee nach Mittersill in das Haus seines Schwiegersohns. Während einer Hausdurchsuchung durch amerikanische Soldaten, von der er nichts wusste, ging er am Abend des 15. September 1945 vor das Haus, um eine Zigarette zu rauchen, und wurde von einem Besatzungssoldaten erschossen. Sein Tod war umso mehr von persönlicher Tragik umschattet, als er nach Kriegsende wichtige Stellungen beim Wiederaufbau des österreichischen Kulturlebens einnehmen sollte, was seine erstmalige materielle Sicherstellung bedeutet hätte.   BEAU

Vier Stücke für Geige und Klavier op. 7

Bezeichnungen 1. Sehr langsam, 2. Rasch, 3. Sehr langsam, 4. Bewegt
Entstehung 1910
Verlag Universal Edition
Spieldauer ca. 5 Minuten

Drei kleine Stücke für Violoncello und Klavier op. 11

Bezeichnungen 1. Mäßige Achtel, 2. Sehr bewegt, 3. Äußerst ruhig
Entstehung 1914
Verlag Universal Edition
Spieldauer ca. 2 Minuten

Musik »Webern kann in zwei Minuten mehr sagen als die meisten anderen Komponisten in zehn«, schrieb der amerikanische Komponist Humphrey Searle über »Drei kleine Stücke« op. 11, es trifft jedoch genauso auf die vier Jahre älteren »Vier Stücke« op. 7 zu. In beiden Werken handelt es sich um Espressivomusik von äußerster Verdichtung.

Dabei sind vor allem in den Violinstücken die Verbindungen mit der Tradition stark spürbar, gibt es doch, wenn auch auf engstem Raum komprimiert, melodische Phrasen, die durchaus »geigerisch« empfunden sind. Dieser expressive Gestus wird nicht zuletzt durch ständige Tempowechsel erreicht. So enthält das zweite Violinstück auf einem Raum von nur 24 Takten nicht weniger als acht genau metronomisierte Tempoangaben nebst vorbereitenden Verzögerungen bzw. Beschleunigungen. Nicht viel anders steht es mit den dynamischen Vorschriften, die vom ppp und der Bemerkung »wie ein Hauch« bis zum Fortissimo reichen. Es handelt sich um ausdrucksgeladene Klangstudien, die sowohl dem spezifischen Violinton wie dem nuancenreichen Klavierklang abgelauscht sind.

Nicht viel anders verfuhr Webern im Falle der drei noch radikaler konzentrierten Cellostücke, von denen das längste 56, das kürzeste 27 Sekunden Dauer beansprucht. Fast jede Note des Klavierparts weist unterschiedliche Dynamik oder unterschiedliche Anschlagsarten auf, und jede Phrase des Celloparts verlangt andere Spielweisen wie Flageolett, am Steg, Pizzicato, Bogenführung über dem Griffbrett. Daraus ergibt sich ein beständiger Farbwechsel, aber auch ein Eindruck gespanntester Unruhe, die sich im zweiten Stück zu plötzlicher Heftigkeit entlädt, um sich dann jedoch sofort wieder zu entspannen. Das letzte Stück, ein fast bewegungsloses Adagio, endet mit einem Ton, der in die Region des nicht mehr Wahrnehmbaren zu entschweben droht.

Wirkung Webern war sich bewusst, dass er mit den Cellostücken an die Grenze dessen, was noch Musik ist, gestoßen war. 1939 riet er deshalb in einem Brief an Willi Reich auch davon ab, sie in einem Baseler Konzert aufzuführen: »Die lieber gar nicht… sie würden nur ganz missverstanden. Die Spieler und die Hörer können nur schwer damit etwas anfangen.« Stattdessen empfahl er, die Violinstücke oder einige der Streichquartettsätze aus Opus 5 aufs Programm zu setzen. BEAU

Streichtrio op. 20

Sätze 1. Sehr langsam, 2. Sehr getragen und ausdrucksvoll
Entstehung 1926/27
UA 16. Januar 1928 Wien
Verlag Universal Edition
Spieldauer ca. 9 1/2 Minuten

Entstehung In seinem Streichtrio kehrt Webern zum ersten Mal nach der Passacaglia op. 1 zu den größeren traditionellen Formen zurück, nachdem er bis dahin seine Musik bis zum Extrem des Opus 9 auf radikale Aphoristik konzentriert hatte. Neue Sicherheit zur Komposition größerer Formkomplexe gab ihm die von Schönberg kurz zuvor theoretisch entwickelte Reihenkomposition mit zwölf aufeinander bezogenen Tönen. Das Werk fiel allerdings kürzer aus, als Webern ursprünglich geplant hatte. »Nach vielen Überlegungen« fasste er den Entschluss, auf einen vorgesehenen dritten Satz zu

verzichten. Dass ihm die Arbeit Mühe machte, verhehlte er nicht, schrieb er doch an Schönberg: »Das Trio geht zwar sehr langsam, aber ich hoffe bestimmt, diesmal über den Berg damit zu kommen.« Mit dem »diesmal« spielte er auf einen vergeblichen Versuch an, den er 1925 mit einem Beitrag zu dieser Gattung unternommen hatte.

Musik Erster Satz Das Werk wird mit einem langsamen Sonatenrondo eröffnet. Eine kurze Einleitung geht dem Hauptthema voran, das Repetitionstöne enthält, aus denen später das zweite Thema entwickelt wird. Im Mittelpunkt des Satzes steht eine Periode, die durch große Dichte des Tonsatzes charakterisiert ist und den Hauptrhythmus zu einer Art von rhythmischem Klatschen schärft, das sich von den Repetitionstönen des Hauptthemas ableitet. Anschließend wird das thematische Material in Rückbewegung durchgeführt, wobei die melodischen Linien durch Wechsel der Instrumente neu beleuchtet erscheinen.

Zweiter Satz Der ursprünglich an erster Stelle stehende zweite Satz hat Sonatenform, es kommt sogar zu einer vorgeschriebenen Wiederholung der Exposition, die allerdings für den Hörer kaum ein Wiedererkennen des Gleichen bietet, da die Entwicklungen mit dem Ohr kaum zu erfassen sind. Auch hier geht eine Introduktion dem Hauptsatz voraus, die rhythmische Repetitionstöne exponiert. Die Violine intoniert das erste Thema. Auch das nach einer gedrängten Bewegung einsetzende zweite Thema wird durch punktierte Rhythmen gekennzeichnet. Dieses thematische Material

Entstehung	Titel	Besetzung
1899	Zwei Stücke (F-Dur und G-Dur)	Violoncello, Klavier
1909	Fünf Sätze für Streichquartett op. 5	2 Violinen, Viola, Violoncello
1910	Vier Stücke op. 7	Violine, Klavier
1911/13	Sechs Bagatellen op. 9	2 Violinen, Viola, Violoncello
1914	Drei kleine Stücke op. 11	Violoncello, Klavier
1914	Cellosonate op. posthum	Violoncello, Klavier
1926/27	Streichtrio op. 20	Violine, Viola, Violoncello
1930	Quartett op. 22	Violine, Klarinette, Tenorsaxofon, Klavier
1931–34	Konzert für neun Instrumente op. 24	Flöte, Oboe, Klarinette, Horn, Trompete, Posaune, Violine, Bratsche, Klavier
1936–38	Streichquartett op. 28	2 Violinen, Viola, Violoncello

wird nun durchführungsartig kombiniert und variiert. In der Reprise erscheint das erste Thema auf die drei Instrumente verteilt, und in der Coda tauchen erneut die Repetitionstöne der Introduktion auf.

Wirkung Die Uraufführung des Streichtrios 1928 durch das Kolisch-Ensemble geriet zum Skandal. Dieser wiederholte sich im gleichen Jahr nach einer Aufführung beim Fest der Internationalen Gesellschaft für Neue Musik in Siena und beim Tonkünstlerfest in Schwerin. In London verließ während der Aufführung der Cellist das Podium mit der Bemerkung, er könne das Stück nicht spielen. Heute gehört das immer noch selten zu hörende Werk zum klassischen Bestand der modernen Kammermusik.

BEAU

Einspielungen (Auswahl)
- Hagen Quartett, 1992 (+ Streichquartette von Debussy & Ravel); Deutsche Grammophon
- Emerson String Quartet, 1994 (+ andere Werke Weberns für Streichtrio und Streichquartett); Deutsche Grammophon
- Artis-Quartett Wien, 1999 (+ Werke für Streichquartett: langsamer Satz, 5 Sätze op. 5, Bagatellen op. 9, Quartett op. 28); Nimbus / Naxos

Werke für Streich- quartett

Fünf Sätze für Streichquartett op. 5

Bezeichnungen 1. Heftig bewegt, 2. Sehr langsam, 3. Sehr bewegt, 4. Sehr langsam, 5. In zarter Bewegung
Entstehung Frühjahr 1909 bis 16. Juni 1909
UA 8. Februar 1910 Wien
Verlag Universal Edition
Spieldauer ca. 9 Minuten

Entstehung In den 1908/09 komponierten »Fünf Liedern nach Stefan George« op. 4 drang Webern über die Empfindungswelt der Dichtungen in Klangbereiche vor, die er nun auch für die reine Instrumentalkomposition erschließen wollte. Wie Theodor W. Adorno mitteilte, hat Webern die fünf Sätze aus einer größeren Anzahl ähnlicher Gebilde ausgewählt, in denen er sich mit dieser neuen Klangwelt auseinandersetzte.

Musik Der Reichtum an Ausdrucksschattierungen, den Webern in seinem Opus 5 entfaltet, geht noch über ähnliche frühe Werke Schönbergs hinaus. Die verschiedensten Spieltechniken werden eingesetzt, diese extreme Differenzierung zu erreichen: sul ponticello, col legno, pizzicato, Flageolett, Tremolo neben dem mit »arco« bezeichneten Streichen. Auch rhythmische und dynamische Kontraste werden eingesetzt. Die Vielfalt an Vortragsbezeichnungen und Tempowechseln stellt an die Ausführenden vor allem in Bezug auf die Bogentechnik sehr hohe Ansprüche.

Die noch nicht durch die spätere Bindung an die Zwölftontechnik gefesselte, in freier Atonalität sich entfaltende Musik ist von höchster Expressivität auf engstem Raum, die im ersten und dritten Satz durch dynamische Kontraste noch geschärft erscheint.

An traditionelle Formmuster erinnert allenfalls noch das erste Stück, das ein Drei- bzw. Viertonmotiv mehrere Male durchscheinen lässt. Aphoristischer ist bereits das zweite Stück, das eine zarte Melodie von der Bratsche in die zweite und dann in die erste Violine aufsteigen lässt, um am Ende »kaum hörbar« zu entschwinden.

Der kaum 40 Sekunden Dauer beanspruchende dritte Satz hat grimmigen Scherzocharakter. Auf engstem Raum wird hier eine motivisch genau durchkonstruierte dreiteilige Form entwickelt. Das sich, von einem ganz kurzen Ausbruch abgesehen, ganz in unteren Stärkegraden bewegende fünfte Stück lässt ein Lamentoso des Cellos von kurzen Violinphrasen zu ätherischen Liegeklängen beantworten.

Wirkung Die Uraufführung fand 1910 in einem Konzert des Vereins für Kunst und Kultur in Wien statt. Der Kritiker Paul Stefan schrieb damals über die Stücke: »... scheinbar vollkommene Fessellosigkeit... nur flüchtige Bilder von wenigen Takten; aber nicht ein Ton zu viel, von allem nur die letzte Frucht, das innerste Wissen, die kleinste Bewegung.« Anlässlich einer Aufführung der »Fünf Sätze« 1922 in Salzburg kam es zu Protesten mit anschließender Schlägerei und Räumung des Saales.

BEAU

Einspielungen (Auswahl)
• Gesamtaufnahme: Quartetto Italiano, 1970; Philips

Sechs Bagatellen für Streichquartett op. 9

Bezeichnungen 1. Mäßig, 2. Leicht bewegt, 3. Ziemlich fließend, 4. Sehr langsam, 5. Äußerst langsam, 6. Fließend
Entstehung 1911/13
UA 20. Juli 1924 Donaueschingen
Verlag Universal Edition
Spieldauer ca. 4 Minuten

Entstehung Die vier mittleren Sätze komponierte Webern 1911. Zwei Jahre später schrieb er drei Stücke für Streichquartett; den Mittelsatz sonderte er aus, mit den beiden übrigen Sätzen vervollständigte er seinen Bagatellenzyklus.

Musik Mit den sechs Bagatellen treibt Webern, der schon in seinen voraufgegangenen Werken aphoristische Kürze anstrebte, diese Tendenz zur Konzentration auf die Spitze. Die musikalische Substanz wird zum Äußersten komprimiert. Dementsprechend reduziert sich auch das melodisch-motivische Material durchweg auf Zwei- und Dreitonmotive sowie auf Klänge, die sich aus kleinen Sekunden zusammensetzen. Nur eines der sechs Stücke, das fünfte, hat eine Spieldauer von etwas mehr als einer Minute, alle anderen liegen darunter. Weberns Lehrer und Freund Arnold Schönberg schrieb ein Vorwort zu der Komposition, in dem er u.a. ausführte: »Man bedenke, welche Enthaltsamkeit dazu gehört, sich so kurz zu fassen. Jeder Blick lässt sich zu einem Gedicht, jeder Seufzer zu einem Roman ausdehnen... Solche Konzentration findet sich nur, wo Wehleidigkeit in entsprechendem Maße fehlt.«

Oft scheint es nur ein in den verschiedenen Pianoabstufungen kaum hörbarer Hauch zu sein, der hier die Substanz der Musik darstellt, dennoch sind die Stücke in ihrem strukturellen Aufbau, in ihrem Binnengefüge ungemein konsequent und kompakt. Erstmalig gelangt Webern in seinem Opus 9 zu Zwölftonkonstellationen, die jedoch nicht bewusst konstruiert sind –

Schönbergs theoretische Fundierung der Zwölftontechnik wurde erst zehn Jahre später entwickelt –, sondern spontan beim Komponieren entstanden. Webern selbst sagte: »Da haben nun so merkwürdige Dinge dabei mitgespielt, die sind aber nicht theoretisch entstanden, sondern gehörsmäßig. So erwies es sich als störend, wenn in einem Thema ein Ton wiederholt wurde.«

Die Klänge dieser Bagatellen wollen nicht additiv, sondern als Einheit gehört werden. Nur dann ist Weberns Eindringen in diese neuen Klangregionen nachvollziehbar.

Anton Webern (rechts) mit Alban Berg, dem er seine »Sechs Bagatellen« für Streichquartett widmete, zur Zeit ihres Studiums bei Arnold Schönberg (Foto um 1905)

Wirkung Das Amar-Quartett spielte 1924 die Uraufführung. Im selben Jahr erschienen die Bagatellen im Druck. Die handgeschriebene Widmung Weberns an Alban Berg lautet: »Non multa sed multum« (sinngemäß: nicht viel Quantität, aber viel Inhalt). BEAU

Streichquartett op. 28

Sätze 1. Mäßig, 2. Gemächlich, 3. Sehr fließend
Entstehung 17. November 1936 bis 26. März 1938
UA 22. September 1938 South Mountain, Pittsfield (Massachusetts)
Verlag Universal Edition
Spieldauer ca. 9 Minuten

Entstehung Weberns Quartett war eine Auftragsarbeit für die amerikanische Mäzenatin Elizabeth Sprague Coolidge. Diese hatte eine nach ihr benannte Stiftung an der Library of Congress in Washington ins Leben gerufen, die seit 1925 Kompositionsaufträge vergab. So schrieb Arnold Schönberg für sie sein drittes und viertes Streichquartett.

Musik In seinem Streichquartett treibt Webern die Konsequenz der Komposition mit zwölf Tönen auf die Spitze. Schon die dem Werk zugrunde liegende Reihe lässt dies erkennen. Sie setzt sich aus drei Viertonfolgen zusammen, deren erste eine Transposition des B-A-C-H-Motivs, deren zweite die Umkehrung dieses Motivs, deren dritte eine Transposition der ersten ist. Bei der Aufteilung in zwei Sechstongruppen erweist sich die zweite auch noch als Umkehrung des Krebses der ersten. Schließlich stellt sich die Umkehrung der ganzen Reihe als ihr eigener transponierter Krebs dar. Damit ist das Material bereits derart vorgeformt, dass es in allen Sätzen anstelle des Kompositionsprozesses tritt. »Rein konstruktive Verwendung der Reihen, das ist der Schlüssel zu allem«, sagte Webern. Man hat dem Werk eine »kühle, aus den symmetrischen Ordnungen hervorgehende Schönheit« attestiert.

Der erste Satz wirkt wie ein Kaleidoskop kleiner motivischer Zellen, die, ständig in Bewegung, sich ausdehnen und zusammenziehen, permanenter Mutation unterworfen sind. Kontraste dynamischer Art, die auch das Schweigen einbeziehen, Tempowechsel, Synkopierungen geben der Musik eine besondere Farbigkeit.

Fasslicher ist der zweite Satz, ein Scherzo mit Trio, bei dem Marschelemente, kanonisch geführt, durchscheinen. Zwischen den beiden unteren und den beiden oberen Stimmen kommt es zu Dialogen. Das Trio lässt Walzerassoziationen erkennen, die jedoch durch dynamische Kontraste wie kaschiert wirken.

Der dritte Satz reiht kleine Variationen rondoartig aneinander. Hörend nachvollziehbar ist dies alles nur nach intensiver Auseinandersetzung mit dem Werk, das mit seinen Piano- und Pianissimostrukturen auch heute noch eine Herausforderung an den Hörer darstellt.

Wirkung Die Uraufführung durch das Kolisch-Quartett fand beim Berkshire Chamber Music Festival 1938 statt. Selbst aus den Reihen der Bewunderer Weberns erfuhr das Streichquartett Kritik. Theodor W. Adorno, der Musikphilosoph und Schüler Alban Bergs, sah den »Verdacht des Mechanischen« und meinte, »die Mysterien der Reihe vermögen über die Versimpelung der Musik nicht zu trösten«. Und der Kritiker Rudolf Stephan schrieb: »Das kompositorische Verfahren macht hier … einen etwas starren und leblosen Eindruck.« Einwände, die auch heute noch dem Werk im Wege stehen. BEAU

Quartett für Violine, Klarinette, Tenorsaxofon und Klavier op. 22

Sätze 1. Sehr mäßig, 2. Sehr schwungvoll
Entstehung 1930
UA 13. April 1931 Wien
Verlag Universal Edition
Spieldauer ca. 7 Minuten

Entstehung Webern widmete das Quartett dem österreichischen Architekten Adolf Loos zum 60. Geburtstag. Er hatte ursprünglich einen dritten Satz geplant, gab dieses Vorhaben jedoch schließlich auf.

Musik Das Quartett gewinnt seine aufgesplitterten Klangreize nicht zuletzt durch die ausgefallene Kombination der Instrumente. Der erste, ruhige Satz entwickelt sich aus kleinen Phrasen und Motiven, exponiert dabei deutlich wahrnehmbar drei Elemente: 1. eine Figur von zwei Tönen, die eine Pause von einem dritten trennt, 2. Phrasen von mehreren gleichen Tönen, die einander überlagern, 3. zwei staccatierte Töne. Diese Elemente lösen einander ab. Expositionsartig wird dieser erste

100563

Zwischen 1880 und 1920 war Wien – wie schon ein Jahrhundert zuvor – eine der »Kulturhauptstädte« Europas. Hier revolutionierte die zweite Wiener Schule das musikalische Denken des 20. Jh., entwickelte Sigmund Freud die Pyschoanalyse, überwanden die Mitglieder der Wiener Sezession um Gustav Klimt (hier eine Zusammenkunft im »Secessionsgebäude«, 1902) die akademische Malerei.

Teil wiederholt. Der Mittelteil führt zu einer Steigerung in Gestalt eines dynamischen Höhepunktes. Dieser zweite Teil wird gleichfalls wiederholt. Am Ende erscheint eine kurze Coda, die die ersten Takte im Krebs wieder aufgreift. Kurze melodische Phrasen des Tenorsaxofons wirken – zweimal auftretend – für den Hörer wie eine Art von formaler Wegmarkierung.

Der in seinen Eckteilen stürmische zweite Satz entfesselt ein imitatorisches Motivspiel zwischen den einzelnen Instrumenten, das weitgehend frei erscheint, also auf kanonische Fesseln verzichtet. Auch hier wirkt das Klangbild splittrig, wird von heftigen Staccati und dynamischen Kontrasten sowie weiten Intervallsprüngen bestimmt. Gehämmerte Figuren des Klaviers kündigen den ruhigeren Mittelteil an, in dem sich Ansätze zu melodischen Phrasen zeigen. Webern beruft sich hier auf die Tradition und benennt als Vorbild für den Satz das Scherzo aus der Klaviersonate op. 14/2 von Ludwig van Beethoven, was für den Hörer allerdings nur schwer nachvollziehbar ist. Der Satz schließt so stürmisch, wie er begann.

Wirkung Alban Berg begrüßte das Quartett als »Wunderwerk« an »Originalität«. Die Uraufführung in einem Wiener Konzert, das ausschließlich Webern gewidmet war – es gelangten u. a. auch das Trio op. 20 sowie die »Fünf Sätze für Streichquartett« op. 5 zur Aufführung –, löste, wie üblich, heftige Kontroversen aus. Auch heute noch ist das Quartett eine Rarität im Konzertsaal.   BEAU

Einspielungen (Auswahl)
• Ensemble InterContemporain/Pierre Boulez, Pierre-Laurent Aimard (Klavier), 1992 (+ Konzert op. 24, Lieder); Deutsche Grammophon

Konzert für neun Instrumente op. 24

Besetzung Flöte, Oboe, Klarinette, Horn, Trompete, Posaune, Violine, Bratsche, Klavier
Sätze 1. Etwas lebhaft, 2. Sehr langsam, 3. Sehr rasch
Entstehung 1931–34
UA 4. September 1935 Prag
Verlag Universal Edition
Spieldauer ca. 7 Minuten

Entstehung Das als »Konzert« bezeichnete Kammermusikwerk widmete Webern seinem Lehrer und Freund Arnold Schönberg zu dessen 60. Geburtstag.

Musik Webern betonte immer wieder sein Bestreben, »fassliche« Musik zu schreiben, die dem Hörer »verständlich« sein soll. Dass er dieses Ziel, vor allem in seinen späteren Zwölftonkompositionen, durchweg erreicht habe, kann kaum gesagt werden. Das »Konzert für neun Instrumente« kommt diesem Ideal jedoch näher als andere Werke dieser Schaffenszeit: nicht nur, weil die durch die Besetzung gegebene klangliche Farbigkeit dem Hörer entgegenkommt, sondern auch, weil die kompositorische Struktur übersichtlicher ist.

Der erste Satz exponiert gleich zu Beginn ein markantes Dreitonmotiv, das in allen möglichen Varianten, auch rhythmischen, wiederkehrt und quasi »konzertant« durch alle Instrumente läuft. Das Klavier setzt zumeist akkordische Klänge darunter. Dieses »Sich-die-Bälle-Zuwerfen« ist trotz der auch hier vorwaltenden Kurzphrasigkeit von großem Reiz und gibt der Musik einen Zug von Rastlosigkeit.

Dreitonbildungen bestimmen auch den langsamen zweiten Satz auf weiten Strecken. Hier sind es wiederum statische Klavierakkorde, um die sich die Melodiefloskeln der übrigen Instrumente ranken. Dass sich die Bewegung reprisenartig wiederholt, wird dem Hörer kaum fassbar, da der Wiederholungsteil sich aus anderen instrumentalen Konstellationen aufbaut.

Der dritte Satz hat in seiner drängenden Energie, seinen Staccati und Synkopierungen, vor allem seiner zielstrebigen Zügigkeit ausgesprochenen Finalecharakter, was sein abrupter Fortissimoschluss bestätigt. Wiederum sind es die bereits den ersten Satz bestimmenden Dreitonmotive, die strukturell die wesentliche Rolle spielen.

Wirkung In der Auseinandersetzung der Nachkriegsavantgarde mit dem Vorbild Webern nahm das »Konzert für neun Instrumente« eine Schlüsselrolle ein. So veröffentlichte Karlheinz Stockhausen 1953 in der Zeitschrift »Melos« eine Analyse des ersten Satzes; am 21. September 1959 erklang das Werk in der Konzertreihe »musik der zeit« beim Westdeutschen Rundfunk in Köln, Dirigent war Mauricio Kagel.   BEAU

Einspielungen (Auswahl)
• Ensemble InterContemporain/Pierre Boulez, Pierre-Laurent Aimard (Klavier), 1992 (+ Quartett op. 22, Lieder); Deutsche Grammophon

Weiß | Silvius Leopold

* 12. 10. 1686 Breslau
† 16. 10. 1750 Dresden

Das fruchtbare Schaffen des barocken Lautenvirtuosen (ca. 600 Einzeltitel, gefasst in Sonaten und Partiten) sucht in seinem Reichtum an Erfindung, in der handwerklichen Meisterschaft und kompositorischen Experimentierfreude seinesgleichen. Die stilistische Vielfalt und Gewandtheit rührt gewiss von der Weltläufigkeit des Komponisten her.

Weiß, der einer schlesischen Lautenistenfamilie entstammte und dort vermutlich von Kindesbeinen an die Unterweisung auf dem Instrument erhielt, ist vor und während seiner Anstellung als kurfürstlich sächsischer und königlich polnischer Kammermusikus zu Dresden durchaus herumgekommen. Zwei Jahre spielte er in der Düsseldorfer Hofkapelle, bevor er 1708 mit einem polnischen Prinzen für mehrere Jahre nach Italien ging. In den Adelshäusern Roms und anderer kulturell blühender Städte konnte er stilistische Errungenschaften des musikalischen Südens verinnerlichen. Nach dem Tod des Prinzen verdingte sich Weiß an deut-

Die Laute ist ein Zupfinstrument mit einem aus dünnen Holzspänen zusammengesetzten Resonanzkörper in Form einer halbierten Birne, einem kurzen Hals und einem fast rechtwinklig abgeknickten Wirbelkasten mit seitenständigen Wirbeln. In der europäischen Musik lag ihre Blütezeit im Barock (»Der Lautenspieler«, Gemälde von Caravaggio, um 1595; Sankt Petersburg, Eremitage).

schen Höfen, und am 23. August 1718 trat er seine Stelle in Dresden an, die er bis zum Tod innehatte. Während seiner Dienstzeit weilte er (oft im Gefolge seines Herrn) monatelang an den Höfen in Wien, Berlin und Prag, wo er 1723 die Feierlichkeiten der Krönung Kaiser Karls VI. zum böhmischen König musikalisch mitgestaltete.

Auf all diesen Reisen sowie durch die Begegnungen mit ersten Musikern seiner Zeit – zum anderthalb Jahre älteren Johann Sebastian Bach unterhielt er ein kollegial-freundschaftliches Verhältnis – hat Weiß Eindrücke empfangen, die dank seiner Aufnahmefähigkeit in die Kompositionen einflossen. Den Posten in Dresden zu verlassen, kam ihm trotz wertvoller auswärtiger Erfahrungen jedoch nicht in den Sinn. Das Niveau seines musikalischen Umfeldes und das

Ansehen, das er in Dresden genoss, stellten Weiß offensichtlich zufrieden, denn er schlug ein Angebot Wiens aus, am dortigen Hof in die Dienste des besagten Kaisers Karl zu treten – obwohl ihm ein Salär in Aussicht gestellt wurde, das sein Dresdener Gehalt um drei Viertel überstiegen hätte.

Diese Genügsamkeit machte sich auch in anderer Hinsicht bemerkbar: Weiß komponierte ausschließlich für die musikgeschichtlich bereits dem Niedergang entgegensteuernde Laute – zum ausdrücklichen Bedauern des großen Musikschriftstellers Johann Mattheson –, und er betrieb niemals die Drucklegung seiner Werke – zum ausdrücklichen Bedauern anderer Lautenisten. Weiß' Ruhm als überragender Lautenvirtuose seiner Zeit spricht nicht nur aus den heute zugänglichen Werken, sondern auch aus den

Zeugnissen der Zeitgenossen. Sein Schüler Ernst Gottlieb Baron hat ihm in einer Schrift von 1727 »stupende Fertigkeit, eine unerhörte Delicatesse und cantable Anmuth« nachgerühmt und ihn als großen »Extemporaneus« (aus dem Stegreif Schaffenden) gewürdigt.   HO

Lautensuiten

Entstehung Das Werk von Silvius Leopold Weiß besteht ausschließlich aus Stücken für bzw. mit Laute und stellt das umfangreichste Gesamtschaffen eines Komponisten für dieses Instrument dar. Es entstand zu einem großen Teil kurz vor und in den ersten Jahren seines Amtsantritts in Dresden (1718).

Musik In seinen Suiten zeigt Weiß, wie kreativ und persönlich man ein bewährtes Modell auf abwechslungsreiche Weise beleben kann. Die etwa 70 Werkzyklen, die mit den synonym gebrauchten Begriffen Suite, »Suonate« oder »Parthia« überschrieben sind, widersetzen sich in Aufbau und Gehalt jedem Begriff von Gleichförmigkeit. In stets neuer Gestalt vereint der Lautenvirtuose das offenbar unbegrenzte Repertoire seiner spieltechnischen Möglichkeiten mit der kunstvollen Handhabung aller kontrapunktischen Gesetzmäßigkeiten und gießt seine unverbrauchte Ausdruckskraft in eine Flut klingender Affekte und musikalischer Eingebungen.

Als äußerer Halt dient die Grundausstattung der Suite mit den vier Sätzen Allemande, Courante, Sarabande und Gigue. Dazu treten jeweils weitere Tanzsätze (wie Bourrée und Menuett) und/oder Sätze unmittelbarer, »absoluter« Musik (bezeichnet als Allegro, Adagio etc.). So begegnen sich in immer neuen, reizvollen Kombinationen polyfon Zeremonielles und tänzerisch Gelöstes, virtuose Wirkung und kantable Anmut, französischer Leichtsinn, italienische Sanglichkeit und deutsche Artigkeit.

Die ungebrochene Meisterschaft der Komposition hat früh den Vergleich mit den Partiten von Johann Sebastian Bach herausgefordert und ausgehalten; die klangliche Nuancenvielfalt, das Ausmaß spieltechnischer Anforderungen und der künstlerische Wert dieser Werke verlangen vom Interpreten souveräne Beherrschung der Barocklaute und stilistische Sicherheit.

Wirkung Weiß gewann sich mit dem Vortrag seiner Werke das Wohlwollen der Mächtigen und die Hochachtung der Fachkollegen. Nach seinem Tod drückten Freunde die Einzigartigkeit des empfindsamen Virtuosen mit dem Epitaph aus: »Es soll nur Silvius die Laute spielen.« Die Schwester Friedrichs des Großen, die spätere Wilhelmine von Bayreuth, erinnerte sich in ihren Memoiren an die Zeit am Potsdamer Hof: »Überdies sandte der König von Polen seine geschicktesten Virtuosen an die Königin, wie den berühmten Weiß, der so herrlich die Laute spielte, dass ihm nie ein andrer gleichkam, und die nach ihm kommen, können höchstens den Ruhm ernten, seine Nachahmer genannt zu werden…«.

Namhafte Lautenisten wie Wissenschaftler der Gegenwart helfen, das Œuvre von Weiß neu zu erschließen, das sich auch Gitarristen mit Adaptionen anzueignen suchen.   HO

Einspielungen (Auswahl)
• Lutz Kirchhof (Laute), 1991; Sony Classical

Die barocke Lautentabulatur

Lautenmusik wurde seit dem frühen 16. Jahrhundert mittels verschiedener Tabulatursysteme festgehalten. Dabei wurden die zu greifende Saite und der zu greifende Bund durch Buchstaben und Ziffern, die zeitliche Abfolge der Griffe durch Notenhälse und -fahnen, Fingersätze und Verzierungen durch Sonderzeichen angegeben. Der venezianische Verleger Ottaviano Petrucci publizierte 1507 den ersten Druck mit sogenannter intavolierter (= in Tabulatur gebrachter) Lautenmusik. In der Folge prägten sich regional unterschiedliche Lautentabulaturen aus. Während die italienische Lautentabulatur die genannten Zeichen auf Linien (für die Saiten) angab, kam die angeblich von Conrad Paumann erfundene deutsche Version ohne Linien aus. Seit etwa 1600 setzte sich dann allerdings europaweit die französische Lautentabulatur durch (und blieb bis Ende des 18. Jahrhunderts in Gebrauch). Sie arbeitet mit sechs Linien, die oberste steht für die oberste Saite bzw. den höchsten Chor. Auf die Linien gesetzte Buchstaben geben den Bund an (a = leere Saite, b = 1. Bund etc.).

Wolf | Hugo

* 13. 3. 1860
Windischgräz
(Slowenien)
† 22. 2. 1903
Wien

Im Mittelpunkt von Hugo Wolfs kompositorischem Wirken stehen seine zumeist in wahren Schaffensschüben entstandenen, fast 250 Klavierlieder. Nach seinen eigenen Worten »krallt« sich bei der von ihm geforderten innigen Verschmelzung von Wort und Ton die Musik »unerbittlich an ihr Opfer und saugt ihm den letzten Blutstropfen aus«. Hugo Wolf verstand sich stets als dienender Dolmetscher der Dichtung, der seine Lieder bezeichnenderweise nie vorsang, ohne zuvor die ihnen zugrunde liegenden Verse Goethes, Mörikes oder Eichendorffs gesprochen zu haben.

Gerade erst 15-jährig, kam der aus Windischgräz im heutigen Slowenien stammende junge Feuerkopf ans Wiener Konservatorium. Zwei Jahre später nach einem gegen ihn angestrengten Disziplinarverfahren von der Hochschule verwiesen, bildete er sich autodidaktisch weiter. Noch Richard Strauss oder Igor Strawinsky sollten ihn später des »Dilettantismus« bezichtigen. Zwischen 1884 und 1887 arbeitete der junge Musiker als Kritiker des wöchentlich erscheinenden »Wiener Salonblatts«, wobei er sich als fanatischer Parteigänger Wagners, Liszts und Bruckners im Gegenlager um den allmächtigen Kritikerpapst Eduard Hanslick erbitterte Feinde machte. Als freischaffender Komponist lebte er schließlich

Jahre hindurch in ärmsten Verhältnissen, aus denen ihn jedoch immer wieder Freunde und Gönner befreiten. 1888 kam es zur ersten öffentlichen Aufführung einiger Klavierlieder und zur ersten Publikation. Seit jener Zeit wechselten bei Wolf Perioden rauschhaften Schaffensglücks mit Phasen quälender Unfruchtbarkeit. Nach peinigenden Wahnvorstellungen und einem Selbstmordversuch im Traunsee dämmerte er ab Oktober 1898 in der Niederösterreichischen Landesirrenanstalt Wien seinem Ende entgegen. In Thomas Manns Roman »Doktor Faustus« (1947) trägt die Figur des Adrian Leverkühn Züge von Hugo Wolf und Friedrich Nietzsche.

Hugo Wolfs einzige vollendete Oper (»Der Corregidor«) blieb nach der erfolgreichen Mannheimer Uraufführung von 1896 ein Stiefkind im Opernrepertoire. Werke wie die »Italienische Serenade« (1887 / 92) oder die sinfonische Dichtung »Penthesilea« (1883–85) nach Heinrich von Kleists gleichnamigem Trauerspiel kamen erst posthum zu einigen Ehren.   WO

Streichquartett d-Moll

Sätze 1. Grave – Leidenschaftlich bewegt, 2. Langsam, 3. Resolut, 4. Sehr lebhaft
Entstehung 1878–84
UA 3. Februar 1903 Wien
Verlag Musikwissenschaftlicher Verlag Wien
Spieldauer ca. 44 Minuten

Entstehung Hugo Wolf begann sein Streichquartett mit dem dritten Satz. Die Arbeit daran hat er, einem Brief an seine Eltern zufolge, in der Nacht vom 30. zum 31. Dezember 1878 abgeschlossen. Wenig später komponierte der gerade erst 19-Jährige in dem einst von Beethoven bewohnten Wiener Schwarzspanierhaus den ersten Satz. In Mayerling im Wienerwald entstand dann im Sommer 1880 der langsame Satz, erst vier Jahre später schließlich der Schlusssatz.

Musik Erster Satz Das dem Streichquartett vorangestellte Motto aus Goethes »Faust«-Drama (»Entbehren sollst du, sollst entbehren«) bezieht sich ganz offensichtlich auf den knapp 16-minütigen Kopfsatz. Eine Graveintroduktion führt zu einem Allegroabschnitt, in dem zwischen Durchführung und Reprise die Einleitung in variierter Form noch einmal aufgegriffen wird. Die an einer Stelle auftauchende Vortragsbezeichnung »wütend« scheint für eine Musik symptomatisch, in der sich schwere innere Erschütterungen artikulieren. Nicht zuletzt extreme Intervallspannungen und ein »orchestraler« Streichersatz erinnern an Beethovens »Große Fuge« op. 133.

Zweiter Satz Die leidenschaftliche Erregung des Kopfsatzes klingt noch im zweiten Satz nach. Doch auffällige Allusionen an das »Lohengrin«-Vorspiel und Parallelen zum dritten Satz von Beethovens a-Moll-Streichquartett op. 132, dem »Heiligen Dankgesang eines Genesenden an die Gottheit«, weisen Wege zur Dechiffrierung des Satzes. Während des idyllischen Sommers in Mayerling waren bei Wolf Frühsymptome der Syphilis abgeklungen, die sich der noch nicht einmal 18-Jährige zugezogen hatte. Vieles spricht jedenfalls dafür, den Satz als »Vision der Genesung« zu interpretieren.

Dritter Satz Bis in Details knüpft Hugo Wolf in seinem Quartett an Beethovens f-Moll-Streichquartett op. 95 an. Indiz hierfür ist nicht zuletzt das Scherzo, das mit seinem rhythmisch prägnanten Kopfmotiv unüberhörbar den analogen Satz von Beethovens Quartett in Erinnerung bringt.

Vierter Satz Im tänzerisch-kapriziösen Charakter mehrerer Passagen klingt bereits deutlich die Welt der »Italienischen Serenade« auf. Im Kontext des Ganzen wirkt der leichtgewichtigere, vergleichsweise kurze, nachkomponierte Satz fast schon wie eine »ironische Antiklimax« (Andreas Dorschel).

Wirkung Ohne den vierten Satz wurde das d-Moll-Quartett im Januar 1881 in einem Privatzirkel erstmals aufgeführt. Vier Jahre später reichte Hugo Wolf dann das inzwischen komplette Werk dem sich aus Mitgliedern der Wiener Philharmonikern rekrutierenden Rosé-Quartett ein. Doch bei seinen kritischen Ausfällen gegen Brahms schien er bei dem Brahms-Freund Arnold Rosé von vornherein keine Chance gehabt zu haben. So kam es erst am 3. Februar 1903, knapp zwei Wochen vor dem Tod des Komponisten, durch das Prill-Quartett zur öffentlichen Ur-

aufführung des spieltechnisch anspruchsvollen Werks. WO

Einspielungen (Auswahl)
- LaSalle Quartet, 1980 (+ Brahms: Streichquartette); Deutsche Grammophon
- Fine Arts Quartet, 1998 (+ Italienische Serenade); Hänssler / Naxos

Italienische Serenade für Streichquartett

Bezeichnung Molto vivo
Entstehung Mai 1887
Verlag Musikwissenschaftlicher Verlag Wien
Spieldauer ca. 6 Minuten

Entstehung Zwischen den Vertonungen zweier Eichendorff-Gedichte (»Waldmädchen« und »Nachtzauber«) schrieb Hugo Wolf vom 2. bis zum 4. Mai 1887 seine ursprünglich für Streichquartett bestimmte »Italienische Serenade«. Fünf Jahre nach der Komposition des Stücks unterzog er es einer Bearbeitung für Orchester. Seine damalige Absicht, die Serenade durch zwei weitere Sätze zu ergänzen (darunter ein Tarantellafinale über das neapolitanische Bänkelsängerlied »Funiculi, Funiculà«), ist allerdings über das Stadium von Skizzen und Entwürfen nicht hinausgelangt.

Musik Formal ist die »Italienische Serenade« als Sonatensatzrondo konzipiert. Couplets unterbrechen die Rondoepisoden, die mit den Varianten des kapriziösen Themas Merkmale einer Durchführung zeigen. Aus dem formalen Rahmen fällt in der Mitte des Satzes eine rezitativartige, offensichtlich programmatisch zu verstehende Cellopassage: Der Liebhaber erklärt sich der angebeteten Schönen; die beiden Geigen und die Bratsche scheinen dies höhnisch zu glossieren. Am Schluss verklingt das Ständchen in der wie von Gitarrenklängen durchwehten Sommernacht.

Wirkung Beide Fassungen der »Italienischen Serenade« wurden in Wolfs Todesjahr 1903 posthum herausgegeben. Seitdem hält sich die Beliebtheit der Streichquartett- und der Orchesterfassung in etwa die Waage. WO

Einspielungen (Auswahl)
- Hagen Quartett, 1989 (+ Janáček: Streichquartette); Deutsche Grammophon

Ysaye | Eugène

* 16. 7. 1858
Lüttich
† 12. 5. 1931
Brüssel

Als Geiger, Dirigent und Komponist stand Ysaye in befruchtendem Austausch mit den großen Musikern seiner Zeit. Der Belgier war der herausragende Violinist seiner Epoche, von dessen Kunst sich namentlich die maßgeblichen französischen Komponisten (Saint-Saëns, d'Indy, Debussy, Fauré) sowie sein Landsmann und väterlicher Freund César Franck inspirieren ließen. Ysaye seinerseits widmete später seine sechs Sonaten für Violine solo den führenden Vertretern der nachfolgenden Violinistengeneration und griff beim Komponieren auf die Erfahrungen aus der interpretatorischen Auseinandersetzung mit älteren und zeitgenössischen Meistern zurück.

D en ersten Unterricht hatte er, ein außergewöhnlich begabtes Kind, bei seinem Vater; mit sieben Jahren kam er ans Konservatorium der Heimatstadt, mit 13 nach Brüssel. Dort unterrichtete ihn zunächst Henri Vieuxtemps, später dessen Vertretung Henri Wieniawski, sodass er von den beiden damals größten Geigerpersönlichkeiten (und gleichzeitig bedeutenden Komponisten für ihr Instrument) die letz-

ten Weihen erhielt und deren authentischer Idealinterpret wurde. Wesentlich war ihm auch die Arbeit mit Anton Rubinstein. In Berlin war Ysaye Konzertmeister bei Benjamin Bilse, bis er seine triumphalen Konzertreisen durch Europa unternahm. Nach drei prägenden Jahren in Paris trat er 1886 die Nachfolge von Vieuxtemps in Brüssel an, zwei Jahre später formierte er ein Streichquartett (mit dem Geiger Mathieu Crickboom, dem Bratschisten L. van Hout und dem Cellisten J. Jacob), mit dem er über viele Jahre Konzertreisen unternahm. Aus der Phase seiner Duoabende mit Ferruccio Busoni und Raoul Pugno stammt Ysayes »Poème élégiaque« op. 12 für Klavier und Violine (1890).

Ysaye veranstaltete Konzerte mit moderner Musik, dirigierte und war Geigenlehrer der belgischen Königin Elisabeth, deren Hofkapellmeister er 1913 wurde. Im Ersten Weltkrieg ging Ysaye zunächst nach England, dann in die USA; von 1918 an leitete er vier Jahre lang das Orchester von Cincinnati. 1922 kehrte er nach Europa zurück, wo er die Auftritte als Geiger wegen seiner Diabeteserkrankung immer mehr reduzieren musste; bis zu seinem Tod war er ein gefragter Dirigent und Lehrer, dem noch der zehnjährige Yehudi Menuhin vorspielte. HO

Sechs Sonaten für Violine solo op. 27

Sonate g-Moll op. 27 Nr. 1

Sätze 1. Grave, 2. Fugato, 3. Allegretto poco scherzoso, 4. Finale: Con brio
Entstehung 1923/24
Verlag Henle
Spieldauer ca. 20 Minuten

Sonate a-Moll op. 27 Nr. 2

Sätze 1. Prelude, Obsessione: Poco vivace, 2. Malinconia: Poco lento, 3. Sarabande, Danse

des ombres: Lento, 4. Les furies: Allegro furioso
Entstehung Juli 1923
Verlag Henle
Spieldauer ca. 13 Minuten

Sonate d-Moll op. 27 Nr. 3

Sätze Ballade: Lento molto sostenuto
Entstehung 1923/24
Verlag Henle
Spieldauer ca. 8 Minuten

Sonate e-Moll op. 27 Nr. 4

Sätze 1. Allemande: Lento maestoso, 2. Sarabande: Quasi lento, 3. Finale: Presto, ma non troppo
Entstehung 1923/24
Verlag Henle
Spieldauer ca. 13 Minuten

Sonate G-Dur op. 27 Nr. 5

Sätze 1. L'aurore: Lento assai, 2. Danse rustique: Allegro giocoso molto moderato
Entstehung Mai 1924
Verlag Henle
Spieldauer ca. 10 Minuten

Sonate E-Dur op. 27 Nr. 6

Sätze Allegro giusto non troppo vivo
Entstehung Mai 1924
Verlag Henle
Spieldauer ca. 8 Minuten

Entstehung Eugène Ysaye war bereits 65 Jahre alt, als er 1923 Joseph Szigeti mit Bachs Sonaten und Partiten für Violine solo hörte und so auf die Idee kam, einen kleinen Zyklus gleichen Umfangs zu komponieren. Die Unverwechselbarkeit der einzelnen Stücke sollte schon durch die sechs Widmungsträger gewährleistet sein, deren jeweilige geigerisch-künstlerische Eigenart ebenso berücksichtigt ist wie ihre Herkunft: Der Sonate für den Ungarn Szigeti folgt je eine für den Franzosen Jacques Thibaud (Ysayes ehemaliger Schüler), den Rumänen George Enescu (Lehrer Menuhins und wichtiger Komponist), den Österreicher Fritz Kreisler, für Ysayes belgischen Quartettpartner Mathieu Crickboom und den Spanier Manuel Quiroga. Binnen 24 Stunden hatte Ysaye einen genauen Entwurf für alle sechs Sonaten fertiggestellt.

Der deutsche Violinist Frank Peter Zimmermann (hier in Köln, 2005) brillierte 1994 mit einer Gesamteinspielung der sechs außerordentlich anspruchsvollen Sonaten für Violine solo von Eugène Ysaye.

Musik Für das Opus 27 hat Bach mit seinen Sonaten und Partiten (BWV 1001–1006) in mehrfacher Hinsicht Pate gestanden: Das tongeschlechtliche Verhältnis von vier Sonaten in Moll gegenüber zweien in Dur wird nachgeahmt; wie beim Vorbild sind die erste und die letzte Sonate mit g-Moll und E-Dur tonartlich über den Tönen der äußeren Geigensaiten errichtet. Ysaye hat sogar, kategorischer als Bach, ausnahmslos die leeren Saiten als Basis der Tonarten benutzt: Nr. 2 in a-Moll, Nr. 3 in d-Moll, Nr. 4 in e-Moll, Nr. 5 in G-Dur.

Die erste, mit 20 Minuten längste Sonate orientiert sich formal an Bach, lässt aber ungarisches Melos ahnen; die zweite mit sprechenderen Satzbezeichnungen zitiert notengetreu aus Bachs Präludium zur Partita in E-Dur und stimmt das »Dies irae« an. Die dritte Sonate ist einsätzig und gleicht somit äußerlich der ebenso kurzen sechsten, die bisweilen in die spanische Habanera verfällt. Die Sonate Nr. 4 zitiert als kleine Suite Themen Kreislers, Nr. 5 stößt klanglich in unvermutete Dimensionen vor.

Wirkung Außer dem gesundheitlich zu sehr angeschlagenen Quiroga hat jeder der anderen fünf Virtuosen die ihm zugeeignete Sonate selbst gespielt. Auch heute noch, allerdings nicht eben häufig, setzen sich Geiger im Konzert für das Opus 27 oder einzelne Teile ein. Gidon Kremer nahm 1976 als Erster alle sechs Sonaten auf; seiner Einspielung folgte ein gutes halbes Dutzend weiterer Studioproduktionen.   HO

Einspielungen (Auswahl)
- Lydia Mordkovitch (Violine), 1987; Chandos
- Frank Peter Zimmermann, 1994 (+ Poème élégiaque op. 12, Rêve d'enfant op. 14); EMI
- Thomas Zehetmair, 2002; ECM/Universal

Zelenka | Jan Dismas

* 16. 10. 1679 Launowitz (Böhmen)
† 22. 12. 1745 Dresden

Obwohl Zelenka von Zeitgenossen wie Johann Sebastian Bach, Georg Philipp Telemann und Johann Joachim Quantz hoch geschätzt wurde und als bedeutendster tschechischer Komponist seiner Zeit galt, konnte er seine große musikalische Begabung nicht voll entfalten. Das lag vor allem daran, dass er in Dresden nie aus dem Schatten so hoch angesehener Musiker wie Johann David Heinichen und Johann Adolf Hasse heraustreten konnte.

Als Sohn des Organisten Jiři (Georg) Zelenka im böhmischen Launowitz geboren, war er vermutlich Jesuitenschüler am Clementinum in Prag und stand dort 1709 im Dienst des Grafen Hartig. Im Jahr darauf übersiedelte Zelenka nach Dresden, wo man ihn zunächst nicht als Komponisten, sondern nur als Kontrabassisten der königlich-kurfürstlichen Hofkapelle anstellte. Aus diesem Grund sind viele Werke zu Anlässen entstanden, die nicht mit dem Dresdner Hof in Verbindung standen. 1717/18 hielt sich Zelenka in Wien auf, wo er bereits zwei Jahre zuvor Unter-

Die Ära des B. c.

Nichts geht in der Barockmusik ohne ihn, weshalb manche sogar die ganze musikalische Epoche von »Bach & Co.« nach ihm benennen wollten – als »Generalbasszeitalter«. Der Generalbass oder lateinisch »Basso continuo« (abgekürzt: B. c.) ist im 17. und 18. Jahrhundert die in mehrstimmiger Musik unverzichtbare durchlaufende instrumentale Bassstimme, mittels derer der harmonische Verlauf eines Stücks festgelegt wurde. Kleine Zahlen unter den Bassnoten, die sogenannte Bezifferung, gab dabei die zu spielenden Dreiklänge an. Diese wurden dann auf Orgel, Cembalo, Theorbe oder Laute als den häufigsten Generalbassinstrumenten improvisierend ausgestaltet und durch Zwischenharmonien miteinander verbunden. Die zunehmende Individualisierung der Mittelstimmen in der Kammer- wie auch Orchestermusik bedeutete dann in der zweiten Hälfte des 18. Jahrhunderts das Ende der Generalbasstradition.

richt bei Johann Joseph Fux genommen hatte und nun seinerseits Quantz Kompositionsunterricht erteilte. Hier schrieb er vier Capriccios für zwei Hörner, zwei Oboen, Fagott, Streicher und Basso continuo, die vermutlich für den sächsischen Kurprinzen Friedrich August bestimmt waren. Der Kurprinz war von Venedig aus in Wien eingetroffen und benötigte für seine Empfänge eine repräsentative Kapelle.

Nachdem Zelenka 1721 zum Vizekapellmeister aufgestiegen war, schrieb er mit seinen sechs Triosonaten (ca. 1721/22) die einzigen für Dresden komponierten Instrumentalwerke dieser Zeit. 1723 hatte er erneut Gelegenheit, sich als Komponist auszuzeichnen. Im Rahmen der Krönungsfeierlichkeiten Karls VI. in Prag schrieb Zelenka 1723 die Musik zu dem von den Jesuiten im Clementinum inszenierten Festspiel »Sub olea pacis« und steuerte darüber hinaus vier Kammermusikwerke zum Fest bei. In Dresden wurde er 1729 zum Kapellmeister der Kirchenmusik ernannt und komponierte ein weiteres Capriccio G-Dur.

Im Zentrum seines Schaffens stehen jedoch geistliche Werke, insbesondere Messen, ein Requiem, Magnificats, Lamentationen, Responsorien und Kantaten. 1731 wurde er erstmals offiziell als Komponist geführt und vertrat den erkrankten Kapellmeister Johann David Heinichen. Doch nach Heinichens Tod im Jahr 1733 wurde nicht Zelenka, sondern Johann Adolf Hasse zu dessen Nachfolger berufen, obwohl Zelenka seinen Dienstherrn in einer Bittschrift inständig um diese Stelle gebeten hatte. Stattdessen wurde er in die Kirchenmusik abgedrängt und die Abänderung seines Titels »Compositeur« in »Kirchencompositeur« im Jahr 1735 kam einer Degradierung gleich. Zu seinem geistlichen Spätwerk gehören vor allem die Oratorien »Il serpente di bronzo« (1730), »Gesù al Calvario« (1735) und »Il penitenti al sepolchro del Redentore« (1736).   MÖ

Sonaten für zwei Oboen, Fagott und Basso continuo ZWV 181

Entstehung Zelenkas sechs »Sonate a due Hautbois et Basson con due bassi obligati« ZWV 181 sind ca. 1721/22 in Dresden entstanden und im Autograf erhalten. Sie gehören zu seinen wenigen für Dresden komponierten Instrumentalwerken. Der ausgereifte kontrapunktische Stil der Triosonaten verweist auf sein Kompositionsstudium bei Johann Joseph Fux (1716). Sollten die Sonaten in Dresden aufgeführt worden sein, so hat daran sicherlich der Oboist Johann Christian Richter mitgewirkt, der in Dresden als »Kammermusikus« angestellt war.

Musik Aus dem Titel und dem zeitgenössischen Aufführungsmaterial geht hervor, dass die Sonaten für zwei Oboen und Fagott sowie Basso continuo komponiert wurden. Die Formulierung »con due bassi obligati« verdeutlicht, dass neben dem konzertierenden Fagott ein weiteres Bassinstrument (vermutlich ein Violoncello) in der Continuogruppe mitwirken sollte. Damit sind Zelenkas Sonaten als Vorläufer des Quartetts mit Generalbass einzustufen. Die Besetzung mit zwei Oboen wird nur in der Sonate Nr. 3 verändert, in der Zelenka die erste Oboe durch eine Violine ersetzt.

Zelenka nutzt die Umfänge der Oboe mit c^1–d^3 und des Fagotts mit $_1B$–g^1 voll aus. Das Holzbläsertrio mit zwei Oboen und Fagott setzt er als ei-

genständige Klanggruppe ein. Ähnlich wie im Concerto grosso tritt das »Oboentrio« als Sologruppe aus dem Tutti heraus und bestreitet die Episoden ohne Begleitung der Continuogruppe.

Die Sonaten sind in der Regel viersätzig mit abwechselnd langsamen und schnellen Sätzen. Eine Ausnahme bildet lediglich die Sonate Nr. 5, die nach dem Vorbild des italienischen Konzerts im Stil Antonio Vivaldis aus drei Sätzen mit der Folge schnell–langsam–schnell besteht. Auf Vivaldi verweist auch die Faktur des Kopfsatzes: Ein gleich zu Beginn von allen Instrumenten unisono gespieltes Tuttithema erscheint regelmäßig wieder und unterbricht nach Art eines Ritornells die Soloepisoden des Oboentrios. In den Soloabschnitten wird das Fagott besonders exponiert. Es erhält gleich zu Beginn Solopassagen, die nur vom Cembalo »tasto solo« begleitet werden. Auch im Finale wechseln sich zum Teil virtuose Soloepisoden mit einem fugierten Ritornell ab.

Der schweizerische Oboist, Dirigent und Komponist Heinz Holliger (hier in Köln, 2003) trug mit seiner Einspielung wesentlich zur Wiederentdeckung der Sonaten Zelenkas im 20. Jahrhundert bei.

Zelenkas kühne Harmonik rückt ihn in die Nähe Johann Sebastian Bachs. Sie zeigt sich sowohl in der Verarbeitung chromatischer Themen, beispielsweise im zweiten Satz der Sonate Nr. 6, als auch in überraschenden Modulationen, wie im Kopfsatz dieser Sonate. Die gewagte Alterationsharmonik verleiht vor allem den langsamen Sätzen hohe Ausdruckskraft. Doch trotz expressiver Harmonik und weitgespannten Melodiebogen werden auch die langsamen Sätze von der für Zelenka typischen kontrapunktischen Arbeit geprägt. So erscheint beispielsweise im dritten Satz der Sonate Nr. 6 ein Doppelkanon, an dem auch der Bass des Continuos beteiligt ist.

Die Allegrosätze sind im Unterschied zu den Triosonaten Corellis, Vivaldis und Telemanns oft groß angelegte Fugen. Sie zeichnen sich häufig durch mehrthematische kontrapunktische Satztechnik aus. Doppelfugen, in denen die Themen nacheinander vorgestellt und anschließend miteinander kombiniert werden, sind keine Seltenheit.

Fast alle schnellen Sätze weisen eine ausgeprägte Reprisenbildung auf. Da sie durchweg zweiteilig sind, entsteht eine »Dreiteiligkeit in der Zweiteiligkeit«, die bereits an die Sonatenhauptsatzform der frühen klassischen Sonate erinnert. Charakteristisch für Zelenkas Personalstil ist die Verschmelzung der Gattungen Fuge, Konzertsatz und Sonatenhauptsatzform. Darüber hinaus ist sein differenzierter Umgang mit dynamischen Abstufungen hervorzuheben. Dabei fällt eine häufig eingesetzte Steigerung der Dynamik auf lang gehaltenen Tönen (p-f-ff) auf, die zweifellos als Crescendo konzipiert ist.

Wirkung Zelenkas Werke fanden schon zu seinen Lebzeiten wenig Verbreitung und gerieten nach seinem Tod für zwei Jahrhunderte in Vergessenheit. Erst um die Mitte des 20. Jahrhunderts wurden sie von Musikwissenschaftlern wie Günter Haußwald und vor allem von Camillo Schoenbaum wiederentdeckt, der die Sonaten 1955 bis 1965 als Einzelausgaben herausgab. Die erste Schallplattengesamteinspielung stammt von Heinz Holliger und Maurice Bourgue. MÖ

Einspielungen (Auswahl)
- Douglas Boyd (Oboe), Rachel Frost (Oboe), Matthew Wilkie (Fagott), Marieke Blankestijn (Violone), Enno Senft (Kontrabass), Ursula Duetschler (Cembalo), 1995; Claves
- Maurice Bourgue (Oboe), Heinz Holliger (Oboe), Klaus Thunemann (Fagott), Jonathan Rubin (Laute), Klaus Stoll (Kontrabass), Christiane Jaccottet (Cembalo), 1997; ECM/Universal

Zemlinsky | Alexander von

* 14. 10. 1871 Wien
† 15. 3. 1942 Larchmont/ New York

100880

Als Komponist, der Stilelemente der Musik von Brahms und Wagner in seinen Werken integrierte, war Zemlinsky Impulsgeber für die Entwicklung der Schönberg-Schule, wobei seine ästhetische Position zwischen diesen Polen anzusiedeln ist. Zum Schritt in die Atonalität konnte er sich nie entschließen. Dass Zemlinsky hinsichtlich der Tonalität als bewahrend wirkte, stand seiner Rezeption als einer der Schlüsselfiguren der Entwicklung Neuer Musik im Wege. Erst in den 1970er-Jahren, als sich das Interesse auf das Umfeld der Zweiten Wiener Schule ausweitete und die bis dahin wenig beachtete Zeit der Moderne um die Jahrhundertwende mit einschloss, wurde man wieder auf ihn aufmerksam.

Überall diese Wärme, dieser nur ihm eigene Überschwang. Mit Staunen sah ich, dass in der neuen Musik ein Urmelodiker lebt, ein Mann, der nicht seine patentierten Klangkombinationen verschleißt, dem im Ehrgeizwettrennen die Zunge nicht atonal zum Hals heraushängt, einer, der unverbogen singt und singen muss.« Diese Würdigung Zemlinskys durch den Wiener Dichter Franz Werfel skizziert recht gut den damaligen Diskurs um die Musik zwischen Tradition und Fortschritt.

Die musikalische Ausbildung Zemlinskys erfolgte im Umfeld der Gesellschaft der Musikfreunde in Wien, der auch Brahms zugehörte. Eine persönliche Begegnung zwischen beiden Komponisten 1895 beeinflusste Zemlinsky nachhaltig. Umgekehrt wurde aber auch Brahms auf ihn aufmerksam: Durch seine Förderung konnten Zemlinskys Werke früh Anerkennung erlangen. Für seine B-Dur-Sinfonie (1897) erhielt er den Beethoven-Preis der Gesellschaft der Musikfreunde, für seine Oper »Sarema« (1896) den Luitpold-Preis in München.

1899 wurde Zemlinsky Kapellmeister am Carltheater in Wien, 1904 war er erster Kapellmeister der Volksoper, 1907 holte ihn Gustav Mahler an die Hofoper. Die enge berufliche und private Bindung an Schönberg und Mahler hatte ihn mitten in die Diskussion um die Neue Musik geführt. Jedoch galt er für Avantgardisten schon zu diesem Zeitpunkt als Eklektiker, im konservativen Umfeld war er dagegen als »Neutöner« fragwürdig, sodass er sich als Komponist zunehmend isoliert sah. Die Vereinsamung mag Anlass für Zemlinsky gewesen sein, 1911 nach Prag zu gehen. Dort wurde er als Repräsentant der deutschen Musik angesehen, der sich vor allem für die Verbreitung der Neuen Musik engagierte. Zur Spielzeit 1926/27 folgte Zemlinsky einem Ruf Otto Klemperers an die Berliner Kroll-oper. 1930 schied er aus diesem Dienst wieder aus, lehrte an der Berliner Musikhochschule und übernahm Gastdirigate. Mit Hitlers Machtergreifung 1933 übersiedelte er zurück nach Wien. 1938 emigrierte er nach New York. Opern nehmen den bedeutendsten Rang in seinem Schaffen ein: »Der Traumgörge«, »Der Kreidekreis«, »Eine florentinische Tragödie«, »Kleider machen Leute«. Wesentliche Beachtung fanden jedoch auch seine Orchesterlieder.   HI

Klarinettentrio d-Moll op. 3

Sätze 1. Allegro, ma non troppo; 2. Andante – Poco mosso con fantasia; 3. Allegro
Entstehung 1896
UA 11. Dezember 1896 Wien
Verlag Universal Edition
Spieldauer ca. 28 Minuten

Entstehung Die Entstehung des Klarinettentrios steht in direktem Zusammenhang mit der ersten Begegnung zwischen Zemlinsky und Brahms im Jahr 1895, die einen großen Eindruck auf den jungen Zemlinsky hinterlassen hatte.

Musik Die Konzeption des Trios hat offensichtlich das Klarinettentrio op. 114 von Brahms zum Vorbild. Vor allem im ersten Satz ähneln sich Hauptthema, Instrumentenverteilung, Satzstruktur und Harmonik. Auch das durchweg dunkle Timbre im Kopfsatz ist der Machart brahmsscher Kammermusik nachgeahmt. Insgesamt steht kein Werk Zemlinskys der Musik von Johannes Brahms so nahe wie dieses Klarinettentrio. Es ist eine Reverenz an den Förderer und zugleich Ausdruck tiefer Verehrung.

Ein Sonatensatz bildet das erste Allegro, es folgt ein Andante in dreiteiliger Liedform, ein siebenteiliges Rondo schließt den Zyklus ab. Die Tonart der Ecksätze ist d-Moll, der langsame Satz steht in der Variante D-Dur – eine schlichte Gestaltung des harmonischen Zusammenhangs, die auf die Grundtonart fixiert bleibt. Die einzelnen Sätze verknüpft ein enger motivischer Zusammenhalt.

Hauptthema des ersten Satzes ist eine lyrisch-liedhafte Melodie, das eher rhythmische Seitenthema hebt sich dennoch nicht als Kontrast dazu ab. Die Themen des zweiten und dritten Satzes sind aus Motiven des ersten abgeleitet. Davon ausgenommen bleibt der Mittelteil des Andante, der als »Fantasie« ein Gegenstück zu den Eckteilen bildet. Die Themen ergeben sich hier durch eine Art Improvisation über Akkordfolgen. Dem lyrischen Charakter des zweiten Satzes setzt Zemlinsky im nachfolgenden Allegro eine schlichte, volkstümliche Melodiebildung entgegen. Die Coda des Finales nimmt abschließend noch einmal das Hauptthema des Kopfsatzes auf.

Wirkung Dem Trio war ein früher Erfolg beschieden: Zemlinsky gewann damit den dritten Preis eines vom Wiener Tonkünstlerverein ausgeschriebenen Kammermusikwettbewerbs, zudem vermittelte Brahms die Veröffentlichung bei seinem Verlag Simrock. Neben der Fassung mit Klarinette hat sich die Version in der klassischen Klaviertriobesetzung (mit Violine) durchgesetzt. HI

Einspielungen (Auswahl)
• Zemlinsky-Trio, 1992 (+ Bruch: Stücke op. 83); Claves

Streichquartette

Musik Im ersten Streichquartett von 1896 ist der Einfluss von Brahms noch spürbar, doch zeigt sich in der expressiven thematischen Gestaltung und der im Vergleich zu seinem Vorbild wesentlich erweiterten Harmonik zugleich das Vortasten zu größerer Eigenständigkeit. Das Werk basiert in seiner Form auf traditionellen Vorlagen: 1. Allegro con fuoco (Sonatensatz), 2. Allegretto (»Scherzo«), 3. Breit und kräftig (dreiteilige Liedform), 4. Vivace con fuoco (Sonatensatz). Das Allegretto erscheint wie ein deutsches Volkslied, das zugehörige Trio ist als böhmischer Furiant gestaltet. Die Einflechtung des »Volkstones« zeugt von der Wiener klassizistischen Tradition, in der Zemlinsky ausgebildet wurde.

Das zweite Quartett besteht wie das erste Streichquartett von Schönberg (1905) aus nur einem Satz, der jedoch in vier Teile gegliedert ist. Ein einleitendes »Motto«, aus dem sämtliche Themen entwickelt werden, taucht jeweils als Verbindungsglied zwischen den Abschnitten erneut auf. Es begründet somit, anders als bei Schönberg, eine Rondoform. Die Abfolge der vier Teile entspricht dem Sonatenformschema. Als eindeutige Hinwendung zur Moderne wurde das Quartett nach seiner Uraufführung am 9. April 1918 in Wien zwar noch mehrfach im Verein für musikalische Privataufführungen gespielt, doch bereits in den 1920er-Jahren als nicht mehr zeitgemäß angesehen. Zudem genoss es einem Aufsatz von Fidelio F. Finke aus dem Jahr 1921 zufolge den »unangenehmen

Ruhm, eines der allerschwierigsten Werke der Literatur zu sein«. Das »Monumentalquartett wechselnder Tonart« (Rudolf Stephan) gilt heute als das bedeutendste Kammermusikwerk des Komponisten.

Im dritten Streichquartett, komponiert in den Monaten August und September 1924, greift Zemlinsky in vier kurzen Sätzen wieder die traditionelle Satzfolge auf: 1. Allegro (Sonatensatz), 2. Thema mit Variationen, 3. Romance (dreiteilige Liedform), attacca: 4. Burleske (Rondo). Das Quartett impliziert die in den 1920er-Jahren beliebten Genrestücke, die das Werk partiell in die Nähe von »Spielmusik« rücken. Anklänge an Mahler wie an Bartók finden sich in der Burleske.

Das vierte Streichquartett, Anfang 1936 in Wien entstanden, hatte offensichtlich sein Vorbild in der Zemlinsky gewidmeten »Lyrischen Suite« von Alban Berg. Möglicherweise plante Zemlinsky, seinem Freund, der kurz zuvor gestorben war, durch dieses Werk Reverenz zu erweisen. In den Skizzen findet sich noch die Überschrift »Suite«. Die Anzahl der Sätze beider Werke ist identisch, ebenso die Tempofolge, bei der sich je ein langsamer und ein schneller Satz zusammenfügen, sowie die enge Verknüpfung der Sätze durch thematische Verflechtung. Die Satzfolge lautet: 1. Präludium: Poco Adagio, 2. Burleske: Vivace, 3. Adagietto – Adagio, 4. Intermezzo: Allegretto, 5. Thema mit Variationen (Barkarole): Poco Adagio, 6. Finale – Doppelfuge: Allegro molto, energico.

Das Präludium greift auf das Motto des zweiten Quartetts zurück, weist aber auch Reminiszenzen an Schönbergs Streichsextett »Verklärte Nacht« auf. Das vierte Quartett bestätigt das dritte in seiner Konzeption, obwohl sich Zemlinsky darüber im Klaren war, dass er nur wenig Erfolg damit haben würde, wie er an Alma Mahler schrieb. Retrospektiv ausgerichtet, schließt das Werk nicht nur Anklänge an Schönberg, sondern auch an Brahms und Mahler ein – jene Komponisten, die eine maßgebliche Wirkung auf das Schaffen von Zemlinsky ausgeübt hatten.

Die Wiederentdeckung der Streichquartette Zemlinskys für den Konzertsaal und auf Schallplatte ist wesentlich dem New Yorker LaSalle Quartet zu verdanken. Der Primarius des Quartetts, Walter Levin, erinnert sich: »Als wir seine

Quartette spielten, wurde die Deutsche Grammophon darauf aufmerksam, und wir bestanden darauf, nach dem ersten auch das zweite Quartett aufzunehmen. Es wurde zu einem riesigen Verkaufsschlager. Bis heute weiß ich eigentlich nicht, warum. Es wurde zu einem Popartikel auf der Bestsellerliste. Wir waren direkt hinter ›O sole mio‹ von Pavarotti.«   HI/STÜ

Einspielungen (Auswahl)
- Quartette Nr. 2 & 3: Schönberg-Quartett, 1991; Koch Schwann
- Quartette Nr. 1 & 2: Artis-Quartett Wien, 1997; Nimbus/Naxos
- Quartette Nr. 3 & 4: Artis-Quartett Wien, 1998; Nimbus/Naxos

Zimmermann | Bernd Alois

* 20. 3. 1918
Bliesheim bei Köln
† 10. 8. 1970
Großkönigsdorf bei Köln

Zimmermann war ein Mann »zwischen den Zeiten« – seine Kompositionsästhetik basierte auf einer Theorie von der »Kugelgestalt der Zeit«: Gegenwärtiges, Vergangenes, Zukünftiges schieben sich im menschlichen Bewusstsein zusammen, werden in einer Art Beziehungsnetz zur Einheit gebracht. Aus diesem Denkmodell heraus ergab sich ein »pluralistisches Komponieren«, mit dem er versuchte, die Einheit der Zeit durch Musik unmittelbar darzustellen.

Bernd Alois Zimmermann war, wie Charles Ives und Edgar Varèse, ein Einzelgänger der Neuen Musik. Und als er aufhörte, einer zu sein, wurde er für das allgemeine Bewusstsein zum Komponisten eines einzigen Werkes, der Oper ›Die Soldaten‹«, so Carl Dahlhaus. Für den Dirigenten Michael Gielen stellt sich das Œuvre von Zimmermann als »meisterliche Abwandlung ein und derselben Idee«, als »Teile eines einzigen, riesigen Werkes« dar. Wobei der Komponist bis zuletzt am immer mehr in Misskredit geratenden Begriff des »Opus perfectum« festhielt.

Auch Zimmermanns Biografie weist ihn als jenen »Mann zwischen den Zeiten« aus: Im Jahr 1918 geboren, war er zu jung, um vom Musikleben der Weimarer Republik noch entscheidend beeinflusst zu werden, schien jedoch nach Ende des Zweiten Weltkriegs wiederum zu alt, um die kritische Haltung der jungen Komponistengeneration gegenüber jener der Weimarer Republik mitzutragen. Der Sohn eines Eisenbahners hatte noch vor Beginn des Zweiten Weltkriegs an der Kölner Musikhochschule zu studieren begonnen (Komposition bei Heinrich Lemacher und bei Philip Jarnach). Als Soldat während des Krieges vor allem aufs Selbststudium angewiesen, gelang es ihm, an Werke der damals verfemten Komponisten Strawinsky und Schönberg zu gelangen. Nach dem Krieg besuchte er u. a. die Darmstädter Ferienkurse für Neue Musik und wurde durch Weberns Œuvre sowie durch die Persönlichkeiten Wolfgang Fortner und René Leibowitz angeregt. Ab 1957 lehrte er an der Musikhochschule in Köln. Seine Oper »Die Soldaten«, 1965 in Köln uraufgeführt, brachte ihm internationalen Ruhm ein. Sein Freitod aufgrund schwerer Krankheit im August 1970 verhinderte die Vollendung seiner zweiten Oper »Medea«.

Obwohl er mehr zum Farbreichtum des Orchesters neigte, hat Zimmermann wenige, aber wichtige kammermusikalische Werke geschrieben – neben Solosonaten für Violine (1951), Viola (1955), Violoncello (1960) sowie der Sonate für Violine und Klavier (1950) vor allem die »Vier kurzen Studien« für Cello solo (1970), »Intercomunicazione« für Cello und Klavier (1967) sowie »Présence« für Klaviertrio (1961). Sie überschreiten, wie Klaus Kirchberg feststellt, gelegentlich die überlieferten Grenzmarkierungen des Genres, spiegeln aber zugleich die den Komponisten in den verschiedenen Phasen seines Schaffens bedrängenden Probleme. »Zimmermanns Werk versucht in jedem Punkt nicht nur die Summe vergangener Epochen, sondern auch die der eigenen Erfahrungen zu ziehen.« PE

Solostücke

Bernd Alois Zimmermann hat insgesamt vier Werke für Soloinstrumente geschaffen: in zeitlicher Abfolge je eine Sonate für Violine (1951), Viola (1955) und Cello (1960) sowie für letzteres Instrument noch die »Vier kurzen Studien« (1970). Er begründete diesen Werkkomplex wie folgt: »Für mich persönlich hat das Schreiben von Werken für unbegleitete Soloinstrumente immer eine besondere Bedeutung gehabt, weil ich darin ein Äußerstes an kompositorischer Verdichtung sehe, unter Weglassung all dessen, was von anderen Instrumenten beigesteuert werden könnte. Das bedeutet: ein Eingehen besonderer Art auf das jeweilige Instrument und eine besondere Verfeinerung dessen, was es an Ausdrucksmöglichkeiten besitzt; es bedeutet weiterhin: Werke also der Einsamkeit, der Stille und des jeder Äußerlichkeit entkleideten musikalischen Denkens.« PE

Sonate für Violine solo

Sätze 1. Präludium: Andante sostenuto, 2. Rhapsodie: Allegro moderato risoluto, 3. Toccata: Allegro moderato
Entstehung 1951
Verlag Schott
Spieldauer ca. 13 Minuten

Sonate für Viola solo

Entstehung 1955
Verlag Schott
Spieldauer ca. 5 Minuten

In den ersten beiden Solosonaten verknüpfte der Komponist eine frei gehandhabte Zwölftontechnik mit barocken Elementen: Die Violinsonate, laut Zimmermann eine »Hommage à Bach«,

verweist schon durch die Bezeichnung der Rahmensätze (Präludium, Toccata) auf die Musik des Barock, zielt auf den »höchsten Ausdruck alles Melodischen und daher auch aller kontrapunktischen, auf Linienentfaltung gerichteten Kunst« (Zimmermann) und lässt zudem im Schlussteil die B-A-C-H-Tonfolge hören.

Die »Sonate für Viola solo«, eine Art Choralvorspiel über »Gelobet seist du, Jesus Christ«, arbeitet mit der auf den Komponisten Johann Pachelbel zurückgehenden Technik der Vorwegimitation: Obwohl die Choralmelodie abschnittweise durchgeführt wird, spielen einzelne Choralelemente aus späteren Abschnitten schon vorab eine Rolle.

Vom Interpreten verlangt Zimmermann, »hinter jedem Ton eine Welt von Gedanken« zu finden: »In der ›Solosonate‹ werden musikalische Gedanken zum Ausdruck gebracht, die über die Grundtatsachen des menschlichen Lebens nachsinnen, Geburt und Tod, Werden und Vergehen, und über die Liebe, und all das, was ein Menschenherz bewegt.« PE

Sonate für Cello solo

Sätze 1. Rappresentazione, 2. Fase, 3. Tropi, 4. Spazi, 5. Versetto
Entstehung 1959/60
UA 24. April 1960 Stuttgart
Verlag Edition Modern, München
Spieldauer ca. 13 Minuten

Entstehung Die Sonate wurde im Winter 1959/60 im Hinblick auf die »Woche der zeitgenössischen Musik« des Süddeutschen Rundfunks im April 1960 für Siegfried Palm komponiert. Zu diesem Zeitpunkt war das Cello Zimmermanns erklärtes Hauptinstrument geworden, nachdem er seine Abneigung gegen den »in der hohen Lage leicht ein wenig näselnden Ton«, von dem er in einem posthum in der Zeitschrift »Melos« erschienenen Artikel spricht, überwunden hatte. Als der Komponist Interpreten kennenlernte, »bei denen es diese Eigentümlichkeiten Gott sei Dank nicht gab, war der Weg frei für die Erkenntnis, dass gerade das Cello ein außerordentlich ausdrucksreiches und technisch faszinierendes, vielseitiges Streichinstrument sei ... ideal für die Ausführung anspruchsvollster musikalischer Aufgaben«.

Musik Bernd Alois Zimmermann versuchte in seiner Sonate, dem Violoncello bis dato nie gehörte Aspekte abzugewinnen: »unendlich fein differenzierte Streich-, Zupf- und Schlageffekte im gesamten Bereich zwischen Geräusch und Klang« (Klaus Kirchberg). »Unerhörte Spielarten« werden erprobt und auf ungewohnte Weise miteinander verknüpft, führen durch die Verwendung von Vierteltönen zu äußersten Differenzierungen im Klangfarben- sowie im Tonhöhenbereich.

Der Sonate ist als Motto ein Vers aus dem Prediger Salomo vorangestellt: »...et suis spatiis transeunt universa sub caelo« (und alles Tun unter dem Himmel hat seine Stunde). Die fünf Sätze tragen bildhafte, (musik)geschichtlich besetzte Titel, die im Zusammenhang einer Sonate ungewöhnlich sind: 1. Rappresentazione (Darstellung; in der Musik: Vorform des Oratoriums), 2. Fase (Abschnitt), 3. Tropi (Tropen, Einschübe in eine gregorianische Melodie), 4. Spazi (Raum), 5. Versetto (Kurzvers; in der Musik: kurzes Orgelstück).

Jeder Satz besteht aus einer Reihe oft stark kontrastierender, doch sinnvoll miteinander kommunizierender Gruppen; Analogien, Beziehungen, Entwicklungen sind sinnfällig dargestellt. Im vierten Satz subsumiert der Komponist quasi das vorher ausgebreitete Material; der fünfte Satz hat die Funktion eines Epilogs. In diesem Werk, schrieb Georg Kröll, werde einerseits »eine vielschichtige Struktur durch differenzierte Klanglichkeit hörbar gemacht« – der Klang definiere also die Form –, andererseits sei »diese Klanglichkeit ein Ergebnis der Abstraktion der virtuosen Musik für Streichinstrumente«.

Wirkung Die technischen Schwierigkeiten der Cellosonate, ihre spieltechnischen Neuerungen sind kein Selbstzweck, sondern, so der Komponist, »Ergebnis struktureller musikalischer Vorgänge«. Zimmermann hat stets engen Kontakt zu den Interpreten gesucht, wenn er seiner Zeit in spieltechnischer Hinsicht auch voraus schien. So gebe es immer wieder »technische Unmöglichkeiten«, mit denen sich ein Solist auseinandersetzen müsse. »Es zeigt sich in den allermeisten Fällen, dass dann in dem Moment das technische Problem gelöst werden kann, in

---

Der Cellist Siegfried Palm

Der so eng mit dem Werk von Bernd Alois Zimmermann verbundene deutsche Cellist Siegfried Palm fasste sein Credo als Musiker einmal so zusammen: »Bei der Beschäftigung mit Neuer Musik ist es immer mein großes Ziel gewesen, Menschen dazu zu bringen, mir zuzuhören, rauszugehen und zu sagen: Mensch, das ist ja gar nicht so schlimm, das ist ja richtig spannend. Dann habe ich gewonnen.«

Bewundert wurde Palm besonders für seine instrumentale Meisterschaft und die Kompromisslosigkeit bei der Umsetzung selbst komplexester Partituren. Neben seiner solistischen Tätigkeit bildete der Cellist u. a. ein Duo mit dem Pianisten Aloys Kontarsky sowie Klaviertrios mit dem Pianisten Heinz Schröter und dem Geiger Max Rostal bzw. mit dem Pianisten Bruno Canino und dem Geiger Saschko Gawriloff (Ende 1980er-Jahre). Ferner war er in den 1950er-Jahren Mitglied des auf zeitgenössische Musik spezialisierten Hamann-Quartetts. Seine Begeisterung für die Musik seiner Zeit gab Palm auch in Köln als Celloprofessor weiter. Zudem war er Präsident der Internationalen Gesellschaft für Neue Musik und von 1988 bis 1991 der Deutschen Gesellschaft für Neue Musik.

---

dem seine musikalische Notwendigkeit begriffen wird. Der Begriff ›Unspielbarkeit‹ ist also ein recht relativer.«

Mit dieser Einschätzung hat der Komponist recht behalten: Galt die Sonate für Cello solo zur Entstehungszeit noch als unspielbar, so wird sie heute bereits von Hochschulstudenten bewältigt – und ist die meistgespielte Komposition Zimmermanns. Allein Siegfried Palm, der Cellist der Uraufführung, hat sie fast 200-mal aufgeführt. PE

Einspielungen (Auswahl)
• Michael Bach (Violoncello), 1992 (+ Intercomunicazione, Enchiridion I & II); CPO

Vier kurze Studien für Violoncello

Entstehung Sommer 1970
Verlag Edition Gerig
Spieldauer ca. 3 Minuten

Entstehung Die »Vier kurzen Studien« sind das letzte kammermusikalische Werk von Zimmermann. Er schrieb die aphoristischen Stücke im Sommer 1970 kurz vor seinem Tod für den Cellisten Siegfried Palm. Sie sind auf einem einzigen DIN-A4-Blatt mit Bleistift notiert, dabei aber »so klar, so penibel genau, dass man deutlich erkennt, wie sehr es Zimmermann bis zuletzt um das ›Opus perfectum‹ ging, wie der spekulierende Systematiker beim Komponieren nie improvisierte, sondern alle Probleme vorher bedacht und gelöst, alles Überflüssige vorher ausgeschieden hatte«, so Klaus Kirchberg.

Musik Die »Vier kurzen Studien« waren eine Auftragsarbeit für eine Sammlung von Celloetüden, in denen mit neuen Spieltechniken experimentiert werden sollte. Im ersten dieser aphoristischen Stücke lässt der Komponist zwei verschiedene Verläufe einander überlagern, wobei der Cellist die beiden Schichten durch unterschiedliche Stricharten oder Klangfärbungen zu verdeutlichen hat. In der zweiten Studie sind Pizzicatotechnik und Flageolettspiel miteinander verbunden. Die dritte, von motorischem Grundgestus (Sechzehntelquintolen) geprägte Studie präsentiert in ihrer Mehrstimmigkeit zwei verschiedene Zeitschichten. Die vierte Studie verlangt kantables Spiel in extremen Höhen und ist zugleich einer jener meditativen Epiloge, wie sie in manchem Spätwerk Zimmermanns zu finden sind.

Ein grundsätzliches Thema der Komposition ist das Problem der Zeitdehnung, dem Zimmermann etwa ab der Tonbandkomposition »Tratto« (1966) besondere Aufmerksamkeit widmete: Durch Überlagerung von zwei verschieden langen, asynchron verlaufenden Zeitstrecken wird der Eindruck von weitbogiger Zeitlosigkeit auf der einen und dichter Gegenwart auf der anderen Seite erweckt – die von Zimmermann angestrebte Einheit der Zeit wird sinnlich erfahrbar. So sind die »Vier kurzen Studien« mehr als reine Etüden, sondern »so etwas wie ein konzentrierter Rückblick auf knapp zwei Jahrzehnte kompositorischer Zuwendung« zum Cello (Wulf Konold). PE

Werke mit Klavier

»Intercomunicazione« für Violoncello und Klavier

Entstehung Frühjahr 1967
UA 26. April 1967 Köln
Verlag Schott
Spieldauer ca. 12–24 Minuten

Musik Der Komponist erklärte, »Intercomunicazione« untersuche »in besonderer Weise die Kommunikationsbedingungen zweier an sich ›unvereinbarer‹ Partner, wie sie Cello und Klavier meiner Auffassung nach sind, und wofür Opus 102 Nr. 2 von Beethoven das wohl großartigste Beispiel darstellen dürfte«. So werden die Instrumente einander in zwei verschiedenen Dimensionen und Zeitschichten gegenübergestellt. »Sie begegnen einander und durchdringen sich und bilden dann, von einem bestimmten Zeitpunkt an, das Miteinander, eben die Intercomunicazione«, schrieb Zimmermann.

Das Werk hat drei Abteilungen. Der erste Teil ist dem Cello allein zugewiesen; charakteristisch für diesen Abschnitt sind die in den tiefen Lagen ausgeführten Doppelgriffe und die Verschiebung der Zeitschichten. »Im Mittelteil wird der gleiche Vorgang der Dehnung dem Klavier übertragen, das dann statt der Doppelgriffe verschiedene Klänge in verschiedenen Zeitschichten einander gegenüberstellt, während das Cello seinerseits in quasi improvisatorischen, immer wieder von neuen unternommenen Anläufen… sich dem Klavier nähert und umgekehrt«, erklärte der Komponist. Das Cello wechselt zwischen engräumigen Umspielungen in Vierteltönen und weiträumigerem Ausgriff. Das vom Komponisten angesprochene klangliche Verschmelzen der beiden Instrumente findet dann – nach einer heftigen Glissandosteigerung des

Cellos – im Schlussteil statt, als »endlich erreichter dritter Ebene«. Am Schluss findet sich eine »Coda«, gebildet zunächst durch eine »Art Kadenz des Pianisten, der die Kadenz des Cellos folgt und das Werk seinem Abschluss zuführt mit der auf das tiefe G herabgestimmten C-Saite« (Zimmermann).

»Intercomunicazione« gehört zu jener mit »Tratto« (1966) beginnenden Werkgruppe Zimmermanns, die sich besonders mit dem Problem der Zeitdehnung beschäftigt. Ihr gehört auch das Orchesterpräludium »Photoptosis« (1968) an – die Verwandtschaft zu diesem Stück wird beim Partiturenvergleich offensichtlich: Die Takte 1–696 von »Photoptosis« entsprechen den ersten 348 Takten von »Intercomunicazione« im Verhältnis zwei zu eins.

Wirkung Siegfried Palm und Aloys Kontarsky spielten die Uraufführung bei einem Konzert des Westdeutschen Rundfunks und nahmen das Stück auch für die »Avantgarde«-Serie der Deutschen Grammophon auf. Zimmermann widmete »Intercomunicazione« dem Choreografen John Cranko, der gerade seine Cellosonate unter dem Titel »Befragung« auf die Bühne gebracht hatte.

Der Cellist Michael Bach, der sowohl die Sonate für Cello solo, die »Vier kurzen Studien« als auch (mit dem Pianisten Bernhard Wambach) »Intercomunicazione« auf Platte eingespielt hat, stellte fest, dass Bernd Alois Zimmermanns instrumentaltechnische Neuerungen vor allem beim Violoncello »keine Grenzen« kannten. Der Typus Komponist, der zunächst einmal »Unspielbares« auf dem Papier festhalte, sei häufig anzutreffen. »Was Zimmermann auszeichnet, ist, dass er sich so lange mit der ›Materie‹ auseinandersetzt, bis am Ende seine Ideenwelt doch realisierbar und tatsächlich spielbar wird.«

Bei »Intercomunicazione« rühren die Schwierigkeiten etwa daher, dass der Komponist die Tondauern rein grafisch darstellte. Bei den zum Teil sehr gedehnten Abläufen ist es für den Interpreten bei solcher Notation nicht einfach, das einmal gewählte Tempo – von dem dann auch die Spieldauer abhängig ist – beizubehalten. Und im Zusammenspiel von Cello und Klavier ergibt sich das Problem, »die mitten in einem Takt beginnenden oder endenden Aktionen exakt zu platzieren« (Ingeborg Brockmann).

Laut Michael Bach verlangte Zimmermann in der Erstfassung der Komposition ein drei- bis vierstimmiges Schlusssolo für Cellorundbogen: »Das Cello setzt die statisch liegenden, stets diminuierenden Cluster des Klaviers fort und entführt sie in einen diesem nicht mehr zugänglichen Tonraum, was wirklich-unwirkliche Perspektiven enthüllt.« Das Wissen um die Technik, mit der diese extrem hohen Töne gespielt werden können, existierte zur Zeit der Komposition des Werks ebensowenig wie der Cellorundbogen. Die erwähnte Urfassung ist nicht im Druck erschienen; Michael Bach hat sie in seiner Einspielung jedoch berücksichtigt.   PE

Einspielungen (Auswahl)
- Michael Bach (Violoncello), 1992 (+ Sonate für Cello solo, Enchiridion I & II); CPO

»Présence. Ballet blanc en cinq scènes« für Violine, Violoncello und Klavier

Sätze 1. Introduction et pas d'action (Don Quichotte); 2. Pas de deux (Don Quichotte et Ubu), 3. Solo (pas d'Ubu), 4. Pas de deux (Molly Bloom et Don Quichotte), 5. Pas d'action et finale (Molly Bloom)
Entstehung 1960/61
UA 8. September 1961 Darmstadt
Verlag Schott
Spieldauer ca. 30 Minuten

Entstehung Das Stück »Présence« entstand im Winter 1960/61 im Auftrag des Hessischen Rundfunks; es hängt hinsichtlich von Strukturen, Ordnungen und Material mit dem fast gleichzeitig entstandenen Konzert »Dialoge« für zwei Klaviere und Orchester und dessen Version für zwei Klaviere solo (»Monologe«) zusammen. Charakteristisch für diese Stücke – wie für die Oper »Die Soldaten« (1958–60) – ist die Simultaneität unterschiedlicher musikalischer Abläufe, ein Verfahren, das der Komponist im Nachhinein als »pluralistisches Komponieren« bezeichnete. Der Titel »Présence« soll dabei nach Zimmermanns Absicht als »ständige Ge-

Siegfried Palm erlangte als Interpret zeitgenössischer Musik Weltruhm. 1961 spielte er in Darmstadt bei der Uraufführung des Stückes »Présence. Ballet blanc en cinq scènes« von Bernd Alois Zimmermann den Cellopart.

genwart«, die Vergangenheit und Zukunft miteinander verbindet, verstanden werden.

Das Werk, obwohl für Klaviertrio geschrieben, überschreitet die Gattungsgrenzen bewusst durch seine Bestimmung: Es ist als Ballettmusik konzipiert und zudem mit »Wortemblemen« des Schriftstellers Paul Pörtner (aus »Wurzelwerk«) versehen, die von einem stummen »Speaker« (Partituranweisung: »›Eine korrekt angezogene Person‹, gemäß der Herrenmode um die Jahrhundertwende gekleidet, mit Kopfbedeckung«) »vorgetragen« werden, und das im ursprünglichen Wortsinn: Die Texte sind auf Schrifttafeln fixiert und werden hereingetragen.

Musik Mit »Présence« sucht der Komponist die Musik quasi zu literarisieren: Den drei Instrumenten werden in fünf »Szenen« drei Figuren der Weltliteratur zugeordnet: der Violine der Don Quichotte aus dem gleichnamigen Schelmenroman von Cervantes, dem Cello die Molly Bloom aus dem »Ulysses« von James Joyce, dem Klavier Alfred Jarrys Ubu Roi. Diese so unterschiedlichen Charaktere sind als Urbilder menschlichen Verhaltens zu verstehen; die Musik verhilft ihnen quasi zu einer gemeinsamen Gegenwart, lässt sie auf verschiedene Weise miteinander kommunizieren.

Doch bleibt diese Kommunikation eher vage, sind die imaginär geführten »Gespräche« keinem klaren, festlegbaren Sinn verpflichtet: »Wenn der oft komisch gezeichnete, durchweg durch idealistisch-tragische Züge bestimmte Don Quichotte auf die von Liebesbedürfnissen geprägte ... Molly Bloom trifft oder wenn diese dem grausamen Herrscher Ubu begegnet, resultiert daraus keine greifbare, konkrete Handlung ..., sondern ein changierendes Netzwerk von Andeutungen, eine durch kurze Aufblendungen bestimmte Maskerade« (Jörn Peter Hiekel).

Dem entspricht die pluralistische Freiheit der musikalischen Abläufe: Jedes Instrument folgt oft auch dort, wo die Schichten eng miteinander verbunden sind, seinem eigenen Tempo. Diese Übereinanderlagerung unterschiedlicher Zeitschichten verbindet sich mit Zimmermanns pluralistischer Zitatentechnik, vor allem im zweiten Satz: Der Komponist verwendet Partikel aus

Strauss' »Don Quixote«, der siebten Klaviersonate von Prokofjew sowie aus Stockhausens »Zeitmaßen«; im fünften Satz kommt außerdem noch ein verborgenes Zitat aus Debussys »Jeux« hinzu. »Verknüpft werden diese Elemente in einer Weise, die sich des Pointierten, Gewaltsamen durchaus bewusst zu sein scheint.« (Hiekel)

Die Notation der Partitur ist insofern ungewöhnlich, als der Komponist – zum einzigen Mal in seinem gesamten Œuvre – konsequent auf Vorzeichen verzichtet: Schwarze Noten stehen für Stammtöne, weiße für deren Erniedrigung.

Wirkung »Présence« wurde 1961 bei den Darmstädter Ferienkursen für Neue Musik durch Hans Priegnitz (Klavier), Bernhard Hamann (Violine) und Siegfried Palm (Violoncello) konzertant uraufgeführt (Palm hat das Werk später mit Saschko Gawriloff und Aloys Kontarsky auch auf Platte eingespielt). Seinen Titel »Ballet blanc« trägt das Stück nicht nur als Attitüde; es rechnet durchaus mit der Möglichkeit inszenatorischer Gestaltung. Zimmermann selbst hat, wie Jörn Peter Hiekel feststellte, offenbar die szenische Realisation durch den Stuttgarter Ballettchef John Cranko (1968 bei den Schwetzinger Festspielen) »als ideale Einlösung eigener Vorstellungen« empfunden. Die Figur des König Ubu und der Zusatz »blanc« schaffen zudem die Verbindung zur 1966 entstandenen »Musique pour les soupers du roi Ubu«, die der Komponist als »Ballet noir« bezeichnete. Die Partitur erschien erst 1977 im Druck. PE

Einspielungen (Auswahl)
- Peter Rundel (Violine), Michael Stirling (Violoncello), Hermann Kretzschmar (Klavier), 1992 (+ Antiphonen, Omnia tempus habent); BMG/RCA

GLOSSAR

A B C

absolute Musik Instrumentalmusik, die keine außermusikalische Funktion erfüllt und auch keine inhaltliche Vorlage besitzt, sei es aus Dichtung oder Malerei, sei es die Natur selbst oder eine Idee. Die Musik steht allein für sich und vermeidet Tonmalerei. Der Begriff der absoluten Musik bildete sich im 19. Jahrhundert als Gegensatz zur Programmmusik heraus.

a cappella seit Anfang des 17. Jh. Bezeichnung für eine Kompositionsweise (meist für Sopran, Alt, Tenor, Bass) der geistlichen Mehrstimmigkeit, seit Anfang des 19. Jh. auch Bezeichnung für jede nicht durch Instrumente begleitete Chormusik.

accelerando Vortragsbezeichnung: schneller werdend, beschleunigend.

Accompagnement →Akkompagnement.

adagio Tempovorschrift: langsam.

Adagio langsamer, getragener Satz in zyklischen Werken, z. B. in Sonate und Sinfonie.

ad libitum Spielbezeichnung, die bedeutet: 1. dass auf die Ausführung der mit ›ad libitum‹ bezeichneten Stimme verzichtet werden kann (Gegensatz: obligato) oder dass die Wahl des Instruments freisteht; 2. dass das Zeitmaß frei ausgeführt werden kann (Gegensatz: a tempo); 3. dass es freisteht, eine Ausschmückung anzubringen, z. B. ›cadenza ad libitum‹.

Affekte systematisierte, als allgemeingültig angesehene Gemütsbewegungen wie Freude, Trauer, Zorn oder Verzweiflung, die die Komponisten insbesondere im 17. und frühen 18. Jahrhundert in ihren Musikstücken auszudrücken versuchten. Zur Darstellung der Affekte wurden musikalische Symbole verwendet, etwa Durtonarten für Freude und Stärke, Molltonarten für Trauer, bestimmte Akkorde für Schmerz und Verzweiflung. Der durch die Musik zum Ausdruck gebrachte Affekt sollte sich unmittelbar auf den Hörer übertragen. Im 19. Jahrhundert verdrängte die Sichtweise einer zunehmenden Individualisierung des Gefühlslebens die Bedeutung der sogenannten Affektenlehre.

affettuoso, con affetto Vortragsbezeichnung: leidenschaftlich, ausdrucksvoll, bewegt.

agitato Vortragsbezeicnung: bewegt, getrieben.

Akkompagnement, Accompagnement die Begleitung einer oder mehrerer solistischer Stimmen mit einem Akkordinstrument (Cembalo, Orgel) auf der Grundlage einer bezifferten Bassstimme (Generalbass). Die kompositorische Ausarbeitung des Akkompagnements führte im 18. Jahrhundert zur Sonderform des obligaten Akkompagnements.

Akkord die sinnvolle Verbindung mehrerer Töne zu einem Zusammenklang. Ein Akkord ist je nach der Zahl der Töne Drei-, Vier- oder Fünfklang, nach dem harmonischen Verhältnis konsonant oder dissonant.

Akzent die unterschiedliche Betonung der Zählzeiten des Taktes. So ist z. B. im 4/4-Takt die erste Zählzeit am schwersten, die dritte mttelschwer, die übrigen sind leicht.

Aleatorik Mitte der 1950er-Jahre geprägte Bezeichnung (von lateinisch alea = Würfel) für eine Kompositionsart, die den Rahmen eines Werks festgelegt, die klingende Gestalt jedoch Zufällen, Spontanentscheidungen der ausführenden Musiker oder anderen außermusikalischen Komponenten überlässt. So können einzelne Formteile, Tonhöhen oder Lautstärken vom Komponisten vorgegeben sein, während der Spieler über Zeitpunkt und Reihenfolge der einzelnen Klangereignisse entscheidet.

alla breve der 4/4-Takt, der nicht in Vierteln, sondern in Halben (= erstes und drittes Viertel) gezählt wird; Taktvorzeichnung: ₡.

alla marcia Vortragsbezeichnung: marschmäßig, nach Art eines Marsches.

alla zingarese Vortragsbezeichnung: nach Art der Zigeunermusik.

allegretto Tempovorschrift; sie bezeichnet ein variables Tempo, das sich sowohl den gemächlicheren unter den schnellen Tempi (z. B. allegro moderato) als auch den flüssigeren unter den langsamen (z. B. andante con moto) nähern kann. – Das Allegretto ist ein Satz in diesem Tempo.

allegro Tempovorschrift: lebhaft, schnell. – Das Allegro ist ein Satz in diesem Tempo.

Allemande mäßig schneller Schreittanz in geradem Takt und gemäßigtem Tempo, der vom 16. bis 18. Jahrhundert verbreitet war und in seiner stilisierten Form Teil der Suite wurde. Beispiel: François Couperin, Allemande fuguée, aus ›Königliche Konzerte‹ (1722).

Alteration die Erhöhung oder Erniedrigung einer Tonstufe um ein oder zwei Halbtöne.

Ambitus Umfang vom tiefsten bis zum höchsten Ton einer Melodie, einer Singstimme oder eines Instruments.

andante Tempovorschrift: gehend, eine zwischen allegro und adagio gelegene, weder als schnell noch als langsam empfundene, gleichmäßige, gelassene Bewegung im Vortrag. – Das Andante ist ein Satz in diesem Tempo.

animato Vortragsbezeichnung: beseelt, belebt.

Anschlag die Art der Tonerzeugung auf Tasteninstrumenten; besonders beim Klavierspiel die Bewegung der Finger in Verbindung mit der Haltung von Händen, Armen und Rumpf.

appassionato Vortragsbezeichnung: leidenschaftlich, stürmisch.

Arabeske Charakterstück, meist für Klavier, das durch reiches Umspielen einer Melodie oder durch das rankende Geflecht von Linien gekennzeichnet ist. Beispiel: Robert Schumann, Arabeske C-Dur op. 18 (1839).

arioso musikalische Vortragsbezeichnung: arienhaft, gesanglich zu spielen oder zu singen.

arpeggio Spielart für Akkorde auf Tasten-, Streich- und Zupfinstrumenten: Die Töne erklingen nicht gleichzeitig, sondern harfenartig (italienisch arpa = Harfe) nacheinander, meist von unten nach oben.

Arpeggione eine wie ein Violoncello zu spielende sechsseitige Streichgitarre mit der gleichen Stimmung wie die Gitarre. Für Arpeggione und Klavier schrieb Franz Schubert eine Sonate in a-Moll (1824).

Arrangement die Einrichtung einer Komposition für eine andere als die ursprünglich vorgesehene Besetzung.

assai Bezeichnung, die in Verbindung mit Tempoangaben verwendet wird, z. B. adagio assai: recht langsam, allegro assai: recht schnell.

atonale Musik Musik, die nicht auf dem Prinzip der Tonalität beruht. In der atonalen Musik ist der harmonische Ablauf nicht mehr durch den Gegensatz Konsonanz–Dissonanz geregelt, die Beziehung auf einen Grundton ist verloren gegangen. Daher muss der durch die Tonalität garantierte Zusammenhang neu geschaffen werden (z. B. aufgrund von Intervallstrukturen). Atonale Musik ist erstmals vollgültig ausgeprägt in den fünf George-Liedern op. 3 (1907/08) von Anton Webern und in den drei Klavierstücken op. 11 (1909) von Arnold Schönberg. Anfang der 1920er-Jahre verfestigte sich die freie Atonalität zur Methode der Zwölftontechnik.

Auftakt der Anfang einer musikalischen Sinneinheit, z. B. eines Motivs oder Themas, auf unbetontem Taktteil.

Augmentation die notierte Vergrößerung eines Themas oder einer Stimme, meist um das Doppelte des ursprünglichen Wertes.

Ausdruck bei der Wiedergabe von Musik die sinngemäße Verlebendigung und Beseelung des Notentextes durch interpretatorisch feinste Abstufungen der Dynamik, des Tempos und der Klanggebung, die durch die Vorschrift ›con espressione‹ verstärkt gefordert werden kann.

Ausweichung die nur vorübergehende Hinwendung zu einer anderen Tonart, sodass eine Modulation nicht vorliegt.

Autograf vom Verfasser eigenhändig geschriebenes Schriftstück, z. B. literarische Werke, Musiknoten, Notizen, Briefe.

Bagatelle ein kleineres, zum Teil sehr kurzes Instrumentalstück, oft in zwei- oder dreiteiliger Liedform. Beispiele: François Couperin »Les bagatelles« (in »Pièces de clavecin«, 1717), Antonín Dvořák, »Maličosti« (Bagatellen) für zwei Violinen, Violoncello und Harmonium op. 47 (1878).

Ballade seit dem 18. Jahrhundert die Komposition der erzählenden Gedichte für Solostimme mit Klavier- oder Orchesterbegleitung und in strophisch wiederkehrender oder fortwährend neuer Form. Frédéric Chopin führte die Ballade (Klavierballade) in die Instrumentalmusik ein. Beispiel: Antonín Dvořák, Ballade d-Moll für Violine und Klavier op. 15/1 (1884)

Bariolage eine Spieltechnik bei der Violine, die die Klangfarbe verändert, indem bei schnellem Saitenwechsel auf der tieferen Saite die höheren Töne und auf der höheren Saite die tieferen Töne gespielt werden.

Barock in der Musik die Zeit vom Ende des 16. bis zur Mitte des 18. Jahrhunderts, die nach ihren musikalischen Merkmalen auch als »Generalbasszeitalter« oder als »Zeit des konzertierenden Stils« bezeichnet wird. Kennzeichnend ist zum einen der Generalbass, wobei die Bassstimme als Träger der harmonischen Zusammenhänge fungiert, zum anderen das Prinzip des Konzertierens, also der klanglichen Kontrastsetzung innerhalb der Instrumentalmusik. Diese Kontraste bestehen etwa in der Gegenüberstellung von Solo und Tutti oder von hohen und tiefen Partien in Orchesterwerken. Die große Bedeutung der Instrumentalmusik in der Folgezeit nimmt von hier ihren Ausgang.

Baryton, Viola di Bordone im 17.–19. Jahrhundert beliebtes Streichinstrument der Violenfamilie in Baritonlage; es ähnelt in der Form der Gambe und wird wie diese zwischen den Knien gehalten. Das Baryton besitzt 6–7 Spiel- und 9–28 Resonanzsaiten, die mit dem Daumen der linken Hand gezupft werden.

Bass 1. die tiefste Stimme im mehrstimmigen Tonsatz;
2. bei Instrumentenfamilien Bezeichnung für die tiefsten Vertreter, z. B. Bassgeige, Bassposaune, Basstrompete; auch synonym mit Kontrabass und Elektrobass gebraucht.

Bassetthorn um 1770 erstmals gebaute Klarinette in Altlage, ab etwa 1800 mit abgeknicktem Rohr. Beispiel: Felix Mendelssohn Bartholdy, Konzertstück F-Dur für Klarinette, Bassetthorn und Klavier op. 113 (1833).

Basso continuo →Generalbass.

Basso ostinato →Ostinato.

Berceuse ursprünglich ein Lied in wiegender 6/8-Bewegung, seit dem 19. Jahrhundert auch ein Instrumentalstück für Klavier (Frédéric Chopin, op. 57) und für Orchester (Ferruccio Busoni, »Berceuse élégiaque« op. 42).

Besetzung die für die Aufführung eines Musikwerks erforderlichen Instrumente und/oder Gesangstimmen.

Bitonalität Form der Polytonalität, bei der zwei Tonarten gleichzeitig erklingen.

Blechblasinstrumente die meist aus Metall gefertigten Trompeten-(Polsterzungen-)Instrumente, im Unterschied zu den Holzblasinstrumenten, z. B. Trompete, Waldhorn, Posaune und Tuba.

Bordun tiefer Ton, der bei bestimmten Instrumenten, z. B. Sackpfeife, Drehleier, begleitend gehalten oder unverändert wiederholt wird.

Bourrée ein französischer Paartanz, der als Tanzsatz in die Suite aufgenommen wurde. Er besteht aus zwei Teilen, die jeweils wiederholt werden. Charakteristisch ist der gerade Takt, der mit einem Auftakt beginnt. Im 17./18. Jahrhundert fand die Bourrée auch Eingang in die Suite, u. a. bei Georg Friedrich Händel und Johann Sebastian Bach.

Bratsche, Viola Streichinstrument aus der Familie der Violinen. Sein Korpus ist größer als derjenige der Geige; entsprechend sind die vier Saiten im Quintabstand tiefer gestimmt.

brio, brioso, con brio Vortragsbezeichnung: sprühend, feurig; ergänzend bei Tempo- und Satzangaben, z. B. allegro con brio.

Burleske Musikstück mit scherzhaftem, ausgelassenem Charakter, z. B. »Burleske« (1885) von Richard Strauss.

BWV Abkürzung für Bach-Werke-Verzeichnis, das von Wolfgang Schmieder zusammengestellte »Thematisch-systematische Verzeichnis der musikalischen Werke von Johann Sebastian Bach« (1950).

cantabile Vortragsbezeichnung: sangbar, gesangsartig, besonders in der Instrumentalmusik.

Capriccio ein Musikstück in besonders einfallsreicher (italienisch capriccio = Einfall) Art und freier Form mit unerwarteten Einschüben oder Wendungen. Beispiel: Johann Sebastian Bach, »Capriccio sopra la lontananza del suo fratello dilettissimo« (BWV 992).

Cavatina →Kavatine.

Celesta ein Stahlplattenklavier, dessen abgestimmte Stäbe auf Resonanzkästchen aus Holz lagern und über eine Tastatur mit einer Hammermechanik angeschlagen werden. Der Klang ist wesentlich zarter als der des Klaviers.

Cello →Violoncello.

Cembalo Tasteninstrument in der Form eines Flügels, bei dem die Klangerzeugung durch Anreißen der Saiten erfolgt. Vom Klavier unterscheidet sich das Cembalo auch dadurch, dass die Lautstärke des Tons nicht durch den unterschiedlich heftigen Anschlag der Tasten beeinflusst und abgestuft werden kann.

Chaconne 1. ursprünglich ein mäßig bewegter Tanz im 3/4-Takt in Spanien, der sich im 17. Jahrhundert in Frankreich zum Gesellschaftstanz entwickelte und besonders durch Jean-Baptiste Lully Eingang in das Ballett fand; 2. ein der Passacaglia ähnliches Tonstück mit fortlaufend sich wiederholendem Bassthema (Basso ostinato); bekannt ist die Chaconne der Solopartita d-Moll für Violine (BWV 1004, um 1720) von Johann Sebastian Bach.

Charakterstück kürzeres, meist klar gegliedertes, an keine besondere Form gebundenes Instrumentalstück. Charakterstücke tragen entweder inhaltlich unverbindliche Satzbezeichnungen wie etwa ›Aria‹ oder ›Canzona‹ oder außermusikalische Titel, die beispielsweise seelische Befindlichkeiten zum Ausdruck bringen sollen.

Chromatik Tonbewegung in Halbtonschritten, die durch Erhöhung oder Erniedrigung von Tonstufen gebildet wird, wodurch eine eigentümliche klangliche »Färbung« (griechisch chróma = Farbe) entstehen kann. Die chromatische Tonskala besteht aus zwölf aufeinanderfolgenden gleich großen Halbtonschritten innerhalb einer Oktave.

Cluster Klangfläche, die durch Schichtung, also gleichzeitiges Erklingen sämtlicher Ganz- oder Halbtonschritte innerhalb eines bestimmten Tonbereichs, gebildet wird.

Coda, Koda der Schlussteil einer Komposition, soweit dieser als angehängtes, zusammenfassendes, steigerndes oder ausklingendes Formglied gestaltet ist, u. a. als Abschluss von Tanzzyklen, Rondo- oder Variationsformen, seltener bei der Fuge. Besondere Bedeutung erlangte die Coda in der Sonatensatzform, z. B. Ludwig van Beethoven, 3. Sinfonie »Eroica«, erster Satz (1804).

col legno Vorschrift für Streichinstrumente, die Saiten mit dem Holz des Bogens zu streichen oder anzuschlagen.

con affetto →affetuoso.

con brio →brio.

Concertino 1. kürzere Komposition für Soloinstrument und Orchester in kleiner Besetzung;
2. Gruppe von Soloinstrumenten, die im Concerto grosso dem gesamten Orchester gegenübergestellt werden.

Concerto im späteren 16. Jahrhundert Bezeichnung für die für ein Ensemble bestimmte Musik, so erstmals in dem als »Concerti« betitelten Sammeldruck (1587) von Andrea und Giovanni Gabrieli.

Concerto grosso wichtige Gattung der hoch- und spätbarocken Orchestermusik, gekennzeichnet durch den Wechsel zwischen meist drei Solisten (Concertino) und vollem Orchester (Tutti, Ripieno). Bedeutend waren Arcangelo Corelli, Giuseppe Torelli und Antonio Vivaldi. Die Krönung des barocken Gruppenkonzerts in seinen vielfältigen Möglichkeiten stellen Johann Sebastian Bachs »Brandenburgische Konzerte« (1721) dar.

con delicatezza Vortragsbezeichnung: mit Feinheit.

con espressione Vortragsbezeichnung: mit Ausdruck.

con fuoco Vortragsbezeichnung: mit Feuer, feurig bewegt.

con moto Vortragsbezeichnung: mit Bewegung, bewegt.

con sentimento Vortragsbezeichnung: mit Empfindung, gefühlvoll.

con sordino Vortragsbezeichnung: mit Dämpfer (zu spielen). Sordinierte Streicher haben einen abgedämpften, verschleierten Klang.

con spirito Vortragsbezeichnung: mit Geist, geistvoll, feurig.

con tenerezza Vortragsbezeichnung: mit Zartheit.

Continuo →Generalbass.

Corrente →Courante.

Couplet Bezeichnung für die freien Teile zwischen den Wiederholungen (Reprisen) im Rondo.

Courante, Corrente französischer Gesellschaftstanz des 16. und 17. Jahrhunderts in raschem, ungeradem Takt, der sich am Hof Ludwigs XIV. zu einem zeremoniellen Schreittanz in mäßigem Tempo umwandelte. Er fand Mitte des 17. Jahrhunderts Eingang in die Suite, z. B. Johann Sebastian Bach, Französische Suiten Nr. 2, 4, 5 und 6.

crescendo Vortragsbezeichnung für das allmähliche Anwachsen der Tonstärke; Gegensatz: decrescendo.

Csardas ungarischer Nationaltanz, der zu Zigeunermusik getanzt wird: Einem langsam-pathetischen Kreistanz der Männer (Lassu) als Einleitung folgt als Hauptteil ein stürmisch-schneller Paartanz im geraden Takt (Friss oder Friska). Kennzeichnend sind der scharf akzentuierte Rhythmus sowie das Ein- und Ausdrehen der Füße und der Fersenschlag.

D E F

D Abkürzung für →Deutsch-Verzeichnis.

da capo Anweisung, ein Musikstücks vom Anfang bis zu einer mit »Fine« oder einem Schlusszeichen markierten Stelle zu wiederholen.

Dämpfer, Sordino bei Musikinstrumenten eine Vorrichtung zur Verminderung der Tonstärke und gleichzeitigen Veränderung der Klangfarbe.

decrescendo Vortragsbezeichnung für das allmähliche Abnehmen der Tonstärke; Gegensatz: crescendo.

Deutsch-Verzeichnis Abkürzung: D, verkürzte Bezeichnung für den von Otto Erich Deutsch und Donald R. Wakeling zusammengestellten thematischen Katalog der Kompositionen Franz Schuberts (1951).

Dezime das Intervall im Abstand von zehn diatonischen Stufen, das sich aus der Oktave plus Terz ergibt.

Diatonik die Einteilung der Oktave in fünf Ganz- und zwei Halbtöne, die bei der Dur- und Mollskala und den Kirchentönen vorkommt.

Diatonische Intervalle sind jene, die sich aus der diatonischen Skala ableiten lassen: reine Quarte, Quinte und Oktave, große und kleine Sekunde, Terz, Sexte und Septime. Dagegen zählt der Tritonus als übermäßige Quarte zu den chromatischen Intervallen.

diminuendo Vortragsbezeichnung: allmählich leiser werdend.

Dissonanz ein aus zwei oder mehr Tönen bestehender Klang, der im Gegensatz zur Konsonanz eine Spannung enthält und nach Auflösung strebt; z. B. will der Dominantseptakkord sich in die Tonika auflösen.

Divertimento, Divertissement in der zweiten Hälfte des 18. Jahrhunderts ein meist mehrsätziges, suiten- oder sonatenartiges Instrumentalstück als gehobene Unterhaltungsmusik höfischer und bürgerlicher Kreise (u. a. bei Joseph Haydn und Wolfgang Amadeus Mozart).

In der Terminologie der Fuge heißt Divertimento das freie Zwischenspiel zwischen den streng thematischen Partien.

Dodekafonie →Zwölftontechnik.

Dominante der eine Dur- oder Molltonleiter beherrschende fünfte Ton der Skala und der auf ihm errichtete Dreiklang. Die Dominante wird als zum Grundakkord strebend empfunden und hat somit eine besondere harmonische Bedeutung.

Doppelgriff eine Spieltechnik bei Streichinstrumenten, bei der gleichzeitig zwei oder mehr Saiten gegriffen und gespielt werden.

Doppelkonzert Konzert für zwei Soloinstrumente und Orchester; z. B. Doppelkonzert für Violine und Violoncello op. 102 von Johannes Brahms.

Doppelschlag eine Verzierung, bei der die Hauptnote durch ihre obere und untere Nebennote umspielt wird.

Dreiklang der Zusammenklang (Akkord) aus drei Tönen, der auf dem ersten, dritten und fünften Ton einer Dur- oder Mollskala aufgebaut ist, also aus zwei Terzintervallen besteht.

Duo eine Komposition für zwei Singstimmen oder zwei (gleiche oder verschiedene) Instrumente, gelegentlich auch für zwei Spieler (Duo für Klavier vierhändig, Duo für Violine und Klavier).

Dur in der tonalen Musik das »männliche«, »harte« Tongeschlecht; Gegensatz: Moll. Die Durtonleiter setzt sich aus sieben Tonschritten zusammen, wobei zwischen dem 3. und 4. sowie dem 7. und 8. Ton ein Halbtonschritt liegt. Der Durdreiklang ist dadurch charakterisiert, dass der Intervallabstand zwischen seinem 1. und 3. Ton eine große Terz ergibt.

durchbrochene Arbeit eine Satztechnik vor allem der Instrumentalmusik, bei der die Motive eines melodischen Zusammenhangs auf verschiedene Stimmen oder Instrumente (durchbrochene Instrumentation) verteilt werden.

Durchführung 1. im Sonatensatz der zwischen Exposition und Reprise stehende Mittelteil, der die Themen aus der Exposition verarbeitet;

2. in der Fuge die Darstellung des Themas in allen Stimmen.

Dynamik die Differenzierung der Tonstärke, die entweder stufenweise (z. B. forte, mezzoforte, piano) oder als allmähliche Veränderung (crescendo, decrescendo) ausgeführt wird.

empfindsamer Stil Kompositionsrichtung, die sich um 1750 in Norddeutschland herausbildete und in ihrer Gefühlsbetonung, ihrem Bedürfnis nach beseeltem, rührendem Ausdruck den galanten Stil weiterführte. Hauptvertreter: Jiří Antonín Benda, Karl Ditters von Dittersdorf und Johann Adam Hiller.

Engführung das dicht (eng) aufeinanderfolgende Einsetzen zweier oder mehrerer das Thema vortragender Stimmen, vor allem in der Fuge: Eine zweite Stimme greift ein Thema auf, bevor die erste es zu Ende geführt hat.

Englischhorn eine Altoboe in F, die sich aus der Oboe da Caccia entwickelte. Das Englischhorn fand erst um 1830 Eingang in das Orchester und wurde dort wegen seines auffallend wehmütigen und zarten Tons oft solistisch für Liebes- und Sehnsuchtsmotive eingesetzt.

Ensemble eine zusammengehörige Gruppe der die Musik in solistischem Zusammenwirken ausführenden Sänger und Spieler, z. B. eine Kammermusikgruppe oder eine kleine Besetzung in der Unterhaltungsmusik und im Jazz.

Epilog in der Sonatensatzform ein Abschlussgedanke von Exposition und Reprise oder ein Abschlussteil (gleichbedeutend mit Coda), der auch eigenes thematisches Material einführen kann.

Episode in Kompositionen ein Einschub, der den thematischen Verlauf unterbricht: in der Fuge das Zwischenspiel zwischen den Durchführungen, im Rondo die Glieder zwischen den wiederkehrenden Hauptteilen, in der Sonatensatzform ein frei eingeschobenes Thema.

espressivo Vortragsbezeichnung: ausdrucksvoll.

Etüde Übungsstück zum Erlernen besonderer spieltechnischer Fertigkeit. Für den virtuosen Vortrag sind die Konzertetüden u. a. von Franz Liszt, Frédéric Chopin, Claude Debussy und Alexander Skrjabin bestimmt.

Exposition 1. der erste Teil der Sonatensatzform, bei dem zwei (oder mehr) Themen in ihrer Originalgestalt vorgestellt werden. Das Hauptthema wird dabei durch ein Seitenthema kontrastiert und meist durch einen Epilog abgeschlossen;
2. das erste Auftreten des Themas in der Fuge.

Expressionismus eine um 1918/19 im Anschluss an den Expressionismusbegriff in Malerei und Dichtung aufgekommene Bezeichnung für eine Kompositionsrichtung, die auf den Impressionismus reagierte und den Übergang zur Neuen Musik bildete. Im Vordergrund steht der Ausdruck des individuellen Erlebens bis hin zu seiner Übersteigerung. An die Stelle der Dreiklänge treten vieltönige Dissonanzen, an die regelmäßig gegliederter Melodien Prosamelodik (musikalische Prosa), an die der traditionellen Gattungen und Formen kurze, konzentrierte Stücke. Insgesamt ist der Expressionismus keine einheitliche Stilphase. Arnold Schönberg und seine Schüler, Igor Strawinsky, Paul Hindemith, Béla Bartók u. a. gelangten zu jeweils unterschiedlichen kompositorischen Ergebnissen.

Fagott Holzblasinstrument aus zwei etwa 2,60 m langen Röhren mit fünf Grifflöchern, 24 Tonklappen und s-förmigem Metallanblasröhrchen, dem das Doppelrohrblatt aufgesteckt wird; Umfang von $_1$A oder $_1$B bis es^2. Das Kontrafagott steht eine Oktave tiefer.

Faktur Anlage, Aufbau einer Komposition.

Fanfare 1. lange, ventillose Trompete;
2. das Trompetensignal (auf Töne des Dreiklangs);
3. kurzes Musikstück, meist für Trompeten und Pauken.

Fantasie, Fantasia ein Instrumentalstück mit freier, häufig improvisationsähnlicher Gestaltung ohne feststehende formale Bindung; Beispiele: Fantasie g-Moll BWV 542 von Johann Sebastian Bach, Fantasie für Violine und Klavier op. 47 von Arnold Schönberg.

Fermate Haltezeichen über einer Note oder Pause, das den Noten- oder Pausenwert verlängert. Die Fermate wird häufig als Mittel zur Gliederung oder als Höhepunkt eines Abschnitts eingesetzt.

Figuration vor allem in der Instrumentalmusik seit dem 18. Jahrhundert Bezeichnung für die Auflösung einer Melodie oder die Brechung eines Akkords durch melodisch-rhythmische, formelhafte und dadurch von den Verzierungen unterschiedene Figuren.

Finale Schlusssatz einer mehrsätzigen Komposition, z. B. einer Sinfonie oder eines Konzerts; in der Regel ein schneller Satz in Sonaten- oder Rondoform. Seit Ludwig van Beethoven ist das Finale vielfach das Ziel der musikalischen Entwicklung des ganzen Werkes, so bei Johannes Brahms, Anton Bruckner und Gustav Mahler.

Fine der Schluss eines Musikstückes, besonders die Schlussbezeichnung am Ende des ersten Teiles eines Musikstückes, wenn dieser nach dem zweiten wiederholt werden soll.

Fiorituren →Verzierungen.

Flageoletttöne hohe, pfeifende Töne bei Saiteninstrumenten, die durch Aufsetzen des Fingers auf bestimmten Punkten einer Saite entstehen. Bei Blasinstrumenten können Flageoletttöne durch Blasen mit erhöhtem Luftdruck erreicht werden.

Flöte ein Blasinstrument, dessen Ton entsteht, indem beim Anblasen ein Luftstrom gegen eine Kante oder Schneide geleitet wird, der die in einer Röhre befindliche Luftsäule zu Eigenschwingungen anregt. Die Flöten werden unterschieden nach der Spielhaltung in Längs- und Querflöte, nach der Bauart in Kernspalt-, Block- oder Schnabel-, Kerb- und Gefäßflöte (Okarina).

forte Vortragsbezeichnung: laut, kräftig; Gegensatz: piano. – fortissimo: sehr laut; forte fortissimo: mit allergrößter Lautstärke; mezzoforte: mittelstark.

Fortepiano →Klavier.

Fugato nach Art der Fuge gearbeiteter Abschnitt innerhalb eines nicht als Fuge komponierten Satzes, z.B. im Allegretto der 7. Sinfonie op. 92 (1811/12) von Ludwig van Beethoven.

Fuge von lateinisch fuga = Flucht abgeleitete Bezeichnung für ein streng kontrapunktisch aufgebautes Musikstück, in dem ein Thema in verschiedener Form mehrmals wiederkehrt: Eine Stimme beginnt mit dem Thema (Subjekt) in der Grundtonart. Darauf setzt als »Beantwortung« eine zweite Stimme mit dem Thema auf der fünften Tonstufe der Grundtonart, der Quinte, ein, während die erste Stimme eine Gegenstimme (Kontrasubjekt) dazu ausbildet. Wenn alle Stimmen das Thema gebracht haben, ist die erste Durchführung (Exposition) beendet; danach folgen noch mindestens zwei weitere Durchführungen. Die Fuge erreichte durch Johann Sebastian Bach ihre höchste Vollendung: »Das Wohl-

temperierte Klavier« (BWV 846–893, 1722–44), »Die Kunst der Fuge« (BWV 1080, 1749/50).

furioso Vortragsbezeichnung: erregt, stürmisch, wild.

G H I J

galanter Stil Kompositionsstil in der Zeit des Rokoko, um 1740, der sich unter dem Motto der Verständlichkeit und Natürlichkeit vom gelehrten, schwer verständlichen Stil des Hochbarock absetzte. Typisch sind kleine Formen, gesangliche Melodik, reiche Verzierungen und einfache Begleitung. Ein bedeutender Vertreter des galanten Stils war Carl Philipp Emanuel Bach.

Gambe, Viola da Gamba im 16.–18. Jahrhundert Bezeichnung für die Familie von Streichinstrumenten, die sitzend in Kniehaltung und mit Untergriffbogenhaltung gespielt werden. Speziell bezeichnet Gambe das Instrument in Tenor-Bass-Lage mit der Stimmung D–G–c–e–a–d^1. Es galt im 16. und 17. Jahrhundert als eines der wichtigsten Instrumente in der Ensemblemusik und war besonders in England beliebt.

Ganzton im zwölfstufig temperierten Tonsystem Bezeichnung für den Tonabstand der großen Sekunde, z.B. c–d, zerlegbar in die Halbtöne c–cis, cis–d.

Ganztonleiter die Aneinanderreihung von Ganztönen zu einer Oktavskala, z.B. c–d–e–fis–gis–ais (=b)–c. Charakteristisches Intervall ist der Tritonus. Die Transposition der Ganztonleiter um einen Halbton ergibt die zwölf Töne der chromatischen Skala.

Gattung zusammenfassende Bezeichnung für Musikwerke, für die übergeordnete gemeinsame Kennzeichen zutreffen, z.B. Oper, Oratorium, Kantate, Sinfonie.

Gavotte französischer Reihentanz im 2/2-Takt, der meist mit einem zweiteiligen Auftakt beginnt. Die Gavotte hat ein mäßiges Tempo und besteht formal aus zwei Teilen. Sie wurde als Tanzsatz seit dem 17. Jahrhundert in die Suite aufgenommen. Arcangelo Corelli und Antonio Vivaldi verwandten sie in der Kammersonate, François Couperin und Johann Sebastian Bach in der Klaviersuite.

Geige →Violine.

Generalbass, Basso continuo, Continuo in der Musik des 17. und 18. Jahrhunderts die fast allen Kompositionen zugrunde liegende durchlaufende Bassstimme. Sie bildete die Grundlage für die darüberliegenden Akkorde. Dazu wurde die Basslinie mit Zahlen versehen, einer Art Kurzschrift, die es dem Spieler ermöglichte, den Aufbau des Akkords zu erkennen. Typische Generalbassinstrumente waren Orgel, Cembalo und Laute. Ausschmückungen oder Improvisationen blieben dem Spieler überlassen. Der Generalbass ist wesentliches Stilmerkmal für die Zeit des Barock, die deshalb auch als »Generalbasszeitalter« bezeichnet wird.

Gigue aus der Jig, einem irisch-schottischen Tanzlied hervorgegangener lebhafter Tanzsatz am Schluss der Suite. Es kommen zwei Formen vor: Die französische Gigue steht meist im 3/4-Takt; die Stimmen setzen nacheinander fugierend ein. Die italienische Giga im schnellen 12/8- oder 6/8-Takt verzichtet auf das fugierende Einsetzen der Stimmen. – Aus der kunstvoll ausgezierten Gigue der französischen Klaviersuite entstand unter Weiterentwicklung der Fugentechnik die Fugengigue, vor allem bei Johann Sebastian Bach.

giocoso Vortragsbezeichnung: ausgelassen, scherzhaft, spielerisch.

giusto verselbstständigt aus Tempo giusto, Vortragsbezeichnung: im angemessenen, dem Charakter des Stücks entsprechenden Tempo.

glissando die gleitende Ausfüllung eines größeren Tonraums auf einem Instrument oder beim Gesang, ohne einzelne Töne hörbar abzusetzen.

grave Vortragsbezeichnung: schwer, langsam wuchtig, im Tempo langsamer als adagio. – Grave bezeichnet einen in diesem Tempo zu spielenden Satz.

grazioso Vortragsbezeichnung: anmutig, graziös.

Grundton der Ton, auf dem eine Tonleiter oder ein Akkord aufgebaut ist. Er liegt in der Akkordgrundstellung im Bass, bei Umkehrungen in anderen Stimmen.

Halbton im zwölfstufig temperierten Tonsystem das kleinste Intervall (kleine Sekunde) im Unterschied zum Ganzton (große Sekunde), der in zwei Halbtöne zerlegbar ist.

Harfe Saiteninstrument, das mit den Fingerkuppen beider Hände angezupft wird. Die Saiten verlaufen von einem schräg aufsteigenden Resonanzkörper zum quer verlaufenden Saitenhalter, der durch die Vorderstange gestützt wird.

Harmonie der Zusammenklang gleichzeitig erklingender Töne im Gegensatz zur linear sich entfaltenden Einzelstimme. Auch die einzelnen Akkorde oder der Dreiklang werden als Harmonie bezeichnet. Mit der Chromatik in Richard Wagners »Tristan« (1865) begann die Loslösung der Harmonie von ihrer akkordischen Bindung, in der atonalen Musik des 20. Jahrhunderts ist sie vollzogen.

Harmonik das Ganze der musikalischen Erscheinungen, die sich aus den Zusammenklängen mehrerer Töne ergeben. Als Gegenstand der Theorie behandelt die Harmonik den jeweils geschichtlich bedingten Vorrat der Klänge und Akkorde, ihren Aufbau, ihre Wertigkeit und ihre Verbindungsmöglichkeiten untereinander.

Hausmusik in der Familie sowie in bürgerlich-ständischen Gemeinschaften gepflegtes, oft von Laien ausgeführtes Musizieren, für das sich zeitweilig Sonderformen der Instrumental- und Vokalmusik herausgebildet haben. Lied- und Tanzmusik vom Mittelalter bis zum 18. Jahrhundert, Kanons und Madrigale, die Musik für Tasteninstrumente, die Spielmusik des Barock, Klaviersonaten, v. a. von Joseph Haydn und Wolfgang Amadeus Mozart, das Klavierlied, ein Großteil der klassischen Kammermusik, besonders Klaviertrio und Streichquartett, sowie die vierhändige Klaviermusik sind ihr Repertoire.

Hoboken-Verzeichnis Abkürzung: Hob., das von dem niederländischen Musikforscher Anthony von Hoboken zusammengestellte thematisch-bibliografische Verzeichnis der Werke Joseph Haydns (1957–78).

Holzblasinstrumente die Gruppe der Flöten- und Rohrblattinstrumente, die im modernen Orchester der Gruppe der Blechblasinstrumente gegenübersteht und sich von ihr hinsichtlich der Art der Tonerzeugung (mittels schwingenden Luftstroms bzw. Rohrblatts; bei Blechblasinstrumenten hingegen unmittelbar durch die Lippen) und der Spielweise (bei den Holzblasinstrumenten Tonhöhenveränderung hauptsächlich durch Verkürzen der Schallröhre, bei Blechblasinstrumenten hauptsächlich durch Überblasen) unterscheidet.

Homofonie Satzweise, in der alle Stimmen rhythmisch weitgehend gleich verlaufen bzw. die Melodiestimme gleichrhythmisch mit Akkorden begleiten; Gegensatz: Polyfonie.

Horn →Waldhorn

Imitation die Nachahmung eines Themas oder einer Melodie durch eine weitere Stimme; sie wird am deutlichsten im Kanon. Meist wird die Imitation jedoch freier gestaltet. Sie ist ein wichtiges Stilelement der mehrstimmigen Musik.

Impressionismus aus der Malerei übernommene Bezeichnung für eine Stilrichtung der Musik des ausgehenden 19. und beginnenden 20. Jahrhunderts, die den Eindruck von Naturzuständen und Empfindungen in den Mittelpunkt stellte. Musikalische Kennzeichen: Auflösung formaler Geschlossenheit, Verfeinerung der Instrumentation (Spiel mit Klangfarben), Verwendung neuer Tonsysteme (Ganzton- oder pentatonische Skala, Rückgriff auf Kirchentonarten), Akkordschichtungen, Verschleierung klarer Taktschwerpunkte. Als impressionistisch werden vor allem die Werke von Claude Debussy aus der Zeit um die Wende zum 20. Jahrhundert bezeichnet (»Prélude à l'après-midi d'un faune«, 1894).

Impromptu seit dem frühen 19. Jahrhundert ein kürzeres, an keine bestimmte Form gebundenes Charakterstück für Klavier, z. B. »Valse Impromptu« (1852) von Franz Liszt.

Improvisation das Musizieren in spontaner Erfindung, besonders am Instrument, entweder über vorgegebene Themen oder als freies Fantasieren, wobei zumeist gängige Spielfiguren und Satztechniken verwendet werden und traditionelle Formen (z. B. Variation, Choralbearbeitung, Fuge) als Muster dienen.

Instrumentation die Kunst, in Werken der Instrumentalmusik, besonders der Orchestermusik, die verschiedenen Instrumente sinnvoll einzusetzen, um dadurch bestimmte innere Klangvorstellungen zu verwirklichen.

Intermezzo Bezeichnung für ein Charakterstück für Klavier, gelegentlich auch für den Mittelteil eines dreiteiligen Satzes oder eines Satzzyklus; Beispiel: Johannes Brahms, Intermezzo E-Dur op. 117 (1892).

Intervall der Abstand zweier Töne, unabhängig davon, ob sie gleichzeitig oder nacheinander erklingen. Die Prime ist der Einklang, der nächstfolgende Ton die Sekunde, der 3. die Terz, der 4. die Quarte, der 5. die Quinte, der 6. die Sexte, der 7. die Septime, der 8. die Oktave, der 9. die None, der 10. die Dezime usw. Bei Sekunde, Terz, Sexte und Septime werden je zwei um einen Halbton verschiedene Formen unterschieden: kleine und große Sekunde usw. Oktave (Prime), Quinte und Quarte haben nur eine Grundform, die als »rein« bezeichnet wird. Alle Intervalle können chromatisch zu übermäßigen erhöht und zu verminderten erniedrigt werden.

Introduktion ein meist langsamer Einleitungsteil zu ersten Sätzen von Sinfonien oder Kammermusikwerken, v. a. der Wiener Klassik.

Invention in musikalischen Werktiteln der Hinweis auf eine besondere Art der kompositorischen Erfindung, die meist durch Zusätze näher gekennzeichnet ist. Im 20. Jahrhundert begegnet der Titel »Invention« u. a. bei Alban Berg, Boris Blacher und Wolfgang Fortner.

K L M

Kadenz 1. musikalische Formel, die Abschnitte gliedert oder ein ganzes Musikstück beendet. Sie besteht in der Regel aus Akkordfolgen, die abschließend und festigend wirken;
2. solistischer Einschub im Virtuosenkonzert vor dem Schluss (Konzertkadenz). Die Kadenz gibt dem Interpreten die Möglichkeit, durch virtuose Verarbeitung von Themen musikalische Überraschungseffekte einzuflechten und durch Vorführung technischer Brillanz Können zu beweisen.

Kammermusik die Instrumental- und Vokalmusik für kleine, solistische Besetzung im Unterschied zur Orchester- und Chormusik. Zu ihr zählen Werke für Streicher-, Bläser- und gemischte Ensembles (z. B. Streichtrio, -quartett, Klaviertrio, Hornquintett, Bläserserenade), ferner für klavierbegleitete Soloinstrumente (z. B. Violinsonate) oder Gesang (z. B. Klavierlied).
Der um 1560 in Italien geprägte Begriff (›musica da camera‹) umfasste ursprünglich alle für die höfische ›Kammer‹ bestimmten Musikarten in Abgrenzung zu Kirchen- und Opernmusik, von denen sie sich stilistisch durch einen kunstvolleren, auf die Intimität des Raumes und die Solobesetzung abgestimmten Tonsatz abheben.

Kammerorchester kleines, überwiegend solistisch besetztes Orchester, im Unterschied zum großen, chorisch besetzten Sinfonieorchester und zum ausschließlich solistisch besetzten Kammerensemble (Duo, Trio, Quartett, Quintett, Sextett, Septett, Oktett, Nonett).

Kammersonate, Sonata da Camera im 17. Jahrhundert in Italien aufkommende Bezeichnung für ein kammermusikalisches Instrumentalstück, das meist dreisätzig (schnell–langsam–schnell) war und aus einem präludienartigen Eingangssatz und nachfolgenden Tanzsätzen gleicher Tonart bestand.

Kanon auf dem Prinzip der Imitation beruhende kontrapunktische Form, bei der zwei oder mehr Vokal- oder Instrumentalstimmen nacheinander in bestimmtem Abstand einsetzen und die gleiche Melodie singen oder spielen, sodass aus der einen Melodie ein mehrstimmiger Satz entsteht.

Kantate Vokalkomposition mit Instrumentalbegleitung, die um 1600 in Italien als mehrteiliges, generalbassbegleitetes Sologesangsstück mit Rezitativ und Arie entstand. Während hier der Schwerpunkt auf der weltlichen Kammerkantate lag, wurde in Deutschland die Kantate Ende des 17. Jahrhunderts zu einer Hauptform der evangelischen Kirchenmusik (Kirchenkantate), bei der ein Chorsatz dem Wechsel von Rezitativ und Arie vorangestellt ist und ein mehrstimmiger Choral den Abschluss bildet. Als bedeutendster Meister der Kantate gilt Johann Sebastian Bach.

Kantilene sanglich geführte, lyrische Melodie in Vokal- und Instrumentalmusik, meist in getragenem Zeitmaß.

Kassation in der Musik des 18. Jahrhunderts Bezeichnung für ein mehrsätziges Werk für mehrere, meist solistisch besetzte Instrumente. Cassatio, Divertimento, Serenade und Notturno wurden häufig synonym verwendet.

Kavatine, Cavatina kurzes, schlichtes Gesangsstück innerhalb der Oper oder des Oratoriums. Im 19. Jahrhundert wurde die Bezeichnung Kavatine auch auf sangliche Instrumentalsätze übertragen.

Kirchensonate, Sonata da Chiesa im 17. Jahrhundert in Italien aufkommendes, für die Kirche bestimmtes Instrumentalstück. Es besteht in der Regel aus vier tonartlich verwandten Sätzen in der Folge langsam–schnell–langsam–schnell. Dabei sind die langsamen Sätze meist homofon oder imitatorisch, die schnellen fugiert angelegt. Die Sätze sind durch einheitliches motivisches Material miteinander verbunden.

Kirchentonarten Tonskalen im Umfang einer Oktave, die vom Mittelalter bis ins 16. Jahrhundert hinein Grundlage der Komposition waren. Sie beginnen auf verschiedenen Grundtönen, wodurch sich die Position der Halbtonschritte verschiebt, da nicht wie im

Dur-Moll-System Erhöhungen oder Erniedrigungen von Tonstufen vorgenommen werden. Jeder Tonart wird somit eine ihr eigentümliche Färbung verliehen.

Die Kirchentonarten sind: dorisch (beginnend mit dem Ton d), phrygisch (e), lydisch (f), mixolydisch (g), äolisch (a) und ionisch (c). Sie wurden seit dem ausgehenden 16. Jahrhundert zunehmend vom Dur-Moll-System abgelöst.

Klarinette Holzblasinstrument mit einfachem Rohrblatt und zylindrischer Röhre. Die Klarinette deutschen Systems hat zur Veränderung der Tonhöhe in der Regel 22 Klappen und fünf Ringe. Am gebräuchlichsten ist die B-Stimmung; Umfang des/d–b^3.

Die Klarinette gehört seit der Mitte des 18. Jahrhunderts zur Standardbesetzung des Orchesters und wird daneben vielfach solistisch (u. a. Konzerte von Wolfgang Amadeus Mozart, Paul Hindemith und Aaron Copland) und kammermusikalisch (z. B. Klarinettenquintette von Mozart und Johannes Brahms) eingesetzt.

Klassik Bezeichnung für eine geistesgeschichtliche Epoche, die von nachfolgenden Zeiten als vorbildhaft, normbildend und kanonisch anerkannt wird. Da die Musik nicht wie Literatur, Malerei, Skulptur oder Architektur auf eine »antike Klassik« zurückblicken kann, ist der Begriff hier kaum präzise bestimmbar. Seit dem frühen 19. Jahrhundert bezieht man ihn auf die →Wiener Klassik.

Klavier seit 1800 Bezeichnung für Tasteninstrumente, deren Saiten durch Hämmerchen angeschlagen werden. Wegen der Möglichkeit des Laut-leise-Spiels wurden diese Instrumente – in Abgrenzung zum statischen Klang des Cembalos – auch Fortepiano oder Pianoforte (Kurzform: Piano) genannt.

Heute sind grundsätzlich zwei Hauptformen zu unterscheiden: der Flügel und das Pianino, das seit der zweiten Hälfte des 19. Jahrhundert auch als »Klavier« schlechthin gilt.

Klavierauszug seit Mitte des 18. Jahrhunderts Bearbeitung eines zunächst nicht für das Klavier komponierten Musikstücks (Sinfonie, Kammermusik, Oper u. a.) zur Wiedergabe auf dem Klavier, um z. B. ein Werk bei Proben ohne Orchester begleiten zu können. Für sinfonische Musik gibt es auch Klavierauszüge in der Bearbeitung zu vier Händen.

Klaviertrio aus Klavier und zwei weiterer Instrumente, vorzugsweise Violine und Violoncello, bestehendes Ensemble; auch Bezeichnung für ein Werk für diese Besetzung, z. B. Ludwig van Beethoven, Trio für Klavier, Violine und Violoncello D-Dur op. 70, Nr. 1 (1808), das »Geistertrio«.

Köchelverzeichnis Abkürzung: KV, das von Ludwig Ritter von Köchel 1862 herausgebende »Chronologisch-thematische Verzeichnis sämtlicher Tonwerke Wolfgang Amadeus Mozarts«.

Koda → Coda.

Komposition das vom Komponisten ausgearbeitete Werk (im Unterschied zur Improvisation), das in der Regel tonschriftlich fixiert ist und mit der wiederholbaren klanglichen Ausführung rechnet.

Konsonanz ein aus zwei oder mehr Tönen bestehender Klang, der im Gegensatz zur Dissonanz als ausgeglichen und spannungslos empfunden wird. Als konsonant gelten heute neben den Intervallen Prime (Einklang), Oktave, Quinte, Quarte, Terz und Sexte auch die Akkorde Dreiklang und Sextakkord.

Kontrabass, Bass das tiefste und größte der Streichinstrumente. Es besitzt in der Regel vier Saiten im Quartabstand ($_1$E, $_1$A, D, G). Das Instrument wird mit einem kurzen Stachel auf den Boden gestellt und im Stehen oder hoch sitzend gespielt.

Kontrapunkt die Kunst, mehrere Stimmen in einer Komposition selbstständig (polyfon) zu führen, vor allem die Kunst, zu einer gegebenen Melodie, dem »Cantus firmus«, eine oder mehrere selbstständige Gegenstimmen zu erfinden.

Konzert 1. eine aus mehreren Sätzen bestehende Komposition für ein oder mehrere Soloinstrumente und Orchester;

2. öffentlicher Musikvortrag vor einem Publikum, entstanden aus dem Bedürfnis des aufstrebenden Bürgertums, an der Kunstmusik, die bis dahin dem Adel vorbehalten war, teilzuhaben. Die ersten öffentlichen Konzerte veranstalteten die 1725 gegründeten Concerts spirituels in Paris.

Krebs die rückläufige Verwendung eines Themas, einer Melodie oder eines Satzgefüges. Der Krebs und seine Umkehrung (Spiegelung der Intervalle) sind wichtige Bauprinzipien der Zwölftontechnik.

KV → Köchelverzeichnis.

Lamento seit dem 17. Jahrhundert Bezeichnung für instrumentale Stücke mit Klagecharakter.

Ländler alter bayerisch-österreichischer Werbetanz in ruhigem 3/4-Takt; er besteht aus zwei (wiederholten) Teilen zu je acht Takten. Wolfgang Amadeus Mozart und Ludwig van Beethoven verwendeten ihn in der Kunstmusik. Aus dem Ländler ging Ende des 18. Jahrhunderts der Walzer hervor.

larghetto Tempovorschrift für ein Zeitmaß, das weniger gewichtig ist als largo. – Larghetto als Satzüberschrift bezeichnet ein Musikstück in diesem Tempo.

largo Tempovorschrift: breit; gewichtiger und in der Regel langsamer als adagio. – Largo als Satzüberschrift bezeichnet ein Musikstück in diesem Tempo.

Lauf schnelle, stufenweise auf- oder absteigend gespielte Tonfolge.

Laute Oberbegriff für alle aus einem Saitenträger (Hals) und einem Resonanzkörper zusammengesetzten Saiteninstrumente, bei denen die Saitenebene parallel zur Decke des Resonators liegt. Die europäische Laute ist ein Zupfinstrument mit einem Resonanzkörper in Form einer halbierten Birne, einem kurzen, breiten Hals sowie einem abgeknickten Wirbelkasten.

legato Vortragsbezeichnung: gebunden, d.h., die aufeinanderfolgenden Töne sollen ohne Unterbrechung z.B. des Atemstroms

oder des Bogenstrichs lückenlos aneinandergereiht werden.

leggiero Vortragsbezeichnung: leicht, perlend.

lento Vortragsbezeichnung: langsam.

maestoso Vortragsbezeichnung: majestätisch, feierlich, würdevoll.

Mannheimer Schule Komponistenkreis, der am Hof des pfälzischen Kurfürsten Karl Theodor in Mannheim Mitte des 18. Jahrhunderts wirkte und entscheidend zur Ausbildung des Instrumentalstils der Wiener Klassik beitrug. Ihr bedeutendster Vertreter war Johann Stamitz.

Zu den kompositionstechnischen Neuerungen der Mannheimer Schule gehörten u.a. der Verzicht auf den Generalbass zugunsten der melodieführenden Stimme, periodisch klar gegliederte Thematik, Ausprägung zweier gegensätzlicher Themen, Orchestercrescendo und -tremolo, Einfügung des Menuetts an dritter Stelle der viersätzigen Sinfonie. Neu in der Orchesterbehandlung waren die selbstständige Verwendung der Blasinstrumente und die Vorliebe für effektvolle Motivfiguren und dynamisch kontrastierende Übergänge (»Mannheimer Crescendo«) sowie eine bis dahin nicht gekannte Orchesterdisziplin.

ma non troppo Zusatz zu Vortrags- bzw. Tempoanweisungen, der die angegebene Anweisung abschwächt, z.B. allegro ma non troppo: schnell, aber nicht zu schnell.

marcato Vortragsbezeichnung: klar, markiert, betont.

Marsch Musikstück, das durch starke, regelmäßige Akzentuierungen im geraden Takt den Gleichschritt beim Marschieren unterstützt. Der Marsch besteht in der Regel aus zwei Teilen von je 8 bis 16 Takten, seit Mitte des 18. Jahrhundert ergänzt durch ein ebenso gebautes Trio als Mittelteil in verwandter Tonart und von wärmerem Charakter.

Mehrstimmigkeit im weiteren Sinn das gleichzeitige Erklingen mehrerer Stimmen auf verschiedenen Tonstufen; im engeren Sinn synonym mit Polyfonie als Gegensatz zur Homofonie.

Melodie eine Folge von Tönen verschiedener Höhe oder verschieden großer und verschieden gerichteter Intervalle, die als Einheit aufgefasst wird. Sie kann aus symmetrisch angeordneten Gliedern bestehen, wiederkehrende Motive aufweisen, als Periode in Vorder- und Nachsatz gegliedert sein oder sich aus zwei oder mehreren Perioden zusammensetzen, aber auch ungleichmäßig gegliedert sein, verschränkt oder unterbrochen werden.

Menuett ein französischer Paartanz in mäßig raschem 3/4-Takt, der unter Ludwig XIV. zum Hof- und Gesellschaftstanz wurde. In der Kunstmusik besteht das Menuett aus einem Hauptsatz in zweiteiliger Liedform und einem ebenso gebauten, in Tonart und Melodiebildung gegensätzlichen Trio. Das Menuett wurde durch Jean-Baptiste Lully in die Kunstmusik (Oper, Ballett) eingeführt und war noch vor 1700 fester Bestandteil der Suite sowie seit etwa 1750 Bestandteil von Sonate und Sinfonie.

mesto Vortragsbezeichnung: betrübt, traurig, ernst.

Metronom Tempo- bzw. Taktmesser. Mithilfe des Metronoms kann die Anzahl der Schläge in der Minute hörbar eingestellt werden. So kann kontrolliert werden, ob im richtigen Tempo gespielt wird. Das Metronom dient normalerweise Übungszwecken. Konkrete Metronomangaben in der Notenschrift kommen zum ersten Mal bei Ludwig van Beethoven vor.

mezzo Teil von Vortragsbezeichnungen: halb, z.B. mezzoforte, mittelstark; mezzopiano, halbleise.

misterioso Vortragsbezeichnung: geheimnisvoll.

modal in der Art einer Kirchentonart, auf die Kirchentöne bezogen.

moderato Vortragsbezeichnung: mäßig; auch in Zusammensetzungen, z.B. allegro moderato, mäßig schnell. – Das Moderato ist ein Satz in diesem Zeitmaß.

Modulation der Übergang von einer Tonart in eine andere. Er wird bewirkt durch harmonische Umdeutung der Dreiklänge und durch Einführung von chromatischen, der Ausgangstonart leiterfremden Tönen, die für eine neue Tonart Leittonbedeutung haben.

Moll in der tonalen Musik das »weibliche«, »weiche« Tongeschlecht; Gegensatz: Dur. Die Molltonleiter setzt sich aus sieben Tonschritten zusammen, wobei zwischen dem 2. und 3. und je nach Art zwischen dem 5. und 7. Ton ein Halbtonschritt liegt. Der Molldreiklang ist dadurch charakterisiert, dass der Intervallabstand zwischen seinem 1. und 3. Ton eine kleine Terz ergibt.

molto Teil von Vortragsbezeichnungen: sehr, z.B. molto allegro, sehr schnell; molto legato sehr (stark) gebunden.

Moment musical kürzeres instrumentales Charakterstück ohne festgelegte musikalische Form, meist für Klavier. Die Bezeichnung begegnet erstmals im Zusammenhang mit den sechs Klavierstücken op. 94 (1828) von Franz Schubert.

monothematisch auf einem einzigen Thema beruhend.

Motiv das kleinste selbstständige Glied eines Tonsatzes, das gestaltende Bedeutung hat. Es kann Bestandteil eines Themas, einer Melodie oder einer Phrase sein, wobei die Abgrenzung der auftretenden Motive untereinander nicht immer eindeutig ist.

N O P Q

Naturtöne Töne, die auf Blasinstrumenten allein durch unterschiedliche Anblasstärke, das sogenannte Überblasen, erzeugt werden können.

Neoklassizismus um 1920 entstandene Strömung, die bestrebt war, der als übersteigert empfundenen Musiksprache der Spätromantik unter Rückgriff auf barocke und klassische Formprinzipien wieder mehr Einfachheit und Natürlichkeit des Ausdrucks entgegenzustellen. Zu ihren Vertretern zählten zeitweilig u. a. Igor Strawinsky, Sergei Prokofjew und Paul Hindemith.

neudeutsche Schule seit 1859 Bezeichnung für einen Komponistenkreis um Franz Liszt (u. a. Hans von Bülow, Peter Cornelius, Joachim Raff), der sich für die Werke (Musikdramen, sinfonische Dichtung) insbesondere von Richard Wagner, Hector Berlioz und Liszt einsetzte. Die neudeutsche Schule stand in Opposition zu den an der Wiener Klassik orientierten Komponisten wie Felix Mendelssohn Bartholdy, Robert Schumann und Johannes Brahms.

Neue Musik die Musik seit 1908, die sich programmatisch von den im 18. und 19. Jahrhundert geltenden Prinzipien der Dur-Moll-Tonalität gelöst hat. Als eigentlicher Beginn der Neuen Musik werden oft die ersten atonalen Kompositionen von Arnold Schönberg aus dem Jahr 1909 bezeichnet (»Drei Klavierstücke« op. 11).

Nocturne, Notturno 1. in der Musik des 18. Jahrhunderts ein mehrsätziges Instrumentalwerk, ähnlich der Serenade; 2. in der romantischen Klaviermusik des 19. Jahrhunderts ein einsätziges Klavierstück träumerischen (Frédéric Chopin) oder unheimlichen Charakters (Robert Schumann).

None das Intervall im Abstand von neun diatonischen Stufen, eine (große oder kleine) Sekunde über der Oktave. Der Nonakkord ist ein dissonanter Fünfklang aus Grundton, Terz, Quinte, Septime und None.

Nonett ein Musikstück für neun Soloinstrumente (selten Singstimmen), häufig in der Besetzung 1. und 2. Violine, Viola, Violoncello (oder Kontrabass), Flöte, Oboe, Klarinette, Fagott, Horn. Beispiel: Louis Spohr, op. 31, 1813. – Auch Bezeichnung für die Gruppe der Ausführenden.

Notturno →Nocturne.

Oberstimme im mehrstimmigen Satz die höchste Stimme.

Obertöne die in bestimmten Intervallabständen mit einem Ausgangston schwingenden Töne. Sie liegen höher als der Grundton und sind wesentlich leiser, sodass der aus Partialtönen zusammengesetzte Ton nicht wie ein Akkord erscheint. Anzahl, Art und Stärke der Obertöne sind entscheidend für die Klangfarbe eines Tons.

obligat Stimme, die nicht wegbleiben darf, z. B. eine Instrumentalstimme, die mit der Gesangsstimme konzertiert (obligate Violine u. a.). Gegensatz: Stimme ad libitum (die nach Belieben ausgeführt oder weggelassen werden kann).

obligates Akkompagnement eine Art der Begleitung, bei der die Begleitstimmen als selbstständige Stimmen (obligat) geführt sind, auch Melodieträger sein können und am motivisch-thematischen Geschehen teilnehmen.

Oboe ein Holzblasinstrument mit doppeltem Rohrblatt als Mundstück, enger, konischer Röhre aus Hartholz, kleiner Stürze und obertonreichem, etwas näselndem Klang. Der Tonumfang reicht von b bis f³ (c⁴).

Oktave Bezeichnung für das Intervall, das vom Grundton acht diatonische Stufen entfernt ist. Töne im Oktavabstand sind in der Tonqualität identisch und nur durch die Tonhöhe verschieden. Die Oktave kann als reines, übermäßiges oder vermindertes Intervall auftreten. Der gesamte musikalisch verwertbare Tonraum wird von C aus in Oktaven eingeteilt. – Als Oktave wird auch die Gesamtheit der in diesem Intervallbereich liegenden Töne bezeichnet.

Oktett ein Musikstück für acht Soloinstrumente, seltener Singstimmen, meist in gemischter Streicher-Bläser-Besetzung, auch Bezeichnung für die Ausführenden. Berühmte Oktette komponierten u. a. Ludwig van Beethoven, Franz Schubert und Felix Mendelssohn Bartholdy.

Opus Abkürzung: op., seit dem 15. Jahrhundert Bezeichnung für das Einzelwerk eines Komponisten, seit Ende des 16. Jahrhunderts häufig in Verbindung mit einer Zahl zur Kennzeichnung der Werke in der Reihenfolge ihres Druckes.

Orgelpunkt ein Basston, der über längere Zeit hinweg angehalten oder in bestimmtem Rhythmus ständig wiederholt wird, während sich alle anderen Stimmen harmonisch unabhängig davon bewegen. Er wird häufig als Steigerungsmittel verwendet, da durch die entstehenden Dissonanzen Spannung aufgebaut wird.

Ostinato das ständige Wiederholen einer melodischen, rhythmischen oder harmonischen Formel, meist in der tiefsten Stimme. Der im 16. Jahrhundert aufgekommene Basso ostinato ist die fortgesetzte Wiederholung einer Tonfolge oder eines Themas im Bass, zunächst in Tanzformen (z. B. Chaconne, Passacaglia), dann auch als Strophen- oder Variationenbass in Arien und in der Instrumentalmusik.

Ouvertüre instrumentales Eröffnungsstück von Opern, großen Vokalkompositionen (z. B. Oratorium) oder von Instrumentalwerken wie etwa der Suite. Die sogenannte französische Ouvertüre leitete die Ouvertürensuite ein, eine beliebte Gattung der Orchestermusik in der Barockzeit, die neben dem Einleitungssatz aus Tanzsätzen bestand. Die französische Ouvertüre hat einen dreiteiligen Aufbau mit der Folge langsam–schnell–langsam. Dabei haben die meist homofonen langsamen Abschnitte fast immer einen punktierten Rhythmus; der Mittelteil ist kontrapunktisch angelegt.

Paraphrase im 19. Jahrhundert die frei ausschmückende Bearbeitung beliebter Melodien (Lieder, Opernstücke), eine meist für Klavier geschriebene Konzertfantasie, z. B. die Paraphrase (1860) über Giuseppe Verdis Opern »Ernani« und »Rigoletto« von Franz Liszt.

Partita vom 16. bis 18. Jahrhundert Bezeichnung für einen Variationssatz, seit dem 17. Jahrhundert auch allgemein für ein Instrumentalstück oder eine Suite. Bekannt wurden vor allem die Violin- und Klavierpartiten von Johann Sebastian Bach.

Partitur Notentext, bei dem alle Stimmen eines mehrstimmigen Musikstücks (z. B. eines Orchesterwerks) getrennt untereinander aufgezeichnet sind. Die übersichtliche Zusammenfassung der Stimmen ermöglicht eine schnelle Orientierung über zeitgleich ablaufende Klangereignisse.

Passacaglia im 17./18. Jahrhundert eine Variationskomposition über einer ständig wiederholten vier- oder achttaktigen Bassfigur (Basso ostinato). Besonders bekannt wurden die Passacaglien für Orgel von Johann Sebastian Bach, Dietrich Buxtehude und später Max Reger.

Im Bereich der Neuen Musik bedeutet Passacaglia Allgegenwart des Themas, z. B. bei Arnold Schönberg, ›Die Nacht‹ (in: ›Pierrot lunaire‹, 1912)

Passage rasche, virtuose auf- oder absteigende Tonfolge in solistischer Instrumental- und Vokalmusik.

Pastorale Hirtenstück, eine vom Schäferspiel ausgehende Operngattung. In der Instrumentalmusik finden sich Pastoralsätze mit charakteristischem 6/8-Takt und häufiger Imitation von Schalmeienmelodik u. a. bei Arcangelo Corelli, Johann Sebastian Bach und Georg Friedrich Händel.

Pause das zeitweilige Schweigen einer, mehrerer oder aller Stimmen innerhalb eines Musikstücks und das Zeichen dafür in der Notenschrift.

Pentatonik fünfstufiges Tonsystem sowie das Musizieren mit fünfstufigen Tonleitern. Die halbtonlose (anhemitonische) Pentatonik bildet das Tonsystem von klanglich orientierter Musik und kommt vor allem in der Musik der Südsee, Ostasiens und Afrikas, aber auch in einigen europäischen Volks- und Kinderliedern als Restgut der ursprünglich pentatonischen Musik des nördlichen Europa vor.

Periode ein in sich geschlossener, meist achttaktiger Abschnitt, der in einen Vorder- und einen oft ähnlich gebauten Nachsatz gegliedert ist; zwei Takte bilden eine Phrase, zwei Phrasen einen Halbsatz, zwei Halbsätze eine Periode.

Phrase eine melodische Sinneinheit, die aus mehreren Einzeltönen oder Motiven besteht. Mehrere Phrasen in symmetrischer Anordnung ergeben eine musikalische Periode.

Phrasierung die Sinngliederung eines Stücks, d. h. die dem musikalischen Sinn gemäße Abgrenzung und Verbindung der Einzelteile (Motiv, Phrase, Periode), aus denen ein zusammenhängender Satz besteht.

piano musikalische Vortragsbezeichnung: leise, schwach. pianissimo, sehr leise; piano pianissimo, so leise wie irgend möglich. Auch in Zusammensetzungen: più piano, leiser, schwächer; mezzopiano, halbschwach; fortepiano, laut und sofort wieder leise.

Pianoforte →Klavier.

Piccoloflöte, Pikkoloflöte eine →Querflöte.

pizzicato spieltechnische Anweisung bei Streichinstrumenten: die Saiten mit den Fingern zu zupfen, anstatt mit dem Bogen zu streichen.

Polka Paartanz in lebhaftem 2/4-Takt. In der Kunstmusik wurden der Tanz sowie sein rhythmisches Muster v. a. von Bedřich Smetana und Antonín Dvořák verwendet.

Polonaise ein ruhiger Schreittanz im Dreiertakt, der im 16. Jahrhundert als Volkstanz in Polen enstand. Als Instrumentalstück im 3/4-Takt erscheint die Polonaise seit seit dem 17. Jahrhundert vor allem in der Klaviermusik. Frédéric Chopin führte sie zu einem Höhepunkt.

Polyfonie die Mehrstimmigkeit einer Komposition, bei der jeder Stimme selbstständige melodische Bedeutung zukommt; Gegensatz: Homofonie.

Präludium, Prélude seit dem späten 15. Jahrhundert ein einleitendes instrumentales Vorspiel vor allem für Tasteninstrument oder Laute, auf das beispielsweise eine Fuge (z. B. bei Johann Sebastian Bach) oder ein Suitensatz folgt. Im 19. und 20. Jahrhundert eine selbstständige, oft virtuose Komposition in

freier Fantasieform, u. a. bei Franz Liszt, Frédéric Chopin und Claude Debussy.

presto Tempobezeichnung: sehr schnell; prestissimo: äußerst schnell. – Presto findet sich als charakteristische Satzbezeichnung seit Ende des 18. Jahrhunderts vor allem bei Schlusssätzen von Sinfonien.

Prime die erste Stufe, der Ausgangs- und Grundton einer Tonleiter oder eines Akkords. Bei der Prime als Intervall unterscheidet man reine Prime (Einklang, z. B. c–c), übermäßige Prime (c–cis, c–ces) und doppelt übermäßige Prime (c–cisis, c–ceses, cis–ces).

Primgeige die erste Geige im Streichquartett oder in einer Kammermusikgruppe.

primo 1. bei mehreren gleichen Instrumenten das erste, führende Instrument, z. B. Violino primo, beim vierhändigen Klavierspiel der Spieler des Diskantparts; der Spieler der Basshälfte wird »secondo« genannt;
2. tempo primo, Spielanweisung innerhalb eines Satzes, zum ersten Tempo (Anfangstempo) zurückzukehren.

Programmmusik Instrumentalmusik, der ein »Programm«, also ein außermusikalischer Inhalt zugrunde liegt, im Gegensatz zur absoluten Musik. Durch das Programm, das ein literarisches Sujet, ein Kunstwerk, eine Idee, Erlebnisse oder Naturdarstellungen sein kann, soll die Fantasie des Hörers in eine bestimmte Richtung gelenkt werden. Die Gattung der Programmmusik im eigentlichen Sinn schuf Hector Berlioz mit sinfonischen Dichtungen; Hauptvertreter waren u. a. Franz Liszt, Bedřich Smetana und Richard Strauss.

Quarte Bezeichnung für das Intervall, das ein Ton mit einem vier diatonische Stufen entfernt gelegenen Ton bildet (z. B. c–f). Die Quarte kann als reines, vermindertes (c–fes) oder übermäßiges Intervall (c–fis) auftreten.

Quartett Komposition für vier Instrumente oder Singstimmen und Bezeichnung für die vier Ausführenden. Zur bedeutendsten Quartettform entwickelte sich seit der ersten Hälfte des 18. Jahrhunderts das Streichquartett (zwei Geigen, Bratsche, Violoncello). Die

Streichquartette Joseph Haydns, Wolfgang Amadeus Mozarts und Ludwig van Beethovens sind Höhepunkte der europäischen Musik.

Querflöte, Traversflöte die Flöte des modernen Orchesters, die im Unterschied zur Lang- oder Längsflöte quer zur Körperqachse gehalten wird. Sie ist das beweglichste und im Hinblick auf die Tonerzeugung einfachste Holzblasinstrument. Am gebräuchlichsten ist die Querflöte in C, auch als Große Flöte bezeichnet (Umfang c^1 [h] bis d^4 [f^4]). Kleinster Vertreter ist die Piccoloflöte in C, seltener Des (Umfang in C: d^2-b^4); ferner gibt es die Altflöte in G und die Bassflöte in C.

Quinte Bezeichnung für das Intervall, das ein Ton mit einem fünf diatonische Stufen entfernt gelegenen Ton bildet (z. B. c–g). Die Quinte kann als reines, vermindertes (c–ges) oder übermäßiges Intervall (c–gis) auftreten.

Quintett Bezeichnung für eine Komposition für fünf solistische Instrumental- oder Vokalstimmen sowie für das ausführende Ensemble. Gegenüber dem Streichquartett ist das Streichquintett durch eine Viola oder ein Violoncello, selten durch einen Kontrabass erweitert. Im Bläserquintett tritt zu den Holzblasinstrumenten des Bläserquartetts das Horn. Berühmt ist das »Forellenquintett« für Klavier, Violine, Viola, Violoncello und Kontrabass A-Dur op. 114 (D667, 1819) von Franz Schubert.

Quodlibet die Verknüpfung von vorgegebenen Liedzitaten und den dazugehörigen Texten in einer meist scherzhaft gemeinten Komposition oder improvisierten Darstellung. Im 17. und 18. Jahrhundert erscheint das Quodlibet vereinzelt auch als Instrumentalmusik; ein berühmtes Beispiel ist das Schlussstück der ›Goldberg-Variationen‹ (1742) von Johann Sebastian Bach.

R S T

Refrain der regelmäßig, meist am Ende einer Strophe, wiederkehrende Teil innerhalb eines Strophenlieds. Auf die Instrumentalmusik übertragen kommt er im Rondo als Anfangsteil, der später mehrmals unverändert wiederkehrt, vor.

Reihe in der Zwölftontechnik die für jede Komposition neu gewählte und in ihr stets beibehaltene Reihenfolge aller zwölf Töne des temperierten Systems.

Reprise die Wiederkehr eines Satzteils innerhalb einer Komposition, z. B. in der Sonatensatzform die Wiederaufnahme des ersten Teils (Themenaufstellung) nach der Durchführung, in Märschen und Tänzen mit Trio die Wiederholung des Hauptsatzes nach dem Trio.

Requiem in der katholischen Kirche die Eucharistiefeier im Rahmen der Begräbnisliturgie, benannt nach dem Anfangswort ihres Introitus: »Requiem aeternam dona eis, Domine« (»Herr, gib ihnen die ewige Ruhe«). Bis zur Wiener Klassik ist das Requiem vom (oft mehrchörigen) Messestil der Italiener geprägt (Marc-Antoine Charpentier, Alessandro Scarlatti). Höhepunkt der Requiemvertonung im 18. Jahrhundert ist Wolfgang Amadeus Mozarts (unvollendetes) Requiem; überragend im 19. Jahrhundert: Luigi Cherubinis »Messe de Requiem« (1816), die »Grande messe des morts« (1837) von Hector Berlioz und Giuseppe Verdis »Messa da Requiem« (1874).

Rezitativ solistischer Sprechgesang, bei dem der Text im Vordergrund steht. Die Musik hat lediglich unterstützende Funktion oder deutet die im Text dargestellten Affekte aus. Das Rezitativ entstand mit der Oper Ende des 16. Jahrhunderts in Florenz. Das instrumentale Rezitativ ist in seinem redenden Charakter, seinen Formeln und Wendungen dem vokalen Rezitativ nachgebildet. Nennenswert sind vor allem die Rezitative von Carl Philipp Emanuel Bach (1. Preußische Sonate, 1742) und Ludwig van Beethoven (Klaviersonate d-Moll op. 31,2, 1804; 9. Sinfonie, 1824).

Rhapsodie Vokal- oder Instrumentalkomposition in freier, gleichsam balladenhaft erzählender Form; seit Franz Liszt werden darin meist Volksmelodien stark nationaler Eigenart verarbeitet. Beispiele: Liszt, »Ungarische

Rhapsodien« (1851ff.); Antonín Dvořák, »Slawische Rhapsodien« (1878).

Rhythmik die Lehre vom Rhythmus oder Bezeichnung für sämtliche rhythmische Aspekte in einem Musikstück.

Rhythmus grundlegendes musikalisches Strukturelement, das die Ordnung, Gliederung und sinnfällige Gestaltung des zeitlichen Verlaufs von Klangereignissen umfasst.

Ricercar Instrumentalkomposition, seit Anfang des 16. Jahrhunderts zunächst in der Lautenmusik als Intonationsstück nach dem Stimmen des Instruments belegt. Um 1523 von der Orgelmusik aufgegriffen, übernahm das Ricercar zunehmend die Form der durchimitierenden Motette. Das Ricercar war eine Vorform der Fuge.

Rigaudon französischer Reihen- und Paartanz in lebhaftem 2/4- und 4/4-Takt mit Auftakt, der als Hoftanz Eingang in die Suite fand.

ritardando Vortragsbezeichnung: langsamer werdend, verzögernd.

Ritornell 1. der mehrfach wiederholte Teil eines Musikstücks, etwa in einem Rondo; 2. im Instrumentalkonzert des 18. Jahrhunderts Bezeichnung für die Tuttiabschnitte.

Romantik Bezeichnung für die Musik des Zeitraums etwa von 1820 bis 1910. Sie ist mit ihren äußerst unterschiedlichen Stilprägungen und Ideen kaum als Epoche einzugrenzen. Kennzeichnend ist jedoch allgemein die ständige Erweiterung und Ausdifferenzierung von Melodie, Harmonik, Klanglichkeit und Rhythmik, um dem persönlichen Empfinden, auch Übersinnlichem und Märchenhaftem, einen möglichst individuellen Ausdruck verleihen zu können. Damit grenzt sich die Romantik vom Streben der Klassik nach Allgemeingültigkeit ab. Die Verbindung zwischen Musik und Sprache sowie außermusikalischen Inhalten überhaupt gewinnt Raum, sodass neue musikalische Gattungen bevorzugt werden und entstehen: Das Lied und die Oper werden präsenter als zuvor, die sinfonische Dichtung bildet sich heraus.

Romanze in der Instrumentalmusik seit der zweiten Hälfte des 18. Jahrhunderts ein stimmungsvolles, frei gestaltetes Musikstück von schwärmerischer Grundhaltung, besonders als langsamer Sinfoniesatz, Konzertstück für Violine und Orchester (z.B. Ludwig van Beethoven, Romanze für Violine und Orchester op. 40 und 50) oder Klavierstück.

Rondo, Rondeau eine Reihungsform, die vorwiegend in der Instrumentalmusik, aber auch in Vokalwerken vorkommt. Das Rondo besteht aus einem einprägsamen, später mehrmals unverändert wiederkehrenden Anfangsteil (Refrain) und immer neuen eingeschobenen Zwischenteilen (Couplets); schematischer Aufbau: ABACADA ...

rubato →Tempo rubato.

Salonmusik zunächst die seit etwa 1800 in den gehobenen Pariser Salons vorgetragene Musik, meist für Klavier, später die Musik der großbürgerlichen Salons. Kennzeichen waren sinnliche Eingängigkeit, bravouröses Gehabe und sentimentale Titel. Ein Prototyp ist das »Gebet einer Jungfrau« (1851) von Tekla Bądarzewska-Baranowska.

Sarabande aus Spanien stammender langsamer Schreittanz, der von 1650 bis 1750 fester Bestandteil der Suite war. Er steht im 3/2- oder 3/4-Takt und hat zwei Teile, die jeweils wiederholt werden. Besonders kunstvolle Sarabanden finden sich im Klavierwerk Johann Sebastian Bachs.

Satz 1. selbstständiges Stück eines instrumentalen zyklischen (»mehrsätzigen«) Werkes (z.B. der erste, zweite usw. Satz einer Sonate, Sinfonie); 2. die Art, in der ein Tonstück ausgearbeitet ist, die mehrstimmige Setzweise.

Saxofon ein von Antoine Joseph Sax um 1840 entwickeltes Blasinstrument aus Metall mit Klarinettenmundstück und weiter, stark konischer Mensur. Es wird heute in acht Größen gebaut, vom Sopranino in Es oder F bis zum Subkontrabass in B oder C.

scherzando Vortragsbezeichnung: scherzend.

Scherzo 1. ein Instrumentalstück heiteren Charakters, z. B. Johann Sebastian Bach, Partita a-Moll, BWV 827, 6. Satz;
2. ein rascher Satz im 3/4-Takt mit Trio, der sich aus dem Menuett entwickelte, dessen Form übernahm und im Sonatenzyklus an der gleichen Stelle erschien. Scherzi begegnen erstmals in Joseph Haydns Streichquartetten op. 33 (1781). – Im 19. Jahrhundert kommen selbstständige (meist virtuose) Klavier- und Orchesterstücke mit der Bezeichnung Scherzo vor (z. B. von Frédéric Chopin).

Schlagzeug im Orchester die Gruppe der Schlaginstrumente, u. a. große und kleine Trommel, Becken, Triangel, Rasseln, Gong, Tamtam, Kastagnetten, Röhrenglocken, Xylofon sowie Celesta. Mit dem Orchesterschlagzeug werden Rhythmen, Geräusche oder Geräuschkomplexe, auch Melodien und Harmonien erzeugt.

Schluss das Ende eines Musikstücks, das formelhaft durch eine Kadenz oder Klausel herbeigeführt wird.

Scordatura, Skordatur die von der Normalstimmung (Accordatura) abweichende Stimmung von Saiteninstrumenten, besonders von Laute und Violine. Sie soll das Spiel ungewöhnlicher Passagen und Akkorde erleichtern und besondere Klangfarben erzeugen. Beispiel: Johann Sebastian Bach, 5. Suite für Violoncello solo BWV 1011.

secondo →primo.

Seitenthema Bezeichnung für das zweite Thema bzw. die zweite Themengruppe in der Sonatensatzform. Das Seitenthema steht in der Regel innerhalb der Exposition in der Dominante oder, wenn das Stück in Moll steht, in der Tonikaparallele. Bei der Wiederkehr innerhalb der Reprise erscheint es dann in der Haupttonart. In Sinfonien und Sonatensätzen des 19. Jahrhunderts steht das Seitenthema häufig auch in anderen, oft weit entfernten Tonarten.

Sekunde Bezeichnung für das Intervall, das ein Ton mit seinem diatonischen Nachbarton bildet. Man unterscheidet große Sekunden (z. B. c–d), entsprechend einem Ganzton, und kleine Sekunden (z. B. c–des), entsprechend einem Halbton. Die übermäßige Sekunde (z. B. c–dis) klingt, enharmonisch umgedeutet, wie die kleine Terz (c–es), die verminderte Sekunde (z. B. cis–des) wie die Prime.

sempre Teil von Vortragsbezeichnungen: Immer, z. B. sempre legato, immer gebunden.

Septakkord aus drei übereinanderliegenden Terzen aufgebauter Akkord (Beispiel: c–e–g–b). Die Komponisten der Spätromantik bevorzugten den verminderten Septakkord, weil er nach mehreren Tonarten hin aufgelöst werden kann.

Septett Bezeichnung für ein Ensemble aus sieben Instrumentalsolisten oder Sängern bzw. für die von ihnen auszuführende Komposition. Das Instrumentalseptett setzt sich in der Regel aus Streich- und Blasinstrumenten, häufig auch mit Klavier, zusammen. Beispiel: Ludwig van Beethoven, Septett Es-Dur op. 20 (1800) für Violine, Viola, Klarinette, Horn, Fagott, Violoncello, Kontrabass. Ein reines Bläserseptett schrieb Paul Hindemith (1948), ein reines Streichseptett Darius Milhaud (1964).

Septime Bezeichnung für das Intervall, das ein Ton mit einem sieben diatonische Stufen entfernt gelegenen Ton bildet. Man unterscheidet die große (z. B. c–h), die kleine (c–b), die übermäßige (c–his, klanglich gleich der Oktave) und die verminderte Septime (cis–b, klanglich gleich der großen Sexte).

Sequenz Tonfolge, die auf verschiedenen Stufen (höher oder tiefer) einmal oder mehrere Male wiederholt wird.

Serenade gattungsmäßig nicht festgelegte Komposition ständchenhaften Charakters für kleinere instrumentale, vokale oder gemischte Besetzungen. Sie gehörte zur höfischen bzw. bürgerlichen Gesellschaftsmusik und diente je nach Anlass als Huldigungs-, Freiluft-, Tafel-, Abend- oder Nachtmusik. Instrumentalserenaden komponierten seit dem späten 18. Jahrhundert u. a. Ludwig van Beethoven, Johannes Brahms (op. 11, 1858; op. 16, 1860), Antonín Dvořák, Max Reger und Arnold Schönberg.

serielle Musik um 1950 entwickelte Kompositionstechnik innerhalb der Neuen Musik, die in konsequenter Weiterentwicklung der Reihentechnik der Zwölftonmusik darauf abzielt, alle musikalischen Strukturelemente eines Werkes nach vorher festgelegten Gesetzmäßigkeiten (Zahlen-, Proportionsreihe) zu ordnen, sodass sich jeder Ton mit möglichst allen seinen Eigenschaften (z.B. Tonhöhe, Oktavlage, Tondauer, Klangfarbe, Lautstärke, Artikulation) aus dem einmal gewählten rationalen Ordnungsprinzip ergibt.

Sextakkord ein aus Grundton, Terz und Sext bestehender Akkord (Beispiel: c–e–a). Er ergibt sich durch die erste Umkehrung eines Dreiklangs mit der Terz als tiefstem Ton (Grundakkord für obiges Beispiel: a–c–e).

Sexte Bezeichnung für das Intervall, das ein Ton mit einem sechs diatonische Stufen entfernt gelegenen bildet. Man unterscheidet die große (z.B. c–a), die kleine (c–as), die übermäßige (c–ais, klanglich gleich der kleinen Septime) und die verminderte Sexte (cis–as, klanglich gleich der Quinte).

Sextett Bezeichnung für ein Ensemble aus sechs Instrumentalsolisten (Streicher oder Bläser; seltener gemischt) oder Sängern sowie für die von ihnen auszuführende Komposition. Im 18. Jahrhundert waren die Bläsersextette mit je zwei Oboen, Hörnern und Fagotten (u.a. Joseph Haydn, Wolfgang Amadeus Mozart) beliebt, daneben auch die Besetzung Streichquartett mit zwei Hörnern. Im 19. Jahrhundert wurde das reine Streichsextett mit je zwei Violinen, Bratschen und Violoncelli bevorzugt (u.a. Johannes Brahms, Peter Tschaikowski, Arnold Schönberg).

sforzato Vortragsbezeichnung: stark betont, hervorgehoben; die Bezeichnung gilt nur für jeweils einen Ton oder Akkord.

Siciliano tanzartiges Vokal- oder Instrumentalstück des 17./18. Jahrhunderts in zunächst schnellem, ab 1700 in langsamerem 6/8- oder 12/8-Takt mit wiegendem, punktiertem Rhythmus. Er begegnet im 18. Jahrhundert auch in der Klavier-, Kammer- und Orchestermusik, u.a. bei Arcangelo Corelli, Georg Friedrich Händel und Johann Sebastian Bach.

Sinfonie, Symphonie größere Orchesterkomposition, eine der wichtigsten Gattungen der Instrumentalmusik. Sie entwickelte sich im 18. Jahrhundert aus der Sinfonia, dem Einleitungsstück der neapolitanischen Opera seria. In ihrer klassischen Gestalt besteht die Sinfonie in der Regel aus vier Sätzen: Allegro (in Sonatensatzform), Andante oder Adagio (in Liedform), Menuett oder Scherzo, Allegro. Joseph Haydn, der eigentliche Schöpfer der klassischen Sinfonie, erhob die Gattung zu europäischem Rang.

Sinfonietta Bezeichnung für kleinere sinfonische Werke, z.T. mit kleinerer Orchesterbesetzung oder verringerter Satzzahl, u.a. bei Leoš Janáček, Max Reger und Luciano Berio.

sinfonische Dichtung um 1850 entstandene Gattung der orchestralen Programmmusik, die begrifflich fassbare Inhalte in Musik übersetzt. Die sinfonische Dichtung besteht meist aus einem Satz oder aus einer lockeren Folge von Einzelsätzen. Sie gestaltet außermusikalische Gedanken (Themen der Literatur oder Malerei, Landschaftseindrücke oder persönliche Erfahrungen des Komponisten) im Sinn der Programmmusik klanglich nach. Die etwa hundertjährige Geschichte der sinfonischen Dichtung begann mit Franz Liszts ›Bergsinfonie‹ (1850). In Deutschland erlebte die sinfonische Dichtung mit den zehn ›Tondichtungen‹ von Richard Strauss vor und nach 1900 ihren Höhepunkt.

Skala →Tonleiter.

Skordatur →Scordatur.

Solo 1. solistisch auszuführende, meist technisch besonders anspruchsvolle Vokal- oder Instrumentalstimme mit oder ohne Begleitung;

2. ein nur von einem Solisten vorzutragendes Musikstück.

Sonata da Camera →Kammersonate.

Sonata da Chiesa →Kirchensonate.

Sonate seit dem 17. Jahrhundert Bezeichnung für eine meist mehrsätzige, zyklisch angelegte Instrumentalkomposition in kleiner oder solistischer Besetzung. Die Klavier- wie die Violinsonate der Wiener Klassiker ist gekennzeichnet durch thematische Arbeit, klaren periodischen und modulatorischen Aufbau, in der Regel Dreisätzigkeit und Gliederung des Kopfsatzes nach dem harmonisch-formalen Prinzip der Sonatensatzform.

Sonatensatzform, Sonatenhauptsatzform seit der zweiten Hälfte des 18. Jahrhunderts Bezeichnung für das Formmodell vor allem des ersten Satzes von Sonaten, Sinfonien und Kammermusikwerken. In der Regel gliedert sich der Sonatensatz in Exposition, Durchführung und Reprise, der sich eine Coda anschließen kann. Am Beginn kann eine langsame Einleitung stehen. Die Exposition ist in Hauptsatz mit dem ersten Thema in der Grundtonart, Überleitung und Seitensatz mit dem zweiten Thema in einer anderen Tonart unterteilt und wird oft durch einen Epilog abgeschlossen. Die Durchführung bringt eine Verarbeitung des thematischen Materials der Exposition mit Modulationen in entferntere Tonarten. Ihr folgt die Reprise mit der Wiederaufnahme der Elemente der Exposition.

Sonatine eine z. T. nur zweisätzige, leicht spielbare Sonate mit meist kurzer Durchführung.

Sordino →Dämpfer.

sostenuto Vortrags- und Tempobezeichnung: ursprünglich wie tenuto das gleichmäßige Fortklingenlassen eines Tons; später als Zusatz bei Tempoangaben ein etwas langsameres Zeitmaß, z. B. andante sostenuto.

staccato Vortragsbezeichnung: abgestoßen, d. h., die aufeinanderfolgenden Töne sollen deutlich voneinander getrennt werden; Gegensatz: legato.

Stimmführung im mehrstimmigen Satz die Führung der einzelnen Stimmen im Verhältnis sowohl zu sich selbst als auch zu den anderen Stimmen und zum Zusammenklang. Die Stimmführung berücksichtigt die Bedeutung, Qualität und Funktion der Stimme sowie den für eine Stimme verfügbaren Raum in satztechnischer oder gesangstechnischer Hinsicht.

Stimmung 1. das Festsetzen und Einstellen der Tonhöhe bei einem Instrument (z. B. der Verhältnisse der Saiten zueinander);

2. die Art und Weise der Einteilung der Oktave. Die sogenannte gleichschwebende, temperierte Stimmung, die seit Johann Sebastian Bach verwendet wird, geht von zwölf gleich großen Halbtönen innerhalb der Oktave aus.

Streichquartett kammermusikalisches Ensemble aus zwei Violinen, Viola und Violoncello; auch Bezeichnung für ein Werk für diese Besetzung. Das Streichquartett gilt als anspruchsvollste Form klassischer Instrumentalmusik, sowohl wegen der auf die Vierstimmigkeit und den homogenen Streicherklang gegründeten Ausdrucks- und Kommunikationsfähigkeit als auch wegen der Teilhabe aller Instrumente am charakteristischen Wechsel von solistischem Hervortreten und gegenseitiger Unterordnung. Es löste nach der Mitte des 18. Jahrhunderts die bislang führende kammermusikalische Gattung Triosonate ab. Begründer war Joseph Haydn (Streichquartette op. 9, 17 und 20 (Hob. III: 19–36; 1770–72).

Streichquintett aus fünf Streichinstrumenten bestehendes Ensemble, meist ein Streichquartett mit einer Bratsche oder Violine, selten auch mit einem Kontrabass. Beispiel Franz Schubert, Streichquintett C-Dur D 956 für 2 Violinen, Bratsche und 2 Celli.

Streichtrio Ensemble für drei Streichinstrumente, meist Violine, Viola und Violoncello. Das Streichtrio ist eine der beiden häufigsten Triobesetzugen in der Kammermusik, z. B. die Streichtrios von Joseph Haydn, Ludwig van Beethoven und Franz Schubert.

Stretta ein besonders effektvoll gestalteter Satzabschluss, meist verbunden mit einer Beschleunigung des Tempos.

Suite ein mehrsätziges Instrumentalstück, das aus einer Folge von Tanzstücken gegensätzlicher Art und Bewegung, aber überwiegend gleicher Tonart besteht. Es wurde

Mitte des 17. Jahrhunderts in der Grundanordnung Allemande, Courante, Sarabande, Gigue eine Hauptform der Klaviermusik. Unter französischem Einfluss wurde die Suite bald durch weitere Tanzstücke wie Gavotte, Passepied, Bourrée, Menuett, Rigaudon, Polonaise, durch liedartige Sätze (Air) und Variationen (Double) einzelner Sätze erweitert. Die seit Jean-Baptiste Lully beliebte Ouvertürensuite wird durch eine französische Ouvertüre eingeleitet.

sul ponticello Vortragsbezeichnung, mit der bei Streichinstrumenten das Streichen nahe am Steg (Ponticello) verlangt wird; es ergibt einen harten Ton.

Symphonie →Sinfonie.

Synkope rhythmische Verschiebung gegenüber der regulären Taktordnung, in der Regel die Bindung eines unbetonten an den folgenden betonten Zeitwert, z. B. über die Taktgrenze hinweg.

Takt die Einteilung eines Ablaufs von Tönen in eine meist regelmäßig wechselnde Folge betonter (schwerer) und unbetonter (leichter), in der Regel gleich langer Zeiteinheiten (Taktteile) und ihre Zusammenfassung in Gruppen gleich langer Dauer. Die Gliederung ist dann entweder zwei- oder vierteilig (gerade) oder dreiteilig (ungerade). Den Nachdruck erhält jeweils der erste, »schwere«, »gute« Taktteil.

Tempo das Zeitmaß, das den Geschwindigkeitsgrad eines Musikstücks bestimmt. Grundlegende Maßeinheit ist die Zählzeit bzw. Schlagzeit beim Dirigieren. Als mittleres Tempo gelten etwa 60–80 Zählzeiten bzw. Schlagbewegungen pro Minute.

Tempobezeichnungen Vorgaben des Tempos, die vom Komponisten in Worten, meist in italienischer Sprache, oder anhand von Metronomzahlen gemacht werden.

Tempo rubato die freie Behandlung des Tempos innerhalb eines Stücks zur Steigerung des musikalischen Ausdrucks bei gleichbleibender Grundbewegung in der Begleitung (gebundenes Tempo rubato) oder auf das Zeitmaß im Ganzen bezogen (freies Tempo rubato).

Terz das Intervall, das ein Ton mit einem drei diatonische Stufen entfernt gelegenen bildet. Man unterscheidet: große (c–e), kleine (c–es), übermäßige (c–eis, klanglich gleich der Quarte) und verminderte Terz (cis–es, klanglich gleich der großen Sekunde).

Thema ein prägnanter musikalischer Gedanke, der als tragender Formteil eines Stücks wesentlich auf Wiederkehr, Bearbeitung und Verarbeitung hin angelegt ist.

thematische Arbeit Kompositionsverfahren, bei dem über längere Strecken eines Satzes hin Motive des Themas abgewandelt, umgruppiert und kombiniert werden, z. B. die Streichquartette op. 33 (1781) von Joseph Haydn.

Toccata seit dem 16. Jahrhundert Bezeichnung für ein frei, fast improvisatorisch aus Akkorden und Läufen gestaltetes Stück für ein Soloinstrument, meist ein Tasteninstrument. Im 17./18. Jahrhundert entwickelte sich die Toccata zu einem groß angelegten Stück, dessen Teile abwechselnd von frei schweifender, virtuoser Spielfreude und vom streng fugierten Satz bestimmt sind (Höhepunkt bei Johann Sebastian Bach, z. B. »dorische« Toccata, BWV 538).

Tonalität die Bezogenheit von Tönen und Akkorden auf ein Zentrum sowie ihre Funktion und Rangordnung innerhalb dieses Bezugssystems. Tonalität prägt sich harmonisch durch ein gestuftes System von Akkordbeziehungen aus: Die sogenannten Hauptfunktionen Tonika (Dreiklang der I. Stufe), Subdominante (Dreiklang der IV. Stufe) und Dominante (Dreiklang der V. Stufe) bestimmen die Tonart, wobei die Tonika als übergeordnetes Zentrum fungiert.

Tonart die Bestimmung des Tongeschlechts als Dur oder Moll auf einer bestimmten Tonstufe. In der abendländischen Musik der Neuzeit wurden die Tonarten durch die Tonleiter (melodisch) und die Kadenz (harmonisch) dargestellt. Bestimmend für Dur ist die große Terz eines Dreiklangs (z. B. c–e–g), für

Moll die kleine Terz (a–c–e). Grundskalen sind C-Dur und a-Moll.

Tonika der Grundton einer Tonart, die nach ihm benannt wird, z. B. C-Dur nach C, a-Moll nach A. Der Tonikadreiklang (z. B. c–e–g in C-Dur) ist in der tonalen Musik Ausgangs- und Bezugspunkt des harmonischen Geschehens.

Tonleiter, Skala die stufenweise in jeweils bestimmten Intervallabständen angeordnete Abfolge von Tönen innerhalb eines Tonsystems. Skalen sind z. B. die Kirchentonarten, die chromatische Tonleiter, die Tonleitern in Dur und Moll, die Ganztonleiter und die pentatonische Tonleiter.

Transkription die Bearbeitung eines Musikstücks für eine andere Besetzung als die ursprünglich vorgeschriebene.

Transposition das intervallgetreue Versetzen eines Musikstücks in eine andere Tonart.

Traversflöte →Querflöte.

Tremolo das schnelle, mehrfache (zitternde, bebende) Wiederholen eines Tons. Es wird bei Streichinstrumenten durch raschen, gleichmäßigen Bogenwechsel, bei Blasinstrumenten mit Flatterzunge und bei Schlaginstrumenten als Wirbel ausgeführt.

Triller eine Verzierung, die in raschem, mehrmaligem Wechsel zwischen einer Hauptnote und ihrer oberen Nebennote (große und kleine Sekunde) besteht.

Trio 1. Komposition für drei Instrumentalsolostimmen, z. B. für Klavier, Geige, Violoncello (Klaviertrio) oder für Geige, Bratsche, Violoncello (Steichtrio). Das Trio ist entweder als Serenade (Divertimento) aufgebaut oder überwiegend in Sonatengestalt mit drei bis vier Sätzen. Streichtrios schrieben u. a. Wolfgang Amadeus Mozart, Ludwig van Beethoven und Franz Schubert sowie Max Reger, Paul Hindemith Arnold Schönberg und Wolfgang Rihm;

2. in der Sinfonik des 18. und 19. Jahrhunderts der ruhigere Mittelteil von Menuett und Scherzo. Er steht zwischen dem eigentlichen Hauptteil und dessen späterer Wiederholung und bildet durch eine geänderte Tonart und eine meist kleinere Besetzung einen Kontrast zum Hauptteil;

3. Gruppe von drei Instrumentalisten.

Triole eine Folge von drei Noten, die für zwei (seltener vier) Noten gleicher Gestalt bei gleicher Zeitdauer eintreten, angezeigt durch eine Klammer (kann bei Achtel-, Sechzehntelnoten usw. entfallen) und die Ziffer 3 unter oder über den Noten.

Triosonate Komposition für zwei gleichberechtigte Melodieinstrumente in Sopranlage (meist Violinen) und ein Generalbassinstrument (Orgel oder Cembalo, oft ergänzt durch ein Streich- oder Blasinstrument in Basslage, z. B. Gambe, Fagott).

Die Triosonate war im Barock die meistgepflegte Gattung der kirchlichen und weltlichen Instrumentalmusik. Nach 1650 setzte sich die Unterscheidung zwischen der meist viersätzigen Kirchensonate (Kirchentriosonate) und der auf Tanzformen zurückgreifenden dreisätzigen Kammersonate (Kammertriosonate) durch. Seit etwa 1750 gab die Triosonate ihre führende Rolle an Streichquartett und Kammermusik mit obligatem Klavier ab; etwa gleichzeitig vollzog sich in der Mannheimer Schule der Übergang von der Triosonate zum Streichtrio.

Tritonus ein Intervall im Abstand einer übermäßigen Quarte. Der Tritonus teilt die Oktave in zwei gleiche Teile und wurde als besonders scharfe Dissonanz lange vermieden. Seit dem 16. Jahrhundert erlangte er seine Symbolik für Klage, Tod oder Sünde.

Trommel Sammelbezeichnung für Membranophone, die als Schlaginstrumente benutzt werden. Zu unterscheiden sind nach der Anzahl der Membranen ein- und zweifellige Trommeln, ferner Trommeln mit oder ohne Resonator, nach der Form z. B. Rahmen-, Walzen-, Fass- und Bechertrommeln.

Trompete ein Blechblasinstrument in Sopranlage mit zylindrisch-konischer Röhre, leicht ausladender Stürze und drei Ventilen. Die Trompete wird mit einem Kesselmundstück angeblasen, ihr Klang ist strahlend hell und obertonreich. Im Orchester dominiert heute die Trompete in B (Umfang etwa e–c^3, eine große Sekunde tiefer klingend als notiert), die mit einem Stellventil für die A-Stimmung versehen sein kann.

Tutti Bezeichnung für das Einsetzen des vollen Orchesters oder der ganzen Chores, im Gegensatz zum Solo oder zum kleinen Ensemble.

U V W

übermäßig Bezeichnung für Intervalle, die um einen chromatischen Halbton größer sind als reine (z. B. c-fis oder ces-f statt der reinen Quarte c-f) oder große (z. B. c-eis statt der großen Terz c-e).

Umkehrung das vertikale Vertauschen von Tönen und Stimmverläufen. Ein Intervall wird umgekehrt, indem ein Ton in die obere oder untere Oktave versetzt wird. Bei der Umkehrung von Akkorden wird ein anderer Ton als der Grundton zum Basston. Die Umkehrung eines Themas oder Motivs besteht darin, dass alle Intervallschritte im gleichen Rhythmus genau in umgekehrter Richtung geführt werden.

Unisono das Fortschreiten mehrerer Stimmen im Einklang, seit dem 18. Jahrhundert auch in Oktaven.

Variation die Veränderung eines musikalischen Abschnitts in melodischer, klanglicher oder rhythmischer Hinsicht; sie ist ein Grundprinzip des Komponierens und Improvisierens überhaupt.

vermindert Bezeichnung für Intervalle, die um einen chromatischen Halbton kleiner sind als reine (z. B. c-fes statt c-f) oder kleine (z. B. e-ges statt e-g) Intervalle.

Verzierungen, Fiorituren Wendungen, die einen Ton innerhalb einer Melodie ausschmücken oder auch besonders hervorheben, z. B. Triller, Doppelschlag, Vorschlag.

Vibrato die rasche Wiederholung von geringen Tonhöhenschwankungen bei Singstimmen, Blasinstrumenten und v. a. Streich- und Zupfinstrumenten mit Griffbrett.

Viola →Bratsche.

Viola da Gamba →Gambe.

Viola di Bordone →Baryton.

Violine, Geige das Diskantinstrument der modernen Streichinstrumentenfamilie vom Viola-da-Braccio-Typus. Die Tonerzeugung erfolgt durch Streichen der Saiten mit einem in Obergriffhaltung geführten Bogen. Die vier Saiten sind in Quinten gestimmt (g-d^1-a^1-e^2).

Violoncello, Cello das Tenor-Bass-Instrument der Violinfamilie mit der Stimmung C-G-d-a, das ursprünglich zwischen den Knien gehalten wurde. Seit 1860 wird es auf den Stachel gestützt und mit dem Bogen in Obergriffhaltung gespielt.

vivace Tempovorschrift: lebhaft, schnell.

Vorhalt im mehrstimmigen Satz ein harmoniefremder, dissonanter Ton, der auf einem schweren Taktteil anstelle eines akkordeigenen Tons steht, sowie die verzögerte Auflösung in diesen Ton.

Vorschlag Verzierung, die aus dem Einschub von einem oder mehreren Tönen zwischen zwei Melodietönen besteht und meist von der Unter- oder Obersekunde zur Hauptnote geführt wird.

Vortragsbezeichnungen Zusätze zum Notentext in Form von Wörtern, Abbreviaturen oder besonderen Zeichen, die den Charakter der Komposition und ihre Ausführung näher bestimmen, u. a. zu Zeitmaß (z. B. presto), Lautstärke (z. B. piano), Ausdruck (z. B. maestoso), Spiel- und Gesangstechnik (z. B. legato).

Vorzeichen Zusatzzeichen vor Noten, die die chromatische Veränderung eines Tons oder die Aufhebung derselben anzeigen. Das Kreuz (♯) erhöht um einen Halbton, das Doppelkreuz (𝄪) um zwei Halbtöne; B (♭) erniedrigt um einen Halbton, Doppel-B (♭♭) um zwei Halbtöne; das Auflösungszeichen (♮) hebt bisherige Erhöhung oder Erniedrigung auf.

Waldhorn, Horn Blechblasinstrument mit kreisförmig gewundenem, überwiegend konischem Rohr, trichterförmigem Mundstück, ausladender Stürze und drei Ventilen; der Klang ist weich und warm. Konzerte für Waldhorn schrieben u. a. Antonio Vivaldi, Joseph Haydn, Wolfgang Amadeus Mozart, Richard Strauss und Paul Hindemith.

Walzer um 1770 im österreichisch-süddeutschen Raum aus dem Ländler hervorgegangener Drehpaartanz im 3/4-Takt mit stark betontem erstem Taktteil. Ausschließlich als Kunstmusik konzipierte, stilisierte Walzer schrieben u. a. Johannes Brahms, Frédéric Chopin und Franz Liszt.

Wiener Klassik musikalische Stilperiode, die das vor allem auf Wien konzentrierte Schaffen Joseph Haydns, Wolfgang Amadeus Mozarts und Ludwig van Beethovens zwischen 1781 (Haydns sechs »Russische« Streichquartette op. 33 »nach neuer Art«) und 1827 (Todesjahr Beethovens) umfasst.

Der Begriff Wiener Klassik betont die Vollendung, das Mustergültige und die überragende musikhistorische Bedeutung eines Stils, dessen Merkmale Übereinstimmung von Inhalt und Form, Ausgewogenheit, Einheitlichkeit, Einfachheit, Universalität sind.

Wiener Schule 1. Als erste Wiener Schule wird eine Gruppe in Wien lebender Komponisten bezeichnet, die im zweiten Drittel des 18. Jahrhunderts – gleichzeitig mit der Mannheimer Schule – als Wegbereiter der Wiener Klassik wirkten. Die wichtigsten Vertreter waren Matthias Monn und Georg Christoph Wagenseil. Kennzeichnend für ihren Stil sind kleingliedrige, liedhafte Themen und der ständige Wechsel von Affekten. Vorbereitet wurden u. a. die für die Wiener Klassik wichtigen Gattungen Sonate und Sinfonie.

2. Als zweite Wiener Schule wird die Komponistengruppe um Arnold Schönberg zu Anfang des 20. Jahrhunderts in Wien bezeichnet, von der durch Erprobung von Atonalität und Zwölftontechnik die Grundlagen der Neuen Musik ausgingen.

X Y Z

Zitat die Übernahme einer Wendung (Melodie, Satzpartikel, Harmoniefolge) aus einer bereits vorhandenen (fremden oder eigenen) Komposition in ein neues Werk.

Zwölftontechnik, Dodekafonie um 1920 von Arnold Schönberg entwickelte »Kompositionstechnik mit zwölf nur aufeinander bezogenen Tönen« (Schönberg). Dies setzt die temperierte Stimmung voraus, die die Oktaven in zwölf gleiche Intervalle teilt. Grundlage der Zwölftontechnik ist eine Reihe, die alle Töne der chromatischen Skala enthält. Die Reihe erscheint in 48 grundsätzlich gleichberechtigten Gestalten: in ihrer Original- oder Grundgestalt, in der Umkehrung, in der rückläufigen Gestalt (Krebs) oder in der umgekehrten rückläufigen Gestalt (Umkehrung des Krebses), die jeweils auf die zwölf verschiedenen Stufen transponiert werden können. Die Übertragung der Reihenidee von der Tonhöhe auf die anderen Eigenschaften der Töne führte zur seriellen Musik.

Der Inhalt des »Harenberg Kulturführers Kammermusik« ist in alphabetischer Reihenfolge nach den Nachnamen der Komponisten geordnet, die die besprochenen Werke geschaffen haben. Die Umlaute ä, ö, ü werden wie Selbstlaute, also a, o, u, behandelt; Namenszusätze wie »de« und »von« werden nicht berücksichtigt.

Die einzelnen Werke der Komponisten sind nach aufsteigender Besetzungsstärke sortiert – vom Solo bis zum Nonett –, darunter in der Chronologie ihrer Entstehung (in aufsteigender Reihenfolge). Innerhalb von Werkgruppen mit gleicher Spielerzahl gibt es eine zusätzliche Sortierung nach Art der Besetzung: Am Anfang stehen Stücke für Streicher allein, dann folgen Werke für Streicher und Klavier, für Bläser allein, für Bläser mit Klavier, schließlich für gemischte Besetzungen aus Bläsern und Streichern mit oder ohne Klavier.

Die Einspielungen der Werke, die am Ende der Werkbesprechungen zu finden sind, dürfen jeweils ein hohes künstlerisches Niveau beanspruchen. Die Auswahl erhebt jedoch keinen Absolutheitsanspruch. So wurden Einspielungen mit Referenzcharakter ebenso berücksichtigt wie (ältere oder jüngere) Aufnahmen, denen in der vielfältigen Interpretationsgeschichte des jeweiligen Werks besondere Bedeutung zukommt (in manchen Fällen auch ungeachtet der klanglichen Qualität der genannten Aufnahme). Den unterschiedlichen interpretatorischen Ansätzen konnte in vielen Fällen durch die Nennung verschiedener Aufnahmen eines Werks Rechnung getragen werden.

Der »Harenberg Kulturführer Kammermusik« ist in neuer Rechtschreibung verfasst. Die Schreibweise richtet sich im Allgemeinen nach der Duden-Rechtschreibung. Fachbegriffe werden so geschrieben, wie es die jeweilige Nomenklatur vorsieht.

Verzeichnis der Abkürzungen

BWV	Bach-Werke-Verzeichnis
bzw.	beziehungsweise
ca.	circa
D	Schubert-Werke-Verzeichnis (nach Otto Erich Deutsch)
DDR	Deutsche Demokratische Republik
d. Ä.	der Ältere
d. h.	das heißt
d. J.	der Jüngere
EA	Erstaufführung
etc.	et cetera
f., ff.	folgende
Hob.	Haydn-Werke-Verzeichnis (nach Anthony van Hoboken)
HWV	Händel-Werke-Verzeichnis
Jh.	Jahrhundert
KV	Mozart-Werke-Verzeichnis (nach Ludwig Ritter von Köchel)
n. Chr.	nach Christus
o. op.	ohne Opuszahl
op.	Opus
S.	Seite
Sz.	Bartók-Werke-Verzeichnis (nach András Szöllösy)
UA	Uraufführung
u. a.	und andere, unter anderem
u. d. T.	unter dem Titel
usw.	und so weiter
v. a.	vor allem
v. Chr.	vor Christus
WoO	Werke ohne Opuszahl
Wq	Verzeichnis der Werke von Carl Philipp Emanuel Bach (nach Alfred Wotquenne)
z. B.	zum Beispiel
z. T.	zum Teil

Über die Abkürzungen hinaus werden die folgenden Zeichen verwendet:

*	geboren
†	gestorben
®	Warenzeichen

Aus dem Fehlen des Zeichens ® darf im Einzelfall nicht geschlossen werden, dass ein Name oder Zeichen frei ist. Eine Haftung für ein etwaiges Fehlen des Zeichens ® wird ausgeschlossen.

50 akg-images, Berlin

160 picture-alliance/dpa, Frankfurt am Main

237 Prof. W. Fritz, Köln

276 Gamma, Studio X, Limours

393 Dr. V. Janicke, München

417 H. Kilian, Wäschenbeuren

420 Dr. R. König, Preetz

556 W. Neumeister (†), München

698 Silvestrisonline, Kastl

700 Süddeutscher Verlag Bilderdienst, München

880 ullstein bild, Berlin

2480 K. de Riese, München

4601 A. Burkatovski, Rheinböllen

5694 Photo Digital, München

5990 Lebrecht Music Collection, London

50558 © DeA Picture Library

80213 S. Lauterwasser, Überlingen

80703 K.I.P.P.A., Amsterdam

100264 aisa, Archivo iconográfico, Barcelona

100562 picture-alliance/dpa, Frankfurt am Main

100563 picture-alliance/akg-images, Frankfurt am Main

100619 picture-alliance/kpa photo archive, Frankfurt am Main

100721 picture-alliance/Picture Press, Frankfurt am Main

100746 picture-alliance/Helga Lade Fotoagentur, Frankfurt am Main

100880 akg-images, Berlin

100913 The Yorck Project, Berlin

100977 picture-alliance/Keystone Schweiz, Frankfurt am Main

101100 G. Mothes, Leipzig

101171 Kessler-Medien, Saarbrücken

101674 Musica Antiqua, Ensemble für Alte Musik, Köln

102942 picture-alliance/IMAGNO/Austrian Archives, Frankfurt am Main

102961 picture-alliance/dpa/dpaweb, Frankfurt am Main

103002 picture-alliance/Photoshot, Frankfurt am Main

103006 picture-alliance/IMAGNO/Wiener Stadt- und Landesbibliothek, Frankfurt am Main

103007 picture-alliance/kpa/Hip/Jewish Chronicle Ltd, Frankfurt am Main

103142 picture-alliance/Bildagentur Huber, Frankfurt am Main

Fotos, grafische Darstellungen, Karten und Zeichnungen ohne Lieferantencode:
Bibliographisches Institut &
F. A. Brockhaus, Mannheim.

Themenwechsel

Die Harenberg Kulturführer

gibt es zu verschiedenen Themen. Sie sind die idealen Nachschlagewerke für alle, die sich für Kultur begeistern.

Jeweils ca. 800 bzw. 768 Seiten. Gebunden.

Kultur erleben - Kultur verstehen